D1574726

KUNSTSTOFFROHR
HANDBUCH

Herausgeber:
Kunststoffrohrverband e.V. Bonn

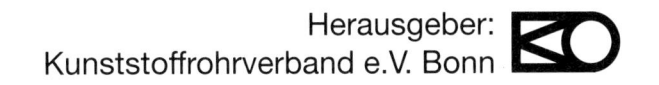

KUNSTSTOFFROHR HANDBUCH

**Rohrleitungssysteme
für die Ver- und Entsorgung
sowie weitere Anwendungsgebiete**

3. Auflage

Koordination:
Eugen Ant
Claus Wehage

VULKAN-VERLAG ESSEN

Das Werk ist urheberrechtlich geschützt. Die dadurch begründeten Rechte, insbesondere die der Übersetzung, des Nachdrucks, der Entnahme von Abbildungen, der Funksendung, der Wiedergabe auf photomechanischem oder ähnlichem Weg und der Speicherung in Datenverarbeitungsanlagen bleiben, auch bei nur auszugsweiser Verwertung, vorbehalten.

© Vulkan-Verlag, Essen – 1997

Printed in Germany

Die Wiedergabe von Gebrauchsnamen, Handelsnamen, Warenbezeichnungen usw. in diesem Werk berechtigt auch ohne besondere Kennzeichnung nicht zu der Annahme, daß solche Namen im Sinne der Warenzeichen- und Markenschutz-Gesetzgebung als frei zu betrachten wären und daher von jedermann benutzt werden dürften.

Zum Geleit

Auf Rohrleitungen ist die menschliche Zivilisation für die Versorgung mit Energie und Wasser, die Entsorgung von Abwasser und den Transport von anderen Flüssigkeiten und Feststoffen in vielfältiger Weise angewiesen. Dabei wird eine große Zahl von Werkstoffen eingesetzt und für zukünftige Anwendungsgebiete weiter verbessert. Für alle Werkstoffe ergeben sich neue Anforderungen, z. B. beim Transport von gefährlichen Stoffen, durch erhöhte Medientemperaturen und aus korrosiven Angriffen auf die Rohrinnen- und -außenwand sowie die Verbindungen.

Durch Fortschritte der chemischen Forschung und der industriellen Anwendung ist seit nunmehr über 50 Jahren eine Werkstoffgruppe im Rohrleitungsbau zu finden, die durch synthetische Prozesse in großchemischen Anlagen hergestellt wird. Diese *Kunststoffe* können dem jeweiligen Verwendungszweck angepaßt und weiterentwickelt werden.

Eines der wichtigsten Anwendungsgebiete für Kunststoffrohre ist die *Gas- und Wasserversorgung*. Ein besonderer hydraulischer Vorteil ist durch die glatte Rohrinnenfläche bedingt, die Inkrustationen verhindert und damit gleichbleibend günstige Abflußbeiwerte behält. Durch systematische Zeitstandinnendruckversuche unter Medienbedingungen sowie bei erhöhten Temperaturen werden Aussagen über die geplante Nutzungsdauer gewonnen, die eine zuverlässige Dimensionierung ermöglichen. Erfahrungen mit diesem Qualitätssicherungs- und Nachweisverfahren über mehr als 35 Jahre zeigen, daß auch gefährliche Medien mit hohem Druck über lange Strecken und große Zeiträume sicher transportiert werden können.

Bei Kunststoffrohren für die *Abwasserableitung,* die überwiegend durch Biegung und Außendruck beansprucht werden, ist eine sichere Auslegung durch Bemessungs- und Gebrauchsfähigkeitskriterien gegeben. Die Bemessungsregeln berücksichtigen die Belastungs- *und* Tragwirkung des umgebenden Bodens. Da erdverlegte Kunststoffrohre auf Beanspruchungen elastisch reagieren, zeigen die Verformungen der Rohre die an ihrem Umfang wirkenden Belastungen an und ermöglichen damit eine schnelle und zuverlässige Beurteilung der Qualität von Verlegearbeiten. Durch die Dokumentation und Auswertung von umfangreichen Verformungsmessungen an ausgeführten Objekten kann das Interaktionsmodell "Kunststoffrohr-Boden" als bestätigt angesehen werden.

Bei der Entwicklung neuer Rohrleitungssysteme aus Kunststoffen ist die Verfügbarkeit von Abzweigen, Verbindungen und Armaturen von herausragender Bedeutung. An diese Elemente eines Leitungsnetzes werden dieselben Qualitätsanforderungen gestellt wie an das Rohr selbst. Hinzu kommen heute erhöhte

Dichtigkeitsanforderungen, die auch unter ungünstig angenommenen Verlegebedingungen (größere Verformungen und Abwinklungen) im Labor und im Betrieb nachgewiesen werden.

Kunststoffrohre sind in unserer Infrastruktur nicht mehr wegzudenken, vielmehr werden weitere Anwendungsgebiete erschlossen: hochbeanspruchte Deponieeinbauten (Teleskopschächte, Sickerleitungen, Gassammelsysteme), Rückhalterohre, Sanierungssysteme für korrodierte, gerissene, undichte oder anderweitig geschädigte Rohrleitungen und vieles mehr. Wie auch schon bei der Neuverlegung bewähren sich hierbei das geringe Gewicht des Werkstoffs, die in gezielten Versuchen ermittelte Resistenz gegen chemische Substanzen, die Umform- und Bearbeitungsfähigkeit und die vielfältigen Verbindungstechniken.

Ähnlich anderen Werkstoffen ist auch bei Kunststoffrohren ein Trend zum Ressourcen schonenden und wirtschaftlicheren Einsatz zu beobachten. Hierzu gehört die Entwicklung von neuen Extrusionsverfahren zur Herstellung von aufgelösten Wandungen, die bei verringertem Materialeinsatz gleiche oder sogar höhere Steifigkeiten haben.

Den gewachsenen Einsatzbereichen gelten auch die verstärkten Anstrengungen in der deutschen und internationalen Normung. Als Beispiel hierfür seien die Bemühungen der Arbeitsgruppe "Rohrstatik" genannt, für Deponieentwässerungssysteme, Sanierung durch Relining und eine breitere Anwendbarkeit des ATV-Arbeitsblattes A 127 neue Bemessungsgrundlagen zu schaffen, und die Mitwirkung an der Erstellung einer europäischen Statiknorm für erdverlegte Rohre.

Das vorliegende Buch gibt einen umfassenden Überblick zum Stand der Technik bei der Herstellung und dem Einsatz von Kunststoffrohren und zu aktuellen Neuentwicklungen. Es liefert die erforderlichen Grundlagen und Kriterien für die werkstoffgerechte Planung von Ver- und Entsorgungsleitungen.

Es ist dem Kunststoffrohrverband e.V. als Herausgeber und den Autoren zu wünschen, daß das Werk eine angemessene Beachtung in der Fachwelt finden wird.

Prof. Dr.-Ing. Bernhard Falter
Fachhochschule Münster

Vorwort zur 3. Auflage

Mitte der 30er Jahre hielt die Kunststofftechnologie ihren zunächst noch zaghaften Einzug auf dem Gebiet der Rohrproduktion.

Heute – 60 Jahre danach – ist es den Kunststoffen gelungen, praktisch in alle Bereiche der Rohranwendung vorzudringen. Werkstoffvielfalt, hohe Qualität und eine vorbildliche Gütesicherung sind ausschlaggebende Faktoren für diesen Erfolg.

1978 erschien das Kunststoffrohr-Handbuch als fachliche Informationsquelle. Diese 1. Auflage wurde von Herrn Dipl.-Ing. Hansjörg Lauer, die 2. Auflage 1984 von Herrn Dipl.-Ing. (FH) Hermann Altmeyer zusammengestellt. Das Buch erscheint jetzt in 3. Auflage – vollständig überarbeitet, den aktuellen Regelwerken, Richtlinien und Normen sowie dem technischen Stand angepaßt und um den wichtigen Anwendungsbereich „Drucklose Rohre" erweitert.

Damit wird erstmalig das gesamte Anwendungsgebiet der Kunststoffrohre einschließlich aller relevanten Rohrwerkstoffe behandelt. Zu den weiteren Neuerungen zählen:

– Einbeziehung des europäischen Normungsprozesses

– Einführung eines Kapitels „Kunststoffrohre und Umwelt"

– Ausweitung der Anwendungsmöglichkeiten für Kunststoffrohrleitungssysteme auf zahlreiche Sondergebiete

– Orientierung über die zunehmend an Bedeutung gewinnenden Sanierungsverfahren

– Statische Berechnung und Verformungsverhalten von Kunststoffrohren.

Übersichten über Normen, Richtlinien, Arbeits- und Merkblätter, Beständigkeitslisten sowie ein umfassendes Sachwortregister vervollständigen das Kunststoffrohr-Handbuch, das ein Nachschlagewerk für den Praktiker ohne typischen lexikalen Charakter sein soll. Von daher sind gelegentliche Wiederholungen wichtiger Informationen gewollt, um dem Leser nicht ständiges Suchen aufgrund von Querverweisen zuzumuten.

Das Buch richtet sich vorrangig an Planer, Entscheider, Anwender und Verarbeiter als Quelle für die tägliche Praxis, aber auch an Lehrende und Lernende. Über 50 erfahrene Autoren stehen für die Erweiterung und Spezialisierung innerhalb der Kunststoffrohrbranche. Ihnen, den früheren Autoren und dem Vulkan-Verlag gebührt Dank für das Zustandekommen des Kunststoffrohr-Handbuches.

Um der Dynamik in der Kunststoffrohranwendung und den sich ständig verändernden Rahmenbedingungen Rechnung zu tragen, bieten wir interessierten Lesern in Ergänzung des Kunststoffrohr-Handbuches den kostenlosen Bezug unseres offiziellen Organs, der „krv-nachrichten" an. In dieser Publikation berichten Fachleute über technische Entwicklungen, wissenschaftliche Untersuchungen, praktische Anwendungen sowie über Gütesicherungs-, Umweltschutz- und Rechtsfragen auf dem Gebiet der Kunststoffrohrsysteme.

Kunststoffrohrverband e.V.
– Fachverband der Kunststoffrohr-Industrie –

Autorenverzeichnis

Dipl.-Ing. Eugen Ant
Kunststoffrohrverband e.V., Bonn (I / VII Vorblatt / VII.13 / VIII / IX.3)

Dipl.-Phys. Egon Barth
Troisdorf (VII.3.4.5.2)

Dr. Alexander von Bassewitz
Rehau AG + Co., Erlangen (VII.2.2 MW)

Dipl.-Ing. Peter Bauer
Thyssen Polymer GmbH, Bogen (VII.4 MW)

Dipl.-Ing. Christof Baumgärtel
Rehau AG + Co., Erlangen (VII.25)

Dipl.-Ing. Hans Jürgen Bieber
Uponor Anger GmbH, Marl (VII.2)

Dipl.-Ing. Karl-Heinz Bindemann
Alphacan Omniplast GmbH, Ehringshausen (VII.4 MW)

Dipl.-Ing. Michael Bode
Bode GmbH, Hamburg (II.4 / IV.3)

Dipl.-Ing. Andreas Bos
EVC (Deutschland) GmbH, Wilhelmshaven (II.1-3 / IV.1)

Dipl.-Wirt.-Ing. Lambert Bosche
Uponor Anger GmbH, Marl (VII.3.4.3.2, 3.4.3.3)

Dr. phil. Erich-Walter Braun
Alphacan Omniplast GmbH, Ehringshausen (VII.3.4.1.1-3.4.1.3, 3.4.2, 3.4.2.1, 3.4.2.3, 3.4.3, 3.4.3.1, 3.4.5-3.4.5.3, 3.4.6.1, 3.4.7)

Anmerkungen

Die Zahlen in Klammern beziehen sich auf das Inhaltsverzeichnis und geben die vom jeweiligen Autor bearbeiteten Teile, Kapitel und Abschnitte an.
„Mitwirkung" (MW) bedeutet, daß Texte eines Autors in einem Beitrag inhaltlich berücksichtigt sind.

Helmut Diederichs
Dipl.-Ing. Dr.E. Vogelsang GmbH & Co.KG, Herten (VII.4 MW)

Dipl.-Ing. (FH) Herbert Fellinger
Thyssen Polymer GmbH, Bogen (VII.5.1-5.5 ohne 5.3.2-5.3.4)

Werner Frick
STÜWA Konrad Stükerjürgen GmbH, Rietberg (VII.10)

Dipl.-Ing. Christian Günther
Kunststoffrohrverband e.V., Bonn (III / VII.4 [1])

Dipl.-Ing. Horst Hesse
Friatec AG Keramik- und Kunststoffwerke, Mannheim (VII.1.3.6)

Dipl.-Ing. (FH) Heinrich Hillinger
Georg Fischer GmbH, Albershausen (V.1-2.2 / VII.1.3.5, 1.3.7 / VII.6 ohne 6.5.7 / VII.11 / VII.12 / VII.15 / VII.17 / IX.3)

Dipl.-Ing. Hans-Jürgen Klipfel
Kunststoffwerk Höhn GmbH, Höhn (VII.5.6)

Dipl.-Ing. Jürgen Krahl
SIMONA AG, Kirn (VII.20 / VII.21)

Dipl.-Phys. Uwe Kreitel
Gütegemeinschaft Kunststoffrohre e.V., Bonn (VI)

Dipl.-Ing. Bodo Kuhnhenn
Wavin GmbH Kunststoff-Rohrsysteme, Twist (VII.1.1 ohne 1.1.7.2.5 und 1.1.7.2.6 / VII.8)

Dipl.-Ing. Hansjörg Lauer
WOCO Industrietechnik GmbH, Bad Soden-Salmünster (IX.1)

Dipl.-Ing. Hans-Joachim Lorenz
Friatec AG Keramik- und Kunststoffwerke, Mannheim (VII.3.1, 3.1.3, 3.1.5)

Hans-Heinrich Meyer
Karl Schöngen KG, Salzgitter (VII.23.2)

---

[1] Autorenschaft: KRV/Technischer Ausschuß TA 5, Beiträge: lt. Autorenverzeichnis, Zusammenstellung: C. Günther

Autorenverzeichnis

Dipl.-Ing. Tomas Meyn
Geberit GmbH, Pfullendorf (VII.3.1.2)

Dr. rer. nat. Willi Müller
Frankfurt/M. (I)

Dipl.-Ing. Gerd Niedrée
Kunststoffrohrverband e.V., Bonn (VII.3.1.6)

Heinrich Niemann
Kunststoffwerk Höhn GmbH, Höhn (VII.3.4.3.3 MW)

Dipl.-Ing. Reinhard E. Nowack
Alphacan Omniplast GmbH, Ehringshausen (VII.3.4.1.1-3.4.1.3, 3.4.2, 3.4.2.1, 3.4.2.3, 3.4.3, 3.4.3.1, 3.4.5-3.4.5.3, 3.4.6.1, 3.4.7)

Ing. Rolf Othold
Pipelife Rohrsysteme GmbH, Bad Zwischenahn (VII.3.3 / VII.3.4.1.4 / VII.16 / VII.18)

Dipl.-Ing. Erich Pfeiffer
TC Thermconcept GmbH & Co., Emsdetten (VII.1.3.6)

Dipl.-Ing. Franz-Josef Riesselmann
Hewing GmbH, Ochtrup (VII.1.3.3, 1.3.8)

Karl-Otto Rumöller
STÜWA Konrad Stükerjürgen GmbH, Rietberg (VII.10)

Dipl.-Ing. Christian Salzberger
Thyssen Polymer GmbH, Bogen (VII.22)

Dipl.-Ing. Karim Samir
FIBERDUR GmbH, Aldenhoven (V.2.3 / VII.6.5.7 / VII.24)

Dipl.-Ing. Dieter Scharwächter
c/o Uponor Anger GmbH, Marl (VII.3.4.5.4)

Dipl.-Chem. Rainer Schiedewitz
Halle plastic GmbH, Halle (VII.3.2)

Dipl.-Ing. (FH) Hubert Schneider
ComTec F & E für Verbundwerkstoffe GmbH, Aachen (VII.3.4.2.3)

Dipl.-Ing. Richard Schneider
Bänninger Kunststoff-Produkte GmbH, Reiskirchen (VII.1.3, 1.3.1, 1.3.4)

Dipl.-Ing. Anja Schoemaker
Wavin GmbH Kunststoff-Rohrsysteme, Twist (VII.3.1.1, 3.1.4)

Dipl.-Ing. Heinz Bernd Schulte
Wavin GmbH Kunststoff-Rohrsysteme, Twist (VII.1.1 ohne 1.1.7.2.5 und 1.1.7.2.6, 1.2 / VII.3.4.4, 3.4.6.2, 3.4.6.3 / VII.7 / VII.8 / VII.14)

Dipl.-Ing. Holger Schulz
Eternit AG, Berlin (IV.2 / VII.1.1.7.2.6 / VII.3.4.3.3 MW)

Dipl.-Ing. Hans-Georg Taubert
Wavin GmbH Kunststoff-Rohrsysteme, Twist (VII.3.1.1 / VII.4 MW)

Dipl.-Ing. (FH) Heidi Thomas
DIN Deutsches Institut für Normung e.V., Berlin (III)

Dr.-Ing. Peter Unger
INGWIS Consult Germany, Lich (VII.3.4.2.2 / IX.2)

Dipl.-Ing. Francois Viel
Rehau AG + Co., Erlangen (VII.19)

Peter Wachsmuth
Karl Schöngen KG, Salzgitter (VII.4 MW)

Dipl.-Ing. Ulrich Wallmann
Hobas Rohre GmbH, Oberhausen (IV.2 / VII.23.1)

Ing. Peter Wegwerth
D.F. Liedelt „VELTA" Produktions- u. Vertriebs-GmbH, Norderstedt (VII.5.3.2-5.3.4)

Claus Wehage
Kunststoffrohrverband e.V., Bonn (II.5)

Dr.-Ing. Roger Weinlein
Polymertechnik/Kunststofftechnikum TU Berlin (VII.1.3.2)

Dipl.-Ing. Ralf Wolter
Egeplast W. Strumann GmbH & Co., Emsdetten (VII.1.1.7.2.5 / VII.9)

Rohrleitungssysteme

Für einfache, anspruchsvolle und aggressive Medien in passenden Werkstoffen.

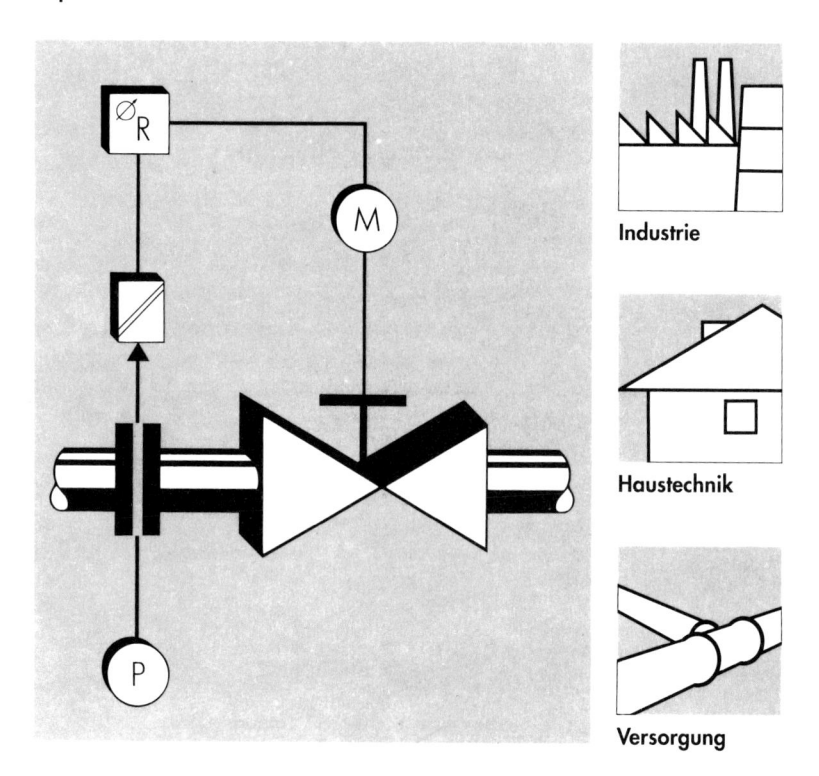

Industrie

Haustechnik

Versorgung

Formstücke
Armaturen
Verbindungssysteme
Maschinen
Pumpen
Meß- und Regeltechnik

Hochwertige, beständige Systemkomponenten für praxisgerechte Installationen.

Die gute Verbindung.

GEORG FISCHER   +GF+

Das Leistungsangebot für Rohrleitungssysteme

Metall-Rohrleitungssysteme	Fittings und Kupplungen	Temperguss-Gewindefittings schwarz und verzinkt Rohrkupplungen System Straub PRIMOFIT®-Klemmverbindungssysteme für Stahl- und PE-Rohre
Kunststoff-Rohrleitungssysteme		
– Industrie	Fittings	Klebe- und Übergangsfittings in PVC, PVC-C, ABS Muffen- und Stumpfschweissfittings in PB, PE, PP, PVDF WNF-Fittings System SYGEF® HP
	Armaturen	Schrägsitzventile, Kugelhähne, Membranventile, Klappen Dosier-Laborkugelhähne, Schieber in PVC, PP, PVDF, PE, ABS, manuell, elektromotorisch, magnetisch und pneumatisch Rückschlagventile, Schaugläser, Rohrklemmen PP, PE Druckreduzier-, Überström- und Druckhalteventile Membran Druckmittler, Be- und Entlüfter
	Mess- und Regeltechnik	SIGNET®-Regelsysteme, Transmitter-Durchfluss, Druck, Temperatur, Leitfähigkeit und ph-Wert, Controller, Chargenabfüllgeräte, Kontrollgeräte, Umformer und Regler, Schwebekörperdurchflussmesser
	Doppelrohr-System	in PVC-U, PVC-C, PE-HD, PP, PVDF, ABS
	Pumpen	Chemie-Normpumpen, Chemie-Blockkreiselpumpen in PP, PVDF, Vertikale Tauchpumpen in PP, Magnetgekuppelte Pumpen
	Halbzeug und Rohre	Platten, Blöcke, Rollen, Folien, Rundstäbe, Hohlstäbe in PVDF, ECTFE, FEP, PFA, PB, ABS, PVC-C
– Versorgung	Gas und Wasser	ELGEF® Plus Elektroschweiss-System in PE ELGEF®-Elektroschweiss-System in PE STEMU®-KS-Schiebersystem und Steckmuffenfittings in PVC POLYRAC®-Klemmfittings in PP für PE-Rohre PRIMOFIT®-Klemmverbindungssysteme für Stahl- und PE-Rohre WAGA-MULTI/JOINT®-Kupplungen Rohrbruchdichtschellen in Edelstahl
– Haustechnik	Sanitär-System	INSTAFLEX® Trinkwasser-Installationssystem in PB, Muffenschweissfittings und Rohre in PB, Elektroschweissfittings in PB, Klemmfittings in Ms für PB-Rohre
Rohrverbindungstechnik	Maschinen u. Werkzeuge	Stumpf- und Muffenschweissmaschinen PP, PE, PVDF, PB Muffen-Handschweissgeräte PP, PE, PB. IR- und WNF-Schweissmaschinen, Elektro-Schweissautomat PE, PB, Kunststoffrohr-Trenn-Anfas- und Anschräggeräte, Rohrabschneider, Rotationsschaber

GEORG FISCHER +GF+

Inhaltsverzeichnis

Zum Geleit		V
Vorwort		VII
Autorenverzeichnis		IX
Teil I	Geschichte der Kunststoffrohre	2
Teil II	Werkstoffe	7
1	**Grundbegriffe**	8
2	**Herstellung der Rohstoffe**	10
3	**Werkstoffe für Kunststoffrohrleitungen**	13
	(physikalische Eigenschaften, chemische Beständigkeit, Zeitstandverhalten-Dimensionierung-Normung)	
3.1	Polyvinylchlorid weichmacherfrei (PVC-U)	41
3.2	Polyvinylchlorid chloriert (PVC-C)	42
3.3	Polyethylen (PE)	42
3.4	Polyethylen vernetzt (PE-X)	46
3.5	Polypropylen (PP)	46
3.6	Polybuten (PB)	47
3.7	Fluorpolymerisate (PVDF, ECTFE, PFA, PTFE)	47
3.8	Acrylnitril / Styrol-Polymerisate (ABS/ASA)	48
3.9	Kunststoff-Metall-Verbundrohre	48
3.10	Glasfaserverstärkte Kunststoffe (GFK)	49
4	**Dichtungswerkstoffe**	49
5	**Kunststoffrohre und Umwelt**	53
5.1	Ökobilanzen	53
5.2	Umweltrelevante Gebrauchseigenschaften von Kunststoffrohren	55
5.3	Umweltaspekte bei der Herstellung und Nutzung von Kunststoffrohren	57
5.4	Entsorgung	59
5.5	Rechtliche Bestimmungen	62

5.5.1	Verdingungsordnung für Bauleistungen (VOB)	62
5.5.2	Wasserhaushaltsgesetz	62
5.5.3	Produkthaftung	63
5.5.4	Straf- und Ordnungsrecht	64
5.5.5	Verantwortung der Kommunen	65

Teil III Normung ... 67

1 Einführung ... 68

2 Nationale Normung ... 69

3 Europäische Normung ... 70
3.1	Informationsverfahren, Harmonisierung	72
3.2	CEN/TC 155	73
3.3	TEPPFA	75
3.4	Normenkonformität und CE-Kennzeichnung	75
3.5	Relevanz der „Bauproduktenrichtlinie" für die Kunststoffrohrnormung	76
3.6	Akkreditierung, Qualitätssicherung, Zertifizierung	78

4 Internationale Normung ... 79

5 Ausblick ... 82

Teil IV Herstellung von Rohren, Formstücken und Dichtungen ... 85

1 Herstellung von Rohren und Formstücken aus Thermoplasten ... 86
1.1	Aufbereiten	86
1.1.1	Zuschlagstoffe	86
1.1.2	Ablauf des Aufbereitungsvorganges	87
1.2	Verarbeitung	87
1.2.1	Extrusion	87
1.2.2	Spritzgießen	93
1.2.3	Konfektionierung	94

2 Herstellung von Rohren und Formstücken aus GFK ... 95
2.1	Verarbeitung	95
2.1.1	Wickelverfahren	97

2.1.2	Schleuderverfahren	100
2.1.3	Handfertigung	105
3	**Herstellung von Dichtungen aus Elastomeren**	**106**

Teil V Rohrverbindungen und Verbindungstechniken ... 109

1	**Kunststoffrohre untereinander**	**110**
1.1	Längskraftschlüssige unlösbare Verbindungen	110
1.1.1	Klebverbindungen	110
1.1.2	Schweißverbindungen	116
1.1.3	Preßverbindungen	127
1.2	Längskraftschlüssige lösbare Verbindungen	127
1.2.1	Verschraubungen	127
1.2.2	Flanschverbindungen	128
1.2.3	Kupplungen	130
1.3	Nicht längskraftschlüssige Verbindungen – Stecken, Kuppeln, Klemmen	133
2	**Übergangsverbindungen**	**134**
2.1	Längskraftschlüssige Übergangsverbindungen	136
2.1.1	Verschraubungen	136
2.1.2	Gewindeverbindungen	139
2.1.3	Flanschverbindungen	140
2.1.4	Klemmverbindungen	141
2.2	Nicht längskraftschlüssige Übergangsverbindungen – Stecken, Kuppeln	145
2.3	GFK-Laminatverbindungen	147

Teil VI Gütesicherung von Kunststoffrohren ... 151

1	**Gütegemeinschaft Kunststoffrohre e.V. und Gütezeichen Kunststoffrohre**	**152**
1.1	Qualität hat ein Zeichen	152
1.2	Gütegemeinschaft Kunststoffrohre e.V.	153
1.3	Güteüberwachte Erzeugnisse	155
2	**Organisation der Güteüberwachung durch die GKR**	**161**
2.1	Gütesicherungsverfahren	161
2.2	System der werkseigenen Kontrolle und der Fremdüberwachung	165
2.3	Richtlinien und Arbeitsblätter	167

3	Prüf- und Registrierverfahren	168
3.1	Ausführung und Dokumentation der Prüfungen	168
3.2	Einbindung der europäischen Normung und Zertifizierung nach ISO 9000 ff.	173
4	Kennzeichnung der güteüberwachten Erzeugnisse	176
4.1	Kennzeichnung mit dem RAL-Gütezeichen	176
4.2	Kennzeichnungsvorschriften anderer Institutionen	177

Teil VII Anwendungsgebiete 179

1	Trinkwasserversorgung	182
1.1	Trinkwasserverteilungsanlagen	183
1.1.1	Bedeutung	183
1.1.2	Einsatz von Kunststoffrohren	185
1.1.3	Beispiel eines Trinkwasserverteilungssystems	186
1.1.4	Druckzonen	189
1.1.5	Hydraulische Bemessung	190
1.1.6	Statische Bemessung	195
1.1.7	Rohre und Formstücke	195
1.1.7.1	Allgemeine Anforderungen	195
1.1.7.2	Übersicht der Kunststoffrohre und Werkstoffe	197
1.1.7.2.1	Druckrohre aus PVC-U	199
1.1.7.2.2	Druckrohre aus PE-HD (PE 80)	204
1.1.7.2.3	Druckrohre aus PE-HD (PE 100)	209
1.1.7.2.4	Trinkwasserleitungen aus PE-X	214
1.1.7.2.5	PE-HD-Mehrschichtrohre	214
1.1.7.2.6	Rohrleitungen aus GFK	216
1.1.8	Bau von Trinkwasserleitungen	218
1.1.8.1	Allgemeine Anforderungen	218
1.1.8.2	Transport und Lagerung	219
1.1.8.3	Einbau von Rohren und Formstücken	220
1.1.8.4	Herstellen der Rohrverbindungen	221
1.1.8.5	Flexibilität	228
1.1.8.6	Einbau von Armaturen	230
1.1.8.7	Rohrgraben	230
1.1.8.8	Temperaturausgleich vor Verfüllung der Rohrleitungszone	232
1.1.8.9	Grabenverfüllung	232
1.1.8.10	Innendruckprüfung	233
1.1.8.11	Spülung und Entkeimung - Desinfektion	235

1.1.9	Alternative Verlegeverfahren	236
1.1.10	Weitere Anwendungsgebiete	238
1.2	**Hausanschlußleitungen**	**239**
1.3	**Trinkwasserhausinstallation**	**243**
1.3.1	Anforderungen an Kunststoffrohrleitungssysteme	244
1.3.1.1	Anforderungen an Druck und Temperatur	245
1.3.1.2	Berechnung der Wanddicken	246
1.3.1.3	Anforderungen an die Hygiene	247
1.3.1.4	Auswahl der Rohrwerkstoffe	247
1.3.1.5	Transport und Lagerung	248
1.3.1.6	Berechnung der Rohrabmessungen	248
1.3.1.7	Verlegetechnik	248
1.3.1.8	Anforderungen an installierte Kunststoffrohrleitungen	253
1.3.2	Umweltgerechte Trinkwasserinstallations-Systeme	257
1.3.3	Rohrleitungen aus PE-X	261
1.3.4	Rohrleitungen aus PP-R	266
1.3.5	Rohrleitungen aus PB	278
1.3.6	Rohrleitungen aus PVC-C	286
1.3.7	Rohrleitungen aus PVC-U	297
1.3.8	Rohrleitungen aus Kunststoff-Metall-Verbundrohren	298
2	**Gasversorgung**	**304**
2.1	Gas-Verteilungsnetze	306
2.2	Gasleitungen aus PVC-U	308
2.3	Gasleitungen aus PE	309
2.3.1	Rohre	310
2.3.2	Formstücke	313
2.3.3	Verbindungstechniken	315
2.3.4	Verlegung	317
2.4	Gasleitungen aus PE-X	324
2.5	Flüssiggasleitungen	325
3	**Abwasserkanäle, -leitungen und -schächte**	**325**
3.1	**Abwasserleitungen (Hausabfluß)**	**325**
3.1.1	Rohrleitungen aus PP	327
3.1.2	Rohrleitungen aus PE-HD	330
3.1.3	Rohrleitungen aus ABS; ASA und ABS/ASA/PVC-U	333
3.1.4	Rohrleitungen aus mineralverstärktem PP	336
3.1.5	Rohrleitungen aus ABS/ASA/PVC-U mit Rohraußenschicht aus mineralverstärktem PVC-U	340
3.1.6	Verlegung	342

3.2	Dachentwässerung	347
3.2.1	Dachrinnen	349
3.2.2	Regenfallrohre	349
3.2.3	Formstücke	350
3.2.4	Verlegung	350
3.3	**Gebäudedränung**	351
3.4	**Grundstücksentwässerung und öffentliche Kanäle**	363
3.4.1	Einführung	363
3.4.1.1	Allgemeine Hinweise zur Abwasserentsorgung	363
3.4.1.2	Das Ingenieurbauwerk Abwasserkanal – Zustand, Alter, Bedeutung	365
3.4.1.3	Öffentliche Abwasserkanäle – Kommunale und regionale Entwässerung	369
3.4.1.4	Kunststoffrohre in der Grundstücksentwässerung	372
3.4.2	Planung und Bemessung	374
3.4.2.1	Abwassersysteme und Trends	377
3.4.2.2	Hydraulische Bemessung	378
3.4.2.3	Statische Bemessung	379
3.4.2.3.1	Einführung	379
3.4.2.3.2	Allgemeine Hinweise zur statischen Berechnung	380
3.4.2.3.3	Notwendigkeit einer statischen Berechnung	381
3.4.2.3.4	Objektfragebogen	383
3.4.2.3.5	Vorteile des elastischen Rohres gegenüber dem starren Rohr	383
3.4.2.3.6	Rechenwerte	386
3.4.3	Kunststoff-Kanalrohrsysteme	390
3.4.3.1	Rohre	392
3.4.3.1.1	Rohrwerkstoff PVC-U	392
3.4.3.1.2	Rohrwerkstoff PE-HD	397
3.4.3.1.3	Rohrwerkstoff UP-GF	400
3.4.3.2	Formstücke	408
3.4.3.3	Schachtbauteile	419
3.4.3.3.1	Vorschriften und Normen	419
3.4.3.3.2	Schachtkonstruktionen und Materialien	420
3.4.3.3.3	Nichtbesteigbare Schächte im Haus- und Grundstücksbereich	422
3.4.3.3.4	Nichtbesteigbare Schächte im öffentlichen Bereich	427
3.4.3.3.5	Besteigbare Schachtbauwerke	428
3.4.3.3.6	Notwendigkeit der Besteigbarkeit	431
3.4.4	Bau von Abwasserkanälen und -leitungen	433
3.4.5	Betrieb	444

3.4.5.1	Wartung, Reinigung, Inspektion	445
3.4.5.2	Chemische Widerstandsfähigkeit	447
3.4.5.3	Abriebfestigkeit	451
3.4.5.4	Das flexible Verhalten der Kunststoffkanalrohre	455
3.4.5.4.1	Einführung	456
3.4.5.4.2	Verhalten der Kanalrohre gegenüber Erdlasten	456
3.4.5.4.3	Wesentliche Reaktionen der Kanalrohre auf Belastungen im Erdreich	459
3.4.5.4.4	Verhalten der Kanalrohre bei Veränderungen im umgebenden Erdreich	463
3.4.5.4.5	Verformung als Indikator für Verlegequalität	465
3.4.6	Sonderanwendungen	467
3.4.6.1	Grabenlose Verlegung	467
3.4.6.2	Abwasserleitungen in Trinkwasserschutzgebieten	470
3.4.6.2.1	Schutzanforderungen	470
3.4.6.2.2	Baustoffe	471
3.4.6.2.3	Einwandige Rohrsysteme	471
3.4.6.2.4	Doppelwandige Rohrsysteme	474
3.4.6.3	Planung und Bau von Kanälen im ländlichen Raum – Möglichkeiten der Kosteneinsparung	475
3.4.7	Ausblick	482

4	**Kabelschutzrohr-Systeme**	**484**
4.1	Rohrleitungen aus PVC-U	485
4.2	Rohrleitungen aus PE-HD	487
4.3	Mehrfachrohre	487
4.4	Verlegung	490
4.5	Erweiterung und Reparatur von Kabelschutzrohren	497
4.6	Statische Berechnung	498
4.7	Alternative Verlegetechniken	499

5	**Heizungstechnik**	**503**
5.1	Einleitung	503
5.2	Rohrwerkstoffe	503
5.3	Fußbodenheizung	505
5.3.1	Fußbodenheizung im Wohnungsbau	505
5.3.1.1	Bauarten	506
5.3.1.2	Fußbodenkonstruktion	507
5.3.1.3	Einzelraumregelung	511
5.3.2	Industriefußbodenheizungen	512
5.3.3	Sportstätten	513
5.3.4	Schnee- und Eisfreihaltung	513

5.4	Heizkörperanbindung in Neubauten	515
5.4.1.	Systemkomponenten	515
5.4.1.1	Verteilerstation	516
5.4.1.2	Rohrkupplung	516
5.4.1.3	Rohr im Rohr	517
5.4.1.4	Rohrumlenkvorrichtung – Schutzrohrbogen	518
5.4.2	Temperierung des Bodens im gleichen Regelkreis	519
5.4.3	Dämmung von Heizkörperanbindeleitungen	520
5.4.4	Wirtschaftlichkeit des Rohr im Rohr-Systems	521
5.5	Heizkörperanbindung für Altbausanierung	521
5.5.1	Sockelleiste	522
5.5.2	Rohrmaterialien	523
5.5.3	Rohrführungen und Formstücke	523
5.5.4	Anschlußeinheiten	524
5.6	Fernwärmeversorgung	526
5.6.1	Einführung	526
5.6.2	Kunststoffmantelrohre	527
5.6.3	Vollkunststoffrohr-Systeme im Fernwärmetransport	531
5.6.4	Ausblick	532
6	**Industrieleitungen**	**533**
6.1	Allgemeine Anforderungen	533
6.2	Werkstoffauswahl	539
6.2.1	Druck- und Temperaturbelastbarkeit	541
6.2.2	Chemische Beständigkeit	549
6.3	Hydraulische Eigenschaften	552
6.4	Allgemeine chemische und physikalische Eigenschaften	556
6.5	Rohrleitungen	559
6.5.1	Rohre und Formstücke aus PVC-U	560
6.5.2	Rohre und Formstücke aus PVC-C	561
6.5.3	Rohre und Formstücke aus PE-HD	561
6.5.4	Rohre und Formstücke aus PB	562
6.5.5	Rohre und Formstücke aus PP	562
6.5.6	Rohre und Formstücke aus PVDF	564
6.5.7	Rohre und Formstücke aus GFK	564
6.6	Kunststoffarmaturen	566
6.6.1	Armaturen – Konstruktions- und Funktionsarten	566
6.6.2	Absperrklappen	568
6.6.3	Membranventile	570
6.6.4	Kugelhähne	570
6.6.5	Automatikarmaturen	573

PEHD PP DRUCKROHR- SYSTEME

Kunststoff-Rohrsysteme-Armaturen-Schweißtechnik

- **Wassergewinnung**
  Brunnenrohre · Pumpstationen
  Hochbehälterverrohrung
- **Rohwasserleitungen**
- **Wasseraufbereitung**
  Anlagenverrohrung
- **Schwimmbadtechnik**

- **Gasrohre**
- **Abwasser-Druckrohre**
  Doppelrohrsysteme
  Schächte
- **Wickelrohre**

**KUNSTSTOFFARMATUREN
BETONSCHUTZPLATTEN
SCHWEISSGERÄTE
SCHWEISSMASCHINEN**

FRANK

FRANK GmbH · Starkenburgstraße 1
64546 Mörfelden-Walldorf
Tel. 0 61 05/9 26-0 · Fax 0 61 05/9 26-49

FACHLITERATUR AUS DEM VULKAN-VERLAG

FLUID-, MESSTECHNIK UND APPARATEBAU

DRUCKLUFT-HANDBUCH

Herausgegeben von Erwin Ruppelt
3., völlig überarbeitete Auflage 1996,
552 Seiten, Format 16,5 x 23 cm,
gebunden, DM 198,- / öS 1445,- / sFr 171,-, ISBN 3-8027-2692-8

In der dritten Auflage des Druckluft-Handbuches haben Spezialisten der einzelnen Fachbereiche Empfehlungen und Leitlinien erarbeitet, nach denen der Anwender ein entsprechendes System optimal auslegen kann. Der Leser wird in die Lage versetzt, ein Druckluftsystem und dessen Bausteine für seinen speziellen Anwendungsfall optimal zu dimensionieren und die Rahmenbedingungen für ein wirtschaftliches und betriebssicheres Arbeiten der Einzelkomponenten zu schaffen.

HANDBUCH DOSIEREN

Herausgegeben von Gerhard Vetter
1994, 682 Seiten, Format 16,5 x 23 cm,
gebunden, DM 168,- / öS 1226,- / sFr 145,-, ISBN 3-8027-2167-5

Das Buch berichtet über Stand und Entwicklungstendenzen der Dosiertechnik fester, flüssiger und gasförmiger Stoffe. Dabei spielen insbesondere Gesichtspunkte der Automatisierung eine große Rolle. Der Leser erhält notwendige Fachinformationen zur Lösung betrieblicher Probleme, zur Planung von Dosieranlagen und zur Erzielung einer wirtschaftlichen Arbeitsweise und hoher Produktqualität.

TECHNISCHE FEUCHTEMESSUNG

Grundlagen und Geräte
Von Dieter Weber
1995, 158 Seiten, Format DIN A5,
broschiert, DM 38,- / öS 277,- / sFr 33,-,
ISBN 3-8027-2174-8

Das ideale Nachschlagewerk für jeden, der Informationen zur Feuchtemessung benötigt. Der Leser ist nunmehr in der Lage, unterschiedliche Verfahren zu beurteilen und das für seinen Bedarf geeignete anzuwenden. Sämtliche Meßverfahren, die derzeit von diversen Herstellern angeboten werden, sind mit Vor- und Nachteilen, Arbeitsweise und den zugrundeliegenden Prinzipien aufgeführt. Das Buch behandelt die theoretischen physikalischen Grundlagen auf dem Kenntnisstand eines Technikers oder Ingenieurs. Zahlreiche Anwendungshilfen sowie Umrechnungstabellen, Herstelleradressen etc. sind ebenfalls enthalten.

FLUIDTECHNIK

Hydraulik - Pneumatik - Allfluidtechnik - Elektronik
Herausgegeben von Gerhard H. Schlick
2. Ausgabe 1995, 272 Seiten,
Format DIN A4, gebunden, DM 148,- / öS 1080,- / sFr 128,-, ISBN 3-8027-2169-1

Die Fülle und Vielfalt der Publikationen auf dem Gebiet der Fluidtechnik ist für den Anwender nur schwer überschaubar. Es ist daher besonders wichtig, spezielle Fachgebiete der Hydraulik und Pneumatik in enger Verknüpfung mit der Steuer- und Regelungstechnik gebündelt darzustellen. So erhält der Leser einen schnellen Überblick über die wesentlichen Entwicklungen eines bestimmten Zeitraums.
Dem Handbuch liegt eine umfangreiche Literaturrecherche zugrunde, die im Anhang aufgeführt ist. Sie ist nach Sachgebieten gegliedert und mit Suchbegriffen versehen.

TECHNISCHE TEMPERATURMESSUNG

Von L. Michalski und Herbert Endreß
1997, in Vorbereitung, ca. 350 Seiten,
Format 16,5 x 23 cm, broschiert,
ca. DM 98,- / öS 715,- / sFr 85,-,
ISBN 3-8027-2146-2

Das Buch wendet sich an Leser, die sich in die wissenschaftlichen Grundlagen und Anwendungen der Temperaturmessung einarbeiten möchten. Die Temperaturmeßmethoden werden ausführlich behandelt sowie theoretische Zusammenhänge umfassend dargestellt. Mit seiner großen Anzahl praktischer Beispiele dient das Buch gleichzeitig als Lehrbuch und Nachschlagewerk. Dem Praktiker erleichtert es die Konzeption, die Auswahl und den Einbau neuer Meßeinrichtungen.

LASER

Technologie und Anwendungen
Herausgegeben von Hansrobert Kohler
3. Ausgabe 1994, 404 Seiten, Format DIN A4, gebunden, DM 160,- / öS 1168,- / sFr 138,-, ISBN 3-8027-2168-3

Das umfangreiche Werk gliedert sich in vier Hauptgruppen: Laser und Laserkomponenten – Meßtechnik – Materialbearbeitung – Spektroskopie. Es stellt den aktuellen Stand der Lasertechnik und ihrer Anwendung dar.

BESTELLSCHEIN

Ja, senden Sie mir/uns gegen Rechnung/per Nachnahme:

.... Exempl. »**Druckluft-Handbuch**«
Bestell-Nr. 2692, Preis je Exemplar DM 198,- / öS 1445,- / sFr 171,-
.... Exempl. »**Handbuch Dosieren**«
Bestell-Nr. 2167, Preis je Exemplar DM 168,- / öS 1226,- / sFr 145,-
.... Exempl. »**Technische Feuchtemessung**«
Bestell-Nr. 2174, Preis je Exemplar DM 38,- / öS 277,- / sFr 33,-
.... Exempl. »**Fluidtechnik**«
Bestell-Nr. 2169, Preis je Exemplar DM 148,- / öS 1080,- / sFr 128,-
.... Exempl. »**Technische Temperaturmessung**«
Bestell-Nr. 2146, Preis je Exemplar ca. DM 98,- / öS 715,- / sFr 85,-
.... Exempl. »**Laser**«
Bestell-Nr. 2168, Preis je Exemplar DM 160,- / öS 1168,- / sFr 138,-

Fax: 02 01 / 8 20 02 40
Bitte Ihrer Buchhandlung übergeben oder einsenden an:

VULKAN-VERLAG GmbH
Postfach 10 39 62
D-45039 Essen

Die Zahlung erfolgt sofort nach Rechnungseingang.

Name/Firma ....

Kunden-Nummer ....

Anschrift ....

Bestell-Zeichen/Nr./Abteilung ....

Datum/Unterschrift ....

VULKAN ▼ VERLAG
FACHINFORMATION AUS ERSTER HAND

POSTFACH 10 39 62
D-45039 ESSEN
TELEFON (02 01) 8 20 02-14
FAX (02 01) 8 20 02-40

BESUCHEN SIE UNS IM INTERNET:
http://www.oldenbourg.de

6.6.6	Dimensionierung, Durchflußwerte, k_v-Wert von Armaturen	576
6.6.7	Auswechselbarkeit und Einbau	577
6.6.8	Dichtungen bei Armaturen	578
6.7	Verlegung von Industrierohrleitungen	578
6.7.1	Berechnung und Berücksichtigung der Längenänderung	579
6.7.2	Anordnung und Ausführung von Rohrschellen	581
6.7.3	z-Maß-Montagemethode	583
7	**Kunststoffrohre im Schiffbau**	585
8	**Dükerleitungen, Seeleitungen**	587
9	**Beregnungsrohre, Schnellkupplungen**	590
10	**Brunnentechnik**	592
11	**Wasseraufbereitung**	601
12	**Schwimmbadtechnik**	605
13	**Druckluftleitungen**	607
14	**Abgastechnik**	609
15	**Klärwerkstechnik**	612
16	**Landwirtschaftliche Dränung**	615
17	**Lebensmittelindustrie**	619
18	**Versickerungsleitungen**	622
19	**Sickerleitungen**	627
20	**Rohrleitungen für den Deponiebau**	629
21	**Lüftungsleitungen**	636
22	**Kühldecken**	640
23	**Vortriebsrohre**	645

| 24 | Rauchgasreinigungsanlagen | 657 |

25	Sanierungsverfahren	658
25.1	Problemstellung	658
25.2	Stand der Technik	659
25.3	Anwendung von Sanierungsverfahren	661
25.4	Perspektiven	669

Teil VIII Übersicht über Normen, Richtlinien, Arbeits- und Merkblätter ... 673

| 1 | Allgemeine Rohrleitungsnormen | 674 |

| 2 | Trinkwasserverteilung | 681 |

| 3 | Gasversorgung | 683 |

4	Abwasserkanäle und -leitungen	683
4.1	Abwasserleitungen – Hausabfluß	683
4.2	Dachentwässerung	684
4.3	Grundstücksentwässerung und Kanalisation	684

| 5 | Schutzrohrsysteme | 685 |

| 6 | Heizungstechnik | 686 |

| 7 | Schiffsrohrleitungen | 686 |

| 8 | Beregnung | 686 |

| 9 | Dränung | 687 |

| 10 | Lüftungsleitungen | 687 |

| 11 | Brunnenbau | 687 |

| 12 | Deponie | 687 |

| 13 | Europäische Normung DIN EN | 687 |

14	Weitere Regelwerke	691
14.1	DVS-Richtlinien und -Merkblätter	691

14.2	ATV-Arbeits- und -Merkblätter	691
14.3	DVGW-Arbeits- und -Merkblätter	692

Teil IX Anhang 695

1	**Druckverlustermittlung**	**696**
1.1	Druckabfall in Wasserleitungen	696
1.2	Druckabfall in Gasleitungen	708
2	**Hydraulische Bemessung von Abwasserleitungen**	**722**
3	**Liste der chemischen Widerstandsfähigkeit von Thermoplast- und Elastomer-Werkstoffen für den Rohrleitungsbau**	**725**
3.1	Allgemeine Angaben	725
3.2	Hinweise für den Gebrauch der Liste	726
3.2.1	Klassifizierung	726
3.2.2	Rohrverbindungen	726
3.2.3	Dichtwerkstoffe	727
3.3	Übersicht und Anwendungsgrenzen der Liste	727
4	**Sachwortregister**	**774**
5	**Bildnachweis**	**788**

Kompakt. Kompetent. Komplett.
Das **FRIATEC** System

Still! FRIAPHON

Schnell! FRIABLOC

Sparsam! FRIATEC Spül-Systeme

Sicher! FRIATHERM

„Das Ganze ist mehr als die Summe seiner Teile"

Genau das ist es, was das FRIATEC System so auszeichnet. Aus vier Einzelkomponenten entsteht ein Komplettsystem vom Wasserzähler bis zur Grundleitung. Der Mehrwert liegt auf der Hand: mehr Sicherheit, mehr Schnelligkeit, mehr Wirtschaftlichkeit.

Denn viele Hersteller, viele Systeme – das heißt naturgemäß viele Probleme.

Diese beginnen häufig schon in der Planungsphase und setzen sich auf der Baustelle fort.

Mit dem FRIATEC System haben Sie's einfacher: Trinkwasser, Sanitärmodule, Spül-Systeme und Abwasser – alles aus einer Hand und perfekt aufeinander abgestimmt bei Planung und Installation.

Ergänzend dazu: **umfassende Gewährleistung ohne Schnittstellenproblematik** und ein Top-Servicepaket.

FRIATEC. Stark im System, stark im Detail.

FRIATEC AG · Sanitair Division
Postfach 71 02 61 · D-68222 Mannheim
Telefon 06 21/4 86-19 13

FRIATEC

FACHLITERATUR AUS DEM VULKAN-VERLAG

HANDBUCH ROHRLEITUNGSBAU

Herausgegeben von Günter Wossog
1997, in Vorbereitung, ca. 450 Seiten, Format 16,5 x 23 cm, gebunden, ca. DM 130,- / öS 962,- / sFr 112,-,
ISBN 3-8027-2710-X

Das Handbuch ist eine umfassende Informationsquelle für alle Probleme der Planung, Montage und Instandhaltung von Rohrleitungsanlagen in Industrie und Kraftwerken sowie von Fernrohrleitungsanlagen. Die im Rohrleitungsbau verwendeten Werkstoffe, Bauteile, Armaturen und Rohrhalterungen einschließlich Korrosionsschutz und Dämmung werden ausführlich beschrieben. Der Festigkeitsberechnung der Rohre, den Rohrleitungsbauteilen und Halterungen, Rohrsystemberechnungen, der Berechnung der Dämmdicke und der Ermittlung der Nennweite ist ein gesondertes Kapitel gewidmet.

Das Buch ist mit seinem reichen Bild- und Tafelmaterial ein wertvolles Nachschlagewerk für den Planer, Konstrukteur, Arbeitsvorbereiter und Bauleiter, der ständig oder zeitweilig auf dem Gebiet des Rohrleitungsbaus tätig ist. Es ist auch denjenigen Studierenden der Ingenieurwissenschaft zu empfehlen, die sich während ihrer Ausbildung mit Rohrleitungen beschäftigen müssen.

INHALT

PLANUNG UND KONSTRUKTION VON ROHRLEITUNGEN
Ausgewählte Begriffe der Planung und Konstruktion / Regelwerke und Richtlinien / Allgemeine Planungsgrundsätze / Kraftwerks- und Industrierohrleitungen / Rohrleitungen in Kernkraftwerken / Fernrohrleitungen und Rohrnetze

WERKSTOFFE
Ausgewählte Begriffe der Werkstofftechnik / Stahl / Gußeisen / Nichteisenmetalle / Thermoplastische Kunststoffe / Duroplastische Kunststoffe / Glas und Keramik

ROHRLEITUNGSELEMENTE UND ZUBEHÖR
Rohre / Rohrbogen, Formstücke, Böden / Flansche / Flanschverbindungen / Fittings und sonstige Rohrverbindungen / Dehnungsausgleicher / Rohrleitungsarmaturen / Schmutzfänger, Siebe, Filter / Meßeinrichtungen / Regeleinrichtungen / Ableitungen / Rohrleitungshalterungen / Elektrische Trennstellen / Rohrdurchführungen im Baukörper (Penetrierungen)

SCHWEISS- UND KLEBTECHNIK
Zulassungen / Schweißverfahren, -technologien, -geräte / Schweißen von Rohren aus Stahl / Schweißen von Rohren aus Nichteisenmetallen / Schweißen und Kleben von Rohren aus Plasten / Arbeits- und Brandschutz

WÄRMEBEHANDLUNG
Wärmebehandlungsarten / Wärmebehandlungsverfahren / Temperaturmessung und -regelung / Wärmebehandlungsvorschriften

ROHRDÄMMUNG UND KORROSIONSSCHUTZ
Wärme- und Kältedämmung / Passiver Korrosionsschutz / Aktiver Korrosionsschutz

MONTAGE UND BETRIEB VON ROHRLEITUNGEN
Organisation des Montageprozesses / Baustelleneinrichtung / Montagedurchführung / Montage von Kraftwerks- und Industrierohrleitungen / Montage von Fernrohrleitungen und Rohrnetzen / Inbetriebnahme von Rohrleitungen / Betrieb und Instandhaltung von Rohrleitungen / Schäden an Rohrleitungsbauteilen und deren Ursachen

BERECHNUNG VON ROHRLEITUNGEN
Ermittlung von Rohrdurchmesser und Druckverlust / Berechnung der Wärme- und Temperaturverluste / Festigkeitskennwerte, Festigkeitshypothesen, zulässige Spannungen / Rohre und Rohrleitungsbauteile / Berechnung von Flanschverbindungen / Elastizitäts- und Festigkeitsberechnung von Rohrleitungssystemen / Berechnung von Rohrhalterungen / Berechnung von Dehnungsausgleichern / Berechnung erdverlegter Rohrleitungen / Berechnung warmgehender erdverlegter Mantelrohrsysteme / Fluiddynamische Berechnungen

VERZEICHNIS WICHTIGER NORMEN UND REGELN DES ROHRLEITUNGSBAUS

LITERATURVERZEICHNIS

SACHWÖRTERVERZEICHNIS

BESTELLSCHEIN

Fax: 02 01 / 8 20 02-40
Bitte einsenden an Ihre Fachbuchhandlung oder an den

Vulkan-Verlag
Postfach 10 39 62
D-45039 Essen

Ja, senden Sie mir (uns) gegen Rechnung/per Nachnahme:

.... Exempl. »**HANDBUCH ROHRLEITUNGSBAU**«
ISBN 3-8027-2710-X
Preis je Exemplar ca. DM 130,- / öS 962,- / sFr 112,-

Name/Firma ....
Anschrift ....
Bestell-Zeichen/Nr./Abteilung ....
Datum/Unterschrift ....

VULKAN▽VERLAG
FACHINFORMATION AUS ERSTER HAND
POSTFACH 10 39 62 · 45039 ESSEN
TEL. (0201) 82002-14 · FAX (0201) 82002-40

BESUCHEN SIE UNS IM INTERNET:
http://www.oldenbourg.de

Geschichte der Kunststoffrohre

Geschichte der Kunststoffrohre

W. MÜLLER und E. ANT

Seit Beginn dieses Jahrhunderts hat die Chemie Methoden entwickelt, um organische Produkte mit hohem Molekulargewicht (Molmasse) aus kleineren, niedermolekularen Einzelbausteinen herzustellen. So entstehen aus den Monomeren die Polymere. In der Natur sind solche makromolekularen Stoffe bekannt: Eiweiß (Wolle) oder Zellulose (Baumwolle, Holz), um nur die wichtigsten zu nennen. Eigenschaften und Bearbeitung von Holz lernten die Menschen von Anbeginn an kennen und schätzen. Auch Rohre wurden aus Holz hergestellt und verlegt: Salzsoleleitungen in Oberbayern, Trinkwasserleitungen in Freiburg. Mitte der 30er Jahre dieses Jahrhunderts war es dann gelungen, aus niedermolekularen Verbindungen in industriellem Maßstab hochmolekulare Produkte nach verschiedenen Verfahren herzustellen. Als Beispiel seien genannt: Polymerisation, Polykondensation bzw. -addition [1].

Für die Verarbeitung der meisten so erzeugten Stoffe machte man sich die Eigenschaft der Thermoplastizität zunutze, die mit zunehmender Erwärmung in einen mehr oder weniger hochviskosen Zustand, eine Art Schmelze, übergeht. Bei amorphen Polymeren wie Polyvinylchlorid oder Polystyrol ist dieser Vorgang gleitend, während man bei sogenannten teilkristallinen Polymeren wie Polyethylen oder Polypropylen einen recht genauen Übergang aus einer festen in eine zähe Schmelze beobachten kann (Kristallit-Schmelzpunkt). Mit der Phasenänderung niedermolekularer Stoffe ist dies jedoch kaum zu vergleichen. Bei Abkühlung geht das Material wieder in den festen Zustand über.

Die beiden wichtigsten Formgebungsverfahren, die auf dieser geschilderten Eigenschaft von thermoplastischen Polymeren beruhen, sind das Spritzgießen – vom Metallspritzguß her bekannt – und das Extrudieren. Daneben werden in großem Maße das Kalandrieren (Weich- und Hart-Polyvinylchlorid) und – mengenmäßig in geringerem Umfang – das Preßverfahren angewandt.

Bei der Rohrherstellung bedient man sich weitgehend der Extrusion; Formstükke und Armaturen werden hauptsächlich durch Spritzgießen hergestellt.

Die Rohrfertigung begann Mitte der 30er Jahre mit dem Werkstoff Hart-PVC (Polyvinylchlorid ohne Weichmacher). Erste Anwendungen fanden im Bereich der chem. Industrie und Trinkwasserversorgung statt. Pionierarbeit dazu wurde u.a. auch in Holland geleistet. Die erste Verlegung von Hart-PVC-Druckrohren erfolgte in Bitterfeld und Salzgitter. Eine der ältesten noch in Betrieb befindlichen Trinkwasserleitungen in Deutschland befindet sich im Versorgungsnetz der Berliner Wasserbetriebe (BWB). An der 1938 verlegten Hausanschlußleitung $d = 32$ mm sind heute nach 58 Jahren weder Korrosionserscheinungen noch Ablagerungen festzustellen.

Geschichte der Kunststoffrohre

Der durch den 2. Weltkrieg unterbrochene Kunststoffrohreinsatz wurde dann zu Beginn der 50er Jahre fortgesetzt; zunächst mit dem Rohstoff Hart-PVC.

Bei einem einer mechanischen Dauerbelastung unterworfenen Rohr stellte sich alsbald die Frage nach Dimensionierung und Qualitätsfestlegung, ganz in Analogie zu Rohren aus anderen Werkstoffen. Eine Maßnorm für Rohre aus Hart-PVC – heute als PVC-U bezeichnet – wurde vom Deutschen Institut für Normung (DIN) bereits im Juli 1941 herausgegeben. Das Ausgabedatum der Norm läßt erkennen, wie frühzeitig die Bedeutung des Rohstoffes Hart-PVC im Rohrleitungsbau erkannt wurde.

Im Jahre 1955 wurde beim DIN ein Fachausschuß gebildet, der sich mit den wesentlichen Fragen der Qualitätsfestlegung und -prüfung und in Abhängigkeit davon der Dimensionierung befaßte (analoge Gremien entstanden auch in anderen Ländern wie Holland, England, USA). Die Mitarbeiter in diesem Ausschuß kamen aus dem Kreis der Rohr- und Formstückhersteller, der Anwender (DVGW: Deutscher Verein des Gas- und Wasserfachs), der Verleger bzw. Installateure (ZVSHK: Zentralverband Sanitär, Heizung, Klima), sowie von Prüfungsinstituten und den betroffenen Rohstoffproduzenten. Orientierende Merkblätter erschienen bereits 1957, herausgegeben vom DVGW, für die Anwendung von Rohren aus PVC-U sowie zu einem weiteren neuen Rohrwerkstoff aus der Reihe der Polyolefine, PE-HD und PE-LD.

In diese Zeit, Juli 1957, fiel auch die Gründung des Kunststoffrohrverein e.V. Düsseldorf. Mit der wachsenden Bedeutung des Kunststoffrohres erkannten verantwortungsbewußte Rohrhersteller recht frühzeitig die Bedeutung wirksamer Qualitätskontrollen. Im Dezember 1960 konnte schon die erste Richtlinie „Technische Anforderungen und Lieferbedingungen für Abflußrohre und -formstücke aus PVC hart" zur Erlangung des Gütezeichens des Kunststoffrohrvereins herausgegeben werden.

Polyethylen – nach Polyvinylchlorid der zweite innovative Werkstoff im Rohrleitungsbau – gewann zunächst nur langsam an Bedeutung. Heute kann PE auf 40 Jahre bewährten Einsatz zurückblicken: als Trinkwasserleitungen, als Druck- und drucklose Leitungen und als Kabelschutzrohre. Mit Beginn der Erdgasnutzung Anfang der 70er Jahre stießen PE-Rohre mit großem Erfolg in die unterschiedlichsten Anwendungsgebiete vor. Die ersten Rohrnormen für PE-HD (DIN 8074/8075) und PE-LD (DIN 8072/8073) erschienen 1960.

Mit den Erfahrungen, die man bei der Ammoniak-Synthese gewonnen hatte (Haber-Bosch Verfahren; 1911), d.h. der Beherrschung von hohen Drücken und höheren Temperaturen bei Gasen, gelang noch vor dem 2. Weltkrieg die Polymerisation von Ethylen zu Polyethylen, zuerst in England (ICI) und bald danach auch in Deutschland (BASF). Rohre aus dem so gewonnenen PE waren bei relativ geringer Dichte (0,92 g/cm^3 PE-LD, LD für „low density") sehr flexibel bei vergleichsweise geringer Festigkeit und entsprechend hoher Zähigkeit. Daneben entstand ab 1953 ein Polyethylen-Typ mit höherer Dichte (PE-HD; HD für „high density"), der bei niedereren Drücken und Temperaturen zu einem Polyethylen mit einer Dichte von 0,95 g/cm^3 führte. PE-HD ist steifer als PE-LD und hat eine höhere Festigkeit.

Der Werkstoff PE wurde stetig weiterentwickelt und verbessert. Seit Anfang der 90er Jahre steht neben dem bewährten Werkstofftyp PE 80 in der 3. Generation der Werkstofftyp PE 100 mit wesentlich verbesserter Zeitstandfestigkeit zur Verfügung.

Zu Beginn der 70er Jahre zeigte sich, daß nach Meinung der Anwender in Deutschland Hausabflußrohre aus PVC-U nicht mehr den in der Praxis auftretenden Temperaturanforderungen gewachsen waren. Polypropylen erweiterte die Anwendungsmöglichkeiten für Rohre aus thermoplastischen Kunststoffen im Bereich höherer Temperaturen.

Seit 1957 wird PP im großtechnischen Maßstab hergestellt. Die intensive Entwicklung spezieller Stabilisatorsysteme verhalfen dem Werkstoff aufgrund seiner Wärmeformbeständigkeit rasch zum Einsatz für HT-Abflußrohre sowie aufgrund der mechanischen Eigenschaften und Widerstandsfähigkeit gegen Chemikalien im industriellen Bereich. Im Hausabflußbereich folgten später Rohre aus Polymerblend Styrol-Copolymerisate (ABS/ASA/PVC-U).

Vernetztes Polyethylen kommt seit Mitte der 50er Jahre zum Einsatz, nachdem die Bestrahlung von Polyethylen mit Elektronenstrahlen die Fertigung vernetzter Teile und deren Verwendung ermöglicht hatte. Seit jener Zeit sind im Rahmen einer stürmischen Entwicklung sehr unterschiedliche Vernetzungsverfahren wie peroxid, silanvernetzt, elektronenstrahlvernetzt und azonvernetzt entwickelt worden, die sich lediglich im Vernetzungsgrad unterscheiden. Heute eröffnen die Eigenschaften von vernetztem Polyethylen große Einsatzbereiche. Dank der hohen Temperaturbeständigkeit gelangten die ersten Fußbodenheizungsrohre aus PE-X auf den Markt, gefolgt von den bereits bewährten Rohren aus PP sowie aus einem weiteren Werkstoff aus der Reihe der Polyolefine, Polybuten (PB). Heute blickt man im Heizungsbereich bereits auf einen mehr als 25-jährigen erfolgreichen Einsatz von Rohrsystemen aus diesen Werkstoffen zurück. Der Bedarf wird mittlerweile zu 95 % von ihnen abgedeckt, wobei Rohre aus PE-X den Hauptanteil mit ca. 80 % stellen.

Naturgemäß fanden dann die bewährten Kunststoffrohrsysteme aus PE-X, PP und PB gleichgelagerte Einsatzgebiete in der Trinkwasserinstallation. Die günstigen Eigenschaften der Materialien wie einfache Verlegetechnik, hohe Inkrustations- und Korrosionsbeständigkeit trugen in den letzten 20 Jahren erheblich zu diesem Erfolg bei. Nicht minder erfolgreich schlossen sich ihnen 1980 Rohrleitungssysteme aus chloriertem Polyvinylchlorid (PVC-C) an. In anderen Ländern sind Rohrleitungssysteme aus PVC-C bereits seit 1960 im Einsatz.

Geschichte der Kunststoffrohre

PVC-C zeichnet sich gegenüber PVC-U u.a. durch die höhere Temperaturbeständigkeit aus.

Nicht nur mit neuen Werkstofftypen, sondern im gleichen Maße durch innovative Konstruktionen war es möglich, auf die speziellen Bedürfnisse des Marktes einzugehen.

Gefragt waren z.B. Materialersparnis, verbessertes Tragverhalten, Schallschutz und Diffusionsdichtheit.

In den 80er Jahren kamen deshalb neben den klassischen Vollwandrohren Mehrschichtrohre aus PVC-U modifiziert, Konstruktionen mit gerippten Außenflächen und glatten Rohrinnenflächen, Rohre mit schalldämmenden Eigenschaften in Form eines mehrschaligen Aufbaus oder durch mineralverstärktes Polypropylen sowie Verbundrohre unterschiedlicher Werkstoffkombinationen zum Einsatz.

Obwohl die ersten Anfänge mit dem Werkstoff GFK schon ca. 50 Jahre zurückliegen (Einsatz in der Luft- und Raumfahrttechnik sowie im Behälterbau), dauerte es 20 Jahre bis zur Herstellung der ersten GFK-Rohre. Einer der Hauptgründe war, daß sich die Fertigung von Rohren zunächst noch als recht aufwendig erwies und die fertigungstechnischen Voraussetzungen für eine Serienfertigung noch nicht ausreichend entwickelt waren. So wurden Anfang der 60er Jahre in Deutschland die ersten GFK-Rohre und Formstücke meist noch handgefertigt. Aufgrund ihrer hohen Korrosionsbeständigkeit und guten mechanischen Eigenschaften fanden die Produkte jedoch recht schnell Anwendung im industriellen Bereich.

Mit der Entwicklung von wirtschaftlichen Fertigungsanlagen für gewickelte und geschleuderte Rohre gelang Ende der 60er Jahre der Durchbruch.

1989 wurde die erste Anwendungsnorm für Rohre und Formstücke aus glasfaserverstärktem Polyesterharz für erdverlegte Abwasserkanäle und -leitungen herausgegeben.

Gleichlaufend mit dem Einsatz von Kunststoffrohren in den verschiedenen Einsatzgebieten ist die dazugehörige Verbindungstechnologie stetig vorangetrieben worden. Zu Anfang übernahm man die klassischen Lösungen – Schweißen, Flanschen, Schrauben; daneben entwickelte man kunststoffgerechte Neuheiten wie Schrumpf- und Klebverbindungen. 1961 gelang bei Rohren aus PVC-U der Durchbruch der materialgerechten praktischen Verbindung von Rohr und Kupplung aus einem Stück: die Steckkupplung. So kann man heute auf ein umfangreiches, für den jeweiligen Anwendungsfall zugeschnittenes Sortiment an Kunststoffrohrleitungssystemen zurückgreifen.

Schrifttum

[1] „Die Kunststoffe", Kunststoffhandbuch Bd. 1, Carl Hanser Verlag, Herausg. B. Carlowitz

Teil II
Werkstoffe

Werkstoffe

A. BOS

1 Grundbegriffe

Eine Charakterisierung und Klassifizierung von Werkstoffen kann über den strukturellen Aufbau der Werkstoffe erfolgen. Er ist weitestgehend für die speziellen Eigenschaftsmerkmale des Werkstoffs verantwortlich.

Kunststoffe sind makromolekulare, vorwiegend organische Verbindungen, die entweder durch Umwandlung von Naturprodukten oder durch chemische Aneinanderlagerung niedermolekularer Grundbausteine (sogenannter Monomere) entstehen.

Grundbaustein der Kunststoffe ist das Kohlenstoffatom, das aufgrund seiner Fähigkeit zu homöopolaren Bindungen die Bildung kettenförmiger Moleküle möglich macht. Die einfachste Form eines Makromoleküls ist in folgendem Schema dargestellt:

$$\begin{bmatrix} & R & & R & \\ & | & & | & \\ - & C & - & C & - \\ & | & & | & \\ & R & & R & \end{bmatrix}_n$$

Hierbei ist n der Wiederholungsfaktor des monomeren Grundbausteins und R ein beliebiges Radikal (z.B. H°, CH_3°, Cl°). Dieser Aufbau läßt eine unüberschaubare Vielzahl von Variationsmöglichkeiten durch den Einbau von Atomen wie Sauerstoff, Stickstoff, Schwefel, Silicum etc. zu. Hierdurch sowie durch die große Anzahl der möglichen Aneinanderlagerungen (linear, verzweigt, vernetzt) können Kunststoffe gezielt im Hinblick auf gewünschte Eigenschaften synthetisiert werden. In diesem Zusammenhang sind aus der Vielzahl der Eigenschaften von Kunststoffen vor allem die hohe chemische Beständigkeit sowie die Unempfindlichkeit gegenüber Korrosion (Vermeidung von elektrochemischen Reaktionen als Folge der homöopolaren Bindung) hervorzuheben.

Innerhalb der Kunststoffe ist eine Gliederung in Thermoplaste, Elastomere und Duroplaste möglich (Bild 1) [1].

Aus linearen oder verzweigten Molekülfäden bestehende Kunststoffe ergeben Thermoplaste. Sie können wiederholbar geschmolzen und gelöst werden.

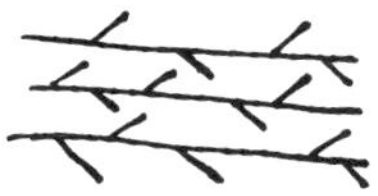

Grundbegriffe

≡≡≡	lineare Kettenmoleküle	Thermo-plaste	schmelzbar löslich bei Raumtemperatur weichzäh bis hart-zäh oder hart-spröde
⚹	verzweigte Kettenmoleküle		
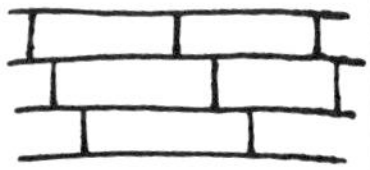 ▭▭	schwach vernetzte Kettenmoleküle	Elasto-mere	nicht schmelzbar quellbar unlöslich bei Raumtemperatur elastisch-weicher Zustand
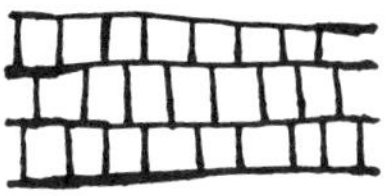 ▦▦	stark vernetzte Kettenmoleküle	Duro-plaste	nicht schmelzbar nicht quellbar nicht löslich bei Raumtemperatur i.a. hart

Bild 1: Schematische Darstellung der Anordnung der Kettenmoleküle in Kunststoffen und deren Eigenschaften

Durch Vernetzungprozesse kann man solche Ketten mehr oder weniger stark durch Querbrücken miteinander verbinden. Schon bei relativ wenigen Querbrükken ist der Kunststoff nicht wieder schmelzbar und löslich, jedoch noch quellbar. Derartige Stoffe werden als Elastomere bezeichnet, wenn sie gleichzeitig eine so große Kettenbeweglichkeit bei Raumtemperatur besitzen, daß sie in kautschukelastischem Zustand sind.

Mit zunehmender Quervernetzung wird der Werkstoff hart und spröde. Auch die noch bei Elastomeren vorhandene Quellbarkeit ist nicht mehr gegeben. Solch stark vernetzte Kunststoffe bezeichnet man als Duroplaste.

Ein wichtiges strukturelles Unterscheidungsmerkmal innerhalb der Thermoplaste ist in Bild 2 veranschaulicht [2].

Ein amorpher Zustand liegt vor, wenn die Kettenmoleküle einen vollkommen ungeordneten Zustand aufweisen. Sind hingegen durch Parallellagerung von Makromolekülen erzeugte Teilstrukturen erkennbar, wird dieser Zustand als teilkristallin bezeichnet.

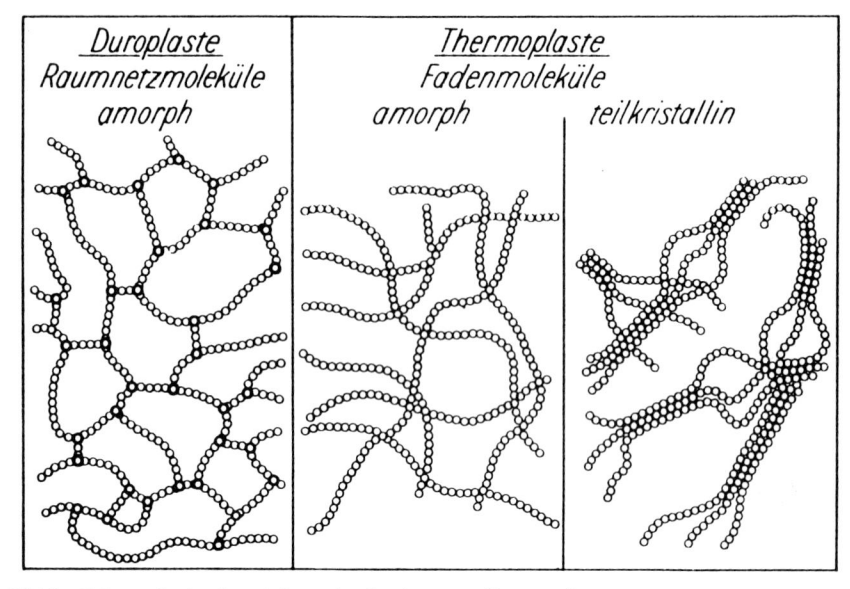

Duroplaste	Thermoplaste	
Raumnetzmoleküle	Fadenmoleküle	
amorph	amorph	teilkristallin

Bild 2: Schematische Darstellung der Struktur von Kunststoffen

2 Herstellung der Rohstoffe

Unter Rohstoff ist hier das mittels Reaktionsverfahren hergestellte Ausgangsmaterial zu verstehen. Die für eine Weiterverarbeitung zu Rohren und Formstücken notwendigen weiteren Aufbereitungsschritte behandelt Teil IV.

Grundprinzip der Herstellung ist die Aneinanderlagerung niedermolekularer Verbindungen, die vor allem aus Erdöl gewonnen werden. Einen Überblick über die Zugehörigkeit von Herstellverfahren und Kunststoffen gibt Tafel 1 [3].

Mittels Polymerisationsverfahren werden die gebräuchlichsten und mengenmäßig dominierenden Thermoplaste hergestellt. Die Polymerisation ist eine exotherme Reaktion, bei der sich die Monomere unter Aufspaltung der Doppelbindung der Kohlenstoffatome zu langen Ketten aneinanderlagern, ohne Nebenprodukte abzuspalten.

Demnach entsteht z.B. aus dem Monomer Vinylchlorid das Polymer Polyvinylchlorid nach folgendem Schema:

$$n \times \begin{bmatrix} H & H \\ | & | \\ C & = & C \\ | & | \\ H & Cl \end{bmatrix} \rightarrow \begin{bmatrix} H & H \\ | & | \\ - C & - C & - \\ | & | \\ H & Cl \end{bmatrix}_n$$

Herstellung der Rohstoffe

Tafel 1: Zugehörigkeit von Herstellverfahren und Kunststoffen

Polyaddukte	
Thermoplaste	Duroplaste
lin. Polyurethane Polyurethane chlorierter Polyäther	Epoxidharze vernetzte Polyurethane

Polykondensate	
Thermoplaste	Duroplaste
Polyamide Polycarbonat lin. Polyester Polyphenylenoxid Polyphenylensulfid Polyarylsulfon Polyäthersulfon Polyaryläther	Phenolharz Harnstoffharz Thioharnstoffharz Melaminharz ungesättigte Polyester Alkydharz Allylharz Silicon Polyimide Polyamidimide Polybenzimidazol

Polymerisate
Thermoplaste
Polyethylene Polypropylen Polybuten Polyisobutylen Poly-4-methylpenten 1 Ionomere Polyvinylchlorid Polyvinylidenchlorid Polystyrole Polyacrylate Polyvinylcarbazol Polyacetal Fluorkunststoffe Poly-p-Xylylen Polyphosphazin

isotaktisches Polypropylen,
wenn sich alle CH_3-Gruppen auf derselben Seite der Kohlenstoffkette befinden bzw. bei wendelförmiger Anordnung nach außen weisen;

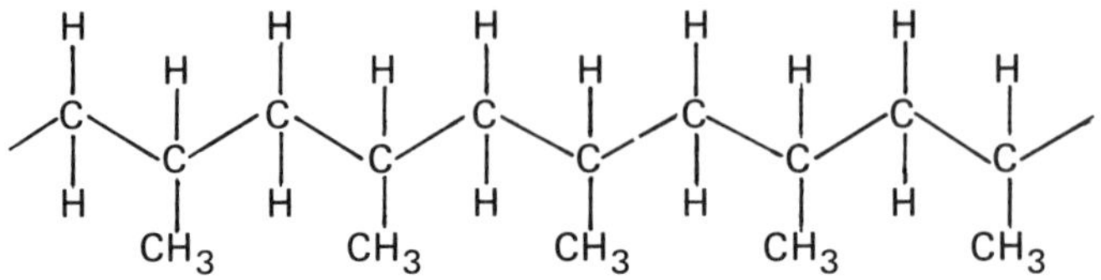

isotaktisches Polypropylen

syndiotaktisches Polypropylen,
wenn sich die CH_3-Gruppen in regelmäßiger Folge abwechselnd auf verschiedenen Seiten der Kohlenstoffkette befinden;

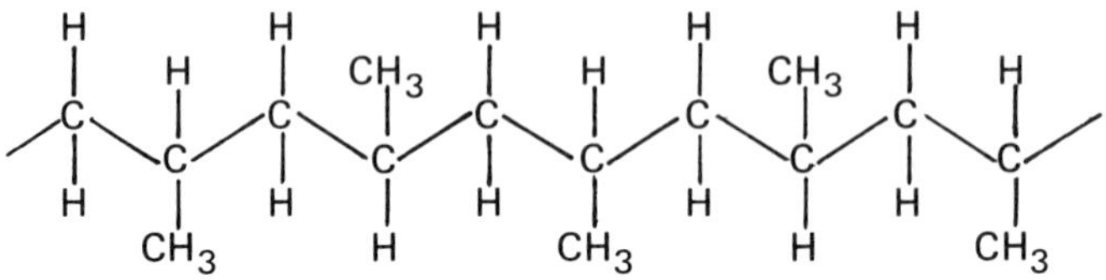

syndiotaktisches Polypropylen

ataktisches Polypropylen,
wenn die CH_3-Gruppen in ihrer räumlichen Lage zur Hauptkette keiner Regel folgen;

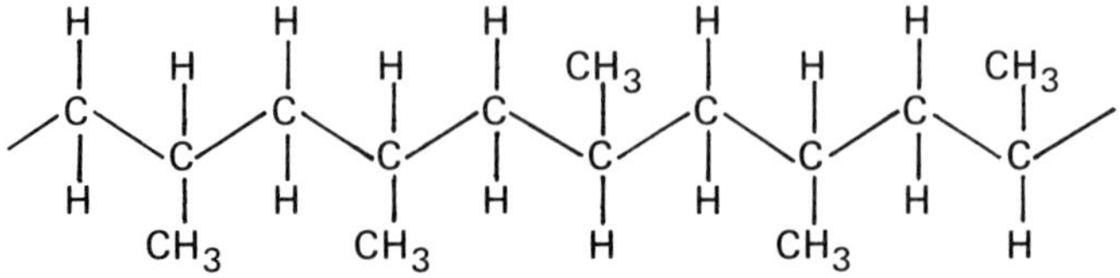

ataktisches Polypropylen

Bild 3: Möglichkeiten der sterischen Anordnung am Beispiel Polypropylen

Werkstoffe für Kunststoffrohrleitungen 13

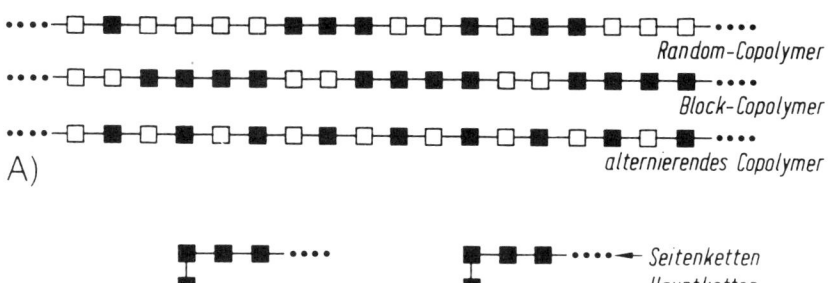

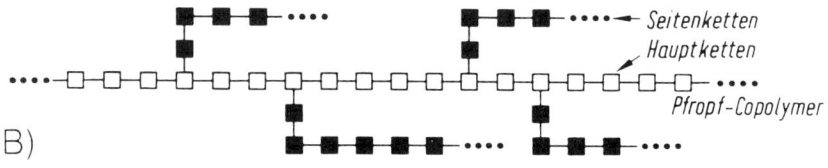

Bild 4: Aufbauschemata von Makromolekülen A) lineare Verkettungen B) Ketten-Verzweigungen

Die Eigenschaften eines Kunststoffes können sowohl über den Polymerisationsgrad n wie auch über unterschiedliche sterische Anordnung bestimmter Gruppen verändert werden. Unterschieden wird in diesem Zusammenhang zwischen isotaktischer, syndiotaktischer und ataktischer Anordnung (Bild 3).

Innerhalb der Polymerisationsverfahren sind weitere Eigenschaftsbeeinflussungen möglich. Unterschieden wird dabei zwischen gleichzeitiger Polymerisation (Copolymerisation) von Monomeren zweier oder mehrerer unterschiedlicher Ausgangsstoffe im gleichen Reaktionskessel oder nacheinanderfolgender Polymerisation (Propfpolymerisation) dieser Ausgangsstoffe im gleichen Reaktionskessel (Bild 4) [4].

Die Polykondensation ist eine Reaktion zwischen reaktionsfähigen Gruppen unterschiedlicher Ausgangsstoffe unter Abspaltung eines Nebenprodukts (zumeist Wasser).

Bei der Polyaddition findet eine Umlagerung eines Atoms ohne Abspaltung eines Stoffes statt.

3 Werkstoffe für Kunststoffrohrleitungen (physikalische Eigenschaften, chemische Beständigkeit, Zeitstandverhalten - Dimensionierung - Normung)

Für den Rohrleitungsbau kommt aus der Vielzahl der synthetischen Kunststoffe nur eine begrenzte Auswahl in Betracht. Hierbei handelt es sich in erster Linie um weichmacherfreies Polyvinylchlorid (PVC-U) und Polyethylen (PE). Werden höhere Betriebsanforderungen gestellt, z.B. im Hinblick auf die Temperatur, so

14 Werkstoffe für Kunststoffrohrleitungen

Tafel 2: Orientierungswerte physikalischer Eigenschaften einiger für die Rohrherstellung gebräuchlicher Kunststoffe

	Eigenschaft	Einheit	Prüfmethode	PVC-U	PVC-C	PE-HD	PE-LD	PE-X	PP	PB	PVDF	ECTFE	PFA	PTFE	ABS/ASA	GFK
M*	Dichte	g/cm³	DIN 53479	1,4	1,55	0,95	0,93	0,95	0,93	0,92	1,78	1,69	2,15	2,15	1,06	1,5-1,8
	Streckspannung	N/mm²	DIN 53455	55	70	23	11	18	30	17	55	31	...	...	45	...
	Zugfestigkeit	N/mm²	DIN 53455	45-55	65	23-29	11-14	18-25	30-33	17-21	40-60	42-48	24-30	20-40	40	120-350
	Dehnung bei Streckspannung	%	DIN 53455	5	5	15	20	5	15	10	8	...	...	...	10	...
	Reißdehnung	%	DIN 53455	20	10	800	1000	500	700	300	20-80	200	300	140-400	20	2-4
	Grenzbiegespannung	N/mm²	DIN 53452	95	...	30	21	...	44	25	55	44	18	5,6	110	...
	Elastizitätsmodul	N/mm²	DIN 53457	3000	3000	900	200	700	1200	350	2000	1700	280	350-750	2500	8000-20000
	Kerbschlagzähigkeit[1]	kJ/m²	DIN 53453	4	3	o.B.	o.B.	o.B.	o.B.	o.B.	o.B.	o.B.	o.B.	o.B.	15	o.B.
	Schlagzähigkeit[1]	kJ/m²	DIN 53454	o.B.	o.B.	o.B.	o.B.	o.B.	o.B.	o.B.	o.B.	o.B.	o.B.	o.B.	o.B.	o.B.
T*	Kristallitschmelzpunkt	°C	DIN 53736	...	...	130	110	133	160	130	175	240	305	...	...	...
	Wärmeformbeständigkeit nach Vicat, Verf. B	°C	DIN 53461	83	105	65	30	...	100	...	147	116	74	130-140	100	...
	Linearer Ausdehnungskoeffizient	10^{-4} K^{-1}	DIN 52328	0,8	0,7	2	2	1,4	1,5	1,3	1,2	0,7	1,4	1,2-2,0	0,9	0,2
	Wärmeleitfähigkeit	W/mk	DIN 52612	0,15	0,12	0,42	0,34	0,35	0,23	0,23	0,16	0,14	0,16	0,24	0,16	0,19
E*	Spezifischer Durchgangswiderstand	Ω·cm	DIN 53482	$>10^{16}$	$>10^{15}$	$>10^{17}$	$>10^{17}$	$>10^{17}$	$>10^{18}$	$>10^{18}$	$>10^{15}$	$>10^{16}$	$>10^{18}$	$>10^{18}$	$>10^{16}$	$>10^{13}$
	Oberflächenwiderstand	Ω	DIN 53482	$>10^{12}$	$>10^{12}$	$>10^{12}$	$>10^{12}$	$>5 \cdot 10^{13}$	$>5 \cdot 10^{13}$	$>10^{13}$	$>10^{13}$	$>10^{15}$	$>10^{18}$	$>10^{17}$	$>10^{12}$	$>10^{12}$
	Rel. Dielektrizitätskonstante ε_R	...	DIN 53483	3,5	...	2,35	2,3	2,6	2,27	2,5	...	...	...	...	3,0	0,05

1) Angaben für 23 °C; 50 % Luftfeuchte; o.B. = ohne Bruch; M* = Mechanische Eigenschaften; T* = Thermische Eigenschaften; E* = Elektrische Eigenschaften

kommen auch chloriertes PVC (PVC-C), Polypropylen (PP), Polybuten (PB) und vernetztes Polyethylen (PE-X) zum Einsatz. Weiterhin werden neben Fluorkunststoffen wie z.b. Polyvinylidenfluorid (PVDF) auch Acrylnitril/Styrol-Polymerisate (ABS/ASA), glasfaserverstärkte Kunststoffe (GFK) sowie Kunststoff-Metall-Verbundrohre eingesetzt.

Physikalische Eigenschaften

Die Eigenschaftswerte von Kunststoffen sind von vielen Einflußgrößen abhängig. Maßgebende Faktoren sind in diesem Zusammenhang z.b. der Polymerisationsgrad, die sterische Anordnung und die Kristallinität der Rohstoffe. Auch die Aufbereitung, die Verarbeitung und die dabei eventuell verwendeten Zusätze üben Einfluß aus. Hinzu kommt das viskoelastische Verhalten der Thermoplaste, welches insbesondere bei den mechanischen Eigenschaften eine Abhängigkeit von Last, Temperatur und Zeit bewirkt. Zusätzlich ist die innere Beanspruchung eines Prüfkörpers eine Folge des Zusammenwirkens zwischen Belastung und Werkstückgeometrie.

Angesichts dieser Vielzahl der möglichen Einflußparameter sind bei Kunststoffen zahlreiche Prüfnormen entstanden, die z.b. die Prüfverfahren und Prüfbedingungen sowie die Geometrie und Herstellungsweise der Prüfkörper exakt beschreiben. Auf diese Weise sind reproduzierbare Eigenschaftswerte und somit Vergleiche möglich. Voraussetzung hierfür ist jedoch eine vergleichbare Fertigteil- und Werkstoffstruktur.

Die in Tafel 2 angegebenen Werte können daher nur als Orientierungshilfe dienen. Definitive rohrabhängige Aussagen sind beim jeweiligen Rohrhersteller zu erfahren.

Chemische Beständigkeit

Eine kennzeichnende Eigenschaft von Kunststoffen ist die hohe chemische Beständigkeit. Die folgende Beständigkeitsliste (Tafel 3) soll eine erste Information über das allgemeine Werkstoffverhalten sowie die thermischen Anwendungsgrenzen der im Rohrleitungsbau gebräuchlichsten thermoplastischen Werkstoffe darstellen. Nähere Auskunft über die chemische Beständigkeit von Kunststoffen gegenüber einer Vielzahl von Stoffen unter Berücksichtigung von Temperatur und Konzentration gibt die Beständigkeitsliste im Teil IX dieses Buches.

Diese Beständigkeitsliste kann nur als Orientierungshilfe dienen. Änderungen in der Zusammensetzung des Mediums sowie besondere Betriebsbedingungen können zu Abweichungen führen. Im Zweifelsfall ist es ratsam, mittels einer Probeinstallation das Verhalten des Werkstoffs unter den definitiven Betriebsbedingungen zu testen.

Tafel 3: Beständigkeitsliste

Werkstoff (Rohrleitung)	Kurzbezeichnung	Allgemeine chemische Beständigkeit	max. Betriebstemperatur [°C] Konstant	Kurzzeitig
Polyvinylchlorid	PVC-U	Beständig gegen die meisten Säuren, Laugen, Salzlösungen und mit Wasser mischbaren organischen Verbindungen. Nicht beständig gegen aromatische und chlorierte Kohlenwasserstoffe.	60	60
Polyvinylchlorid, chloriert	PVC-C	Ähnlich anwendbar wie PVC-U, aber bis zu einer Temperatur von 90°C	90	110
Polyethylen	PE-HD	Beständig gegen wässrige Lösungen von Säuren, Laugen und Salzen sowie einer großen Zahl organischer Lösungsmittel. Ungeeignet für konzentrierte oxydierende Säuren. Nicht beständig gegen aromatische und chlorierte Kohlenwasserstoffe.	60	80
Polyethylen vernetzt	PE-X	Ähnlich wie PE-HD, jedoch bei höheren Temperaturen einsetzbar.	90	110
Polypropylen	PP	Ähnlich wie PE-HD, jedoch bei höheren Temperaturen einsetzbar.	90	110
Polybuten	PB	Ähnlich wie PE-HD, jedoch bei höheren Temperaturen einsetzbar.	90	110
Polyvinylidenfluorid	PVDF	Beständig gegen Säuren, Salzlösungen, aliphatische, aromatische und chlorierte Kohlenwasserstoffe, Alkohole und Halogene. Bedingt verwendbar für Ketone, Aether, organische Basen und Alkalilaugen.	140	150
Ethylen-Chlortrifluorethylen	ECTFE	Ähnlich wie PVDF, zusätzlich gute Beständigkeit gegenüber Laugen über pH 11	150	160
Perfluoro-Alkoxyalkan	PFA	Beständig gegen alle Chemikalien dieser Liste	250	260
Polytetrafluorethylen	PTFE	Beständig gegen alle Chemikalien dieser Liste	250	260
Glasfaserverstärkte Kunststoffe	GFK	Unterschiedliche Beständigkeit je nach verwendetem Reaktionsharz.	95 - 130	95 - 180

Werkstoffe für Kunststoffrohrleitungen

Werkstoff (Dichtung)	Kurzbe- zeichnung	Allgemeine chemische Beständigkeit	max. Betriebstemperatur [°C]	
			Konstant	Kurz-zeitig
Nitril-Kautschuk	NBR	Gut beständig gegen Öl und Benzin. Ungünstig bei oxydierenden Medien	90	120
Butyl-Kautschuk und Ethylen-Propylen-Kautschuk (APTK)	IIR EPDM	Gut ozon- und witterungsbeständig. Besonders geeignet für aggressive Chemikalien. Ungünstig für Öle und Fette.	90	120
Chloropren-Kautschuk (z.B. Neopren)	CR	Die chemischen Eigenschaften sind sehr ähnlich zu PVC-U und liegen zwischen Nitril- und Butyl-Kautschuk	80	110
Fluor-Kautschuk (z.B. Viton)	FPM	Die chemischen Eigenschaften sind die günstigsten aller Elastomere	150	200
Chlorsulfonylpolyethylen (z.B. Hypalon)	CSM	Die chemischen Eigenschaften sind dem Butyl-Kautschuk ähnlich.	100	140

Aus den Angaben dieser Beständigkeitsliste können keine Gewährleistungsansprüche abgeleitet werden. Änderungen aufgrund neuer Erkenntnisse sind nicht zu vermeiden.

Zeitstandverhalten - Dimensionierung - Normung

Die Dimensionierung von Bauteilen (z.b. Rohren) erfolgt bei linear elastischen Werkstoffen (z.b. Stahl) anhand einer im einachsigen Zugversuch ermittelten Spannung. Der Spannungszustand in einem mehrachsig belasteten Bauteil kann für diese Werkstoffe anhand verschiedener, aus elastizitätstheoretischen Überlegungen hervorgehender Spannungstheorien ermittelt werden.

Thermoplaste jedoch sind viskoelastische Stoffe, deren Verformungsverhalten last-, temperatur-, und zeitabhängig ist. Der durch das Hooke'sche Gesetz beschriebene Zusammenhang zwischen Spannung und Dehnung, wonach bei linear elastischen Werkstoffen der Elastizitätsmodul (Quotient aus Spannung und Dehnung) eine von den vorgenannten Parametern unabhängige Konstante darstellt, ist für Thermoplaste demnach nicht streng gültig.

Dieses Verhalten ist für Belastungszeiträume von 1 Stunde bis zu 50 Jahren in Bild 5 am Beispiel PVC-U dargestellt.

Diese Diagramme sind an Probestäben im einachsigen Zugversuch für eine Vielzahl von Kunststoffen bei unterschiedlichen Temperaturen und Medien ermittelt worden.

Für die Dimensionierung ist jedoch die Beanspruchung im Einsatzfall maßgebend. Da hier in der Regel Überlagerungen mehrerer nicht exakt kalkulierbarer Einflüsse (z.B. Eigenspannungen) auftreten können, lassen sich die Belastungsgrenzen anhand der vorherigen Materialkurven nicht eindeutig bestimmen (einachsige Zugbelastung).

Diese Überlegungen führten bei Kunststoffrohren dazu, daß vor über 30 Jahren mit Gemeinschaftsuntersuchungen an produzierten Rohren zur Ermittlung von Zeitstandkurven begonnen wurde. Dieses Vorhaben wurde vom Fachnormenausschuß Kunststoffe (FNK) im Deutschen Institut für Normung e.V.(DIN) nach Absprache mit einigen anderen Institutionen – wie dem DVGW – veranlaßt. An der Durchführung beteiligten sich neben Rohstoff- und Rohrherstellern auch verschiedene staatliche Materialprüfanstalten. Versuchsanordnungen und Versuchsdurchführung zur Ermittlung von Zeitstandkurven sind dabei in Normen festgelegt.

Rohrabschnitte werden mit Wasser entsprechender Temperatur gefüllt, verschlossen und mit Innendruck beaufschlagt. In der Regel befinden sich die Prüflinge dabei in einem entsprechend temperierten Wasserbecken. Der Zeitpunkt des Versagens (Standzeit) wird in ein Koordinatenpapier mit doppel-

Werkstoffe für Kunststoffrohrleitungen

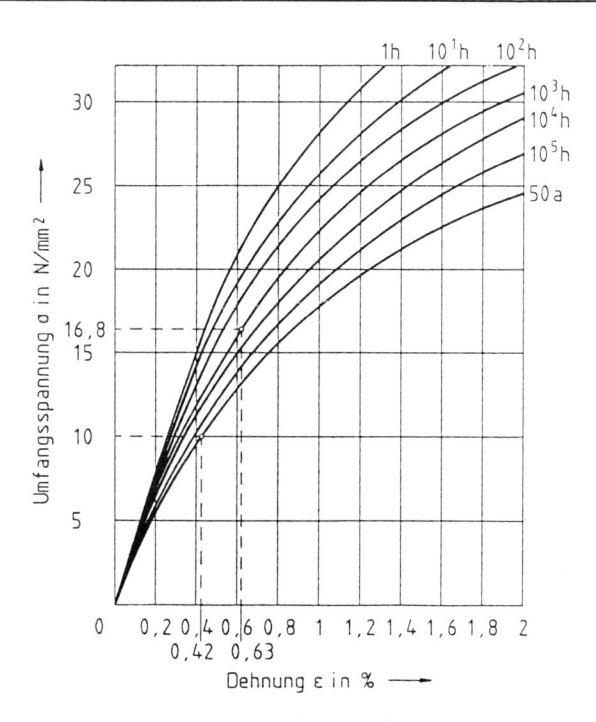

Bild 5: Spannungs-Dehnungsdiagramm, PVC-U, 20 °C

logarithmischer Teilung eingetragen. Die sogenannte Vergleichsspannung σ_v (Umfangspannung) läßt sich dabei über den Innendruck mittels der Kesselformel ermitteln:

$$\sigma_v = p \cdot \frac{r_m}{s} \quad \text{Näherungsformel von:}$$

$$\sigma_v = \sqrt{\frac{1}{2}(\sigma_1 - \sigma_2)^2 + (\sigma_2 + \sigma_3)^2 + (\sigma_3 - \sigma_1)^2}$$

Durch die Punkte der Prüfspannungen mit den niedrigsten Standzeiten wird eine bzw. werden zwei Geraden gelegt; man erhält so eine für die jeweilige Prüftemperatur gültige Zeitstandkennlinie, die sogenannte Mindestzeitstandkurve (Bild 6). Hierbei müssen mindestens 97,5 % aller Meßpunkte auf bzw. über der Zeitstandkennlinie liegen. Die Erfahrung hat gezeigt, daß in manchen Fällen die Punkte der Prüfergebnisse am besten einer einzigen Geraden nach Modell 1 (lineares Verhalten), in anderen Fällen am besten zweier Geraden nach Modell 2 (abknickendes Verhalten) genügen.

Modell 1. $\lg t = A - B \lg \sigma$

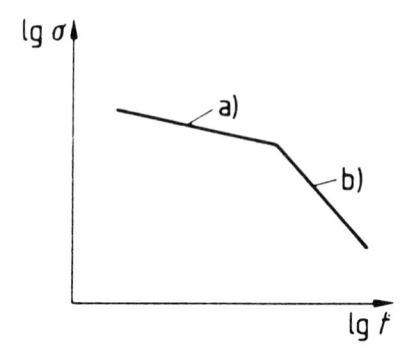

Modell 2. a) $\lg t = A_1 - B_1 \lg \sigma$ b) $\lg t = A_2 - B_2 \lg \sigma$
A, A_1 A_2, B, B_1, B_2 sind Konstante

Bild 6: Modelle für Zeitstandkennlinien

Die Geraden sind durch entsprechende Formeln analog Bild 6 mathematisch erfaßbar und liegen für etliche Rohrwerkstoffe vor.

Die Auftragung in Zeitstandkennlinien entspricht einer Normierung und erlaubt daher eine Festigkeitsaussage über Rohre aus einem bestimmten Werkstoff, unabhängig von der Dimension.

Neben einer Vielzahl von Versuchen ist eine angemessene Versuchsdauer erforderlich, um eine gesicherte Extrapolation zu langen Zeiten (z.B. 100 Jahre) zu ermöglichen. Für die gebräuchlichsten Rohrwerkstoffe PVC-U, PE-HD und

PP laufen diese Versuche schon mehr als 30 Jahre. In den Versuchen kristallisierte sich bald ein systematischer Zusammenhang zwischen bei unterschiedlichen Temperaturen ermittelten Kurven heraus, der folgendermaßen verwertet wird:

– Bei der Güteüberwachung ermöglichen Versuche bei höheren Temperaturen und somit bei entsprechend kurzen Zeiten eine Aussage hinsichtlich der Standzeiten bei niedrigen Temperaturen (Gebrauchstemperaturen).

– Die Erstellung von Zeitstandkurven für neuere Rohrwerkstoffe ist damit in relativ geringer Zeit möglich (2–3 Jahre).

Die in Zeitstandsuntersuchungen ermittelten Standzeiten weisen eine natürliche, statistisch verteilte Streuung auf. Sie liegen demnach nicht exakt auf einer Kurve, sondern bilden ein Streuband. Die für die Dimensionierung, Normung und Güteüberwachung zugrunde gelegten Zeitstandkurven wurden als untere Begrenzung eines solchen Streubandes festgelegt. Die ermittelten Kurven sind demgemäß Mindestfestigkeiten. In den entsprechenden Normen sind folgende Definitionen festgelegt:

– Untere Vertrauensgrenze LCL (Lower Confidence Limit)

Eine Größe mit der Einheit einer Spannung in Megapascal (MPa), die als Eigenschaft des Werkstoffes angesehen werden kann und die mit einer Wahrscheinlichkeit von 97,5 % der unteren Vertrauensgrenze der vorausgesagten mittleren Langzeitfestigkeit bei 20 °C und 50 Jahren in Wasser entspricht.

– Erforderliche Mindestfestigkeit MRS (Minimum Required Strength)

LCL	MRS
< 10 MPa	auf niedrigeren Wert der R10-Normzahlenreihe gerundeter Wert
≥ 10 MPa	auf niedrigeren Wert der R20-Normzahlenreihe gerundeter Wert

R10- und R20-Normzahlenreihen sind Renard-Normzahlenreihen nach ISO 3 und ISO 497

Seit der Festlegung der ersten Zeitstandkurven (z.B. für Rohre aus PVC-U und PE-HD vor über 30 Jahren) konnte die Qualität der Rohre durch Verbesserungen von Rohstoffen sowie Herstellverfahren deutlich gesteigert werden. Aus diesem Grund ist für heutzutage produzierte Rohre eine erhebliche zusätzliche Sicherheit festzustellen. Diese zusätzliche Sicherheit kann als "stille Reserve" angesehen werden, da sie bei der Dimensionierung von Rohren nicht berücksichtigt wird.

Die Dimensionierung von Rohren erfolgt unter Einbeziehung der Zeitstandkurven und der vorgesehenen Einsatzbedingungen über folgende Formel zur Auslegung der erforderlichen Wanddicke:

$$s = p \cdot \frac{d_a}{20\sigma_{v,zul.} + p}$$

Einzusetzen ist:

s = Wanddicke in mm

p = Innendruck in bar

d_a = Rohraußendurchmesser in mm

$\sigma_{v,zul.}$ = mit Sicherheitsfaktor versehene zulässige Dimensionierungsspannung in N/mm²

Dazu sind Aussagen hinsichtlich folgender Kriterien erforderlich:

- die vorgesehene Nutzungsdauer
- die zu erwartende Betriebstemperatur
- Sicherheitsfaktoren
- zu erwartende Betriebsdrücke
- der erforderliche Rohrdurchmesser.

Die Sicherheitsfaktoren werden je nach Werkstoff und Einsatz vergeben und berücksichtigen u.a.:

- Rohstoff und/oder herstellungsbedingte Schwankungen
- Unsicherheiten während des Transportes, der Installation und des Betriebs der Rohre, u.a:
  - Schlagbeanspruchung bei Druckstößen bzw. äußerer Einwirkung
  - Wärmespannungen bei Temperaturvariationen
  - Biegespannungen bei Erdsetzungen

Nach Festlegung von Nutzungsdauer und Betriebstemperatur ergibt sich aus dem Zeitstanddiagramm eine entsprechende Mindestfestigkeit des Rohres (MRS). Dieser Wert wird unter Einbeziehung des Sicherheitsfaktors (SF) zur Dimensionierungsspannung umgerechnet. Nach Festlegung des Betriebsdrucks läßt sich somit die Rohrwanddicke für jeweilige Rohraußendurchmesser errechnen.

Auf diesen Grundlagen basiert auch die Normung von Rohrabmessungen. Dazu wurden in den Gemeinschaftsausschüssen des DIN folgende Festlegungen getroffen:

Die anzusetzende Mindestnutzungsdauer beträgt 50 Jahre, beruhend auf einer 2 %igen Amortisation von Trinkwasserleitungen.

Als Temperatur ist 20 °C festgelegt, was die Mehrzahl der Anwendungsfälle (Trinkwasser- und Gasversorgung) abdeckt.

Die Dimensionierungsspannung $\sigma_{v,zul.}$ gilt somit für das Durchflußmedium Wasser bei einer Temperatur von 20 °C und einer Mindestnutzungsdauer von 50 Jahren.

Die u.a. vom Werkstoff abhängigen Sicherheitsfaktoren sind ebenfalls geregelt worden.

Nachfolgend sind die gebräuchlichsten Rohrleitungs-Kunststoffe mit Kurzbezeichnung, MRS-Wert, Sicherheitsfaktor, Dimensionierungsspannung, Zeitstanddiagrammen (Bilder 7–20) sowie den entsprechenden Zeitstandberechnungsformeln – soweit vorhanden – aufgeführt.

Rohre und Formstücke aus weichmacherfreiem Polyvinylchlorid

Rohrwerkstoff (Kurzbezeichnung)	MRS [N/mm²]	Sicherheitsfaktor SF	Dimensionierungsspannung $\sigma_{v,zul.}$ [N/mm²]
PVC-U-250	25	2,5	10
PVC-U-K-250	25	2,5	10
PVC-HI 1-140	14	1,4	10
PVC-HI 2-140	14	1,4	10

PVC-U-250: weichmacherfreie PVC-Formmasse

PVC-U-K-250: weichmacherfreie PVC-Formmasse mit einem Massenanteil von höchstens 15 % Kreide als Verstärkungsstoff

PVC-HI 1-140: Mischung aus Vinylchlorid-Homopolymerisat und Propfcopolymerisat auf Basis von Acrylsäureester-Vinylchlorid

PVC-HI 2-140: Mischung aus Vinylchlorid-Homopolymerisat und chloriertem Polyethylen

Anforderungen an Formstücke aus Polyvinylchlorid: siehe DIN 8063.

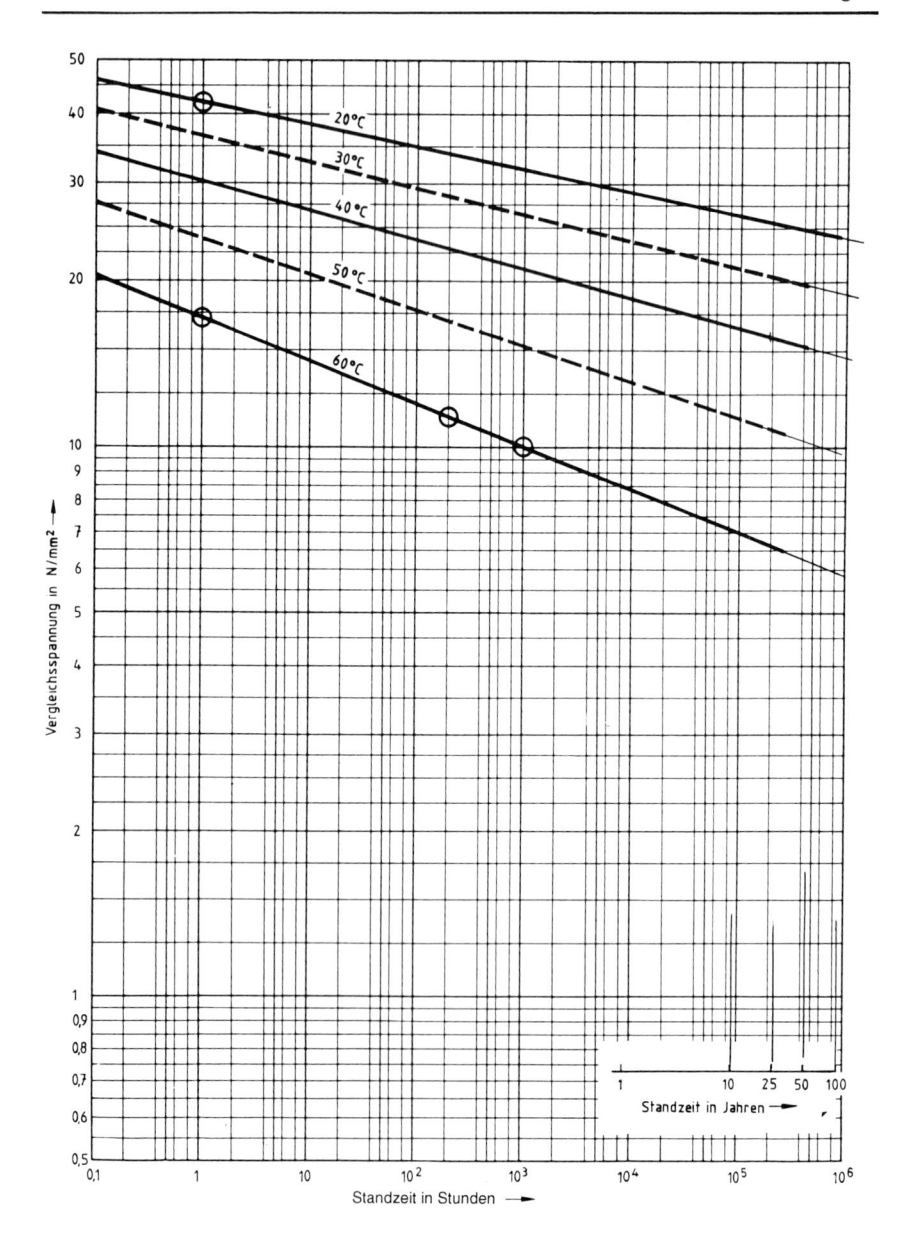

Bild 7: Zeitstand-Innendruckverhalten von Rohren aus PVC-U

Werkstoffe für Kunststoffrohrleitungen

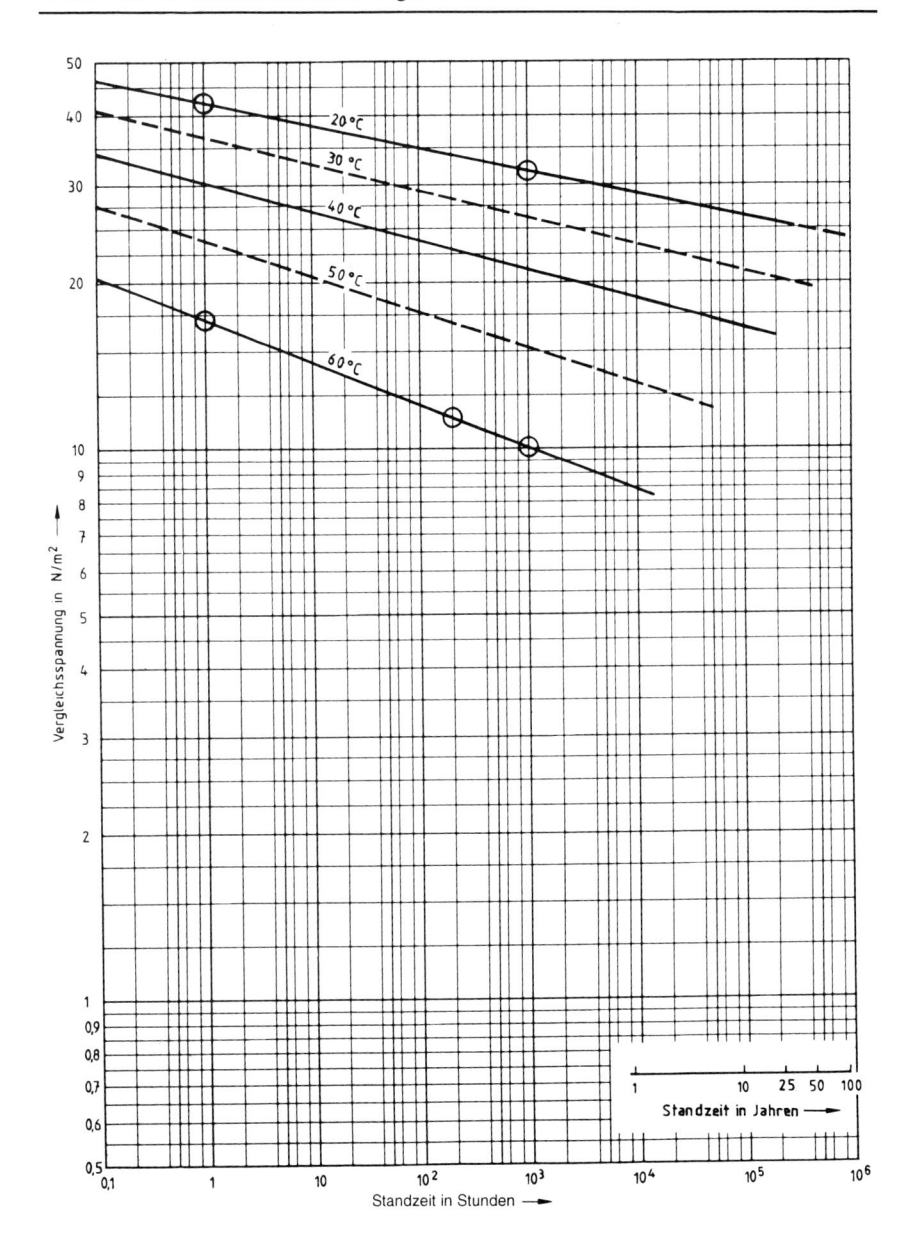

Bild 8: Zeitstand-Innendruckverhalten von Rohren aus PVC-U-K

26　　　　　　　　　　　　　　　　Werkstoffe für Kunststoffrohrleitungen

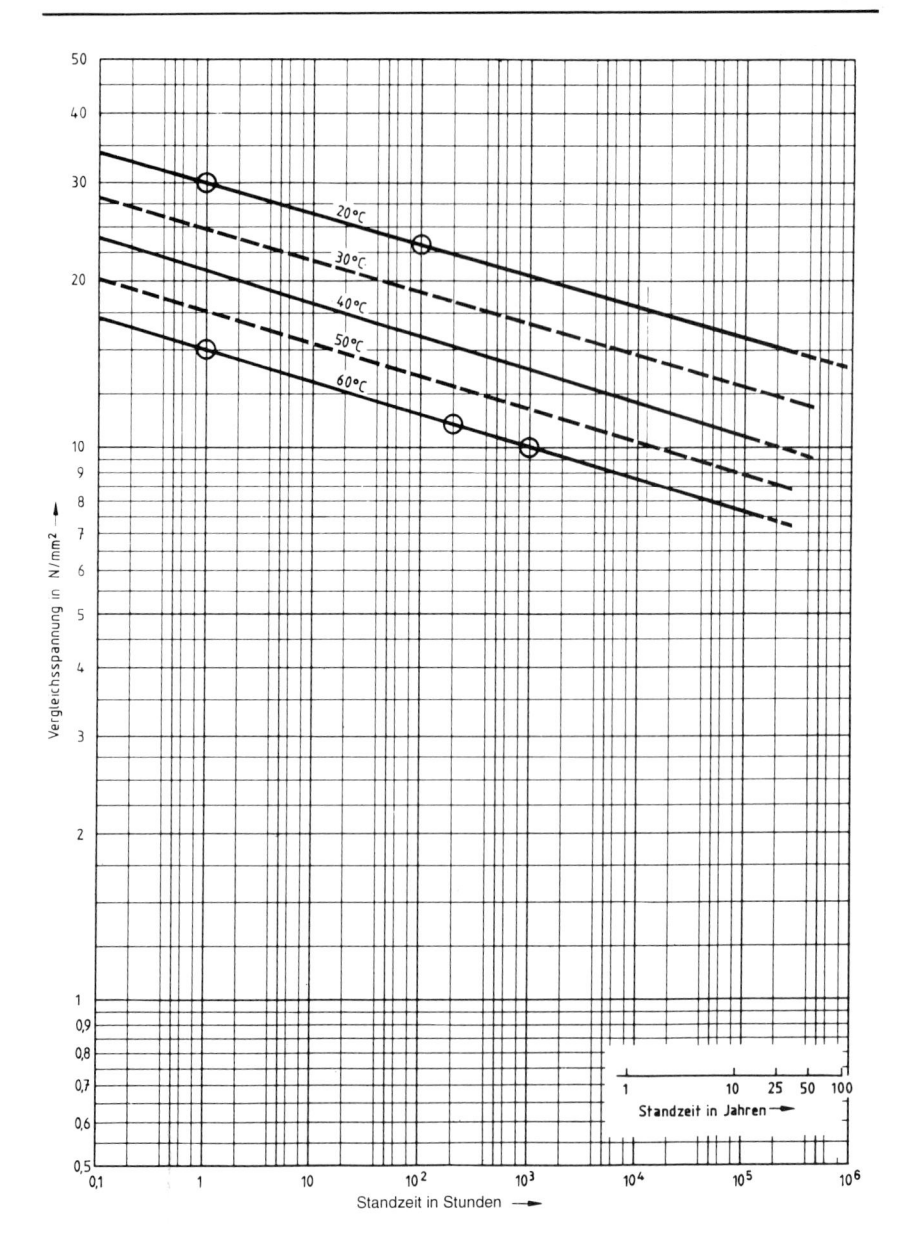

Bild 9: Zeitstand-Innendruckverhalten von Rohren aus PVC-HI 1

Werkstoffe für Kunststoffrohrleitungen 27

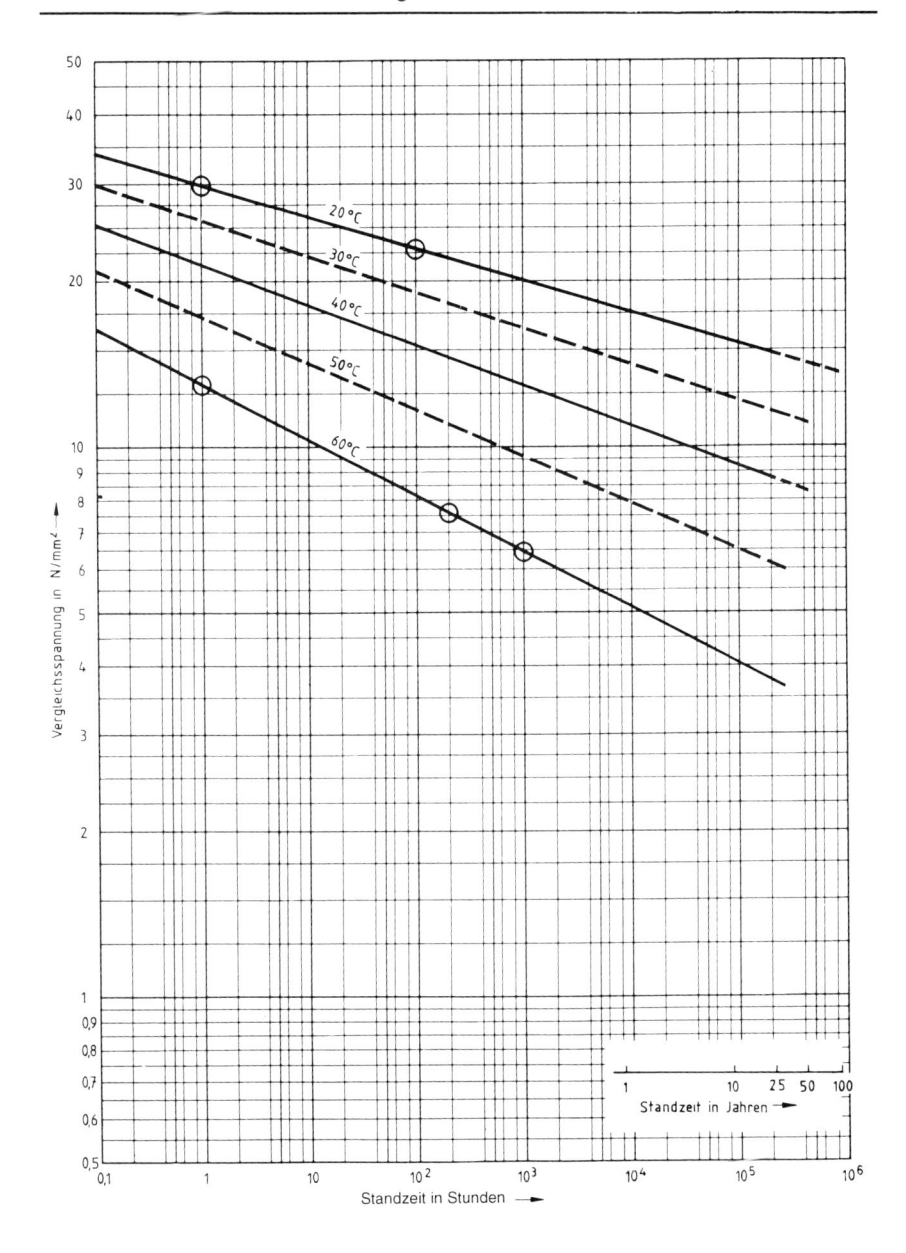

Bild 10: Zeitstand-Innendruckverhalten von Rohren aus PVC-HI 2

Rohre und Formstücke aus chloriertem Polyvinylchlorid

Rohrwerkstoff (Kurzbezeichnung)	MRS [N/mm²]	Sicherheitsfaktor SF	Dimensionierungsspannung $\sigma_{v,zul.}$ [N/mm²]
PVC-C-250	25	2,5	10

Spritzgießwerkstoff (Kurzbezeichnung)	MRS [N/mm²]	Sicherheitsfaktor SF	Dimensionierungsspannung $\sigma_{v,zul.}$ [N/mm²]
PVC-C-200	20	2,5	8

Für Rohre aus PVC-C werden andere Formmassen als für Formstücke aus PVC-C verwendet. Daher sind im Gegensatz zu den anderen gebräuchlichen Kunststoffen auch die Zeitstanddiagramme unterschiedlich.

Zeitstandberechnungsformeln für +10 °C bis +95 °C; PVC-C-250 bzw. für +10 °C bis +80 °C; PVC-C-200

PVC-C-250:

$$\log t = -109{,}95 - 21897{,}4 \cdot \frac{\log \sigma}{T} + 43702{,}87 \cdot \frac{1}{T} + 50{,}74202 \cdot \log \sigma$$

PVC-C-200:

$$\log t = -121{,}699 - 25985 \cdot \frac{\log \sigma}{T} + 47143{,}18 \cdot \frac{1}{T} + 63{,}03511 \cdot \log \sigma$$

Anforderungen an Formstücke aus chloriertem Polyvinylchlorid: siehe DIN 16832.

Rohre und Formstücke aus Polyethylen

Rohrwerkstoff (Kurzbezeichnung)	MRS [N/mm²]	Sicherheitsfaktor SF*	Dimensionierungsspannung $\sigma_{v,zul.}$ [N/mm²]
PE 63	6,3	1,25	5,0
PE 80	8,0	1,25	6,3
PE 100	10,0	1,25	8,0

* Die Sicherheitsfaktoren entsprechen denen in der DIN EN ISO 12162 genannten Mindestsicherheitsfaktoren und berücksichtigen die Abhängigkeit der Festigkeit von der Beanspruchungszeit und den Einfluß der spezifischen Zähigkeit.

Anforderungen an Formstücke aus Polyethylen: siehe DIN 16963.

Werkstoffe für Kunststoffrohrleitungen

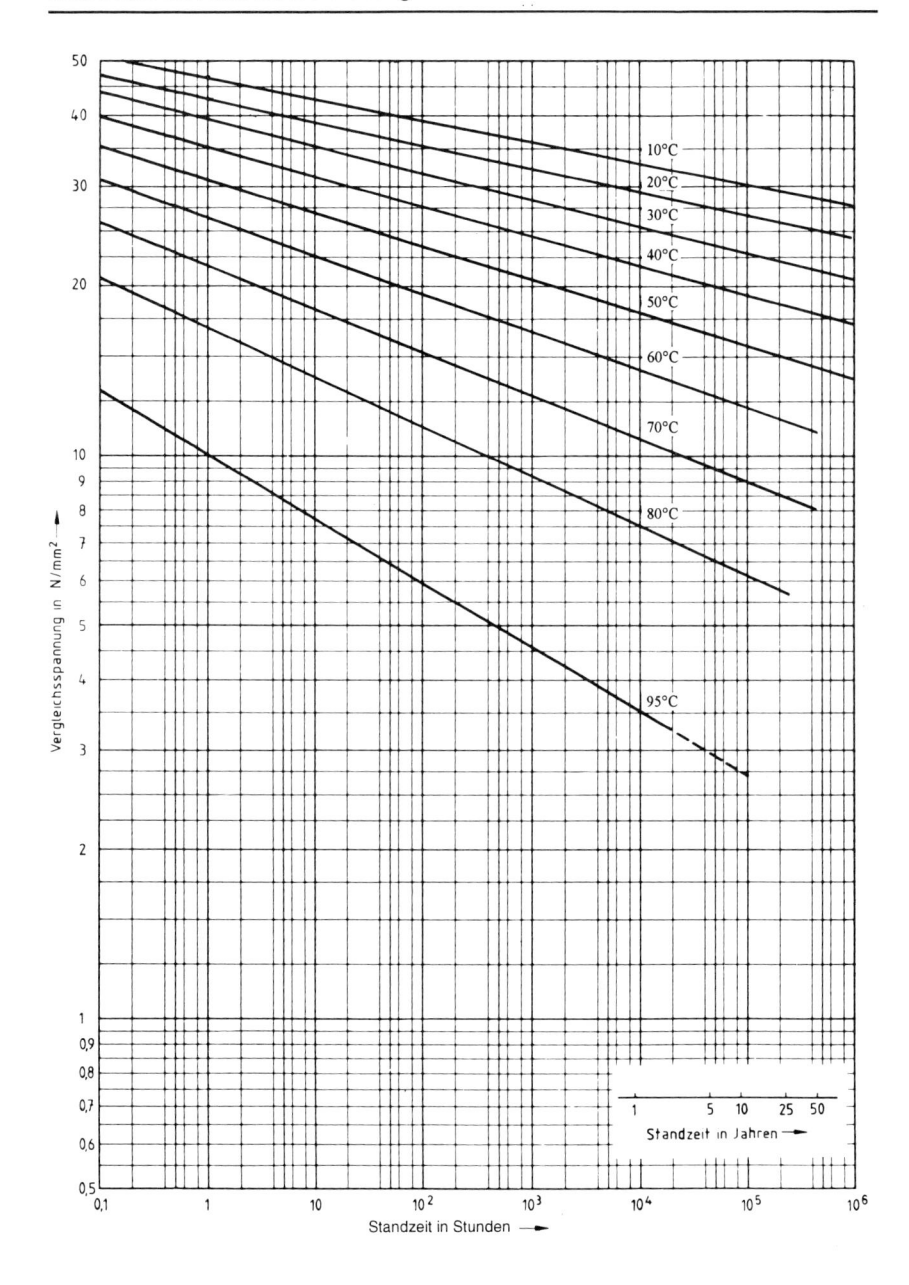

Bild 11: Zeitstand-Innendruckverhalten von Rohren aus PVC-C

30 Werkstoffe für Kunststoffrohrleitungen

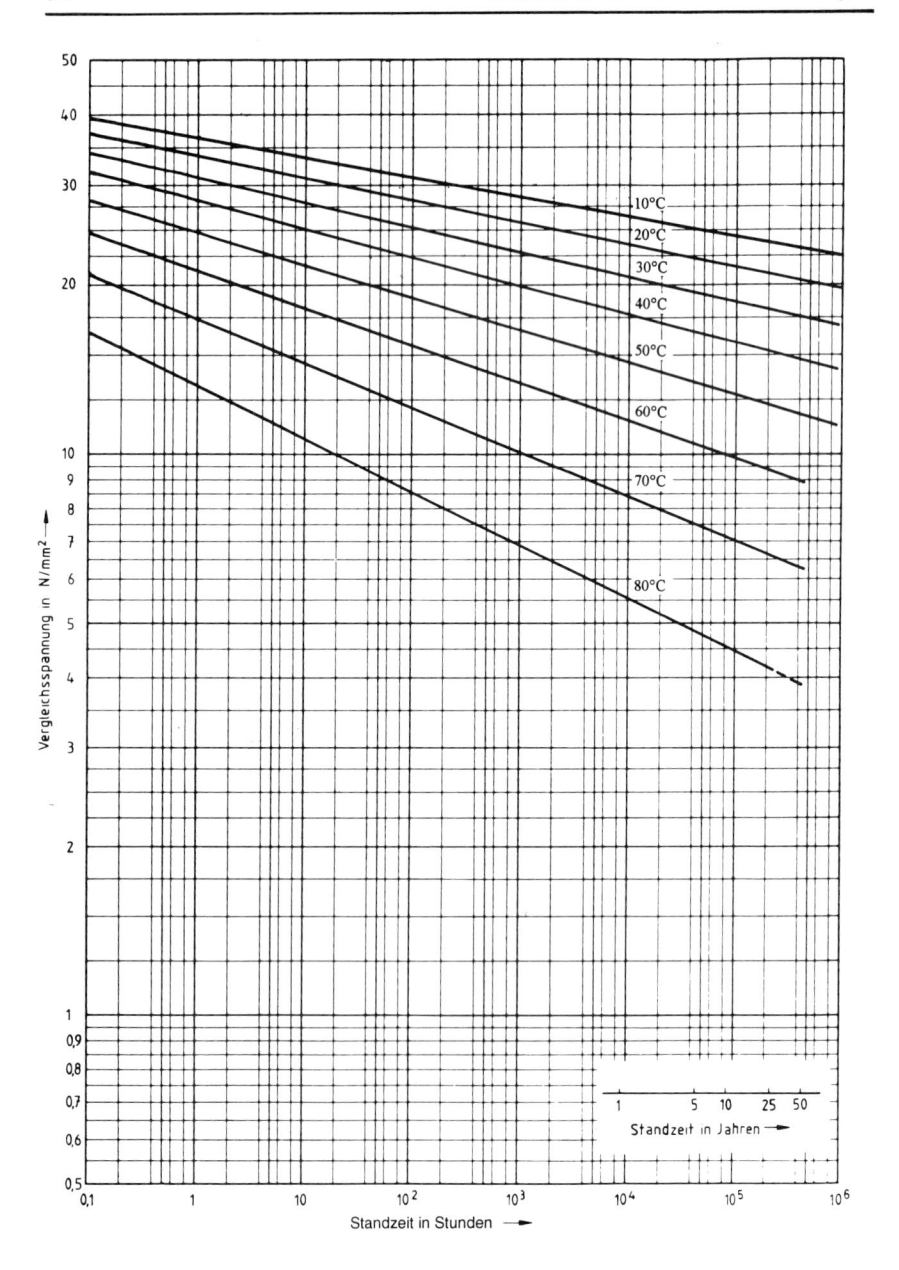

Bild 12: Zeitstand-Innendruckverhalten von Formstücken aus PVC-C

Werkstoffe für Kunststoffrohrleitungen 31

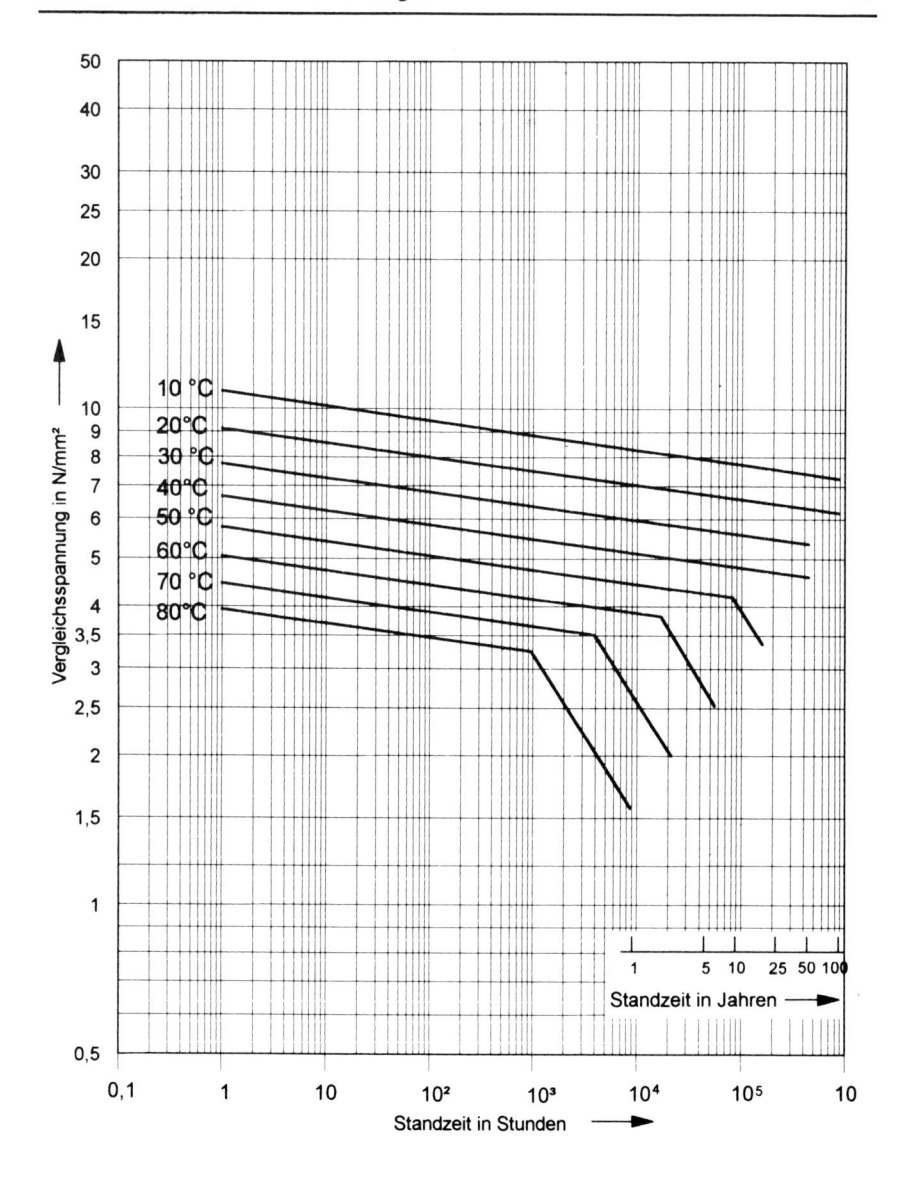

Bild 13: Zeitstand-Innendruckverhalten von Rohren aus PE 63

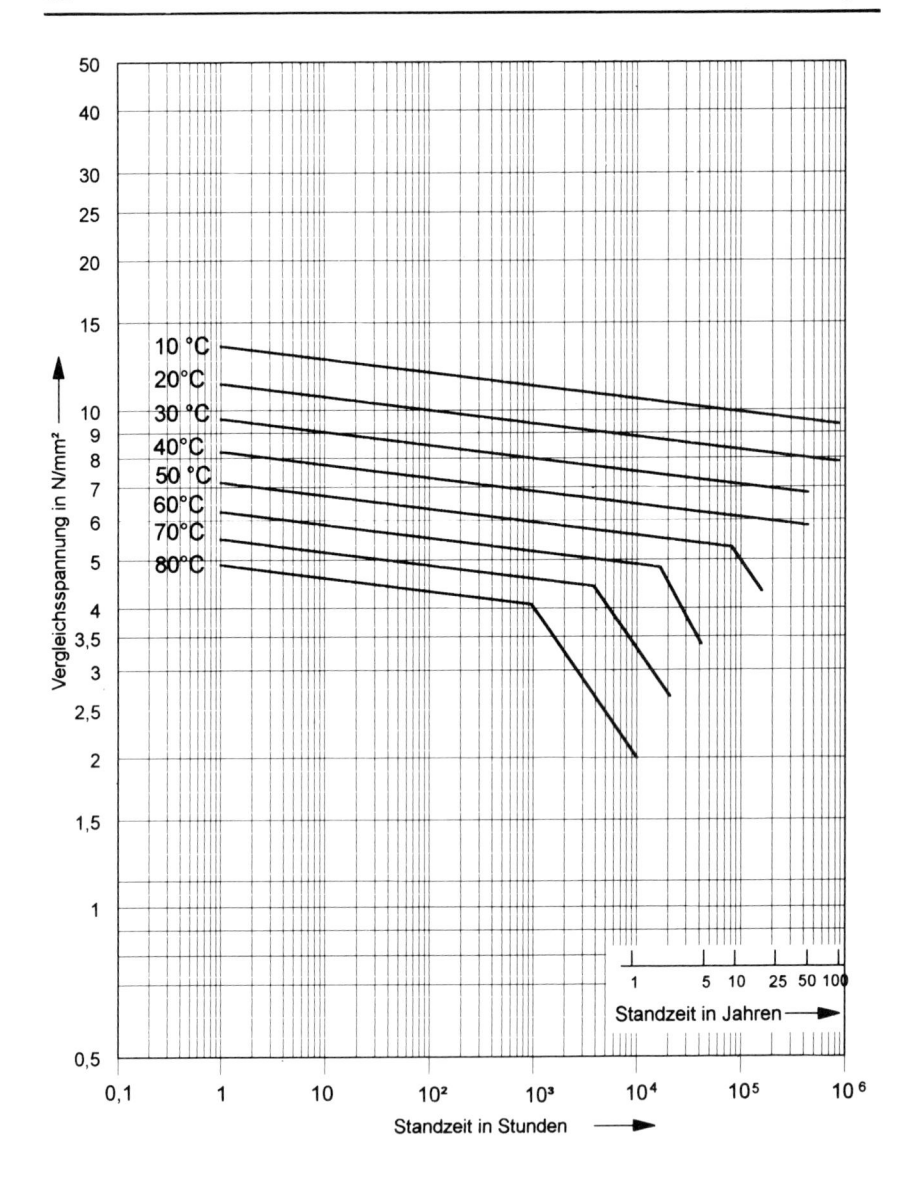

Bild 14: Zeitstand-Innendruckverhalten von Rohren aus PE 80

Werkstoffe für Kunststoffrohrleitungen 33

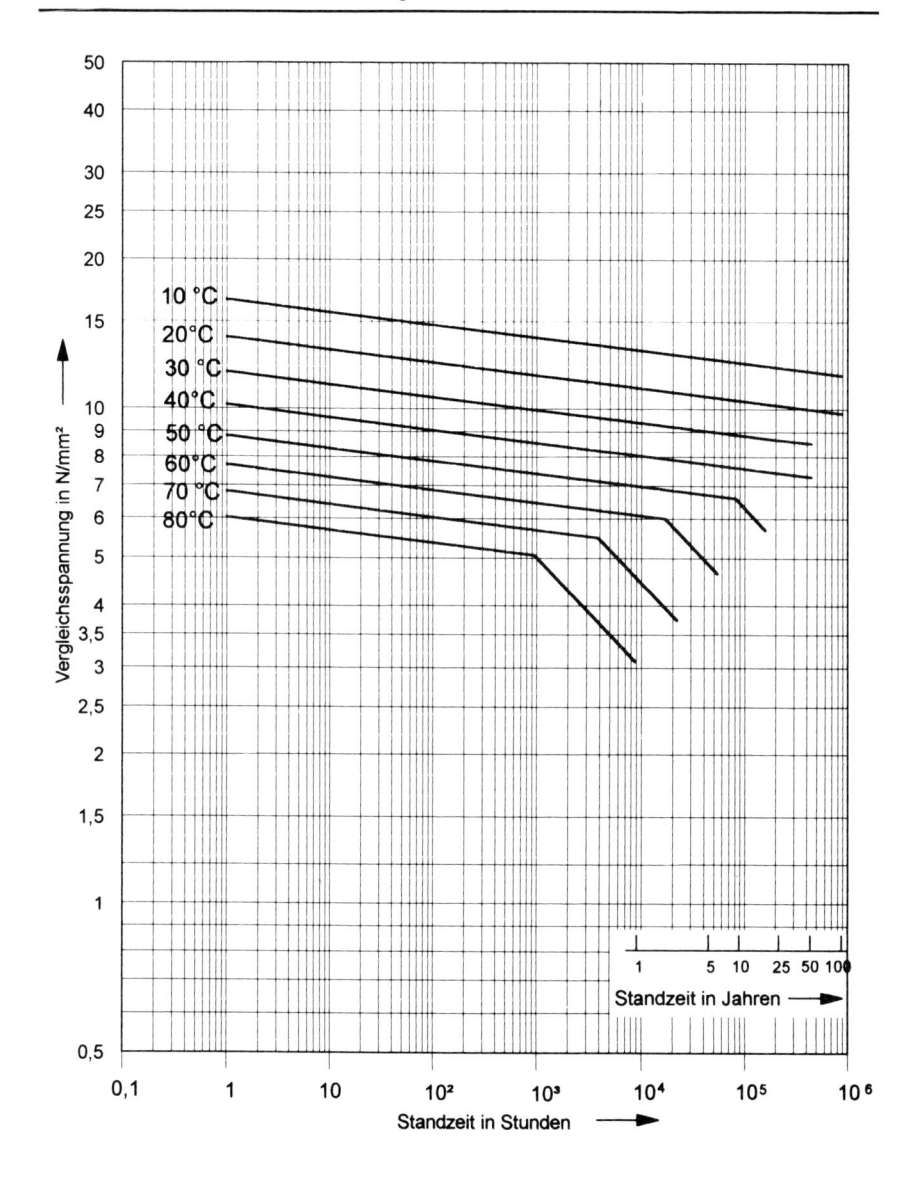

Bild 15: Zeitstand-Innendruckverhalten von Rohren aus PE 100

Rohre und Formstücke aus Polypropylen

Rohrwerkstoff (Kurzbezeichnung)	MRS [N/mm²]	Sicherheitsfaktor SF	Dimensionierungsspannung $\sigma_{v,zul}$ [N/mm²]
PP-H (100)	10	1,6	6,3
PP-B (80)	8	1,25	6,3
PP-R (80)	8	1,25	6,3

PP-H (100): Homopolymerisat
PP-B (80): Block-Copolymerisat
PP-R (80): Random-Copolymerisat

Zeitstandberechnungsformeln (für +10° bis +100 °C):

Erster Ast (d.h. der linke Teil der Linien gemäß Bildern 16 – 18):

PP-H (100):

$$\log t = -46{,}364 - 9601{,}1 \cdot \frac{\log \sigma}{T} + 20381{,}5 \cdot \frac{1}{T} + 15{,}24 \cdot \log \sigma$$

PP-B (80):

$$\log t = -56{,}086 - 10157{,}8 \cdot \frac{\log \sigma}{T} + 23971{,}7 \cdot \frac{1}{T} + 13{,}23 \cdot \log \sigma$$

PP-R (80):

$$\log t = -55{,}725 - 9484{,}1 \cdot \frac{\log \sigma}{T} + 25502{,}2 \cdot \frac{1}{T} + 6{,}39 \cdot \log \sigma$$

Zweiter Ast (d.h. der rechte Teil der Linien gemäß Bildern 16 – 18):

PP-H (100):

$$\log t = -18{,}387 + 8918{,}5 \cdot \frac{1}{T} - 4{,}1 \cdot \log \sigma$$

PP-B (80):

$$\log t = -13{,}699 + 6970{,}3 \cdot \frac{1}{T} - 3{,}82 \cdot \log \sigma$$

PP-R (80):

$$\log t = -19{,}98 + 9507 \cdot \frac{1}{T} - 4{,}11 \cdot \log \sigma$$

Werkstoffe für Kunststoffrohrleitungen

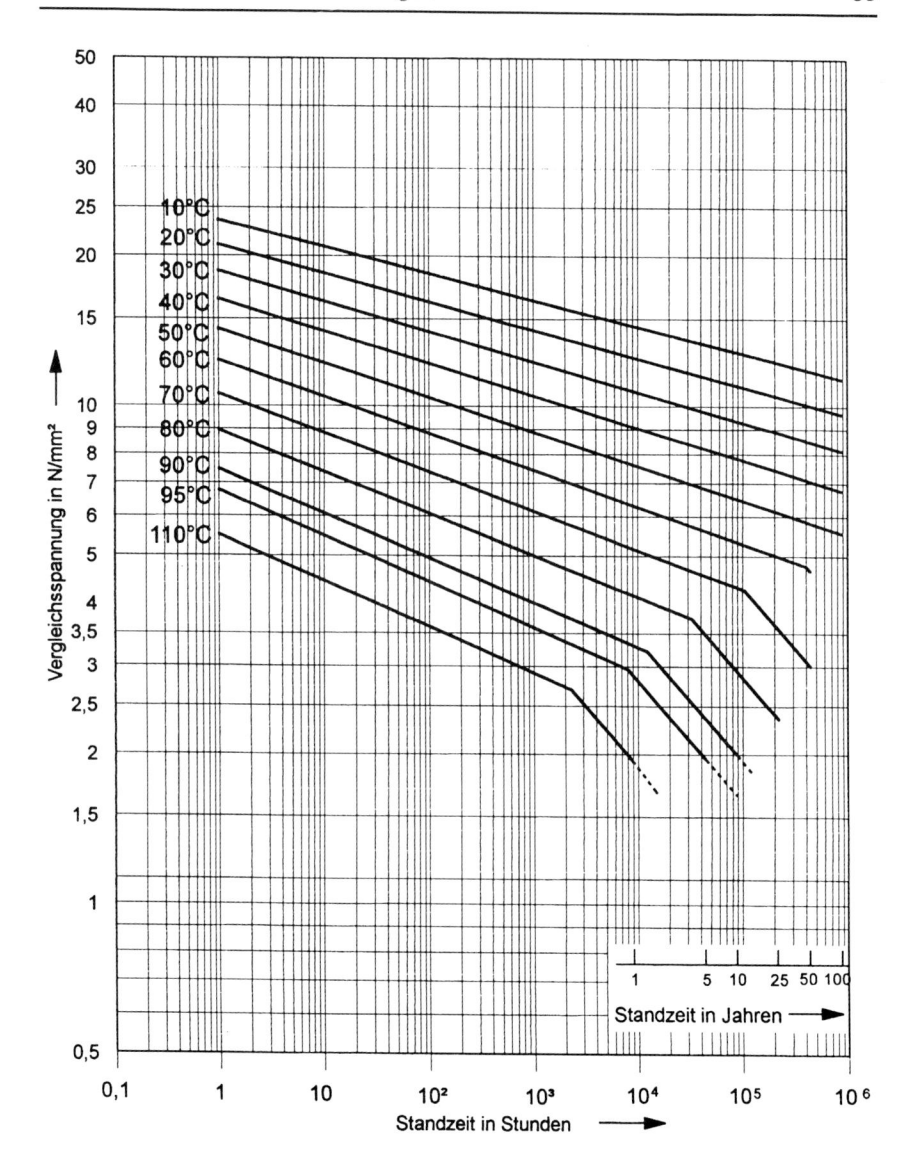

Bild 16: Zeitstand-Innendruckverhalten von Rohren aus PP-H

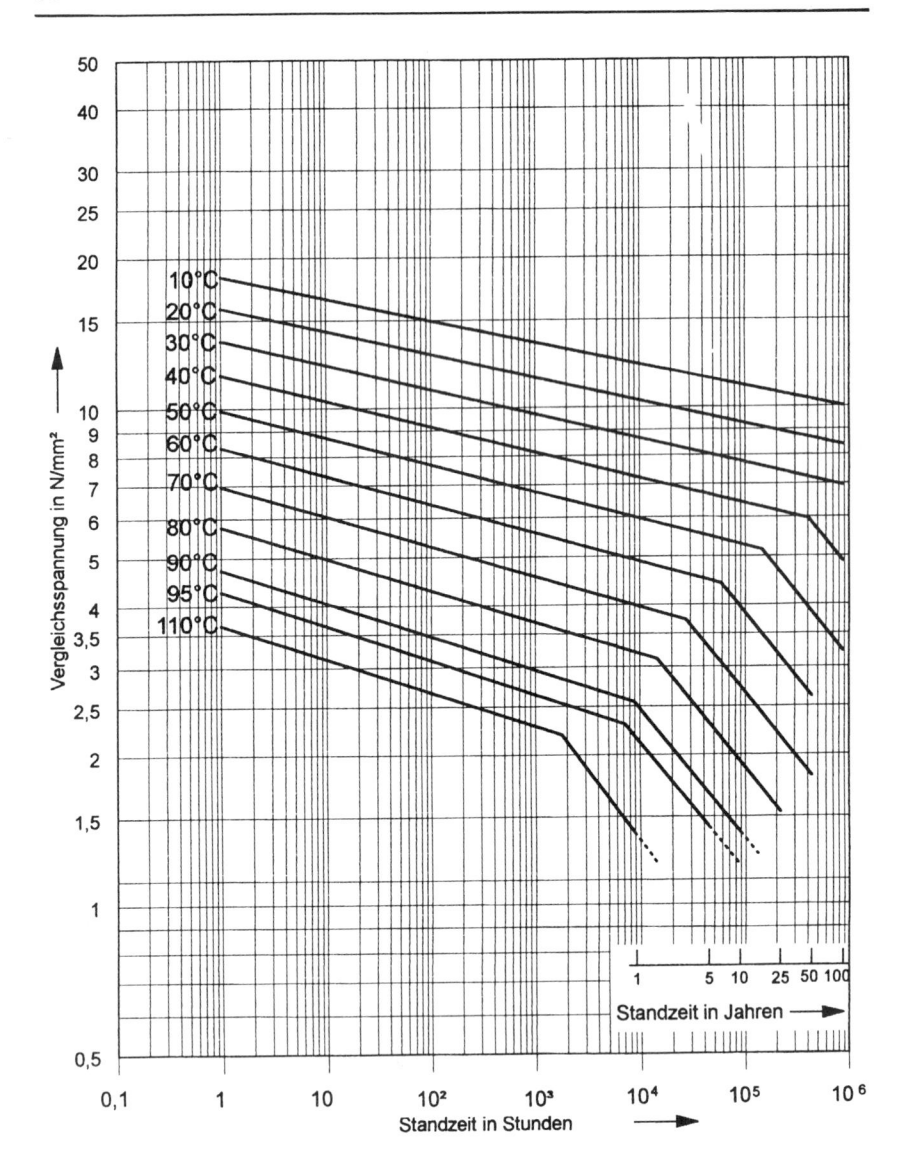

Bild 17: Zeitstand-Innendruckverhalten von Rohren aus PP-B

Werkstoffe für Kunststoffrohrleitungen 37

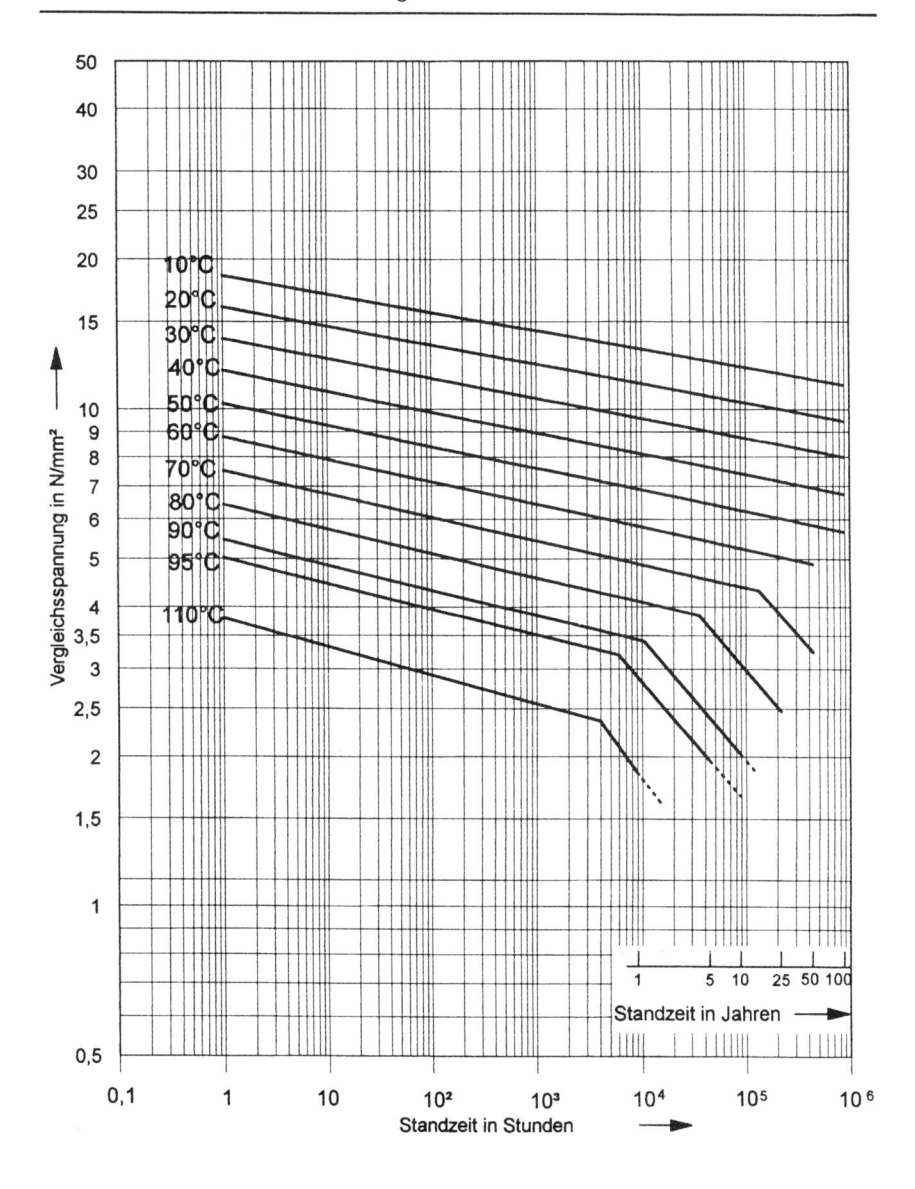

Bild 18: Zeitstand-Innendruckverhalten von Rohren aus PP-R

Werkstoffe für Kunststoffrohrleitungen

Rohre und Formstücke aus Polybuten

Rohrwerkstoff (Kurzbezeichnung)	MRS [N/mm²]	Sicherheitsfaktor SF	Dimensionierungsspannung $\sigma_{v,zul}$ [N/mm²]
PB 125	12,5	1,25	10

Zeitstandberechnungsformeln (für +10° bis +95 °C):

Erster Ast (d.h. der linke Teil der Linien gemäß Bild 19):

PB 125:

$$\log t = -430{,}866 - 125010 \cdot \frac{\log \sigma}{T} + 173892{,}7 \cdot \frac{1}{T} + 290{,}0569 \cdot \log \sigma$$

Zweiter Ast (d.h. der rechte Teil der Linien gemäß Bild 19):

PB 125:

$$\log t = -129{,}895 - 37262{,}7 \cdot \frac{\log \sigma}{T} + 52556{,}48 \cdot \frac{1}{T} + 88{,}56735 \cdot \log \sigma$$

Anforderungen an Rohre und Formstücke aus Polybuten:
siehe DIN 16831.

Rohre aus Polyethylen, vernetzt

Rohrwerkstoff (Kurzbezeichnung)	MRS [N/mm²]	Sicherheitsfaktor SF	Dimensionierungsspannung $\sigma_{v,zul}$ [N/mm²]
PE-X	9,5	1,5	6,3

Zeitstandberechnungsformel (für +10° bis +95 °C):

PE-X:

$$\log t = -122{,}134 - 9{,}872107 \cdot 10^{-12} \cdot \log \sigma \cdot T^5 - 25046{,}7 \cdot \frac{1}{T} - 12{,}6273 \cdot \log \sigma$$

Werkstoffe für Kunststoffrohrleitungen 39

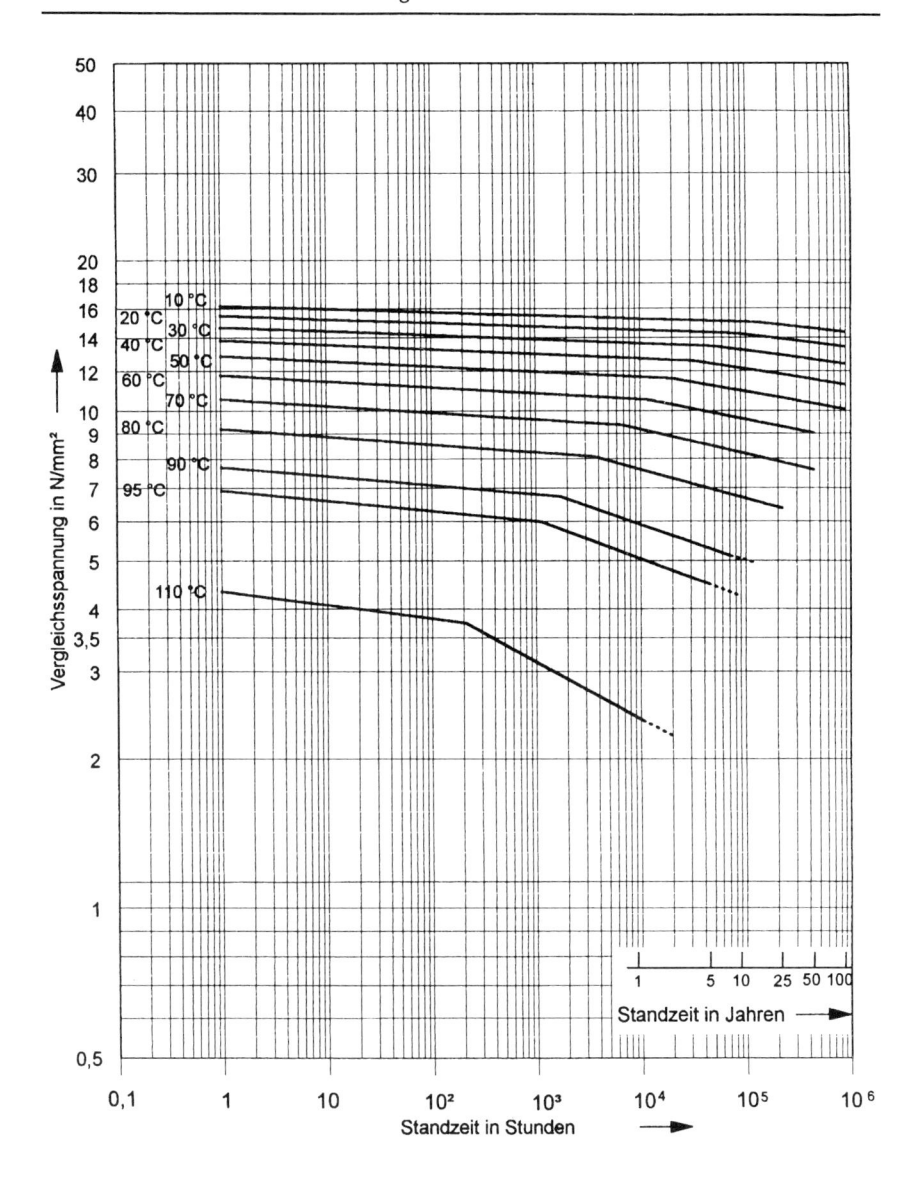

Bild 19: Zeitstand-Innendruckverhalten von Rohren aus PB

40　　　　　　　　　　　　　　　　Werkstoffe für Kunststoffrohrleitungen

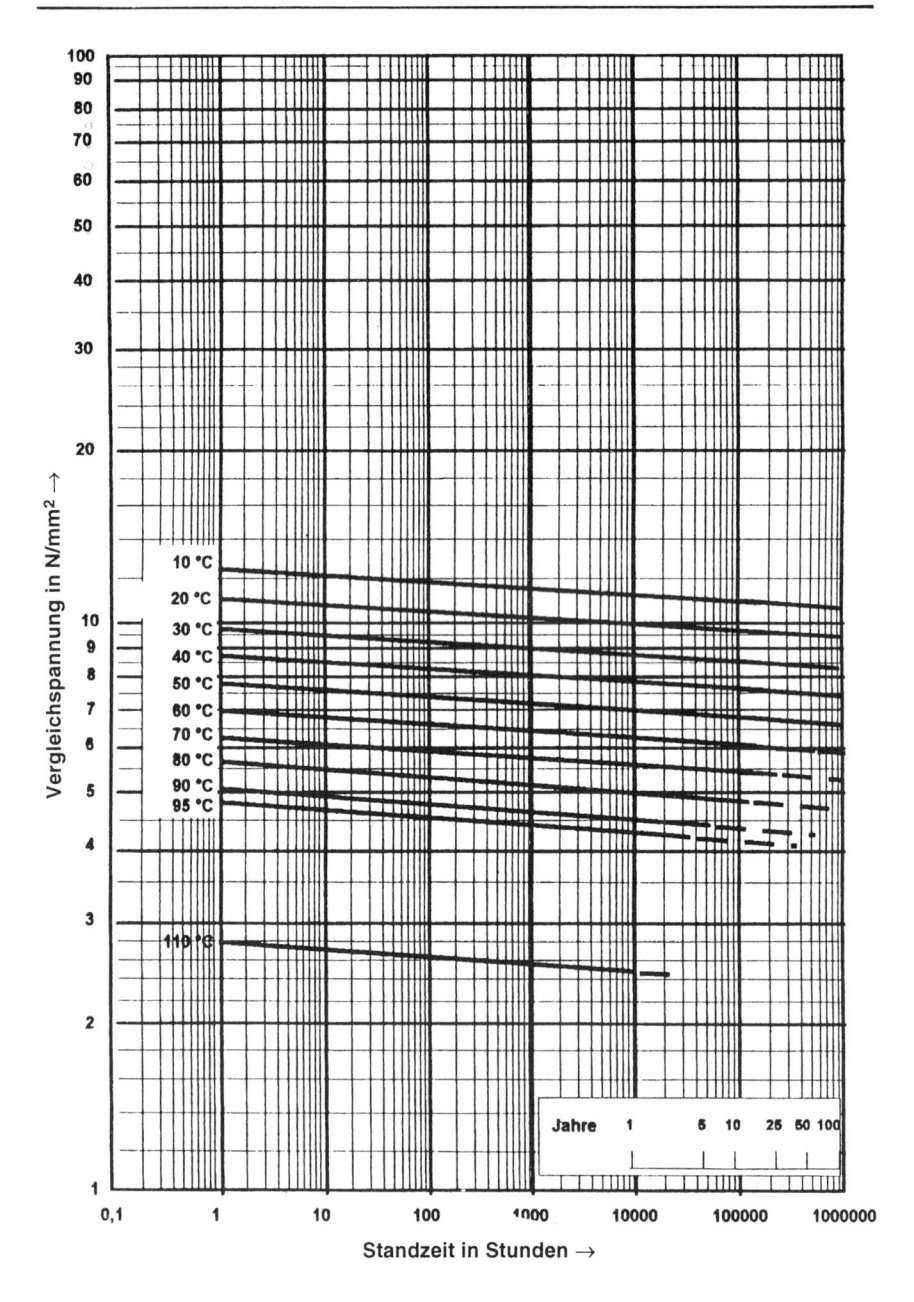

Bild 20: Zeitstand-Innendruckverhalten von Rohren aus PE-X

Werkstoffe für Kunststoffrohrleitungen

3.1 Polyvinylchlorid weichmacherfrei (PVC-U)

Polyvinylchlorid (PVC) ist ein vorwiegend amorpher thermoplastischer pulverförmiger Kunststoff, der durch Polymerisation von monomerem Vinylchlorid (VCM) hergestellt wird und nur eine geringe Kristallinität aufweist.

Struktur von PVC

$$\begin{bmatrix} H & H \\ | & | \\ -C & -C - \\ | & | \\ H & Cl \end{bmatrix}_n$$

Vinylchlorid (chemische Formel $CH_2=CHCl$) ist bei Normaldruck und Raumtemperatur ein farbloses Gas. Die Herstellung von Vinylchlorid erfolgt durch Chlorierung der Erdölprodukte Ethylen/Azetylen. Das hierzu benötigte Chlor (Cl_2) wird aus einer Steinsalzlösung (NaCl) gewonnen.

Insbesondere aufgrund der guten Wirtschaftlichkeit sowie der erzielbaren Fertigteileigenschaften wird für die Rohr- bzw. Formstückherstellung fast ausschließlich durch Suspensionspolymerisation hergestelltes PVC (S-PVC) verwendet, welches für die Weiterverarbeitung mit Zuschlagstoffen wie Stabilisatoren, Gleitmitteln, Pigmenten etc. versehen wird (s.a. Teil IV.1.1).

Hauptunterscheidungsmerkmal erhältlicher PVC-Typen ist vor allem die durch gezielte Prozeßführung jeweilig erzeugte Kettenlänge. Eine meßtechnische Differenzierung von PVC-Typen erfolgt durch den sogenannten K-Wert, der ein Maß für die Lösungsviskosität unterschiedlicher Kettenlängen darstellt. Die Wahl des für die jeweilige Anwendung geeigneten PVC-Typs hängt hauptsächlich ab von der Art und Weise der Verarbeitung unter Beachtung der geforderten Eigenschaften des Produkts. Höhere K-Werte haben erhöhte mechanische Eigenschaften zur Folge, jedoch steigt ebenfalls die Schmelzeviskosität. Für den Spritzgießprozeß werden aufgrund der durch die Formteilgestaltung vorgegebenen geringen Schmelzeviskosität bevorzugt PVC-Typen mit geringerer Kettenlänge eingesetzt. Die Spanne reicht hier vom K-Wert 50 bis zum K-Wert 65; schwerpunktmäßig werden K-Wert 57 bis K-Wert 60 verarbeitet. Die Herstellung von Druckrohren erfolgt mittels der wirtschaftlichen Extrusion unter Verwendung von PVC-Typen mit einem K-Wert von 65 bis 68. Die in vielen flexiblen PVC-Anwendungen als Zuschlagstoff eingesetzten sogenannten Weichmacher kommen in harten PVC-Anwendungen wie Rohren und Formstücken nicht als Zuschlagstoff zum Einsatz; somit spricht man von PVC-U (unplasticised PVC).

Kennzeichnende Eigenschaft von PVC-U ist neben hoher Härte und Formstabilität eine ausgezeichnete chemische Beständigkeit. Rohre aus PVC-U sind beständig gegen Säuren und Laugen, Alkohole, Öle, Fette, aliphatische Kohlenwasserstoffe und Benzin und werden von keiner bekannten Bodenart nachteilig beeinflußt. In Estern, Ketonen, chlorierten Kohlenwasserstoffen und einigen anderen Lösungsmitteln ist PVC-U quellbar bis löslich. Dieses Verhalten kann ausgenutzt werden, indem Teile aus PVC-U miteinander verklebt werden können. Wie alle Thermoplaste kann auch PVC-U nach Erwärmung über den Erweichungspunkt von etwa 80 °C in eine andere Form gebracht und durch Abkühlung in dieser neuen Form stabilisiert werden (s.a. Teil IV.1.2.3).

Bezüglich des Brandverhaltens bewirkt der Chloranteil eine schwere Entflammbarkeit; die Flamme erlischt bei Entfernung der Zündquelle.

3.2 Polyvinylchlorid chloriert (PVC-C)

Hauptmerkmal von PVC-C ist die gegenüber PVC-U erhöhte Formbeständigkeit in der Wärme als Folge des zusätzlichen Chloranteils.

Struktur von PVC-C

$$\begin{bmatrix} & H & & Cl & \\ & | & & | & \\ - & C & - & C & - \\ & | & & | & \\ & H & & Cl & \end{bmatrix}_n$$

Weiterhin weist PVC-C eine gegenüber PVC-U nochmals erhöhte chemische Beständigkeit und Festigkeit auf; jedoch ist eine geringfügig verringerte Schlagzähigkeit zu verzeichnen.

3.3 Polyethylen (PE)

Ausgehend vom Monomer Ethylen, dem einfachsten Olefin, entsteht durch Polymerisation Polyethylen, ein Polyolefin.

Struktur von PE

$$\begin{bmatrix} & H & & H & \\ & | & & | & \\ - & C & - & C & - \\ & | & & | & \\ & H & & H & \end{bmatrix}_n$$

PVC: Die Ökobilanz spricht für sich!

Als zuverlässiger Partner der Kunststoffrohrindustrie arbeiten wir kontinuierlich an zukunftssicheren Lösungen.

Unsere Aktivitäten reichen von der Optimierung unserer Rohstoffe bis zur kompetenten anwendungstechnischen Unterstützung bei der Entwicklung innovativer Produkte wie z.B. Schaumkernrohren oder Sanierungssystemen für schadhafte Abwasserkanäle.

Klare Vorteile von PVC-Rohren sind deren hohe Sicherheit bei langer Lebensdauer sowie günstiges Preis/Leistungs-Verhältnis kombiniert mit niedrigem Installations- und Wartungsaufwand. Aber auch ökologische Aspekte werden bei der Auswahl von Rohrmaterialien zunehmend wichtiger.

PVC ist in dieser Hinsicht bestens erforscht. Es zeichnet sich aus durch effiziente Ressourcen-Nutzung über den gesamten Lebenszyklus von der Herstellung bis zur Wiederverwertung. In Deutschland und einigen Nachbarländern sind funktionierende Sammel- und Wiederverwertungssysteme für PVC-Rohre etabliert.

Gerne senden wir Ihnen weitere Informationen über PVC und seine vorteilhafte Ökobilanz. Bitte wenden Sie sich an folgende Adresse:

EVC
EUROPEAN VINYLS CORPORATION

EVC (Deutschland) GmbH
Anwendungstechnik
Inhausersieler Straße 25
D-26388 Wilhelmshaven
Tel: 04425 - 9801
Fax: 04425 - 982456

EVIPOL® - PVC Polymere
EVICOM® - PVC Compounds
® eingetragenes Warenzeichen von EVC International

Polyethylen ist ein teilkristalliner Thermoplast; die Molekülketten können sich beim Übergang von der Schmelze in den festen Zustand zu kristallinen Bereichen ordnen. Eine erhöhte Kristallisation ist festzustellen, je kürzer die Hauptketten sind und je geringer die Anzahl der Seitenketten (Verzweigungsgrad). Der kristalline Anteil weist eine höhere Dichte auf als der amorphe, so daß man je nach Höhe des kristallinen Anteils (Kristallinitätsgrad) unterschiedliche Dichten erhält. Die Dichte eines Polyethylens ist demnach hauptsächlich abhängig von dem die Kristallinität bestimmenden Verzweigungsgrad.

Gemäß den unterschiedlichen Polymerisationsverfahren (Hochdruck- und mehrere Niederdruckverfahren) unterscheidet man zwischen dem in langen Ketten verzweigten Polyethylen niederer Dichte (PE-LD) und dem weitgehend unverzweigten, linearen Polyethylen hoher und mittlerer Dichte (PE-HD, PE-MD); Tafel 4.

Kennzeichnendes Merkmal von Polyethylen ist die hohe Chemikalienbeständigkeit, die allerdings ein Verkleben mittels Lösungsmittelklebstoffen verhindert. Weiterhin herauszuheben ist die hohe Zähigkeit auch bei Temperaturen weit unterhalb 0 °C sowie die gute Formbeständigkeit.

Zunehmende Dichte bzw. der Kristallinitätsgrad der unterschiedlichen Polyethylentypen wirkt sich in einer Erhöhung von Zugfestigkeit, Steifigkeit sowie Chemikalienbeständigkeit aus; jedoch ist eine Abnahme der Schlagzähigkeit zu verzeichnen. Hinzuweisen ist auf die neuentwickelten Polyethylene hoher Dichte (PE-HD) der dritten Generation (Klasse PE 100), welche insbesondere eine hohe Spannungsrißbeständigkeit auszeichnet.

Polyethylen ist normal entflammbar, d.h. es brennt nach Entzündung auch außerhalb der Zündquelle weiter.

Tafel 4: Einteilung der Polyethylenarten nach Herstellungsverfahren

Verfahren	Art	Dichte [g/cm^3]	Kristallinitätsgrad [%]
Niederdruckverfahren	PE-HD	0,942 - 0,960	60 - 80
(lineares PE)	PE-MD	0,930 - 0,940	50 - 60
Hochdruckverfahren (verzweigtes PE)	PE-LD	0,915 - 0,930	40 - 50

Kunststoffe nach Maß

Sicher und zuverlässig

Die Anwendungsschwerpunkte für Rohrleitungen aus Polyethylen, Marke Vestolen A, sind so vielseitig wie die vielen guten Eigenschaften dies erlauben. Obwohl man sie meist nicht sieht, weil sie unterirdisch verlegt sind, sind Rohre aus Vestolen A mit ihrer Qualität stets präsent: als weit verzweigtes Netz von Leitungen, deren Vorzüge auch im Verborgenen keinem Anwender verborgen bleiben.
Die Haupreinsatzgebiete sind: ◆ Trinkwasserversorgung ◆ Gasversorgung ◆ Abwasserentsorgung ◆ künstliche Beregnung ◆ Unterflurbewässerung ◆ Schutz von Kabeln ◆ Fernheizleitungen. ◆ Wenn Sie mehr über unseren maßgeschneiderten Kunststoff wissen möchten, dann schreiben Sie bitte an: Vestolen GmbH, Pawiker Straße 30, D-45896 Gelsenkirchen, Telefax (02 09) 9 33 92 08.

VEBA OEL

VESTOLEN GMBH

3.4 Polyethylen vernetzt (PE-X)

Die Vernetzung von Polyethylen erfolgt entweder durch eine chemische oder durch eine physikalische Verknüpfung der Molekülketten zu einem dreidimensionalen Raumnetzwerk. In DIN 16892 ist für die Vernetzungsverfahren ein Mindestvernetzungsgrad festgelegt:

Bezeichnung der Rohre	Mindest-vernetzungsgrad [%]	Vernetzungsverfahren	
		physikalisch	chemisch
PE-Xa	75	peroxidische Vernetzung	
PE-Xb	65		Silanvernetzung
PE-Xc	60	Elektronenstrahl-vernetzung	
PE-Xd	60	Azo-Vernetzung	

Der so entstandene Werkstoff ist nicht mehr schmelzbar. PE-X weist eine hohe Gebrauchstemperatur, Zeitstandfestigkeit, Kälteschlagfestigkeit sowie Chemikalienbeständigkeit auf. Rohre aus PE-X werden in der Haustechnik (Heizungs- und Trinkwasserinstallation), seit neuestem auch in der Gas- und Trinkwasserverteilung eingesetzt.

3.5 Polypropylen (PP)

Ebenfalls durch Polymerisation von Ethylen entsteht Polypropylen.

Struktur von PP

$$\left[\begin{array}{cc} H & H \\ | & | \\ -C & -C- \\ | & | \\ H & CH_3 \end{array} \right]_n$$

Abhängig von der Polymerisationsart kann die Anordnung der CH_3-Gruppe unterschiedlich sein. Technisch bedeutsam ist das isotaktische PP. Infolge des symmetrischen Aufbaus liegt hier gegenüber den beiden anderen Typen ein hoher Kristallinitätsgrad vor, der hohe Formbeständigkeit in der Wärme, hohe Zugfestigkeit, Steifigkeit und Härte bedeutet.

PP weist eine mit PE vergleichbare Chemikalienbeständikeit auf, ist ebenfalls normal entflammbar und nicht klebbar.

Beeinflussungen der Eigenschaften von PP sind u.a. möglich über Copolymerisationsverfahren, z.B. unter Verwendung von Ethylen, Buten-I, Styrol, usw.

Werkstoffe für Kunststoffrohrleitungen 47

3.6 Polybuten (PB)

Wie PP ist PB ein teilkristalliner Thermoplast mit isotaktischem Aufbau.

Struktur von PB

$$\left[\begin{array}{cc} H & H \\ | & | \\ -C & -C- \\ | & | \\ H & CH_2 \\ & | \\ & CH_3 \end{array} \right]_n$$

Hervorzuheben ist die hohe Formbeständigkeit in der Wärme sowie die hohe Kriechfestigkeit. Rohre aus PB werden für Fußbodenheizungen und in der Trinkwasserhausinstallation eingesetzt.

3.7 Fluorpolymerisate (PVDF, ECTFE, PFA, PTFE)

Während Polyvinylidenfluorid (PVDF), Ethylen-Chlortrifluorethylen (ECTFE), sowie Perfluoro-Alkoxyalkan (PFA) thermoplastisch zu verarbeiten sind, zeigt Polytetrafluorethylen (PTFE) kein thermoplastisches Verhalten.

Struktur von PVDF, ECTFE, PFA, PTFE

$$\left[\begin{array}{cc} H & F \\ | & | \\ -C & -C- \\ | & | \\ H & F \end{array} \right]_n \text{PVDF} \qquad \left[\begin{array}{cccc} H & H & F & F \\ | & | & | & | \\ -C & -C & -C & -C- \\ | & | & | & | \\ H & H & F & Cl \end{array} \right]_n \text{ECTFE}$$

$$\left[\begin{array}{ccccc} F & F & F & F & F \\ | & | & | & | & | \\ -C & -C & -C & -C & -C- \\ | & | & | & | & | \\ F & F & O & F & F \\ & & | & & \\ & & CF_2 & & \\ & & | & & \\ & & CF_2 & & \\ & & | & & \\ & & CF_3 & & \end{array} \right]_n \text{PFA} \qquad \left[\begin{array}{cc} F & F \\ | & | \\ -C & -C- \\ | & | \\ F & F \end{array} \right]_n \text{PTFE}$$

PVDF, der am weitesten verbreitete Fluorkunststoff, zeichnet sich durch einen weiten Bereich der Gebrauchstemperatur (−40 °C bis 150 °C), eine sehr gute chemische Beständigkeit (Einbußen bei Laugen über pH 11) sowie günstige mechanische Eigenschaften aus. Daher kommt PVDF vor allem im Industrieleitungsbau, in der Nahrungsmittelindustrie sowie in der pharmazeutischen Industrie zum Einsatz.

ECTFE weist ähnliche Beständigkeitseigenschaften wie PVDF auf, jedoch zusätzlich gute Beständigkeit im alkalischen Bereich über pH 11.

Besonderes Merkmal von PTFE, bekannt unter dem Markennamen Teflon, ist neben dem weiten Gebrauchstemperaturbereich von -200 °C bis 250 °C eine herausragende chemische Beständigkeit. Nur elementares Fluor sowie Metallschmelzen greifen das Material an.

PFA besitzt eine ähnliche chemische Beständigkeit wie PTFE, jedoch sind deutliche Einbußen bei den mechanischen Eigenschaften hinzunehmen.

3.8 Acrylnitril/Styrol-Polymerisate (ABS / ASA)

Durch Propfpolymerisation von Styrol und Acrylnitril auf z.B. Polybutadien (ABS) bzw. Acrylkautschuk (ASA) und Mischung dieser Propfpolymerisate lassen sich gezielt bestimmte Eigenschaftskombinationen erreichen.

Struktur von Acrylnitril, Styrol, Butadien

$$\begin{bmatrix} \begin{array}{cc} H & H \\ | & | \\ -C - C - \\ | & | \\ H & \bigcirc \end{array} \end{bmatrix}_{n1} \quad \begin{bmatrix} \begin{array}{cc} H & H \\ | & | \\ -C - C - \\ | & | \\ H & C \\ & ||| \\ & N \end{array} \end{bmatrix}_{n2} \quad \begin{bmatrix} \begin{array}{cccc} H & H & H & H \\ | & | & | & | \\ -C - C = C - C - \\ | & & & | \\ H & & & H \end{array} \end{bmatrix}_{n3}$$

Styrol   Acrylnitril   Butadien

Kennzeichnende Eigenschaften solcher Mischungen (Blends) sind die auf Butadien sowie Acrylkautschuk zurückzuführende hohe Schlagzähigkeit sowie eine hohe Formbeständigkeit in der Wärme.

Für die Rohrherstellung gelten diesbezüglich die Angaben der DIN 16890.

3.9 Kunststoff-Metall-Verbundrohre

Bei Kunststoff-Metall-Verbundrohrsystemen ergänzen sich die positiven Eigenschaften der Einzelwerkstoffe. Von Interesse sind in diesem Zusammenhang die kunststoffspezifische gute chemische Beständigkeit bzw. Unempfindlichkeit gegenüber Korrosion (Innenrohr und Außenrohr) in Kombination mit den Festigkeits- bzw. Barriereeigenschaften von Metall (Mittellagenrohr).

3.10 Glasfaserverstärkte Kunststoffe (GFK)

Bei der Herstellung des Verbundstoffs GFK werden hochfeste Textilfasern in einer zunächst flüssigen Reaktionsharzmatrix (Epoxid-, Vinylester- oder ungesättigtes Polyesterharz) eingebettet und durch die anschließende Härtungsreaktion fest verankert. Der so entstandene duroplastische Werkstoff ist durch Temperatureinfluß nicht mehr schmelzbar und weist neben seiner hohen mechanischen Festigkeit auch eine hohe Temperaturbelastbarkeit auf.

Schrifttum

[1] Menges G.: Werkstoffkunde der Kunststoffe 2. überarbeitete Auflage – München; Wien: Hanser 1984
[2] Saechtling, H.: Kunststoff Taschenbuch, 26. Auflage - München; Wien: Hanser 1995
[3] Domininghaus, H.: Die Kunststoffe und ihre Eigenschaften. VDI-Verlag, 4. Auflage
[4] Hellerich/Harsch/Haenle: Werkstoff-Führer Kunststoffe 5. Auflage – München; Wien: Hanser 1989

4 Dichtungswerkstoffe

M. BODE

Die Anforderungen an Kunstoffrohre und ihre Rohrverbindungssysteme werden immer anspruchsvoller. Unabhängig vom Rohrtyp, haben diese Verbindungen vorwiegend eines gemeinsam: sie sind mit elastomeren Dichtungen ausgestattet. In allen Bereichen der Ver- und Entsorgung sind die Rohrhersteller und Abnehmer mit ständig steigenden Qualitätsforderungen konfrontiert. Bei steckbaren Rohrsystemen ist das Dichtelement ein wesentliches Bauteil zur Sicherung von Qualität und Zuverlässigkeit und damit der Systemlebensdauer. Wesentliches Ziel allen Bemühens ist die langfristige Dichtheit des Rohrsystems.

Neben der geometrischen Ausbildung der elastomeren Dichtungen ist die Auswahl der Dichtungswerkstoffe für das Strukturverhalten der Rohrverbindung unter spezifischen Einbauverhältnissen von Bedeutung. Die zum Einsatz gelangenden Elastomere sind hochpolymere organische Werkstoffe, die große Verformungen reversibel aufzunehmen vermögen.

Elastomere entstehen durch weitmaschige Vernetzung von thermoplastischen Vorprodukten (Kautschuk). Diese Vernetzung oder Vulkanisation bewirkt eine strukturelle Verfestigung und eine Fixierung der Ketten untereinander.

Dies hat das für Elastomere typische hochelastische Verhalten zur Folge. Im Gegensatz zu den Thermoplasten ist die Formgebung der Elastomere mit einer chemischen Reaktion gekoppelt – deshalb längere Vernetzungszeiten (Vulkanisation) mit beheizten Werkzeugen. Elastomerabfälle können, im Gegensatz zu Thermoplasten, nicht mehr direkt aufgearbeitet werden.

Zur Beurteilung der Funktionstüchtigkeit von gummielastischen Dichtungen wird oft der Druckverformungsrest (compression set) nach DIN 53517 herangezogen. Da der Druckverformungsrest mittels Entlastung der Probekörper vom verformenden äußeren Druck bestimmt wird, entsteht eine Situation, die beim praktischen Einsatz des Dichtelementes in der Regel nicht zutrifft. Die Mehrzahl der Dichtungen wirkt unter ständiger konstanter Verformung. Wesentlich sind demnach die Rückstellkräfte, resultierend aus Profilgeometrie und Durchmesservorspannung. Die Spannungsrelaxation ist im Vergleich zum Druckverformungsrest die entscheidende Eigenschaft, um bei Werkstoffen, die für Dichtelemente verwendet werden, die Dichtigkeit aufrechtzuerhalten. Entscheidend für die Funktionstüchtigkeit der Dichtung ist der Abfall der Dichtkraft in Abhängigkeit von der Zeit bzw. die Änderung der Rückstellspannung.

Bei dieser Betrachtung ist der Einsatztemperatur, nicht nur bei hohen Gebrauchstemperaturen, sondern auch bei niedrigen Temperaturen (Frostgrenze), große Aufmerksamkeit zu widmen. Die Werkstoffhärte (IRHD) ist im Zusammenhang mit Dichtungsgeometrie und Rückstellspannung entscheidend für eine praktikable Systemsteckkraft.

Die wichtigsten Anforderungen an den Dichtungswerkstoff für statische Rohrdichtungen sind:

– Materialhärte (systemabhängig)

– geringe Relaxation

– niedriger Druckverformungsrest

– Alterungsbeständigkeit

– Beständigkeit gegen das abzudichtende Medium bei Gebrauchstemperatur und zeitlich begrenzten Temperaturabweichungen

– Migrationsbeständigkeit gegen das Rohrmaterial

– Lichtriß- und Ozonbeständigkeit

– mikrobiologische Beständigkeit

Diese Anforderungen sind im Rahmen der aktuellen nationalen und internationalen Normen, neben weiteren Forderungen an den Werkstoff und das Fertigprodukt, genau spezifiziert und müssen erfüllt werden.

Dichtungswerkstoffe

Für Dichtungen in Trinkwassersystemen gelten außerdem zusätzliche Forderungen, die die Hygiene betreffen.

Der Nachweis, daß die Dichtelemente die geforderten Normen und Spezifikationen erfüllen, muß durch Systemprüfung und laufende Fremdüberwachung einer amtlichen Materialprüfanstalt erfolgen. Nur unter dieser Voraussetzung darf, in Verbindung mit regelmäßigen Eigenüberwachungen, das Gütezeichen für Dichtelemente der Gütegemeinschaft Kunststoffrohre e.V. geführt werden. Ein zertifiziertes Qalitätssicherungssystem nach DIN EN ISO 9000 ff unterstützt die Eigenüberwachung und die Fremdüberwachung.

Die für Kunststoffrohrsysteme gebräuchlichsten Elastomerwerkstoffe (der thermische Anwendungsbereich und die Medienbeständigkeit sind in der jeweiligen Elastomergruppe in Abhängigkeit von der Rezeptur ggf. abweichend):

- EPDM (Ethylen-Propylen-Dien-Kautschuk)
  - Polimerisat aus Ethylen, Propylen und einem geringen Anteil eines Diens –

Gute Quellbeständigkeit, z.B. in Heißwasser, Dampf und Waschlaugen sowie in Säuren und Basen.

Nicht beständig gegen aliphatische, aromatische und chlorierte Kohlenwasserstoffe.

Temperatureinsatzbereich: −40 °C bis +140 °C.

Gute Ozon- und Lichtrißbeständigkeit.

Bei Trinkwasseranwendungen bevorzugt.

- SBR (Styrol-Butadien-Kautschuk)
  - Polymerisat aus Butadien und Styrol –

Temperatureinsatzbereich: ca. −40 °C bis +100 °C, kurzzeitig höher.

Gegenüber Naturkautschuk besitzt dieser Werkstoff eine verbesserte Wärmebeständigkeit.

In anorganischen und organischen Säuren und Basen sowie in Wasser und Alkoholen ist gute Quellbeständigkeit gegeben.

SBR ist z.B. nicht beständig gegen Mineralöle und Kraftstoffe.

- NR (Naturkautschuk)
  - Hochpolymeres Isopren –

Hohe Festigkeit, hohe Elastizität und gutes Kälteverhalten.

Temperatureinsatzbereich: ca −50 °C bis +80 °C.

Spezielle NR-Werkstoffe lassen auch höhere Temperaturen bis +100 °C (kurzzeitig bis +120 °C) zu.

Bei der Rezepturgestaltung ist geringe Relaxation bei niedrigen Temperaturen besonders zu berücksichtigen.

Gute Quellbeständigkeit in Säuren und Basen bei niedriger Konzentration.
Nicht beständig gegen Mineralöle und Kraftstoffe.
Im Trinkwasserbereich wegen des ungünstigen mikrobiologischen Verhaltens eingeschränkt einsetzbar.

- NBR (Acrylnitril-Butadien-Kautschuk)
  - Polymerisat aus Butadien und Acrylnitril –

  Gute Quellbeständigkeit in aliphatischen Kohlewasserstoffen, z.B. Butan, Propan, Benzin, Mineralölen und leichtem Heizöl.

  Stark quellend in aromatischen und chlorierten Kohlenwasserstoffen.

  Temperatureinsatzbereich: je nach Mischungsrezeptur von –30 °C bis +100 °C, kurzzeitig bis +130 °C.

- FKM (Fluor-Kautschuk)
  - Polymerisat von Vinylidenfluorid (VF) und wahlweise Anteilen von HFP, TFE, HFPE und FMVE –

  Relativ teurer Spezialkautschuk.

  Die Dichtungen besitzen eine hohe Wärmebeständigkeit und ein ausgezeichnetes Beständigkeitsverhalten bei den meisten Medien.

  Temperatureinsatzbereich für Standardwerkstoffe reicht von ca. –20 °C bis +200 °C, kurzzeitig bis +230 °C.

Dem Dichtungshersteller wird generell nicht vorgeschrieben, eine bestimmte Kautschuktype zu verwenden.

Neben materialspezifischen Eigenschaften sind verfahrenstechnische und ökonomische Kriterien entscheidend für die Werkstoffauswahl. Dabei die geforderte Qualität zu sichern, hat höchste Priorität.

Die bevorzugt eingesetzten Elastomerwerkstoffe sind für Hausabflußleitungen und Kabelschutzrohre NR und SBR, für Kanalrohre SBR und EPDM, im Tankstellenbereich NBR, für Trinkwasserrohre SBR und EPDM, für WC-Manschetten EPDM.

Werkstoffverschnitte der genannten Materialtypen werden ebenfalls eingesetzt. Dichtungen aus FKM finden z.B. bei Kunststoffrohren aus PVDF in Abgassystemen mit Brennwerttechnik Verwendung.

Eine Vielzahl anderer – hier nicht genannter – Elastomere hat für Kunststoffrohrdichtungen heute nur untergeordnete Bedeutung.

5 Kunststoffrohre und Umwelt

C. WEHAGE

Auf dem Umweltgipfel der Vereinten Nationen in Rio de Janeiro (Juni 1992) wurde der Begriff des „Sustainable Development" in das Bewußtsein einer breiten Öffentlichkeit gerückt. Gemeint ist damit eine dauerhafte Entwicklung auf der Grundlage eines Wirtschaftsprozesses, der Ökologie, Ökonomie und gesellschaftliche Belange gleichgewichtig berücksichtigt [1].

Dieses Leitbild hat inzwischen eine breite Anerkennung gefunden und stellt auch die Kunststoffrohindustrie vor die Aufgabe, zu prüfen, ob und mit welchen Maßnahmen sie ihm entsprechen kann.

Kunststoffe als jüngstes Kind in der Geschichte der Werkstoffe haben den Entwicklungsstand unserer heutigen Zivilisation geprägt. Sie umfassen praktisch alle Anwendungsmöglichkeiten konventioneller Materialien; das trifft auch auf den Rohrbereich zu. Kunststoffrohre haben eine Reihe von Vorteilen und können so gestellte Probleme in vielen Fällen besonders gut lösen. Ihre breite Anwendungspalette und ihr Markterfolg belegen dies.

Von der zunehmenden Umweltdiskussion bleiben aber auch Kunststoffe nicht verschont. Fragen nach dem Energie- und Rohstoffverbrauch, der Entsorgung und Wiederverwertung verlangen Antworten. Das Netz von umweltrelevanten Gesetzen, Verordnungen und Richtlinien wird ständig enger geknüpft. Werkstoffe und die aus ihnen hergestellten Produkte sollen „umweltfreundlich" sein; aber jede Produktion bedeutet, daß Materialien und Energie verbraucht, Emissionen und Abfall verursacht werden.

Diese Tatsache hat bewirkt, daß sich die Forderung nach einer umweltorientierten Produktgestaltung durchgesetzt und der produktbezogene Umweltschutz zu einem Schwerpunkt in der Umweltpolitik der 90er Jahre entwickelt hat.

5.1 Ökobilanzen

Kontroversen in der Öffentlichkeit über die Umweltverträglichkeit von Produkten verlangen nach einer objektiven Klärung der von ihnen verursachten Umweltbelastungen. Notwendig sind also Bewertungskriterien für Umweltverträglichkeit, sogenannte „Ökobilanzen". Eine Ökobilanz vergleicht die Umweltbelastungen eines bestimmten Produktes aus verschiedenen Werkstoffen, indem sie den gesamten Lebenszyklus von der Rohstoffgewinnung bis zur Entsorgung untersucht (Bild 1). Bisher gibt es dafür noch kein allgemein anerkanntes Verfahren, sondern eine Vielfalt angewandter Methoden [2].

Ökobilanzen im vorgenannten Sinne liegen für Rohre z.Zt. noch nicht vor. Der Verband der Chemischen Industrie hat die Eidgenössische Materialprüfanstalt in

SCHEMATISCHER LEBENSWEG FÜR EIN PRODUKT

Energie → Rohstoffgewinnung → (Abfälle, Emissionen)
Energie → Werkstoff Herstellung → (Abfälle, Emissionen)
Energie → Produkt Herstellung → (Abfälle, Emissionen)
Energie → Produkt Gebrauch
Energie → Entsorgung: Deponie, Verbrennen, Recycling oder Wiederverwenden → (Abfälle, Emissionen)

Wiederverwenden
Produkt Recycling

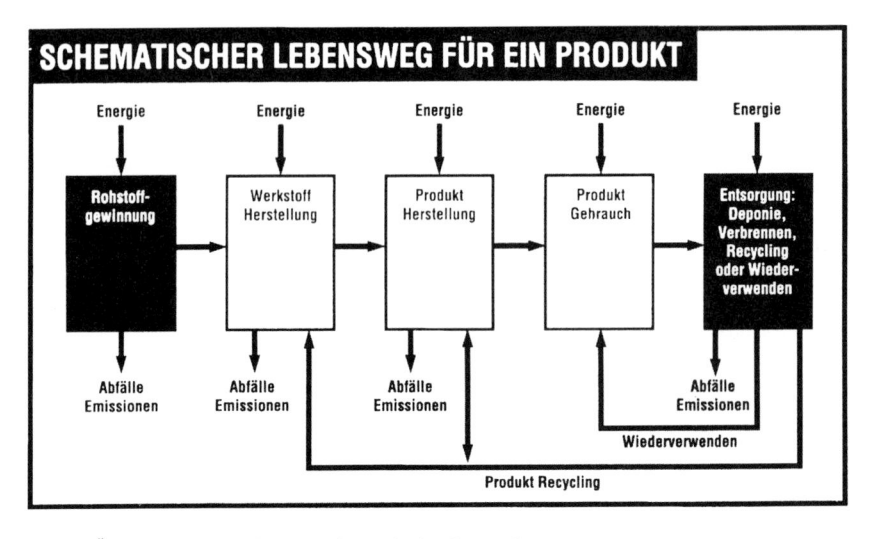

Bild 1: Ökobilanz; vereinfachte schematische Darstellung

Sankt Gallen beauftragt, eine solche für den Bereich erdverlegter Rohrsysteme zur Trinkwasserversorgung und Abwasserentsorgung zu erstellen. Eine Umweltanalyse der Technischen Universität Berlin über Trinkwasserinstallationssysteme [3] nach einem Verfahren, das auch den Vorstellungen des Umweltbundesamtes von der Erstellung und Bilanzierung relevanter Daten entspricht, kommt zu dem Ergebnis, daß die untersuchten Kunststoffe (PP, PE-X, PB und PVC-C) umweltfreundliche Lösungen darstellen. Dies gilt sowohl für den Energieaufwand als auch für die Emissionswerte (s. a. Teil VII. 1.3).

Ökobilanzen sind auch eine Grundlage für die Berücksichtigung von Umweltschutzinteressen in der produktbezogenen Normung und bei anderen technischen Regelwerken. Das Deutsche Institut für Normung (DIN) hat daher einen pluralistisch zusammengesetzten Arbeitskreis beim Fachbeirat der Koordinierungsstelle Umweltschutz eingerichtet. Dieser hat im Januar 1994 den Entwurf eines Leitfadens für die Berücksichtigung von Umweltaspekten bei der Produktentwicklung und -normung vorgelegt [4].

Der Leitfaden soll den Normenausschüssen des DIN dazu dienen, „die Umweltrelevanz ihrer Normungsvorhaben zu erkennen und angemessene Festlegungen zu treffen", ohne die hinreichende Funktionalität der Produkte zu gefährden. Der Leitfaden soll sowohl bei der Erstellung neuer als auch bei der Überarbeitung bestehender Normen genutzt werden. Er enthält Kriterienlisten, anhand derer Eigenschaften erkannt werden sollen, die umweltbelastend sind.

Kunststoffrohre und Umwelt 55

5.2 Umweltrelevante Gebrauchseigenschaften von Kunststoffrohren

Kunststoffrohre zeichnen sich durch eine Reihe ökologischer Vorteile aus.

- Sie haben eine hohe *Lebenserwartung*. Seit nahezu 40 Jahren werden z.B. PVC-U-Rohre unter Dauerbelastung geprüft (Bild 2). Die Ergebnisse lassen den Schluß zu, daß ihre Gebrauchstauglichkeit „bei bestimmungsgemäßer Nutzung vorbehaltlos mit weit mehr als 100 Jahren angesetzt werden kann" [5]. Die Länderarbeitsgemeinschaft Wasser (LAWA) gibt in einer Leitlinie (1993) die durchschnittliche Nutzungsdauer für Kanäle werkstoffunabhängig mit 50 – 80 Jahren an. [6]. Dies ist wichtig als Grundlage für Wirtschaftlichkeitsberechnungen und Auftragsvergaben.

- Kunststoffrohre weisen praktisch *keine Korrosionsprobleme* auf und sind gegenüber einer großen Anzahl von Medien chemisch beständig. Dies ist wichtig angesichts der zunehmenden Aggressivität chemischer und biologischer Abwässer und entstehender Ausgasungen. Die ATV-Arbeitsgruppe 1.1.4 sieht unter diesem Aspekt für Kunststoffe eine breite Anwendungspalette: Einsatz als tragende Rohr- und Schachtbauteilwerkstoffe, im Bereich der Kanalsanierung (z.B. Relining), als korrosionsbeständige Auskleidungen und Beschichtungen von Rohren aus anderen Werkstoffen sowie für Sonderanwendungen (z.B. bei der Ableitung von schwierigen Industrieabwässern oder als Produktleitungen in chemischen Betrieben) [7]. Sicherheit vor Korrosion trifft auf alle Einsatzbereiche von Kunststoffrohren zu.

Bild 2: PVC-U-Rohre 32 x 2,4 mm seit 1958 mit einem Innendruck von 30 bar (σ = 17,9 N/mm^2) bei 20 °C bis heute in Prüfung

- Kunststoffrohre erfüllen mit ihren sicheren Verbindungen die Forderung nach *Dichtheit*, die generell an erster Stelle steht, wenn es um die Frage der Eignung eines Rohrsystems geht. Sie kennen z.b. keinen Wurzeleinwuchs und besitzen das richtige Anfordungsprofil für nicht vorhersehbare Veränderungen im Boden: Kunststoffrohre können aufgrund ihrer Fähigkeit zur Verformung flexibel auf sich verändernde Umgebungsbedingungen reagieren. Sie verringern so die unmittelbare Rohrbelastung und mindern die Gefahr eines Rohrbruchs oder einer undichten Verbindung (s. hierzu Teil VII. 3.4).

- Kunststoffrohre zeichnen sich durch einen *sparsamen Rohstoff- und Energieverbrauch* aus (Bild 3). Tatsache ist, daß lediglich 4 % aller Mineralölprodukte für die Kunststoffherstellung benötigt werden, davon weniger als 0,5 % für den Rohrsektor. Der Kunststoff PVC basiert stofflich zu 57 % auf dem nahezu unbegrenzt verfügbaren Steinsalz.

Diese Fakten kennzeichnen einen schonenden Umgang mit natürlichen Ressourcen, zumal Rohre langlebige Produkte sind, Erdöl also einen langfristigen Nutzen bringt.

Erdöl-Verarbeitung

```
                    ┌─────────────┐
                    │   Erdöl     │
                    │   100 %     │
                    └──────┬──────┘
         ┌─────────────────┼─────────────────┐
┌────────┴────────┐ ┌──────┴──────┐ ┌────────┴────────┐
│ Diesel- und     │ │   Benzine   │ │    Sonstige     │
│ Heizöl  70 %    │ │    20 %     │ │     10 %        │
└─────────────────┘ └──────┬──────┘ └─────────────────┘
                    ┌──────┴──────────────┐
          ┌─────────┴────────┐  ┌─────────┴────────┐
          │ Vergaserkraftstoffe │ │ Chemierohstoffe │
          │      12,5 %         │ │      7,5 %      │
          └─────────────────────┘ └────────┬────────┘
                    ┌──────────────┐  ┌────┴──────────────┐
                    │ Kunststoffe  │  │     Andere        │
                    │     4 %      │  │ Chemieerzeugnisse │
                    └──────┬───────┘  │      3,5 %        │
                           │          └───────────────────┘
                    ┌──────┴───────┐
                    │    ROHRE     │
                    │    0,5 %     │
                    └──────────────┘
```

ROHSTOFF-VORRÄTE

Erdöl, weltweit heute: 120 Milliarden t

Kochsalz, weltweit: 37.000 Billionen t

Steinsalz, weltweit: 1.000 Billionen t

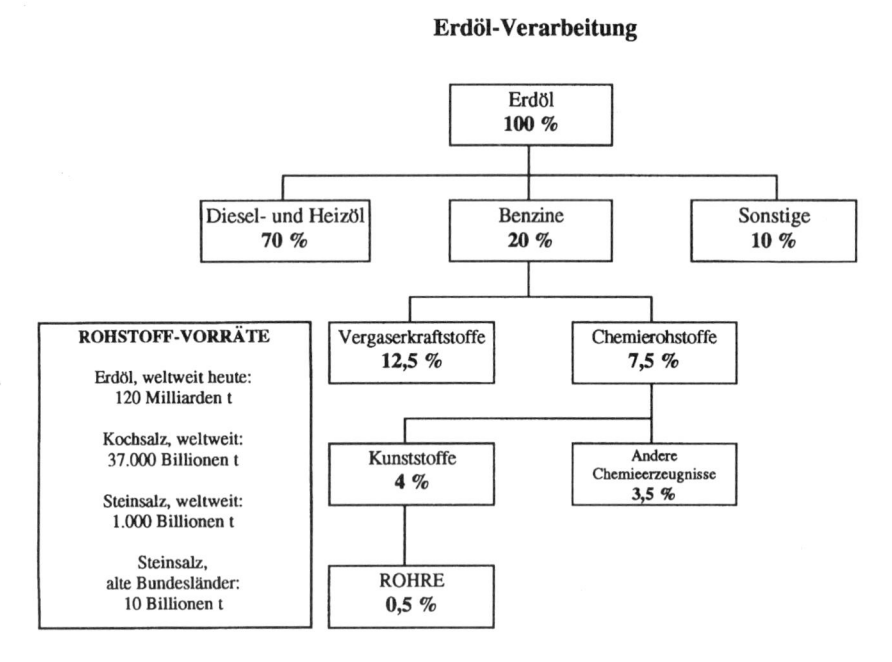

Steinsalz, alte Bundesländer: 10 Billionen t

Bild 3: Ressourcen-Verbrauch

Der Energiebedarf zur Herstellung der Kunststoffe und der Rohrprodukte hält Vergleiche mit anderen Werkstoffen nicht nur stand, sondern ist in einer Reihe von Fällen durch niedrigere Werte gekennzeichnet. Auch das geringe Gewicht der Kunststoffrohre wirkt sich energiesparend aus, wenn man an die Transporte und den Einsatz von schwerem Baustellengerät denkt.

– Kunststoffrohrmaterial ist *recycelfähig*. Es kann mehrfach aufbereitet und relativ einfach als Sekundärrohstoff wiederverwertet werden (vgl. hierzu Abschnitt 5.4).

5.3 Umweltaspekte bei der Herstellung und Nutzung von Kunststoffrohren

Werkstoffe und ihre Produkte – dies gilt auch für den Kunststoffbereich – müssen sich mit ökologischer Kritik auseinandersetzen. Überholtes Wissen, falsche Gewichtung und Nichtbeachtung wissenschaftlich abgesicherter Erkenntnisse sind dabei nicht selten anzutreffen. Tatsache ist, daß zahlreiche gesetzliche Regelungen national und europaweit die verschiedenen Produktbereiche erfassen und sicherstellen, daß bei ihrer Einhaltung eine Gefährdung des Menschen und der Umwelt ausgeschlossen ist (Bild 4).

📖 Bundes-Immissions-Schutzgesetz

📖 TA-Luft; TA Lärm

📖 VC-Bedarfsgegenstände-VO

📖 Gefahrstoff-VO

📖 Lebensmittel- und Bedarfsgegenstände-Gesetz

📖 Empfehlungen des BGA

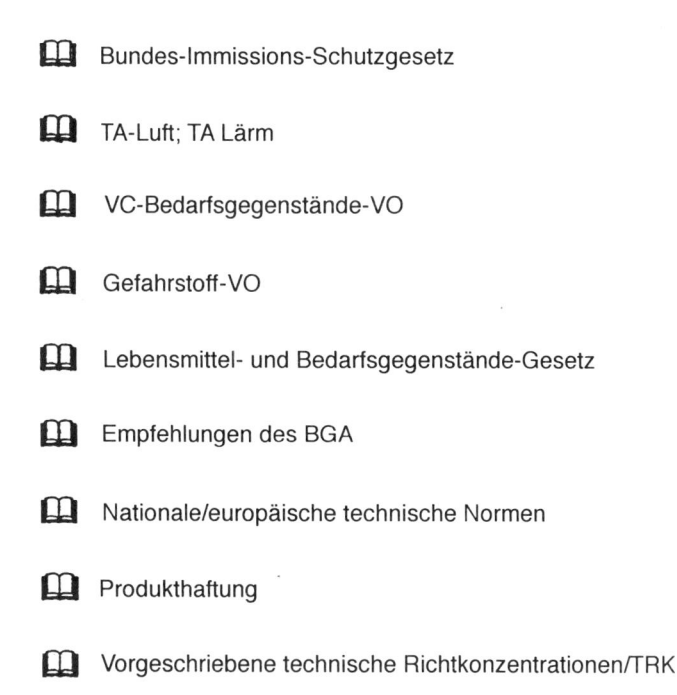

📖 Nationale/europäische technische Normen

📖 Produkthaftung

📖 Vorgeschriebene technische Richtkonzentrationen/TRK

Bild 4: Bestimmungen zum Schutze des Menschen und der Umwelt (Auszug)

Demzufolge ist z.B. eine kontinuierliche Verringerung der auftretenden Emissionen festzustellen. In der Regel werden geltende Grenzwerte sogar um ein Vielfaches unterschritten.

- Zur Anpassung an jeweilige Verarbeitungsverfahren und an den Gebrauchszweck werden *Zuschlagstoffe* eingesetzt. Ihre Menge reicht vom Spurenbereich bis hin zu wesentlichen Anteilen des Produkts. Die bereits erwähnten gesetzlichen Regelungen gelten auch für sie. Dennoch sind insbesondere die Schwermetalle Cadmium und Blei in der Diskussion.

  Cadmium findet in der Rohrherstellung keine Verwendung. Bleiverbindungen haben sich seit Jahrzehnten bewährt; die heute eingesetzte Kombination hat einen Gewichtsanteil von nur rd. 1 %. Sie ist fest in die Matrix des Kunststoffes eingebunden.

  Für die gesundheitliche Unbedenklichkeit bleistabilisierter Rohre sind Trinkwasserrohre aus PVC der beste Beweis. Untersuchungen des durch sie hindurchgeleiteten Trinkwassers zeigen, daß der festgelegte Grenzwert für Blei (weniger als 0,3 Milligramm/Quadratmeter/Tag der untersuchten Rohroberfläche) unterschritten wird.

  Auch eine Auswaschung der Bleistabilisatoren auf Deponien konnte trotz hoher Meßgenauigkeit nicht nachgewiesen werden.

- Unabhängige Untersuchungen, die Vergleiche zwischen metallischen, mineralischen und güteüberwachten Kunststoffrohren hinsichtlich des *mikrobiologischen Verhaltens* anstellten, zeigen, daß Kunststoffrohre in dieser Hinsicht denen aus anderen Werkstoffen ebenbürtig sind. Dies gilt sowohl für die mikrobiologische Besiedlung als auch für das Verhalten gegenüber der Vermehrung von Legionellen [8]. Diese Aussage wird u.a. bestätigt durch die Ergebnisse einer Untersuchung des Hygiene-Instituts des Ruhrgebiets in Gelsenkirchen [9]. Im übrigen werden Kunststoffrohre für die Trinkwasserversorgung im Rahmen der Qualitätssicherung einmal jährlich auf ihre hygienische Unbedenklichkeit nach den Anforderungen der KTW-Empfehlungen untersucht.

- Zum *Brandverhalten* ist festzustellen:

  Für erdverlegte Rohre besteht keine Brandgefahr. In Gebäuden verlegte Rohre werden nicht vorrangig in ein Brandgeschehen einbezogen. Nach DIN 4102 als schwer entflammbar eingestufte Kunststoffe verlöschen nach Entfernung der Zündquelle.

  Bei allen Schadfeuern entstehen toxische Gase, wobei Gefahren primär vom Kohlenmonoxid ausgehen. Der aus chlorhaltigen Produkten entstehende Chlorwasserstoff stellt im Verhältnis dazu für den Menschen kein besonderes zusätzliches Gefährdungspotential dar [10]. Dies gilt auch für die geringpro-

Kunststoffrohre und Umwelt 59

MESSUNGEN IN LENGERICH

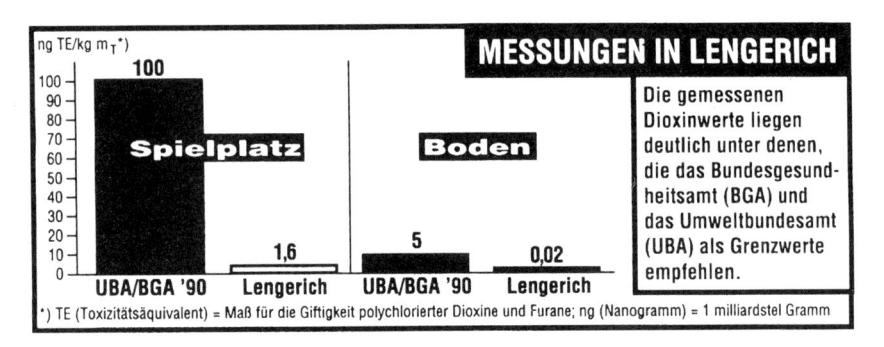

ng TE/kg m$_T$*)

	Spielplatz	Boden
UBA/BGA '90	100	5
Lengerich	1,6	0,02

Die gemessenen Dioxinwerte liegen deutlich unter denen, die das Bundesgesundheitsamt (BGA) und das Umweltbundesamt (UBA) als Grenzwerte empfehlen.

*) TE (Toxizitätsäquivalent) = Maß für die Giftigkeit polychlorierter Dioxine und Furane; ng (Nanogramm) = 1 milliardstel Gramm

Bild 5: Dioxin-Messungen beim Brand in Lengerich (1992)

zentige Salzsäure, die sich in Verbindung mit Luftfeuchtigkeit/Löschwasser bilden kann. Mikroelektronische oder ähnliche Anlagen sollten jedoch vorbeugend gegen Korrosion geschützt werden. Der Verband der Sachversicherer behandelt z.b. PVC versicherungstechnisch wie andere übliche Baustoffe.

Bei Bränden, an denen chlorhaltige Stoffe beteiligt sind (z.B. Kohle, Holz, Papier, entsprechende Kunststoffe), werden Dioxine /Furane festgestellt, die – wie andere toxische Stoffe – weitgehend im Ruß eingebunden sind. Für die Reinigung nach Bränden und die Entsorgung des Bauschutts gibt es Richtlinien des Bundesgesundheitsamtes [11].

Alle Kunststoffbrände in der Vergangenheit haben gezeigt, daß zu keiner Zeit eine ernsthafte Gefährdung durch Dioxine bestand (Bild 5). Die Ergebnisse zahlreicher Untersuchungen an Feuerwehrleuten sind u.a. ein Beleg hierfür.

5.4 Entsorgung

Die Lösung des Abfallproblems ist eine der wesentlichen ökologischen Aufgaben unserer Gesellschaft. Kunststoffe können nach ihrer Nutzung einer Verwertung zugeführt oder umweltschonend entsorgt werden.

Der „Gesamtmüllberg" umfaßte 1992 mehr als 250 Mio t. Auf Kunststoffe entfielen 2,88 Mio t bzw. 1,2 %, und davon nur 130.000 t bzw. 4,5 % auf den Baubereich. Aufgrund seiner langen Lebensdauer ist Rohrmaterial z.Zt. an dieser Menge nur unwesentlich beteiligt.

Abfallentsorgung umfaßt die Verwertung und die Beseitigung von Abfällen, die nicht vermieden werden können. Dabei hat die stoffliche oder energetische Verwertung Vorrang vor einer umweltverträglichen Behandlung und Ablagerung der nicht verwertbaren Abfälle. So sehen es die TA Siedlungsabfall [12] und das Kreislaufwirtschafts- und Abfallgesetz (Krw-/AbfG) vor [13].

Kunststoffrohrmaterial kann aufbereitet und relativ einfach als Sekundärrohstoff wiederverwertet werden. Die Kunststoffrohr-Hersteller haben mit Beginn des Jahres 1994 ein Sammelsystem eingeführt, das logistisch auf Wertstoffboxen fußt (Bild 6) und auf die aktive Mitwirkung der Kunden und des Handels setzt, wo die Boxen aufgestellt werden sollen. Das Sammelgut wird dann zu regionalen Sammelstellen transportiert, sortiert, gereinigt, zerkleinert, aufbereitet und in entsprechenden Rohrfertigungsanlagen wieder in Rohrprodukten eingesetzt.

Wichtig ist die Festlegung von Normen, die den Einsatz von Recyclaten in Rohren regeln. Hieran arbeiten auf europäischer Ebene mehrere Arbeitsgruppen des CEN / TC 155.

Werkstofflich nicht verwertbares Kunststoffrohrmaterial kann entweder rohstofflich oder thermisch verwertet werden. Die Rückgewinnung von Ausgangsstoffen – z.B. Öl oder Chlor – durch chemische Verfahren wie Hydrierung oder Pyrolyse schließt den Kreislauf Rohstoff – Kunststoff – Rohstoff. Aber auch die Nutzung des Energieinhalts von Kunststoffabfällen, der höher ist als bei den meisten an-

Bild 6: Wertstoffboxen als Sammelbehälter für anfallende Rohrreste und ausgedientes Rohrmaterial aus Kunststoffen

REHAU®

Unsere Rohrgeschichten haben ein gutes Ende

Im Laufe von fast 50 Jahren hat REHAU so manches wichtige Kapitel Rohrgeschichte geschrieben. REHAU gilt aber nicht nur als der Hersteller von Europas umfangreichstem Rohrprogramm, sondern ist auch in punkto Recycling neue Wege gegangen. Ergebnis: ein Entsorgungsangebot, mit dem sich REHAU verpflichtet, polymere Rohre und Formteile zurückzunehmen und wiederzuverwerten.

Von REHAU erhalten Sie jedoch nicht nur ein vollständiges Rohrprogramm, sondern komplette Systemlösungen aus einer Hand.

Systeme für die Heizungs- und Sanitärbranche. Ob Rohrfußbodenheizung, Heizkörperanschluß- oder Trinkwasserinstallationssysteme - REHAU bietet zukunftsorientierte Produkte.

Systeme für den Straßen-, Tief- und Deponiebau. Wirtschaftliches für den Straßen- und Tiefbau sowie für Sicherheit auf den Deponien. Von Geosynthetics über Sicker-, Drän- und Entwässerungsrohre bis hin zu Regenwassernutzungssystemen.

Systeme für die grabenlose Verlegung und Sanierung. Moderne Systeme des grabenlosen Leitungsbaus, mit denen Baustellen der Vergangenheit angehören. Für Wasser und Gas, Telefon- und Stromleitungen.

Systeme für die Ver- und Entsorgung. Von Druckwasser- und Gasrohren über Kabelschutz- und Mehrfachbelegungsrohre bis hin zu Kanalleitungen und Abflußrohren.

REHAU AG + Co, Ytterbium 596, 91058 Erlangen, Tel.: 0 91 31/92 50, Fax: 0 91 31/77 14 30

deren Werkstoffen, ist sinnvoll. Die durch Verbrennung von Kunststoffprodukten erzeugte Energie wird u.a. zur Versorgung von Haushalten mit Fernwärme oder Strom abgegeben und ersparte 1992 in Deutschland 1,8 Mio t Rohöl.

Diese energetische Verwertung des Kunststoffes unterscheidet sich in der Zielsetzung (Ersatzbrennstoff) von der thermischen Behandlung von Abfall (vgl. § 4 Abs. 4 KrW-/AbfG). Mit ihrer Hilfe sollen nicht verwertbare Reststoffe umweltfreundlich vorbehandelt und dann auf Dauer abgelagert werden können. Die heutigen hochmodernen Müllverbrennungsanlagen tragen nach Einschätzung von Fachleuten maßgeblich zur Entlastung der Umwelt bei [14]. Sie verringern z.B. durch Reduzierung des Abfallvolumens den Deponiebedarf. Mit einer Deponierung von Kunststoffrohrmaterial sind keine Gefahren verbunden. Es ist unverrottbar und gibt keine Bestandteile an Luft, Boden und Wasser ab.

5.5 Rechtliche Bestimmungen

Die Belange des Umweltschutzes haben sich in einer Fülle gesetzlicher Regelungen niedergeschlagen. Einige, die auch den Kunststoffrohrbereich betreffen, seien hier aufgeführt.

5.5.1 Verdingungsordnung für Bauleistungen (VOB)

Der baubezogene Umweltschutz ist zu einem wichtigen Thema geworden [15]. Ein vorsorgender und integrierter Umweltschutz beim Bauen kann nur auf der Grundlage ordnungsgemäßer Leistungsbeschreibungen zustände kommen. Dies sind vielfach Leistungen oder Besondere Leistungen im Sinne der VOB, die vor allem im Teil C mit ATV DIN 18299 (Bauvertragliche Regelungen zum Umweltschutz und zur Abfallentsorgung) wichtige Aussagen hierzu macht. Die Einbeziehung von Umweltschutzmaßnahmen in die Bautätigkeit liegt in erster Linie in der Verantwortung des Bauherrn und der von ihm beauftragten Ingenieure sowie bauausführenden Unternehmen.

5.5.2 Wasserhaushaltsgesetz

Das Wasserhaushaltsgesetz(WHG) in der Fassung vom 23. September 1986 hat zum Ziel, durch Prävention das Schadenseintrittsrisiko beim Betreiben von Anlagen zum Umgang mit wassergefährdenden Stoffen und die damit verbundenen Einwirkungen auf die Umwelt zu minimieren. Das WHG wird durch Landes-Wassergesetze konkretisiert und ergänzt. Eine Reihe weiterer Bestimmungen beziehen sich auf das Rechtsgebiet der wassergefährdenden Stoffe, z.B.

- die Verordnung über Anlagen und Fachbetriebe vom 1. Oktober 1993 (VAWS)
- das Bundesimmissionsschutzgesetz
- der Katalog wassergefährdender Stoffe des Bundesumweltministeriums und die Medienliste des DIBt.

Sie alle gelten auch für Rohrleitungsanlagen. Ihr wesentliches Element ist der in § 19g WHG formulierte Besorgnisgrundsatz. Zu seiner Definition sagt das Bundesverwaltungsgericht in einer Entscheidung: „Die Besorgnis gebietet, daß jeder auch noch so wenig naheliegenden Wahrscheinlichkeit der Verunreinigung des besonders schutzwürdigen und schutzbedürftigen Grundwassers vorzubeugen ist. ... Eine Verunreinigung muß nach menschlicher Erfahrung unwahrscheinlich sein."

Die Interpretation des Besorgnisgrundsatzes verlangt ein absolutes Höchstmaß an Anlagensicherheit.

Die Einstufung nach Gefährdungspotentialen gilt auch für Anlagen in Trinkwasserschutzgebieten. Erhöhte Anforderungen an Rohrleitungen sind auch im ATV-Arbeitsblatt 142 („Abwasserkanäle und -leitungen in Wassergewinnungsgebieten") und dem ergänzenden ATV-Hinweis 146 aufgeführt. Das Ziel ist die rasche Erkennung von Leckagen an unterirdisch verlegten Rohrleitungen und die Einleitung schneller und geeigneter Sanierungsmaßnahmen.

5.5.3 Produkthaftung

Mit dem Produkthaftungsgesetz (PHG), das am 1. Januar 1990 in Kraft getreten ist, werden die Grundsätze einer Haftung für fehlerhafte Produkte, wie sie in der EG-Richtlinie Produkthaftung vom 25. Juli 1985 festgelegt sind, in geltendes deutsches Recht umgesetzt. Die Haftungsregelungen nach § 823 BGB bestehen nach wie vor und werden durch das PHG lediglich ergänzt (Bild 7).

Nach dem PHG haftet ein Hersteller dann, wenn ein Fehler seines Produkts einen Schaden verursacht hat – auch ohne sein Verschulden (§ 823 BGB hingegen verlangt eine schuldhafte Pflichtverletzung). Die Beweislast trägt der Geschädigte. Das PHG hat eine andere Stoßrichtung als die vertraglich begründete Gewährleistungshaftung. Hier kommt es nicht auf die Beeinträchtigung des Wertes oder der Gebrauchsfähigkeit der Sache oder Leistung an, sondern auf eine Gefahr für die Sicherheit des Produktbenutzers und seiner Umgebung. Fehlerhaftigkeit bedeutet also vermeidbarer Mangel an Sicherheit. Zu ersetzen sind ggf. Personen- und Sachschäden.

Wichtig ist, daß Hersteller auch derjenige ist, der als Unternehmer handwerklich oder industriell das Produkt in seinen endgültigen Zustand versetzt. Dazu zählt auch, wer lediglich die Endmontage eines vorgefertigten Produkts vornimmt (Montagebetrieb).

Eine besondere Dimension nimmt die Produkthaftung im ökologischen Bereich ein. Grund dafür ist die allgemeine Entwicklung der Umweltverhältnisse und besonders der Abfallsituation. Die Produkt-Verantwortung reicht insoweit bis zum Ende der Lebensdauer des Produkts. Daher ist es umso wichtiger, ökologische Aspekte wie Langlebigkeit und stoffliche Wiederverwertungsmöglichkeit bereits

Vertragliche Haftung		Außervertragliche Haftung	
Gewährleistung	Haftung für Folgeschäden	Haftung nach Spezialgesetzen	PHG	§ 823 BGB

| Haftung für die Fehlerfreiheit der vertraglich geschuldeten Leistung selbst; bei Fehlen zugesicherter Eigenschaften u.U. auch Haftung für Folgeschäden! Verschulden nicht erforderlich! | verursacht durch schuldhafte (=vorsätzliche oder fahrlässige) Verletzung vertraglicher (Neben-) Pflichten („Haftung aus positiver Vertragsverletzung") | z.B. nach dem Arzneimittelgesetz | bei Schäden durch fehlerhafte Produkte (auch ohne Verschulden) | bei Schäden aufgrund schuldhafter Pflichtverletzung |

FEHLERBEGRIFF:	FEHLERBEGRIFF:
„Beeinträchtigung" des Wertes oder der Nutzungsmöglichkeit des Produktes	„Gefährdung fremder Rechtsgüter" - (vermeidbarer) Mangel an Sicherheit

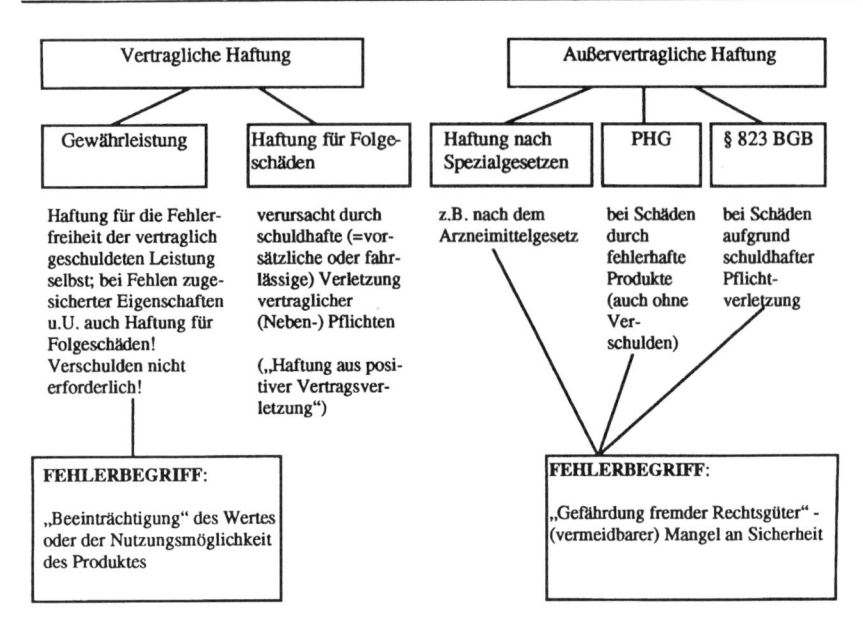

Bild 7: Haftungsrecht

bei der Produktentwicklung zu berücksichtigen. Allerdings entspricht es z.Zt. nicht unserer Rechtsordnung, dem Produzenten Entsorgungsverantwortung im Sinne umfassender Rücknahme- und Verwertungspflichten aufzubürden. Dies kann sich allerdings ändern, wenn die in § 22 Krw-/AbfG angesprochene „Produktverantwortung" seitens der Bundesregierung zu entsprechenden Rechtsverordnungen führt.

5.5.4 Straf- und Ordnungsrecht

Umweltschutz bedeutet nicht nur theoretische Zielfestsetzungen mit praktischen Anforderungen, sondern auch ordnungsrechtliche und strafrechtliche Verfolgung bei Verstößen. Das Strafrecht zum Beispiel hat sich von Anfang an am Umweltschutz beteiligt und gehört heute zum Alltag der Strafverfolgungsbehörden. Das Umweltstrafrecht ist kein eigenständiges Gebiet, sondern Teil des Strafrechts. Die Tatbestände des Umweltstrafrechts finden sich hauptsächlich im Strafgesetzbuch (28. Abschnitt: Straftaten gegen die Umwelt), aber auch in Spezialgesetzen wie dem Chemikaliengesetz und dem Bundesnaturschutzgesetz. Der Gesetzgeber zeigt mit der Aufnahme in das Strafgesetzbuch, daß die Bewertung der „Straftaten gegen die Umwelt" der Bewertung anderer Straftaten gleicht: Diebstahl (§ 242 StGB) und vorsätzliche umweltgefährdende Abfallbeseitigung (§ 326 StGB) sind jeweils mit Freiheitsstrafe bis zu fünf Jahren oder Geldstrafe bedroht.

Unabhängig vom Strafrecht greift auch das Verwaltungsrecht in Umweltschutzbelange ein. Während das Strafrecht jemanden für eine Tat bestraft, kann das Umweltverwaltungsrecht ordnungsbehördliche Maßnahmen verhängen.

5.5.5 Verantwortung der Kommunen

Was die Verhinderung von Umweltschäden aus der Sicht einer Kommunalverwaltung betrifft, so hat die Gemeinde im kommunalen Netz z.B. für dichte Kanäle zu sorgen. Sie muß sicherstellen, daß bei ihrer Herstellung die nötige Sorgfalt gewahrt wird, hat das Netz auf Dichtigkeit zu überwachen und ggf. erforderliche Sanierungsmaßnahmen vorzunehmen. Was die privaten Kanäle betrifft, so müssen rechtliche Vorkehrungen geschaffen werden, die deren technisch einwandfreie Herstellung, v.a. der Dichtigkeit, sicherstellen. Hierzu sind entsprechende satzungsrechtliche Bestimmungen möglich [16].

Während es bisher üblich war, die Abnahme der Hausanschlußleitungen vor Verfüllung des Rohrgrabens zu verlangen, was sich als nicht ausreichend erwiesen hat, werden heute schärfere Forderungen gestellt. Verlangt wird z.B., den Bau von Anschlußleitungen nur durch zuverlässige, hierfür von der Gemeinde ausdrücklich zugelassene Unternehmen ausführen zu lassen. Denkbar wäre aber auch, daß die Gemeinde selbst den Bau der Anschlußleitungen vornimmt oder vornehmen läßt.

Das Satzungsrecht sollte nach verbreiteter Auffassung zudem sichern, daß die Gemeinde den Zustand von Anschlußkanälen kontrollieren kann, z.B. durch die Tiefbauämter. Auch das Recht, die Anpassung der Hausanschlußleitungen an technische Fortschritte zu verlangen, sollte satzungsrechtlich vorgesehen werden. Hierzu müßte u.a. das Baurecht mit dem Wasserrecht in Einklang gebracht werden, so daß z.B. auch wieder eine Baugenehmigung für Grundleitungen gefordert werden könnte und die Untere Wasserbehörde wasserrechtlich zustimmen müßte.

Umweltfragen werden an Bedeutung stetig zunehmen. Weitere gesetzliche Regelungen zu den bereits genannten stehen ins Haus. Die Industrie tut gut daran, von sich aus initiativ zu bleiben und die Frage zu stellen, was noch zu tun bleibt.

Kunststoffrohre sind angesehene Produkte auf dem Markt. Ihre Wirtschaftlichkeit ist zweifellos ein wichtiger Aspekt angesichts der allgemeinen Finanzentwicklung. Aber ihre vielen positiven Eigenschaften – und dazu zählen auch ökologische – dürfen dabei nicht vergessen werden.

Schrifttum

[1] Deklaration von Rio; Reihe „Umweltpolitik" des Bundesministeriums für Umwelt, Naturschutz und Reaktorsicherheit, Bonn, 1992
[2] Ökobilanzen für Produkte – Bedeutung, Sachstand, Perspektiven; Umweltbundesamt, Reihe „Texte" Nr. 38/92, Berlin, 1992

[3] Käufer, H. u.a.: Umweltanalyse von Trinkwasserinstallations-Systemen. Kurzfassung in Sanitär- und Heizungstechnik, Heft 4/95, S. 113 ff.
[4] Leitfaden für die Berücksichtigung von Umweltaspekten bei der Produktentwicklung und -normung; DIN-Mitteilungen 5/94, S. 355–358
[5] Barth, E.: Das Langzeitverhalten von Rohren aus PVC-U. 3 R international, Heft 5/92, S. 271–278
[6] Länderarbeitsgemeinschaft Wasser: Leitlinien zur Durchführung von Kostenvergleichsrechnungen, 4. Aufl. 1993, Anlage 1, S. 53
[7] ATV-Arbeitsgruppe 1.1.4: Korrosion von Abwasseranlagen. Merkblatt – Entwurf (Stand: 19.05.94), S. 29 ff
[8] Wagner, I.: Die Bedeutung der hygienischen Überwachung bei Kunststoffrohren für die Trinkwasserversorgung. krv-nachrichten 1/93, S. 12/13
[9] Hygiene-Institut des Ruhrgebiets, Gelsenkirchen: Laboruntersuchungen zur Vermehrung von Legionellen auf Werkstoffen für Rohre der Trinkwasserhausinstallation. Sanitär- und Heizungstechnik Nr.5/94, S. 108–117
[10] Sachverständigengremium „Gesundes Bauen und Wohnen" beim Bundesminister für Raumordnung, Bauwesen und Städtebau: PVC-Produkte im Bauwesen, Bonn, 1989
[11] Empfehlungen zur Reinigung von Gebäuden nach Bränden; Bundesgesundheitsblatt 1/90, S. 32–34
[12] Technische Anleitung zur Verwertung, Behandlung und sonstigen Entsorgung von Siedlungsabfällen (TA Siedlungsabfall) vom 14.05.93, Beilage zum Bundesanzeiger Nr. 99
[13] Gesetz zur Vermeidung, Verwertung und Beseitigung von Abfällen (Kreislaufwirtschafts- und Abfallgesetz) vom 24.06.94, Bundestagsdrucksache 654/94
[14] „Abfallverbrennung – Fakten und Perspektiven", Vortrag von Vogg, H., gehalten anläßlich der Verleihung des internationalen Rheinlandpreises für Umweltschutz 1992 in Köln
[15] Umweltschutz – wachsende Aufgabe für die Bauwirtschaft. in: Baumaschine + Bautechnik, Febr. 1993, S. 4–8
[16] Schuster, F. (Hrsg.): Kommunale Abwasserpolitik als vorbeugender Grundwasserschutz. Deutscher Gemeindeverlag W. Kohlhammer, Köln, 1992

Teil III
Normung

Normung

H. THOMAS und C. GÜNTHER

1 Einführung

Nach DIN 820, wird *Normung* als die planmäßige, durch die interessierten Kreise gemeinschaftlich durchgeführte Vereinheitlichung von materiellen und immateriellen Gegenständen zum Nutzen der Allgemeinheit definiert.

In Deutschland gibt das DIN – Deutsches Institut für Normung e.V. – mit Sitz in Berlin als Gemeinschaftsarbeit interessierter Kreise (Hersteller, Handel, Wissenschaft, Verbraucher, Behörden) DIN-Normen heraus. Diese Normen sind Regeln der Technik. Sie dienen der Rationalisierung, der Qualitätssicherung, der Sicherheit, dem Umweltschutz und der Verständigung in Wirtschaft, Technik, Wissenschaft, Verwaltung und Öffentlichkeit. Aus DIN-Normen dürfen keine wirtschaftlichen Sondervorteile für einzelne erwachsen. Sie müssen sich immer am Nutzen für die Allgemeinheit messen lassen; deshalb richtet das DIN seine Arbeit an folgenden Grundgedanken aus:

- Freiwilligkeit (die Arbeitsergebnisse sind Empfehlungen);

- Öffentlichkeit (DIN informiert über alle technischen Regeln in Deutschland, einschließlich der vom Staat herausgegebenen Gesetze und Verordnungen mit technischem Inhalt.);

- Beteiligung aller interessierten Kreise (Jedermann kann mitwirken. Der Staat ist dabei ein wichtiger Partner, nicht weniger, nicht mehr.);

- Einheitlichkeit und Widerspruchsfreiheit (Das Normenwerk befaßt sich mit allen technischen Disziplinen. Die Regeln für die Normungsarbeit sichern seine Einheitlichkeit.);

- Sachbezogenheit (Es wird keine Weltanschauung genormt, sondern die Wirklichkeit; Niederschrift des technischen Erfahrungsstandes.);

- Ausrichtung am Stand der Technik (Man bewegt sich in dem Rahmen, den die naturwissenschaftliche Erkenntnis vorgibt.);

- Konsens (Der Inhalt einer Norm wird auf dem Wege gegenseitiger Verständigung mit dem Bemühen festgelegt, eine gemeinsame Auffassung zu erreichen. Das Normungsverfahren ist stets auf Konsens aufgebaut.);

- Ausrichtung an den wirtschaftlichen Gegebenheiten (Normung ist kein Selbstzweck; es wird nur das unbedingt Notwendige genormt. Jede Normensetzung wird auf ihre wirtschaftlichen Wirkungen hin untersucht.);

- Ausrichtung am allgemeinen Nutzen (Der Nutzen für alle steht über dem Vorteil einzelner.);

Normung 69

- Internationalität (Ein Land wie Deutschland, dessen Außenhandel mehr als 60 % des Bruttosozialproduktes erreicht, darf keine Insellösung suchen. Das DIN will einen von technischen Hemmnissen freien Welthandel und die Europäische Union (EU) bedarf Europäischer Normen.).

2 Nationale Normung

Die Akzeptanz der DIN-Normen in Wirtschaft und Verwaltung ist hoch und gewinnt mit der Öffnung der Märkte grenzüberschreitende Bedeutung.

Das DIN mit seinen Organen ist die autorisierte nationale Vertretung in den Gremien der internationalen und europäischen Normungsorganisationen.

Dem Grundsatz der Priorität der internationalen Normung folgend zeigt die Entwicklung der Normungsvorhaben, daß die Bedeutung rein nationaler Normung weiter zurückgeht (Bild 1); der Anteil beträgt derzeit nur noch rd. 15 %.

Normenausschuß Kunststoffe (FNK) – Fachbereich 5 „Fertigteile" (FB 5)

Ausgehend vom Grundsatz der Normungsinstitute in allen EU- und EFTA-Ländern, die nationalen Normen zu harmonisieren, d.h. „Vermeidung oder Beseitigung von Unterschieden im technischen Inhalt von Normen mit gleichem Anwendungsbereich oder Zweck, insbesondere von solchen Unterschieden, die zu Handelshemmnissen führen können", haben die Arbeitsausschüsse des Fachbereiches 5 ihre nationale Normung in Anlehnung an das Arbeitsprogramm des CEN/TC 155 auf ein Minimum beschränkt. Es wurden in den Arbeitsaus-

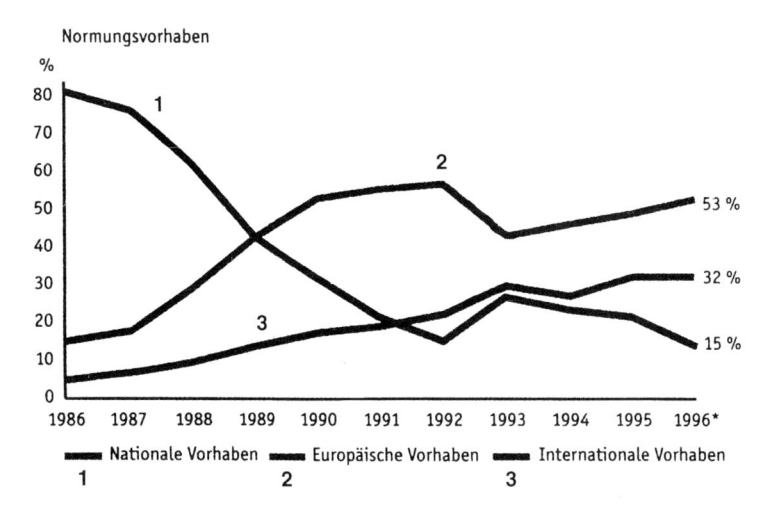

Bild 1: Entwicklung der Normungsvorhaben

schüssen nur Grundnormen (überwiegend Maßnormen sowie Technische Gütebedingungen, keine anwendungsspezifischen Normen) erarbeitet bzw. bestehende Grundnormen dem Stand der Technik angepaßt.

Um die fachliche Zuständigkeit für die Kunststoffrohrnormung der Bereiche Ver- und Entsorgung im Hinblick auf die Kommentierung der anwendungsspezifischen europäischen Normen im Kunststoffrohrbereich sicherzustellen, wurde 1995 empfohlen, hierfür Gemeinschaftsausschüsse des Normenausschuß Wasserwesen (NAW) und des FNK zu konstituieren. Diesen Gemeinschaftsausschüssen gehören – paritätisch besetzt – ehrenamtliche Mitarbeiter des FNK und NAW an.

Für diese anwendungsspezifischen Normen ist der NAW der „Träger der Normen", der FNK jeweils „Mitträger" dieser Normen.

Das Lenkungsgremium der Kunststoffrohrnormung ist der Koordinierungsausschuß für Kunststoffrohrnormung (KOA). Der KOA führt alle Arbeitsausschüsse der Rohrnormung im FB 5, ist Ansprechpartner im DIN/FNK für CEN/TC 155 „Kunststoff-Rohrleitungssysteme und Schutzrohrsysteme" sowie ISO/TC 138 „Kunststoffrohre, Formstücke und Armaturen für den Transport von Fluiden".

Bei der Überarbeitung bzw. Aufnahme neuer Normprojekte für Kunststoffrohrnormen, z.B. auf dem Sektor der „Schutzrohre", wurde unter dem Aspekt „Normung dient – neben anderen Zielen – auch dem Umweltschutz" die Forderung nach Berücksichtigung der Umweltverträglichkeit in die Normungsarbeiten einbezogen. Neben Herstellern, Vertreibern und Verbrauchern haben sich die mit der Wiederverwendung, Verwertung und Entsorgung befaßten Kreise zu den Normentwürfen „Schutzrohre aus PVC-U und PE" geäußert.
Vor diesem Hintergrund hat die Normung auch eine wichtige Rolle bei der umweltverträglichen Entwicklung von Produkten zu erfüllen.

National werden z. Zt. für den Kunststoffrohrbereich über 30 nationale Normen überarbeitet, d.h. für die verschiedenen Materialien wie z.B. PE 63, PE 80 und PE 100 die Maßnormen überprüft bzw. die technischen Gütebedingungen gestaltet.

Der FNK bemüht sich, die Anzahl neuer nationaler Normen auf das unbedingt notwendige Maß zu beschränken und die bestehenden Normen (siehe Teil VIII), regelmäßig dahingehend zu überprüfen, ob sie noch dem Stand der Technik entsprechen oder ob hier ein Ersatz bzw. „teilweiser Ersatz" durch europäische Normen gerechtfertigt ist.

3 Europäische Normung

Europa wächst zusammen, der europäische Markt ist Wirklichkeit. Die Rahmenbedingungen für wirtschaftliches Handeln verändern sich laufend. Neue Herausforderungen ergeben sich für die europäische Normungsarbeit, und diese erfordert neue Strategien.

Die gemeinsame europäische Normungsinstitution CEN/CENELEC und das Europäische Institut für Telekommunikationsnormen ETSI haben auf dem Normungssektor Dynamik entwickelt und mittlerweile die rein nationale Normung überflügelt.

Diese Tatsache ist erfreulich, denn europaweit einheitliche Normen bedeuten für eine exportorientierte Wirtschaft wie die deutsche einen klaren Wettbewerbsvorteil.

Vorrangiges Ziel der europäischen Normungsarbeit ist die Schaffung eines einheitlichen, in sich widerspruchsfreien, zeitgerecht erstellten technischen Normenwerkes für den europäischen Binnenmarkt. Diese Aufgabe wird durch die o.g. gemeinsame Europäische Normungsorganisation mit Sitz in Brüssel erfüllt.

Hier arbeiten Belgien, Dänemark, Deutschland, Finnland, Frankreich, Griechenland, Großbritannien, Irland, Island, Italien, Luxemburg, die Niederlande, Norwegen, Österreich, Portugal, Schweden, die Schweiz und Spanien zusammen. ETSI vereint die Interessenten auf dem Gebiet der Telekommunikation. Die Integration der mittel- und osteuropäischen Länder in das europäische Normensystem schreitet voran: Die Normungsinstitute Bulgariens, Estlands, Lettlands, Litauens, Polens, Rumäniens, der Slowakei, Sloweniens, der Tschechischen Republik, der Türkei, Ungarns und Zyperns sind bereits angegliedert.

Die Europäischen Normen (EN und ETS) orientieren sich an den Normen der Internationalen Organisation für Normung (ISO), der Internationalen Elektrotechnischen Kommission (IEC) und der Internationalen Fernmeldeunion (ITU).

Es werden jedoch auch spezifische Europäische Normen erarbeitet, wenn die internationalen Normungsorganisationen noch keine geeigneten Ergebnisse vorlegen können.

Bis Ende 1995 wurden rd. 6.000 europäische Normen und Normentwürfe für den Binnenmarkt bereitgestellt, zu vergleichen mit rd. 22.000 DIN-Normen und rd. 13.000 internationalen Normen.

Europäische Normen sind keine zusätzlichen Regeln. Vielmehr nehmen sie den Platz der bisher in den einzelnen westeuropäischen Ländern vorhandenen Normen und Vorschriften ein.

Damit ist die europäische Normung – für sich genommen – schon ein großes Programm der Deregulierung, der Vereinfachung der Marktverhältnisse.

Aus den meist voneinander abweichenden nationalen Regeln der Mitgliedsländer des CEN wird jetzt eine europäische Regel. Die europäische Normung bietet somit auch die Chance der kritischen Überprüfung der wünschenswerten Normungsdichte.

3.1 Informationsverfahren, Harmonisierung

Die große Bedeutung der europäischen Normen zeigt sich u.a. in partnerschaftlichen Beziehungen zwischen dem europäischen Gesetzgeber und den Normungsgremien. Den für die Industrienormung zuständigen Gremien wird unter Berücksichtigung des Standes der Technik u.a. die Aufgabe übertragen, technische Spezifikationen auszuarbeiten, die den in den jeweiligen Richtlinien festgelegten grundlegenden Anforderungen entsprechen.

Wichtig hierbei ist: Die technischen Spezifikationen erhalten keinen obligatorischen Charakter, sondern bleiben freiwillige Normen.

Große Teile des europäischen Normenwerkes entstehen im Rahmen von Normungsaufträgen der Europäischen Kommission an CEN bzw. CENELEC. Diese Mandate (Normungsaufträge „Order Vouchers") werden in der EU-Kommission (KEU) entworfen und einem behördlichen EU-Ausschuß (dem Ständigen Ausschuß nach der Informationsverfahrensrichtlinie 83/189/EWG) unterbreitet, bevor sie CEN/CENELEC offiziell vorgelegt werden.

Dank der Vollendung des Binnenmarktes am 1. Januar 1993 wurden auch auf dem Sektor der Kunststoff-Rohrleitungssysteme in Deutschland Hersteller veranlaßt, ihre Produktions-, Marketing- und Investitionsstrategien neu zu überdenken. Hinter dem Projekt „Binnenmarkt" der Europäischen Gemeinschaft stand vor allem das Bestreben, die noch bestehenden nationalen Handelshemmnisse rasch zu beseitigen, damit die in der Gemeinschaft ansässigen Firmen einen echten Binnenmarkt kontinentalen Ausmaßes und die damit vorhandenen Größenvorteile zur Steigerung ihrer nationalen Wettbewerbsfähigkeit nutzen können.

Wenn man eine erste Bestandsaufnahme zur Vollendung des Binnenmarktes durchführt, so ist die Bilanz zufriedenstellend. Zum Beispiel im Bereich „technische Harmonisierung und Normung":

- durch die gegenseitige Anerkennung nationaler Vorschriften und Bescheinigungen sowie durch die Anerkennung des Grundsatzes der Äquivalenz der nationalen Normen neben bestimmten Harmonisierungsmaßnahmen auf vielen Gebieten des täglichen Lebens;

- durch die Schaffung günstiger Rahmenbedingungen für die industrielle Zusammenarbeit durch Harmonisierung des Gesellschaftsrechts und Angleichung der Rechtsvorschriften über das geistige und gewerbliche Eigentum (z.B. Warenzeichen, Patente, usw.).

Die Bilanz könnte man beliebig fortsetzen und z.B.

- das öffentliche Auftragswesen der EU nennen, durch dessen Ausdehnung der Richtlinien über öffentliche Liefer- und Bauaufträge auf die bisher „ausgeschlossenen Sektoren" wie Verkehr, Energie und Telekommunikation eine immer größer werdende Transparenz und Kontrolle angestrebt wird.

Normung

3.2 CEN/TC 155

Dem Normungsauftrag des CEN/TC 155 „Kunststoff-Rohrleitungssysteme und Schutzrohrsysteme" folgend, „die Erstellung von europäischen Normen für Kunststoff-Rohrleitungssysteme für den Transport von Fluiden und Schutzrohrsysteme unter Berücksichtigung von Aspekten wie Gesundheit, Sicherheit, Umwelt und Dauerhaftigkeit" aktiv zu unterstützen, arbeitet eine beachtliche Anzahl deutscher Experten aus den Reihen der Kunststoffrohrhersteller in den rd. 25 Arbeitsgruppen (Tafel 1) des CEN/TC 155 ehrenamtlich mit. Sie haben einen erheblichen Anteil am reibungslosen Ablauf der konkreten Normungsarbeit in CEN/TC 155 und gewährleisten durch ihre Zuarbeiten und in enger Zusammenarbeit mit dem DIN, daß die Normen so rasch wie möglich publiziert werden und den Anwendern umgehend zur Verfügung stehen. Unterschieden wird dabei zwischen Produktnormen und Prüfnormen des CEN/TC 155 und Normen über allgemeine Anforderungen, insbesondere die des CEN/TC 164 „Wasserversorgung" bzw. des CEN/TC 165 „Abwassertechnik".

Tafel 1: Übersicht der bei TC 155 ansässigen Arbeitsgruppen und deren Normungsvorhaben

WG	Arbeitsgebiet	Normenvorhaben
1	Verlegeanleitung für Rohrleitungen außerhalb von Gebäuden	DIN EN 1046
2	Trinkwasserqualität	DIN EN 852
3	Dichtelemente (Arbeit ruht)	siehe CEN/TC 208
4	Verlegeanleitungen für Hausabflußleitungen	Teile 3 für WG 6 und WG 9
5	Verlegeanleitungen für Installationsrohre	DIN EN 12108
6	Hausabflußrohre aus PVC-U (Vollwand und profilierte Wandung)	DIN EN 1329 DIN EN 1453
7	Kanalrohre aus PVC-U (Vollwand)	DIN EN 1401
8	Druckrohre aus PVC-U (Trinkwasser- und Abwasserdruckrohre)	DIN EN 1452 DIN EN 1456
9	Hausabflußrohre aus PE, PP, ABS, PVC-C und SAN+PVC	DIN EN 1451 DIN EN 1455 DIN EN 1519 DIN EN 1565 DIN EN 1566

Tafel 1: Fortsetzung

10	Kanalrohre aus PE (Vollwand)	EN [155WI012] [1]
11	Kanalrohre aus PP (Vollwand)	DIN EN 1852
12	Druckrohre aus PE (Trinkwasser- und Abwasserdruckrohre)	DIN EN 12201 EN [155WI017] [1]
13	Kanalrohre aus PVC-U, PE und PP (profilierte Wandung)	EN [155WI009] [1] EN [155WI010] [1] EN [155WI011] [1]
14	Rohre aus GFK (Druck und drucklose Anwendung)	DIN EN 1115 DIN EN 1636 DIN EN 1796 EN [155WI027] [1]
15	Regenfallrohre aus PVC-U	DIN EN 12200
16	Installationsrohre aus PE-X, PP, PB und PVC-C	DIN EN 12202 DIN EN 12318 DIN EN 12319 EN [155WI026] [1]
17	Sanierung/Relining	EN [155WI209] [1]
18	Dränrohre aus PVC-U	EN [155WI015] [1]
19	Gasrohre aus PE	DIN EN 1555
20	Zubehör für Hausabfluß- und Kanalrohre	EN [155WI132] [1]
21	Zertifizierung	Teile 2 bzw. Teile 7 von Produktnormen
22	Kabelschutzrohre aus PVC-U, PE und PP	EN [155WI171] [1] EN [155WI172] [1] EN [155WI173] [1]
23	Industrierohrleitungen aus PE, PP, PB, PVDF, ABS, PVC-U, PVC-HI und PVC-C	EN [155WI174] [1] EN [155WI175] [1]
24	TPE-Dichtungen	DIN EN 1989
25	Recyclingmaterial, PE und PP	Ergänzende Kapitel „Recycling" für Produktnormen [2]

[1] in Vorbereitung
[2] sofern zutreffend

Die relevanten europäischen Normen des CEN/TC 155 sowie des CEN/TC 164 und CEN/TC 165 sind in Teil VIII aufgelistet.

3.3 TEPPFA

Neben dem CEN/TC 155 ist der Europäische Kunststoffrohrverband TEPPFA (The European Plastics Pipe and Fitting Association) mit Sitz in Brüssel für gemeinsame Regelungen auf dem Kunststoffrohrsektor von Bedeutung.

Unter TEPPFA haben sich 12 europäische Rohrkonzerne zusammengeschlossen; zusammen mit 20 assoziierten nationalen Verbänden verfolgen sie die Ziele der europäischen Normung und der gegenseitigen Anerkennung. Obwohl die TEPPFA-Mitglieder ihre Kapazitäten und Ressourcen für die europäische Normung nicht als zwingend vorschreiben, erleichtern sie hiermit jedoch den Zugang zum europäischen Markt. Das Ziel von TEPPFA sind normkonforme Rohrprodukte, die gesetzliche Anforderungen erfüllen und u.a. eine Transparenz – besonders in Richtung Umweltschutz – aufweisen.

3.4 Normenkonformität und CE-Kennzeichnung

Die Europäische Kommission hat Vorschläge zur Beseitigung nicht-tarifärer Handelshemmnisse und zur Förderung des Warenverkehrs in einem globalen Konzept für Zertifizierung und Prüfwesen in Europa niedergelegt. Danach werden Maßnahmen ergriffen, um der Konformitätsbeurteilung einheitliche Maßstäbe zu geben, wodurch Erzeugnisse im Interesse des freien Warenverkehrs nicht mehrfach nationalen Prüfungen und Zertifizierungen unterzogen werden müssen.

Die Konformitätsbewertungsverfahren

- Herstellerbelange

- Abnehmerbescheinigungen

- Bewertung durch neutrale Stellen

sollen für den Anwender offen sein.

1993 wurden deshalb für die technischen Harmonisierungsrichtlinien Module für die verschiedenen Phasen der Konformitätsbewertungsverfahren und Regeln für die Anbringung und Verwendung der CE-Konformitätskennzeichnung vorgeschlagen.

Diese Module (Bild 2) können je nach Risiko des Produktes angewendet werden. Sie beziehen sich auf die Entwicklung und Fertigung der Erzeugnisse. Ein wichtiger Aspekt dabei ist, daß sowohl die herstellerseitige „Anbieter-Erklärung" sowie die drittseitige „Zertifizierung" erfaßt werden.

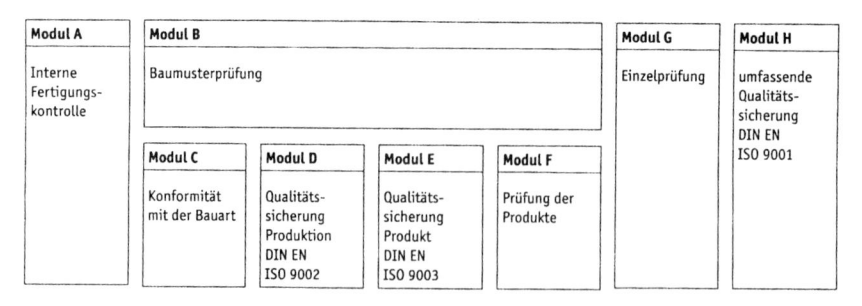

Modul A	Modul B					Modul G	Modul H
Interne Fertigungskontrolle	Baumusterprüfung					Einzelprüfung	umfassende Qualitätssicherung DIN EN ISO 9001
	Modul C	Modul D	Modul E	Modul F			
	Konformität mit der Bauart	Qualitätssicherung Produktion DIN EN ISO 9002	Qualitätssicherung Produkt DIN EN ISO 9003	Prüfung der Produkte			

Bild 2: Module für die Konformitätsbewertung

Die CE-Kennzeichnung kann als eine Art „Paß für Industrieprodukte" bezeichnet werden, der den freien Verkehr dieser Produkte im Europäischen Wirtschaftsraum (EWR) ermöglicht. Es handelt sich um ein zwingend vorgeschriebenes Konformitätszeichen, das die Übereinstimmung der Produkte mit allen Bestimmungen von 16 Richtlinien in den Bereichen Sicherheit, Volksgesundheit, Verbraucherschutz oder mit anderen grundlegenden Anforderungen von gemeinschaftlichem Interesse belegt.

Das Prüfzeichen richtet sich an die Marktüberwachungsbehörden der Mitgliedstaaten und soll ihre Überwachungsaufgaben durch einen sichtbaren Nachweis der Konformität erleichtern.

Neben dem EG-Zeichen (CE) kann ein Erzeugnis verschiedene Zeichen tragen. Andere Produktkennzeichnungen sind nur dann verboten, wenn hierdurch Dritte hinsichtlich der Bedeutung und des Schriftbildes der CE-Kennzeichnung irregeführt werden könnten, oder dies zu Verwechslungen mit der CE-Kennzeichnung führen könnte. Qualitätskennzeichnungen sind im Gegensatz zur CE-Kennzeichnung freiwillig, richten sich an den Verbraucher oder an den Benutzer und sind bestrebt, dessen Haltung zum entsprechenden Produkt zu beeinflussen. Sie haben also eine andere Funktion als die CE-Kennzeichnung und sind daher akzeptabel.

3.5 Relevanz der „Bauproduktenrichtlinie" für die Kunststoffrohrnormung

Eines der wesentlichen Elemente des europäischen Binnenmarktes ist der Sektor Bauwesen. Das jährliche Bauvolumen in der Europäischen Union (EU) beträgt über 1 Billion DM. Etwa 40 Mio. Menschen leben direkt oder indirekt von der Bauwirtschaft. Etwa 1,1 Mio. Unternehmen – überwiegend mittelständische Betriebe – sind in der EU in der Bauwirtschaft tätig. Geht man davon aus, daß Deutschland ein Drittel seines Bruttosozialproduktes durch Export erwirtschaftet, läßt sich die Bedeutung eines gemeinsamen Marktes abschätzen.

Der für die Bauwirtschaft entscheidende Schritt war die Verabschiedung der Bauproduktenrichtlinie am 21. Dezember 1988 und deren Umsetzung in nationales Recht am 1. August 1992 (Bauproduktengesetz Bau-PG).

Mit dieser Richtlinie beginnt die direkte Einflußnahme der Europäischen Kommission auf die Angliederung der Rechts- und Verwaltungsvorschriften über Bauprodukte.

Unter Bauprodukten im Sinne dieser Richtlinie sind solche Produkte zu verstehen, die dazu bestimmt sind, in Bauwerke einzugehen wie z.b.:

– nicht geformte Baustoffe,

– geformte Baustoffe,

– Bauwerksteile und Anlagen mit einer oder mehreren Funktionen im Hinblick auf die beabsichtigte Nutzung der Bauwerke, z.B. der Abwasserableitung bis hin zur Abwasserbehandlung.

Das heißt, die Bauproduktenrichtlinie definiert ganz allgemein die Bereiche, aus denen Anforderungen an Bauwerke zu stellen sind.

Die wesentlichen Anforderungen an Bauwerke, die die Merkmale eines Produktes beeinflussen können, betreffen

– mechanische Festigkeit und Standsicherheit

– Brandschutz

– Hygiene, Gesundheit und Umweltschutz

– Nutzungssicherheit

– Schallschutz

– Energieeinsparung und Wärmeschutz.

Abweichend von anderen Richtlinien legt die Bauproduktenrichtlinie nicht in jedem Fall ein einheitliches Anforderungsniveau für ein bestimmtes Produkt für die Mitgliedstaaten fest; sie läßt vielmehr durch eine Klassifizierung der wesentlichen Anforderungen die Möglichkeit zu, den unterschiedlichen Bedürfnissen und Gewohnheiten der verschiedenen Mitgliedstaaten und Regionen Rechnung zu tragen.

Es ist von der Brauchbarkeit des Bauproduktes für einen vorgesehenen Verwendungszweck auszugehen, wenn die wesentlichen Anforderungen erfüllt sind und das Produkt das CE-Zeichen trägt.

Die wesentlichen Anforderungen bilden dabei die Ausgangsbasis für die Erstellung harmonisierter Normen auf europäischer Ebene.

Öffentliches Auftragswesen und Ausschreibung für Bauaufträge

Im Zusammenhang mit der Bauproduktenrichtlinie ist für den Kunststoffrohrbereich auch das öffentliche Auftragswesen der EG und das nachstehend genannte Ausschreibungsverfahren für Bauaufträge der EG nicht ohne Bedeutung.

Die EU hat das Europäische Öffentliche Auftragswesen nunmehr durch den Erlaß von Richtlinien in allen Leistungsbereichen und durch Überwachungsrichtlinien abschließend geregelt. Im Europäischen Binnenmarkt ist der freie Verkehr von Waren, Personen, Dienstleistungen und Kapital gewährleistet. Öffentliche Auftraggeber können durch Ausschreibungen im Supplement zum Amtsblatt der EU die gesamte Angebotspalette von Herstellern und Leistungsanbietern aus allen Mitgliedstaaten nutzen. Auch unterhalb der Schwellenwerte, ab der eine EU-weite Ausschreibung vorgeschrieben ist, bedeutet das erweiterte Angebot eine Bereicherung der Produktpalette sowie die Bereitstellung neuer innovativer Techniken und Verfahren für die öffentlichen Auftraggeber.

Das Ausschreibungsverfahren für Bauaufträge ist durch die Baukoordinierungsrichtlinie(RL 89/440/EWG vom 18.7.1989) geregelt. Auch hier wurde die Ausschreibungspflicht über die Sektorenkoordinierungsrichtlinie (RL 90/531/EWG vom 29.10.1990) auf bestimmte bislang nicht erfaßte öffentliche Auftraggeber ausgedehnt.

Baukoordinierungsrichtlinie	Sektorenkoordinierungsrichtlinie
alle öffentlichen Auftraggeber mit Ausnahme der in der Sektorenkoordinierungsrichtlinie erfaßten	öffentliche Auftraggeber aus dem Telekommunikationsbereich sowie Beförderungsunternehmen und Auftraggeber, deren Haupttätigkeit in der Trinkwasser- oder Energieversorgung liegt.
Schwellenwert für die Pflicht zur EG-weiten öffentlichen Vergabe von Bauaufträgen:	
– geschätzter Auftragswert mindestens 5 Mio. ECU (rund 10 Mio. DM) ohne Umsatzsteuer	
– bei Vergabe in Losen und einem geschätzten Gesamtauftragswert von mindestens 1 Mio. ECU (rund 2 Mio. DM) ohne Umsatzsteuer	
– unabhängig davon für alle Bauaufträge, bis mindestens 80 % des geschätzten Gesamtauftragswerts aller Bauaufträge für die bauliche Anlage erreicht sind.	

3.6 Akkreditierung, Qualitätssicherung, Zertifizierung

Ziele für Prüfung und Zertifizierung

Eines der wichtigsten Ziele des Europäischen Binnenmarktes – der freie Verkehr von Waren und Gütern – ist untrennbar verbunden mit der Schaffung eines gemeinsamen, für alle Handelspartner zugänglichen Prüf- und Zertifizierungswesens.

Ziel ist, daß Erzeugnisse, die in einem Land hergestellt und dort geprüft worden sind, künftig in keinem anderen EU-Mitgliedsland einer nochmaligen Prüfung unterworfen werden sollen.

Voraussetzungen sind:
- gegenseitige Anerkennung von Prüf- und Zertifizierungsstellen;
- gegenseitige Anerkennung der Prüfergebnisse und Zertifikate.

Um dieses Ziel zu erreichen, wird die Akkreditierung der Prüf- und Zertifizierungsstellen als zweckmäßig erachtet.

Die akkreditierten Stellen haben im Einzelfall zu beurteilen, ob ein Erzeugnis den Anforderungen, die in den einschlägigen technischen Regeln festgelegt sind, entspricht oder nicht.

Konzeption für Prüfung und Zertifizierung

Hinsichtlich der Akkreditierung von Prüf- und Zertifizierungsstellen hat der Binnenmarktrat Ende 1989 eine Entschließung „zu einem globalen Konzept für die Konformitätsbewertung" verabschiedet. Es sieht im einzelnen die Förderung der allgemeinen Verwendung der europäischen Normen für Anforderungen an Prüf-, Zertifizierungs- und Akkreditierungsstellen und des Aufbaus *nationaler zentraler Akkreditierungssysteme* sowie die Errichtung einer europäischen Organisation für das Prüf- und Zertifizierungswesen für den rechtlich nicht geregelten Bereich vor.

Im März 1991 hat sich der Deutsche Akkreditierungsrat (DAR) als gemeinsam von Bund, Ländern und Wirtschaft getragenes Gremium konstituiert. Die Geschäftsstelle wurde der Bundesanstalt für Materialforschung und -prüfung (BAM), Berlin, übertragen. Hauptaufgaben des DAR sind die Koordination der Akkreditierungsaktivitäten im rechtlich geregelten (staatlichen) Bereich einerseits und im privaten Bereich andererseits, sowie die Wahrnehmung der deutschen Akkreditierungsinteressen auf europäischer und internationaler Ebene.

Damit sind die Weichen gestellt für eine Harmonisierung auch auf dem Gebiet des Prüf- und Zertifizierungswesens.

4 Internationale Normung

Die weltweite Normung wird von der Internationalen Organisation für Normung (ISO), der Internationalen Elektrotechnischen Kommission (IEC) und dem internationalen beratenden Ausschuß für Telegrafen und Fernsprechdienste wahrgenommen. In der ISO arbeiten die nationalen Normungsinstitute aus fast 100 Ländern zusammen. Ziel der ISO ist es, mit weltweit einheitlichen Normen den internationalen Austausch von Gütern und Dienstleitungen zu erleichtern sowie die Zusammenarbeit auf wissenschaftlichem, technischem und ökonomischem Gebiet über die Grenzen hinweg zu aktivieren.

Anfang Oktober 1995 ist die Neufassung der ISO/IEC-Geschäftsordnung für die Durchführung der technischen Arbeit (ISO/IEC Directives, Part 1) in Kraft getreten. Mit dieser Neuausgabe konnte eine weitgehende Harmonisierung der ISO- und IEC-Regeln erreicht werden. Die Verfahrensschritte werden so umgestaltet, daß eine parallele Behandlung der Normungsvorhaben auf europäischer und internationaler Ebene im Rahmen der Wiener Vereinbarung jetzt leichter möglich ist.

Auch das für die Kunststoffrohrnormung zuständige ISO/TC 138 „Kunststoffrohre, Formstücke und Armaturen für den Transport von Fluiden" mit den nachfolgend aufgeführten Subcommittees (SC) und Arbeitsgruppen (WG)

SC 1	„Abwasserleitungen und -kanäle"
SC 2	„Wasserversorgung"
SC 3	„Industrieleitungen"
SC 4	„Gasversorgung"
SC 5	„Prüfverfahren"
SC 6	„Rohrleitungen aus GFK"
SC 7	„Ventile und Armaturen"
WG 8	„Toleranzfestlegungen"
WG 11	„Ringsteifigkeit"
WG 12	„Sanierung von Rohrleitungen"

hat, nachdem in den vorangegangenen Jahren die Internationale Normung aufgrund starker europäischer Normungsaktivitäten ihre ursprüngliche Bedeutung zumindest in Europa eingebüßt hat, aufgrund einer wesentlich verbesserten Zusammenarbeit von ISO und CEN eine Reihe wichtiger internationaler Normungsvorhaben abgeschlossen. Mit der gegenseitigen Anerkennung bzw. Übernahme von Normen wurde die Produktivität erheblich gesteigert, was sich nicht zuletzt in der Veröffentlichung von div. internationalen Normen bzw. Normentwürfen des Technischen Komitees ISO/TC 138 zeigte. Geplant ist die Übernahme von rd. 70 Normen des ISO/TC 138 nach CEN/TC 155.

Dies geschieht auf unterschiedlichem Wege; z.B.

1. im Rahmen des „Wiener Abkommens" im „Parallel Vote"

Bei Norm-Projekten, bei denen CEN sich bereit erklärt hat, auf die Ergebnisse der ISO/TC/SC zu warten, wird eine „parallele Abstimmung" bei ISO und CEN durchgeführt.

Darüber hinaus wird CEN das gleiche Verfahren in anderen entsprechenden Fällen anwenden.

Hauptelemente des parallelen Abstimmungsverfahrens:

Sobald ein ISO/TC zustimmt, einen Entwurf in die Umfrage zu geben, informiert das ISO/CS über die Bezeichnung des DIS einschließlich der vorgesehenen endgültigen Nummer der Veröffentlichung. Das CEN/CS schickt die Abstimmungsbogen an seine Mitglieder mit der Ankündigung, daß sie das Dokument mit der angegebenen Bezeichnung vom ISO/CS erhalten werden.

Das ISO/CS schickt nach Prüfung innerhalb der maximal erlaubten Bearbeitungszeit den DIS an die ISO-Mitgliedsorganisationen (und im Namen von CEN auch an dessen Mitgliedsorganisationen Island und Luxemburg).

Die Mitgliedsorganisationen teilen ihre Entscheidung auf den entsprechenden Antwortbogen ISO und CEN mit. Falls die bei CEN abgegebene Stimme von der bei ISO abweicht, erhält CEN zusammen mit dem Antwortbogen eine detaillierte technische Begründung.

Ein solcher Fall kann leicht eintreten im Hinblick auf den unterschiedlichen Hintergrund und die unterschiedliche Bedeutung der beiden Abstimmungen. ISO: Europäische Lösung, Übernahme als nationale Norm für CEN-Mitglieder verpflichtend.

Falls das Abstimmungsergebnis bei ISO positiv ist und keine triftigen technischen Gründe geäußert wurden, die eine weitere Abstimmung rechtfertigen, informiert das ISO/CS das CEN/CS unverzüglich darüber und strengt die Veröffentlichung des unveränderten DIS als Internationale Norm an.

Falls das Abstimmungsergebnis bei CEN auch posiitiv ist, wird der DIS (die Internationale Norm) formell als EN angenommen und von den CEN-Mitgliedern übernommen.

2. als „Einstufiges Annahmeverfahren (UAP)"

Das einstufige Annahmeverfahren (UAP) darf für jedes Schriftstück angewandt werden, unabhängig von dessen Ursprung, um eine schnelle Annahme als EN oder HD zu erreichen, wenn begründet zu vermuten ist, daß dieses Schriftstück auf europäischer Ebene annehmbar ist.

Für ein Bezugsdokument verbindet das UAP das Fragebogenverfahren mit der formellen Abstimmung.

Für ein Dokument eines Technischen Komitees verbindet das UAP das Umfrageverfahren mit der formellen Abstimmung.

Das UAP wird eingeleitet durch das Zentralsekretariat nach Zustimmung
- des Technischen Komitees für ein Dokument, das sich auf ein genehmigtes Norm-Projekt bezieht;

oder

- des Technischen Büros in allen anderen Fällen.

Der Text des Dokuments sollte in allen drei offiziellen Sprachfassungen vorliegen.

Nach Zustimmung des Technischen Büros oder des zuständigen Technischen Komitees darf das UAP auch auf einen Text angewandt werden, der nur in einer der offiziellen Sprachfassungen vorliegt; in diesem Fall müssen die beiden anderen Sprachfassungen spätestens zwei Monate nach Einleitung des UAP vorliegen, es sei denn, das Technische Büro trifft eine andere Entscheidung.

5 Ausblick

Für die kommenden Jahre zeichnet sich ein Wandel in der Normung ab. Die Normung muß flexibler werden. Nachdem die rasche Wachstumsphase bei CEN abgeschlossen ist, besteht nun die Notwendigkeit, Strukturen und Verfahren kritisch zu analysieren und zu optimieren.

Ziel ist es, die Qualität der Normen zu verbessern und die Effizienz der europäischen Normungsarbeit zu steigern.

Zur Erreichung dieses Ziels werden folgende Vorschläge unterbreitet:

- Reduzierung auf drei Arbeitsebenen (Gesamtkoordinierung, Erstellung und Lenkung der Arbeitsprogramme, Erarbeitung der Normentwürfe);
- Dezentralisierung der Entscheidungsprozesse, Intervention der Lenkungsgremien nur in Ausnahmefällen;
- Zusammenfassung einer Vielzahl von Technischen Komitees analog zu den Wirtschaftssektoren;
- Verantwortung der Technischen Komitees für die Arbeits- und Kapazitätsplanung;
- Verpflichtung der nationalen Normungsinstitute zur Bereitstellung der zugesagten Sekretariatskapazitäten;
- bessere Nutzung der Informationstechnik zur Planung, zur Terminverfolgung und bei der Durchführung der Normungsvorhaben.

Nach den derzeitigen Prognosen wird der größte Teil der Normungsaufträge der Europäischen Union bzw. der EFTA (Mandate) bis Ende 1997 bearbeitet sein. Nachdem in den vergangenen Jahren die Erstellung neuer Europäischer Normen Vorrang hatte, wird es in Zukunft notwendig sein, die vorhandenen Kapazitäten in zunehmenden Maße zur Aktualisierung der bestehenden Europäischen Normen einzusetzen.

Durch den Beitritt von Finnland, Österreich und Schweden zur Europäischen Union wurde es erforderlich, die Abstimmungsregeln für die Annahme Europäischer Normentwürfe zu ändern. Zwischen CEN und CENELEC konnte Einvernehmen erreicht werden, daß es in Zukunft nur noch zwei Annahmekriterien geben soll:

- Die Anzahl der zustimmenden Länder muß größer sein als die Anzahl der ablehnenden Länder.
- Mindestens 71 % der abgegebenen Stimmen müssen positiv sein. Enthaltungen werden nicht in die Auswertungen einbezogen.

Der Trend, der sich in der Wirtschaft abzeichnet, ist auch der Trend für die technische Regelsetzung und Normung. Dieser Trend wird sich bis über das Jahr 2000 hinaus dynamisch fortsetzen.

Schrifttum

- DIN-Geschäftsbericht 1995/96
- DIN-Mitteilungen (Zentralorgan der deutschen Normung)
- CEN-Jahresbericht 1994/95
- Europäische Normung „Ein Leitfaden des DIN Deutsches Institut für Normung e.V.", 01.95
- Broschüre „Was Sie schon immer über das DIN wissen wollten", Herausgeber: DIN, 1992
- Informationsservice des Bundeswirtschaftsministeriums, Euro-Info zum EG-Binnenmarkt '92
- ISO Direktive, 1995

Teil IV
Herstellung von Rohren, Formstücken und Dichtungen

Herstellung von Rohren, Formstücken und Dichtungen

1 Herstellung von Rohren und Formstücken aus Thermoplasten

A. BOS

1.1 Aufbereiten

Die Herstellung der Kunststoff-Rohstoffe ergibt pulverförmige Polymerisate, die in dieser Form für die Weiterverarbeitung zumeist noch nicht geeignet sind. Erst weitere sogenannte Aufbereitungsverfahren sorgen für die Bereitstellung einer verarbeitungsfertigen Kunststoff-Formmasse. Dafür ist eine Mischung der Kunststoff-Rohstoffe mit Zuschlagstoffen erforderlich, um sie verarbeitbar zu machen und um weitere gezielte Eigenschaftsbeeinflussungen zu erreichen.

PVC-U wird in der Regel erst beim Rohrhersteller zu einer verarbeitungsfähigen, pulverförmigen Formmasse aufbereitet, während die meisten anderen Kunststoff-Formmassen schon vom Rohstoffhersteller als fertige Formmassen in Granulatform geliefert werden. Im folgenden wird die Aufbereitung von PVC-U näher beschrieben.

1.1.1 Zuschlagstoffe

Die für die PVC-U-Rohrverarbeitung wichtigsten Zuschlagstoffe sind nachfolgend aufgeführt.

Im Anlieferungszustand besitzt der PVC-Rohstoff nur eine geringe Eigenstabilität gegen Wärmeeinwirkung. Bei Temperaturen oberhalb 100 °C beginnt eine Abspaltung von HCl-Molekülen, was zur katalytischen Zersetzung führt. Stabilisatoren, meist Metallseifenverbindungen, verhindern diesen Vorgang durch Bindung von freiwerdendem HCl.

Gleitmittel und Füllstoffe dienen vorwiegend zur Anpassung der Verarbeitungseigenschaften, Pigmente sorgen für die Einstellung der gewünschten Farbe.

Um ein optimales Ergebnis im Hinblick auf Verarbeitungsverhalten und Wirtschaftlichkeit zu erzielen, muß die richtige Abstimmung sämtlicher Komponenten gewährleistet sein. Diese Komponenten müssen zudem bei Trinkwasserrohren hygienisch einwandfrei sein und die Zulassung durch ein staatlich anerkanntes Hygiene-Institut nachweisen.

Eine Richtrezeptur zur Herstellung von Druckrohren hat folgende Zusammensetzung:

100 Teile S-PVC, K-Wert 65– 68

1,0 Teile tribasisches Bleisulfat

0,5 Teile neutrales Bleistearat

0,3 Teile Calziumstearat

0,2 Teile Stearinsäure

0,3 Teile Paraffinwachs

0,5 Teile Kalziumcarbonat

0,5 Teile Pigment.

Aufgrund der Wirtschaftlichkeit haben sich die von etlichen Unternehmen angebotenen fertigen Zuschlagstoffmischungen durchgesetzt.

1.1.2 Ablauf des Aufbereitungsvorganges

Der Aufbereitungsvorgang läuft in den meisten Fällen auf vollautomatisch arbeitenden Anlagen ab. Die Förderung erfolgt dabei im allgemeinen pneumatisch. Nachdem der in Silowagen angelieferte und in Rohstoffsilos gelagerte Rohstoff sowie die Zuschlagstoffe genau abgewogen sind, werden sie zur Homogenisierung in einen Mischer gefördert (Bild 1).

Dieser schnell laufende Heizmischer heizt das Mischgut durch Reibungswärme auf Temperaturen oberhalb 100 °C auf, wobei die Gleitmittel schmelzen und eine gute Anlagerung von Gleitmitteln und Stabilisator an das einzelne PVC-Korn gewährleistet wird. Das Mischgut liegt als verarbeitungsfertige Formmasse (Dryblend) vor, nachdem es in einem Kühlmischer auf unter 40 °C abgekühlt worden ist. Danach erfolgt über ein Mischgutsilo die Förderung zu den Verarbeitungsmaschinen.

1.2 Verarbeitung

Die Verarbeitung der Formmasse erfolgt auf Schneckenmaschinen. Die Formmasse wird gefördert, verdichtet, entgast, gemischt, aufgeschmolzen und homogenisiert. Die Schmelze wird schließlich durch das formgebende Werkzeug gepreßt. Der Plastifizierungsprozeß erfolgt hierbei zu einem Großteil durch die Scherung des Materials; zusätzlich wird über die Zylinderwand durch außen angebrachte Heizbänder Wärmeenergie eingeleitet. Die optimale Verarbeitungstemperatur ist abhängig vom jeweiligen Werkstoff. Sie liegt z.B. für PVC-U im Bereich von (180–200) °C, für PE zwischen (180–230) °C.

1.2.1 Extrusion

Die Extrusion ist das wirtschaftlich wichtigste Verfahren zur Herstellung von Kunststoffrohren. Hierbei findet eine kontinuierliche Umformung der in Pulver- oder Granulatform vorliegenden Formmasse zum Rohr statt.

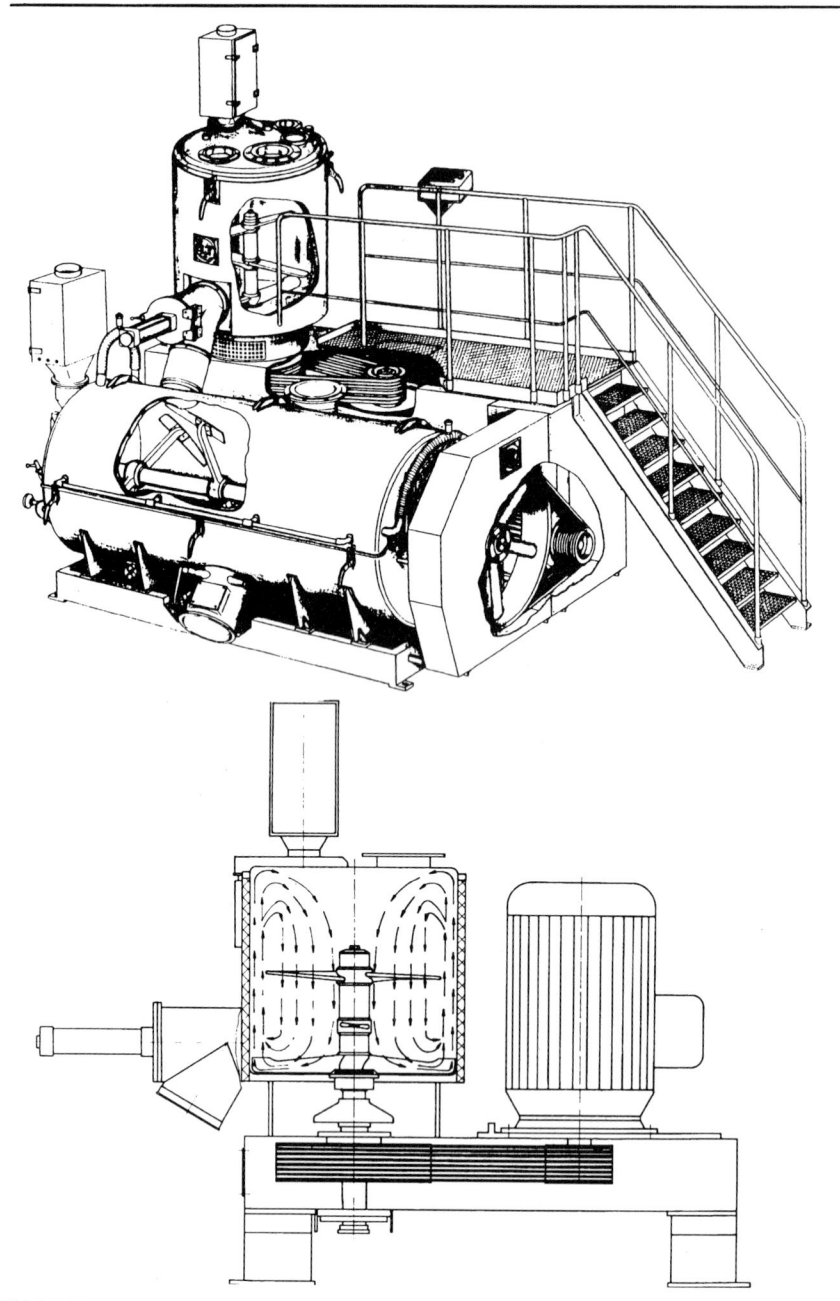

Bild 1: Heiz-Kühlmischer

Herstellung von Rohren und Formstücken aus Thermoplasten 89

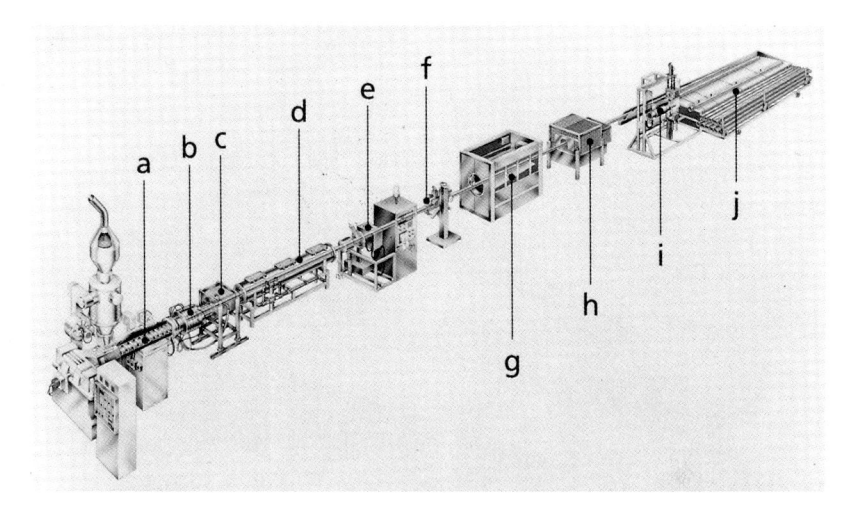

Bild 2: Extrusionslinie für die Rohrherstellung

Eine Extrusionslinie (Bild 2) zur Herstellung von Rohren ist in folgende Bereiche unterteilbar:

– Extruder (a)

– Werkzeug (b)

– Nachfolgeeinrichtungen

– Kalibrierung (c), Kühlstrecke (d), Wanddickenmessung (e), Signierung (f), Abzug (g), Ablängvorrichtung (h), Muffanlage (i), Stapelvorrichtung (j)

Für die Herstellung von PVC-U-Rohren sind fast ausschließlich Doppelschnekkenextruder (Bild 3) im Einsatz, die sich aufgrund ihrer Zwangsförderung bevorzugt für pulverförmige Formmassen eignen. Für die schon beim Rohstoffhersteller in einem weiteren Aufbereitungsschritt mittels sogenannter Compoundierextruder hergestellten Kunststoff-Granulate eignen sich vor allem Einschnekkenextruder.

Durch die Ausformung der Schmelze im Extrusionswerkzeug (Bild 4) und die Führung in der nachfolgenden Kalibrierung (Bilder 5 und 6) werden die vorbestimmten Abmessungen des Rohrs erreicht.

Die erforderliche Abkühlung des Rohres beginnt in der Kalibrierung und wird in der Kühlstrecke vollendet. Hauptaufgabe des nachfolgenden Abzugs ist es, das Rohr mit konstanter Geschwindigkeit durch die Kalibrier- und Kühlstrecke zu

Herstellung von Rohren und Formstücken aus Thermoplasten

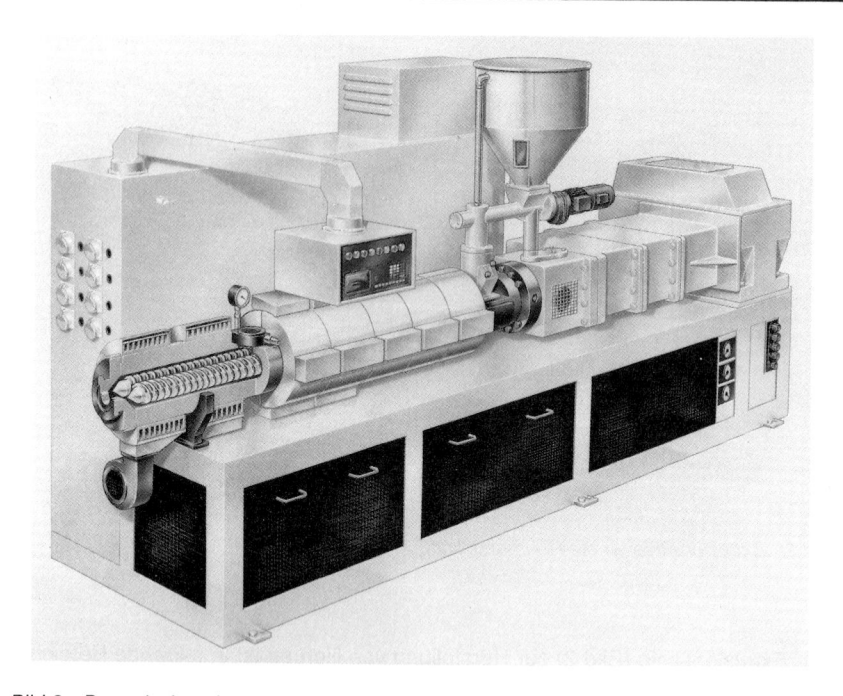

Bild 3: Doppelschneckenextruder

ziehen. Die Säge sorgt für die Einhaltung der in den Normen festgelegten Lieferlängen. Die Herstellung der Muffe (Bild 7) erfolgt meistens automatisch, indem das nicht angefaßte Ende der abgelängten Rohre in einem Ofen bis in den thermoplastischen Zustand erwärmt und durch Aufschieben auf einen Muffdorn gemufft wird. Die Folge der dabei erforderlichen Aufweitung des Rohrdurchmessers, insbesondere im Sickenbereich, wäre eine durch die Verstreckung des Materials eintretende Wanddickenreduzierung. Um diese zu verhindern, wird bereits vor dem Aufmuffen die Wanddicke im Muffenbereich erhöht. Das gebräuchlichste Verfahren ist die gezielte Reduzierung der Abzugsgeschwindigkeit für eine definierte Zeit, so daß im Muffenbereich eine Wandverdickung entsteht.

Abschließend erfolgt die in den meisten Fällen automatische Palettierung. Polyolefinrohre können darüber hinaus bis zu bestimmten Durchmessern auf Trommeln gewickelt werden.

Eine spezielle Variante der Extrusion ist die Coextrusion. Dieses Verfahren ermöglicht die Herstellung von Rohren mit anwendungs- bzw. wirtschaftlichkeitsoptimierten Kombinationen von Werkstoffen. Beispiele sind Rohre mit farbigen Kennzeichnungsstreifen und Rohre mit mehrschichtigem Aufbau (optimierte

Herstellung von Rohren und Formstücken aus Thermoplasten

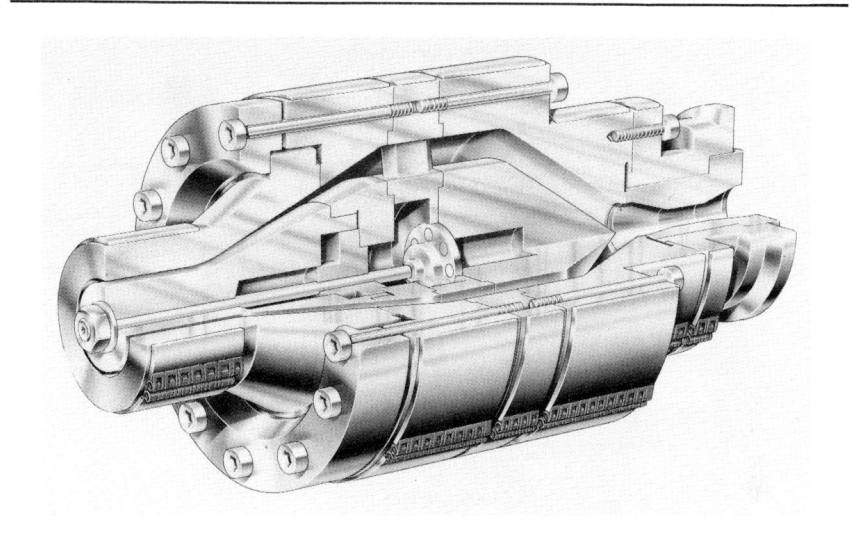

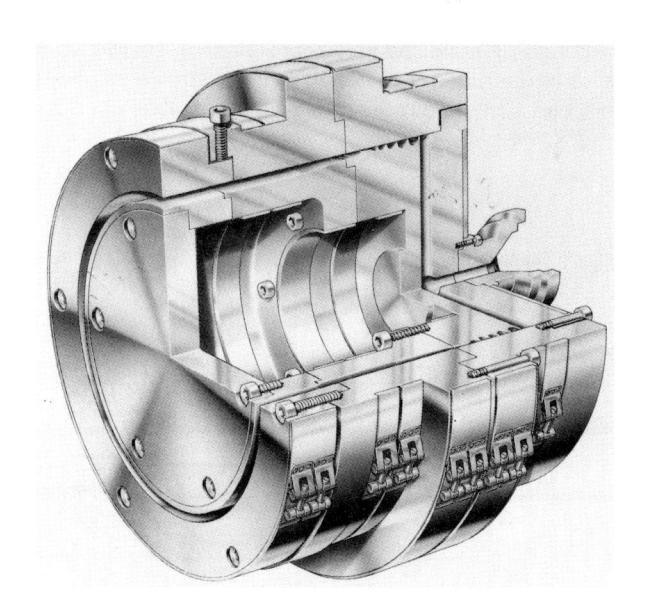

Bild 4: Extrusionswerkzeuge

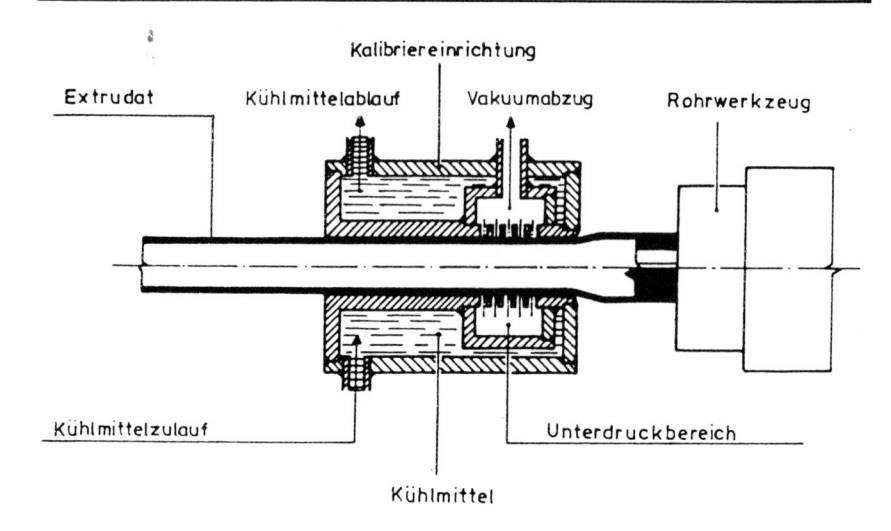

Bild 5: Vakuumkalibrierung

Barriere-, Isolierungs-, Geräuschdämmeigenschaften). Hierbei werden die von zwei oder mehreren Extrudern gelieferten Schmelzströme im Werkzeug so zusammengeführt, daß sich der gewünschte Schichtenaufbau oder das gewünschte Aussehen ergibt.

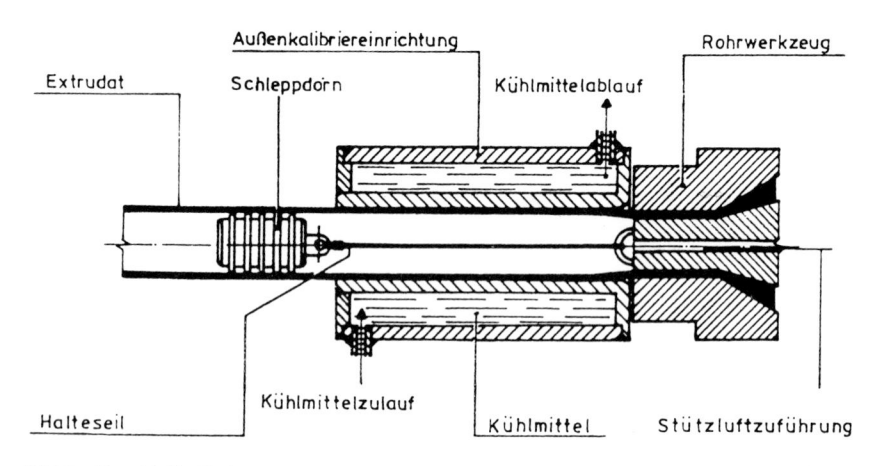

Bild 6: Druckluftkalibrierung

Herstellung von Rohren und Formstücken aus Thermoplasten

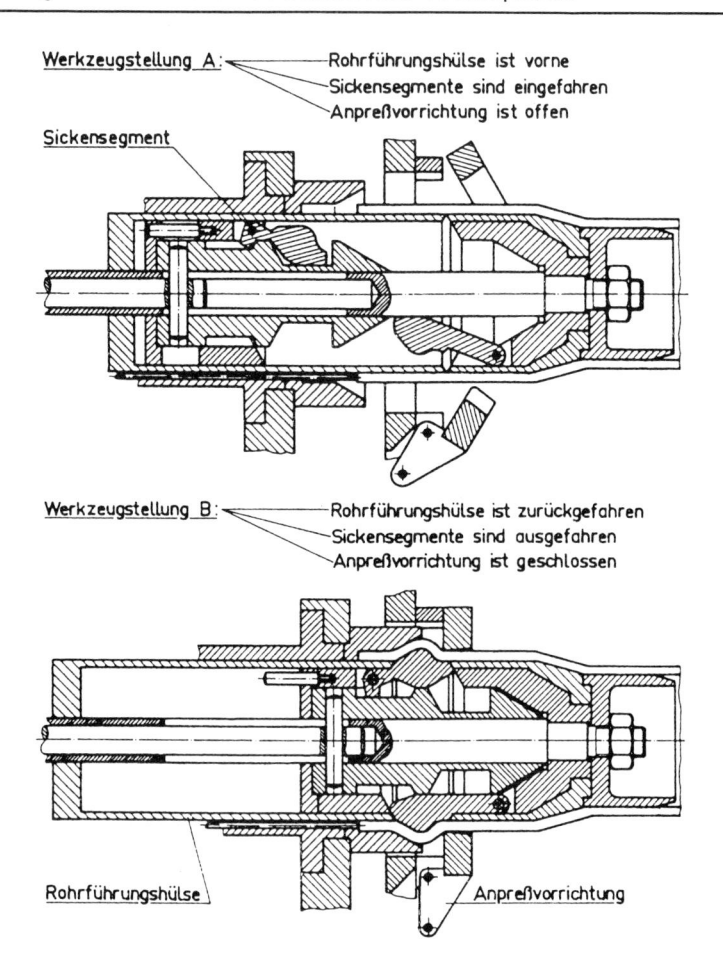

Bild 7: Wirkungsweise des Muffwerkzeugs

1.2.2 Spritzgießen

Die zum Rohrsystem gehörenden Zubehörteile (Formstücke, Armaturen) werden mittels Spritzgießverfahren hergestellt. Hierfür wird eine Spritzgießmaschine (Bild 8) mit Werkzeug benötigt.

Der grundlegende Unterschied zum Extruder besteht darin, daß nicht kontinuierlich, sondern in periodisch wiederkehrenden Arbeitszyklen ausgestoßen wird.

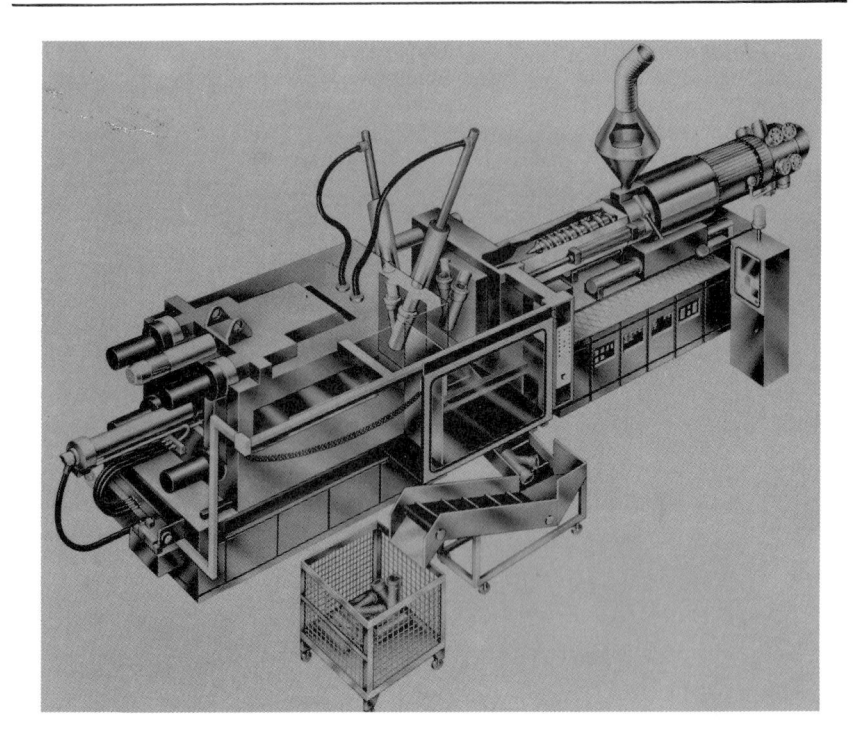

Bild 8: Spritzgießmaschine

Die Masse wird ähnlich wie beim Extruder plastifiziert und in den sogenannten Schneckenvorraum befördert. Der dadurch entstehende Staudruck bewegt die Schnecke axial zurück, bis genügend Material für das betreffende Formstück vorliegt. Anschließend erfüllt die Schnecke die Funktion eines Kolbens und drückt die Schmelze mit hoher Geschwindigkeit durch ein Angußsystem in das entsprechend geformte, gekühlte Werkzeug. Nach genügender Abkühlung öffnet sich das Werkzeug und das Formstück wird ausgestoßen.

1.2.3 Konfektionierung

Alle Thermoplaste können nach Erwärmung über den Erweichungspunkt in eine andere Form gebracht und durch Abkühlung in dieser neuen Form stabilisiert werden. Dieses Verhalten erlaubt z.B. die Herstellung von Bögen und vielen weiteren Sonderkonstruktionen.

2 Herstellung von Rohren und Formstücken aus GFK

H. SCHULZ und U. WALLMANN

Der Einsatz von glasfaserverstärktem Kunststoff (GFK) hat nach dem 2. Weltkrieg einen großen Aufschwung genommen. Schon vor etwa 80 Jahren begann man, gerüstbildende Substanzen und Trägerstoffe in Kombination mit härtbaren Kunststoffen zu verbinden.

Bei der Herstellung von Preßmassen wurden anfangs ausschließlich pulverförmige Füllstoffe (z.B. Holzmehl oder Gesteinsmehle) verwendet, bald aber auch faserige Materialien wie Asbest und Textilschnitzel, welche die mechanischen Eigenschaften dieser Massen verbesserten und deren Sprödigkeit verringerten. Diese Massen können als Vorgänger der verstärkten Kunststoffe angesehen werden.

Rohre und Formstücke aus GFK haben vor allem in den letzten 20 Jahren weite Verbreitung gefunden, zuerst im Chemieanlagenbau. Dort wurden vor allem Epoxidharzrohre eingesetzt, da die Entwicklung von GFK-Material auf Polyesterharzbasis noch nicht in genügendem Maße fortgeschritten war. Mit der konsequenten Weiterentwicklung der Polyesterharze konnte das Produkt billiger angeboten werden und damit auch in der Abwasserableitung und der Wasserversorgung Verwendung finden. Heute werden vor allem GFK-Rohre auf Polyesterharzbasis in der Wasserwirtschaft verwendet. Sie zeichnen sich durch hohe Maßhaltigkeit, große Baulängen, besondere chemische Widerstandsfähigkeit und leichte Handhabung aus, um nur einige Vorteile zu nennen.

2.1 Verarbeitung

Allgemeines

GFK ist ein Composit; es besteht aus einem Bindemittel (i.d.R. Polyester-, Epoxid- oder Vinylesterharz), Füllstoffen und Bewehrungsfasern. Die Rohrwand besteht aus einzelnen Schichten oder Lagen, d.h. der Wandaufbau kann den speziellen Einsatzanforderungen des Rohres angepaßt werden. Die Rohrherstellung variiert in den verschiedenen Herstellungsverfahren. Da die Ausgangsstoffe fast identisch sind, sei hier nur die Produktionsvorbereitung beschrieben (siehe auch Abschnitte 2.1.1 und 2.1.2).

GFK ist ein Duroplast, d.h. der Polymerisationsvorgang des Harzes ist durch Wärmezufuhr nicht umkehrbar. Bei der Polymerisation des Harzes werden Raumnetzmoleküle gebildet, welche die späteren mechanischen und chemischen Eigenschaften des Rohres zu einem großen Teil bestimmen. Es ist wichtig, die einzelnen Komponenten, die die Rohrwand bilden sollen, so zu konditionieren, daß eine gute Verarbeitbarkeit gegeben ist.

Vorbereitung der GFK-Rohrherstellung

Das Harz wird normalerweise in Tanklastzügen zur Produktionsstätte geliefert und dort in Vorratstanks zwischengelagert. Bei jeder Anlieferung werden die Reaktions- und Verarbeitungseigenschaften des Harzes kontrolliert.

Vor der endgültigen Verarbeitung ist es notwendig, dem Polyesterharz verschiedene Verarbeitungshilfsmittel zuzusetzen; dazu gehören Lösungsmittel, Beschleuniger und Härter.

Aus diesem Grund fördert man das flüssige, sirupartige Polyesterharz in Produktionstanks. Dort wird es zuerst mit dem Lösungsmittel (Styrol) versetzt, um die Viskosität auf ein gut verarbeitbares Niveau herabzusetzen. Außerdem wird ein Härter (organische Peroxide) addiert, der die freien Radikale für die Einleitung der Härtungsreaktion liefert. Damit der Härter bereits bei niedrigen Temperaturen ausreichend viele freie Radikale bildet, setzt man dem Harz noch einen Beschleuniger (i.d.R. organische Cobaltsalze) zu.

Die Mengen an Härtern und Beschleunigern sowie die Temperatur haben entscheidenden Einfluß auf die Verarbeitungszeit des Harzes. Es ist daher wichtig, diese Parameter genau einzuhalten und zu kontrollieren. Das Einsetzen der Härtungsreaktion macht sich durch die beginnende Gelierung des Harzes bemerkbar. Den Zeitpunkt bis zum Gelieren nennt man Gelzeit.

Reaktionsharzformstoffe sind in der DIN 16946 und DIN 16966 beschrieben und klassifiziert.

Die anderen Komponenten des Verbundwerkstoffes GFK, Glas und Füll- bzw. Zuschlagstoffe, müssen gleichermaßen konstante Eigenschaften aufweisen, um einwandfrei verarbeitbar zu sein.

Auch Quarzsand wird in Tanklastwagen angeliefert. Die Einhaltung eines maximalen Feuchtegehaltes ist unbedingt erforderlich, da zum einen die kontinuierliche Sandeinleitung und zum anderen die Rohroberfläche des Rohres gestört werden können, wenn die Sandzufuhr unkontrolliert abläuft.

Dieser max. Feuchtegehalt ist in den Werksvorschriften der Hersteller festgeschrieben und wird bei jeder Anlieferung kontrolliert. Zur ständigen Eigenüberwachung der GFK-Rohrhersteller gehört auch die Überprüfung der entsprechenden Sieblinien der Zuschlagstoffe.

Glasfasern, die die Bewehrungsfunktion im GFK-Rohr übernehmen, müssen spezifizierte mechanische, chemische und physikalische Eigenschaften aufweisen, um ihrer Aufgabe voll gerecht werden zu können. Man unterscheidet verschiedene Glasarten, die für GFK-Rohre Verwendung finden. Die drei gebräuchlichsten sind C-, E- und E-CR-Glas. Die Unterschiede der einzelnen Gläser liegen hauptsächlich in der chemischen Beständigkeit, in den mechanische Eigenschaften und in der Verarbeitbarkeit. Die Anforderungen und Spezifizierungen

Herstellung von Rohren und Formstücken aus GFK

der Gläser sind in Deutschland durch die DIN 1259, DIN 61853, DIN 61854 und DIN 61855 bestimmt.

2.1.1 Wickelverfahren

Vorbemerkungen

Die Wickeltechnologie ist die älteste und weltweit verbreitetste Methode zur Herstellung von GFK-Rohren. Anfänglich wurden ausschließlich mit Harz getränkte Glasmatten oder -rovings in mehreren Lagen auf einen rotierenden Kern gewickelt. Die spätere Entwicklung zog auch in diesem Bereich eine ganze Reihe von Verbesserungen und Innovationen nach sich. So ist es z.B. heute möglich, nicht nur Kreisprofile, sondern auch andere Querschnitte – wie Eiprofile oder Froschmaulprofile – in gewickelter Ausführung herzustellen.

Anwendungsgebiete

In fast allen Industrieländern werden heute gewickelte GFK-Rohre produziert. Dabei werden diese Rohre in einem Nennweitenbereich von DN 50 bis DN 3500 hergestellt und finden in der Hausinstallation, in der Gasversorgung, in der

---

OWENS CORNING ETERNIT ROHRE GMBH

Wir produzieren glasfaserverstärkte Kunststoffrohre, Rohrverbindungen, Bögen, Abzweige und spezielle Sonderanwendungen.

- enorm haltbar
- hoch belastbar
- bis Durchmesser 2400 mm

Für alle Bereiche der Trinkwasserver- und Abwasserentsorgung.

Owens Corning Eternit Rohre GmbH
Am Fuchsloch 19
04720 Mochau, OT Großsteinbach
(bei Döbeln/Sachsen)

Telefon: (0 34 31) 70 23 48, 7 18 20
Telefax: (0 34 31) 70 23 24

High-Tech, die in die Tiefe geht

Wasserwirtschaft und im Chemieanlagenbau breite Verwendung. Durch die freie Wahl des Querschnitts haben gewickelte GFK-Rohre auch in der Sanierung von defekten Abwassersammlern ihren festen Platz gefunden. Neben den bereits erwähnten Eigenschaften wie der hohen chemischen Widerstandsfähigkeit, zeichnen sich gewickelte GFK-Rohre durch ein gutes hydraulisches Verhalten, eine hohe Ringzugfestigkeit und variable Baulängen aus.

Das Kernwickelverfahren

Das Wickeln von GFK-Rohren auf starren Stahlzylindern ist das heute vor allem im kleinen Nennweitenbereich von DN 50 – DN 300 am meisten angewandte Herstellungsverfahren. Dabei wird das GFK-Rohr auf vorgeheizte Stahlkerne, die mit einem Trennmittel versehen sind, aufgebaut. Beim eigentlichen Herstellungsprozeß werden alle GFK-Komponenten in einem sehr kleinen Bereich auf den Kern gebracht. Durch die rotierende Bewegung des Kerns und den damit verbundenen Vorschub wird ein Rohr mit einer genau definierten Länge (meist 5 m) hergestellt. Der Aufbau der Rohrwand unterscheidet sich bei den einzelnen Herstellern etwas; es werden aber fast immer Glasrovings, Kurzfasern und Harz eingesetzt. Einige Hersteller verwenden Kerne, an die die Muffe bereits angeformt ist. Es ist aber auch möglich, die Muffe in einem zweiten Arbeitsgang mit dem Rohr zu verbinden. Andere Hersteller produzieren ausschließlich muffenlose Rohre, die später mit Überschiebmuffen verbunden werden. Nach der Herstellung wird das Rohr durch äußere Wärmezufuhr ausgehärtet. Abschließend wird der Kern gezogen, und das Rohr erfährt die Endbearbeitung.

Das „Drostholm"-Verfahren

Bereits 1965 entwickelte der dänische Ingenieur Drostholm eine Wickelmaschine, die es gestattete, den Wickelprozeß in einem kontrollierbaren und kontinuierlichen Ablauf zu gestalten (Bild 1). Bei diesem Verfahren werden die einzelnen Komponenten Harz, Glas und Quarzsand auf einen rotierenden Wickelkern aufgebracht. Dieser Wickelkern ist in seinem Außendurchmesser variabel, so daß Rohre in einem Nennweitenbereich von DN 300 bis DN 2400 hergestellt werden können.

Die Herstellung eines GFK-Rohres auf einer solchen Anlage (Bild 2) läuft wie folgt ab:

- Ein endloses Stahlband wird auf eine Stützkonstruktion gewickelt und am Ende wieder abgewickelt; die Stützkonstruktion mit dem Stahlband bildet den Wickelkern.

- Die wandernde Kernspirale erzeugt dabei einen axialen Vorschub für die kontinuierliche Fertigung.

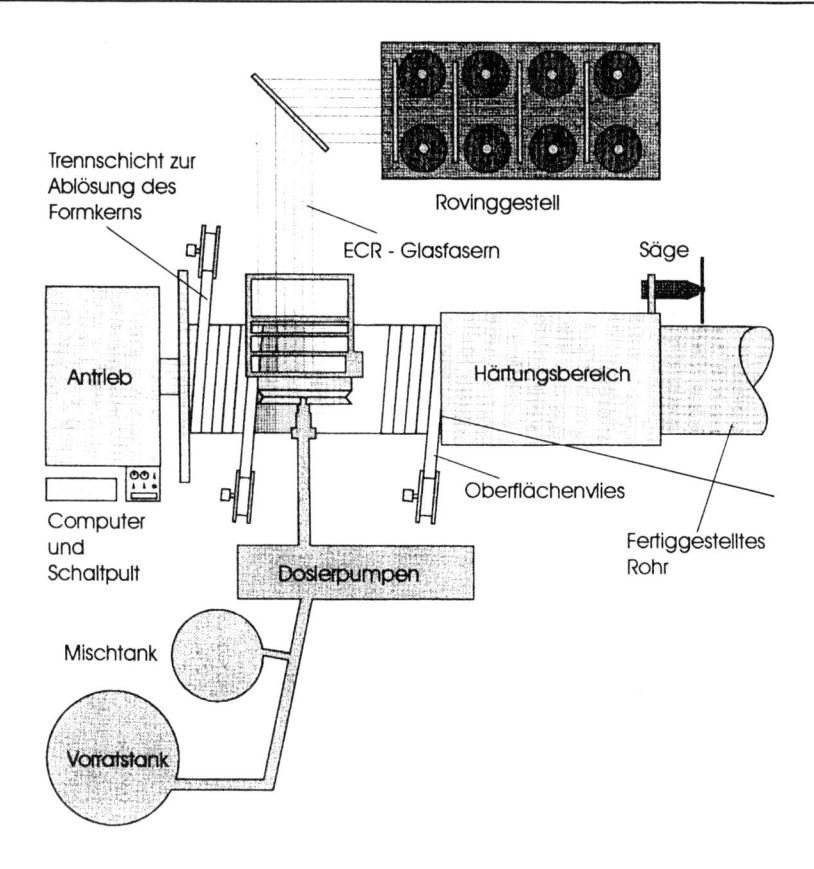

Herstellung von Rohren und Formstücken aus GFK

Bild. 1: Funktionsschema einer „Drostholm"-Anlage

- Auf diesen induktiv beheizten und rotierenden Kern werden alle Roh- und Hilfsstoffe aufgebracht: zuerst eine Trennfolie, dann folgen mehrere Schichten Polyesterharz mit eingebettetem Glasfaser-Vlies, Wirrfasern und Endlosfaserbündeln (Rovings); im mittleren Bereich der Rohrwand wird ein hoher Gewichtsprozentanteil Quarzsand eingebracht.

- Nach dem Aufbau der Rohrwand durchläuft das Rohr einen Aushärtungsbereich, in dem durch Wärmezufuhr von außen die Polymerisation beschleunigt wird.

- Dem Härtebereich schließt sich unmittelbar die Schneidvorrichtung an, mit deren Hilfe die Rohre auf die gewünschte Baulänge geschnitten werden.

Bild 2: GFK-Wickelmaschine

Damit ist der eigentliche Rohrfertigungsprozeß beendet, und die Rohre werden weiter bearbeitet. Dazu gehört das Anbringen einer Fase an den Stirnkanten, um den späteren Montageprozeß auf der Baustelle zu erleichtern, und das Kalibrieren der Spitzenden. Nach erfolgter Dichtheitsprüfung auf einem Drucktester werden die Rohre zur Auslieferung vorbereitet.

Die Regelbaulängen betragen 6 m, 12 m oder 18 m; es ist allerdings mit dieser Anlage möglich, auch andere Baulängen ohne Verschnitt zu fertigen.

Kupplungsrohre werden ebenfalls auf dieser Maschine produziert. Die Weiterverarbeitung der Kupplungsrohre geschieht in einem separaten Arbeitsgang. Dabei werden die Kupplungen auf die entsprechende Länge geschnitten und die Kammern zur Aufnahme der Dichtelemente gefräst. Auch die Kupplungen unterzieht man einer Dichtheitsprüfung. In der Regel wird je ein Rohr mit einer aufgezogenen Kupplung ausgeliefert.

2.1.2 Schleuderverfahren

Vorbemerkungen

Mitte der fünfziger Jahre reifte bei einem Baseler Textilveredelungsbetrieb die Idee, die bis zu dieser Zeit zum Färben eingesetzten Holzwalzen durch chemisch und mechanisch resistentere GFK-Walzen zu ersetzen.

Herstellung von Rohren und Formstücken aus GFK

Das damals bekannte Wickelverfahren stellte sich für die Herstellung der Walzen als ungeeignet heraus, da die erzielte Außenfläche zu uneben war. So entstand die Überlegung, die Walzen im Schleuderverfahren herzustellen. Nach ersten positiven Versuchen auf einer einfachen Anlage wurden geeignete Maschinen konstruiert, und nach einiger Entwicklungszeit konnte eine geregelte Produktion von GFK-Walzen aufgenommen werden.

Da in den Abwassersystemen der Textilindustrie ähnliche Probleme vorlagen wie bei der Stoffärbung, war nur ein kleiner Entwicklungsschritt notwendig, die dickwandige Walzproduktion für die Herstellung dünnwandiger Rohre zu modifizieren. So konnten 1961 die ersten geschleuderten GFK-Rohre für die Herstellung einer Druckrohrleitung DN 1000 ausgeliefert werden. Vom Erfolg beflügelt wurde das Verfahren weiterentwickelt und automatisiert.

Anwendungsgebiete

Heute produzieren moderne Fertigungsanlagen in den meisten Industrieländern und vielen Entwicklungsländern geschleuderte GFK-Rohre in Durchmessern von DN 200–DN 2700 für den Einsatz als Kanalrohre, Druckrohre bis PN 35 und Vortriebsrohre.

Neben so wichtigen Eigenschaften des GFK-Materials wie Korrosionsbeständigkeit, Dichtheit und große statische Belastbarkeit bei geringem Gewicht, zeichnen sich geschleuderte GFK-Rohre durch ihre glatte Außen- und Innenoberfläche und durch ihre Abriebfestigkeit aus.

Geschleuderte GFK-Rohre bewähren sich seit über 30 Jahren auf einer Länge von mehreren tausend Kilometern als Kanalisationsleitungen, Druckleitungen, Dükerleitungen, Seeleitungen, Luftleitungen, Brunnen- und Vortriebsrohre. Außerdem werden sie als Ausgangsmaterial für die Herstellung von Schächten, Tanks, Wasserbehältern, Auftriebskörpern und freitragenden Rohrbrücken verwendet.

Die Werkstoffkomponenten

Die Ausgangsmaterialien für die Herstellung geschleuderter GFK-Rohre sind ungesättigtes Polyesterharz als Bindemittel, Glas als Bewehrung, Quarzsand und Kalziumkarbonatmehl als Zuschlagmittel.

Das Polyesterharz, das die Funktion hat, den Verbund zwischen den einzelnen Komponenten herzustellen, entspricht beim Schleuderverfahren mindestens dem Typ 1130 der DIN 16946 Teil 2.

Da das Harz die übrigen Komponenten des Verbundwerkstoffes (Quarzsand und Glasfasern) vollständig umschließt, steht die Korrosionsbeständigkeit der Rohre in direktem Zusammenhang mit der Beständigkeit des eingesetzten Harzes.

Glas hat einen sehr hohen Elastizitätsmodul und ist somit in der Lage, große Zugspannungen aufzunehmen. Beim Schleuderverfahren werden Textilglasrovings aus borarmem alkalifreiem Aluminium-Silikat-Glas nach DIN 61855 in Durchmessern von 10–20 µm eingesetzt. Die Glasfasern werden bei diesem Herstellungsverfahren von einer Spule abgewickelt und in Einzelfasern von 2,5–5 cm Länge geschnitten. Versuche haben gezeigt, daß dies die optimale Länge ist. Der Einsatz längerer Glasfasern würde zwar die Materialfestigkeit in bestimmten Richtungen erhöhen, aber zu einem schlechteren Gesamttragverhalten der Rohre führen. Die Zuschlagstoffe Quarzsand und Kalziumkarbonatmehl sind gut geeignet, Druckspannungen aufzunehmen; sie erfüllen bei diesem Verbundwerkstoff die gleiche Aufgabe wie der Kies beim Beton. Sie werden deshalb beim Rohrwandaufbau zur Ausbildung der Druckzone herangezogen. Das Kalziumkarbonatmehl ist durch seine Feinkörnigkeit in der Lage, die Räume zwischen den Quarzsandkörnern auszufüllen, so die für die Herstellung notwendige Harzmenge auf ein Minimum zu begrenzen und die Druckfestigkeit zu optimieren.

Der Rohrwandaufbau

Der Wandaufbau der geschleuderten GFK-Rohre besteht aus 14 Schichten unterschiedlicher Materialzusammensetzungen. Die hauptsächlich tragenden Schichten der Rohrwand bestehen aus Glas und Harz, sind beidseitig der neutralen Zone der Rohrwand angeordnet und haben die Aufgabe, die Zugkräfte, die durch die statische Belastung in der Rohrwand entstehen, aufzunehmen. Der Zwischenraum ist mit einer glasfaserarmierten Quarzsand-Harz-Mischung aufgefüllt und hat die Aufgabe, den Hebelarm der inneren Kräfte (den Abstand zwischen den beiden tragenden Schichten) zu vergrößern. Auf diese Weise werden – ähnlich wie bei einem Doppel-T-Träger – hohe Festigkeiten bei wirtschaftlichem Materialeinsatz erzielt. Die variable Ausbildung dieser Schichten (Vergrößerung des Glasgehalts oder des Hebelarms) ermöglicht es, Rohre für alle im Tiefbau vorkommenden Scheiteldruckbelastungen und für Innendruckbelastungen bis 35 bar herzustellen.

Auf der äußeren Seite erhält das Rohr eine Schutzschicht aus Sand und Harz, damit es vor Witterungseinflüssen, insbesondere Sonneneinstrahlung und mechanischem Angriff, geschützt ist. Auf die Innenseite wird eine Reinharzschicht aufgebracht, die einerseits die Aufgabe hat, die Wandrauhigkeit gering zu halten (k_b = 0,01 mm) und zum anderen dazu dient, die Rohrwand vor mechanischem Angriff (Abrieb) zu schützen. Unter der Reinharzschicht erhält das Rohr eine glasreiche Sperrschicht. Diese Schicht hat die Aufgabe, die Diffusion von Stoffen in die Rohrwand aufzuhalten und damit mögliche Beschädigungen von innen zu verhindern.

Herstellung von Rohren und Formstücken aus GFK 103

Herstellungsprozeß

Die Maschinenanlage zur Herstellung geschleuderter GFK-Rohre besteht – grob gesehen – aus 3 Teilen: der Rohstoffaufbereitungs- und Mischanlage, der Materialeingabevorrichtung und den Schleuderformen.

Für jeden Rohrdurchmesser existiert eine ca. 6,1 m lange Schleuderform, die in ihrem Innendurchmesser mit dem Außendurchmesser des herzustellenden Rohres übereinstimmt.

Die einzelnen Materialien werden nach dem beschriebenen Wandaufbau durch eine Beschickereinrichtung, elektronisch gesteuert und dosiert, lageweise in die rotierende Form eingegeben (Bild 3).

Nach Eintrag des Materials wird die Rotationsgeschwindigkeit der Form erhöht, so daß das Material durch die Fliehkraft mit enormem Druck gegen die Formwand gedrückt, so vollständig entlüftet und gründlich verdichtet wird. Es entsteht eine blasenfreie, dichte und über den gesamten Rohrumfang gleichmäßige

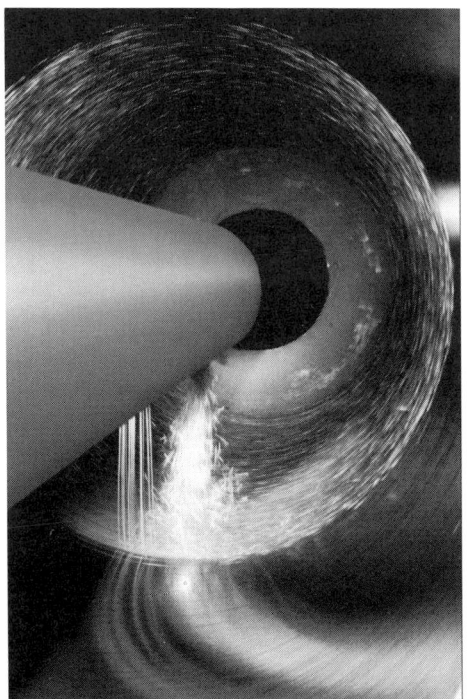

Aufbau der Rohrwandung

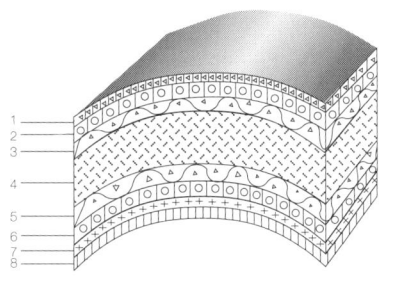

1 —— Schutzschicht außen
2 —— Äußere Armierungsschicht
   (Glasfasern, Polyesterharz)
3 —— Übergangsschicht (Glasfasern, Polyesterharz, Sand)
4 —— Versteifungsschicht (Sand, Polyesterharz, Glasfasern)
5 —— Übergangsschicht (wie 3)
6 —— Innere Armierungsschicht (wie 2)
7 —— Sperrschicht
8 —— Harzreiche Deckschicht innen

Bild 3: Materialeingabe in die Schleuderform

Rohrwand. Anschließend wird durch Wärmezufuhr die Polymerisation der Harze eingeleitet. Die Aushärtung des Rohres erfolgt bei rotierender Form, so daß eine exakt runde Form des Rohres mit gleichbleibender Wandstärke über den gesamten Rohrumfang garantiert ist. Nach Abschluß des Polymerisationsvorganges wird das fertige 6,1 m lange Rohr durch Pressen aus der Form gestoßen. Die Außenoberfläche des Rohres ist vollkommen glatt und weist überall den gleichen Außendurchmesser auf (Bild 4).

Die Herstellung geschleuderter GFK-Rohre erfolgt mit niedrigem Energieaufwand. Die bei der Aushärtung der Polyesterharze nicht zu vermeidenden Abgase werden durch ein Abluftsystem ständig abgesaugt und in einer thermischen Nachverbrennungsanlage bei 650 °C unter Zusatz von Erdgas verbrannt. Die hierbei freigesetzte Energie wird über einen Wärmetauscher der Produktion zugeführt. So werden die Heizkosten minimiert und die Umweltbelastung gesenkt.

Bild 4: Ausstoßen des fertigen Rohres aus der Schleudermaschine

Die anfallenden Rauchgase und Stäube werden durch eine moderne Filter- und Entstaubungsanlage gereinigt, so daß die Emissionswerte die Anforderungen der TA Luft deutlich unterschreiten.

2.1.3 Handfertigung

Im Gegensatz zu anderen Kunststoffen, z.b. Polyethylen, wo Formstücke im Spritzgießverfahren hergestellt werden, unterscheidet man bei der GFK-Formstückherstellung zwischen einem vollautomatischen Wickelprozeß und der Handfertigung.

Da in Deutschland die Handfertigung überwiegt, wird hier auf die vollautomatische Fertigung nicht eingegangen.

Manuell gefertigte GFK-Formstücke basieren fast immer auf vorher produzierten Rohren, aus denen Segmente geschnitten werden. So ist es z.b. möglich, Rohrbögen in verschiedenen Abwinklungen aus Segmenten zusammenzufügen.

Dabei werden auf Winkel geschnittene Rohrsegmente stumpf aneinander gestoßen, mit einem Polyesterspachtel fixiert und die Kehle dann mit einem Handlaminat versehen. Unter einem Handlaminat versteht man eine mit Harz getränkte Glasfasermatte oder einen getränkten Glasfaserroving, welche(r) um die Kehlnaht gelegt und entlüftet wird. Der Aufbau eines mehrlagigen Überlaminats gestaltet sich in der Regel so, daß sich eine Lage Matte mit einer Lage Roving abwechselt.

Durch das Aufrauhen des später vom Laminat bedeckten Rohrbereichs erreicht man eine sehr gute Haftung des Handlaminats mit dem Rohr. Es entsteht ein dauerhaft dichter Verbund zwischen den einzelnen Segmenten. Je nach Durchmesser und Druckstufe der zu verbindenden Teile variiert die Anzahl der Lagen des Überlaminats. Für höhere Druckstufen kann es notwendig sein, nicht nur ein Außen-, sondern auch ein Innenlaminat aufzubringen.

In manueller Fertigung ist es möglich, alle bekannten Formstücke, wie T-Stücke, Abzweige, Bögen, Sattelstücke usw. zu fertigen. Um in eine GFK-Rohrleitung Flanschenformstücke einzubauen, verwendet man GFK-F-Stücke mit losem oder festem Flansch. Diese F-Stücke werden ebenfalls manuell gefertigt, indem auf ein Rohrstück der Flanschbund für lose Flansche oder der GFK-Flansch für feste Flansche geklebt wird.

Eine andere Möglichkeit der Herstellung von GFK-Formstücken besteht im Unterdruckverfahren. Mit diesem Verfahren, werden heute vor allem Klöpperböden hergestellt. Diese Klöpper- oder Korbbögen finden im GFK-Behälterbau als Enddeckel für Wasser-, Abwasser- oder Chemikalienbehälter Verwendung.

3 Herstellung von Dichtungen aus Elastomeren

M. BODE

Mischungsherstellung

Eine leistungsfähige Rezeptur setzt eine konsequente und erfolgreiche Mischungsentwicklung voraus. Moderne Compounds sind durch den Einsatz preiswerter Rohstoffe, kurze Mischzyklen, gute Verarbeitung und große Lagerstabilität gekennzeichnet. Die gute Reproduzierbarkeit sowie Prozeßsicherheit sind für eine verläßliche Mischungsentwicklung Grundvoraussetzungen. Die Erfüllung der physikalischen und chemischen Anforderungen, geprüft am Fertigprodukt, sind dabei selbstverständliche Kriterien.

Ein dem Großmaßstab ähnlicher Labor-Innenmischer mit Walzwerk ist wichtige Voraussetzung für eine effektive Entwicklungsarbeit. Kautschuk und Zusatzstoffe – wie Füllstoffe, Weichmacher, Verarbeitungshilfen, Alterungsschutzmittel, Aktivator, Beschleuniger und Vernetzer – bilden den Grundstock der Rezeptur. Diese Rohstoffe und andere Zuschlagstoffe werden in der Eingangskontrolle auf ihre spezifischen Eigenschaften hin untersucht. Vorrangig geprüft werden die Viskosität des Kautschuks, die Jodzahl des Rußes und die Schmelzpunkte der organischen Hilfsmittel. Erst bei Erfüllung der Spezifikation werden die Rohstoffe für die Weiterverarbeitung freigegeben. Für das Mischen der Einzelkomponenten sind, um ausreichend dispergieren zu können, Aggregate mit hoher Energieleistung erforderlich. Dafür stehen heute prozeßrechnergesteuerte Anlagen zur Verfügung. Die herausragenden Anlagenteile des „Mischsaals" sind: Chemikalien- und Füllstoffbehälter, Dosier- und Verwiegeanlagen, Kautschuk- und Weichmacherzuführung, Hochleistungsinnenmischer, Walzwerke sowie Batchoff-Anlage.

Nach Verwiegung, Dosierung und anschließender Homogenisierung der Einzelkomponenten im Innenmischer wird, z. B. über Walzwerke mit Fellwendeeinrichtung (Stockblender) und Streifenschneideinrichtung, ein Extruder-Fütterstreifen für die Weiterverarbeitung hergestellt. Die begleitende Fertigungskontrolle wird chargenweise an der Rohmischung, mit Hilfe eines Rheometers zur Bestimmung der Vulkanisationsgeschwindigkeit und der Viskosität, anhand von Reverenzkurven durchgeführt. Die Rohmischung wird nach Überprüfung durch das Labor, bei Einhaltung der Sollvorgaben, zur Weiterverarbeitung freigegeben.

Herstellung der Dichtelemente

Die Elastomerdichtungsproduktion ist in der Hauptsache durch vier prinzipiell unterschiedliche Fertigungsmethoden gekennzeichnet. Als traditionelle Verfahren gelten das Preß- oder Kompressionsverfahren sowie das Spritzpreßverfahren (Transfermoulding). Diese beiden Fertigungsmethoden lassen aber nur eine

Herstellung von Dichtungen aus Elastomeren 107

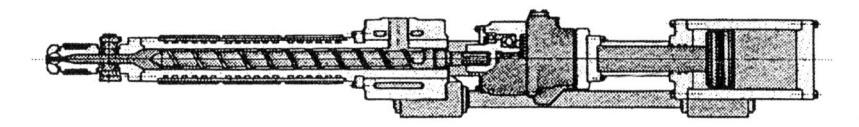

Bild 1: Schneckenkolben-Spritzgießen

sehr begrenzte Automatisierung zu und sind daher nur für spezielle Formstücke noch wirtschaftlich. Die häufigste Form zur Herstellung von präzisen Massenartikeln ist das Spritzgußverfahren oder Injection-moulding, welches hier näher erläutert werden soll:

Beim Gummi-Spritzguß wird die Mischung in Form eines Extruder-Fütterstreifens aus vorbenannter Herstellung von einer Schnecke eingezogen. In dem temperierten Schneckenzylinder wird die Mischung plastifiziert und in das Formwerkzeug eingespritzt (injection).

Grundsätzlich werden hierbei drei Varianten unterschieden:

– Beim Schneckenkolben-Spritzgießen (Bild 1) wird die plastifizierte Mischung durch Vorschub der Schnecke in die Formnester gespritzt.

– Eine andere Form des Injection-mouldings wird durch Kolbenspritzgießen mit Schneckenvorplastifizierung (Bild 2) erreicht. Hierbei wird das plastifizierte Elastomer über die Schnecke in einen Zylinder transportiert, aus dem heraus der eigentliche Einspritzvorgang mittels eines Kolbens in das Formwerkzeug erfolgt.

– In jüngerer Zeit gewinnt die dritte Variante, das Schneckenkolben-Spritzgießen mit Speicher (Bild 3), zunehmend an Bedeutung. Bei diesem Verfahren erfolgt der Spritzguß nach dem Prinzip „first in – first out", d. h. das Material, welches zuerst plastifiziert wurde, wird auch zuerst in das Formwerkzeug gespritzt.

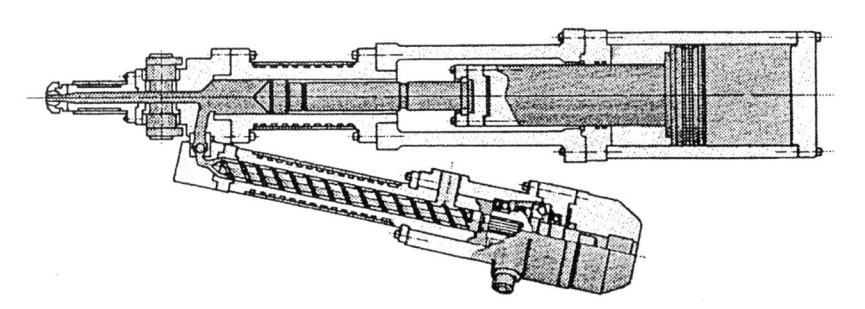

Bild 2: Kolbenspritzgießen mit Schneckenvorplastifizierung

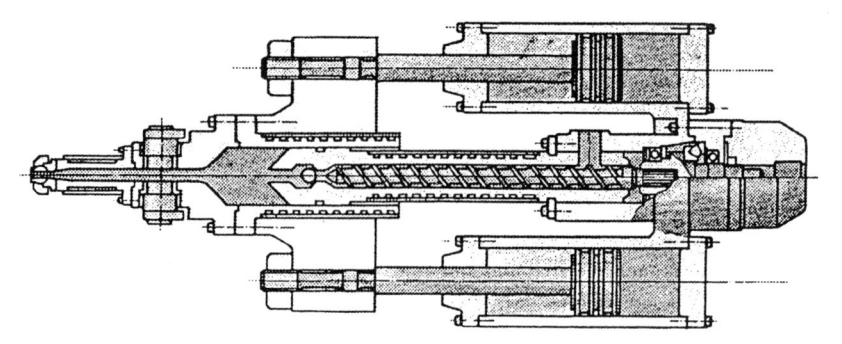

Bild 3: Schneckenkolben-Spritzgießen mit Speicher

Bei der ständigen Bemühung, die Produktivität durch kurze Zykluszeiten zu erhöhen, ist die Heizzeitverkürzung mittels geringer Temperaturtoleranzen im Spritzgießwerkzeug ein wichtiges Entwicklungsziel. Grenzen werden durch die Anzahl der Formnester und der Werkzeuggröße erkennbar. Mehrstationen-Spritzgießmaschinen mit ihrem hohen Automatisierungsgrad sind sehr wirtschaftlich und haben sich für die Fertigung von Elastomerteilen in großen Stückzahlen, mit Taktzeiten, die weit unter der Vulkanisationszeit liegen, bewährt.

Extrusionsverfahren werden dann angewandt, wenn die Profilgebung einer Dichtung ein automatisiertes Spritzgießverfahren nicht zuläßt bzw. die Anzahl der Nester auch aufgrund der Formartikelgröße eine wirtschaftliche Fertigung nicht ermöglicht. Extrusionsmischungen, kontinuierlich vulkanisiert, sind im Spannungrelaxationsverhalten oft ungünstiger als Spritzgießmischungen.

Für die Profilextrusion werden das Salzbadverfahren, die Heißluftvulkanisation oder die Ultrahochfrequenzvorwärmung-Heißluftvulkanisation angewandt. Die extrudierten Profile werden fertig vulkanisiert und mit vulkanisierfähig eingestellter Kautschukmischung zu geschlossenen Dichtungen verbunden. Dabei werden die zu verbindenden Profile in ein Formwerkzeug gelegt, die Kautschukmischung unter Druck eingespritzt und dann vulkanisiert.

Die Prozeßabläufe bei der Dichtungsproduktion sind in den vergangenen Jahren laufend verbessert worden. Das Rezeptur- und Mischungs-"Know-how" befindet sich auf einem hohen Niveau. Dessen ungeachtet zeichnen sich weitere Entwicklungspotentiale zur Systemverbesserung Rohr/Dichtung ab. Methoden der Konstruktions- und Produktions-FMEA (failure mode and error analysis) sowie FEM (finite element methode) bei der Geometrieoptimierung der Dichtringe werden angewandt.

Zielgerichtete Qualitätssicherung gemäß EN 9001 für Entwicklung und Fertigung, sinnvolle Prozeßregelung sowie ausgeprägte Eigen- und Fremdüberwachung der Dichtringhersteller sorgen für optimale Dichtelemente und lange Lebensdauer der Rohrsysteme.

Teil V
Rohrverbindungen und Verbindungstechniken

Rohrverbindungen und Verbindungstechniken

H. HILLINGER

1 Kunststoffrohre untereinander

Verbindungen von Rohren untereinander und von Rohren mit Formstücken, Armaturen und anderen Komponenten bilden den Kern von Rohrleitungssystemen. Die Projektierung und Auslegung erfolgt so, daß statische und dynamische Belastungen bei den verschiedenen Anwendungen die geforderte Lebensdauer garantieren und alle Bauteile in der Rohrleitungssystemkette gleich stark sind.

Wir unterscheiden bei druckbelasteten Rohrleitungen hauptsächlich zwei Verbindungsarten. Es sind dies die längskraft- und die nicht längskraftschlüssigen Verbindungen. Längskraftschlüssige Verbindungen erlauben es, druckbedingte Axialkräfte mit Hilfe der Leitung selbst aufzunehmen. Bei nicht längskraftschlüssigen Verbindungen müssen diese Kräfte von außen, u.a. durch entsprechende Befestigungen, aufgenommen werden.

Längskraftschlüssige Verbindungen werden vor allem gewählt, wenn eine besonders hohe Sicherheit gefragt ist (z.B. bei gefährlichen Medien) und eine externe Aufnahme der Axialkräfte weder wirtschaftlich noch technisch befriedigend gelöst werden kann. Dies ist häufig bei industriellen Anwendungen, der Wasseraufbereitung, der Chemie und Verfahrenstechnik, in der haustechnischen Installation und bei erdverlegten Druckleitungen mit einer nicht tragfähigen Beschaffenheit der Fall. Die Tafel 1 zeigt eine Übersicht der gebräuchlichen Verbindungstechniken für Kunststoffrohre.

1.1 Längskraftschlüssige unlösbare Verbindungen

1.1.1 Klebverbindungen

Seit 1937 werden Kunststoffrohre zu sicheren Verbindungen miteinander verklebt. Heute eignen sich dafür besonders die thermoplastischen Kunststoffe wie Polyvinylchlorid (PVC-U und PVC-C) und Acrilnitril-Butadien-Styrol (ABS). Bauteile aus Polyolefinen wie PB, PE oder PP können unter Baustellenbedingungen im Rohrleitungsbau nicht geklebt werden.

Die verschiedenen Anwendungsgebiete und Werkstoffeigenschaften von Rohren aus PVC-U, PVC-C und ABS erfordern naturgemäß auch verschiedene Klebstoffe und Klebverfahren.

Es ist zu berücksichtigen, daß solche Rohre sowohl im Druckbereich als Industrieleitungen in der Verfahrenstechnik, Wasseraufbereitung und der Chemie als auch im drucklosen Bereich als Hausabflußleitungen eingesetzt werden. Außerdem kommen sie als Grundleitungen in der Gas- und Wasserversorgung, als Trinkwasser- und Warmwasserleitungen in Gebäuden usw. zur Anwendung.

Kunststoffrohre untereinander 111

Tafel 1: Verbindungstechniken für Kunststoffrohre

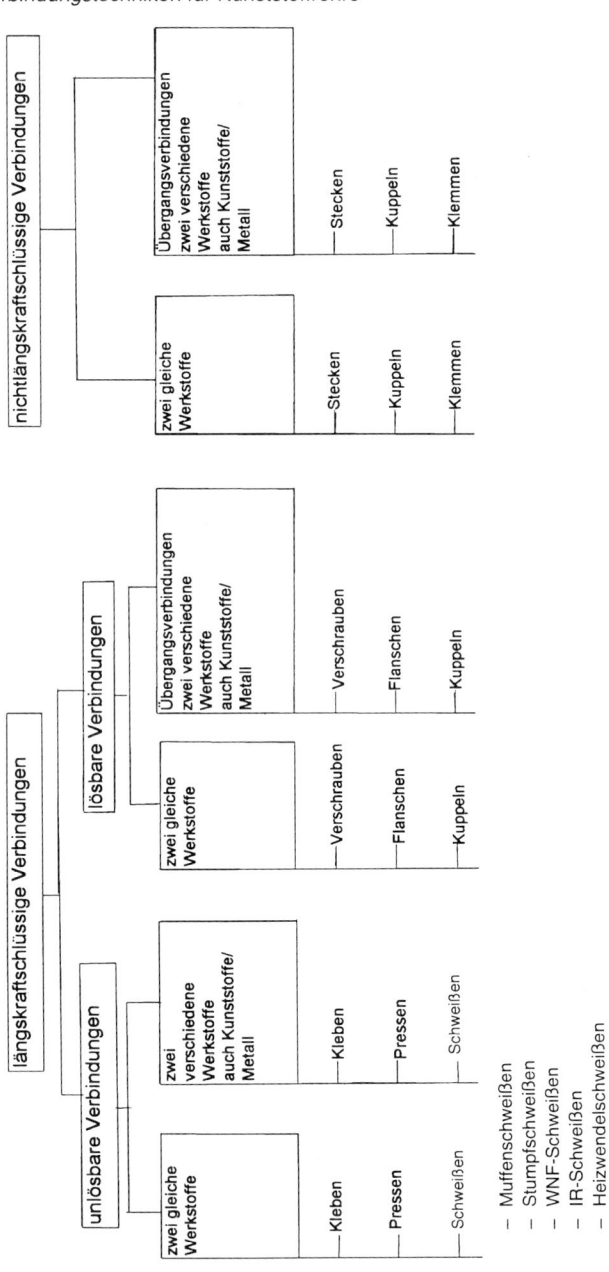

- Muffenschweißen
- Stumpfschweißen
- WNF-Schweißen
- IR-Schweißen
- Heizwendelschweißen

Klebverbindungen im Rohrbereich müssen den hohen Anforderungen der Praxis in Form von Druck- Temperatur- und Medienbelastung bis zu 50 Jahren standhalten.

Die Herstellung von Klebverbindungen setzt ausreichende Fachkenntnisse voraus, die in geeigneten Schulungskursen erworben werden können.

Klebstoffe verbinden Bauteile durch Adhäsion und durch Kohäsion, ohne daß sich die Bauteile wesentlich verändern.

Nach der DIN 16920 wird der Begriff „Klebstoff" wie folgt definiert:

„Nichtmetallischer Stoff, der Fügeteile durch Flächenhaftung und innere Festigkeit (Adhäsion und Kohäsion) verbinden kann".

Aus technischer Sicht gibt es zu den Klebstoffen auf der Grundlage von u.a. Methylenchlorid, Tetrahydrofuran, Methyl-Ethyl-Keton, Cyclohexanon und N-Methylpyrrolidon z.Zt. keine annähernd gleichwertigen Alternativen. Derartige Klebverbindungen weisen die gleiche mechanische, thermische und – bis auf wenige Ausnahmen – chemische Beständigkeit wie das Rohrmaterial auf. Des weiteren erfüllen sie die aus den Normen für Formstücke resultierende Forderung der Spaltüberbrückung bei Druckrohren bis +0,6 mm.

Die lösemittelhaltigen Klebstoffe bestehen stets aus einem Lösemittelgemisch und einem stabilisierten Harz, entweder einem PVC-U, einem PVC-H oder einem ABS-Harz.

Die Formulierung der Lösemittelgemische ist von besonderer Bedeutung für die spätere Verarbeitung. Einmal muß sich darin die für den einzelnen Klebstoff erforderliche Harzmenge lösen. Sodann bestimmt das Lösemittelgemisch auch die Gebrauchseigenschaften des damit hergestellten Klebstoffes. Das sind vor allem die offene Zeit, also die für die Verarbeitung zur Verfügung stehende Zeit, und die Abbindezeit; das ist die Zeit bis zur möglichen Belastung der geklebten Rohrleitung.

Die Zweikomponentenreaktionsklebstoffe auf Duroplastbasis neigen zum Sprödbruch und zur Spannungsrißbildung.

Bei der lösemittelbasierenden Diffusionsklebung diffundiert das Lösemittel in der ersten Phase in die Substratoberfläche und führt dort zu einer Strukturaufweitung, einer Lockerung des Molekülverbandes. Das in den Lösemitteln gelöste Polymer geht mit dem Substrat eine homogene Verbindung ein. Der damit verbundene Quellprozeß läßt die Fügeteile miteinander in Kontakt treten und überbrückt evtl. vorhandene Toleranzen der Bauteile. Die dritte Phase ist durch eine Verflüchtigung (Desorption) der Lösemittel gekennzeichnet (Bild 1).

Der Verarbeiter muß sich vor Beginn der eigentlichen Klebung über zwei Punkte Klarheit verschaffen:

Kunststoffrohre untereinander

1. Diffusionsphase

Lösemittel
Substrat
Klebstoff
Substrat
Lösemittel

2. Quellphase

Quellung
Eindringtiefe

3. Desorptionsphase

Zone mit verringerter Materialhärte

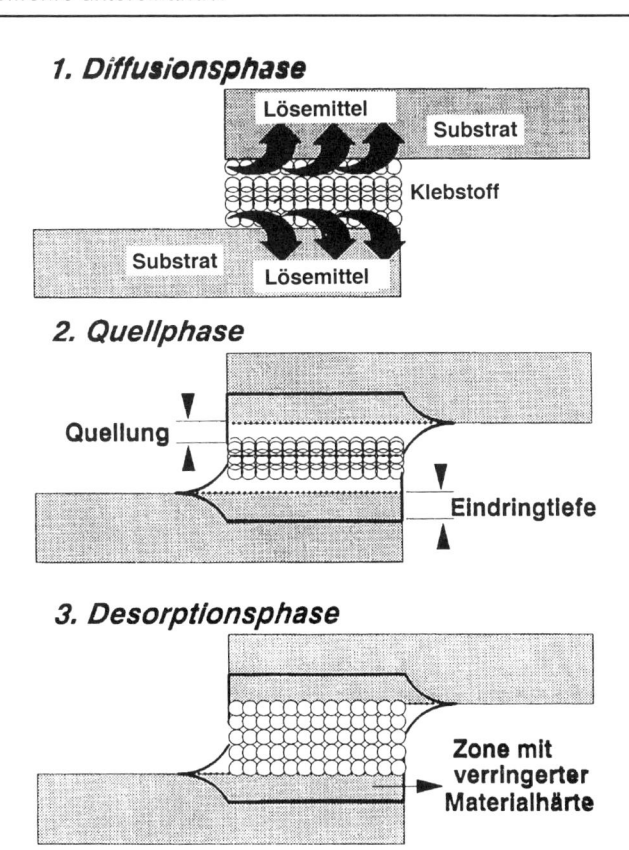

Bild 1: Diffusionsklebung

Er benötigt zum einen Rohre, Formstücke und Armaturen, die den Normen entsprechen und damit die notwendigen Toleranzen einhalten. In Abhängigkeit vom Durchmesser sind Pressungen bis maximal 0,2 mm und Spalte bis max. 0,6 mm überbrückbar. Zum anderen ist Voraussetzung für eine sichere Klebverbindung die Klebbarkeit der Werkstoffe. Als Hilfsmittel in der Praxis hat sich die sogenannte „Nagelprobe" bewährt. Bei PVC-U erfolgt dies z.B., indem man einige Tropfen Tetrahydrofuran, im Handel als Tangitanlöser (Handelsmarke der Fa. Henkel) erhältlich, auf das Material träufelt. Innerhalb sehr kurzer Zeit führt dies zu einer matten und leicht angequollenen Oberfläche, die mit dem Fingernagel leicht weggeschoben werden kann. Nur bei dieser Reaktion ist das Material zum Kleben verwendbar.

Vor Klebstoffen mit unklarer Zusammensetzung ist zu warnen. Eine beliebige Lösungsmittelkomposition mag zu momentan guten Fügeresultaten führen. Bei langfristiger, insbesondere dynamischer Beanspruchung können sich die Verhältnisse entscheidend ändern: So können unter anderem in den Diffusionsfronten des Lösungsmittels Spannungsrisse hervorgerufen werden, die zu Leckagen oder zum Rohrbruch führen können.

Deshalb ist der Einatz von Klebstoffen zu empfehlen, deren Herkunft und Eignung bekannt ist und deren gleichbleibende Qualität gesichert wird.

Im Rohrleitungsbau hat sich die Muffenklebung durchgesetzt.

Bei den Muffenarten wird zwischen zylindrischen und konischen Muffen unterschieden:

- Bei den zylindrischen Muffen sind die Innendurchmesser über die gesamte Muffenlänge gleich. Dadurch ergibt sich über die Muffenlänge ein gleichbleibender Klebspalt.

- Bei den konischen Muffen werden die Muffeninnendurchmesser zum Muffengrund hin kleiner. Dadurch ergeben sich enger werdende Klebspalte, die im Muffengrund einen Preßsitz bilden, weil dort der Rohraußendurchmesser größer wird als der Muffeninnendurchmesser.

Beide Muffenarten erfordern ebenso wie die unterschiedlichen Werkstoffe PVC-U, PVC-C und ABS unterschiedliche Klebstoffe und im Detail unterschiedliche Klebverfahren.

Für jeden Klebstoff und für jedes zu klebende Rohrsystem müssen ausführliche Klebanleitungen vorliegen, damit die Verarbeiter in der Lage sind, optimale Klebungen herzustellen.

Für jedes Rohrsystem dürfen nur der Klebstoff, das Lösemittel und der Reiniger verwendet werden, die vom Rohrsystem-Hersteller in seinen technischen Unterlagen für das spezielle System vorgegeben sind.

Bei der Verarbeitung dürfen die Klebstoffe nicht geliert sein. Bei solchen Klebstoffen ist die mögliche Lagerzeit bereits überschritten, so daß eine optimale Verarbeitung nicht mehr möglich ist.

Die folgende Verarbeitungshinweise zu dem am häufigsten eingesetzten Tangitsystem für PVC-U führen zu einer dauerhaft dichten, längskraftschlüssigen und damit nicht lösbaren zugfesten Verbindung:

Vorbereitung

- Rohr rechtwinklig ablängen, entgraten, anschrägen und am Übergang abrunden.

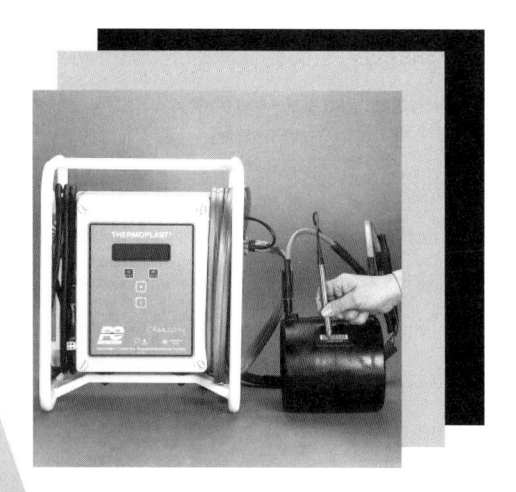

PEHD-Rohrsysteme und Armaturen
Heizelement-Stumpfschweißmaschinen
Heizwendel-Schweißautomaten

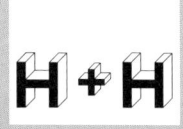

H + H
KUNSTSTOFFTECHNIK GMBH
Rohrsysteme - Schweißmaschinen

Burgschwalbacher Str. 4
65623   Hahnstätten/Zollhaus
Tel.: 0 64 30 - 91 22 - 0
Fax: 0 64 30 - 91 22 90

- Klebelänge der Muffe, des Formstücks bzw. des zu einer Muffe aufgeweiteten Rohrendes ausmessen und übertragen.
- Fügeteile mit Tangit-Reiniger säubern. Diese wurden vorher mit Lappen vom groben Schmutz gesäubert.

Verklebung

- Klebstoff umrühren und auf beide Fügeteile auftragen.
- Innerhalb der offenen Zeit (bis 25 °C ca. 4 min) die Teile zusammenschieben.
- Kurz fixieren und überschüssigen Klebstoff entfernen.

Nachbehandlung

- Vor der nächsten Klebung 5 min. warten.
- Mechanische Belastung der Leitung erst nach ca. 10 Stunden vornehmen.
- Nach 24 Stunden Druckprüfung mit 1,5 x PN.
- Rohrleitung vor Inbetriebnahme gut spülen.

Schutzmaßnahmen

Tangit-Klebstoff und Tangit-Reiniger sind feuergefährlich und enthalten leichtflüchtige Lösungsmittel. In geschlossenen Räumen deshalb für gute Durchlüftung bzw. ausreichende Absaugung sorgen. Der typische Eigengeruch von Tangit dient als Frühindikator zur Erkennung einer arbeitshygienisch noch unkritischen Lösemittelkonzentration.

Die Anforderungen an Klebverbindungen sind stark abhängig von den Einsatzbedingungen und der Lebensdauer. Diese sind bei Grund-, Hausabfluß-, Trinkwasser- und bei Industrieleitungen sowie bei Druck- und bei drucklosen Leitungen unterschiedlich

Die einschlägigen DIN und ISO-Normen, die DVGW- und DVS-Richtlinien sind bei der Herstellung von Klebverbindungen genau zu beachten.

Der hohe Anteil des Werkstoffes PVC im Rohrleitungsbau ist zum einen bestimmt durch seine herausragenden Eigenschaften und zum anderen durch die Verbindungstechnik Kleben. Ausgebildete Fachkräfte stellen diese Klebverbindungen, die besonders sicher und dicht sind, innerhalb kürzester Zeit wirtschaftlich her.

1.1.2 Schweißverbindungen

Für das Schweißen von Rohrleitungskomponenten aus thermoplastischen Kunststoffen wie PB, PE, PP und PVDF haben sich je nach Anwendung untersetzt werden. Heizbuchse und Heizstutzen werden mit einem sauberen Lappen oder mit trockenem Papier gereinigt. Die Schweißwerkzeuge sollten nach jeder Schweißung gesäubert werden.

Das Rohr wird dann mit einem Rohrschneider für Kunststoffrohre rechtwinklig abgetrennt. Das Rohrende wird mit einem Schälwerkzeug so weit bearbeitet, bis die Messer mit der Stirnseite des Rohres bündig abschließen. Danach werden die Rohre kalibriert und angefast. Kann das Schälwerkzeug ohne Materialabtrag auf das Rohr geschoben werden, so sind die Maßhaltigkeit von Rohraußendurchmesser und Schälwerkzeug zu überprüfen. Bei kleinen Rohraußendurchmessern bis d 25 sind vor dem Schälen bei Druckklasse PN 10 Stützhülsen zu verwenden. Formstückmuffe und Rohrende müssen mit Hilfe von saugfähigem Papier und Reinigungsmitteln gründlich gesäubert werden; dabei ist stets neues Papier zu verwenden. Vor dem Schweißen die gewünschte Position durch eine Markierung an Rohr und Formstück kennzeichnen.

Zum Anwärmen zuerst Formstück und dann Rohr ohne Verdrehen zügig und axial auf den Heizstutzen bzw. in die Heizbuchse schieben und festhalten. Die Anwärmzeit ist beispielhaft für den Werkstoff PP in Tafel 2 aufgeführt.

Nach Ablauf der Anwärmzeit sind Formstück und Rohr ruckartig von den Werkzeugen abzuziehen und sofort ohne Verdrehen axial und bis zum Zusammentreffen der beiden Schweißwulste zusammenzuschieben. Danach sind die Teile auszurichten und während einer Zeit festzuhalten, die der Anwärmzeit entspricht.

Bis zur Druckprüfung müssen die Schweißverbindungen völlig abgekühlt sein; daß heißt im Regelfall eine Stunde Wartezeit nach der letzten Schweißung. Bei

Tafel 2: Anwärmzeiten und erforderliche Mindestwanddicken für Muffenschweiß-Verbindungen aus PP

Rohraußendurchmesser d in [mm]	PP (Polypropylen) bis d = 25: PN 16 ab d = 32 bis 50: ≥ PN 10; ab d = 63: ≥ PN 6 und PN 10	
	min. Wanddicke in [mm]	Anwärmzeit in [sec.]
16	2,0	5
20	2,5	5
25	2,7	7
32	3,0	8
40	3,7	12
50	4,6	18
63	3,6	24
75	4,3	30
90	5,1	40
110	6,3	50

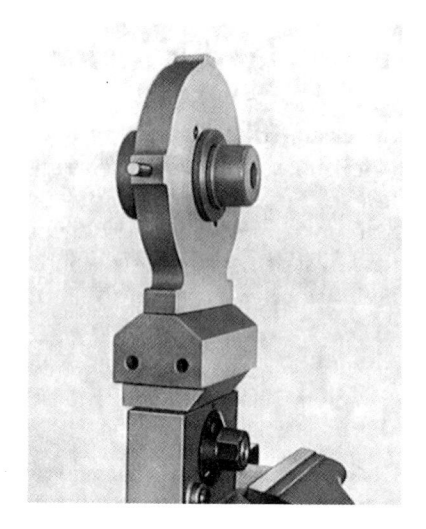

Bild 4: Handschweißgerät Muffenschweißen

der Muffenschweißung entsteht eine homogene, bewährte und sichere Verbindung bis d 110. Es ist ein sehr gebräuchliches Verfahren mit einer großen Anzahl von Anwendungen, sowohl auf dem industriellen als auch auf dem haustechnischen Sektor. Bild 4 zeigt ein Handschweißgerät für das Muffenschweißen.

Stumpfschweißen PE, PP und PVDF

Beim Heizelementstumpfschweißen werden die zu verbindenden Teile wie Rohre, Formstücke und Armaturen im Schweißbereich auf Schweißtemperatur erwärmt und über eine kontrollierte Anpreßkraft ohne Zusatzwerkstoffe und ohne Überlappung verschweißt.

Bei fachmännischem Schweißen erhält man eine homogene Verbindung mit einem typischen Wulstaufwurf. Das Verfahren ist besonders geeignet für Dimensionen > als d 75.

Gemäß den gültigen technischen Regeln dürfen Stumpfschweißverbindungen nur unter Verwendung von Schweißmaschinen hergestellt werden. Die Anpreßkraft muß kontrollierbar sein. Einzelheiten über Anforderungen an Maschinen und Geräte zum Schweißen von thermoplastischen Kunststoffen enthält die Richtlinie DVS 2208 Teil 1. Das Prinzip des Stumpfschweißverfahrens zeigt Bild 5.

Voraussetzung für optimale Schweißergebnisse ist die Verbindung von Teilen, die einen Schmelzindex haben, der nicht zu weit auseinander liegt. Bei PP muß

Kunststoffrohre untereinander

Prinzip des Schweißverfahrens

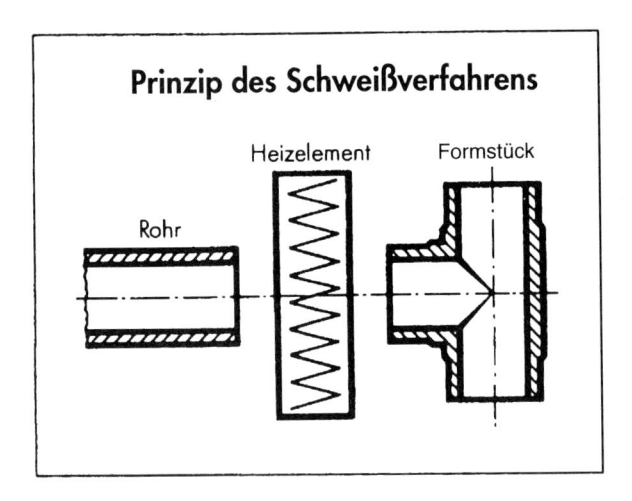

Bild 5: Prinzip Stumpfschweißen

der Schmelzindexbereich zwischen 0,4 g/10 min. bis 0,8 g/10 min. liegen, bei PE zwischen 0,4 g/10 min. bis 1,3 g/10 min. Der Schmelzindex wird als MFI (Melt-Flow-Index) nach ISO 1133 bzw. ISO 4440 bezeichnet.

Eine weitere Voraussetzung sind gleiche Wanddicken. Diese müssen bei den zu verschweißenden Teilen im Fügebereich übereinstimmen. Bild 6 zeigt die richtige und falsche Wanddickenkonfiguration.

Zur Herstellung von Heizelementstumpfschweißungen wird neben den üblichen Werkzeugen wie Rohrschneider oder feinzahniger Säge mit Schneidlehre eine spezielle Schweißmaschine mit folgenden Mindestanforderungen benötigt:

Nur gleiche Wanddicken im Schweißbereich

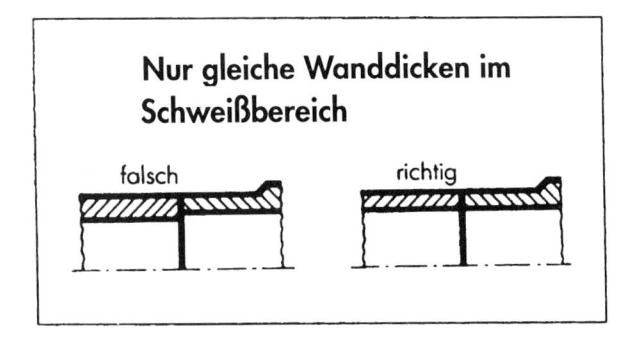

Bild 6: Richtige und falsche Wanddickenkonfiguration

Die Teile müssen mit den Spanneinrichtungen sicher gespannt werden können, ohne daß sie an der Oberfläche beschädigt werden. Unrundheiten des Rohres werden durch die zentrische Spannung weitestgehend ausgeglichen. Das Einspannen muß auch fluchtend erfolgen können.

Eine spanabhebende, planparallele Bearbeitung der in der Schweißvorrichtung eingespannten Teile bzw. deren Schweißflächen muß möglich sein.

Bei jedem Schweißvorgang treten Drücke auf, die von der Schweißvorrichtung, die entsprechend stabil sein muß, ohne verfahrensbeeinträchtigende Deformationen aufgenommen werden müssen.

Die Heizflächen des Heizelementes müssen planparallel sein. Die Temperaturverteilung über die Nutzfläche darf keine größere Differenz als 10 °C aufweisen. Bild 7 zeigt eine Stumpfschweißmaschine mit Hydraulik und Protokolliergerät.

Die Bedienungsanleitung des Schweißgerät-Herstellers ist beim Einrichten und Bedienen genau zu beachten.

Regeln für das Stumpfschweißen in Anlehnung an das Merkblatt DVS 2207 Teil 1:

– Schweißbereich vor ungünstigen Witterungseinflüssen wie Regen, Sonne, Schnee oder Wind schützen.

– Im Schweißbereich für Umgebungstemperatur > + 5 °C und < +35 °C sorgen.

– Rohrformstück und Armaturenöffnungen entgegengesetzt der Schweißstellen verschließen, damit keine Abkühlung durch Windzug erfolgt.

Bild 7: Stumpfschweißmaschine mit Hydraulik und Protokolliergerät

- Schweißtemperatur am Heizelement bei PP auf 200 °C, bei PE auf 210 °C und bei PVDF auf 230 °C einstellen. Bei PP und PE kann die Toleranz der Schweißtemperatur +/-10 °C betragen, bei PVDF +/- 8 °C.

- Die Einhaltung der Schweißtemperatur ist vor Beginn der Schweißarbeiten mit Hilfe eines Temperaturmeßstiftes oder mit Hilfe eines Digitalthermometers zu kontrollieren. Während länger dauernder Schweißarbeiten ist diese Temperaturkontrolle zu wiederholen.

- Heizelement regelmäßig mit trockenem, sauberen Papier reinigen.

- Die eingespannten Teile werden mit dem dafür bestimmten Hobel bei einer Spandicke von ≤ 0,2 mm, gleichzeitig spanabhebend, bearbeitet. Der Spalt zwischen beiden Teilen darf an keiner Stelle > als 0,5 mm sein. Die Teile selbst müssen fluchten. Der Versatz darf nicht > 10 % der Rohrwanddicke betragen.

- Die zu verschweißenden Teile werden mit der zum Angleichen erforderlichen Kraft an das Heizelement gedrückt, bis die Flächen auf dem ganzen Umfang daran anliegen und ein Wulst von 0,5–1,5 mm Höhe bei PP entstanden ist. Anschließend wird der Angleichdruck bis nahe 0 (ca. 0,01 N/mm^2) reduziert. Nun beginnt die Anwärmzeit. Nach dem Ablauf sind die Teile vom Heizelement zu lösen, das Heizelement ohne Berühren der Schweißflächen zu entfernen und die Teile danach sofort zu fügen. Die Umstellzeit darf keinesfalls überschritten werden. Beim Fügen ist darauf zu achten, daß die zu verschweißenden Teile schnell bis unmittelbar vor der Berührung der Oberflächen zusammengefahren werden. Dann sind die Teile so weit zusammenzufahren, bis sie sich auf dem ganzen Umfang berühren. Anschließend ist die Anpreßkraft zügig so weit zu steigern, bis der Einstellwert zum Fügen erreicht ist. Dieser ist während der Dauer der Abkühlzeit aufrecht zu erhalten.

- Nach dem Fügen erfolgt eine visuelle Schweißnahtkontrolle. Auf dem ganzen Umfang der Schweißung soll ein Wulst vorhanden sein, bei dem die Wulstkerbe oberhalb des Rohraußendurchmessers liegt.

- Die Druckprüfung wird nach vollständiger Abkühlung aller Schweißverbindungen vorgenommen. Dies ist frühestens ca. 1 Std. nach Erstellen der letzten Schweißung möglich.

Infrarot-Schweißen PP und PVDF

Beim Infrarot-Schweißen (IR) werden die zu verbindenden Teile (Rohre, Formstücke, Armaturen) im Schweißbereich ohne Schweißspiegelkontakt auf Schweißtemperatur erwärmt und unter Fügedruck ohne Verwendung von Zusatzstoffen verschweißt. Diese Schweißungen dürfen nur mit Infrarotschweißmaschinen durchgeführt werden.

Die dabei entstehenden Schweißverbindungen sind homogen und haben folgende Eigenschaften:

- Das kontaktlose Erwärmen der zu verschweißenden Teile vermindert das Risiko der Verschmutzung und Inhomogenitäten.
- Die Einstellung des Fügeweges vor dem eigentlichen Schweißprozeß bzw. das Entfallen des Angleichprozesses führt zu kleineren Schweißwülsten. Die Fügewegeinstellung erzeugt auch eine ausgezeichnete Reproduzierbarkeit der Schweißverbindungen. Die typische Wulstbildung beim Stumpfschweißen und beim Infrarot-Schweißen zeigt Bild 8.
- Spannungsarme Schweißverbindungen durch sehr gleichmäßige Erwärmung mittels Infrarot-Strahler.

Moderne Infrarot-Schweißmaschinen haben eine klare und eindeutige Bedienerführung über Flüssigkristallanzeigen. Diese führt den Anwender im Dialog in logischen Bedienerschritten durch den Schweißvorgang. Des weiteren haben die Maschinen eine parallele Standardschnittstelle, über die man direkt einen handelsüblichen PC-Drucker an die IR Schweißmaschine anschließen kann. Auf Wunsch ist damit für jede einzelne Schweißung automatisch ein unbestechliches Protokoll mit allen wichtigen Schweißparametern gegeben.

Das Infrarotschweißen ist ein modernes Verfahren für technisch hochwertige Anwendungen, unter anderem in der Halbleiterindustrie, der Pharmatechnik und im Lebensmittelbereich für die Werkstoffe PP und PVDF. Bild 9 zeigt eine Infrarot-Schweißmaschine bis d 225.

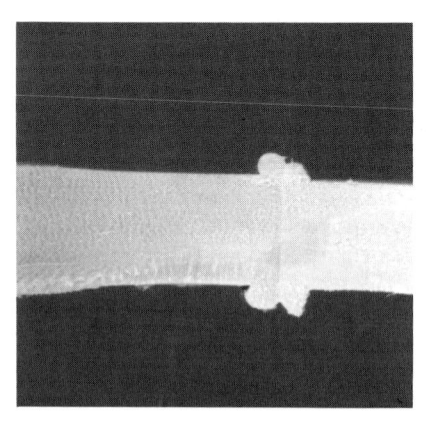

IR
Infrarotschweißen

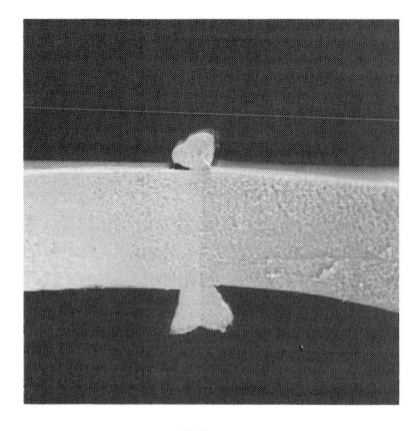

SS
Stumpfschweißen

Bild 8: Typische Wulstbildung Stumpfschweißen/Infrarotschweißen

Kunststoffrohre untereinander 125

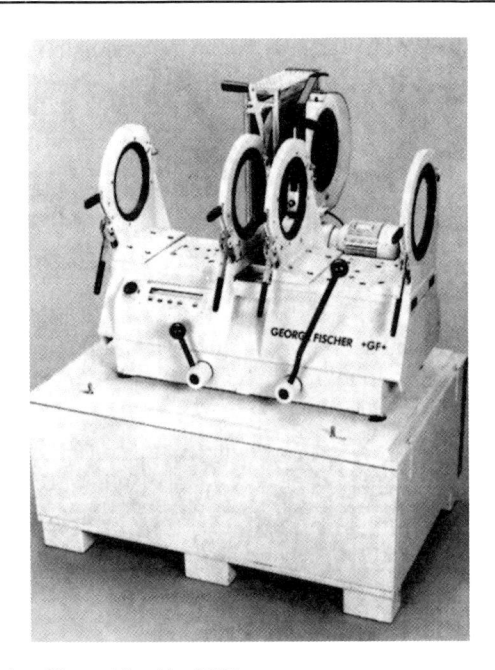

Bild 9: Infrarot-Schweißmaschine bis d 225

WNF-Schweißungen für PVDF

Das WNF-Schweißverfahren (wulst- und nutfrei) besteht darin, daß in die zu verschweißenden Rohr- bzw. Formstückenden mittels halbschaliger Heizelemente eine genau definierte Wärmeenergie geführt wird. Gleichzeitig stützt ein elastischer Druckkörper zur Vermeidung eines Schweißwulstes die Innenseite der Schweißzone. Die unter geregeltem Druck gehaltene Thermoplastschmelze garantiert eine optimale homogene Verschweißung der Kunststoffteile. Die Schweißung erfolgt durch eine Maschine mit Hilfe eines vollautomatischen Prozeßablaufes des Schweißvorgangs. Die Handhabung ist einfach und liefert eine reproduzierbare Schweißqualität.

Die Schweißstelle ist völlig wulst- und nutfrei und hat eine Oberflächenrauhigkeit von ca. 1 Mikrometer, entspricht also der Rohrqualität in der hochreinen HP-Ausführung (High Purity).

Heizwendelschweißen von PB, PE und PP

Der Geräteaufwand bei diesem Verfahren ist gering, die Handhabung einfach, die Ergebnisse sind erprobt und sicher. Ein definiertes Verfahren, das besondere Vorteile in der Gas- und Wasserversorgung, sowie in der Haustechnik mit einer entsprechenden Verbreitung bietet. Hervorragende Eignung besteht bei Schweißungen an schwer zugänglichen Stellen bzw. bei Reparaturen und Sanierungen.

Beim Heizwendelschweißen werden Rohr und Muffe bzw. Schelle oder Formstück mit Hilfe der bereits eingebauten Widerstandsdrähte durch Stromzufluß erwärmt und verschweißt. Die Energiezufuhr erfolgt mit Hilfe eines Elektroschweißautomaten. Toleranzen und Vorspannungen sind so angepaßt, daß der zum Schweißen erforderliche Schweißdruck erreicht wird.

Die Schweißformstücke müssen während der Schweißung gegenüber den Rohrenden fest positioniert werden. Dies erfolgt mittels extern anzubringender Halteklemmen oder mit Hilfe von in den Formstücken integrierten Rohrklemmen.

Bei den Schweißautomaten gibt es systemgebundene Geräte oder Universalgeräte, die u.a. über Strichcode-Leser oder Magnetkarten-Leser die Formstücks- und Schweißdaten auch von verschiedenen Herstellern einlesen können.

Für eine durchgehende Qualitätssicherung, wie sie heute mehr und mehr verlangt wird, eignet sich besonders das Magnetkarten-System, das eine Vielzahl von relevanten Daten wie Schweißer-Ausweis, Auftrags-Nummern, Schweißparameter, Quittierung der Schweißschritte erlaubt und die automatische Protokollierung ermöglicht.

Schweißungen dürfen nur zwischen Formstücken und Rohren mit den von den Herstellern freigegebenen Werkstoffen und Schweißautomaten von geschulten Fachkräften ausgeführt werden. Die Schweißanleitung der Hersteller ist genau zu beachten. Im folgenden wird der generelle Schweißablauf mit den wesentlichen Schritten beschrieben:

– Die Rohrenden werden rechtwinklig abgetrennt.

– Im Bereich der Formstücksüberlappung wird gemäß Vorgabe des Herstellers mit geeignetem Papier und Reinigungsmittel gereinigt und entfettet, bzw. spangebend bearbeitet und entfettet.

– Nach Überschieben des Formstücks auf das Rohrende ohne Berührung der Schweißflächen wird dieser entweder mit einer externen Haltevorrichtung oder mit der im Formstück integrierten Haltevorrichtung zum Rohr fixiert. Bei Muffen müssen sich die Rohrenden in der Mitte der Heizwendelschweißungen befinden und an ihrer Stirnfläche anliegen.

Damit sind die vorbereitenden Maßnahmen abgeschlossen und die Verbindung mit dem Schweißautomaten zur Schweißung kann vorgenommen werden.

- Die Schweißkabel des Schweißautomaten werden über Anschlußklemmen bzw. Stecker mit den Anschlußdrähten des Formstücks verbunden. Dabei darf das Gewicht des Schweißkabels die Anschlußdrähte nicht belasten.

- Schweißung gemäß Bedienungsanleitung bzw. Bedienerführung des Schweißautomaten vornehmen. Die richtige Schweißtemperatur wird durch die Applikationen der optimalen Schweißenergie über die richtige Schweißzeit erreicht. Um die Umgebungseinflüsse zu berücksichtigen, wird die Umgebungstemperatur gemessen und üblicherweise automatisch kompensiert.

- Eine visuelle Schweißkontrolle ist bei den modernen Formstücken durch die eingebauten Indikationsstellen, bei denen aufgeschmolzenes Material sichtbar wird, möglich.

- Besondere Bedeutung hat die Einhaltung der Abkühlzeit. Vorher darf die Fixierung über die Haltevorrichtung nicht gelöst werden. Während des Schweißablaufs und während der Abkühlzeit darf das Rohrsystem auch nicht bewegt werden.

- Die Druckprüfung erfolgt erst nach Abkühlung aller Schweißverbindungen, in der Regel eine Stunde nach der letzten Schweißung im System.

1.1.3 Preßverbindungen

Die unter Kap. 1.2 beschriebenen längskraftschlüssigen lösbaren Verbindungen und die Übergangsverbindungen unter Kap. 2, als Klemm- bzw. Preßverbindungen ausgelegt, können durch entsprechende Maßnahmen unlösbar gestaltet werden. Dies erfolgt u.a. durch Sichern der Anzugschrauben und Verkleben der Gewinde.

1.2 Längskraftschlüssige lösbare Verbindungen

1.2.1 Verschraubungen

Verschraubungen oder Gewindeverbindungen sind zum Verbinden von gleichen Kunststoffrohren bis d 110 vorgesehen. Die Rohre werden längskraftschlüssig verbunden und sind an der eingesetzten Stelle lösbar. Man erreicht dadurch eine Demontagemöglichkeit oder kann an schwer zugänglichen Stellen Rohre vorgefertigt verbinden.

Bei Verschraubungen unterscheidet man Bauarten mit Bundbuchsen und Ausführungen für glatte Rohrenden.

Die Bundbuchsen sind so aufgebaut, daß sie mit dem Rohrende je nach Werkstoff verklebt oder verschweißt werden. PVC-U-, PVC-C- und ABS-Rohre werden verklebt, die Werkstoffe PB, PE, PP und PVDF werden verschweißt.

Eine Bauart gemäß DIN 8063 zur Herstellung längskraftschlüssiger lösbarer Verbindungen von Rohren aus PVC-U zeigt Bild 10.

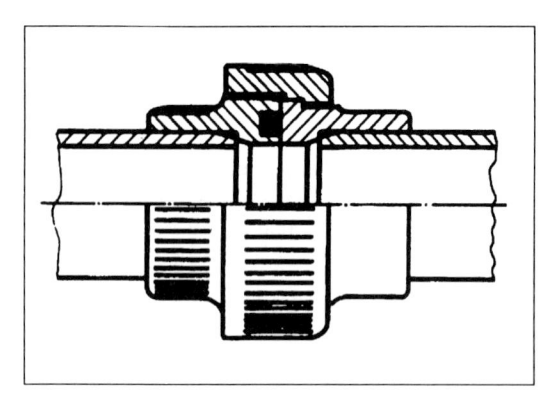

Bild 10: Verschraubung aus PVC-U

Die Abdichtung erfolgt durch O-Ringe, teilweise auch durch Flachdichtungen. O-Ring gedichtete Verbindungen haben den Vorteil, daß bereits eine geringe Anzugskraft, üblicherweise ein Anziehen von Hand, zur Erreichung der Dichtheit genügt.

Die Konstruktion der Verschraubungen für glatte Rohrenden, wie z.b. die Allrohrverschraubung System PVP, wird im Kapitel der Übergangsverschraubungen näher beschrieben. Sie können natürlich ebenso wie die Vielzahl der Metallverschraubungen mit entsprechenden Dichtungs- und Klemmringbestückungen zur Verbindung von gleichen Rohrwerkstoffen eingesetzt werden. Dabei ist besonders auf die unterschiedlichen Eigenschaften der Kunststoffe in Bezug auf das Kriechverhalten bei den Funktionen Halten und Dichten, das Kerbverhalten beim Gewindeprofil und die Rohrherstellungstoleranzen zu achten.

1.2.2 Flanschverbindungen

Geflanschte Verbindungen, insbesondere solche mit erhabener Dichtfläche, dominieren in industriellen sowie verfahrenstechnischen Anlagen; dort vor allem > d 110 und beim Einsatz von Armaturen im größeren Dimensionsbereich. Dies gilt auch für den Kunststoffrohrleitungsbereich.

Die Flanschverbindungen mit Flachdichtung sind in Bild 11 dargestellt. Die Flanschverbindungen mit O-Ring werden in Bild 12 gezeigt; dabei handelt es sich um lose Flanschversionen mit Bundbuchsen, die bei PVC-U, PVC-C und ABS mit dem Rohr verklebt, bei PB, PE, PP und PVDF mit dem Rohr verschweißt werden. Die Verschweißung erfolgt mittels Muffen oder Stumpfschweißung in Abhängigkeit vom Durchmesser. Eine besondere Variante stellen die Festflansche dar, die integrierte Klebe-, bzw. Schweißmuffen besitzen. Als Flanschmaterial sind Stahl, Gußeisen, GFK, mit PP ummantelter Stahl sowie PVC, PP und PVDF üblich.

Kunststoffrohre untereinander 129

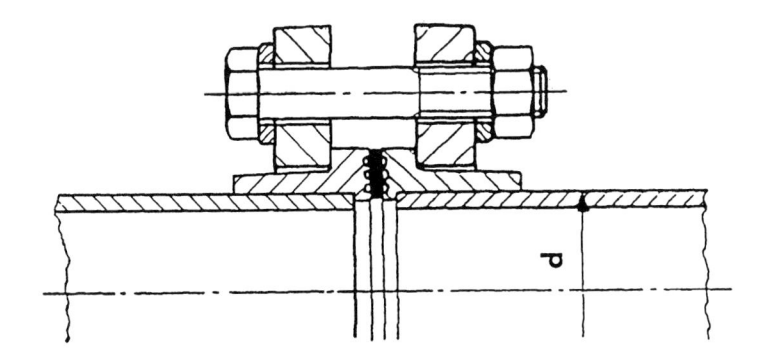

Bild 11: Flanschverbindung mit Flachdichtung

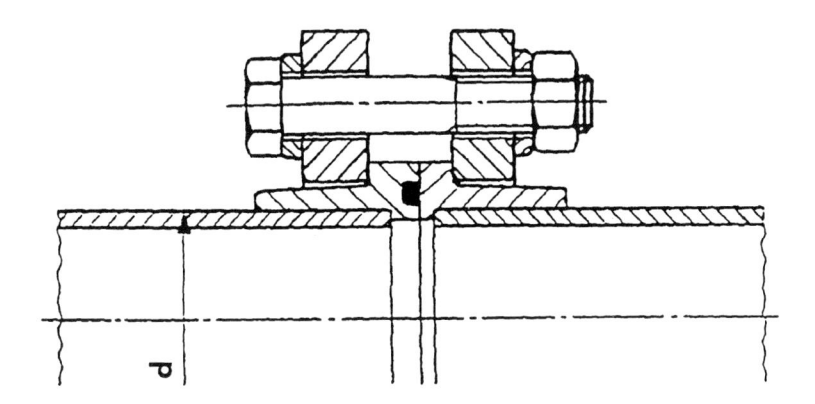

Bild 12: Flanschverbindung mit O-Ring

Bei O-Ring gedichteten Verbindungen sind Flansche aus all diesen Werkstoffen möglich und zulässig, während bei Flachdichtungen die PP, PVC und PVDF Flansche wegen ihrer leichteren Verformbarkeit infolge der erforderlichen hohen Schraubenanzugskräfte vermieden werden sollten.

Der mit PP ummantelte Stahlflansch sowie GFK-Flansche, die eine ausreichende Biegesteifigkeit besitzen, sind als Allroundflansche bevorzugt im industriellen Rohrleitungsbau zu empfehlen.

Spreizringflansch

Eine spezielle Flanschversion, besonders für den Kunststoffrohrleitungsbau geeignet, stellt der Spreizringflansch dar. Bild 13 zeigt den prinzipiellen Aufbau

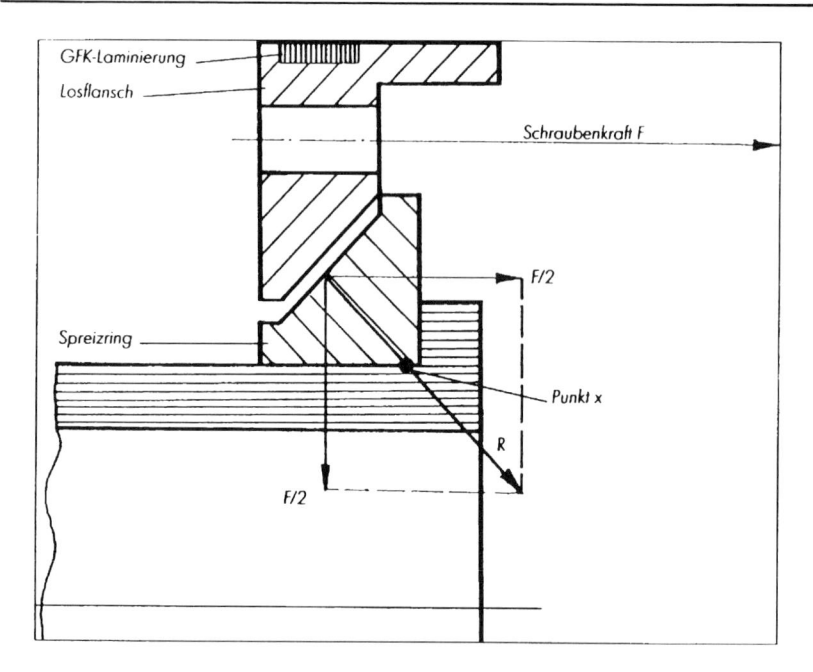

Bild 13: Spreizringflansch

dieser Konstruktion. Die berührenden Flächen des Losflansches und des Spreizringes verlaufen unter 45°. Unter Vernachlässigung der Reibung wird erreicht, daß die Schraubenkraft auf F/2 halbiert wird. Eine Kraftkomponente wirkt axial zur Rohrachse, die andere radial auf die Fläche um den Bund. Auf den Bund wirkt keine Biegebeanspruchung, da die Resultierende R genau durch den Eckpunkt geht.

Eine besonders angebrachte GFK-Laminierung wirkt einer durch die Schraubenkraft aufgebrachten Biegebeanspruchung entgegen. Die Anschlagnocken beugen einer übermäßigen Schraubenanzugskraft dadurch vor, daß diese bei überdimensionaler Anzugskraft stumpfflächig auf den Gegenflansch auflaufen und so ein weiteres Anziehen der Schrauben verhindern.

1.2.3 Kupplungen

Überall, wo einfache und schnelle Montage gewünscht wird, sind Kupplungen bzw. Klemmverbinder besonders geeignet. Im Bild 14 ist das System POLYRAC als Verbindungselement in PE-Rohrleitungssystemen gezeigt. Diese Kupplungen erfüllen u.a. alle Ansprüche in Bezug auf Korrosion, UV-Strahlung, mechanische und hydraulische Belastungen sowie in Bezug auf geringe Installations-

Kunststoffrohre untereinander 131

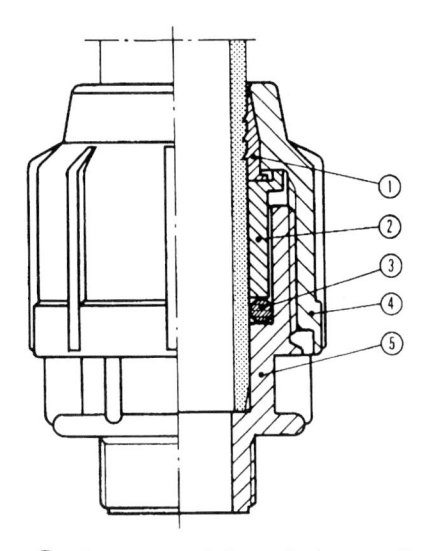

① Klemmring POM (Polyacetal)
② Druckring PP Copolymer
③ Lippendichtung NBR
④ Überwurfmutter PP Copolymer
⑤ Grundkörper PP Copolymer

Bild 14: System POLYRAC

kosten und Möglichkeit wiederholter Verwendung. Diese Klemmverbinder sind in verschiedenen Typen für Rohrdurchmesser von d 16 bis d 110 lieferbar und auch für PE-Rohre mit unterschiedlichen Wanddicken einzusetzen. Sie wurden für extreme klimatische Bedingungen im Bereich von −20 °C bis +80 °C konzipiert. Bei dieser Verbindungsart sind keine Stützhülsen erforderlich; eine sofortige Inbetriebnahme ist möglich. Es erfolgt keine Beeinträchtigung des Mediums, daß heißt unter anderem keine Beeinträchtigung der Trinkwasserqualität.

Das Marktangebot umfaßt die Funktionen Winkel, T-Stücke, Muffen, Verschraubungen, Flansche und Endkappen.

Als typische Anwendungsbereiche können angesehen werden: Hausanschlußleitungen in der Trinkwasserversorgung, Versorgungsleitungen, Baustellenwasserversorgung, Notwasserversorgungsanlagen in Katastrophen- und Notstandsgebieten, Sprinkleranlagen, Tropfbewässerung, Gewächshaustechnik und Erdkollektoren für Solarheizungen.

Kunststoffrohre untereinander

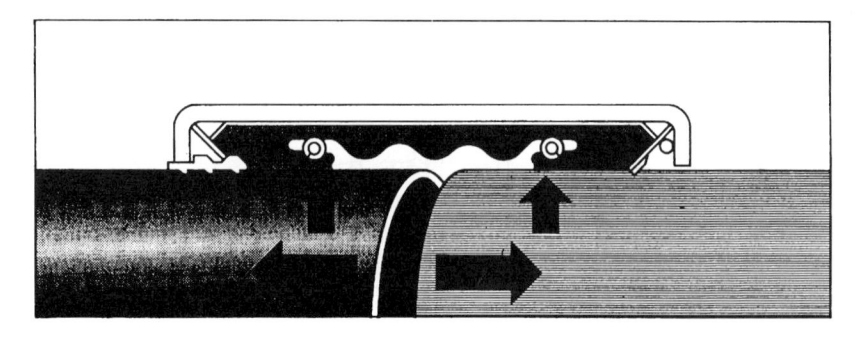

Bild 15: System STRAUB PLAST-GRIP

Sofort montagebereit, ohne Bearbeitung der Rohrenden, sind Kupplungen nach dem System STRAUB PLAST-GRIP. Bild 15 zeigt das Funktionsprinzip dieser Kupplungsart.

Über zwéi Schrauben oder eine Schraube wird eine progressive Dichtwirkung und entsprechender Kraftschluß erreicht, wobei das System auch eine Auswinkelung bis zu zwei Grad zuläßt. Ein Vorteil dieses Systems ist, daß man teuren Raum spart. Nur eine Verschlußseite, die beliebig am Rohrumfang positionierbar ist, ermöglicht enge Rohrbündel, schlanke Isolierungen und extrem kleine Durchbrüche. Bild 16 zeigt eine Außenansicht der Kupplung. Diese Konstruktionsvariante erlaubt auch das Verbinden unterschiedlicher Rohrmaterialien bei gleichem Außendurchmesser und die Verwendung für Metallrohre.

Bild 16: Außenansicht STRAUB Kupplung

Kunststoffrohre untereinander 133

1.3 Nicht längskraftschlüssige Verbindungen – Stecken, Kuppeln, Klemmen

Im erdverlegten Bereich war bis kurz vor 1960 das Verlegen von PVC-Druckrohren mit Kleb- und Schrumpfmuffen üblich. Das führte vor allem bei den eingesetzten größeren Dimensionen zu Problemen mit der einwandfreien technischen Handhabung. Es kam zur notwendigen Entwicklung der Steckverbindung.

Erst mit dem Einsatz der Steckmuffenverbindung war man in der Lage, bei nahezu jedem Wetter PVC-U Druckrohre zu verlegen. Mit verschiedenen Konstruktionen erreichte man, daß einwandfrei gegen Druck und Vakuum abgedichtet werden konnte.

Selbstverständlich kam daher der Konstruktion des Dichtringes eine besondere Bedeutung zu.

Die fehlende Normung und damit die Möglichkeit zum Austausch zwischen verschiedenen Fabrikaten wurde durch Anleitungen des Kunststoffrohrverbandes e.V. ersetzt. Ein wichtiges Element war dabei der Keilwulstring, der durch das Verpressen der beiden Wülste die Dichtungswirkung übernahm und die Dichtigkeit gewährleistete. Die dadurch gegebenen Einschubkräfte der Spitzenden in

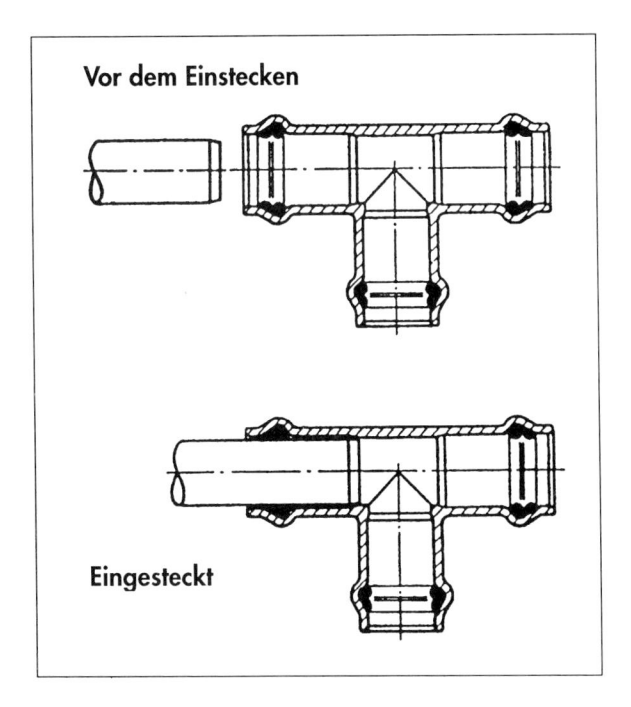

Vor dem Einstecken

Eingesteckt

Bild 17: Steckmuffenverbindung

die geformten Muffen der Druckrohre waren besonders bei größeren Rohrdurchmessern sehr groß. In der Mitte der 80er Jahre wurden auf dem Markt neue Dichtringe als Lippendichtungen für PVC-U-Druckmuffenrohre angeboten, die bereits werksseitig eingesetzt waren. Die Lippendichtringe weisen gegenüber dem ursprünglichen Keilwulstring wesentliche Vorteile auf, z.b. geringere Einschubkräfte und eine progressive Dichtweise.

Das Prinzip der Steckmuffenverbindung zeigt Bild 17.

2 Übergangsverbindungen

Der Siegeszug verschiedener technischer Kunststoffe im Rohrleitungsbau bei den vielfältigen industriellen Anwendungen, im erdbodenverlegten Gas- und Wasserversorgungsbereich und in der Haustechnik sowie das Erweitern und Austauschen von Systemen führen dazu, daß der Markt eine Vielzahl von Übergangsverbindungen benötigt.

Wie der Name schon sagt, schafft diese Verbindung einen Übergang von einem Werkstoff auf einen anderen. Vom Grundsatz her von verschiedenen Metallen auf verschiedene Kunststoffe oder von unterschiedlichen Metallen und unterschiedlichen Kunststoffen untereinander.

Es gibt dabei längskraftschlüssige und nicht längskraftschlüssige, lösbare und unlösbare Versionen.

Im Bild 18 ist eine Übersicht der gängigen Übergangsverbindungen für den Kunststoffrohrleitungsbau gezeigt.

Die Anforderungsmerkmale gemäß DVGW-W 534, die für Übergangsverbindungen bei Trinkwasserinstallationen definiert wurden, gelten sinngemäß auch für andere Anwendungsbereiche. Bei den Werkstoffen, wie den entsprechenden Metallen, den Kunststoffen und den Elastomeren müssen Sorten definierter Zusammensetzung eingesetzt werden. Das Zeitstandsverhalten und die spezifischen Stoffwerte sind zu beachten, ebenso das Langzeitverhalten und der Druckverformungsrest. Weitere Kriterien sind Dichtheit gegenüber Unterdruck, Zugfestigkeit, Dichtheit bei Biegebeanspruchung, bei Biegewechselbeanspruchung, bei Temperaturwechselbeanspruchung sowie bei der Druckstoßbeanspruchung. Eine umfassende Qualitätssicherung von Herstellerseite gibt dem Anwender Sicherheit beim Einsatz.

Als lösbare Verbindungen können nur solche wirklich eingestuft werden, die beim Lösen der Verbindung keine bleibenden Verformungen an einem der Werkstoffteile zulassen. In solchen Fällen werden verformte Rohrenden vor einer neuen Verbindungsherstellung abgetrennt. Eine Vielzahl der gebräuchlichen Klemm-, Preß- und Spannringverbindungen müssen deshalb den unlösbaren Verbindungen zugeordnet werden.

Übergangsverbindungen 135

Werkstoffseite B: PFA, PVDF, PP-R, PP-H, PE 100, PB, PE-X, PE 80, PVC-C, PVC-U, ABS, Glas, Rotguß, PParmiert, Messing, GFK, Stein, Stahl, Asbestzement, Edelstahl, Verbund, GG, CU, Temperguß

Verbindungsarten: längskraftschlüssig, nicht längskraftschlüssig, lösbar / nicht lösbar, Verschraubungen, Gewindeverbindungen, Flansche, Steckverbindungen, Kupplungen, Kleben, Schweißen, Bördeln, Laminatverbindungen, Schrumpfen, Pressen

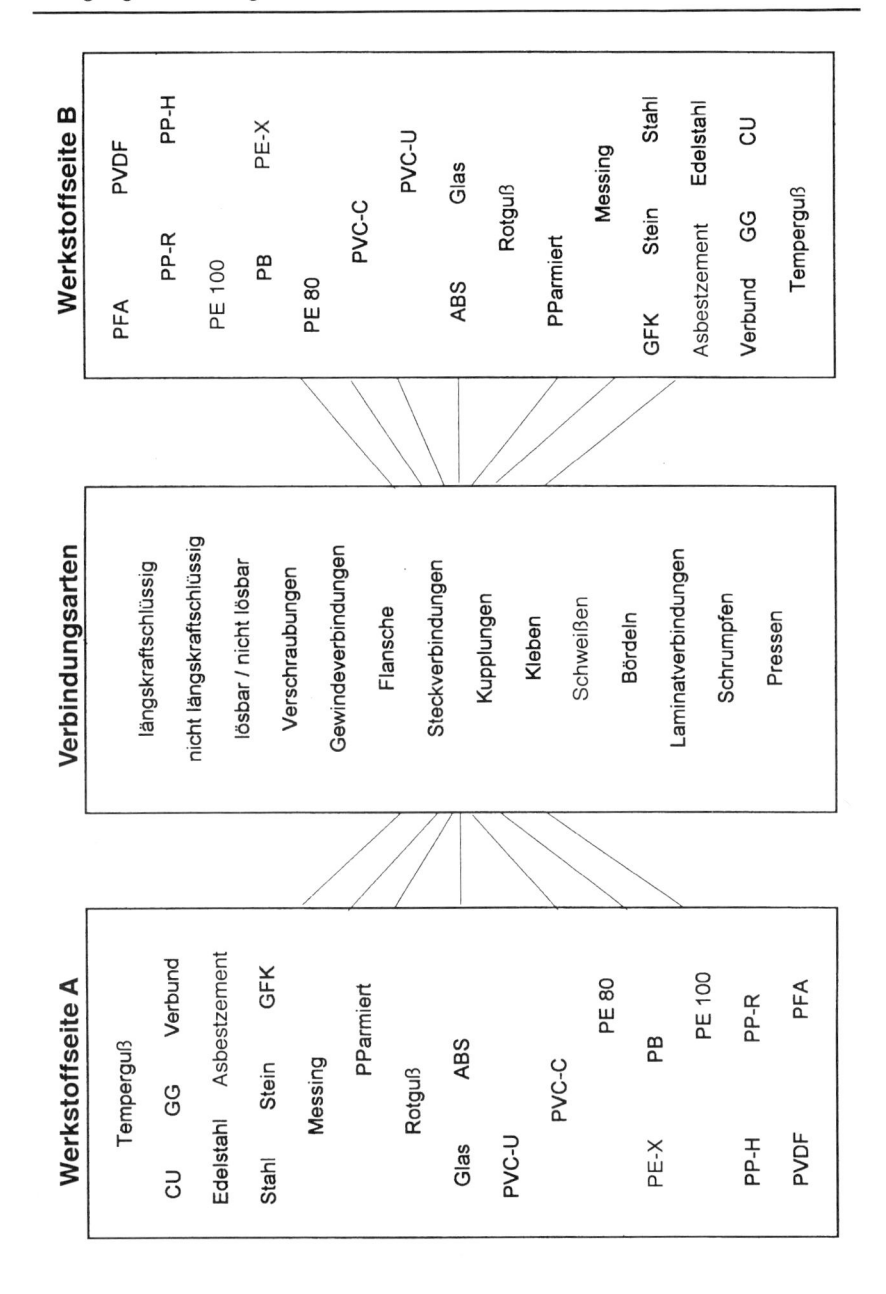

Werkstoffseite A: Temperguß, CU, GG, Verbund, Edelstahl, Asbestzement, Stahl, Stein, GFK, Messing, PParmiert, Rotguß, Glas, ABS, PVC-U, PVC-C, PE 80, PB, PE 100, PE-X, PP-H, PP-R, PVDF, PFA

Bild 18: Übersicht Übergangsverbindungen

136 Übergangsverbindungen

2.1 Längskraftschlüssige Übergangsverbindungen

2.1.1 Verschraubungen

Verschraubungen sind mehrteilige Gewindeverbindungen bzw. eine Kombination von Gewindeverbindungen und anderen Verbindungsarten. Im Normalfall sind sie auch lösbar. Die Einzelteile bestehen aus verschiedenen Werkstoffen in Kunststoff und/oder Metall. Der leichte Einbau (bzw. bei Reparatur und Wartungsaufgaben der leichte Ausbau) ist vor allem bei Konzeptionen möglich, die keine Axialverschiebung der angeschlossenen Leitung notwendig machen. Dies ist bei der Variante mit der radialen Ausbaumöglichkeit der Fall, die unter anderem bei Armaturenverschraubungen von Bedeutung ist. Bei Übergangsverschraubungen mit radialer Ausbaumöglichkeit wird die Abdichtung mit Hilfe von Flach- oder O-Ring-Dichtungen erzielt. Eine Überwurfmutter umfaßt das aus Metall oder Kunststoff bestehende Gewindeanschlußelement (Bild 19). Ver-

Bild 19: Verschraubung radial ausbaubar

Übergangsverbindungen

schraubungen dieser Art werden für PVC, PB, PE, PP, ABS und PVDF-Rohre geliefert. Kunststoffrohrseitig wird die Buchse durch ein dem jeweiligen Werkstoff entsprechendes Verbindungsverfahren mit dem Rohr verbunden, durch Kleben oder Schweißen.

Das Gewindeanschlußelement kann aus Kunststoff, Messing oder verzinktem Temperguß bestehen. Verschraubungen dieser Art sind für den Anschluß von Armaturen und Apparaten an Kunststoffrohre zu bevorzugen, sofern eine jederzeitige einfache Auswechselbarkeit des angeschlossenen Bauteils sichergestellt sein muß. Bei den Materialien PE und PB setzt man hauptsächlich O-Ring-Dichtungen ein und Bundbuchsen, die mit einem wesentlich höheren Anschlag ausgestattet sind. Damit wurde der Durchmesser der Übergangsmutter etwas größer. Die Übergangsverbindung von einer Kunststoffart auf eine andere wird sinnvollerweise mit einer O-Ring-Dichtung oder einer Profil-Dichtung gelöst. Damit genügt meistens das Anziehen von Hand, um eine einwandfreie Dichtheit zu erreichen. Mit Hilfe von genormten Einlegeteilen bei diesen Vollkunststoffverschraubungen lassen sich Übergänge von einem Kunststoffmaterial auf das an-

Bild 20: Übergangsverschraubungen für verschiedene Kunststoffe

138   Übergangsverbindungen

dere einfach durchführen. Von Vorteil ist, daß die Verbindung innerhalb der Verschraubung zu den entsprechenden Rohrsortenreihen ausgeführt werden kann.

Auch die einzelnen Kunststoffarten haben ein unterschiedliches Dehnungsverhalten, so daß Muffe und Gewindeteil aus dem gleichen Material gefertigt sein sollen. Das Einlegeteil besteht dann aus einem anderen Material.

Bild 20 zeigt Übergangsverschraubungen für verschiedene Kunststoffrohre.

Übergangsverschraubungen ohne radiale Ausbaumöglichkeit gibt es vielfältig im Marktangebot. Sie sind in Metall oder Kunststoff ausgeführt und erfordern bei der Demontage eine Axialverschiebung der angeschlossenen Leitungsteile. Die Abdichtung erfolgt dabei entweder klemmend oder durch Pressen, bzw. durch Elastomerdichtungen. Auch die Klemmverbinder, die näher im Abschnitt 2.1.4 beschrieben werden (unter anderem solche gemäß DIN 8076) entsprechen den hier angeführten Bedingungen.

Die PVP-Allrohr-Verschraubung erlaubt das Verbinden von Rohren mit glatten Enden. Dies können u.a. Rohre aus PVC-U, PE-HD, Stahl, PP und Kupfer sein.

Bild 21: Allrohrverschraubung / System PVP

Übergangsverbindungen 139

Infolge der für alle Anschlußarten gleichbleibenden Grundkörper aus PVC ergibt sich eine einfache Lagerhaltung mit vielen Kombinationsmöglichkeiten. Die Abdichtung erfolgt mit Hilfe einer vom DVGW zugelassenen NBR-Dichtung. Diese Verschraubungen sind leicht und schnell montierbar und demontierbar. Eine wiederholte Verwendung ist problemlos möglich. Bild 21 zeigt eine Allrohr-Verschraubung, System PVP.

2.1.2 Gewindeverbindungen

Zu dieser Gruppe gehören im Gegensatz zu den vorher beschriebenen Verschraubungen nur einteilige Gewindefittings, die entweder aus Kunststoff oder

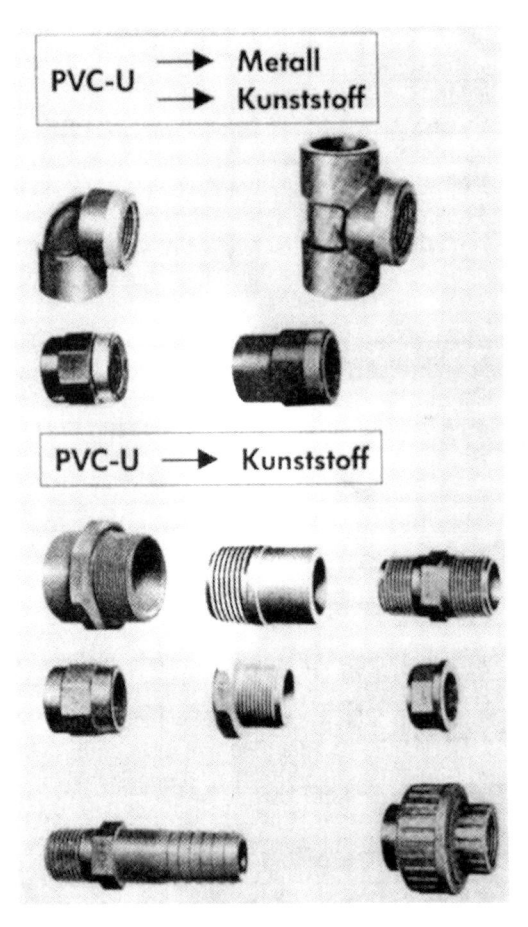

Bild 22: Auswahl Gewindefittings in PVC-U

aus einer Verbundkonstruktion Metall/Kunststoff bestehen. Diese Gewindeformstücke, die in den verschiedenen technischen Kunststoffen lieferbar sind, werden entweder mit Innen- oder Außengewinde ausgeführt. Bei der Bauart mit Innengewinde gibt es verstärkte und unverstärkte Ausführungen. Bei den verstärkten Formstücken kennt man die Bauart mit Metallarmierungsringen, die in der Lage sind, Radialkräfte aufzunehmen und damit eine Überlastung der Formstücke zu vermeiden. Bild 22 zeigt eine Auswahl von Gewindeformstücken in PVC-U.

Kunststoffgewindeformstücke ohne Metallarmierungsring sollte man nur für den Anschluß mit anderen Kunststoffgewinden einsetzen. Wird ein Metallrohr oder eine Metallarmatur mit Gewindeanschluß eingebaut, so darf nur eine Version mit Metallarmierungsring verwendet werden. Des weiteren ist auf eine besonders spannungsarme Montage zu achten. Generell gilt für Kunststoffgewindeformstücke, daß zur Abdichtung möglichst nur PTFE-Dichtband benutzt wird. Beim Einsatz von Dichtpasten besteht die Gefahr, daß deren Inhaltsstoffe die Kunststoffe angreifen und unter anderem zu Spannungsrissen führen können. Zum Anschluß von Armaturen finden Kunststoffgewindeformstücke als 90° Winkel Verwendung, in Verbindung mit speziell der Aufnahme des Winkels dienenden und aus Temperguß bestehenden Wandscheiben. Der Einsatz erfolgt zur Beförderung von aggressiven Medien, wenn an die Leitung ein Kunststoffauslaufhahn angeschlossen werden soll. Bei Säureabfüllstationen ist dies eine gebräuchliche Lösung.

Als Verbundkonstruktionen sind Formstücke zu nennen, die in Form von Wandscheiben als Armaturenanschlüsse Verwendung finden. Der tragende Baukörper besteht aus einem metallischen Werkstoff, unter anderem aus Messing. Auf der Kunststoffrohranschlußseite ist eine thermoplastische Buchse eingedichtet. Formstücke dieser Art werden z.B. für PVC-Druckrohrinstallationen als Wandscheiben gemäß DIN 8063 Teil 10 und als Übergangsformstücke mit Innen- und Außengewinde gemäß DIN 8063 Teil 11 geliefert.

2.1.3 Flanschverbindungen

Auch für Flanschübergangsverbindungen müssen die unterschiedlichen Eigenschaften der zu verbindenden Werkstoffe beachtet werden. Die Abdichtung erfolgt heute mit Flachdichtungen, O-Ring-Dichtungen und mit Profildichtungen. Gerade bei Profildichtungen müssen Unterschiede der beiden Werkstoffarten besondere Berücksichtigung finden. Bei der Anwendung von Flachdichtungen ist das Fixieren und der Schutz vor dem Herausrutschen bei hohen Innendrücken wichtig. Hier sind Bundbuchsen vorteilhaft, deren Dichtflächen gewellt sind. Außerdem ist darauf zu achten, daß biegesteife Flanschen verwendet werden, damit die hohen Axialkräfte aufgefangen werden können.

Innerhalb der Flanschverbindungen nimmt die Schalenkupplung eine spezielle Stellung ein (Bild 23). Die Schalenkupplung ist eine schraubenlose, wieder lösbare und zugfeste Verbindung. Sie besteht aus nur wenigen Einzelteilen und ist

Übergangsverbindungen 141

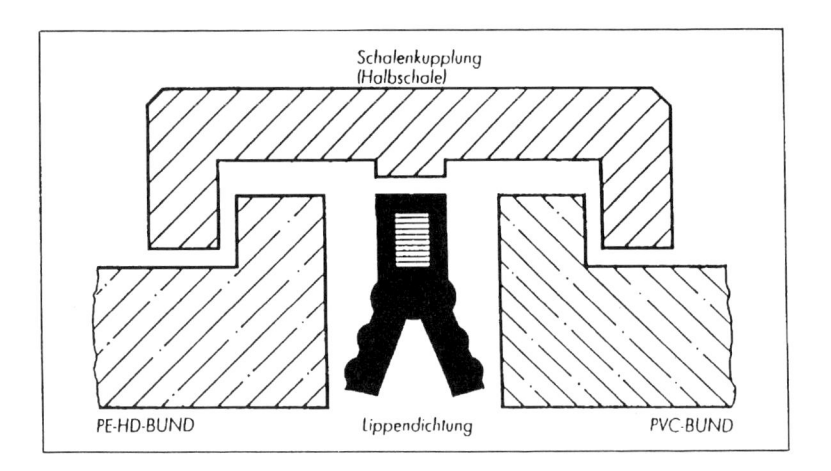

Bild 23: Prinzipskizze Schalenkupplung

besonders korrosionsbeständig. Wesentliche Vorteile sind auch das geringe Gewicht und die wesentlich günstigeren Außenabmessungen im Vergleich zu einer Flanschverbindung. Die Montage, unter anderem im Rohrgraben, ist ohne besondere Werkzeuge in kurzer Zeit durchführbar. Bei der Schalenkupplung ist die Auslegung der Lippendichtung wichtig. Eine optimale Konstruktion besitzt einen übervulkanisierten Stahlkern, der – wie die Rohrwandung – den Rohrleitungsinnendruck aufnimmt. Die beiden Dichtlippen der Dichtung werden durch den Betriebsdruck im Rohrinneren gegen die Dichtflächen der Werkstoffbunde gepreßt, so daß damit eine progressive Dichtwirkung entsteht. Die dauerhafte Dichtheit gilt auch bei Vakuum.

2.1.4 Klemmverbindungen

Diese Verbindungen sind mechanisch wirkend und werden auch als Preßverbinder oder Spannringverbinder ausgeführt.

Das Kunststoffrohr wird dabei von zwei Preßflächen, die eine Preßkraft auf die Rohroberfläche ausüben, umschlossen. Die Preßkraft, die auf das Rohr wirkt, verhindert durch entstandene Reibung zwischen Rohr- und Preßflächen das Ausgleiten des Rohres aus der Verbindung. Die Reibung kann durch eine rauhe Oberfläche, durch Rillen, Kerben oder Wellen in den Preßflächen erhöht werden. Bild 24 zeigt den schematischen Aufbau mit den Kraftwirkungen.

Die Abdichtung zwischen Rohr und Verbindungskörper wird bei den meisten Klemmverbindungen, vor allem bei Rohrdimensionen > d 20, über Elastomerdichtungen (z.B. O-Ringe) erreicht.

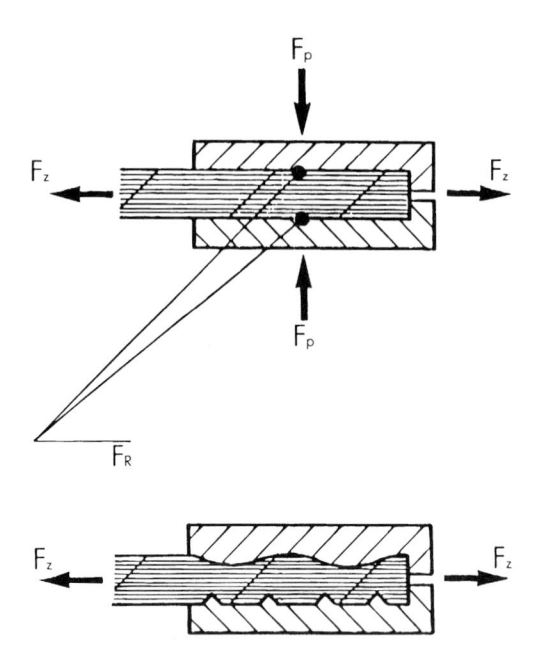

Bild 24: Schematischer Aufbau Klemmverbinder

Klemmverbindungen werden bevorzugt als Übergangsverbindungen eingesetzt. Dies erfolgt sowohl von Kunststoffrohren auf diverse Übergangsformstücke als auch auf andere Rohrarten.

Die stark unterschiedlichen Ausdehnungskoeffizienten der Werkstoffe erfordern gerade bei Übergangsverbindungen eine sorgfältige Konzeption und Feingestaltung der Dichtstelle. Um eine dauerhafte Dichtheit – und nur dies ist letztlich entscheidend – zu erreichen, muß der Entwickler die auftretenden dynamischen Belastungen beachten. Hinzu kommt die schnelle und sichere Herstellung der Klemmverbindung unter Baustellenbedingungen.

Kriechfestigkeit und geringe Spannungsrißbildung des technischen Kunststoffes sind Voraussetzung für eine dauerhaft dichte Rohrverbindung. In vielfach erprobten Varianten eignen sich dabei vor allem die Werkstoffe PB und PE-X.

Die Metall-/Kunststoffklemmverbinder bestehen aus einem Grundkörper mit Stützhülse, einem Klemmring oder Klemmsegmenten und einer Überwurfmutter Spannband bzw. Schiebehülse. Die Werkstoffe sind auf der Metallseite überwiegend Messing und Rotguß, auf der Kunststoffseite PE-X und PB Rohre. Die Ausführung der Klemmverbinder ist je nach System stark unterschiedlich. Von

Übergangsverbindungen 143

Klemmverbinder für PB- und PE-X-Rohre
d 16 und d 20   d 25 bis d 75

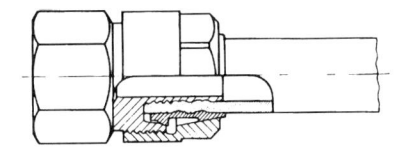

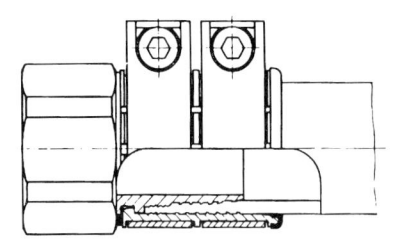

Bördelverbindung für PE-X-Rohre
d 16 und d 20

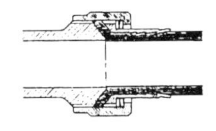

Schiebehülsenverbindung für
PE-X-Rohre d 16 bis d 32

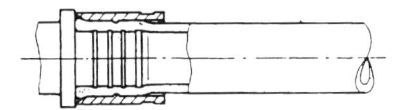

Verbindung für Verbundrohre
(PE-X/Alu) d 16 bis d 25

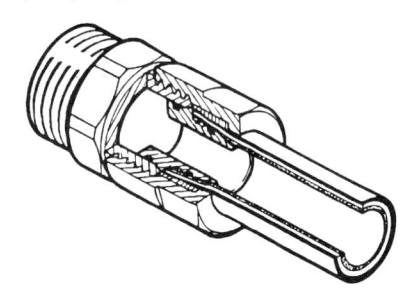

Klemmverbinder für PVC-C Rohre
d 16 bis d 32

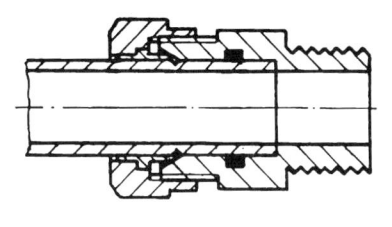

Bild 25: Übersicht von verschiedenen Klemmverbindungen

Vorteil sind der sofortige Einsatz und die Belastung der Verbindung mit Druck und Temperatur.

Werden das Kriechverhalten, die Wärmedehnung und das Klebverhalten bei der Konstruktion beachtet, so erreicht man dauerhaft dichte Verbindungen.

Bild 25 zeigt eine Übersicht von verschiedenen Klemmverbindungen.

Der PRIMOFIT®-Klemmverbinder erlaubt Verbindungsanordnungen zwischen Stahl/Stahl, PE/PE und auch Stahl/PE-Rohren. Bild 26 zeigt die Verbindungsanordnung für die zuletzt genannte Version.

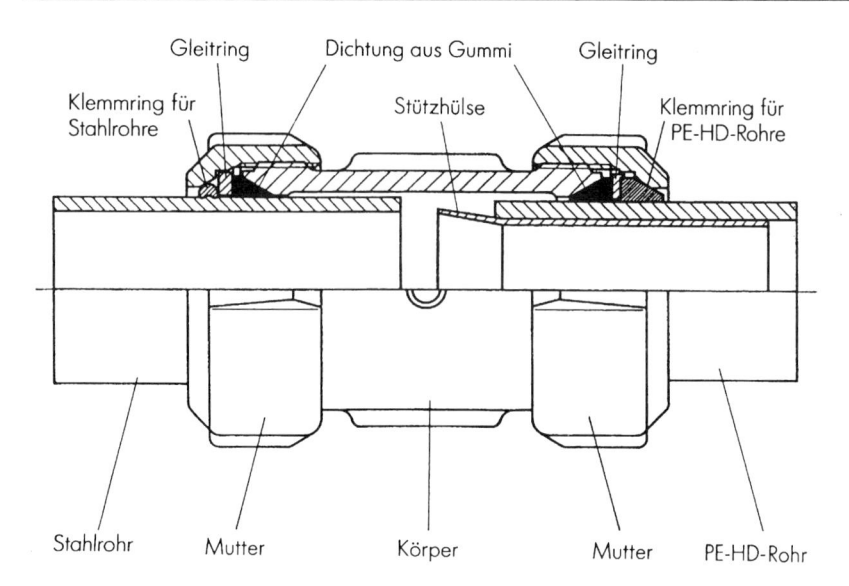

Bild 26: Verbindungsanordnung PRIMOFIT®

Im einbaufertigen, vormontierten Zustand sind die Innendurchmesser von Dichtung und Klemmring größer als der größte zulässige Rohraußendurchmesser. Das Anziehen der Überwurfmutter bewirkt zwei Funktionen: zuerst die Pressung der Dichtung gegen die Dichtflächen der konischen Dichtkammer, dann die Spannwirkung des Klemmrings zur Schubsicherung des Rohres.

Die an das Rohr grenzende Dichtpartie der Dichtung ist mit einem Profil ausgestattet, das die Dichtwirkung besonders bei rauhen Oberflächen der Rohrenden verbessert. Die Verbindung ist bedingt starr und verträgt eine gewisse Auslenkung des Rohres im angezogenen Zustand. Die Verbindung für PE-HD Rohre ist im Bild 27 als Schnittzeichnung dargestellt.

Das Prinzip der Verbindung ist vergleichbar mit dem der Stahl-Rohrverbindung, mit dem Unterschied, daß den Erfordernissen der PE-HD-Rohr-Halterung und -Abdichtung mit einer auf den Rohrinnendurchmesser abgestimmten Stützhülse und einem anders geformten Dichtungs- und Klemmsatz entsprochen wird.

Clamp-Verbindungen

Clamp-Verbindungen gehören zu der Gruppe der längskraftschlüssigen, lösbaren Übergangsverbindungen und werden vorwiegend in den Bereichen Lebensmittelproduktion und Pharmaindustrie eingesetzt. Besondere Eigenschaft der Clamp-Verbindung ist die einfache, schnelle und kostengünstige Montage.

Übergangsverbindungen 145

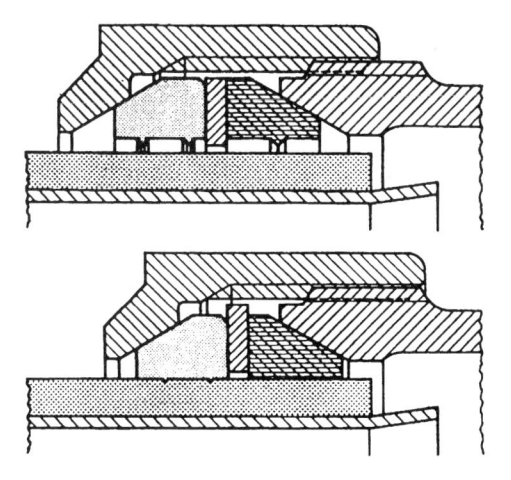

Lose Verbindungen

Festgezogene Verbindungen

Bild 27: Verbindung für PE-HD Rohre

Aufgrund dieser Eigenschaft eignet sich eine solche Verbindung besonders für folgende Einsatzgebiete:

- Anschluß von Rohrleitungen an Apparate, Maschinen, Equipment
- Anschluß von Meßfühlern
- Anschluß von Entnahmestellen
- Einbau störanfälliger Baugruppen

Beim Einsatz dieser Verbindung ist ein Werkstoffwechsel, wie z.B. von Edelstahl auf Kunststoff/PVDF HP WNF (Polyvinylidenfluorid hochrein, wulst- und nutfreie Schweißtechnologie), relativ einfach möglich.

Je nach Konstruktion der Clamp-Verbindung unterscheidet man zwischen Verbindungen nach DIN 32676 und aseptischen Ausführungen, die im Bereich des Dichtelementes bei Dichtung und „Toträumen" (Bereich, in dem sich Bakterien und Partikel anlagern könnten) optimiert ist.

Bild 28 zeigt eine aseptische Clamp-Verbindung.

2.2 Nicht längskraftschlüssige Übergangsverbindungen – Stecken, Kuppeln

Hierzu zählen z.B. E-Stücke, die es gestatten, mittels des Flansches einen Schieber oder ein anderes Flanschrohr an eine Steckmuffenleitung anzuschließen. Bedingt längskraftschlüssige Verbindungen sind z.B. Anpreßflansche mit Manschette und Flanschmuffenstücke mit flexiblem Anschluß, bei denen durch Verpressung eines Gummiringes eine gewisse Längskraftschlüssigkeit erzielt wird.

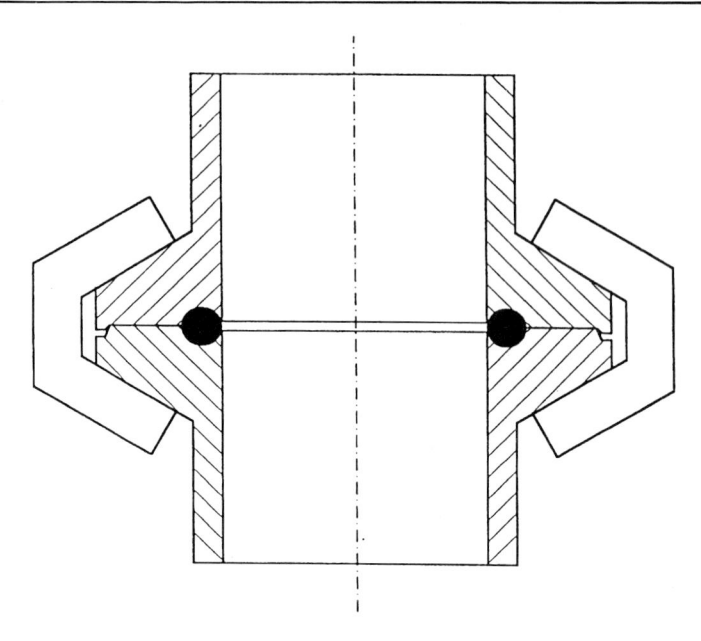

Bild 28: Aseptische Clamp-Verbindung

Bei der Verlegung nicht längskraftschlüssiger Übergangsverbindungen sind an Richtungsänderungen Abstützungen notwendig.

In vielen Einsatzfällen ist es erforderlich, Rohrleitungssysteme gleicher Nennweite mit unterschiedlichen Werkstoffen und unterschiedlichen Außendurchmessern miteinander zu verbinden. Dazu werden u.a. Kupplungen, Reparaturstücke und Anbohrstücke benötigt. Die Materialien können dabei zwischen GFK, PE, PVC, Stahl, Guß, Stein, Beton und Asbestzement wechseln. In dieser Verbindungssituation muß das Kupplungssystem auf den beiden Materialseiten unterschiedliche Dichtungsvarianten enthalten oder einen speziellen Dichtungsring, der in der Lage ist, verschiedene Durchmesserbereiche zu überbrücken. So kann die patentierte MULTI/JOINT®-Kupplung ohne zusätzliche Bauteile bei der Nennweite 100 einen Toleranzbereich von 22 mm und bei der Nennweite 200 einen Toleranzbereich von 34 mm überbrücken. Bild 29 zeigt das Prinzip dieser Kupplungsart. Das einmalige dieser Kupplung steckt in dem CIRCO-FLEX® Ring. Dieser speziell ausgebildete Ring besteht aus einer Feder die von einem hochwertigen Gummimantel umgeben ist.

Übergangsverbindungen 147

Bild 29: MULTI/JOINT® Kupplung

Schrifttum

- Kunststoffrohrleitungssysteme. Handbuch Augabe 1994, Georg Fischer +GF+
- Krahl, J.: Schweißen und Schneiden. „Schweißen von PE-HD" Heft 9/95
- DVS-Richtlinie 2207-2208
- Rohrleitungssysteme, Taschenbuch, Georg Fischer +GF+
- Monatszeitschrift „Die gute Verbindung", Georg Fischer +GF+
- Rohrleitungstechnik, 6. Ausgabe, Vulkan-Verlag, Essen

2.3 GFK-Laminatverbindungen

K. SAMIR

Die Laminatverbindung ist nach dem Kleben die wichtigste Verbindungsart von Rohren aus glasfaserverstärkten Kunststoffen und wie diese eine unlösbare Verbindung. Sie eignet sich auch als Übergangsverbindung zwischen GFK-Rohren und Rohren aus anderen Werkstoffen.

Beim Laminieren werden die Bauteile durch Aufbringen einer Schicht aus Glasgeweben, Glasmatten und Harz verbunden. Die Verbindung erfolgt durch eine Haftung des Überlaminats auf dem Bauteil (Adhäsion). Um eine einwandfreie

Laminatverbindung zu gewährleisten, werden die Bauteiloberflächen durch Schleifen oder Schälen aufgerauht. Außerdem ist es wichtig, die Oberflächen trocken, fett- und staubfrei zu halten, da sonst die Haftung beeinträchtigt wird. Der Massengehalt des Glases im Laminat liegt zwischen 30 % und 45 %.

Die Dimensionierung des Laminats erfolgt nach DIN 16966 Teil 8. Die Laminatdicke s_5 wird bestimmt durch die Innendruckbeanspruchung und die zulässige Spannung des Überlaminates:

$$s_5 = \frac{d_2 \cdot p}{20 \cdot \sigma_{zul.} - p}$$

Einzusetzen ist:

p = Nenndruck in [bar]

$\sigma_{zul.}$ = zul. Spannung in [N/mm²]

d_2 = Innendurchmesser

Die für das Laminat erforderliche Länge l wird bestimmt durch die Innendruckbeanspruchung und die Scherfestigkeit zwischen Bauteiloberfläche und Überlaminat:

$$l = \frac{d_3 \cdot p \cdot S \cdot S_1}{\tau \cdot 40} \cdot 2 + t_1$$

Einzusetzen ist:

d_3 = Außendurchmesser in [mm]

S = Sicherheitsbeiwert

S_1 = Fertigungsfaktor

τ = Scherfestigkeit in [N/mm²]

t_1 = max. Spalt zwischen den Rohr- bzw. Formstückenden in [mm]

Die Durchführung der Laminatverbindung erfolgt in den drei Arbeitsschritten Vorbereiten der Enden, Heften und Laminieren.

Zunächst wird die erforderliche Laminatlänge mit einer Zugabe von ca. 50 mm auf den Bauteilenden markiert. So wird sichergestellt, daß die Adhäsionskräfte sicher übertragen werden können. Anschließend werden die angezeichneten Flächen aufgerauht, bis auf der gesamten Fläche die Harzschicht entfernt ist und die Oberfläche matt erscheint. Der Schleifstaub bzw. die abgearbeiteten Späne werden mit einem trockenen, sauberen Pinsel entfernt. Feuchtigkeit, Staub, Öl wirken als Trennmittel und verhindern eine optimale Haftung.

Die Bauteilenden werden fixiert durch eine Klebung der Kopfkanten oder durch ein Heftlaminat. Diese Fixierung dient dazu, eine Verschiebung der Enden gegeneinander während des Laminiervorgangs zu verhindern.

Vor dem Laminieren wird eine für das Laminat genügende Menge Zuschnitte von Glasgeweben und Glasmatten vorbereitet. Eine geeignete Menge Harz wird angemischt.

Zunächst wird Harz auf die vorbereiteten Oberflächen aufgetragen, anschließend das Laminat aufgebracht. Hierbei ist besonders darauf zu achten, daß die verschiedenen Glasschichten mit genügend Harz durchtränkt sind und sich keine Luftblasen im Laminat befinden. Es ist hilfreich, mit Glasgewebebändern zu arbeiten, die stramm um das Rohr gezogen werden können und somit zu einer Entlüftung und Verdichtung des Laminats beitragen.

Aufgrund der exothermen Reaktion und der geringen Wärmeleitfähigkeit können bei großen Laminatdicken Überhitzungen auftreten. Hierdurch kann es notwendig werden, das Laminat in mehreren Teilschritten aufzubauen (Zwischenhärtung).

Nach der Aushärtung (Reaktion) kann die Verbindung belastet werden. Die Aushärtezeit wird durch die Umgebungstemperatur beeinflußt und kann zum Beispiel durch den Einsatz von Heizbändern verkürzt werden.

Teil VI
Gütesicherung von Kunststoffrohren

Gütesicherung von Kunststoffrohren

U. KREITEL

1 Gütegemeinschaft Kunststoffrohre e. V. und Gütezeichen Kunststoffrohre

1.1 Qualität hat ein Zeichen

Gütegesicherte Kunststoffrohre sind mit einem Gütezeichen gekennzeichnet (Bild 1). Es handelt sich um ein Zeichen im Sinne der Grundsätze für Gütezeichen, RAL GZ 1/54. In der Warenzeichenrolle des deutschen Patentamtes ist es unter der Nummer 835818 eingetragen.

Bereits 1957 begann man mit dem Aufbau einer wirksamen und verantwortungsbewußten Gütesicherung für Kunststoffrohrprodukte.

Im genannten Jahr wurde der Kunststoffrohrverein e. V. mit Sitz in Düsseldorf als Interessenvertretung der Kunststoffrohrindustrie gegründet. Zunehmend wurden von diesem Wirtschaftsverband auch Aufgaben der Gütesicherung übernommen. Im Jahr 1963 gab es dann eine Aufgabentrennung. Das Gütezeichen wird seit 1963 von der eigens dafür gegründeten Gütegemeinschaft Kunststoffrohre e. V. (GKR) mit Sitz in Bonn verliehen und verwaltet.

Die in der GKR zusammengeschlossenen Hersteller von Rohren und Formstücken unterwerfen sich freiwillig einer Überwachung durch die Gütegemeinschaft und durch unabhängige Prüfinstitute. Die mit dem RAL-Gütezeichen signierten Rohre unterliegen damit einer Qualitätssicherung auf wissenschaftlicher Grundlage. Das Gütezeichen ist Symbol dafür, daß ein Kunststoffrohr sowohl im Fertigungsprozeß beim Hersteller als auch in seiner Anwendung beim Verbraucher höchsten Ansprüchen an Qualität über die gesamte Lebensdauer genügt.

Die Sicherstellung und Kennzeichnung der Qualität sind für den Abnehmer von großer Bedeutung. Hinzu kommt, daß Forderungen Dritter, z.B. von Behörden, Vereinigungen usw., zu berücksichtigen sind und als vom Produkt erfüllt nachgewiesen werden müssen. Die genauen Vorstellungen über diese Qualitätsstandards werden in Normen, Richtlinien und Liefervorschriften festgelegt. Die

Bild 1: RAL-Gütezeichen für Kunststoffrohre

vollständige Einhaltung dieser Qualitätsstandards bildet dann die Grundlage für die Kennzeichnung der Erzeugnisse.

Durch die Zusammenarbeit mit dem RAL Deutsches Institut für Gütesicherung und Kennzeichnung e. V. (RAL steht für den historischen Begriff „Reichsausschuß für Lieferbedingungen") ist sichergestellt, daß die Gütesicherung der Warengruppe Kunststoffrohre genau nach den Grundsätzen einer Gütezeichenvergabe erfolgt. Weiterhin ist sichergestellt, daß warenzeichengesetzliche und einschlägige wettbewerbs- und kartellrechtliche Vorschriften in den Satzungs- und Gütezeichenunterlagen der Gütegemeinschaft gewahrt sind.

1.2 Gütegemeinschaft Kunststoffrohre e.V.

Aufgaben und Organisationsstruktur der Gütegemeinschaft sind in ihrer Satzung festgelegt. Der GKR gehören heute alle bedeutenden Hersteller von Kunststoffrohren und Formstücken in Deutschland an. Inzwischen sind auch Hersteller aus den Niederlanden, Frankreich, Belgien, Italien, der Schweiz, Österreich, Dänemark und Tschechien hinzugekommen. Die Gesamtmitgliederzahl ist auf 55 angewachsen.

Die Ursache dieser auch für die Gütegemeinschaft außergewöhnlichen Aktivität liegt vornehmlich in der wachsenden Anzahl zur anwendungstechnischen Vollendung gelangter Innovationen in den unterschiedlichen Anwendungsbereichen. Dabei ist es nicht überraschend, daß sich die Hersteller bei der Einführung neuer Produkte der Gütesicherung in der Absicht bedienen, den zweifellos wirksamen Marketingeinfluß des seit über dreißig Jahren eingeführten Gütezeichens Kunststoffrohre zu nutzen.

Die wichtigsten Organe der Gütegemeinschaft sind in Bild 2 dargestellt.

Der satzungsgemäß bestellte Güteausschuß tritt in regelmäßigen Abständen oder aus besonderem Anlaß zusammen. Er entscheidet neben der Verleihung auch über die Ahndung von Verstößen gegen die Gütebedingungen und über den Entzug des Gütezeichens. Die Prüfingenieure der GKR berichten dem Güteausschuß fortlaufend über die Ergebnisse der Güteüberwachung und über die korrekte Abwicklung des Gütesicherungsverfahrens.

Die Gütesicherung vollzieht sich auf der Grundlage des Regelwerkes der Gütegemeinschaft. Die Mitglieder verpflichten sich, nur diejenigen ihrer Erzeugnisse mit dem Gütezeichen zu versehen, die den von der GKR herausgegebenen Richtlinien entsprechen.

Der Güteausschuß entscheidet über die Herausgabe und Weiterleitung dieser Richtlinien. Er legt ebenso die Maßgaben für die Arbeit der Prüfingenieure fest.

Über die Ergebnisse der Güteüberwachung findet ein regelmäßiger Erfahrungsaustausch mit den Vertretern der mit der Fremdüberwachung beauftragten Ma-

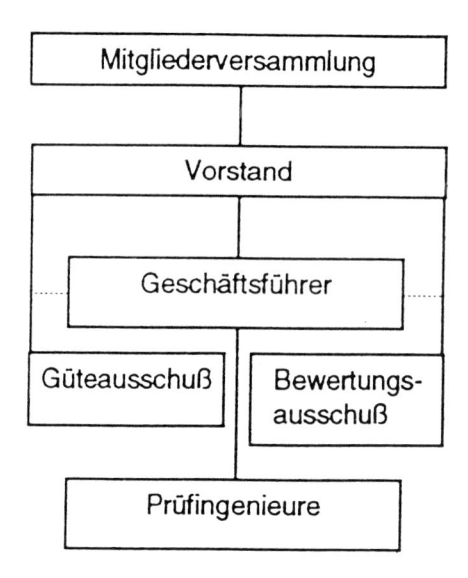

```
┌─────────────────────────────┐
│    Mitgliederversammlung    │
└─────────────────────────────┘
              │
┌─────────────────────────────┐
│          Vorstand           │
└─────────────────────────────┘
              │
    ┌─────────────────┐
····│  Geschäftsführer │····
    └─────────────────┘
              │
┌─────────────┐  ┌─────────────┐
│ Güteausschuß│  │ Bewertungs- │
└─────────────┘  │  ausschuß   │
                 └─────────────┘
              │
      ┌─────────────────┐
      │  Prüfingenieure │
      └─────────────────┘
```

Bild 2: Organisationsstruktur der Gütegemeinschaft

terialprüfungsanstalten, des deutschen Vereins des Gas- und Wasserfaches e.V. und des Deutschen Instituts für Bautechnik, Berlin, als Bauaufsichtsbehörde statt. Damit ist im Sinne des Verbraucherschutzes garantiert, daß alle Überwachungsmaßnahmen in einem unabhängigen Gremium beraten werden.

Die GKR ist eine vom Deutschen Institut für Bautechnik Berlin anerkannte Überwachungs- und Zertifizierungsstelle. Die Anerkennung gilt sowohl für einen Teil von Produkten, deren Regeln in der Bauregelliste A enthalten sind, als auch für einen Teil nicht geregelter Bauprodukte. Die GKR führt die Überwachung gemäß allgemeiner bauaufsichtlicher Zulassungsbescheide durch.

Um die Vielzahl der Erzeugnisse der Kunststoffrohrindustrie einer systematischen Güteüberwachung zu unterziehen, erfolgte die Einteilung in Gütegruppen und Erzeugnisgruppen.

Die Gütegruppeneinteilung orientiert sich am Anwendungsbereich. Die Erzeugnisgruppeneinteilung bezieht sich auf Abmessungen und Werkstoffe sowie auf Rohrkonstruktionen innerhalb der Gütegruppen.

Zur Zeit wird das RAL-Gütezeichen der Gütegemeinschaft Kunststoffrohre e.V. für folgende Gütegruppen verliehen:

- Trinkwasserleitungen

- Gasleitungen

Gütegemeinschaft Kunststoffrohre 155

- Heizungsleitungen
- Industrieleitungen
- Trinkwasser-Installation
- Formstücke für Druckrohre
- Abwasserleitungen (Hausabfluß)
- Kabelschutzrohre
- Abwasserkanäle und -leitungen (drucklos)
- Abwasserdruckleitungen
- Dachentwässerung
- Dichtungen

1.3 Güteüberwachte Erzeugnisse

Das Gütezeichen der Gütegemeinschaft Kunststoffrohre e.V. kann für folgende Erzeugnisgruppen erworben werden:

Gütegruppe Trinkwasserleitungen
Erzeugnisgruppe:

11 : Rohre aus PVC-U nach DIN 8061 bzw. R 1.1.1 bis AußenØ 50 mm
12 : Rohre aus PVC-U nach DIN 8061 bzw. R 1.1.1 AußenØ 63–160 mm
12.1 : Formstücke aus PVC-U nach DIN 8063 bzw. R 1.1.8 AußenØ 63–160 mm
13 : Rohre aus PVC-U nach DIN 8061 bzw. R 1.1.1 ab AußenØ 225 mm

14 : Rohre aus PE-HD nach DIN 8075 bzw. R 14.3.1 bis AußenØ 50 mm
15 : Rohre aus PE-HD nach DIN 8075 bzw. R 14.3.1 AußenØ 63–160 mm
16 : Rohre aus PE-HD nach DIN 8075 bzw. R 14.3.1 ab AußenØ 180 mm

17 : Rohre aus PE-LD nach DIN 8073 bzw. R 1.3.1

180 : Rohre aus GFK (geschleudert) nach DIN 16869 bzw. R 1.8.1/8
DN 100–300
180.1 : Formstücke aus GFK (geschleudert) nach DIN 16869 bzw. R 1.8.1/8
DN 100–300
181 : Rohre aus GFK (geschleudert) nach DIN 16869 bzw. R 1.8.1/8
DN 400–800
181.1 : Formstücke aus GFK (geschleudert) nach DIN 16869 bzw. R 1.8.1/8
DN 400–800
182 : Rohre aus GFK (geschleudert) nach DIN 16869 bzw. R 1.8.1/8
DN 900–1400

182.1 : Formstücke aus GFK (geschleudert) nach DIN 16869 bzw. R 1.8.1/8
DN 900–1400

183 : Rohre aus GFK (gewickelt) nach DIN 16868 bzw. R 1.8.24 DN 100–300

183.1 : Formstücke aus GFK (gewickelt) nach DIN 16868 bzw. R 1.8.24
DN 100–300

184 : Rohre aus GFK (gewickelt) nach DIN 16868 bzw. R 1.8.24 DN 400–800

184.1 : Formstücke aus GFK (gewickelt) nach DIN 16868 bzw. R 1.8.24
DN 400–800

185 : Rohre aus GFK (gewickelt) nach DIN 16868 bzw. R 1.8.24 DN 900–1400

185.1 : Formstücke aus GFK (gewickelt) nach DIN 16868 bzw. R 1.8.24
DN 900–1400

Gütegruppe Abwasserleitungen

Erzeugnisgruppe:

23 : HT-Abflußrohre   aus heißwasserbeständigen Kunststoffen nach
24 : HT-Formstücke   DIN 19560 oder DIN 19561 bzw. R 2.6.1/8

25 : HT-Abflußrohre   aus heißwasserbeständigen Kunststoffen nach
26 : HT-Formstücke   Prüfbescheid bzw. R 2.11.1/8

27 : HT-Abflußrohre   aus heißwasserbeständigen Kunststoffen nach
28 : HT-Formstücke   Prüfbescheid bzw. R 2.12.1/8

29 : HT-Abflußrohre aus heißwasserbeständigem Kunststoff nach
DIN 19535 bzw. R 2.3.1/8

Gütegruppe Abwasserdruckleitungen

Erzeugnisgruppe:

31 : Rohre aus PE-HD nach DIN 8075 bzw. R 14.3.1 bis AußenØ 160 mm
32 : Rohre aus PE-HD nach DIN 8075 bzw. R 14.3.1 ab AußenØ 180 mm

Gütegruppe Gasleitungen

Erzeugnisgruppe:

42 : Rohre aus PVC-U nach DIN 8061 bzw. R 4.1.1 ab AußenØ 75 mm entsprechend PN 10
43 : Rohre aus PE-HD nach DIN 8075 bzw. R 14.3.1 bis AußenØ 63 mm
44 : Rohre aus PE-HD nach DIN 8075 bzw. R 14.3.1 ab AußenØ 75 mm

Gütegemeinschaft Kunststoffrohre 157

Gütegruppe Kabelschutz
Erzeugnisgruppe:

51 : Rohre aus PVC-U nach DIN 8061 bzw. R 5.1.1
53 : Rohre aus PE-HD nach DIN 8074 bzw. R 5.3.1

Gütegruppe Heizungsleitungen
Erzeugnisgruppe:

60 : Rohre aus PP Typ 2 nach DIN 8078 bzw. R 6.4.1 bis AußenØ 50 mm
61 : Rohre aus PB nach DIN 16 968 bzw. R 6.0.1 bis AußenØ 50 mm
62 : Rohre aus PE-X nach DIN 16 892 bzw. R 6.10.1 bis AußenØ 50 mm
63 : Verbundrohre nach R 6.14.1 bis AußenØ 50 mm

Gütegruppe Abwasserkanäle und -leitungen
Erzeugnisgruppe:

71 : Kanalrohre aus PVC-U nach DIN 19 534 bzw. R 7.1.1/8 bis DN 150
71.1 : Formstücke aus PVC-U nach DIN 19 534 bzw. R 7.1.1/8 bis DN 150
72 : Kanalrohre aus PVC-U nach DIN 19 534 bzw. R 7.1.1/8 DN 200–600
72.1 : Formstücke aus PVC-U nach DIN 19 534 bzw. R 7.1.1/8 DN 200–600

74 : Kanalrohre aus PE-HD nach DIN 19 537 bzw. R 7.3.1/8 bis DN 500
74.1 : Formstücke aus PE-HD nach DIN 19 537 bzw. R 7.3.1/8 bis DN 500
75 : Kanalrohre aus PE-HD nach DIN 19 537 bzw. R 7.3.1/8 ab DN 600
75.1 : Formstücke aus PE-HD nach DIN 19 537 bzw. R 7.3.1/8 ab DN 600
740 : Kanalrohre aus PE-HD nach DIN 8075 bzw. R 7.3.1/8 bis DN 500
750 : Kanalrohre aus PE-HD nach DIN 8075 bzw. R 7.3.1/8 ab DN 600

76 : Kanalrohre aus GF-UP (geschleudert) nach DIN 19 565 bzw. R 7.8.1./8 bis DN 800
76.1 : Formstücke aus GF-UP (geschleudert) nach DIN 19 565 bzw. R 7.8.1./8 bis DN 800
77 : Kanalrohre aus GF-UP (geschleudert) nach DIN 19 565 bzw. R 7.8.1/8 ab DN 900
77.1 : Formstücke aus GF-UP (geschleudert) nach DIN 19 565 bzw. R 7.8.1/8 ab DN 900

760 : Kanalrohre aus GF-UP (gewickelt) nach DIN 16868 bzw. R 7.8.24 bis DN 800
761 : Formstücke aus GF-UP (gewickelt) nach DIN 16868 bzw. R 7.8.24 bis DN 800
770 : Kanalrohre aus GF-UP (gewickelt) nach DIN 16868 bzw. R 7.8.24 ab DN 900
771 : Formstücke aus GF-UP (gewickelt) nach DIN 16868 bzw. R 7.8.24 ab DN 900

78	:	Besteigbare Schachtunterteile aus Kunststoffen nach R 7.3.8
79	:	Nichtbegehb. Schachtunt. aus Kunstst. nach Prüfbesch. bzw. R 7.1.23, R 7.4.20, R 7.6.8
706	:	Profilierte Kanalrohre aus PVC-U nach Prüfbescheid bzw. R 7.1.19 DN 200–600
707	:	Profilierte Kanalrohr-Formst. aus PVC-U nach Prüfbescheid bzw. R 7.1.8 DN 100–150
708	:	Profilierte Kanalrohre aus PVC-U nach Prüfbescheid bzw. R 7.1.12 bis DN 150
709	:	Profilierte Kanalrohr-Formst. aus PVC-U nach Prüfbescheid bzw. R 7.1.12 bis DN 150
710	:	Profilierte Kanalrohre aus PVC-U nach Prüfbescheid bzw. R 7.1.12 DN 200–500
711	:	Profilierte Kanalrohr-Formst. aus PVC-U nach Prüfbescheid bzw. R 7.1.12 DN 200–500
712	:	Kanalrohre aus modifiziertem PVC-U nach Prüfbescheid bzw. R 7.1.15 bis DN 150
713	:	Kanalrohr-Formstücke aus modif. PVC-U nach Prüfbescheid bzw. R 7.1.15 bis DN 150
714	:	Kanalrohre aus modifiziertem PVC-U nach Prüfbescheid bzw. R 7.1.15 DN 200–600
715	:	Kanalrohr-Formstücke aus modif. PVC-U nach Prüfbescheid bzw. R 7.1.15 DN 200–600
716	:	Bauteile aus PVC-HI zur Auskleidung v. Abwasserrohren n. Prüfbescheid bzw. R 7.1.13
717	:	Bauteile aus PVC-HI zur Auskleidung v. Abwasserrohren n. Prüfbescheid bzw. R 7.1.14
720	:	Vortriebsrohre aus PVC-U nach Prüfbescheid bzw. R 7.1.16 DN 100–300
721	:	Vortriebsrohr-Formstücke aus PVC-U nach Prüfbescheid bzw. R 7.1.16 DN 100–300

Gütegruppe Dachentwässerung

Erzeugnisgruppe:

81	:	Dachrinnen aus PVC-U nach R 8.1.1/8
82	:	Regenfallrohre aus PVC-U nach R 8.1.1/8
83	:	Formstücke für Dachrinnen und Regenfallrohre aus PVC-U nach R 8.1.1/8

Gütegemeinschaft Kunststoffrohre 159

Gütegruppe Industrieleitungen
Erzeugnisgruppe:

91 : Industrierohre aus GF-EP und GF-PHA (geschleudert) nach R 9.9.1/8 bis DN 150
91.1 : Industrierohr-Formst. aus GF-EP und GF-PHA (geschleudert) nach R 9.9.1/8 bis DN 150
92 : Industrierohre aus GF-EP und GF-PHA (geschleudert) nach R 9.9.1/8 DN 200–500
92.1 : Industrierohr-Formst. aus GF-EP und GF-PHA (geschleudert) nach R 9.9.1/8 DN 200–500
93 : Industrierohre aus GF-EP und GF-PHA (gewickelt) nach R 9.9.1/8 bis DN 150
93.1 : Industrierohr-Formstücke aus GF-EP und GF-PHA (gewickelt) nach R 9.9.1/8 bis DN 150
94 : Industrierohre aus GF-EP (gewickelt) nach R 9.9.1/8 DN 200–500
94.1 : Industrierohr-Formstücke aus GF-EP (gewickelt) nach R 9.9.1/8 DN 200–500

95 : Industrierohre aus PP nach DIN 8078 bzw. R 9.4.1 bis AußenØ 160 mm
96 : Industrierohre aus PP nach DIN 8078 bzw. R 9.4.1 ab AußenØ 180 mm

910 : Mantelrohre aus PE-HD nach DIN EN 253 bzw. R 9.3.17 von AußenØ 75–200 mm
911 : Mantelrohre aus PE-HD nach DIN EN 253 bzw. R 9.3.17 von AußenØ 225–400 mm
912 : Mantelrohre aus PE-HD nach DIN EN 253 bzw. R 9.3.17 von AußenØ 450–1000 mm
971 : Rohre aus GFK (geschleudert) nach DIN 16869 bzw. R 1.8.1/8 DN 200–800
972 : Formstücke aus GFK-Rohren (geschleudert) nach DIN 16869 bzw. R 1.8.1/8 DN 200–800
973 : Rohre aus GFK (geschleudert) nach DIN 16869 bzw. R 1.8.1/8 DN 900–2000
974 : Formstücke aus GFK-Rohren (geschleudert) nach DIN 16869 bzw. R 1.8.1/8 DN 900–2000
975 : Rohre aus GFK (gewickelt) nach DIN 16868 bzw. R 1.8.24 DN 200–800
976 : Formstücke aus GFK-Rohren (gewickelt) nach DIN 16868 bzw. R 1.8.24 DN 200–800
977 : Rohre aus GFK (gewickelt) nach DIN 16868 bzw. R 1.8.24 DN 900–2400
978 : Formstücke aus GFK-Rohren (gewickelt) nach DIN 16868 bzw. R 1.8.24 DN 900–2400

Gütegruppe Trinkwasser-Installation
Erzeugnisgruppe:

101	:	Rohre aus PE-X nach DIN 16 892 bzw. R 10.10.1 bis AußenØ 50 mm
103	:	Rohre aus PVC-C nach DIN 8080 bzw. R 10.2.1/8 bis AußenØ 50 mm
103.1	:	Formstücke aus PVC-C nach R 10.2.1/8 bis AußenØ 50 mm
104	:	Rohre aus PVC-C nach DIN 8080 bzw. R 10.2.1/8 AußenØ 63–160 mm
104.1	:	Formstücke aus PVC-C nach R 10.2.1/8 AußenØ 63–160 mm
105	:	Rohre aus PB nach DIN 16968 bzw. R 10.0.1 bis AußenØ 50 mm
107	:	Verbundrohre nach R 10.14.1 bis AußenØ 50 mm
109	:	Rohre aus PP-R Typ 3 nach R 10.4.1/8 bis AußenØ 50 mm
109.1	:	Formstücke aus PP-R Typ 3 nach R 10.4.1/8 bis AußenØ 50 mm

Gütegruppe Formstücke für Druckrohre
Erzeugnisgruppe:

121 : Formstücke aus PE-HD nach DIN 8074/75 bzw. R 12.3.10 bis AußenØ 50 mm

122 : Formstücke aus PE-HD nach DIN 8074/75 bzw. R 12.3.10 von AußenØ 63–160 mm

123 : Formstücke aus PE-HD nach DIN 8074/75 bzw. R.12.3.10 ab AußenØ 180 mm

131 : Formstücke aus PP nach DIN 8077/78 bzw. R 12.4.10 bis AußenØ 50 mm

132 : Formstücke aus PP nach DIN 8077/78 bzw. R 12.4.10 von AußenØ 63–160 mm

133 : Formstücke aus PP nach DIN 8077/78 bzw. R 12.4.10 ab AußenØ 180 mm

141 : Formstücke aus PVC-U nach DIN 8063 bzw. R 12.1.10 bis AußenØ 50 mm

151 : Formstücke aus PVDF nach R 12.17.10 bis AußenØ 50 mm

160 : Formstücke aus PB nach R 12.0.10 bis AußenØ 50 mm

Gütegruppe Dichtungen
Erzeugnisgruppe:

301 : Dichtungen aus Elastomeren nach DIN 4060 bzw. R 30.5.2 DN 40–150

303 : Lippendichtungen aus Elastomeren nach DIN 4060 bzw. R 30.5.2 DN 40–150

304 : Lippendichtungen aus Elastomeren nach DIN 4060 bzw. R 30.5.2 DN 200–800

Gütegemeinschaft Kunststoffrohre 161

305 : Lippendichtungen aus Elastomeren nach DIN 4060 bzw. R 30.5.2 ab DN 900
306 : Lippendichtringe aus Elastomeren nach R 30.5.1 DN 50–400
307 : Gummimanschetten aus Elastomeren nach DIN 4060 bzw. R 30.5.2

2 Organisation der Güteüberwachung durch die GKR

2.1 Gütesicherungsverfahren

Grundlage für die Verleihung und den Entzug des Gütezeichens bildet das Gütesicherungsverfahren. Es handelt sich dabei um ein festgelegtes Regelwerk, das in Zusammenarbeit mit der obersten Bauaufsichtsbehörde und dem RAL, dem deutschen Treuhandorgan für alle Gütesicherungen, erarbeitet worden ist. Bei Verstößen gegen die dort fixierten Regeln und Bedingungen trifft die Gütegemeinschaft für Kunststoffrohre Maßnahmen gemäß ihrer Satzung.

Das Gütesicherungsverfahren enthält im wesentlichen Bestimmungen über:

– Gütegrundlagen

– Erzeugnisse

– Verleihung und Benutzung des Gütezeichens

– Überwachungen

– Prüfverfahren

– Regelungen bei Verstößen

Grundlage für die Gütesicherung sind die Richtlinien der Gütegemeinschaft, die DIN-, ISO- und harmonisierten europäischen Normen, die Bauordnungen der Länder, Zulassungsbescheide des Deutschen Instituts für Bautechnik und das Regelwerk des DVGW und der ATV.

Eingeleitet wird das Gütesicherungsverfahren durch die Unterzeichnung des Verpflichtungsscheins seitens des Antragstellers (Bild 3).

Die Verleihung des Gütezeichens erfolgt nur für eine jeweilige Erzeugnisgruppe und Produktionsstätte. Jeder Hersteller, der bei der GKR die Verleihung des Gütezeichens für ein Produkt der bereits aufgeführten Erzeugnisgruppen beantragt, muß dieses Erzeugnis zuerst einer sogenannten Verleihungsprüfung unterwerfen. Das heißt, daß zwei in angemessenem Zeitabstand aufeinanderfolgende Produktprüfungen bestanden werden müssen, wobei die zweite Prüfung erst eingeleitet wird, wenn das positive Ergebnis der ersten Prüfung vorliegt. Vom Hersteller muß der Nachweis erbracht werden, daß ausreichende innerbetriebliche Kontrollen durchgeführt werden. Diese Kontrollen müssen gewährleisten, daß die Gütebestimmungen eingehalten sind. Eine weitere zu erfüllende

Gütegemeinschaft Kunststoffrohre e.V.	GÜTEZEICHEN
	RAL
	KUNSTSTOFFROHRE

Verpflichtungsschein

(gem. Abschn. 3.2 des Gütesicherungsverfahrens der Gütegemeinschaft Kunststoffrohre e.V.)

1. Der Unterzeichner/die unterzeichnete Firma beantragt hiermit bei der Gütegemeinschaft Kunststoffrohre e.V.

    1.1 die Aufnahme als Mitglied *)

    1.2 die Verleihung des Rechts zur Führung des Gütezeichens Kunststoffrohre/RAL für folgende Erzeugnisgruppen:

2. Hiermit wird bestätigt, daß

    2.1 die Satzung der Gütegemeinschaft Kunststoffrohre e.V. *)

    2.2 das Gütesicherungsverfahren für das Gütezeichen der Gütegemeinschaft Kunststoffrohre e.V. *)

    2.3 die Ausführungsbestimmungen zu dem Überwachungsvertrag von Rohrleitungen (Rohre, Rohrformstücke und Rohrverbindungen) und Dachrinnen aus Kunststoffen sowie dazugehörige Dichtungen *)

    2.4 die Richtlinien (Güte- und Prüfbestimmungen) der Gütegemeinschaft Kunststoffrohre e.V. *)

in vollem Umfange zur Kenntnis genommen sind und vorbehaltlos als verbindlich anerkannt wurden. Dies gilt auch für die Vereinbarungen eines Schiedsgerichtes gemäß § 14 der Satzung der Gütegemeinschaft Kunststoffrohre e.V.

Name/Firma des Antragstellers

*) Nichtzutreffendes bitte streichen   (rechtsverbindliche Unterschrift des Antragstellers)

Bild 3: Verpflichtungsschein der Gütegemeinschaft

Gütegemeinschaft Kunststoffrohre 163

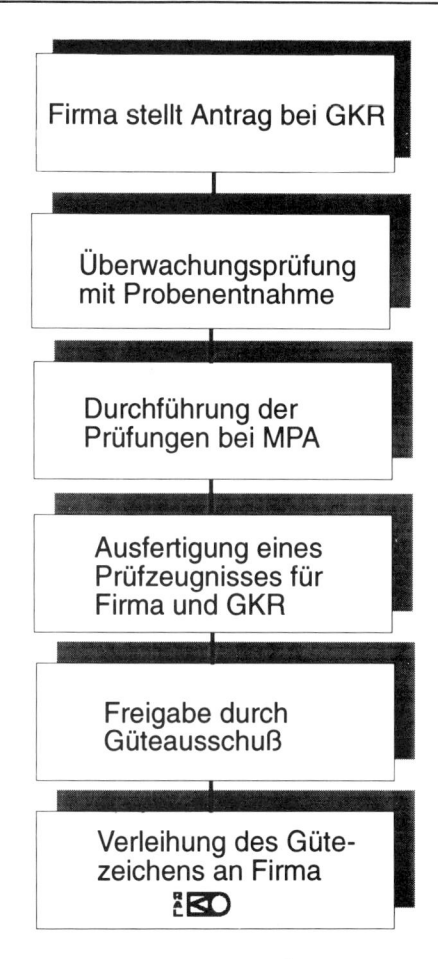

```
┌─────────────────────────────┐
│  Firma stellt Antrag bei GKR │
└─────────────────────────────┘
              │
┌─────────────────────────────┐
│    Überwachungsprüfung      │
│    mit Probenentnahme       │
└─────────────────────────────┘
              │
┌─────────────────────────────┐
│    Durchführung der         │
│    Prüfungen bei MPA        │
└─────────────────────────────┘
              │
┌─────────────────────────────┐
│    Ausfertigung eines       │
│    Prüfzeugnisses für       │
│    Firma und GKR            │
└─────────────────────────────┘
              │
┌─────────────────────────────┐
│    Freigabe durch           │
│    Güteausschuß             │
└─────────────────────────────┘
              │
┌─────────────────────────────┐
│    Verleihung des Güte-     │
│    zeichens an Firma        │
│         RAL                 │
└─────────────────────────────┘
```

Bild 4: Verfahrensablauf bei der Verleihung des Gütezeichens

Voraussetzung für die Verleihung ist, daß der Hersteller auch durch seine betrieblichen Einrichtungen und sein Fachpersonal die Gewähr einer guten Erfüllung der Gütegrundlagen bietet (Bild 4).

Nach Verleihung des Gütezeichens erhält der Hersteller eine Verleihungsurkunde von der GKR (Bild 5). Die Gütegemeinschaft gibt regelmäßig Listen der Gütezeicheninhaber, aufgeschlüsselt nach Güte- und Erzeugnisgruppen, heraus. Aus ihnen kann man zusätzlich Informationen über die gültigen Richtlinien sowie Anschriften und Herstellerzeichen der Mitgliedswerke entnehmen.

VERLEIHUNGSURKUNDE

Registrier-Nr.

Die Gütegemeinschaft Kunststoffrohre e.V. verleiht nach Prüfung der Voraussetzungen

der Firma

das vom RAL (Ausschuß für Lieferbedingungen und Gütesicherung e.V.) anerkannte und zeichenrechtlich geschützte

Gütezeichen der Gütegemeinschaft Kunststoffrohre e.V.

GÜTEZEICHEN

R
A
L
KUNSTSTOFFROHRE

für das der Güteüberwachung unterliegende Fertigungsprogramm im Werk

Mit der Verleihung des Rechts zur Führung des Gütezeichens ist die Verpflichtung verbunden, für die Einhaltung der Richtlinien der Gütegemeinschaft Kunststoffrohre e.V. Gewähr zu bieten. Außerdem unterliegt die Fertigung der obengenannten Erzeugnisse einer ständigen amtlichen Güteüberwachung durch neutrale Prüfanstalten.

Diese Verleihungsurkunde gilt nur in Verbindung mit dem jährlich von der Gütegemeinschaft Kunststoffrohre e.V. herausgegebenen Verzeichnis der Gütezeicheninhaber.

Gütegemeinschaft Kunststoffrohre e.V.
Der Güteausschuß

Bild 5   Verleihungsurkunde der Gütegemeinschaft

Mit der Verpflichtung, sich dem Gütesicherungsverfahren freiwillig zu unterwerfen, ist die Notwendigkeit verbunden, einen Vertrag mit einer Materialprüfanstalt abzuschließen.

Als Vertragspartner für den Abschluß dieser Überwachungsverträge stehen folgende Prüfinstitutionen zur Verfügung:

Bundesanstalt für Materialprüfung, Berlin

Staatliche Materialprüfungsanstalt, Darmstadt

Süddeutsches Kunststoff-Zentrum, Würzburg

Materialprüfungsamt Nordrhein-Westfalen, Dortmund

Technischer Überwachungsverein Bayern-Sachsen e.V., München

VTT, Espoo (SF) (Beauftragung an Erzeugnisgruppen gebunden)

DTI, Aarhus (DK) (Beauftragung an Erzeugnisgruppen gebunden)

SP, Göteborg (S) (Beauftragung an Erzeugnisgruppen gebunden)

Für die hygienischen Prüfungen:

DVGW-Technologiezentrum Wasser, Karlsruhe

Für die Prüfungen des Brandverhaltens:

Materialprüfungsamt Nordrhein-Westfalen, Dortmund

Mit dem Abschluß dieser Überwachungsverträge werden die „Ausführungsbestimmungen zum Überwachungsvertrag" ebenfalls verbindlich. In den Ausführungsbestimmungen ist die genaue Einteilung der Erzeugnisse in die Güte- und Erzeugnisgruppen geregelt. Außerdem sind dort nochmals die Anzahl der Fremdüberwachungsbesuche und Art und Umfang der dabei zu entnehmenden Proben bestimmt. Die Ausführungsbestimmungen enthalten also genaue Regelungen, wie oft und auf welche Art und Weise ein Erzeugnis von den Prüfingenieuren der Gütegemeinschaft und den Prüfbeauftragten der Materialprüfungsanstalten entnommen und der Prüfung zugeführt wird.

Neben den Verleihungs- und Überwachungsprüfungen gibt es Sonderprüfungen. Solche Sonderprüfungen werden im Falle von Beanstandungen u.ä. oder auf Wunsch des Gütezeicheninhabers durchgeführt.

Die Gütegemeinschaft führt dem RAL gegenüber den Nachweis, daß die ausgeübte Gütesicherung kontinuierlich erfolgt.

2.2 System der werkseigenen Kontrolle und der Fremdüberwachung

In der Gütesicherung für die verschiedenen Erzeugnisgruppen gibt es ein umfassendes Überwachungssystem. Hierbei wird zwischen der werkseigenen Kontrolle und der Fremdüberwachung unterschieden. Beide Arten der Überwachung dienen der Sicherstellung einer hohen Produktqualität.

Unter der werkseigenen Kontrolle versteht man die Erstellung und Ausführung eines betriebsinternen Systems der Qualitätskontrolle. Dies erstreckt sich nicht nur auf den Bereich der Endkontrolle des Produktes. Um Fehlerquellen frühzeitig zu erkennen und auszuschließen, sind die Bereiche der Rohstoffanlieferung und – behandlung und die gesamte Fertigung in die Eigenüberwachung einbezogen. Über alle Prüfungen und deren Ergebnisse werden lückenlose Betriebsaufzeichnungen geführt.

Diese müssen bei den Kontrollbesuchen den Prüfingenieuren der Gütegemeinschaft oder den Beauftragten der Materialprüfungsanstalten in vollem Umfang vorgelegt werden.

Eine wissenschaftlich fundierte Aussage über das Qualitätsniveau gefertigter Produkte ist nur aus der Überprüfung eines großen Ensembles dieser Erzeugnisse möglich. Deshalb ist die kontinuierliche und umfassende Eigenüberwachung überhaupt erst die Voraussetzung einer wirkungsvollen Fremdüberwachung. Bei vereinzelten Besuchen eines Fremdüberwachers kann immer nur eine im Sinne der Statistik kleine und vereinzelte Stichprobe bewertet werden. Diese Proben können aber nicht repräsentativ für die gesamte Fertigung sein. Nur aus einer Vielzahl von Prüfungen, die nach genau einzuhaltenden Regeln an kontinuierlich entnommenen Proben ausgeführt werden, sind Entwicklungstendenzen verschiedener Parameter der Erzeugnisqualität feststellbar.

Von der GKR wurde die werksinterne Qualitätskontrolle in den Herstellerwerken bewußt gefördert. Als Arbeitsgrundlage für die Fachkräfte in der Produktion sind zu diesem Zweck umfangreiche Vorlagen, Formblätter und Kontrollkarten erstellt worden. Diese Kontrollkarten sind für alle Hersteller einheitlich gestaltet. Sie sind so aufgebaut, daß man den Anforderungen an die Methoden einer statistischen Qualitätskontrolle gerecht wird. Die Größe des zu prüfenden Ensembles sowie Art und Ausführung der Prüfungen sind in den für das Erzeugnis zutreffenden Richtlinien enthalten. Inhalt und Form der Kontrollkarten sind auf die Forderungen in den Richtlinien abgestimmt.

Unter Fremdüberwachung versteht man die Erstellung und Ausführung eines Systems von Regeln, das die externe Kontrolle der Erzeugnisqualität und der betrieblichen Eigenkontrolle beinhaltet (Bild 6).

Gemäß den Ausführungsbestimmungen zum Überwachungsvertrag erfolgen die Überwachungsbesuche innerhalb der Fremdüberwachung für nahezu alle Erzeugnisgruppen mindestens dreimal im Jahr. Dabei werden zwei Besuche von den Prüfingenieuren der Gütegemeinschaft und ein Besuch vom Prüfbeauftragten des Materialprüfinstituts, mit dem der entsprechende Überwachungsvertrag abgeschlossen wurde, durchgeführt.

Diese Überwachungsbesuche sind wesentliches Element des gesamten Systems der Gütesicherung. Da sie zu einem beliebigen Zeitpunkt durchgeführt

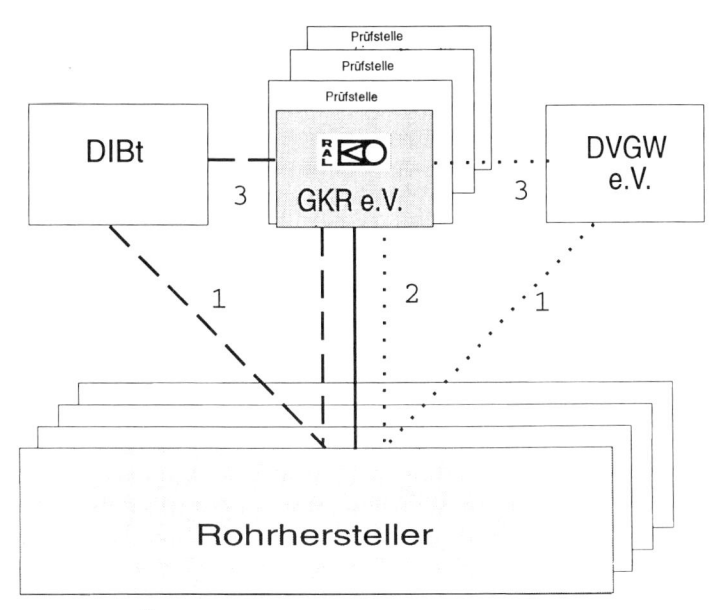

1 Antragstellung, 2 Überwachungstätigkeit, 3 Berichterstattung

Bild 6: Zusammenwirken der Beteiligten bei der Fremdüberwachung

werden können, stellen sie ein wirkungsvolles Kontrollinstrument dar. Bei den Besuchen der Fremdüberwachung wird die Durchführung der werksinternen Produktionskontrolle überprüft. Weiterhin werden Stichproben entnommen und den Materialprüfungsanstalten zugeleitet. Diese führen dann die geforderten Prüfungen durch und stellen ein Prüfzeugnis aus. Das Prüfzeugnis wird dem Hersteller und der GKR übermittelt. Für den Fall, daß eine Prüfung nicht bestanden wird, gibt es die Möglichkeit einer Wiederholungsprüfung.

2.3 Richtlinien und Arbeitsblätter

In den Richtlinien der Gütegemeinschaft ist festgelegt, wie die Gütesicherung erfolgt. Die Richtlinien enthalten die genauen Bestimmungen zur Durchführung aller Gütesicherungsmaßnahmen und sind jeweils auf ein Produkt bezogen. Alle Richtlinien haben prinzipiell den gleichen Aufbau. Sie enthalten Vorschriften zu folgenden Punkten:

- Geltungsbereich

- mitgeltende DIN-Normen und Regelwerke, z.B. KRV-Arbeitsblätter, Verlegerichtlinien

- Werkstoff, aus dem das Rohr/Formstück/die Rohrverbindung gefertigt ist

- Kennzeichnung
- Prüfungen durch den Hersteller (Eigenüberwachung)
- Nachweis über die Prüfungen in der Eigenüberwachung
- Prüfungen durch eine Materialprüfungsanstalt (Fremdüberwachung).

Art, Umfang und Häufigkeit aller erforderlichen Prüfungen sind genauso vorgeschrieben wie die Anforderungen, die bei allen Prüfungen erfüllt sein müssen. Gleichzeitig sind die Maßnahmen fixiert, die bei Nichteinhaltung dieser Anforderungen durchzuführen sind.

Die Richtlinien werden in gemeinsamer Verantwortung mit maßgebenden Abnehmerorganisationen wie Deutscher Verein des Gas- und Wasserfaches e.V. (DVGW), Abwassertechnische Vereinigung e.V. (ATV) und den Aufsichtsbehörden (DIBt) erstellt. Jede Richtlinie durchläuft das RAL-Anerkennungsverfahren.

Die Richtlinien sind Bestandteil des Gütesicherungsverfahrens. Es gibt auch Richtlinien, welche die Güteüberwachung von Erzeugnissen regeln, für die noch keine DIN-Vorschriften existieren.

Da es laufend technische Neuerungen gibt und sich auch die Verhältnisse hinsichtlich eines geforderten Qualitätsniveaus ändern, bedarf es einer ständigen Anpassung der Güterichtlinien an neue Erkenntnisse aus der Industrie, der Anwendungspraxis und der Prüftechnik. Von der GKR werden aus diesem Grund ständig alle Richtlinien dem aktuellen Stand angeglichen. Dies geschieht durch Überarbeitung und die Herausgabe von Neufassungen.

Die Arbeitsblätter sind durch Bezugnahme in den Richtlinien Bestandteil der Gütesicherungsvorschriften. In den einzelnen Arbeitsblättern sind weitergehende Bestimmungen, Handlungsanweisungen und Qualitätsvorschriften festgelegt. Die Arbeitsblätter stehen in engem Zusammenhang mit den jeweiligen Richtlinien und stellen eine wesentliche, auf die Anforderungen der Praxis zugeschnittene Arbeitsgrundlage dar.

Neben den Richtlinien und Arbeitsblättern gibt es noch weitere von der GKR entwickelte und herausgegebene Arbeitsmittel zur Qualitätssicherung. Dazu gehören zum Beispiel die Kontrollkarten für Formstücke und für Dichtungen aus Elastomeren, Auswerteblätter für die Auswertung von Zeitstandinnendruck-Prüfungen oder Organisationsblätter für die Führung von Kontrollkarten.

3 Prüf- und Registrierverfahren

3.1 Ausführung und Dokumentation der Prüfungen

Art, Umfang und Häufigkeit der durchzuführenden Prüfungen sind von der Art des gefertigten Erzeugnisses, dem verwendeten Material und den Einsatzanforderungen abhängig und sind deshalb in den verschiedenen Richtlinien der GKR erzeugnisgruppenabhängig aufgeführt.

Praktisch werden nahezu alle geforderten Prüfungen werksintern von den mit der Qualitätssicherung beauftragten Fachkräften ausgeführt. Es gibt jedoch auch die Möglichkeit, spezielle oder sehr aufwendige Prüfungen extern in Auftrag zu geben.

Bei der Vielzahl der existierenden Richtlinien ist es schwer möglich, eine überschaubare Zusammenfassung aller geforderten Prüfungen zu geben. Deshalb soll hier als Beispiel eine Teilübersicht über die Prüfungen im Bereich der Rohstoffeingangskontrolle für die Erzeugnisgruppen 14 bis 16 dargestellt werden. Es handelt sich dabei um Druckrohre aus PE-HD (Polyethylen hoher Dichte), die insbesondere für die Trinkwasserversorgung Anwendung finden. Gültigkeit hat in diesem Fall die Richtlinie R 14.3.1 der Gütegemeinschaft für Kunststoffrohre. Alle geforderten Prüfungen sind in dieser Richtlinie als Unterpunkte mit genauer Numerierung versehen (Tafel 1). Diese Numerierung wurde im nachfolgenden Text mit aufgenommen.

In der Eigenüberwachung des Rohstoffeingangs und der Fertigung sind gefordert:

PE-Eingangsprüfung (3.1.1)

– Schmelzindex (3.1.1.1)

Anforderung: Die Gleichmäßigkeit der Lieferung ist zu überprüfen. Gemessen wird der MFI bei 190 °C und einem Gewicht von 5 kg mit einer Genauigkeit von 0,1 g/10 min.

Prüfung: Nach ISO 1133

Häufigkeit: Bei jeder Rohstoffanlieferung.

– Trockenverlust (Massenanteil); 3.1.1.2

Anforderung: Der Trockenverlust soll kleiner als 0,1 % sein.

Prüfung: Nach einer GKR-Vorschrift, Anwendung verschiedener Geräte ist gestattet

Häufigkeit: Bei jeder Rohstoffanlieferung.

– Homogenität (3.1.1.3)

Anforderung: Die nicht homogen vermischten Stellen und Pigmentzusammenballungen sowie Blasen, Lunker und Fremdkörper dürfen nicht größer als 0,02 mm^2 sein.

Prüfung: Einhaltung der Forderung ist durch Werksbescheinigung des Lieferanten sicherzustellen.

Häufigkeit: Bei jeder Rohstoffanlieferung.

Tafel 1: Zusammenfassung der Prüfungen für Druckrohre aus PE-HD, insbesondere für TW-Anwendung

Anhang zur Richtlinie R 14.3.1

Es dürfen nur Werkstoffe eingesetzt werden, die in den GKR-Werkstofflisten geführt sind:

a) Zulassung der PE-Werkstoffe für Druckrohre (GKR-Werkstoffliste 1)
b) Zulassung der PE-Werkstoffe für Trinkwasserrohre (GRK-Werkstoffliste 2)
c) Zulassung der PE-Werkstoffe für Streifenmaterial und Formstücke für Trinkwasserrohre und -leitungen (GKR-Werkstoffliste 3)

Fehlen diese Voraussetzungen, sind die entsprechenden Nachweise zu erbringen.

Eigenschaften	Eigenüberwachung Häufigkeit/Aufzeichnung	Anforderung/Prüfung nach Abschnitt
Schmelzindex	Bei jeder Anlieferung	3.1.1.1
Trockenverlust	Bei jeder Anlieferung	3.1.1.2
Homogenität	Bei jeder Anlieferung [1]	3.1.1.3
Hygienische Unbedenklichkeit [2]	Bei jeder Anlieferung [1]	3.1.1.4
Geruchs- und Geschmacksprüfungen [2]	Bei jeder Anlieferung [1]	3.1.1.5
Kriechmodul [3]	Zweimal jährlich [1]	3.1.1.6
Farbe	Bei jeder Anlieferung [4]	3.1.1.7
Thermische Stabilität (OIT)	Bei jeder Anlieferung [1]	3.1.1.8

[1] Werkzeugnis bzw. Werksprüfzeugnis nach DIN EN 10 204
[2] Gilt nur für Werkstofftypen, die für Trinkwasserrohre und für Druckrohre allgemein, die mit TW gekennzeichnete sind, Anwendung finden.
[3] Gilt nur für Werkstoftypen, die für Abwasserdruckrohre Anwendung finden.
[4] Werksbescheinigung nach DIN EN 10 204

– Hygienische Unbedenklichkeit des Werkstofftyps für Trinkwasserleitungen (3.1.1.4)

Anforderung: Das Granulat für die Herstellung von Trinkwasserrohren sowie Streifenmaterial muß sich im Sinne des Lebensmittel- und Bedarfsgegenständegesetzes eignen und die Voraussetzungen gemäß KTW 1.3.2 erfüllen. Der Zusatz von Ruß als Stabilisator ist bis zu einer Menge von 2,5 % zulässig.

Prüfung: Der Rohstoffhersteller bestätigt durch ein Werkszeugnis 2.2 nach DIN EN 10204, daß die Rezeptur den Positivlisten der KTW-Empfehlung entspricht.

Häufigkeit: Bei jeder Rohstoffanlieferung.

- Forderungen zur Geruchs- und Geschmacksprüfung des Werkstofftyps (3.1.1.5)
- Forderungen zur Farbe der eingesetzten Werkstofftypen (3.1.1.7)
- Thermische Stabilität (Oxidations-Induktionszeit); 3.1.1.8
Anforderung: Bei 210°C 20 min nach ISO TR 10 837
Prüfung: Nach DIN EN 728. Die Einhaltung der Forderung ist bei der Bestellung dem Rohstofflieferanten vorzuschreiben und durch ein Werkszeugnis 2.2 nach DIN EN 10 204 sicherstellen zu lassen.
Häufigkeit: Bei jeder Anlieferung.

PE-Rohrextrusion

Die Extrudereinstellungen sind zu überwachen; wesentliche Produktionsdaten sind zu registrieren.

In der Kontrolle des Endproduktes sind folgende Prüfungen gefordert:

- Kennzeichnung
- Beschaffenheit
- Oberflächenbeschaffenheit
- Farbe
- Maße
- Schmelzindex
- Maßänderung und Verhalten nach Warmlagerung
- Homogenität nach Mikrotomschnitt
- Zeitstand-Innendruckversuch
- Hygienische Unbedenklichkeit des Rohres

Die Häufigkeit der Prüfungen kann Tafel 2 entnommen werden.

Für die Auswertung und Dokumentation der Prüfergebnisse wurden von der GKR verschiedene Unterlagen, vor allem die Kontrollkarten erstellt. Sie sind für alle Hersteller in identischer Form ausgeführt und ermöglichen deshalb eine effektive und qualitativ gleichwertige werkseigene Kontrolle. Dies gilt ebenso für die Überprüfung der werkseigenen Kontrolle während der Besuche im Rahmen der Fremdüberwachung.

So wird für Auswertung und Dokumentation bei der Kontrolle der Rohrmaße die Kontrollkarte K1/K2 verwendet (Bild 7). Zur ordnungsgemäßen Führung dieser

Tafel 2: Zusammenfassung der Prüfungen für Druckrohre aus PE-HD, insbesondere für TW-Anwendung Anhang zur Richtlinie R 14.3.1

Eigenschaften	Eigenüberwachung Prüfung	Eigenüberwachung Häufigkeit je Extruder und Dimension Aufzeichnung	Fremdüberwachung Überwachungsprüfung Materialprüfungsanst.	Fremdüberwachung Zulassungsprüfung [1]	Verleihungsprüfung	Anforderung nach Abschnitt	Prüfung nach Abschnitt
Kennzeichnung	regelmäßig	täglich	x	–	–	2	2
Beschaffenheit	regelmäßig	alle 2 h	x	x	x	3.2.1.1	3.2.1.2
Oberflächenbeschaffenheit	regelmäßig	alle 2 h	x	x	x	3.2.2.1	3.2.2.2
Farbe	regelmäßig	alle 2 h	x	x	x	3.2.3.1	3.2.3.2
Maße	regelmäßig	alle 2 h	x	x	x	3.2.4.1	3.2.4.2
Schmelzindex	1 x pro Woche [2]		x [3]	x [3]	x	3.2.5.1	3.2.5.2
Warmbehandlung	1 x pro Woche [4]		x	x	x	3.2.6.1	3.2.6.2
Homogenität	1 x pro Woche [5]		x	x	x	3.2.7.1	3.2.7.2
Zeitstand-Innendruckversuch	1 x pro Woche [6]		x [7]	x [7]	x [8]	3.2.8.1	3.2.8.2
Hygienische Unbedenklichkeit	–		x [9]	x	x	3.2.10.	3.2.10.2

[1] an einer Abmessung einer Erzeugnisgruppe
[2] bei jeder Abmessung und jedem Wechsel des Werkstofftyps
[3] Überprüfung des MFR-Wertes mit der auf dem Rohr gekennzeichneten MFI-Gruppe; zulässige Meßfehlergrenze ±0,1 g/10 min
[4] von jeder Maschine sowie bei jedem Wechsel des Werkstofftyps
[5] sowie bei jedem Wechsel des Werkstofftyps [6] sowie nach jedem Anfahren [7] nach Abschnitt 5.3.3
[8] nach Abschnitt 5.3.1.1 [9] 1 x pro Jahr sowie beim ersten Einsatz eines weiteren Werkstofftyps

Kontrollkarten gibt es noch zusätzlich die entsprechenden Anleitungen in Form der Organisationsblätter.

Zur Dokumentation der Kontrolle der Muffenmaße wird die Kontrollkarte K3 verwendet. Insgesamt existieren zur Zeit 18 Kontrollkarten für die verschiedensten Anwendungsbereiche der Prüfung von Rohren, Formstücken, Muffen und Dichtungen.

Umfangreiche Auswertehilfsmittel sind auch für die Dokumentation der Zeitstandinnendruck-Prüfung erarbeitet worden.

Allen Auswerte- und Dokumentationsunterlagen der GKR ist gemein, daß sie nach der Methode der statistischen Qualitätskontrolle aufgebaut sind und dem ausführenden Prüfer die Kontrolle und Bewertung des Qualitätsniveaus übersichtlicher und einfacher gestalten.

Aus Gründen einer langfristigen Überprüfung und Beobachtung der Gütesicherung bei Kunststoffrohren werden die Dokumentationen zur werkseigenen Produktionskontrolle mindestens fünf Jahre lang aufbewahrt.

In den Richtlinien der Gütegemeinschaft ist festgelegt, daß die Dokumentation der durchzuführenden Prüfungen sowie deren Auswertung auch in einer anderen Form als in den von der GKR entwickelten Aufzeichnungsunterlagen erfolgen kann. Der geforderte Inhalt muß jedoch in jedem Fall nachgewiesen werden. Dies ermöglicht dem Hersteller, auch selbstentwickelte Dokumentationsformen zu verwenden. Unter Umständen sind diese den betrieblichen Gegebenheiten besser angepaßt oder bestehen schon seit lägerer Zeit. Eine aufwendige Umstellung wäre in diesem Fall unangemessen. Eine solche betriebsinterne Dokumentation muß aber mit der Gütegemeinschaft abgestimmt sein. Dies ergibt sich schon aus der Forderung, die dem Regelwerk der Gütegemeinschaft entsprechende Fremdüberwachung durchzuführen.

Mit starkem Zuwachs werden heute computergestützte Datenerfassungssysteme für Kontroll- und Prüfprozesse angewandt. Die Dokumentationsformulare sind dabei teilweise in die Dokumentationssysteme nach ISO 9000 ff integriert.

3.2 Einbindung der europäischen Normung und Zertifizierung nach ISO 9000 ff

Neben Änderungsprozessen, die sich aus einer Zertifizierung nach ISO 9000 ff ergeben, hat die europäische Normungsarbeit vielfach Einfluß auf die Gütesicherung, auch bei Kunststoffrohren.

Da dieser Prozeß erfahrungsgemäß viele Jahre dauert, sind auch langfristig weitere Veränderungen in den Normen zu erwarten. Das betrifft sowohl den Bereich der Anwendungsnormen als auch die Prüfnormung.

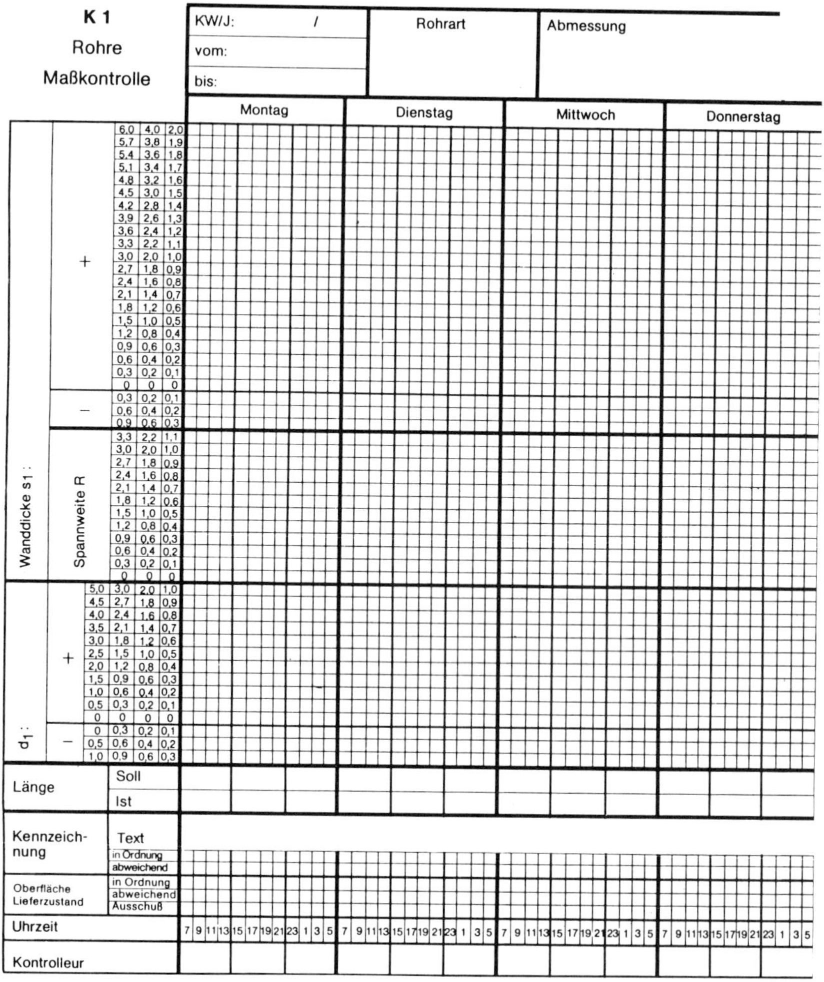

Bild 7: Kontrollkarte K1 zur Dokumentation der Maßprüfung für Rohre

Auf Veränderungen in der Normung kann die Gütegemeinschaft jederzeit reagieren. Durch die ständige Anpassung der Richtlinien an neue Erkenntnisse oder Regelungen ist das Wirksamwerden des europäischen Normungsprozesses gesichert. Zudem leistet ja die Gütegemeinschaft in Zusammenwirken mit dem Kunststoffrohrverband e.V. Bonn selbst einen erheblichen Beitrag zu Erarbeitung von Normen.

Gütegemeinschaft Kunststoffrohre

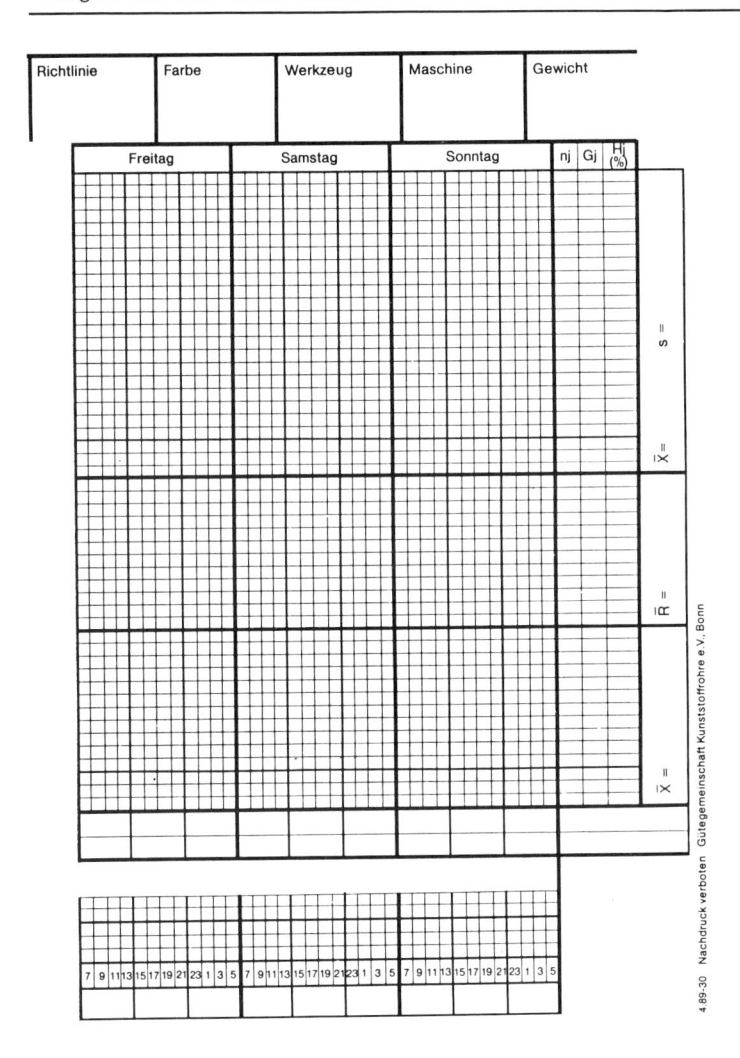

Alle Veränderungen in den Normen, die sich durch die europaweite Harmonisierung ergeben, werden bei der Herausgabe neuer und Überarbeitung der vorhandenen Richtlinien sofort umgesetzt.

Zunehmend sind die Unternehmen der Kunststoffrohrindustrie in der Lage, den Nachweis der Einführung eines Qualitätssicherungssystems nach ISO 9000 ff über ein entsprechendes Zertifikat zu führen. Die Gütegemeinschaft hat ihre

Mitglieder dabei mittels eines Musterhandbuchs unterstützt. Eine ganze Reihe der von der GKR herausgegebenen Auswerte- und Dokumentationsmittel sind direkt oder in geringfügig abgewandelter Form von den Rohrherstellern erfolgreich bei der Erstellung ihrer Dokumente für die Auditierung verwendet worden; ein Beweis für die hohe Qualität und Aktualität dieser Hilfsmittel.

4 Kennzeichnung der güteüberwachten Erzeugnisse

4.1 Kennzeichnung mit dem RAL-Gütezeichen

Die Kennzeichnung von Rohren ist zwingend notwendig und auch vorgeschrieben. Dies hat mehrere Gründe. Zunächst muß für Außenstehende erkennbar sein, um was für eine Art von Erzeugnis es sich überhaupt handelt; nicht immer ist dies aus der Form und Farbe des Produkts zweifelsfrei abzuleiten. Aus der Kennzeichnung entnimmt der Anwender wichtige Informationen. Sie erleichtert die Handhabung und Nutzung der Kunststoffrohre/Formstücke/Dichtungen. nicht nur während des Bauprozesses, sondern auch für den Fall technischer Veränderungen an den Systemen nach langer Betriebszeit. Die Überprüfung der Kennzeichnung ist Bestandteil der Überwachung.

Art und Umfang der Kennzeichnung gütegesicherter Kunststoffrohre sind wie die geforderten Prüfungen in den gültigen Richtlinien der GKR vorgeschrieben. Als Beispiel soll hier die geforderte Kennzeichnung für die Erzeugnisgruppen 14, 15 und 16 dargelegt werden.

Diese Rohre sind fortlaufend und dauerhaft – in Abständen von etwa einem Meter – mit folgenden Angaben zu kennzeichnen:

Herstellerzeichen	z.B. xyz
Gütezeichen	RAL-Gütezeichen
Rohrtyp und ggf.MFI-Gruppe	PE-HD 010
DIN-Nr. und ggf. Anwendung	DIN 8074/75 TW
Nenndruck	PN 6
Außendurchmesser x Wanddicke	63 x 3,6
Herstellungsdatum	151095
Maschinennummer	7

Rohre für die Trinkwasserversorgung nach DIN 19533 sind zusätzlich mit dem DVGW-Zeichen und der erteilten Prüfnummer zu kennzeichnen. Rohre, die der KTW-Empfehlung entsprechen, können mit der Anwendungsbezeichnung TW (Trinkwasserqualität) gekennzeichnet werden.

Erzeugnisse, die speziellen, in den Richtlinien und Arbeitsblättern der GKR fixierten Anforderungen genügen, können dann auch mit zusätzlichen Kennzeichnungen versehen sein, zum Beispiel: „Safety-Rohr".

Bei Erzeugnissen, die der bauaufsichtlichen Überwachung unterliegen, kommt die entsprechende Kennzeichnung hinzu. Die Z.Nr. (früher PA-Nr.) wird vom DIBt vergeben und verwaltet.

Die Kennzeichnung von Erzeugnissen der Erzeugnisgruppen 23 und 24 muß demnach folgendermaßen ausgeführt sein:

Herstellerzeichen	z.B. xyz
Gütezeichen	RAL-Gütezeichen
Nennweite (bei Formstücken auch Angabe der Winkelgrade bzw. der Abgänge)	DN 100-67°
DIN-Nr.	DIN 19560
Herstellungsdatum	1995
Nr. des Zulassungsbescheides	PA I xxxx (bei Erzeugnissen neuerer Produktion Z.Nr.)

Bei Rohren ist diese Kennzeichnung in Abständen von höchstens einem Meter anzubringen, bei Baulängen mit angeformter Muffe genügt eine einmalige Kennzeichnung. Zusätzlich sind Angaben über Werkstoffe, Brandverhalten (DIN/Brandverhalten) sowie Verarbeitung und Anwendungsbeschränkungen aufzubringen. Bei Rohren sind diese Angaben als farbiger Schriftzug auszuführen. Die Schrifthöhe ist vorgeschrieben. Bei Formstücken kann der entsprechende Text eingeprägt oder mit Hilfe einer Klebmarke aufgebracht sein. Rohre mit kurzen Längen (bis 500 mm) können auch wie Formstücke gekennzeichnet werden. Rohre können zusätzlich mit DIN 53548 K 1 – in roter Schrift – gekennzeichnet werden, wenn der Nachweis im Rahmen der Prüfung des Brandverhaltens erbracht wurde.

Mit dem Gütezeichen für Kunststoffrohre dürfen vom Hersteller nur solche Erzeugnisse gekennzeichnet sein, die der Gütegrundlage entsprechen und für die das Gütezeichen verliehen worden ist.

Eine spezielle Kennzeichnungstechnologie ist durch die Gütegemeinschaft nicht zwingend verlangt. Jedoch muß die Forderung der Dauerhaftigkeit und Lesbarkeit mit der jeweils angewandten Technologie erfüllt sein. Für PE-Rohre hat sich zum Beispiel das Verfahren der Prägung mit einem Stempel bei gleichzeitigem Einsatz eines Farbbandes bewährt. Die technische Ausführung der Kennzeichnung ist vom eingesetzten Material und fertigungstechnischen Bedingungen abhängig.

4.2 Kennzeichnungsvorschriften anderer Institutionen

Die im Abschnitt 4.1 beschriebenen Kennzeichnungen sind eine Mindestforderung. Das bedeutet, daß neben dieser Kennzeichnung auch weitere Kennzeichnungen auf dem Erzeugnis vorhanden sein können; in der Praxis trifft dies oft zu.

Besonders zu beachten sind die Kennzeichnungsvorschriften für Bauprodukte, deren Übereinstimmungsnachweis über die Einhaltung der Forderungen eines allgemeinen bauaufsichtlichen Zulassungsbescheides erbracht werden muß. Die Fremdüberwachung und die daraus folgende Kennzeichnung mit dem Gütezeichen für Kunststoffrohre wird in der Praxis sinnvoll mit dem in der Musterbauordnung der Länder geforderten Übereinstimmungsnachweis verknüpft. Wichtig ist dann aber die zusätzliche Kennzeichnung mit der Nummer des allgemeinen bauaufsichtlichen Zulassungsbescheides – der Z.-Nr.

Auch von der KIWA, dem niederländischen Pendant zur Gütegemeinschaft, wird ein Qualitätszeichen verliehen. Die KIWA führt nach ihrem Regelwerk in bestimmten Abständen Fremdüberwachungsbesuche durch. Sie fordert ebenfalls eine werkseigene Produktionskontrolle beim Hersteller.

Neben den Gütezeichen im Sinne des RAL-Gütezeichens werden die Erzeugnisse gegenwärtig auch mit den entsprechend zutreffenden nationalen Normen und Qualitätszeichen versehen.

Mit der Harmonisierung des europäischen Normenwesens wurde die Notwendigkeit bzw. der Nutzen nationaler GZ gelegentlich in Frage gestellt. Insbesondere bezieht man sich bei dabei immer wieder auf das CE-Zeichen. Das CE-Zeichen (Übereinstimmungszeichen) ist ein Kennzeichen dafür, daß ein Produkt mit einer bestimmten europäischen Norm übereinstimmt. Qualitätszeichen wie das RAL-Gütezeichen für Kunststoffrohre symbolisieren im Gegensatz dazu ein höherliegendes Qualitätsniveau. Die der Vergabe und Führung dieses Zeichens zugrunde liegenden Maßnahmen gehen über den allgemeinen Standard hinaus.

Umfang, Häufigkeit und spezielle Ausführung der von anderen Gütezeichenerteilern verlangten Prüfungen gehen nicht in jedem Fall mit den Forderungen der GKR konform. Sie dienen aber ebenso dem Ziel, die hohe Qualität der Erzeugnisse der Kunststoffrohrindustrie zu wahren und zu verbessern.

Teil VII
Anwendungsgebiete

Anwendungsgebiete

Kunststoffrohr-Systeme

Trinkwasserversorgung
- Verteilungsnetze
- Hausanschlußleitungen
- Trinkwasserhausinstallation

Schutzrohrsysteme
- Fernmeldeleitungen
- Fernwirkanlagen
- Stromversorgung
- Signalanlagen

Gasversorgung
- Verteilungsnetze
- Hausanschlußleitungen
- Flüssiggasleitungen

Sonstige Anwendungsgebiete
- Industrieleitungen
- Schiffbauleitungen
- Dükerleitungen
- Beregnungsanlagen
- Brunnentechnik
- Wasseraufbereitung
- Schwimmbadtechnk
- Druckluftleitungen
- Abgastechnik
- Klärwerkstechnik
- Landwirtschaftliche Dränung
- Lebensmittelindustrie
- Versickerungsleitungen
- Sickerleitungen
- Deponiebau
- Lüftungsleitungen
- Kühldecken
- Vortriebsrohre
- Rauchgasreinigungsanlagen
- Sanierungsverfahren

Abwasserkanäle, -leitungen und Schächte
- Abwasserleitungen (Hausabfluß)
- Dachentwässerung
- Gebäudedränage
- Grundstücksentwässerung und Kanalisation
- Abwasserrohre für Wasserschutzgebiete
- Abwasserdruckleitungen

Heizungstechnik
- Fußbodenheizung
- Heizkörperanbindungen
- Freiflächenheizung
- Fernwärmeversorgung

Anwendungsgebiete

Kunststoffrohr-Werkstoffe

• PVC-U	Polyvinylchlorid weichmacherfrei
• PVC-HI	Polyvinylchlorid weichmacherfrei, erhöht schlagzäh
• PVC-C	nachchloriertes Polyvinylchlorid
• PVC-U Modifikationen	Polyvinylchlorid weichmacherfrei - mineralverstärkt - kerngeschäumt
• PE-HD	Polyethylen hoher Dichte in - PE 80 - PE 100
• PE-LD	Polyethylen niederer Dichte
• PE-X	vernetztes Polyethylen
• PB	Polybuten
• PP	Polypropylen in - PP-H (100) - PP-B (80) - PP-R (80)
• PP Modifikationen	Polypropylen - mineralverstärkt - schwerentflammbar
• ABS	Acrylnitril-Butadien-Styrol
• ASA	Acrylester-Styrol-Acrylnitril
• ABS/ASA/PVC-U	Polymerblend aus Styrol-Copolymerisaten - mit mineralverstärkter Außenschicht - ohne mineralverstärkte Außenschicht
• PVDF	Polyvinylidenfluorid
• PA	Polyamid
• GFK	Glasfaserverstärkte Kunststoffe aus - ungesättigtem Polyesterharz (GF-UP) - Epoxidharz (GF-EP) - Phenacrylatharz (GF-PHA)
• PE-X/Al ...	Verbundwerkstoff aus vernetztem Polyethylen/Aluminium mit - PE-X Außenschicht - PE-HD Außenschicht

1 Trinkwasserversorgung

H. B. SCHULTE

Der Wasserbedarf in den alten Bundesländern konnte 1994 zu 66,3 % aus echtem Grundwasser – unterirdisch anstehendem Wasser ohne Uferfiltrat und angereichertem Grundwasser – gedeckt werden.

Am Gesamtaufkommen der Wasserförderung ist das Oberflächenwasser mit 25,4 % beteiligt gewesen. Es beinhaltet die Wasserarten

- Uferfiltrat
- angereichertes Grundwasser
- Flußwasser
- Seewasser
- Talsperrenwasser.

Das Quellwasser – örtlich begrenzter natürlicher Grundwasseraustritt, auch nach künstlicher Fassung, allerdings ohne Überlaufwasser – hat 1994 zum Gesamtaufkommen mit 8,3 % beigetragen.

Die Gesamtförderung der in der BGW-Statistik geführten ca. 1.500 Versorgungsunternehmen lag insgesamt bei knapp 5 Mrd. m^3. Da es neben den statistisch geführten Unternehmen in der Bundesrepublik Deutschland noch eine Vielzahl kleinerer Wasserversorgungsunternehmen gibt, die nicht in der Statistik erscheinen, kann von einer Gesamtförderung mit deutlich über 5 Mrd. m^3 Trinkwasser pro Jahr ausgegangen werden.

Regional gesehen stellt sich der spezifische Wasserverbrauch für die alten Bundesländer in Litern je Einwohner und Tag wie folgt dar:

Land	versorgte Einwohner 1.000	spezifischer Wasserverbrauch je Einwohner und Tag in Litern
Schleswig-Holstein	2.283	155
Hamburg	1.964	162
Niedersachsen	7.309	137
Bremen	695	147
Nordrhein-Westfalen	18.094	140
Hessen	5.180	132
Rheinland-Pfalz	4.029	133
Baden-Württemberg	6.303	133
Bayern	6.919	151
Saarland	1.092	121
Berlin	3.479	133

Trinkwasserverteilungsanlagen 183

1.1 Trinkwasserverteilungsanlagen

H. B. SCHULTE und B. KUHNHENN *)

1.1.1 Bedeutung

Trinkwasserverteilungsanlagen in den alten Bundesländern sind z. B. von 1985 bis 1994 wertmäßig mit über 63 % am Gesamtumfang der Trinkwasserversorgungsanlagen beteiligt.
Die regionale Aufteilung in 1993 ergibt folgendes Bild:

Land	Rohrnetz		Gesamtinvestitionen
	TDM	%	TDM
Schleswig-Holstein und Hamburg	90.244	55,2	163.358
Niedersachsen und Bremen	234.222	64,9	360.638
Nordrhein-Westfalen	440.673	57,3	768.719
Hessen	189.350	68,6	275.963
Rheinland-Pfalz	191.384	61,8	309.967
Baden-Württemberg	285.805	69,3	412.372
Bayern	258.228	55,7	463.557
Saarland	45.991	75,5	60.907
Berlin	99.356	33,5	296.324
Brandenburg	45.887	61,9	74.073
Mecklenberg-Vorpommern	34.265	39,1	87.553
Sachsen	254.701	56,8	448.012
Sachsen-Anhalt	115.087	58,9	195.305
Thüringen	87.878	73,5	112.831

Der Auswahl der Formstsücke und dem Korrosionsschutz kommt daher eine besondere Bedeutung im Hinblick auf Versorgungssicherheit und Nutzungsdauer zu, zumal Reparaturen meistens mit besonderen Problemen (Verkehrsbehinderung, Unterbrechung der Versorgung) verbunden sind.

---

*) Autoren aller Abschnitte innerhalb des Kap. 1.1, sofern kein anderer Autor angegeben ist.

Daher sind verschiedene technische und wirtschaftliche Gesichtspunkte [1] bei der Planung von Rohrleitungen und Rohrnetzen zu beachten:

- hohe Versorgungssicherheit
- Gesamtwirtschaftlichkeit (geringe Jahreskosten aus Kapitaldienst, Betrieb und Instandhaltung)
- einfache Erweiterungsmöglichkeiten
- keine nachteilige Beeinflussung des Trinkwassers
- einfache Überwachung von Netzteilen

Diese Vorstellungen lassen sich aber kaum gemeinsam verwirklichen. Zweckmäßig ist daher die Gewichtung der Ziele. Im DVGW-Merkblatt W 403 wird z. B. bezüglich des Rohrwerkstoffes ausgeführt, daß

- der Einfluß auf den Kapitaldienst gering ist
- durch die Verwendung besonders geeigneter Rohre der Betriebs- und Instandhaltungsaufwand verringert wird

- durch geringe Störanfälligkeit die Versorgungssicherheit erhöht wird
- die Förderkosten durch Ablagerungen und die damit verbundene Erhöhung der Rauhigkeit mittelbar beeinflußt werden.

Hinsichtlich des Korrosionsschutzes wird u. a. ausgeführt, daß

- erhöhte Baukosten den Kapitaldienst beeinflussen
- durch weniger Schäden der Betriebs- und Instandhaltungsaufwand gering zu halten ist
- die Versorgungssicherheit erhöht ist.

1.1.2 Einsatz von Kunststoffrohren

Bereits in den 50er Jahren wurde in der Trinkwasserversorgung damit begonnen, vermehrt Druckrohre aus PVC-U und PE-HD einzusetzen. Die positiven Eigenschaften wie

- Korrosionssicherheit und -beständigkeit
- chemische Beständigkeit gegenüber aggressiven Böden und Wässern
- Glattwandigkeit und damit geringe Druckverluste
- gute Flexibilität und geringes Gewicht
- Dichtheit der Verbindungen und nachgewiesenes Langzeitverhalten
- toxikologische Unbedenklichkeit

führten schnell zu beachtlichen Marktanteilen.

Inzwischen stehen bewährte Verbindungen, ein breites Sortiment an Formstücken, Fittings und Armaturen zur Verfügung und verschaffen den Versorgungsleitungen aus Kunststoff in der deutschen Versorgungswirtschaft Vorteile im Wettbewerb mit traditionellen Rohrwerkstoffen.

Die vom Bundesverband der Gas- und Wasserwerke veröffentlichte Ausgabe der BGW-Wasserstatistik für 1993 läßt nach wie vor einen ungebrochenen Trend der deutschen Wasserwirtschaft zu PVC-U- und PE-HD-Druckrohren erkennen: seit dem Einsatzbeginn hat sich der Kunststoffanteil auf 31,4 % eindrucksvoll entwickelt (Bild 1). Analysiert man allein die jährliche Neuverlegung in Verteilernetzen, erreichen Kunststoffrohre einen kontinuierlichen Anteil von weit über 60 % (Bild 2). Dieser Anteil ist um so beeindruckender, als in einigen wenigen Regionen der Bundesrepublik Deutschland traditionell kaum Kunststoffrohre in Verteilernetzen zum Einsatz kommen, während in bestimmten Gebieten – vornehmlich in ländlichen Bereichen – nahezu ausschließlich Kunststoffrohre verlegt werden.

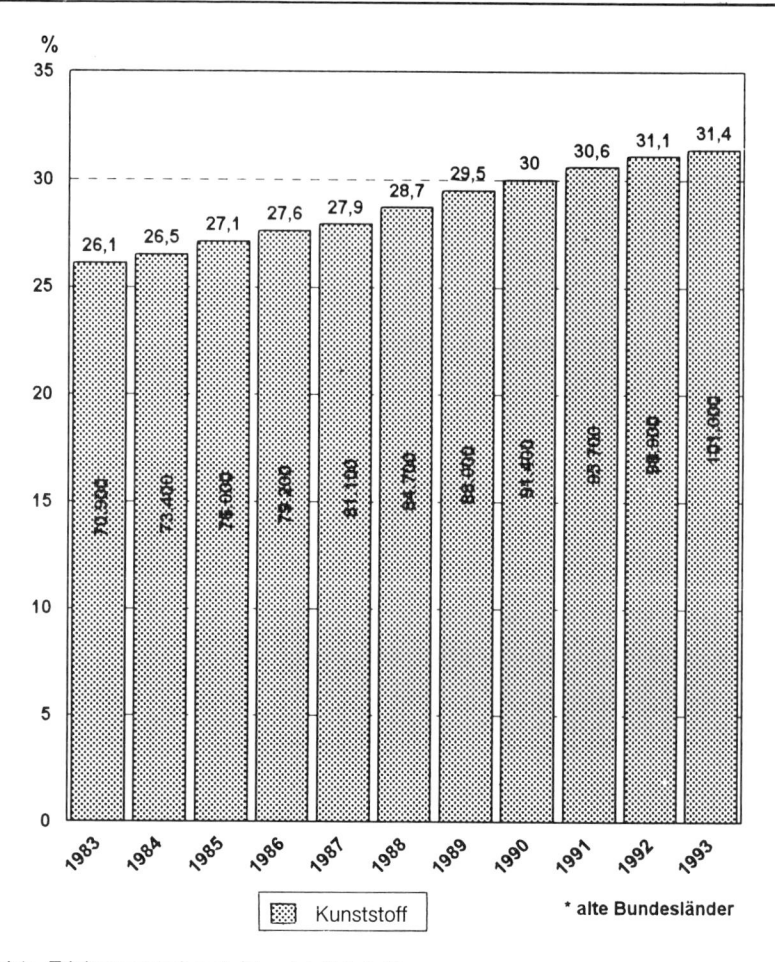

Bild 1: *Trinkwasserrohrnetz/Kunststoff-Anteil**

1.1.3 Beispiel eines Trinkwasserverteilungssystems

Eine Trinkwasserverteilungsanlage besteht aus folgenden Leitungsarten:

- Zubringerleitungen
- Hauptleitungen
- Versorgungsleitungen
- Anschlußleitungen

Trinkwasserverteilungsanlagen 187

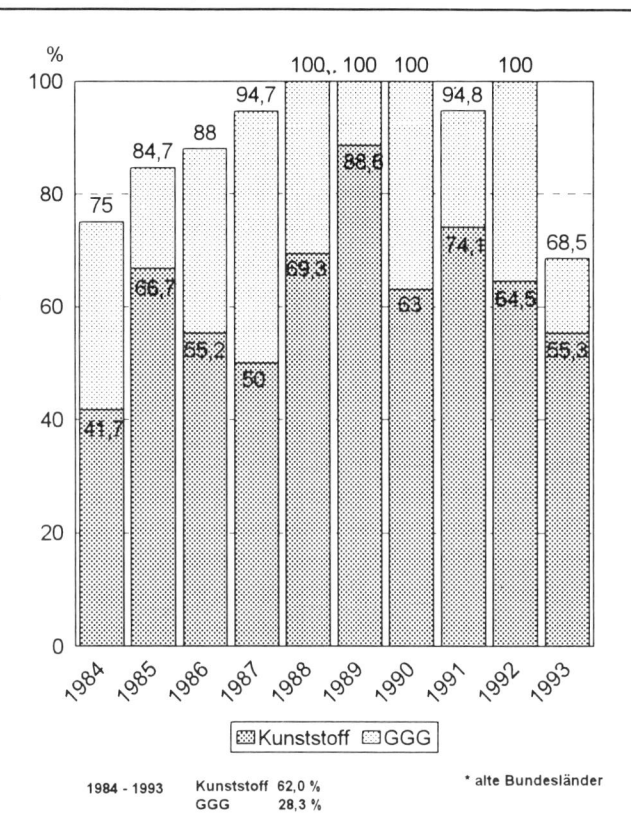

Bild 2: Materialaufteilung Trinkwasserrohrnetz*

1984 - 1993   Kunststoff 62,0 %
              GGG   28,3 %

* alte Bundesländer

Zubringerleitungen

Zubringerleitungen verbinden die Wassergewinnung, Wasseraufbereitungsanlagen und Wasserbehälter mit dem Versorgungsgebiet, ohne daß üblicherweise eine direkte Verbindung zum Verbraucher besteht.

Die Leitungen werden auf kurzem Wege – möglichst unter Umgehung von Ortschaften – durch freies Gelände geführt.

Hauptleitungen

Über Hauptleitungen wird die Verteilerfunktion innerhalb eines Versorgungsgebietes erzielt. Sie haben üblicherweise keine direkte Verbindung zum Verbraucher.

Empfohlen wird, die Leitungen in vertretbaren Abständen
- bei Zubringerleitungen 5 km
- bei Hauptleitungen 2 km

mit Absperrarmaturen zu versehen. Zwischen Streckenabsperrarmaturen empfiehlt es sich, Vorrichtungen zur Druckabsenkung anzubringen. Die Teilstrecken müssen möglichst auch zu entleeren sein. Sofern wartungsbedürftige Leitungsteile untergebracht werden müssen, sollten diese in Gebäuden und Schächten angeordnet werden.

Da im Wasser gelöste Luft bei steigender Temperatur und abnehmendem Innendruck ausgast und sich in Leitungsabschnitten mit geringem Gefälle und an geodätischen sowie hydraulischen Hochpunkten sammelt, müssen Be- und Entlüftungsmöglichkeiten vorhanden sein, damit Querschnittsveränderungen, Druckverluste und Druckstöße vermieden werden. Mit zunehmender Fließgeschwindigkeit und Blasengröße sowie abnehmendem Rohrleitungsgefälle hinter dem Hochpunkt kann jedoch auch die Luftblase in Fließrichtung gezogen und schließlich mitgerissen werden. An Zubringer- und Hauptleitungen, in denen eine bestimmte Grenzfließgeschwindigkeit täglich mindestens einmal überschritten wird, ist mit störenden Luftansammlungen an Hochpunkten nicht zu rechnen. Selbsttätig arbeitende Be- und Entlüfter sind daher nicht erforderlich.

Versorgungsleitungen

Versorgungsleitungen übernehmen die Verteilung bis unmittelbar zur Anschlußleitung. Diese Leitungsabschnitte wie auch die Hauptleitungen werden in der Regel innerhalb der öffentlichen Verkehrsflächen untergebracht, möglichst längs der Straße oder – falls möglich – in Bürgersteigen und Randstreifen. Sie werden grundsätzlich auf der Straßenseite angeordnet, auf der die meisten Hausanschlüsse erwartet werden. Bei breiten, mehrspurigen Fahrbahnen werden auch beidseitig Leitungen untergebracht. Es empfiehlt sich, Ringverbindungen vorzusehen. Endleitungen sollen unmittelbar mit dem letzten Abgang – gegebenenfalls mit einem Hydranten – enden, da Stagnationen minimiert werden müssen, um unmittelbare Beeinträchtigungen der Wasserqualität zu vermeiden. Falls nötig, sind Spülmöglichkeiten vorzusehen. Sofern Fahrbahnkreuzungen vorzunehmen sind, sollten diese rechtwinklig angeordnet werden.

Leitungen, die parallel zu Schmutz- und Mischwasserkanälen verlaufen oder diese kreuzen, sollten oberhalb dieser Kanäle angeordnet werden. Anderenfalls sind geeignete Maßnahmen zu ergreifen, um das Eindringen von verunreinigtem Wasser in die Trinkwasserleitungen auszuschließen.

Hausanschlußleitungen

Hausanschlußleitungen übernehmen die Trinkwasserverteilung zum Verbraucher hin und sollten möglichst geradlinig, rechtwinklig und auf kürzestem Wege

Trinkwasserverteilungsanlagen   189

von der Versorgungsleitung zum Gebäude geführt werden. Die Trasse sollte frei von Hindernissen sein, damit sie leicht zugänglich und einfach zu überwachen ist. Sie ist frostfrei und soweit möglich mit gleichmäßiger Steigung zum Gebäude hin auszuführen. Bei Leitungsgefällen zum Gebäude kann eine seitliche Anbohrung zweckmäßig sein. Für Absperrzwecke ist eine Absperrarmatur und/oder eine Anbohrarmatur mit Betriebsabsperrung vorzusehen.

Parallel zur Trassenwahl im Grundriß wird ein Längsschnitt erstellt, der Auskunft über Hochpunkte, Tiefpunkte und Druckverhältnisse gibt.

1.1.4 Druckzonen

Hauptleitungen, Versorgungsleitungen und Hausanschlußleitungen sind mindestens für PN 10 auszulegen (Bild 3). Der höchste Druck ohne Druckstöße soll etwa 2 bar unter dem Nenndruck der Leitung liegen.

Nenndruck PN 10	10 bar
Reserve für Druckstöße	
In der Regel höchster Ruhedruck	8 bar
Druckminderer in der Verbrauchsanlage	6 bar
Empfohlener Ruhedruck im Schwerpunkt einer Druckzone	5 bar

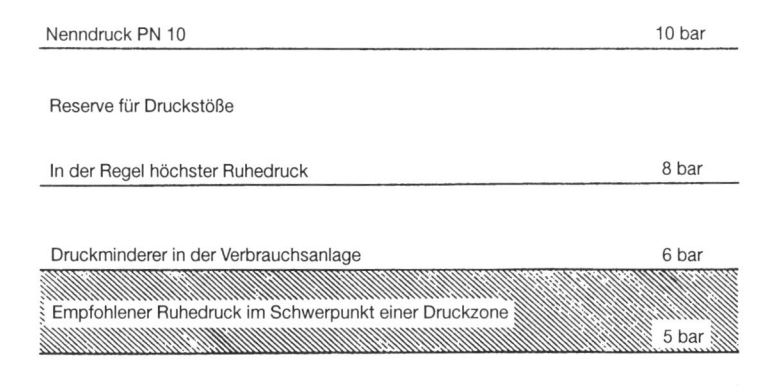

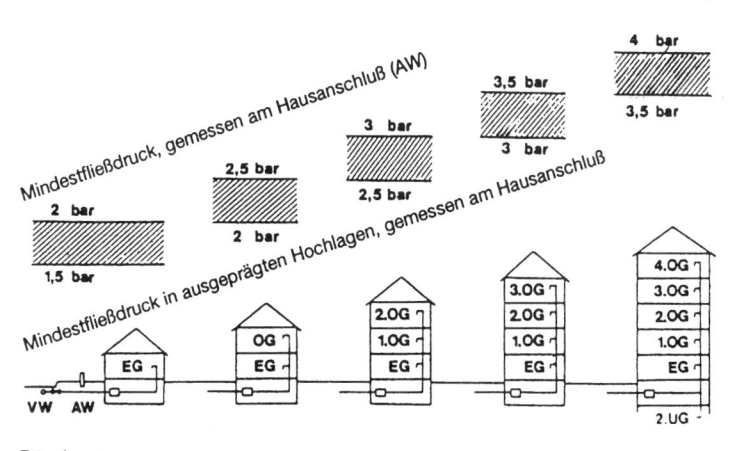

Bild 3: Druckzonen

In Gebieten mit ausgeprägten Tief- und Höhenlagen müssen zur Einhaltung eines ausreichenden Versorgungsdruckes einzelne Druckzonen geschaffen werden (Bild 4). Jede Druckzone ist als selbständige Versorgung anzusehen und sollte über eigene Speicher verfügen. Die Druckzonen sind durch zu kennzeichnende Schieber voneinander getrennt.

Stehen durch die topographischen Verhältnisse und Versorgungsgegebenheiten zu hohe Drücke an, so können diese durch Druckunterbrecherbehälter oder Druckminderer reduziert werden.

In Fällen, in denen die Versorgungsdrücke in einem Gebiet nicht ausreichend sind, werden die entsprechenden Zonen über Druckerhöhungsanlagen versorgt. Für einzelne hochgelegene Gebäude sollen keine Druckzonen eingerichtet werden.

Die Versorgung der einzelnen Druckzonen kann über einen eigenen Hochbehälter, über Druckminderer oder Druckunterbrecher aus einer höhergelegenen Druckzone oder über eine Druckerhöhungsanlage aus einer tiefergelegenen Druckzone realisiert werden.

Der Versorgungsdruck ist gemäß DVGW-Merkblatt W 403 so zu bemessen, daß am Hausanschluß unmittelbar vor dem Wasserzähler folgende Mindestdrücke nicht unterschritten werden:

empfohlener Versorgungsdruck, gemessen am Hausanschluß	neue Netze	bestehende Netze
für Gebäude mit EG	2,00 bar	2,00 bar
für Gebäude mit EG und 1 OG	2,50 bar	2,35 bar
für Gebäude mit EG und 2 OG	3,00 bar	2,70 bar
für Gebäude mit EG und 3 OG	3,50 bar	3,05 bar
für Gebäude mit EG und 4 OG	4,00 bar	3,40 bar

Falls Rohrnetze auf dieser Grundlage bemessen werden, steht bei sachgerechter Auslegung der Wasserverteilungsanlagen innerhalb des Gebäudes ein Mindestdruck von ca. 1 bar an der ungünstigst gelegenen Wasserentnahmestelle zur Verfügung.

1.1.5 Hydraulische Bemessung

Neu zu planende Wasserversorgungsanlagen bzw. Erweiterungsbauwerke sollen nicht nur den derzeitigen Versorgungsverhältnissen Rechnung tragen, sondern sie müssen auch langfristig die Trinkwasserversorgung sicherstellen. Die Anlagen sind daher unter Berücksichtigung des zukünftig zu erwartenden Be-

Vogelsang
Druckrohre
Gas
Wasser

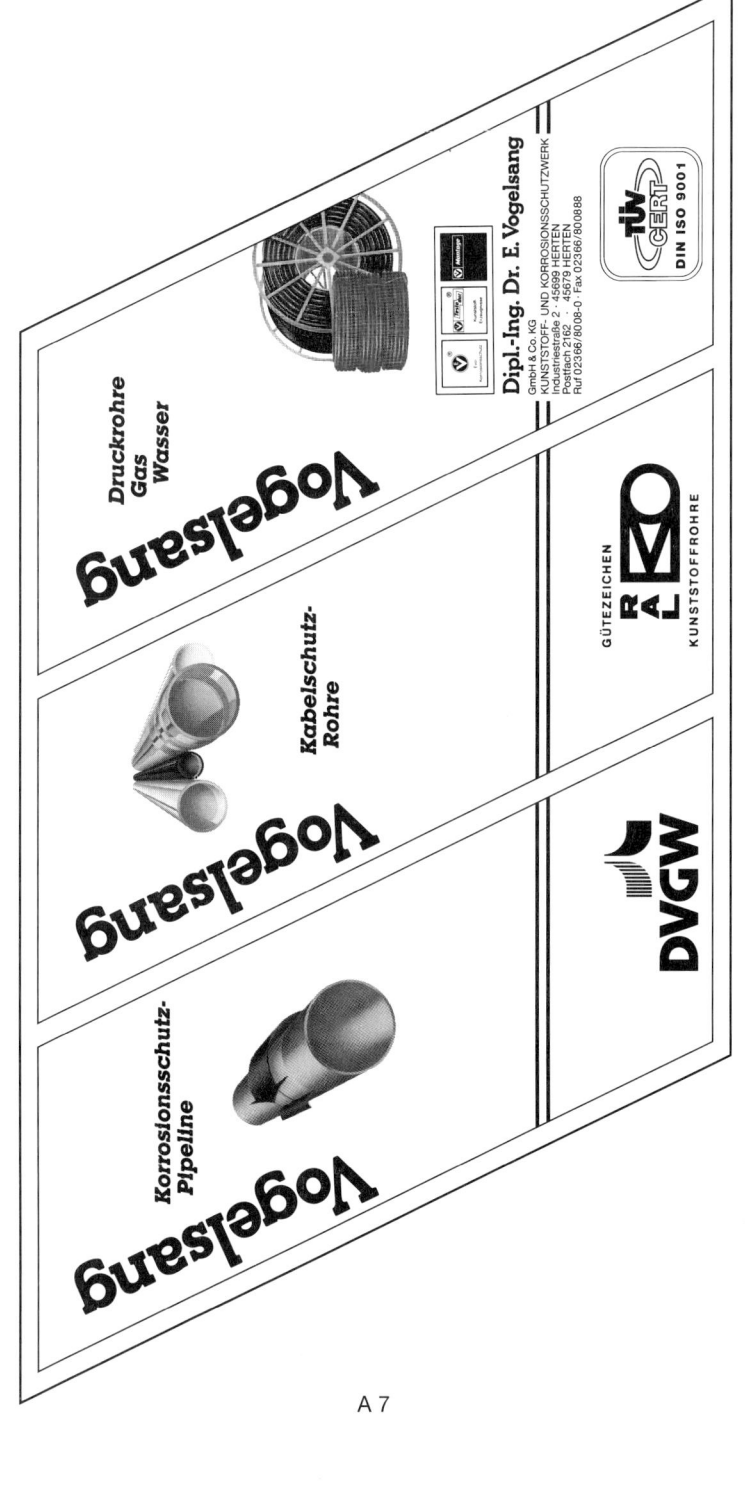

Vogelsang
Kabelschutz-
Rohre

Vogelsang
Korrosionsschutz-
Pipeline

Dipl.-Ing. Dr. E. Vogelsang
GmbH & Co. KG
KUNSTSTOFF- UND KORROSIONSSCHUTZWERK
Industriestraße 2 · 45699 HERTEN
Postfach 2162 · 45679 HERTEN
Ruf 02366/8008-0 · Fax 02366/800888

TÜV CERT
DIN ISO 9001

GÜTEZEICHEN
RAL
KUNSTSTOFFROHRE

DVGW

HANDBUCH DOSIEREN

FACHLITERATUR AUS DEM VULKAN-VERLAG

STAND UND ENTWICKLUNGSTENDENZEN DER DOSIERTECHNIK!

Herausgegeben von G. Vetter 1994, XIX, 682 Seiten mit zahlreichen Abbildungen, Format 16,5 x 23 cm, gebunden,
DM 168,- / öS 1311,- / sFr 168,-
ISBN 3-8027-2167-5
Bestell-Nr. 2167

SIE WOLLEN HOCHWERTIGE PRODUKTE WIRTSCHAFTLICH UND FLEXIBEL HERSTELLEN?

Gerade automatische Dosierprozesse sind hierbei von zentraler Bedeutung.

DOSIERAUFGABEN OPTIMAL LÖSEN,

das heißt ■ Verfahrenstechnik, Meß-, Regel- und Automatisierungstechnik sowie Umwelttechnik miteinander verknüpfen ■ chemische, physikalische und technische Einflüsse beachten ■ eine wirtschaftliche Investitionsentscheidung treffen.

Das Handbuch Dosieren berichtet über Stand und Entwicklungstendenzen der Dosiertechnik fester, flüssiger und gasförmiger Stoffe.
Dabei spielen insbesondere Gesichtspunkte der Automatisierung eine große Rolle. Sie erhalten die notwendigen Fachinformationen zur Lösung betrieblicher Probleme, zur Planung von Dosieranlagen und zur Erzielung einer wirtschaftlichen Arbeitsweise und hoher Produktqualität.

THEMENSCHWERPUNKTE

Dosiergenauigkeit und Stoffeinflüsse / Dosierverfahren für die verschiedenen Stoffkomponenten in systematischer Darstellung / Kritische Beurteilung der Dosierverfahren nach Eignung und Grenzen / Auslegungshinweise, Gestaltung und Anwendung

ZIELGRUPPEN

Ingenieure, Chemiker, Techniker und qualifiziertes Fachpersonal aus den Bereichen: Chemische Industrie und Verfahrenstechnik / Pharma-, Kosmetik- und Lebensmittelindustrie / Kunststoffherstellung und -verarbeitung / Meß- und Regelungstechnik, Maschinen- und Gerätebau / Forschung und Entwicklung an Universitäten, Fachhochschulen und Instituten / Ver- und Entsorgungstechnik, Umwelttechnik / Qualitätssicherung und Rationalisierung

BESTELLSCHEIN

Ja, senden Sie mir (uns) gegen Rechnung / per Nachnahme:

.... Exempl. »**HANDBUCH DOSIEREN**« Bestell-Nr. 2167,
Preis je Exempl. DM 168,- / öS 1311,- / sFr 168,-

Name/Firma ....
Anschrift ....
Bestell-Zeichen/Nr./Abteilung ....
Datum/Unterschrift ....

Fax: 02 01 / 8 20 02 40
Bitte einsenden an Ihre Fachbuchhandlung oder an den

VULKAN-VERLAG GmbH
Postfach 10 39 62
D-45039 Essen

VULKAN ▽ VERLAG
FACHINFORMATION AUS ERSTER HAND

Postfach 10 39 62
D-45039 Essen
Telefon (0201) 8 20 02-14
Fax (0201) 8 20 02-40

Trinkwasserverteilungsanlagen 191

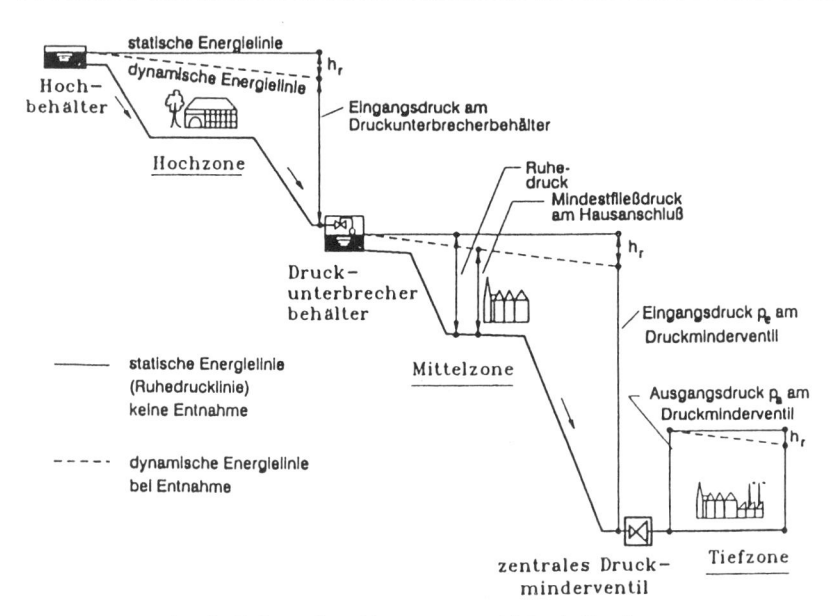

Bild 4: Beispiel für die Teilung eines Versorgungsgebietes in Druckzonen

darfs auszulegen. Hierbei sollten Prognosezeiträume von 20 bis 30 Jahren in Ansatz gebracht werden.

Ist der Wasserbedarf ermittelt, kann die Dimensionierung des Netzes bzw. der Rohrleitung durchgeführt werden. Hierbei werden nach dem DVGW-Arbeitsblatt W 403 folgende Fließgeschwindigkeiten empfohlen:

- Zutrittsgeschwindigkeiten im Entnahmebauwerk: 0,2 bis 0,5 m/sec.
- Entnahmeleitungen: 1,0 bis 1,5 m/sec.
- Steigleitungen in Brunnen als Pumpendruckleitungen: 1,5 bis 2,5 m/sec.
- Pumpendruckleitungen: 1,0 bis 2,0 m/sec.
- Pumpensaugleitungen: 0,5 bis 1,0 m/sec.
- Falleitungen: 1,0 bis 1,5 m/sec.
- Falleitungen mit Drucksteigerung während der Höchstbelastung: $\leq$ 2 m/sec.
- Hauptleitungen in Verteilungsnetzen: 1,0 bis 2,0 m/sec.
- Versorgungsleitungen und Hausanschlußleitungen: $\leq$ 2 m/sec.

Zu Bemessungsgrundlagen und Druckverlusttabellen siehe Teil IX.

Rohrnetzberechnung

Bei der Rohrnetzberechnung ist grundsätzlich zwischen Versorgungsnetzen und verfahrenstechnischen Netzen zu unterscheiden. Hierbei werden noch unterschiedliche Anforderungen an die entsprechenden Rechenverfahren gestellt. Ein Versorgungsnetz ist in der Regel größer und stärker vermascht. Bei einem verfahrenstechnischen Netz ist die Ermittlung der Strangwiderstände aufwendiger, da in den einzelnen Strängen Apparate eingebaut sein können, deren Widerstand zu halten im allgemeinen von vielen Parametern abhängt.

Rohrnetzberechnungen dienen einer möglichst kostengünstigen und versorgungssicheren Dimensionierung bei der Neuverlegung oder dem Ausbau bestehender Versorgungsnetze. Die für die Rechnung wesentlichen Vorgaben sind ein bestimmter Mindestversorgungsdruck an jedem Knoten und eine obere Grenze für die Strömungsgeschwindigkeit.

Gerade für die Rohrnetzberechnung und für die Maschenbetrachtungen stehen eine Vielzahl von ausgefeilten Programmen zur Verfügung. Je nach Häufigkeit der Aufgabenstellungen und je nach dem Grad der angestrebten Eigenständigkeit werden Rohrnetzberechnungen in Zusammenarbeit mit Versorgungsunternehmen, Fachrechenzentren oder beim Versorgungsunternehmen im Hause durchgeführt. Als sinnvoller Weg hat sich in den letzten Jahren nicht zuletzt durch die Verbreitung der Arbeitsplatzrechner folgende Verfahrensweise entwickelt:

- Die Erstellung eines Netzmodells und seine periodische Justierung erfolgt durch das Fachrechenzentrum.

- Die anfallenden Routineberechnungen (Dimensionierungsfragen, Störfälle, Anschlußprojekte usw.) werden vom Versorgungsunternehmen eigenständig durchgeführt. Das eigenständige Rechnen läßt sich dabei am schnellsten über einen Arbeitsplatzrechner/PC realisieren.

- Größere Ausbauplanung, z. B. in Form von 5-Jahresplänen, erfolgt in Zusammenarbeit Fachrechenzentrum/Versorgungsunternehmen.

Druckstoß

Zu den Hauptbeanspruchungen erdverlegter Druckrohre zählt auch der maximale Betriebsdruck. Er setzt sich zusammen aus dem hydrostatischen und hydrodynamischen Innendruck sowie dem größtmöglichen positiven Druckstoß. Durch eine geeignete Führung der Trasse sowie durch die Einteilung des Trinkwasserverteilungsnetzes in Druckzonen können die Betriebsdrücke minimiert werden. Laut Empfehlungen des DVGW soll der Betriebsdruck aus wirtschaftlichen Gründen 8 bar nicht überschreiten. Durch plötzliches Öffnen oder Schließen hervorgerufene Durchflußveränderungen verursachen naturgemäß Druckschwankungen, wodurch Anlagenteile des Wasserversorgungssystems gefähr-

Trinkwasserverteilungsanlagen 193

det werden können. Dieses sogenannte Druckstoßphänomen ist dadurch charakterisiert, daß die entstehenden Drücke nach oben und unten um den Ausgangsdruck der Druckleitungen pendeln.

Kurzfristige Änderungen der Durchflußmenge z. B. in Trinkwasserleitungssystemen und damit verbundene Änderungen der Fließgeschwindigkeit, die durch schnelles Öffnen und Schließen von Absperrarmaturen oder Ausschalten von Pumpen erzeugt werden, bewirken die Entstehung von Druckstößen in Rohrleitungen. Die so entstehenden Druckspitzen belasten die Rohrleitungen zusätzlich. Aufgrund des geringen E-Moduls (hohe Elastizität) von Kunststoffrohrleitungen wird die Druckwellengeschwindigkeit und damit die Druckstoßintensität im Vergleich zu starren Rohren stark abgemindert.

Daraus folgt: je höher der E-Modul des Rohrwerkstoffes ist, desto geringer ist die Dämpfung der Druckwellengeschwindigkeit – mit höherer Druckwellengeschwindigkeit steigt direkt die Druckstoßintensität.

Der Druckstoß läßt sich mit guter Näherung an die Praxis nach der Theorie von Joukowsky berechnen:

$$P_{jouk} = a \cdot v_o \cdot \rho \cdot 10^{-5}$$

Formelzeichen:

P_{jouk} = max. Druckstoß nach Joukowsky [bar]
a = Druckwellengeschwindigkeit [m/s]
ρ = Dichte des Mediums [kg/m³]
v_o = Strömungsgeschwindigkeit [m/s]

Die Druckwellengeschwindigkeit a ergibt sich nach folgender Gleichung:

$$a = \sqrt{\dfrac{\dfrac{E_M}{\rho}}{1 + \dfrac{E_M}{E_R} \cdot \dfrac{d_m}{s}}}$$

Formelzeichen:

E_M = E-Modul des Mediums [N/mm²]
E_R = E-Modul Rohrwerkstoff [N/mm²]
d_m = mittlerer Durchmesser des Rohres [mm]
s = Rohrwanddicke [mm]

Tafel 1 zeigt die Vergleichsberechnungen von verschiedenen Rohrmaterialien im Hinblick auf ihr Druckstoßverhalten.

Tafel 1: Vergleich Druckstoßintensität in Abhängigkeit von der Fließgeschwindigkeit und dem Rohrleitungswerkstoff

	PVC-U DN 200 PN 10	PE-HD 225 x 20,5 PN 10	GGG DN 200 K8
v = 0,5 m/s	1,45 bar	0,61 bar	5,99 bar
v = 1,0 m/s	2,90 bar	1,22 bar	11,98 bar
v = 1,5 m/s	4,36 bar	1,83 bar	17,98 bar

Der elastische Rohrwerkstoff PVC-U bietet durch seine Materialeigenschaften, z. B. geringen E-Modul (1750 N/mm^2) im Gegensatz zu metallischen Werkstoffen mit E-Modulen bis zu 175.000 N/mm^2 und mehr, gute Dämpfungseigenschaften, um die Intensität von Druckschlägen erheblich zu vermindern. Noch günstigere Verhältnisse ergeben sich bei PE-HD-Druckrohren. Von daher und aufgrund der hydraulisch glatten Innenoberfläche – was geringe Reibung und damit geringen Druckverlust bedeutet – können Kunststoffrohrleitungen in niedrigeren Druckstufen ausgeführt werden.

Folgendes Praxisbeispiel zeigt diesen Zusammenhang:

- Beispiel: $P_{Betr.}$ = 6 bar, Q = 31,5 l/s, v = 0,894 m/s, $P_{Verl.}$ = 0,0325 bar/100 m, L = 1000 m

Betriebsdruck + Druckverlust < PN

6 bar + 0,325 bar = 6,325 bar; Empfehlung PN 10, da 6,325 bar < PN 10

Betriebsdruck + Druckverlust + Druckstoß < PN + 5 bar

6 bar + 0,325 bar + 2,90 bar = 9,225 bar; Empfehlung PN 10, da 9,225 < PN 10 + 5 bar = 15 bar

Die Druckstoßfestigkeit z.B. von PVC-U-Druckrohren DN 300 – auch kombiniert mit für erdverlegte Leitungen extremen Temperaturbedingungen kurz oberhalb des Gefrierpunktes – war auch Gegenstand spezieller Untersuchungen für den erdverlegten Einsatz in Feuerlöschanlagen. Dabei wurden PVC-U-Druckrohre in spezielle Vorrichtungen eingespannt und mit über 20.000 Druckzyklen zwischen 3,5 bar und 24 bar bei einer Temperatur von 0 °C belastet..

Ein Versagen durch die extremen Belastungsverhältnisse wurde dabei nicht festgestellt. Das vorgesehene Druckmaximum von 35 bar wurde aufgrund der Elastizität der Rohrwerkstoffe nicht erreicht.

Trinkwasserverteilungsanlagen

1.1.6 Statische Bemessung

Für die statische Bemessung der Formstücke sind im Hinblick auf einen sicheren und zuverlässigen Betrieb in Wasserversorgungssystemen folgende Anforderungen zu berücksichtigen:

– maximale und minimale Betriebstemperaturen und temperaturbedingte Belastungen

– höchstmöglicher Innendruck

– möglicher Abfall des Wasserdruckes auf den absoluten Druck 0,2 bar (20 kPa absoluter Druck)

– planerische Nutzungsdauer von 50 Jahren

– Belastung aus der Grabenverfüllung, Auflast und Grundwasser

– Belastung aus Verlegebedingungen

– Verkehrslast (im allgemeinen SLW 60).

Gemäß dem DVGW-Merkblatt 403 sind Verteilungsnetze für mindestens PN 10 zu planen. Im Falle höherer Betriebsdrücke sind höhere Druckstufen zu berücksichtigen.

Für Druckrohre aus PVC-U und PE-HD können – falls erforderlich – statische Nachweise in Anlehnung an das ATV-Arbeitsblatt A 127 durchgeführt werden. Sofern die gültigen Verlegerichtlinien der Herstellerwerke sowie die Anforderungen der DIN 19630 „Richtlinien für den Bau von Wasserrohrleitungen; technische Regeln des DVGW" eingehalten sind, können PVC-U und PE-HD-Druckrohre der Druckstufe PN 10 auch ohne Nachweis mit Überdeckungen > 0,8–1,0 m bei anstehendem, bindigem Mischboden und einer Verkehrslast SLW 60 eingesetzt werden.

Im Rahmen der europäischen Normung und des Normenentwurfes DIN-EN 805 „Anforderungen an Wasserversorgungssysteme und deren Bauteile außerhalb von Gebäuden" müssen – solange keine europäische Norm über einheitliche Berechnungsverfahren vorhanden ist – die in den Produktnormen für die Klassifizierung verwendeten Berechnungsverfahren angegeben werden. Ferner sind Modifikationen vorstehend genannter Anforderungen denkbar bzw. eine anders gelagerte Orientierung der Klassifzierung.

1.1.7 Rohre und Formstücke

1.1.7.1 Allgemeine Anforderungen

Formstücke für die Trinkwasserversorgung müssen so beschaffen sein, daß sie allen Anforderungen für den Gebrauch in Wasserversorgungssystemen entsprechen. Der Erhaltung einer einwandfreien Trinkwasserqualität in chemischer, mikrobiologischer und gesundheitlicher Hinsicht gilt höchste Priorität. Leitungsteile, die das DVGW-Prüfzeichen bzw. Gütezeichen tragen oder zukünftig ein CE-Zeichen, erfüllen diese Anforderungen im Regelfall bzw. dokumentieren, daß sie mit den wesentlichen Anforderungen der Bauproduktrichtlinie oder – soweit anwendbar – der EFTA-Vorschriften übereinstimmen. Für Baustoffe, für die ein derartiges Zertifikat nicht ausgestellt worden ist, sind entsprechende Unbedenklichkeitsbescheinigungen, z. B. nach den KTW-Empfehlungen, vorzulegen.

Erdverlegte Trinkwasserversorgungsleitungen sind von hohem Wert. Bei der Auswahl von Formstücken ist deshalb eine gesicherte Mindestnutzungsdauer von 50 Jahren zu fordern.

Die Eignung von Rohren und Verbindungen wird wesentlich bestimmt durch

- zu erwartende innere und äußere Belastungen

- örtlich vorhandene Baugrundverhältnisse

- chemische Einflüsse des umgebenden Bodens und Beschaffenheit des Wassers

- Trassierung – gewählte Leitungsführung

- werkstoffbezogene Anforderungen des Fachpersonals

- Möglichkeit zur nachträglichen Herstellung von Anschlüssen und Abzweigen

- Aufwand für Erstellung, Betrieb und Instandhaltung

- örtliche klimatische Verhältnisse

- erwartete Nutzungsdauer

- Wandrauhigkeit der Rohre insbesondere bei Zubringer-, Fern- und Hauptleitungen.

In der Trinkwasserversorgung nehmen Kunststoffrohrsysteme eine bedeutende Marktposition ein. Damit wird gleichzeitig dokumentiert, daß die vorgenannten Bewertungskriterien in hohem Maße den Erwartungen entsprechen.

Kunststoffdruckrohre finden Anwendung als Trinkwasserleitungen außerhalb von Gebäuden, als kalt gehende Trinkwasserleitungen innerhalb von Gebäuden, als Leitungen für Brauchwasser verschiedenster Art – im Über- bzw- Unterdruckbereich.

Trinkwasserverteilungsanlagen

1.1.7.2 Übersicht der Kunststoffrohre und Werkstoffe

	PVC-U-Rohre	PE-HD-Rohre	PE-LD-Rohre	PE-X-Rohre	GFK-Rohre
Maßnormen	DIN 19532, W 320, DIN 8062	DIN 19533, W 320, DIN 8074	W 320, DIN 8072	DIN 16893	DIN 16868, Teil 1, DIN 16869, Teil 1
Güteanforderungen	DIN 8061, W 320, R 1.1.1	DIN 8075, W 320, VP 608, R 14.3.1	DIN 8073, W 320, R 1.3.1	DIN 16892, W 531, VP 605	DIN 16808, Teil 1, DIN 6869, Teil 2, VP 615, R 1.8.1.8 bzw. R 1.8.24
Nennweiten	≤ DN 400	≤ DN 600	≤ DN 80		DN 100–2.400
Lieferlänge	6 m, 12 m	6 m, 12 m, 20 m, 30 m Ringbunde bis zu 300 m Trommeln bis zu 4.000 m			
Bemessung	für Innendruck ≤ PN 16, statische Bemessung für den Anwendungsfall	für Innendruck ≤ PN 16, statische Bemessung für den Anwendungsfall	für Innendruck ≤ PN 10	≤ DN 90 Klemmverbinder ≤ DN 200 Heizwendelschweißung	Innendruck nach AWW A C 950 - 88; Auflast nach ATV A 127
Rohrverbindungen	gummigedichtete Steckverbindungen, Flanschverbindungen, Klebverbindungen	Klemmverschraubungen und Steckverbinder, Heizwendelschweißverbindungen, Stumpfschweißverbindungen, Bundflanschverbindungen	Klemmverschraubungen	≤ DN 80 Klemmverbinder ≤ DN 200 Heizwendelschweißung	doppelgelenkige Überschiebmuffe oder Klebverbindung; Laminatverbindung

1.1.7.2 Übersicht der Kunststoffrohre und Werkstoffe (Fortsetzung)

	PVC-U-Rohre	PE-HD-Rohre	PE-LD-Rohre	PE-X-Rohre	GFK-Rohre
Anwendungs-bereich	in Gebieten mit hoher Korrosions-gefahr	große Anwendung im Hausanschlußbereich, Versorgungsleitungen in ländlichen Bereichen, vor allem für aggressive Böden und Dükerleitungen, Anwendung neuester Verlegetechniken bei Sanierungen	überwiegend Anwendung im Hausanschlußbereich		siehe Abschnitt 1.1.7.2.6

Trinkwasserverteilungsanlagen 199

1.1.7.2.1 Druckrohre aus PVC-U

Für die Wasserversorgung werden die in Tafel 2 aufgeführten Rohre standardmäßig eingesetzt. Sie sind in DIN 19532 beschrieben und entsprechen DIN 8062.

Als Baulängen werden geliefert:

- Rohre bis DN 40 in Längen von 5 m
- Rohre ab DN 50 in Längen von 6 m

Als Baulänge gilt die Rohrlänge abzüglich der Muffentiefe (Bild 5).

Tafel 2: Abmessungen der PVC-U-Trinkwasserrohre

DN	PN 10			PN 16		
	AußenØ mm	Wanddicke mm	Gewicht ≈ kg/m	AußenØ mm	Wanddicke mm	Gewicht ≈ kg/m
10	–	–	–	16	1,2	0,090
15	–	–	–	20	1,5	0,137
20	–	–	–	25	1,9	0,212
25	–	–	–	32	2,4	0,342
32	–	–	–	40	3,0	0,535
40	–	–	–	50	3,7	0,809
50	63	3,0	0,854	63	4,7	1,290
65	75	3,6	1,220	75	5,6	1,820
80	90	4,3	1,750	90	6,7	2,610
100	110	5,3	2,610	110	8,2	3,900
125	140	6,7	4,180	140	10,4	6,270
150	160	7,7	5,470	160	11,9	8,170
200	225	10,8	10,800	225	16,7	16,100
250	280	13,4	16,600	280	20,8	24,900
300	315	15,0	20,900	315	23,4	31,500
400	450	21,5	42,700			

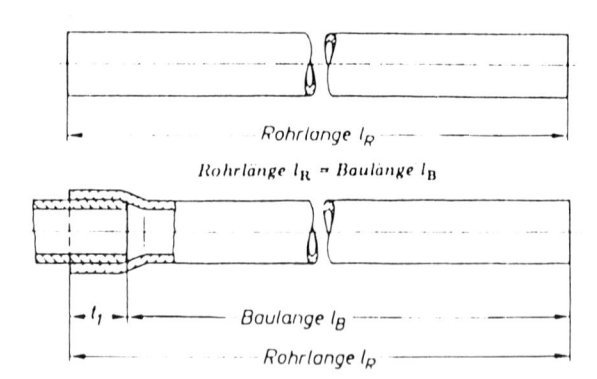

Bild 5: Baulänge bei Rohren aus PVC-U

Die Rohre sind für einen Betriebsdruck von PN 10 bzw. PN 16 ausgelegt. Rohre bis zu einem Außendurchmesser von 50 mm werden aus Gründen der mechanischen Festigkeit nur mit einer Wanddicke entsprechend der Druckstufe PN 16 verwendet. Die Farbe der Rohre ist dunkelgrau gemäß RAL 7011. Die Kennzeichnung ist fortlaufend in Abständen von 1 m eingeprägt und gibt an:

Gütezeichen – PVC-U – DN – PN – DIN 19532 – Herstellerzeichen – Herstelldatum – Maschinen-Nr. – DVGW-Prüfzeichen mit Registriernummer

Die Rohre werden mit Steckmuffe, Klebmuffe oder mit glatten Enden geliefert.

Das breite Sortiment an Formstücken ermöglicht eine zügige und problemlose Erstellung von Rohrleitungssystemen. Es umfaßt neben Rohren Formstücke aus PVC-U, aus duktilem Gußeisen sowie Flanschverschraubungen, Anbohrarmaturen und Absperrschieber aus PVC-U.

Verbindungen

Für die Herstellung von erdverlegten Trinkwasserversorgungsleitungen aus PVC-U stehen mehrere Verbindungsmöglichkeiten zur Verfügung (Bild 6).

Steckverbindung mit werksseitig fixiertem Dichtelement

Seit über einem Jahrzehnt werden Dichtelemente bei PVC-U-Druckrohren werksseitig eingelegt. Die durch die Verpressung des Dichtelementes erreichte Dichtigkeit bis zur Druckstufe PN 16 ist sogar bei kurzzeitigen Unterdruckbelastungen von 0,2 bar absolut zuverlässig.

Rohre und Formstücke auch größerer Nennweiten können, durch die Konstruktion der Dichtelemente bedingt (geringere Einschubkräfte) ohne Hilfsmittel zu einer Steckverbindung, die dauerhaft dicht ist, zusammengefügt werden (Bild 7).

Trinkwasserverteilungsanlagen 201

	Nennweite													
10	15	20	25	32	40	50	65	80	100	125	150	200	250	300	400
															Klebmuffen
															Steckmuffen
															Flansche
															Verschraubungen
															Spritzguß-Klebfittings
															Rohrbogen, Sonderformstücke aus Rohren gefertigt
															Anbohrarmaturen
															Gußformstücke

Bild 6: Anwendungsbereiche der Rohrverbindungen/Formstücke

Gleichzeitig sind Anfasungen baustellenseitig abgelängter Rohre nicht mehr erforderlich. Hier reicht ein Brechen der äußeren Kanten der Spitzenden (Entgraten).

Das Profil der Dichtringsicke ist aufgrund der guten Erfahrungen der seit mehr als zwei Jahrzehnten üblichen Steckmuffe nahezu unverändert. Wird aufgrund örtlicher Gegebenheiten eine Längskraftschlüssigkeit für zweckmäßig angesehen, z.B. beim Einbau in nicht tragfähige Böden, so kann diese durch den Einsatz von Zugsicherungen, die nachträglich um die Muffenverbindung montiert werden, erzielt werden (Bild 8). Die Kraftübertragung auf dem glatten Spitzende wird durch Haftreibungen mittels Einlagen erreicht. Im Muffenbereich wird der Formschluß ausgenutzt.

Bild 7: Steckverbindungen für erdverlegte PVC-Druckrohrleitungen

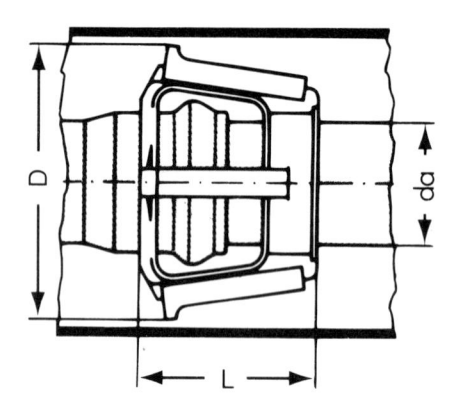

Bild 8: Steckmuffenverbindung mit Zugsicherung

Klebverbindungen

Für den Einsatz von Klebverbindungen in der Installationstechnik liegen langjährige gute Erfahrungen vor.diese Verbindungsart hat sich beim Bau von Wasserverteilungsanlagen innerhalb von Gebäuden in verschiedensten Anwendungsbereichen mit Erfolg behauptet.

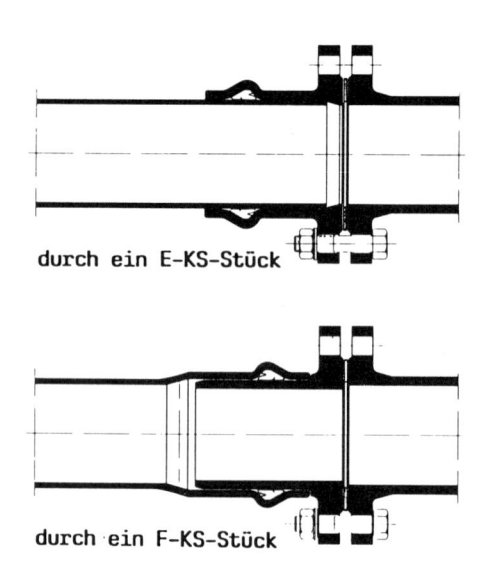

durch ein E-KS-Stück

durch ein F-KS-Stück

Bild 9: Übergangsverbindungen

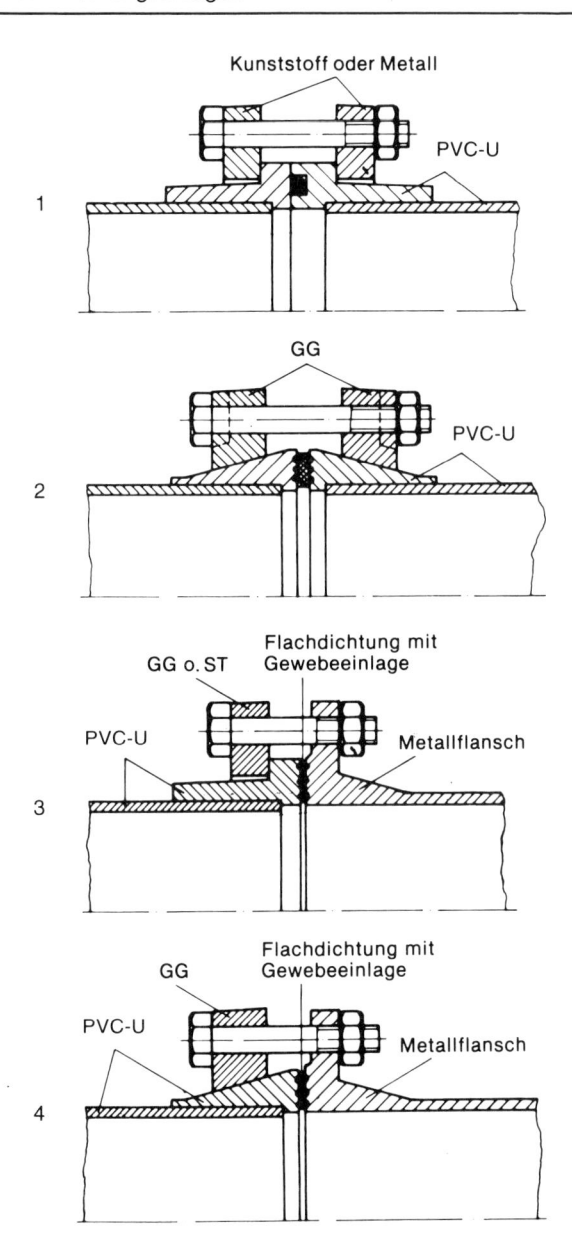

Trinkwasserverteilungsanlagen 203

1 Flanschverbindung mit Bundbuchsen, 2 Flanschverbindung mit kegeligen Flanschbuchsen, 3 Anschluß an Metallflansche mit Bundbuchse, 4 Anschluß an Metallflansche mit kegeliger Flanschbuchse

Bild 10: Flanschverbindungen

Im erdverlegten Bereich findet die Klebverbindung ihren Einsatz bei Leitungen die aufgrund der örtlichen Gegebenheiten, z.B. bei der Verlegung in nicht tragfähigen Böden, längskraftschlüssig sein müssen.

Die Herstellung einer Klebverbindung bis DN 300 ist für einen in der Klebetechnik erfahrenen Rohrleitungsbauer problemlos möglich.

Übergangsverbindungen, z. B. Flanschverbindungen

Der Einbau von Schiebern und Armaturen ist mit einfachen Mitteln unter Zuhilfenahme von Flanschmuffenstücken bzw. Einflanschstücken per Flanschverbindung möglich (Bild 9).

Weiterhin gibt es verschiedene Konstruktionen mit losen Flanschen und dazugehörigen Bundbuchsen, die auf das Rohr aufgeklebt bzw. aufgesteckt werden (Bild 10).

Weitergehende Angaben zu Rohrverbindungen und Verbindungstechniken sind im Teil V aufgeführt.

1.1.7.2.2 Druckrohre aus PE-HD (PE 80)

PE-HD- und PE-LD-Rohre wurden Anfang der 60er Jahre hauptsächlich in der Trinkwasserversorgung eingesetzt. Aufgrund des höheren Materialpreises gegenüber PVC-U beschränkte sich der Einsatz weitgehend auf Hausanschlußleitungen (Ringbunde) und einige Sonderanwendungen, wie z. B. Düker. Seit den

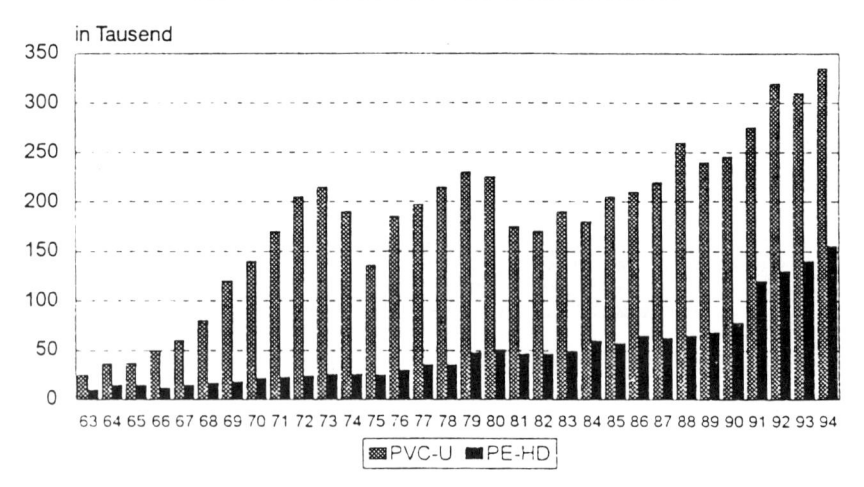

Bild 11: Produktion von Rohren PVC-U/PE-HD

**40 Jahre Qualität.
Für die Sicherheit der Zukunft.**

WKT

WESTFÄLISCHE KUNSTSTOFF TECHNIK

Hombergstrasse 11-13 · D-45549 Sprockhövel
Tel: 023 24/ 97 94-0 · Fax: 023 24/ 97 94-23

WKT

WESTFÄLISCHE KUNSTSTOFF TECHNIK

DAS FERTIGUNGS-PROGRAMM

- Druckrohre aus PVC-U
- Lüftungsrohre aus PVC-U
- Lüftungsrohre aus PPs
- Druckrohre aus PE-HD
- Gasrohre aus PE-HD
- Druckrohre aus PVC-C
- Schutzrohre aus PVC-U
- Gasriechrohrhauben aus PVC-U
- Schilderpfähle
- Flugsicherungsdächer
- Brunnenrohre aus PVC-U
- Tragrollenrohre aus PVC-U
- Wickelkernrohre aus PVC-U
- Displayrohre aus PVC-U
- Profile aus PVC-U
- Futterrohre aus PVC-U
- Kabelschutzrohre aus PVC-U
- Kabelschutzrohre aus PE-HD
- Gasschutzrohre aus PVC-U
- Abwasserdruckrohre aus PE-HD

Von den Fertigungsprogrammen können Sie jederzeit Prospekte und Infomaterial anfordern.

Hombergstrasse 11-13

D-45549 Sprockhövel

Telefon: 023 24/ 97 94-0

Telefax: 023 24/ 97 94-23

Trinkwasserverteilungsanlagen

70er Jahren erlebt PE einen starken Aufwärtstrend (Bild 11), der sich anfänglich im Bereich der Gasversorgung vollzog und im Laufe der Jahre dann auch im Bereich der Wasserversorgung stattfand.

Tafel 3: Abmessungen der PE-HD-Trinkwasserrohre (PE 80)*

DN	d_a	PE 80			
		PN 12,5		PN 20	
		Wanddicke mm	Gewicht ≈ kg/m	Wanddicke mm	Gewicht ≈ kg/m
15	20	1,9	0,112	2,8	0,153
20	25	2,3	0,171	3,5	0,239
25	32	3,0	0,277	4,5	0,391
32	40	3,7	0,428	5,6	0,606
40	50	4,6	0,666	6,9	0,931
50	63	5,8	1,050	8,7	1,480
65	75	6,9	1,480	10,4	2,100
80	90	8,2	2,110	12,5	3,020
100	110	10,0	3,130	15,2	4,490
	125	11,4	4,060	17,3	5,800
125	160	14,6	6,630	22,1	9,470
150	180	16,4	8,380	24,9	12,000
200	225	20,5	13,100	31,1	18,700
	250	22,8	16,100	34,5	23,100
250	280	25,5	20,200	38,7	28,900
	315	28,7	25,700	43,5	36,600
300	355	32,3	32,600	49,0	46,400
350	400	36,4	41,200	55,2	59,000
400	450	41,0	52,100	62,1	74,600
	500	45,5	64,300		
500	560	51,0	80,700		
	630	57,3	102,000		

* Zukünftig sind gemäß DVGW VP 608 (vorläufige Prüfgrundlage) Trinkwasserrohre aus PE 80 bis d_a 630 möglich.

Für die Wasserversorgung stehen die in Tafel 3 aufgeführten Rohre standardmäßig zur Verfügung. Sie sind in DIN 19533 festgelegt und entsprechen DIN 8074. Als Baulängen werden geliefert:

- gerade Längen von 5, 6 und 12 m
- größere Längen sind möglich (max. 30 – 35 m)
- Ringbunde bis d_a 160 mm in Längen von ca. 100 m.

Die Farbe der Rohre ist schwarz. Zukünftig sind gemäß DVGW VP 608 (vorläufige Prüfgrundlage) alle Trinkwasserrohre aus PE 80 zusätzlich mit blauen Streifen zu kennzeichnen. Die Rohre sind fortlaufend in Abständen von einem Meter mit folgenden Angaben gekennzeichnet:

Herstellerzeichen – DVGW-Prüfzeichen mit Registrier-Nr. – Werkstoff – MFI-Gruppe – PN – DIN 19533 – Außendurchmesser x Wanddicke – Herstelldatum – Maschinen-Nr.

Verbindungen

Für die Verbindung von PE-HD-Rohren und -Formstücken stehen ausgereifte Verbindungstechniken zur Verfügung (Bild 12).

Heizelementstumpfschweißung

Die Heizelementstumpfschweißung kann in den Rohrdimensionen ab d_a 110 mm empfohlen werden. Durch die Stumpfschweißung wird eine homogene Verbindung hergestellt. Zusätzlicher Werkstoffeinsatz ist nicht erforderlich. Die Heizelementstumpfschweißung zeichnet sich durch einen besonders geringen Formstückaufwand aus.

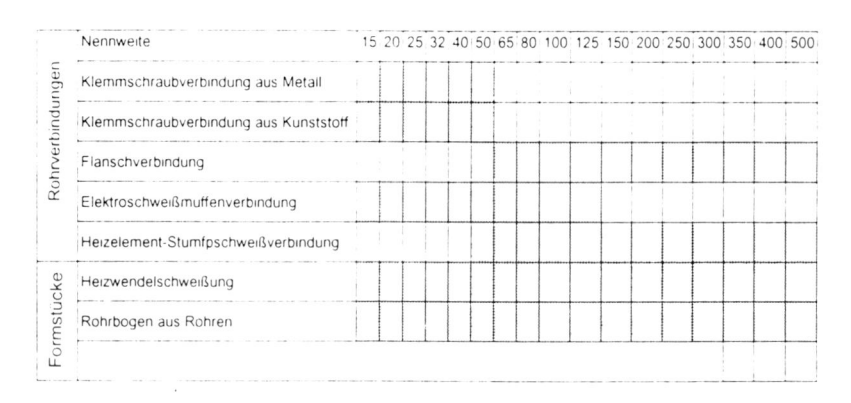

Bild 12: Verbindungsarten bei PE-HD in Abhängigkeit von der Nennweite des Rohres

Trinkwasserverteilungsanlagen 209

Heizwendelschweißung

Dieses Schweißverfahren läßt sich im Bereich d_a 20–500 mm anwenden. Der Vorteil dieses Verfahrens liegt in einem geringen Schweißgeräte- und Werkzeugaufwand. Der Schweißprozeß ist in seinem Ablauf vollautomatisiert. Mögliche Witterungseinflüsse werden beim Schweißvorgang automatisch berücksichtigt.

Für die einfache und sichere Verarbeitung werden zur Schweißparametererkennung Barcode- und Magnetkartensysteme sowie elektronische Protokolliereinrichtungen eingesetzt.

Besonders bei Reparaturen und bei der Verlegung unter beengten Raum- und Platzverhältnissen bietet diese Schweißtechnik deutliche Vorteile.

Übergangsverbindungen

Der Einbau von Schiebern und Armaturen ist mit einfachen Mitteln unter Zuhilfenahme von Flanschmuffenstücken bzw. Einflanschstücken per Flanschverbindung möglich. Weitergehende Angaben zu Rohrverbindungen und Verbindungstechniken sind im Teil V aufgeführt.

1.1.7.2.3 Druckrohre aus PE-HD (PE 100)

Werkstoffe für PE-Trinkwasserrohrnetze haben sich kontinuierlich fortentwickelt (Bild 13). Rückblickend zeigt sich, daß Rohre aus den ersten in den Markt eingeführten PE-HD-Formmassen eine auf 50 Jahre extrapolierte Materialspannung (bei 20 °C und Wasser als Prüfmedium) von 6,3 MPa aufweisen. Mitte der 70er Jahre konnte dieser Wert mit PE-Rohrwerkstoffen der zweiten Generation auf 8,0 MPa gesteigert werden. Heute sind PE-Rohrwerkstoffe verfügbar, deren Wandspannungen bei 10,0 MPa liegen.

Um den Unterschieden und Leistungen der für Rohre auf dem Markt verfügbaren Werkstofftypen Rechnung zu tragen, wurde eine neue Klassifizierung vorgeschlagen. Dieser Vorschlag wurde vom technischen Ausschuß CEN/TC 155 (WG 12) im Hinblick auf die Erarbeitung europäischer Normen berücksichtigt, die zukünftig die nationalen Normen ersetzen sollen.

Ausgangspunkt für die Klassifizierung sind die Zeitstandskurven und ihre Auswertung nach der Standard-Extrapolations-Methode gemäß ISO/DTR 9080. Hierbei erhält man bei 20 °C und 50 Jahren für die Umfangsspannung

- den Erwartungswert
  LTHS (Long Term Hydrostatic Strength) und

- die 97,5 % – untere Vertrauensgrenze
  LCL (Lower Confidence Limit).

$\sigma_{max.}$

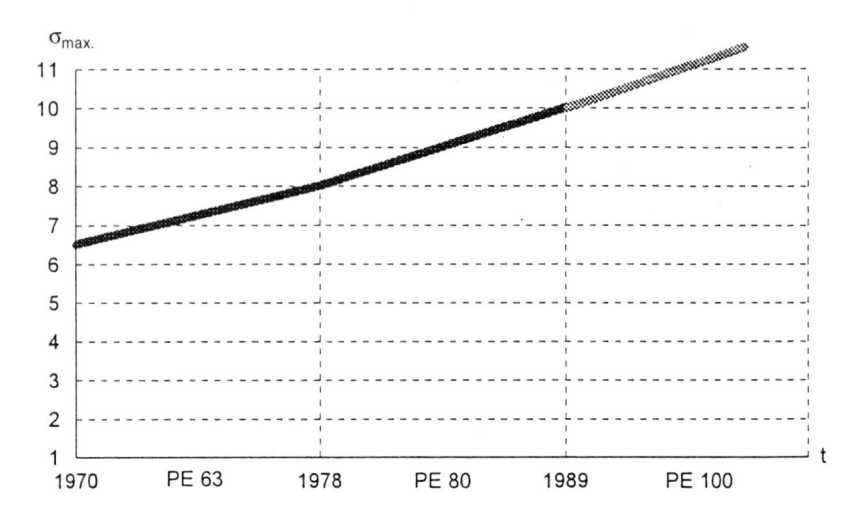

Bild 13: Entwicklungsstufen des Polyethylen

Dieser LCL-Wert wird nach der Renard 10-Zahlenreihe kategorisiert. Der errechnete LCL-Wert, z. B. 10,35 MPa, wird dann auf die nächst niedrigere R10-Zahl abgestuft. Das Ergebnis ist:

– die erforderliche Mindestfestigkeit
MRS (Minimum Required Strength);

beim o.a. Beispiel MRS = 10 MPa.

Dieser Wert der Vergleichsspannung – mit 10 multipliziert – ergibt einen Zahlenwert, der heute schon bei der PE-Materialbezeichnung zu finden ist, z. B. PE 80 bzw. PE 100. So läßt sich aus der Materialbezeichnung PE 80 bzw. MRS 8,0 eine Maximalspannung von ≥ 8 N/mm² ablesen und bei PE 100 bzw. MRS 10,0 eine Maximalspannung von ≥ 10 N/mm².

Dividiert man den MRS-Wert durch den sogenannten Gesamtbetriebskoeffizienten (entspricht sinngemäß dem Sicherheitsfaktor in deutschen Normen), so erhält man die zulässige Dimensionierungsspannung σ_{DIM}.

Aufgrund der unterschiedlichen zulässigen Spannungen verschiedener PE-Typen erfolgt die Definition der maximal zulässigen Drücke bei gegebenen Rohrdimensionen. Die Wanddicke der in der Bundesrepublik Deutschland gebräuchlichen Abmessungen nach DIN 8074 werden bis heute noch mit einer zulässigen Vergleichsspannung von $\sigma_{v\,zul.} = 5$ N/mm² berechnet, so daß speziell hinsichtlich dieser Eigenschaft verbesserte Materialien in ihren positiven Lang-

Trinkwasserverteilungsanlagen 211

zeiteigenschaften nicht betrachtet werden. Mit der Verabschiedung der CEN-Normung wird das verbesserte Langzeitverhalten auch in das nationale Normenwerk Eingang finden.

An dieser Stelle soll daher insbesondere auf die Polyethylene der dritten Generation eingegangen werden. Dabei handelt es sich um Polyethylene mit der MRS-Klasse 10,0. Die zulässige Vergleichsspannung ist bei diesem Material unter Berücksichtigung der Sicherheitsfaktoren mit $\sigma_{v\,zul.}$ = 8 N/mm² anzusetzen. Hieraus ergeben sich gerade beim Einsatz im Rohrbereich neue interessante Perspektiven.

Tafel 4: Abmessungen der PE-HD-Trinkwasserrohre PE 80 und PE 100

		PE 80				PE 100			
		SDR 11		SDR 7,4		SDR 17		SDR 11	
		PN 12,5		PN 20		PN 10		PN 16	
DN	da	Wanddicke mm	Gewicht kg/m	Wanddicke mm	Gewicht kg/m	Wanddicke mm	Gewicht kg/m	Wanddicke mm	Gewicht kg/m
15	20	1,9	0,112	2,8	0,153	-	-	-	-
20	25	2,3	0,171	3,5	0,239	-	-	-	-
25	32	3,0	0,277	4,5	0,391	-	-	-	-
32	40	3,7	0,428	5,6	0,606	-	-	3,70	0,28
40	50	4,6	0,666	6,9	0,931	-	-	4,60	0,43
50	63	5,8	1,050	8,7	1,480	-	-	5,80	0,67
65	75	6,9	1,480	10,4	2,100	-	-	6,80	1,05
80	90	8,2	2,110	12,5	3,020	5,40	1,46	8,20	2,12
100	110	10,0	3,130	15,2	4,490	6,60	2,17	10,00	3,15
	125	11,4	4,060	17,3	5,800	7,40	2,76	11,40	4,08
125	160	14,6	6,630	22,1	9,470	9,50	4,52	14,60	6,67
150	180	16,4	8,380	24,9	12,000	10,70	5,71	16,40	8,42
200	225	20,5	13,100	31,1	18,700	13,40	8,93	20,50	13,14
	250	22,8	16,100	34,5	23,100	14,80	10,95	22,70	16,16
250	280	25,5	20,200	38,7	28,900	16,60	13,75	25,40	20,25
	315	28,7	25,700	43,5	36,600	18,70	17,40	28,60	25,63
300	355	32,3	32,300	49,0	46,400	21,10	22,14	32,20	32,53
350	400	36,4	41,200	55,2	59,000	23,70	27,98	36,30	41,30
400	450	41,0	52,100	62,1	74,600	26,70	35,44	40,90	52,29
	500	45,5	64,300			29,70	43,78	45,40	64,51
500	560	51,0	80,700			33,20	53,30	50,80	80,81
	630	57,3	102,000			37,40	69,45	57,20	102,38

Durch den Werkstoff PE 100 wird das Anwendungsspektrum von Polyethylenrohren erheblich ausgeweitet. In anderen europäischen Ländern wird dieser Werkstoff seit einigen Jahren mit großem Erfolg eingesetzt. Trinkwasserrohre aus PE 100 (Tafel 4) erfüllen alle Qualitätskriterien, die für den Einsatz eines Rohres in der Trinkwasserversorgung notwendig sind. Für die Rohstoffe sind vom Technologiezentrum Wasser (TZW), Karlsruhe, die KTW-Zulassungen für Trinkwasser erteilt. Vom DVGW ist inzwischen eine vorläufige Prüfgrundlage (VP 608) für PE-HD verabschiedet worden, in die neben dem bisherigen PE-HD-Werkstoff (PE 80) nunmehr auch der Werkstoff PE 100 integriert worden ist. Damit ist die Voraussetzung für die DVGW-Zulassung gegeben.

Daneben unterliegen auch diese Rohre den Güterichtlinien der Gütegemeinschaft Kunststoffrohre e. V., dokumentiert durch das Gütezeichen. Die Güteüberwachung erfolgt nach der Richtlinie R 14.3.1.

Im Vorgriff auf die Ergebnisse der zur Zeit in Überarbeitung befindlichen DIN 8074 und der in Vorbereitung befindlichen DIN-EN-Normen für PE-Rohre (System-Standard 20 und 34 des CEN/TC 155) wird gegenüber den zur Zeit geltenden Normen DIN 8074/8075 bzw. DIN 19533 darauf hingewiesen, daß die Rohrwerkstoffe PE 80 und PE 100 in Abhängigkeit der Nenndruckstufe für folgende Belastungen zugelassen sind:

SDR	Wasser	
	PE 80	PE 100
7,25	PN 20	–
11	PN 12,5	PN 16
17	–	PN 10

Die Erteilung der Nenndruckstufen für Rohre aus dem Werkstoff PE 100 in der Trinkwasserverteilung basiert auf der Dimensionierung mit einem Sicherheitsbeiwert 1,25 (Festlegung des CEN/TC 155 „Kunststoff-Rohrsysteme"), die für Rohre aus dem Werkstoff PE 80 (nach DIN 8074/8075) aber auf der Dimensionierung mit dem Sicherheitsbeiwert 1,60. Daher hat der DVGW-Arbeitskreis „Kunststoff-Rohrsysteme in der Gas- und Wasserverteilung" zur Gleichbehandlung beider Werkstoffe beschlossen, den im Rahmen der zur Zeit stattfindenden Überarbeitung der DIN 8074/8075 auf 1,25 festgelegten Sicherheitsbeiwert für alle PE-Werkstoffe zu übernehmen und die zulässigen Nenndruckstufen für Rohre aus PE 80 der Rohrreihen 5 und 6 entsprechend anzuheben.

Die Aufnahme einer neuen Rohrreihe für die Nenndruckstufe PN 10 wird bis zum Erscheinen der überarbeiteten DIN 8074/8075 oder der entsprechenden DIN EN-Norm (Systemstandard 20 des CEN/TC 155) zurückgestellt.

Trinkwasserverteilungsanlagen 213

Zur deutlicheren Unterscheidung sind folgende Farben für PE-HD-Rohre vorgesehen:

PE-Typ	Trinkwasserrohre
PE 80	schwarz (RAL 9004) mit blauen Streifen (RAL 5012)
PE 100	blau (RAL 5005)

Auf diese Weise ist eine eindeutige Unterscheidung möglich, obschon der Werkstoff PE 100 mit den gebräuchlichen Materialien voll kompatibel und somit auch verschweißbar ist.

Die Rohrkennzeichnung wird auf Basis der VP 608 wie folgt aussehen:

	PE 80	PE 100
Herstellerzeichen	XYZ	XYZ
DVGW-Prüfzeichen mit Registriernummer bzw. Gütezeichen	DVGW K ... ⊠O	DVGW K ... ⊠O
Werkstofftyp	PE 80	PE 100
MFI-Gruppe	005 oder 010	005 oder 010
Nenndruck	PN 12,5 od. PN 20	PN 10 od. PN 16
Norm	DIN 8074/75	–
SDR	SDR XY	SDR XY
Außendurchmesser x Wanddicke	z. B. 180 x 16,4	z. B. 180 x 16,4
Herstelldatum	Tag/Monat/Jahr	Tag/Monat/Jahr
Maschinennummer	z. B. 96	z. B. 96

Verbindungen

Für die Verbindung von PE 100-Trinkwasserrohren und -formstücken steht eine Vielzahl von Alternativen zur Verfügung.

Heizelementstumpfschweißungen und Heizwendelschweißungen sind – wie bei PE 80-Rohren und -Formstücken – auf Basis der DVS-Richtlinien 2207, Teil 1 auszuführen. Ein Eignungsnachweis im Zeitstands-Zugversuch nach DVS 2203, Teil 4 ist zu führen.

In der bereits angesprochenen vorläufigen Prüfgrundlage VP 608 des DVGW wird hierzu ausgeführt, daß die Verschweißbarkeit des Rohstoffes durch den Rohstoffhersteller nachzuweisen ist. Auf Grund der bisherigen Erkenntnisse ist davon auszugehen, daß die Verschweißbarkeit gegeben ist.

Für die einfache und sichere Verarbeitung werden zur Schweißparameterkennung Barcode- und Magnetkartensysteme sowie elektronische Protokolliereinrichtungen eingesetzt.

Bei Übergangsverschraubungen – insbesondere bei Konstruktionen mit Stützhülsen – sei auf die teilweise veränderte Wanddicke der PN10-Rohre hingewiesen.

Weitergehende Angaben zu Rohrverbindungen und Verbindungstechniken sind im Teil V aufgeführt.

1.1.7.2.4 Trinkwasserleitungen aus PE-X

PE-X-Rohre sind seit 1984 für den Einsatz in der Sanitärinstallation vom DVGW zugelassen. Für den Einsatz im erdverlegten Rohrleitungsbau liegt die DVGW-Zulassung seit 1993 sowohl für Gas als auch für Wasser vor. Die Zulassung für Wasser unter besonderer Berücksichtigung der hygienischen/toxikologischen Unbedenklichkeit nach den KTW-Empfehlungen des Bundesgesundheitsamtes ist erteilt.

Diese Zulassung gilt für PE-X-Rohre der Dimensionen 10 bis 160 mm entsprechend der DIN 16892/93 bis 20 bar Betriebsdruck. Im Bereich der modernen grabenlosen Verlegeverfahren gewinnen PE-X-Rohre zunehmend an Bedeutung. Sie weisen eine sehr hohe Kratzerbeständigkeit auf und sind spannungsrißunempfindlich. Somit ist eine Verlegung ohne Sandbett möglich.

1.1.7.2.5 PE-HD-Mehrschichtrohre

R. WOLTER

Für besondere Anwendungen

– Verlegung in kontaminierten Bereichen

– grabenlose Verlegung

– offene Verlegung in grobkörnigem Boden

stehen zudem PE-HD-Mehrschichtrohre zur Verfügung. Sie zeigen folgenden Aufbau:

– Mediumrohr:	PE-HD-Rohr nach DIN 8074/75 und DIN 19533 aus PE 80 und PE 100
– Sperrschicht:	Diagonal überlappend gewickelte Aluminiumfolie
– Schutzmantel:	Aufextrudierter Spezialmantel.

ROHRE IN REINKULTUR   HEWING PRO AQUA

Die Wasserrohrvenus.
Zeichen für Spitzenqualität.

Hewing pro Aqua. Hersteller von umweltfreundlichen PE-Xc-Kunststoffrohren für die Trinkwasserversorgung, Radiatorenanbindung und Fußbodenheizung in der Haustechnik. Hewing liefert weltweit unter dem für vorzügliche Qualität stehenden Markensymbol „Wasserrohrvenus".

Die Hewing-Marken-Rohre garantieren mit den reinen, glatten und gegen Korrosion immunen Innenflächen gleichbleibende Spitzenqualität über Generationen.

HEWING
PRO AQUA

HEWING GMBH · WALDSTRASSE 3 · 48607 OCHTRUP · TEL.: 02553/70 01 · FAX: 02553/70 17

Die lieferbaren Rohrabmessungen umfassen den Durchmesserbereich von 25 bis 400 mm in den Druckstufen PN 10 und PN 16. Rohre bis d_a 160 mm können auch als Ringbund oder auf Trommeln geliefert werden. Für die Verbindung der Einzelrohre oder Rohrstränge können die bekannten und gebräuchlichen Techniken angewandt werden. Allerdings müssen im Bereich der Rohrverbindung vorab der Schutzmantel und – falls vorhanden – die Aluminiumfolie mit einem speziellen Schälgerät entfernt werden. Mehrschichtrohrsysteme können unter Zugrundelegung der gültigen Richtlinie transportiert, gelagert und eingebaut werden. Die Anwendung der minimalen Verlegeradien ist ohne Einschränkung möglich. Die Erhöhung der Rohraußendurchmesser und der Rohrgewichte ist geringfügig und hat keinen Einfluß auf die Einbautechniken.

1.1.7.2.6 Rohrleitungen aus GFK

H. SCHULZ

Rohre aus glasfaserverstärktem Kunststoff (GFK) sind heute das Material, das vor allem in größeren Nennweiten gute Chancen hat, herkömmliche Systeme wie Guß oder Stahl abzulösen. Die Vorteile für Anwendungen in der Trinkwasserversorgung liegen dabei auf der Hand: variable Baulängen bis 18 m, leichtes Rohrgewicht und damit verbunden gutes Handling auf der Baustelle, eine herausragende chemische Beständigkeit ohne zusätzliche Korrosionsschutzmaßnahmen und dauerhaft dichtsichere Verbindungsarten, um nur einige zu nennen.

Rohre und Formstücke

Der Sandwichaufbau der GFK-Rohrwand erlaubt es, die Rohre für die jeweilige Druckstufe genau zu dimensionieren. Daraus resultiert auch, daß die Wandstärken mit zunehmender Druckstufe abnehmen können, da zwar der Glasanteil (Aufnahme der Innendruckbelastung) steigt, aber der Füllstoffanteil überproportional abnimmt.

GFK-Rohre für die Trinkwasserversorgung werden in Druckstufen bis 40 bar hergestellt; dabei kommen vor allem für höhere Druckstufen Epoxidharze zum Einsatz. Mit den heute vor allem gebräuchlichen Polyesterharzen ist es problemlos möglich, Druckrohre bis PN 16 herzustellen.

Der Nennweitenbereich, der mit GFK-Rohren abgedeckt werden kann, erstreckt sich von DN 50 bis DN 400, wobei die wirtschaftlichen Alternativen sicherlich bei Rohren > DN 150 gesehen werden müssen.

Die Regelbaulängen, welche die meisten GFK-Rohrhersteller anbieten, sind 6 m, 12 m oder 18 m. Bei einigen Herstellern, die die Rohre in der Wickeltechnologie herstellen, ist es möglich, auch Zwischenlängen zu erhalten und damit den Verlege- und Bearbeitungsaufwand auf der Baustelle zu optimieren.

In den Güterichtlinien R 1.8.24 bzw. R 1.8.1.8 für GFK-Druckrohre sind sowohl für gewickelte wie für geschleuderte Rohre Materialanforderungen und relevante Prüfungen festgeschrieben.

Mit der Erlangung des Gütezeichens sind auch die hygienischen Anforderungen gemäß der KTW-Richtlinien des Bundesgesundheitsamtes erfüllt.

Ein umfangreiches Formstückprogramm ergänzt die Rohrleitungssysteme aus GFK. Dazu gehören Bögen, T-Stücke, Reduzierungen und F- oder FF-Stücke. Diese Formstücke werden entsprechend der geforderten Druckstufe aus Rohrsegmenten gefertigt. Zur Herstellung der Formstücke sei auf Teil IV.2.1.3 und Teil V.2.3 verwiesen. Nachträgliche Anschlüsse an GFK-Trinkwasserleitungen lassen sich mit Hilfe von sogenannten geteilten Überschiebern für größere Anschlüsse oder mit herkömmlichen Anbohrschellen für Hausanschlüsse herstellen.

Da heute von den meisten GFK-Rohrherstellern eine GFK-Rohraußendurchmesserserie 2 angeboten wird, ist es möglich, im Nennweitenbereich dieser Serie auch Formstücke aus duktilem Guß einzusetzen. Die Außendurchmesser der GFK-Rohre der Serie 2 entsprechen in den meisten Fällen bis mindestens DN 500 denen von GGG. Um eine annähernd gute chemische Beständigkeit der gesamten Rohrleitungen zu erhalten, sollte beim Einsatz von GGG-Formstücken darauf geachtet werden, daß emaillierte Formstücke verwendet werden.

Des weiteren wird auch eine Serie 3 angeboten, die in ihrem Außendurchmesser PVC-U-Rohren entspricht. Beim Einsatz solcher Rohre ist es möglich, einen Materialwechsel ohne Sonderformstücke durchzuführen. In Tafel 5 sind die Außendurchmesserreihen erklärt.

Tafel 5: Außendurchmesserserien von GFK-Rohren

Nennweite	Serie 1	Serie 2	Serie 3
DN 100 bis 500 (600)	–	Außendurchmesser dieser Serie entsprechend dem d_a von duktilem Guß	–
DN 300 bis 500	–	–	Außendurchmesser entspricht dem d_a von PVC
DN 600 bis 2.400	reine GFK-Außendurchmesserreihe	–	–

Bild 14: GFK-Rohrkupplung

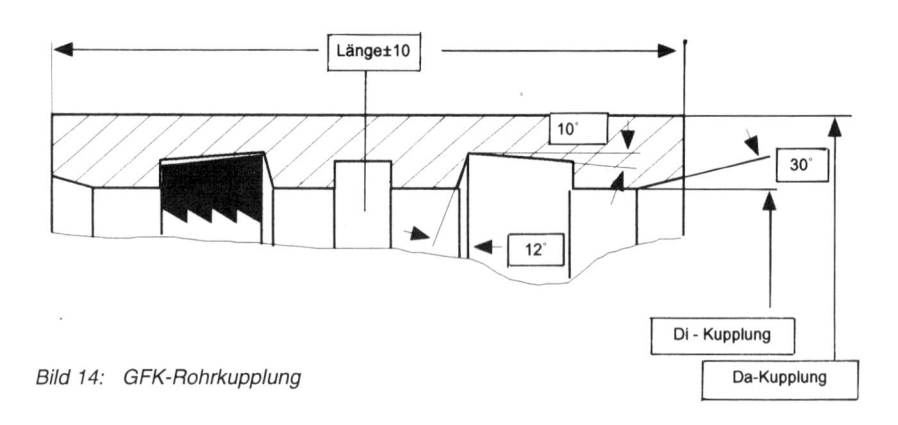

Verbindungen

Als Rohrverbindung fungiert meist eine doppelgelenkige Überschiebmuffe (Bild 14) oder eine Muffen-/Spitzenden-Klebverbindung. Beide Verbindungsarten sichern eine dauerhaft dichte Rohrverbindung, auch unter extremen Einsatzbedingungen wie z. B. sehr hohe Überdeckungshöhen (damit verbundene Rohrverformung) oder bei der Verlegung in wenig tragfähigen Böden. Eine weitere alternative Rohrverbindung sind Überlaminate. Durch Laminatverbindungen ist es möglich, auf der Baustelle an schlecht zugänglichen Punkten oder in Kreuzungsbereichen eine Rohrverbindung herzustellen.

Laminate können an Bögen oder Abzweigen Ablenkkräfte, die aus dem Innendruck resultieren, aufnehmen.

1.1.8 Bau von Trinkwasserleitungen

1.1.8.1 Allgemeine Anforderungen

Die geltende Verlegeanleitung des Kunststoffrohrverbandes führt hierzu aus, daß mit den Verlegearbeiten nur Rohrleitungsbaufirmen zu beauftragen sind, die über eine DVGW-Bescheinigung gemäß DVGW-Arbeitsblatt GW 301 „Verfahren für die Erteilung der DVGW-Bescheinigung für Rohrleitungsbauunternehmen" verfügen.

Sofern Schweißarbeiten durchzuführen sind, ist darauf zu achten, daß nach dem DVGW-Merkblatt GW 330 „Schweißen von Rohren und Formstsücken aus PE-HD für Gas- und Wasserleitungen; Lehr- und Prüfplan" eine Ausbildung vorliegt und die Schweißarbeiten gemäß dem DVGW-Arbeitsblatt GW 331 „PE-Schweißaufsicht für Rohrleitungen in der Gas- und Wasserversorgung; Lehr und Prüfplan" überwacht werden.

Dieses steht im Einklang mit der prEN 805, die u. a. bezüglich der Qualifikation des Verlegepersonals ausführt, daß sowohl für die Ausführung als auch für die Überwachung des Bauvorhabens erfahrenes Personal einzusetzen ist, das die Güte der Arbeit im Sinne der Norm beurteilen kann. Firmen, die den Auftrag für die Ausführung der Arbeiten erhalten haben, müssen die notwendigen Qualifikationen besitzen, von deren Vorhandensein sich der Auftraggeber zu überzeugen hat.

Die Ausführung der Bauarbeiten muß mit nationalen Normen, im vorliegenden Fall mit der DIN 19630 „Richtlinien für den Bau von Wasserleitungen" sowie den Anforderungen der Versorgungsunternehmen und der Anleitung der Hersteller der Formstücke – auf die nachfolgend unter Werkstoffgesichtspunkten näher eingegangen wird – übereinstimmen.

Die geltenden Unfallverhütungsvorschriften der Berufsgenossenschaften, die Straßenverkehrsordnung und die Richtlinien für die Sicherung von Arbeitsstellen an Straßen sind ebenfalls zu beachten.

1.1.8.2 Transport und Lagerung

Kunststoffrohrleitungsteile sind – wie auch korrosionsgeschützte Rohre aus konventionellen Werkstoffen – vor Beschädigungen zu schützen. Daher sind für das Auf- und Abladen palettierter und insbesondere nicht palettierter Rohre breite Gurte oder andere schonende Vorrichtungen, geeignete Hebegeräte und bei größeren Rohrlängen Traversen zu empfehlen. Kleinere, nicht palettierte Rohre können auf Grund des geringen Gewichts auch von Hand auf- bzw. abgeladen werden.

Es empfiehlt sich, nicht palettierte Rohre während des Transportes möglichst auf ihrer ganzen Länge zu lagern und Sicherungsmaßnahmen gegen Rollen, Verschieben und Schwingen – insbesondere bei Temperaturen um den Gefrierpunkt – z. B. durch Festzurren mit breiten Gurten vorzunehmen.

Der Kontakt zu schädigenden Stoffen (z. B. Öle, Fette, Kraftstoffe) ist zu vermeiden. Auch wenn die Rohrenden mit Verschlußkappen versehen sind, werden Maßnahmen empfohlen, die Verunreinigungen durch Erde, Schlamm, Abwasser oder ähnlich schädigende Stoffe verhindern; anderenfalls sind die Formstücke vor dem Einbau zu reinigen.

Damit keine unzulässigen Verformungen auftreten, eignen sich Lagerflächen, die eben und frei von spitzen Gegenständen sind. Gleichfalls empfiehlt sich, daß für nicht palettierte Rohre aus

PVC-U 1,5 m,

PE-HD 1,0 m,

GFK 1,5 m

Stapelhöhe nicht überschritten und bei palettierten Rohren Vorkehrungen getroffen werden, daß die Palettenhölzer jeweils auf der nächstunteren aufliegen. Bei der Stapelung von Rohren mit einseitig angeformter Muffe ist es zweckmäßig, die Muffen wechselweise und versetzt innerhalb der Rohrlage anzuordnen, damit eine volle Auflage der einzelnen Rohrlagen erreicht wird.

Ringbunde sind möglichst liegend zu lagern.

1.1.8.3 Einbau von Rohren und Formstücken

Bei klimatischen Einflüssen unter +5 °C bei PVC-U sowie 0 °C bei PE-HD werden zusätzliche Maßnahmen, z. B. Vorwärmen, Einzelten oder Beheizen, empfohlen. Auf das Herstellen von PVC-U-Klebverbindungen im Bereich unter +5 °C sollte verzichtet bzw. der Arbeitsbereich besonders geschützt werden. In diesem Fall ist auch für ausreichende Be- und Entlüftung der zu verklebenden PVC-U-Formstücke zu sorgen. Sind bei Minustemperaturen Verlegearbeiten notwendig, ist insbesondere darauf zu achten, daß die Rohre nicht schwingend bzw. stoßweise belastet werden.

Eine Lagerbefristung für Rohre und Formstücke, die in der Wasserversorgung eingesetzt werden und unmittelbar der Sonneneinstrahlung ausgesetzt sind, besteht im Gegensatz zu internationalen Normentwürfen derzeit nicht. Bei mehrmonatigen oder gar mehrjährigen Lagerungen können sich jedoch bei PVC-U-Rohren optische Veränderungen der Außenoberfläche sowie eine leichte Abnahme der Schlagzähigkeit ergeben. Diese Veränderungen sind auf photochemische Umwandlung des dem Rohrwerkstoff beigemischten Stabilisators zurückzuführen, womit jedoch keine Funktionsminderung – auch im Hinblick auf die Mindestanforderungen im Zeitstandinnendruckverhalten – verbunden ist. Derart in der Außenoberfläche veränderte Rohre mit Steckmuffen können ohne Einschränkungen verbunden werden. Bei Einsatz von Klebverbindungen wird allerdings auf die besonderen Hinweise der Klebanleitungen verwiesen, da der verfärbte Bereich besonderer Vorbehandlung bedarf.

Druckrohre und -Formstücke sind im Anlieferungszustand in der Regel allseitig durch Stopfen oder Kappen verschlossen. In PVC-U-Formstücken werkseitig eingelegte Dichtelemente sind somit u. a. gegen UV-Strahlen geschützt. Bei Fehlen des Muffenstopfens begrenzt sich allerdings die freie Lagerungszeit auf zwei Jahre. Muffenstopfen können auch separat zur Verfügung gestellt werden.

Vor Einbau der Rohre und Formstücke sind diese auf Transportbeeinträchtigungen oder sonstige sichtbare äußere Einflüsse zu überprüfen. Weiterhin sind Herstellerzeichen, DVGW-Registernummer, Gütezeichen, DIN etc. der Rohrkennzeichnung zu überprüfen. Nur so kann zuverlässig festgestellt werden, daß die zur Baustelle gelieferten Teile den Anforderungen des Auftraggebers entsprechen. Riefen bzw. Kratzer dürfen bei PE-HD-Rohren und -Formstücken

10 % der Mindestwanddicke nicht überschreiten und keine scharfkantige Ausprägung aufweisen.

Falls Rohrverschlüsse entfernt worden sind, sind diese Formstücke erforderlichenfalls innen zu säubern.

Schnitte sind rechtwinklig zur Achse auszuführen. Es empfiehlt sich der Einsatz einer feinzahnigen Säge oder eines Rohrschneiders für Kunststoffrohre. Grate und Unebenheiten sind mit einem geeigneten Werkzeug, z. B. grobhiebige Feile, Ziehklinge oder Schaber, zu entfernen. Für die Bearbeitung der GFK-Rohre und -Formstücke sind Diamant- oder Hartmetallwerkzeuge einzusetzen.

Die zugeschnittenen Rohrenden sind entsprechend der Verbindungsart zu bearbeiten.

Beim Abwickeln der PE-Rohre vom Ring ist zu beachten, daß

- PE-Rohre bis 63 mm Außendurchmesser im allgemeinen senkrecht abgerollt werden, wobei der Rohranfang festzuhalten ist
- sich bei größeren Abmessungen die Verwendung einer Abwickelvorrichtung empfiehlt
- PE-Rohre gerade abgewickelt und nicht geknickt werden
- das Abziehen in einer Spirale unzulässig ist.

Ferner ist beim Abwickeln der PE-Rohre von Trommeln oder Ringbunden zu beachten, daß die Rohrenden beim Lösen der Befestigung federnd wegschnellen können. Da besonders bei größeren Rohren erhebliche Kräfte frei werden, ist entsprechende Vorsicht geboten.

Beim Abwickeln ist außerdem zu beachten, daß die Flexibilität der PE-Rohre von der Umgebungstemperatur beeinflußt wird. Bei Temperaturen in Frostnähe empfiehlt sich zur leichteren Handhabung, die noch aufgewickelten Rohre zu erwärmen; z. B. mit Warmluft (max. 80 °C).

1.1.8.4 Herstellen der Rohrverbindungen

Steckmuffenverbindungen

Beim Herstellen von Steckmuffenverbindungen ist wie bei allen elastomeren Dichtringverbindungen der verschiedenen Rohrkonstruktionen auf größtmögliche Sauberkeit zu achten. Bodenreste oder anderer Schmutz in den Muffen, an den Dichtringen oder auf den Spitzenden können zu undichten Verbindungen führen bzw. Probleme beim Entkeimen von Trinkwasserleitungen vor der Inbetriebnahme verursachen.

Zu Beginn ist die Lage und Unversehrtheit bei werksseitig eingelegten Dichtelementen zu überprüfen bzw. bei GFK-Formstücken der Dichtring auf das Spitzende aufzuziehen oder in die entsprechende Dichtringkammer der Steckmuffe einzulegen. Einzusetzende Gleitmittel müssen unbedingt sauber und für den Verwendungszweck geeignet sein. Es wird empfohlen, nur werksseitig gelieferte Hilfsmittel einzusetzen. Derartige Hilfsmittel sind dünn auf das Spitzende im Bereich der Anfasung (bei PVC-U-Rohren) aufzutragen. Überschüssige, nicht durch Spülung entfernte Restmengen können gegebenenfalls beim Entkeimen Probleme verursachen.

Vor der Herstellung von Steckmuffenverbindungen ist darauf zu achten, daß die Achsen des liegenden und des einzuschiebenden Rohres oder Formstückes eine Linie bilden. Einstecktiefen sind, falls keine Kennzeichnung vorhanden ist, vorher aufzubringen und nach dem Steckvorgang zu kontrollieren. Zum Einschieben des Spitzendes in die Muffe können je nach Nennweite Hebe- oder spezielle Verlegegeräte der Rohrhersteller eingesetzt werden.

Werden Rohrleitungen mit Medien höherer Temperatur beauftragt, kann die werkstoffbedingte Dehnung bei nicht zugfesten Verbindungen in den Steckmuffen aufgenommen werden. Gegebenenfalls sind zusätzliche Lagesicherungsmaßnahmen vorzusehen, damit nur die Dehnung einer jeden Rohrlänge von der nächstfolgenden Muffe aufzunehmen ist.

Dem gegenüber können nicht längskraftschlüssige Steckmuffenverbindungen die in Richtung der Leitungsachse wirkenden Kräfte nicht oder nur in sehr begrenztem Maße aufnehmen, so daß ungesicherte Formstücke wie Bögen und Abzweige durch den Innendruck in Richtung der resultierenden Kraft weggeschoben werden (Tafel 6). Die Sicherung kann durch Widerlager gemäß DVGW-Merkblatt GW 310 oder durch geeignete Schubsicherungsklemmen in Anlehnung an das DVGW-Merkblatt GW 368 erfolgen.

Bei waagerecht wirkenden Kräften ermöglichen es die örtlichen Verhältnisse zumeist, die resultierende Kraft über ein Betonwiderlager auf die Grabenwand zu übertragen. Bei Kraftübertragung auf die Grabensohle sind gegebenenfalls zusätzlich wirkende Kräfte, z. B. aus Bodenlast, zu berücksichtigen. Die erforderliche Kraftübertragungsfläche des Widerlagers an der Grabenwand/Grabensohle richtet sich nach der zulässigen Beanspruchung des Bodens. Nach oben gerichtete Kräfte sind durch Gewichte abzufangen.

Die gebräuchlichsten Anwendungsfälle sind in Bild 15 zusammengefaßt.

Klebverbindungen bei PVC-U-Rohren

Klebverbindungen sind im Gegensatz zu Steckverbindungen längskraftschlüssige Verbindungen. Ihre Anwendung empfiehlt sich

Trinkwasserverteilungsanlagen

Tafel 6: Axiale Kräfte und resultierende Kräfte für PVC-U-Rohrleitungen

Nenndruck 10 bar

DN	Außen Ø [mm]	axiale Kraft [kN]	resultierende Kraft [kN] bei				
			11°	22°	30°	45°	90°
50	63	4,67	0,90	1,80	2,40	3,60	6,60
65	75	6,62	1,25	2,55	3,45	5,05	9,40
80	90	9,55	1,80	3,65	4,95	7,35	13,50
100	110	14,25	2,75	5,50	7,40	11,00	20,20
125	140	23,10	4,45	8,85	12,00	17,80	32,60
150	160	30,10	5,80	11,50	15,70	23,10	42,60
200	225	59,60	11,40	22,80	30,90	45,60	84,00
250	280	92,30	17,70	35,30	47,90	71,00	131,00
300	315	116,80	22,40	44,60	60,60	89,50	166,00
400	450	238,50	46,80	93,00	124,00	183,00	338,00

(Prüfdruck von 1,5 x Nenndruck ist berücksichtigt)

Nenndruck 16 bar

DN	Außen Ø [mm]	axiale Kraft [kN]	resultierende Kraft [kN] bei				
			11°	22°	30°	45°	90°
50	63	7,47	1,44	2,88	3,84	5,76	10,56
65	75	10,59	2,00	4,04	5,52	8,08	15,04
80	90	15,28	2,88	5,84	7,92	11,76	21,60
100	110	22,80	4,40	8,80	11,84	17,60	32,32
125	140	36,96	7,12	14,16	19,20	28,48	52,16
150	160	48,16	9,28	18,40	25,12	36,96	68,16
200	225	95,36	18,24	36,48	49,44	72,96	134,40
250	280	147,68	28,32	56,48	76,64	113,60	209,60
300	315	186,88	35,84	71,36	96,96	143,20	265,60

(Prüfdruck von 21 bar ist berücksichtigt)

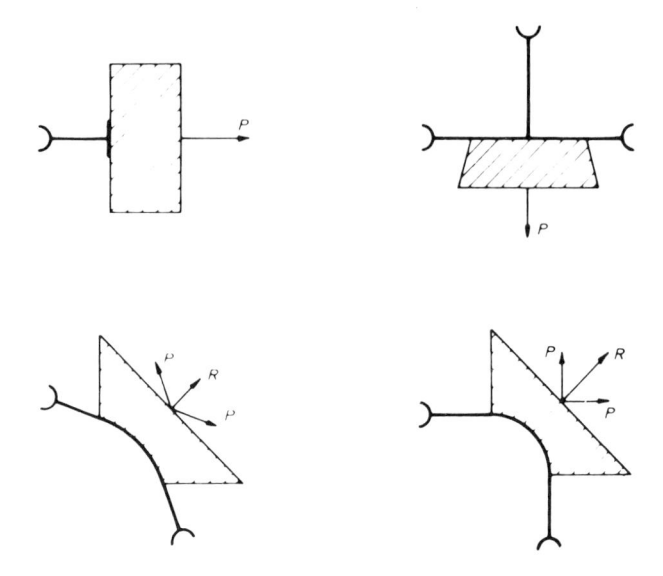

Bild 15: Anordnung verschiedener Abstützungen

- bei der Verlegung in nicht tragfähigen Böden (Bodenklasse 2.22 nach DIN 18300)
- bei der Verlegung in Kanälen und Schächten
- bei der Verlegung von Düker- und Brückenleitungen.

Bei Klebverbindungen ist ein Klebstoff auf Basis von Tetrahydrofuran (THF) zu verwenden (DIN 16970 und Richtlinie R 1.1.7 der Gütegemeinschaft Kunststoffrohre e. V.) Bei der Verklebung von Trinkwasserleitungen muß der Klebstoff auch den zusätzlichen Anforderungen der DIN 19532 entsprechen.

Die zu verklebenden Flächen müssen trocken und frei von Schmutz sein. Das Einsteckende ist außen, die Muffe bzw. das Formstück innen mit Reiniger und mit saugfähigem, nicht faserndem und nicht eingefärbtem Papier zu reinigen. Dabei ist stets neues Papier zu verwenden. Bei Temperaturen unter 5 °C empfiehlt es sich, Rohrenden und Muffe handwarm zu temperieren. Der Klebstoff ist gleichmäßig aufzutragen. Bei Durchmessern > 110 mm sollte der Klebauftrag durch zwei Personen erfolgen, die den Klebstoff gleichzeitig am Einsteckende und an der Muffe auftragen. Bei Vorliegen einer Spielpassung ist das Rohr zum Spitzende hin besonders dick einzustreichen.

Unmittelbar nach dem Klebauftrag sind die Formstücke schnell ohne gegenseitiges Verdrehen und Verkanten ineinander zu schieben. Bei Temperaturen über

20 °C und/oder starker Luftbewegung verkürzt sich die „offene" Zeit des Klebstoffes – Folge: der Zusammenschiebevorgang muß noch kürzer erfolgen. Dieses gilt auch für durch Sonneneinstrahlung erwärmte Rohroberflächen.

Der überschüssige Kleber ist nach dem Zusammenfügen zu entfernen, da das Rohr sonst zu stark angelöst wird. Die Verbindung sollte beim Aushärten entsprechend den Angaben der Klebstoff-Produzenten nicht bewegt bzw. beansprucht werden. Die Verbindung ist einer Druckbelastung erst nach einer zusätzlichen Wartezeit auszusetzen.

Da die im Klebstoff enthaltenen Lösungsmittel schwerer sind als Luft, ist während der Verlegung eine ausreichende Belüftung der Rohrleitung sicherzustellen. Das Verschließen der Rohrleitung z. B. über Nacht ist daher nicht statthaft.

Klebverbindungen bei GFK-Rohren

Für die Vorbereitung der Klebverbindung können einfache Schleifwerkzeuge verwendet werden. Durch das Aufrauhen soll nicht zuviel Material abgetragen werden.

Nach dem Schmirgeln der Fügeflächen dürfen keine Schattierungen der Oberfläche erkennbar sein. Schleifstaub ist mit einem trockenen und sauberen Pinsel zu entfernen. Lösungsmittel dürfen zum Reinigen nicht verwendet werden.

Der Klebstoff besteht aus zwei Komponenten, deren gutes Vermischen Voraussetzung für eine hohe Festigkeit der Verbindung ist. Harz und Härter werden im Gebinde in getrennten Dosen im vorgeschriebenen Mischungsverhältnis geliefert.

Eine optimale Mischung ist erreicht, wenn die gesamte Menge des Härters dem Harz hinzugeführt und so gründlich vermischt wird, daß eine vollständig einheitliche Färbung entsteht. Bei tiefen Temperaturen (unter +5 °C) ist ein Kleben nur mit zusätzlichen Heizmaßnahmen durchzuführen.

Zunächst sollte auf die vorbereitete Muffeninnenfläche eine dünne Klebstoffschicht aufgetragen und gut einmassiert, danach auf das vorbereitete Rohrende eine dünne Klebstoffschicht (0,5–1 mm) auftragen und ebenfalls gut einmassiert werden. Die Schnittkante des Rohres ist vor dem Zusammenfügen mit Klebstoff zu versiegeln. Danach ist das Formstück mit einer leichten Drehbewegung bis zum Anschlag auf das Rohr zu schieben bzw. das Rohr in das Formstück einzuschieben. Der überschüssige Klebstoff ist sofort zu entfernen.

Das Ausrichten der geklebten Teile darf nur innerhalb der Gebrauchsdauer der Klebmischung erfolgen. Während des Aushärtevorgangs sind Lageänderungen zu vermeiden.

Laminatverbindungen bei GFK-Rohren

Für die Bearbeitung des GFK-Werkstoffes verwendet man Diamant- oder Hartmetallwerkzeuge. Die Bearbeitung muß mindestens bis zur ersten Glaslage vorgenommen werden.

Alle Schnitt- und Schleifflächen, die nicht überlaminiert werden, müssen mit artgleichen Harzen versiegelt werden. Die zu versiegelnden Flächen müssen staub- und fettfrei sein. Die Anwendung von Lösungsmitteln zur Reinigung von bearbeiteten Flächen sollte vermieden werden.

Die Spalte der Stoßstellen sind mit einer Harzspachtelmasse auszufüllen. Stoßstellen ab DN 300 sind mit einem Innenlaminat zu versehen.

Für die Herstellung des Laminates sind die Verarbeitungsanweisungen des Rohrherstellers zu beachten.

Der Harzansatz ist unmittelbar vor der Verarbeitung herzustellen. Das Laminat darf nicht zu schnell aushärten. Während der Härtezeit darf die Verbindung nicht bewegt werden. Für den Laminataufbau empfiehlt es sich, Glasmatten, Gewebe und Vliese in Bandform zu verwenden.

Der Aufbau des Überlaminates muß mit einer Textilglasmatte beginnen und ist möglichst luftblasenfrei aufzuwickeln.

Die Außenschicht besteht aus einem C-Glasvlies oder Synthesefaservlies und einer witterungs- sowie temperaturbeständigen Harzschicht von 0,2 mm Dicke.

Schweißverbindungen bei PE-HD-Rohren

PE-HD-Rohre werden außerhalb des Hausanschlußbereiches in der Regel verschweißt. Vor dem Verschweißen sind die Rohre und Formstücke zu reinigen. Bei ungünstigen Witterungseinflüssen wie Feuchtigkeitseinwirkung oder Temperaturen unter +5 °C dürfen Schweißarbeiten nur ausgeführt werden, wenn Arbeitsbedingungen (z. B. Vorwärmen, Einzelten oder Beheizen) geschaffen werden, die ein einwandfreies Arbeiten gemäß dem DVS-Merkblatt 2207 ermöglichen.

Die am häufigsten angewandten Verfahren, die Heizwendelschweißung und die Heizelementstumpfschweißung, haben sich bei sorgfältiger Ausführung hervorragend bewährt. Besonderes Augenmerk ist auf das sorgfältige und vollständige Abschaben der zu verschweißenden Rohroberfläche zu richten. Anschließend sind diese Flächen mit einem geeigneten und vom Hersteller der Formstücke empfohlenen Reinigungsmittel zu reinigen. Hierfür ist saugfähiges, nicht faserndes und nicht eingefärbtes Papier zu verwenden. Bei Verwendung von Papierhandtüchern aus Altpapier kann ein nicht wahrnehmbarer Film auf der Rohroberfläche entstehen, der flächenhaft die ordentliche Vernetzung der Molekül-

Die Vorteile von Brandalen®-Rohrsystemen aus PE-HD und PP-R ergeben sich aus den werkstoffspezifischen Eigenschaften und unserem Know-how in der Fertigung und beim Einsatz in der Trinkwasserversorgung, in der Gasversorgung und im Transport kommunaler und industrieller Abwässer.

Das heißt: Sicherheit, weil absolut dicht durch homogene, längskraftschlüssige Schweißverbindungen, korrosionsfest und beständig gegen aggressive Medien und Böden.

Das heißt: Hohe hydraulische Leistungsfähigkeit durch günstigen Reibungsbeiwert.

Das heißt: Wirtschaftlichkeit, weil Brandalen-Rohrsysteme durch geringes Gewicht und Flexibilität den Transport und die Verlegung beträchtlich erleichtern. Das hält die Kosten in allen Anwendungsbereichen niedrig: in der Trinkwasserversorgung, in der Gasversorgung, im Kanalsektor zur kommunalen und industriellen Abwasserbeseitigung, im Dükerbau und im Relining.

Kunststoffwerk Höhn GmbH

56462 Höhn, Telefon (02661) 298-0
Telefax (02661) 8922

Mitglied der Gütegemeinschaft Kunststoffrohre e.V. und der Abwassertechnischen Vereinigung ATV

INDUSTRIEARMATUREN
Bauelemente der Rohrleitungstechnik

4. AUSGABE

Zusammengestellt und bearbeitet von B. Thier

1993, 422 Seiten mit zahlreichen Abbildungen und Tabellen, Format DIN A 4, gebunden, ISBN 3-8027-2703-7
Bestell-Nr. 2703
DM 186,- / öS 1451,- / sFr 186,-

Die rund sechzig Beiträge namhafter Fachleute sind das Ergebnis sorgfältiger Recherchen und Auswahl der in Frage kommenden Publikationen nach den Kriterien Aktualität, Praxisnähe und Anwendungsbezug.

Mit diesem Handbuch hält der Leser eine aktuelle Dokumentation der technischen Entwicklungen auf diesem Gebiet in Händen. Sie erspart Anwendern, Betreibern und Herstellern umfangreiche und zeitraubende Literaturrecherchen.

Das Werk bietet eine Fülle von technischen Details wie konstruktive und strömungstechnische Daten, Tabellen sowie fertigungs- und prüftechnische Aspekte. Es ist somit besonders auf die Bedürfnisse der Ingenieure in den Bereichen Herstellung, Montage, Betrieb und Anwendung abgestimmt.

Im Anhang findet sich ein umfangreiches Literaturverzeichnis. Mit Hilfe der Suchbegriffe und Kapitelzuordnungen sind die gewünschten Informationen schnell und sicher zu finden.

Eine weitere wichtige Ergänzung bildet der Anzeigenteil mit Herstellern und Dienstleistungsbetrieben der Rohrleitungs- und Armaturentechnik in Verbindung mit einem ausführlichen deutsch-englischen Inserenten-Bezugsquellenverzeichnis. Dadurch wird dem Benutzer des Handbuches das Auffinden geeigneter Anbieter erleichtert.

Das Buch wendet sich an Betriebs- und Planungsingenieure, Rohrleitungsingenieure, Chemiker, Techniker, Konstrukteure und ist auch für Studierende der entsprechenden Fachrichtungen eine wertvolle Arbeitsunterlage.

VULKAN ▽ VERLAG
FACHINFORMATION AUS ERSTER HAND

Postfach 10 39 62 • 45039 Essen • Telefon (0201) 8 20 02-14 • Fax (0201) 8 20 02-40

BESTELLSCHEIN
Fax: 02 01 / 8 20 02 40
Bitte einsenden an Ihre Fachbuchhandlung oder an den

VULKAN-VERLAG GmbH
Postfach 10 39 62

45039 Essen

☞ Ja, senden Sie mir (uns) gegen Rechnung:

.... Exempl. »**INDUSTRIEARMATUREN**« Bestell-Nr. 2703,
Preis je Exemplar DM 186,- / öS 1451,- / sFr 186,-

Die Zahlung erfolgt sofort nach Rechnungseingang.

Name/Firma ....

Anschrift ....

Bestell-Zeichen/Nr./Abteilung ....

Datum .... Unterschrift ....

ketten während der Schweißung verhindert. Ein ähnlicher Effekt kann eintreten, wenn anstelle eines geeigneten Reinigers, wie z. B. reiner Alkohol, Brennspiritus minderer Qualität mit unbekannten Beimischungen verwendet wird.

Die elektrisch verschweißbaren Formstücke, Anbohrschellen usw. sind erst kurz vor dem Schweißen aus der Originalverpackung des Herstellers zu entnehmen und unmittelbar auf dem gereinigten Rohr zu fixieren. Bei Heizwendelschweißungen wird der Einsatz von Einspannvorrichtungen zur Vermeidung verlegebedingter Spannungen während des Schweißvorganges empfohlen.

Heizwendelschweißen

Bei diesem Verfahren werden die Verbindungsflächen (Rohraußenoberfläche und Muffeninnenseite) mittels in der Muffe vorhandener Widerstandsdrähte durch elektrischen Strom auf Schweißtemperatur erwärmt und geschweißt. Die Schweißung erfolgt mit eigens hierfür entwickelten und geeigneten Schweißregeleinheiten sowie Haltevorrichtungen.

Heizelementstumpfschweißen

Die Verbindungsflächen der zu schweißenden Teile werden am Heizelement unter Druck angeglichen, anschließend bei reduziertem Druck erwärmt und nach Entfernung des Heizelementes unter Druck zusammengefügt.

Während der Abkühlung ist der Fügedruck der in der Schweißvorrichtung eingespannten Teile aufrechtzuerhalten. Maßnahmen für eine beschleunigte Abkühlung der verschweißten Teile sind unzulässig.

Klemmverbindungen bei PE-Rohren

Verbindung von PE-HD- oder PE-LD-Trinkwasserrohren kleineren Durchmessers (z. B. im Hausanschlußbereich) werden grundsätzlich mit lösbarem mechanischem Klemmverbinder ausgeführt. Klemmverbinder aus Kunststoff müssen DIN 8076 Teil 3, die aus Metall den Anforderungen der DIN 8076 Teil 1 oder 2 sowie der VP 600 des DVGW entsprechen. Es wird darauf hingewiesen, daß nur Klemmverbinder mit Stützhülse zu verwenden sind. Diese dienen dem Zweck, daß auch bei niedrigem Innendruck die Dichtheit gewährleistet ist. Die Aufweitung zur Anpassung an den Stützkonus darf dabei 6 % des Außendurchmessers nicht überschreiten und der Konuswinkel der Stützhülse nicht größer als 5 Grad sein. Eine Anwärmung des Rohres zur Aufweitung ist dann auch nicht erforderlich.

Zunehmend finden auch Übergangsstücke PE-HD/Metall Verwendung. Hierbei ist ein Rohrstück aus Metall, z. B. Messing, mit einem Innen- oder Außengewinde versehen, das andere Ende ist mit einer PE-HD-Muffe umgeben. Die mechanische und dichte Verbindung ist dadurch erzielt, daß das Kunststoffteil auf die Metallhülse im Spritzgießen aufgespritzt wurde und durch das Schwinden beim Abkühlen aus der Schmelze und Erstarren auf die Metallhülse fest aufgeschrumpft ist.

Flanschverbindungen

PVC-U-Rohre können lösbar und zugfest verbunden werden mit:

- Flanschverbindung mit Bundbuchsen
- Flanschverbindung mit kegeligen Flanschbuchsen
- Anschluß an Metallflansche mit Bundbuchsen
- Anschluß an Metallflansche mit kegeliger Flanschbuchse

Für die Verbindung von PE-Rohren durch Flansche stehen ab 32 mm Außendurchmesser Vorschweißbunde mit losem oder festem Flansch zur Verfügung. Es sind drei verschiedene Ausführungen gebräuchlich:

- Vorschweißbunde für Heizwendelschweißen
- Vorschweißbunde für Heizelementmuffenschweißen
- Vorschweißbunde für Heizelementstumpfschweißen

Bei der Herstellung von Flanschverbindungen ist sicherzustellen, daß die Teile weitgehend frei von Biegespannungen und temperaturbedingten Zugspannungen bleiben. Auf genau fluchtende Leitungsteile sowie auf eine ausreichende Sicherung schwerer Armaturen ist zu achten. Flanschverbindungen an PE-HD-Rohren kleinerer Nennweiten sollten möglichst zugunsten von Klemmverbindungen entfallen.

Generell ist anzumerken, daß das Anziehen der Schrauben über Kreuz und mit einem geeigneten Werkzeug zu erfolgen hat, damit eine dauerhafte Abdichtung der Verbindung gewährleistet ist. Bei der Verwendung stahlarmierter Kunststoff-Flansche sind Unterlegscheiben zu verwenden, um die wirksame Axialkraft gleichmäßig auf die Flansche zu übertragen.

1.1.8.5 Flexibilität

Die Flexibilität von Rohren aus thermoplastischen Kunststoffen erlaubt eine weitestgehende Anpassung an den Rohrgraben und damit auch an die Trassenführung. Dabei dürfen die nachstehenden Werte für den kleinsten zulässigen Biegeradius nicht unterschritten werden.

Rohrwerkstoff	Verlegetemperatur	kleinster zulässiger Biegeradius
PE-HD	20 °C 0 °C	20 x d 50 x d
PVC-U	20 °C	300 x d

Trinkwasserverteilungsanlagen   229

Bei Biegungen in PVC-U-Druckleitungssystemen mit Steckmuffenverbindungen ist durch entsprechende Abstützung des Rohres die nicht zulässige Abwinklung des Einsteckendes in der Muffe zu verhindern (Bild 16). Rohre größerer Nennweiten (ab DN 200) lassen sich auf Grund der höheren Eigensteifigkeit kaum noch biegen. Geringe Richtungsänderungen können jedoch auch bei diesen Rohren erzielt werden. Auf Grund der größeren Muffenspalte und des Dichtringvolumens ist eine Abwinklung in der Muffe möglich. Sie darf ca. 0,5° (entspricht ca. 5 cm Auslenkung bei 6 m Baulänge) betragen.

Auf das Erwärmen von Rohren zur Herstellung von Rohrbögen auf der Baustelle sollte – auch aus wirtschaftlichen Gesichtspunkten – verzichtet werden.

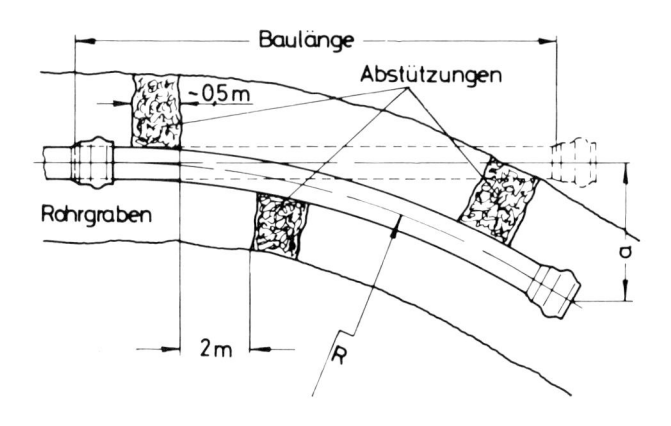

DN	d* mm	R m	a in m bei Baulängen	
			6 m	12 m
50	63	18,9	0,94	3,69
65	75	22,5	0,80	3,13
80	90	27,0	0,66	2,63
100	110	33,0	0,54	2,16
125	140	42,0	0,43	1,70
150	160	48,0	0,38	1,49
200	225	67,5	0,27	1,07
250	280	84,0	0,22	0,86
300	315	94,5	0,19	0,76
400	450	135,0	0,13	0,54

* Rohraußendurchmesser

Auslenkung a darf beim Biegen nicht überschritten werden

Bild 16: Richtungsänderung

1.1.8.6 Einbau von Armaturen

Die Forderung, Armaturen und deren Umführungen spannungsfrei einzubauen, ist mit Flanschverbindungen nur bedingt zu erfüllen, da Flansche Längskräfte, Querkräfte sowie Biege- und Torsionsmomente übertragen. Viele Versorgungsunternehmen sind dazu übergegangen, flanschlose Armaturen einzusetzen.

Zudem sind Formstsücke mit hohem Eigengewicht (gußeiserne Formstücke und schwere Armaturen) erforderlichenfalls so zu unterbauen, daß die Rohrleitung nicht durch ihr Gewicht belastet wird.

1.1.8.7 Rohrgraben

Im allgemeinen werden an Leitungsgräben die gleichen Anforderungen wie bei Stahl- und Gußrohrleitungen gestellt. Auch die Tiefbauarbeiten sind praktisch die gleichen. Die Überdeckung richtet sich nach den örtlichen Verhältnissen.

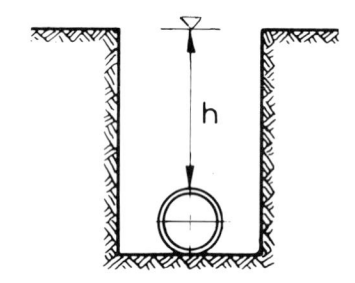

Mindestüberdeckung: h = 1,0-1,8 m

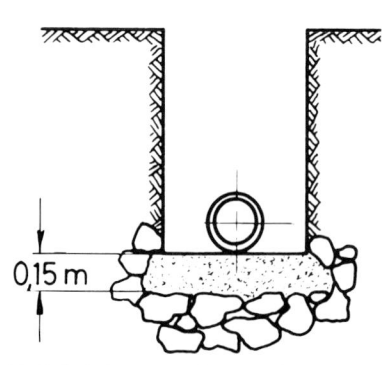

Bei felsigem oder steinigem Untergrund: 0,15 m steinfreie Schicht erforderlich.

Bild 17: Überdeckung

Da die Gefahr der Beschädigung durch Baumaßnahmen mit zunehmender Überdeckung kleiner wird, werden für Wasserrohrleitungen Höhenzonen von 1,0 bis 1,8 m (Bild 17) empfohlen. Wirtschaftliche Überlegungen sprechen gegen tiefe Gräben.

Bei steinfreiem Untergrund ist für die Rohrbettung keine besondere Maßnahme erforderlich. Es empfiehlt sich aber, bei steinigen oder felsigen Böden das Auflagebett der Sohle aus steinfreien Schichten herzustellen, deren Dicke nach der Verdichtung des Füllgutes 100 mm +1/10 der Nennweite des Rohres in [mm] – jedoch mindestens 150 mm – betragen soll. Bei wechselnden Schichten und damit verbundenen Tragfähigkeitsänderungen in der Grabensohle ist an den Übergangsstellen ebenfalls eine genügend lange Feinkies- oder Sandaufschüttung vorzusehen.

In Gefällstrecken muß durch geeignete Sicherung vermieden werden, daß die Rohrbettung abgeschwemmt und die Rohrleitung unterspült werden, z. B. durch Riegel (Bild 18).

Wie bei mit Außenschutz-Umhüllungen geschützten Druckrohren aus konventionellen Werkstoffen sind auch bei Kunststoffrohren Bodenmaterialien einzubringen, deren Korngrößenzusammensetzung auf die mechanische Widerstandsfähigkeit der Rohre abgestimmt ist. Es eignen sich steinfreie, verdichtungsfähige Böden sowie sandige Kiese bis zu einer Korngröße von 20 mm Durchmesser.

Bei nicht tragfähigen Böden (überwiegend moorige Böden) oder bei Böden mit großen Setzungen (überwiegend im aufgeschütteten Gelände) können beson-

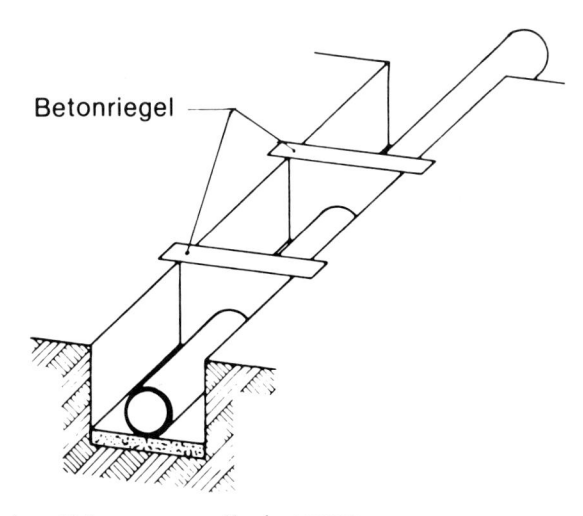

Bild 18: Riegel zur Sicherung gegen Abschwemmen

dere Maßnahmen erforderlich werden. Hier sind Pfahlgründungen, Stahlbetontragplatten, elastische Matten oder andere Sonderkonstruktionen zu empfehlen.

Der Austausch des Aushubmaterials im Bereich der Rohrleitungszone und die Überschüttung können kostenaufwendige Maßnahmen sein, zumal für alle Versorgungsrohre Sandeinbettung bzw. sandiger Kies vorgeschrieben ist. Dies erfordert in bergigen Regionen oder in Gebieten mit steinigem Baugrund vielfach einen vollständigen Bodenaustausch. Konsequenz: große Mehraufwendungen für das Beseitigen von ungeeignetem Boden, da geeignete Deponien nur an wenigen und oft weit entfernten Stellen zur Verfügung stehen. Dieser Sachverhalt gewinnt aus ökologischen Gründen zusehends an Bedeutung, da neue nahegelegene Sandgruben wegen der Landschaftszerstörung nicht ohne weiteres eröffnet werden können. Somit ist die Frage der Eignung von Brechsanden von besonderer Bedeutung.

1.1.8.8 Temperaturausgleich vor Verfüllung der Rohrleitungszone

Vor der eigentlichen Grabenverfüllung ist besonders in warmen Jahreszeiten infolge der relativ großen temperaturabhängigen Ausdehnung, insbesondere bei PE-HD-Rohrmaterialien darauf zu achten, daß der notwendige Längenausgleich durch entsprechende Abkühlung stattfindet. Hier wird die Rohrleitung lediglich eingesandet oder nur geringfügig abgedeckt. Nach erfolgter Temperaturangleichung kann die weitere Verfüllung vorgenommen werden. Anpaßarbeiten an vorhandene Leitungen sind erst nach erfolgtem Temperaturausgleich durchzuführen.

Der hohe Wärmeausdehnungskoeffizient ist u. a. bei nicht längskraftschlüssigen Verbindungen mit Rohren anderer Werkstoffe in bestehenden Rohrnetzen zu beachten. Gleichfalls ist die PE-HD-Leitung in der Nähe derartiger Materialübergänge zu fixieren.

1.1.8.9 Grabenverfüllung

In Verkehrsflächen ist für den Bereich der Leitungszone – also bis 30 cm über Rohrscheitel – ein gut verdichtbarer Boden einzubringen, sofern nicht besondere Vereinbarungen oder Anordnungen vorliegen. Im freien Gelände oder in Vegetationsflächen kann weitgehend auf besondere Anforderungen bei der Einbringung des Bettungsmaterials verzichtet werden, sofern keine Hohlräume auftreten und statische Anforderungen nicht vorliegen. Grundsätzlich darf allerdings kein gefrorener Boden in der Leitungszone verwendet werden.

Das restliche Verfüllen des Rohrgrabens ist entsprechend dem Merkblatt für das Zufüllen von Leitungsgräben der Forschungsgesellschaft für das Straßenbauwesen e. V. [2] vorzunehmen. Maschinelle Geräte können nach Erreichen der vorgeschriebenen Schütthöhe verwendet werden.

Die Breite des Rohrgrabens ist von einer Vielzahl von Bedingungen und Kriterien abhängig. Nur wenn Rohrgräben überhaupt nicht betreten werden müssen und hinsichtlich der Verdichtung keine Anforderungen gestellt werden, kann die Grabenbreite nach konstruktiven und technischen Gesichtspunkten gestaltet werden, wodurch insbesondere alternative Verlegetechniken in Verbindung mit PE-HD-Druckrohren zunehmend an Bedeutung gewinnen.

Sobald allerdings Arbeiten im Rohrgraben ausgeführt werden, die nicht erdspezifisch sind, wird dieser zum Arbeitsplatz der dort tätigen Personen, d. h., unabhängig vom Durchmesser der zu verlegenden Rohrleitung bei Gräben mit senkrechter Wand sind folgende Mindestbreiten einzuhalten.

– 0,6 m bei nicht verbautem Graben bis 1,75 m Tiefe

– 0,7 m bei teilweise verbauten und voll verbauten Gräben bis 1,75 m Tiefe

– 0,8 m bei Grabentiefe von mehr als 1,75 bis 4,0 m

– 1,0 m bei Grabentiefe von mehr als 4,0 m.

Die weiteren Angaben für lichte Mindestbreiten mit betretbarem Arbeitsraum für die Verlegung und Prüfung von Leitungen sind in DIN 4124 festgelegt.

1.1.8.10 Innendruckprüfung

In der derzeit gültigen DIN 19630 „Richtlinien für den Bau von Wasserrohrleitungen" ist die Durchführung einer Druckprüfung nach DIN 4279 Teil 7 für PVC-U-Druckrohre und Teil 8 für PE-HD-Druckrohre vorgeschrieben. Danach ist eine Vorprüfung mit einem Prüfdruck von 15 bar und einer Prüfdauer von mindestens 12 Stunden einzuhalten. Während dieser Zeit sollte die durch innendruck- und temperaturbedingte Volumenänderung der Rohrleitung so weit zum Stillstand gebracht sein, daß die direkt anschließende Hauptprüfung eine eindeutige Aussage über die Dichtigkeit der Prüfstrecke erlaubt.

Mit der Vornorm DIN V 4279 Teil 7, Ersatz für die DIN 4279 Teile 7 u. 8, liegt ein verbessertes Verfahren für die Druckprüfung vor. PVC-U, PE-HD sowie PE-X-Druckrohre werden einem Verfahren unterworfen, in dem während der Vorprüfung der vollständig mit Wasser gefüllte Leitungsabschnitt eine einstündige Entspannungsphase durchläuft und anschließend der Prüfdruck über eine Zeit von 5 Minuten durch ständiges Nachpumpen gehalten wird. Danach tritt eine einstündige Ruhephase ein, in der sich die Leitung viskoelastisch verformt. Bei größerem Druckabfall liegt eine Undichtigkeit vor oder die Leitung war einer unzulässigen Temperaturerhöhung ausgesetzt.

Bei erfolgreicher Vorprüfung kann die Hauptprüfung durchgeführt werden. Trotz der einstündigen Vorbelastung dehnt sich die Leitung weiter. Durch eine steile Druckabsenkung (3 bar bei PN 10; 5 bar bei PN 16) wird dieser Prozeß unterbrochen. Dieser Druckabfall führt zu einer Kontraktion der Leitung. Im Verlaufe

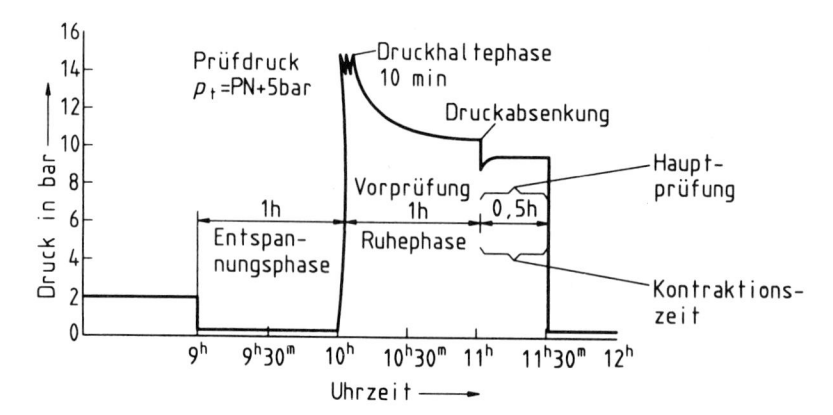

Bild 19: Druckverlauf während der Druckprüfung an einer Druckrohrleitung aus PE-HD

eines nachfolgenden 30minütigen Zeitabschnittes läßt sich dann die Dichtheit sicher beurteilen (Bild 19).

Die Leitung gilt als dicht, wenn die sich im Verlauf der Kontraktionszeit einstellende Drucklinie eine steigende bis gleichbleibende Tendenz aufweist. Die Bilder 20 und 21 zeigen den Druckverlauf während der Druckprüfung an einer dichten und an einer undichten Leitung.

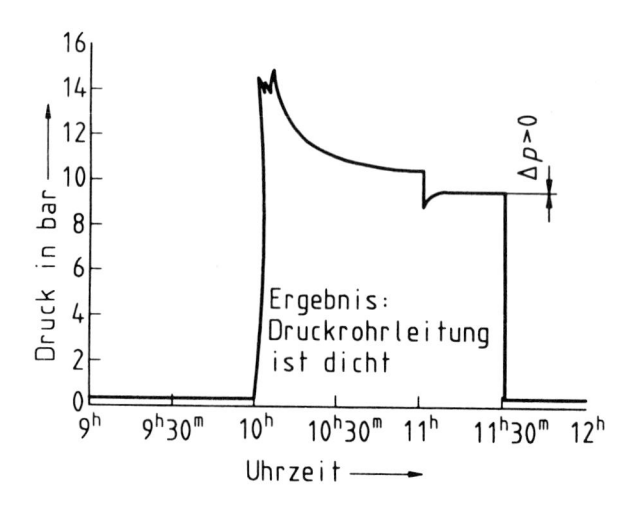

Bild 20: Dichte Druckrohrleitung

Trinkwasserverteilungsanlagen 235

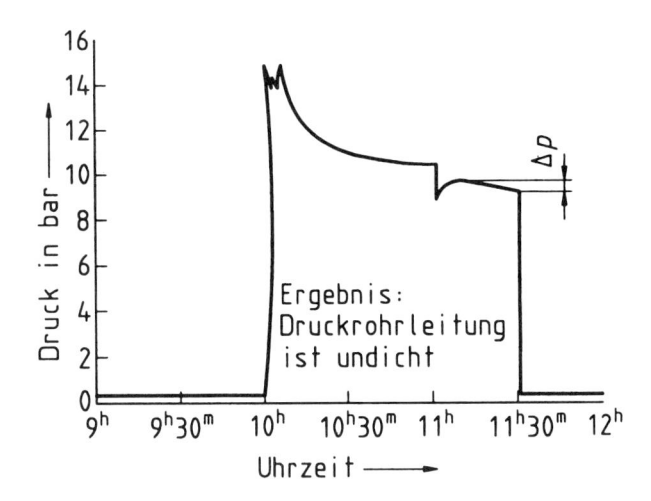

Bild 21: Undichte Druckrohrleitung

Das neue Verfahren der Innendruckprüfung nach DIN V 4279 Teil 7 zeichnet sich durch erhebliche Zeit- und damit auch Kostenvorteile gegenüber dem bislang zur Anwendung gekommenen Verfahren aus. Die Genauigkeit der Beurteilung der Dichtigkeit einer Leitung ist wesentlich besser.

1.1.8.11 Spülung und Entkeimung – Desinfektion

Nach dem Bau einer Rohrleitung oder dem Ausbau eines Teiles eines Wasserversorgungssystems ist nach der erfolgten Druckprobe eine Desinfizierung der Leitung durchzuführen. Dies kann durch Spülen und/oder Verwendung von bestimmten Desinfektionsmitteln geschehen. Zu diesem Zweck ist ausschließlich nur Trinkwasser zu verwenden. Für die Desinfektion kommen mehrere Verfahren zur Anwendung. Im einzelnen sind dies:

– Spülverfahren mit Trinkwasser ohne Zugabe von Desinfektionsmitteln mit oder ohne Luftzugabe

– statisches Verfahren mit Trinkwasser mit Zugabe von Desinfektionsmitteln

– dynamisches Verfahren mit Trinkwasser mit Zugabe von Desinfektionsmitteln.

Beim Spülverfahren wird die Spülung mit Trinkwasser vorgenommen. Hierbei sind die vorgeschriebenen bzw. festgelegten Mindestdauern der Spülung sowie die Fließgeschwindigkeit und eine eventuelle Luftzugabe zu beachten. Beim statischen Verfahren verbleibt die Desinfektionslösung im vollständig gefüllten Leitungsabschnitt, wobei es auf die Konzentration der Desinfektionslösung sowie die Verweilzeit des Desinfektionsmittels in der Leitung ankommt. Beim dynamischen Verfahren fließen Desinfektionsmittel durch den vollständig gefüllten Rohrabschnitt. Hierbei sind die Menge, die Konzentration und die Fließgeschwindigkeit der Desinfektionslösung zu beachten. Weitere ausführliche Hinweise sind im DVGW-Arbeitsblatt W 291 „Desinfektion von Wasserversorgungsanlagen" aufgezeigt.

1.1.9 Alternative Verlegeverfahren

Spülbohrverfahren

Rohre aus Polyethylen eignen sich auf Grund ihrer Flexibilität und der extrem langen Lieferlängen – Ringbunde und Trommeln – für alternative Verlegeverfahren. Hier sind insbesondere Spülbohrverfahren oder Horizontalbohrverfahren, z. B. System Flowtex, zu nennen.

Bei der Verlegung jeder Gas- oder Wasserversorgungsleitung werden Straßenoberflächen aufgerissen, Wege zerstört, Vorgärten durchwühlt, Bachläufe unterquert, Eisenbahndämme gequert usw. Sehr oft werden Bäume und Wurzeln beschädigt, bekommen Bauten Risse und sacken Bürgersteige ab. Anwohner werden durch Staus, Umleitungen, Lärm und Schmutz belästigt.

Beim Spülbohrverfahren werden Erdarbeiten derart minimiert, daß man für Start- und Zielpunkt der Leitung – wenn überhaupt – nur Kopflöcher benötigt. Das Ausheben und Deponieren von Boden und Einfüllen von angefahrenem Material entfällt. Durch die Startgrube wird eine Bohrlanze eingeführt, die sich mit einer Bohrsuspension durch das Erdreich bohrt. Gesteuert und geortet wird die Position des Bohrkopfes durch einen Sender. Über diesen Sender kann die Höhen- und Seitenbohrrichtung entsprechend korrigiert werden.

Bei diesen Korrekturen kommt es in hohem Maße auf die Flexibilität des Rohrwerkstoffes an. Wenn Kanäle oder Baumwurzeln kurzfristig umfahren werden müssen, muß das Rohrmaterial flexibel sein und sich den entsprechenden Verhältnissen problemlos anpassen können. Der Rohrwerkstoff Polyethylen bietet hier ideale Voraussetzungen.

Einfräsen/Einpflügen

Eine weitere Verlegemethode, die zunehmend für die Verlegung von Rohren außerhalb innerstädtischer Bereiche an Bedeutung gewinnt, ist die maschinelle Verlegung durch Einfräsen oder Einpflügen für Leitungen aus dem Rohrwerkstoff PE-HD. Auf Grund der besonderen Eigenschaften von PE-HD ist es möglich, bis zu einem Rohraußendurchmesser von 355 mm unter Zuhilfenahme von Grabenfräsen sehr preisgünstig zu verlegen (Tafel 7).

Einen maßgeblichen Einfluß auf die Kosten einer Baumaßnahme hat die Grabenausführung.

Tafel 7: *Vergleich konventionelle Rohrverlegung mit Steckmuffenverbindung – maschinell gefräster Graben*

Nennweite DN	Grabenbreite m	Aushub/10 m m³	Grabenbreite m	Aushub/10 m m³
	konventionelle Verlegung		gefräster Graben	
50	0,5	7,5	0,3	4,5
65	0,5	7,5	0,3	4,5
80	0,5	7,5	0,3	4,5
100	0,5	7,5	0,3	4,5
125	0,6	7,5	0,4	6,0
150	0,6	9,0	0,4	6,0
200	0,6	9,0	0,5	7,5
250	0,6	12,0	0,5	7,5
300	0,6	12,0	0,5	9,0

Die Breite des Rohrgrabens hängt überwiegend von sicherheitstechnischen und ergonomischen Kriterien ab. Die zugehörigen Angaben in den Unfallverhütungsvorschriften und in den technischen Regelwerken sind vom Bauunternehmer zu beachten. Allerdings gibt es eine Vielzahl von Bedingungen und Voraussetzungen für die richtige Festlegung der Rohrgrabenbreiten. Nur wenn Rohrgräben überhaupt nicht betreten werden müssen, z. B. gefräste Schlitze für PE-HD-Rohrleitungen, kann die Grabenbreite nach konstruktiven und technisch wirtschaftlichen Gesichtspunkten geplant werden. Bei gefrästen Gräben für die Verlegung von PE-HD ist es ausreichend, wenn der Graben beiderseits der Rohre mindestens 100 mm, bei Rohrdurchmessern über DN 400 mindestens 150 m breiter ist als das Rohr. Dieser Freiraum ist für die Verfüllung und Verdichtung des Verfüllmaterials mindestens erforderlich [3].

Die heute zur Anwendung kommenden Grabenfräsen sind in der Lage, mehrere Arbeitsgänge auszuführen, z. B.:

– Bodenaushub auch in Fels (Felsfräse erforderlich), Grabenbreite 0,35 m bis 2,45 m, bis max. 10 m Tiefe

– Steiniges Material und Fels können für die Grabenverfüllung wiederverwendet werden (Zerkleinerungseffekt)

– Herstellung der Grabensohle lasergesteuert

– Nach Wahl wird der Aushub seitlich rechts oder links gelagert oder über Förderband auf Lkw zum Abfahren transportiert. Das Förderband kann wahlweise nach rechts, geradeaus oder links eingestellt werden

– Der Verlegekorb wird mit geeignetem Rohrummantelungsmaterial gefüllt und stellt die Rohrsohle (Rohrauflagerung) her

– Der Verlegekorb verlegt das PE-HD-Rohr z. Z. bis DN 300

– Automatische Einlegung des Trassenwarnbandes.

Die Rohrummantelung wird mit einer sehr schmalen Walze verdichtet. Anschließend kann die restliche Grabenverfüllung wie bisher im herkömmlichen Verfahren eingefüllt werden.

Beim Verlegeverfahren Einpflügen müssen temporär sehr kleine Biegeradien bei der Umlenkung am Pflugschwert realisiert werden. Als Kriterium für die Bestimmung der zulässigen Biegeradien sind bei kleinem Verhältnis von Rohrwanddikke zu Rohrdurchmesser die Knickung, bei großem Verhältnis die Randfaserdehnung zu betrachten. Zur Berechnung der Biegeradien gelten näherungsweise folgende Gleichungen:

$$R_k = \frac{r_m^2}{0{,}28\,s} \approx \frac{100}{PN}\,d_m$$

Es bedeuten:

R_K Biegeradius in [m]

r_m mittlerer Rohrradius

s Rohrwanddicke

PN Druckklasse des Rohres

d_m mittlerer Rohrdurchmesser

Die daraus resultierenden relativ kleinen Biegeradien können nur mit einem sehr elastischen Rohrleitungsmaterial wie PE-HD realisiert werden.

1.1.10 Weitere Anwendungsgebiete

Ein weiteres spezielles Anwendungsgebiet für Rohre aus PE-HD ist der Einsatz in Bergsenkungsgebieten. In typischen Bergbaugebieten kann es durch den unterirdischen Abbau bedingt zu größeren Absackungen bzw. Bodensetzungen kommen.hier hat der Betreiber dafür Sorge zu tragen, daß die auf die Leitung übertragenen Längskräfte durch zusätzliche Maßnahmen kompensiert werden, bzw. nicht zum Schaden der Leitung führen.

Geht man davon aus, daß die aus den Bewegungen des Bodens wirksam werdenden Kräfte in voller Höhe auf die Rohrleitung übertragen werden,so zeigen die Ergebnisse, die Hühning und Geißmann in Ihrer Untersuchung [4] ermittelt haben, daß die zulässige Dehnung des Rohrwerkstoffes PE-HD ein mehrfaches der maximalen Belastung durch den Boden beträgt. Daraus geht eindeutig hervor, daß zusätzliche Maßnahmen zur Aufnahme dieser Belastungen entfallen können.

Ein weiteres Einsatzgebiet für Rohre aus PE-HD ist die Verlegung in instabilen Böden. Durch ihre Fähigkeit, Längskräfte aufzunehmen, und durch die längskraftschlüssigen Schweißverbindungen sind auch hier Verlegungen in äußerst kritischen Bereichen, in denen andere Rohrmaterialien ihre Einsatzgrenzen finden, problemlos möglich.

Schrifttum

[1] DVGW-Merkblatt W 403 Ausg. Jan. 1988
[2] Merkblatt für das Zufüllen von Leitungsgräben; Forschungsgesellschaft für das Straßenbauwesen e.v. / Arbeitsgruppe Untergrund, Maastrichtstraße 45, Köln
[3] Köhler, R.: Tiefbauarbeiten für Rohrleitungen. Rudolf-Müller-Verlag
[4] Hühning u. Geißmann: Überlegungen zum Einsatz von PE-HD-Rohrleitungen in Bergsenkungsgebieten. GWF 120 (1979)

1.2 Hausanschlußleitungen

H. B. SCHULTE

An Hausanschlußleitungen werden besonders hohe Anforderungen gestellt. Hier sind z. B. das flexible Verhalten bei Setzungen, hohe Korrosionsbeständigkeit, langfristige Wartungsfreiheit, hohe Lebensdauer sowie die einfache und sichere Handhabung zu nennen.

Hausanschlußleitungen aus Kunststoff (Bild 1) zeichnen sich für diesen Anwendungszweck in idealer Weise aus. Hervorzuheben ist bei PE-HD die Möglichkeit, auch längere Hausanschlußleitungen mit minimalem Verbindungsanteil (Ringbunde und Stangen in Lieferlängen von 6 m, 12 m und 20 m) und damit geringen Verlegekosten herzustellen,sowie auch auf grabenlose Verlegeverfahren zurückgreifen zu können.

Als Anschluß- bzw. Verbindungsmöglichkeiten stehen handelsübliche Heizwendelschweißfittinge oder Klemmverschraubungen zur Verfügung.

In jüngster Zeit werden neue Rohrkonstruktionen, z.B. aus vernetztem Polyethylen oder mit mehrlagigem Wandaufbau, in Extrembereichen eingesetzt.

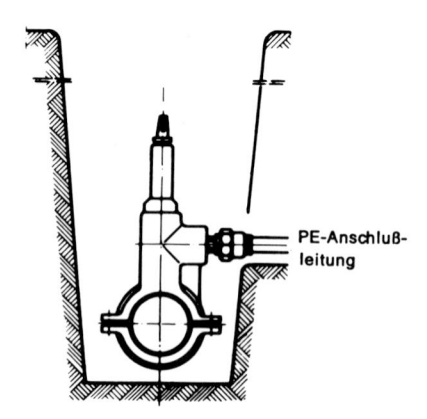

Bild 1: Hausanschlußleitung aus PE-HD

Die Verbindung der Hausanschlußleitung mit der Versorgungsleitung wird in der Regel mit Anbohrarmaturen ermöglicht. Dies hat den Vorteil, daß die Versorgung anderer Abnehmer beim Anschluß neuer Anlieger nicht vorübergehend unterbrochen werden muß. Diese Armaturen werden üblicherweise so eingebaut, daß die Versorgungsleitung von oben im Scheitel angebohrt werden kann. Der Vorteil liegt hier in der besseren Zugänglichkeit bei der Montage. Später, bei betriebsnotwendigen Arbeiten, kann hier eine Abführung der in der Leitung befindlichen Luft über die Hausanschlußleitung erfolgen.

Hausanschlußleitungen, die über Nennweiten größer als DN 50 hinausgehen, werden auf Grund der großen Abmessungen der Anbohrarmaturen und des damit zu erwartenden geringen Erdüberbaus seitlich angebohrt oder durch den Einbau eines Abzweigformstückes angeschlossen.

Für die Verbindung der Hausanschlußleitung mit der Versorgungsleitung werden werden Anbohrarmaturen oder bei großen Abmessungen T-Stücke verwendet.

Anbohrarmaturen für Hauptleitungen aus PVC-U werden entweder auf die PVC-U Hauptleitung aufgeklebt oder mit Keilen bzw. Schrauben befestigt. Anbohrarmaturen aus metallischen Werkstoffen müssen breite Auflageflächen besitzen, um die Flächenpressung gering zu halten.Die in der Praxis zur Anwendung kommenden Anbohrarmaturen erfüllen diese einfachen konstruktiven Anforderungen. Zum Anbohren dürfen nur geeignete Bohrwerkzeuge mit ausreichend bemessenen Spannuten verwendet werden.

Die Hausanschlüsse an Hauptleitungen aus PE-HD (Bilder 2 und 3) werden mit entsprechenden Anbohrschellen hergestellt, die mittels der Heizwendelschweißverbindung einfach auf die Hauptleitung aufgeschweißt werden. Diese Methode,

Hausanschlußleitungen 241

① Versorgungsleitung
② Ventilanbohrschelle
③ Übergangsstück E-Schweißmuffe /Klemmverbinder
④ PE-Hausanschlußleitung PN 10
⑤ Mauerdurchführung mit Mantelrohr
⑥ Zementmörtel
⑦ Übergang PE auf Metall
⑧ Hauptabsperreinrichtung

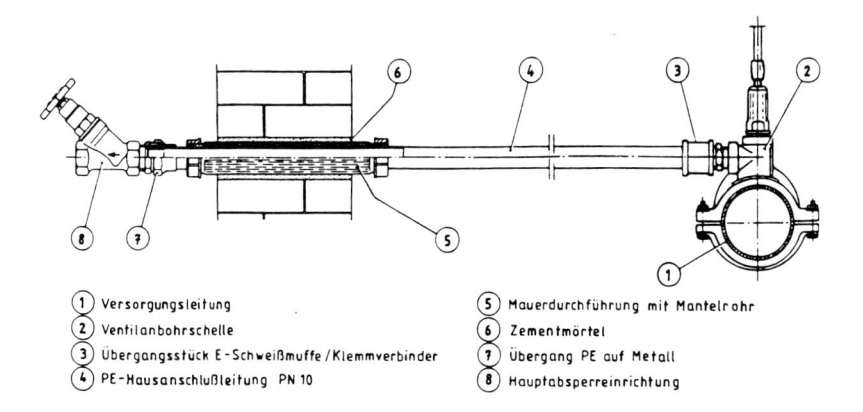

Bild 2: Hausanschluß mit Mantelrohr

Hausanschlüsse herzustellen, hat sich aufgrund ihrer unkomplizierten Handhabung und langfristigen Funktionssicherheit in der Praxis seit Jahren bewährt.
Hausanschlußleitungen sind für den Nenndruck auszulegen, für den die jeweilige Hauptversorgungsleitung bemessen wurde (mind. PN 10). Müssen Anschlußleitungen durch Hohlräume oder unter Gebäudeteilen, z. B. Terrassen oder Treppen, durchgeführt werden, so sind die Leitungen in diesem Bereich in einem Schutzrohr zu verlegen.
Die Fließgeschwindigkeit in der Hausanschlußleitung soll ≤ 2 m/s betragen und ist entsprechend Tafel 1 zu bemessen.

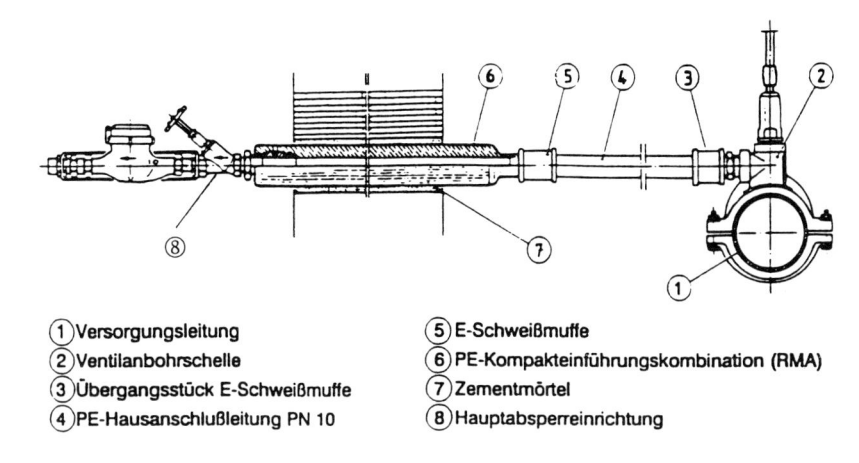

① Versorgungsleitung
② Ventilanbohrschelle
③ Übergangsstück E-Schweißmuffe
④ PE-Hausanschlußleitung PN 10
⑤ E-Schweißmuffe
⑥ PE-Kompakteinführungskombination (RMA)
⑦ Zementmörtel
⑧ Hauptabsperreinrichtung

Bild 3: Mantellose, auszugsichere Mauerdurchführung

Tafel 1: Bemessung von Hausanschlußleitungen für Wohngebäude

Wohnungs-einheiten	max. Durchfluß [l/s]	[m³/h]	Länge in [m] 10	20	30	40	50
1	bis 1	bis 3,6	DN 32				
2–5	1,01–1,2	3,61–4,3		DN 40			
6–10	1,21–1,5	4,31–5,4					
11–50	1,51–2,4	5,41–8,6			DN 50	DN 65	
51–100	2,41–3,6	8,61–12,9					

Die Bemessung von Anschlußleitungen für Industriebetriebe, Gebäude mit Druckerhöhungsanlagen oder andere größere Verbraucher muß gesondert entsprechend dem Spitzenbedarf ausgelegt werden. Die Rohre und Formstücke müssen in ihrer Beschaffenheit den betrieblichen Beanspruchungen standhalten. Für die Verlegung/den Bau von Hausanschlußleitungen gelten die Festlegungen der DIN 19630.

Vor Inbetriebnahme der Anschlußleitung muß eine Dichtheitsprüfung mit Wasser durchgeführt werden. Hierbei sind die Vorgaben der DIN V 4279 zu beachten. Tafel 2 zeigt eine Übersicht über die Rohrverbindungen bei Hausanschlußleitungen.

Tafel 2: Rohrverbindungen bei Hausanschlußleitungen

Verbindungsart	Rohrwerkstoff	
	PE-Rohr	PVC-U-Rohr
Schweißverbindung	Heizelementmuffenschweißung, Heizwendelschweißung, Heizelementstumpfschweißung	
Steckverbindung	Steckverbinder	Steckmuffenverbindung
Flanschverbindung (vorwiegend zum Anschluß von Armaturen)	Bundflanschenverbindung	über Formstück oder Klebverbindung
Schraubverbindung	Klemmverbinder	–
Klebverbindung	–	sollte vermieden werden

Trinkwasserhausinstallation 243

Nach der Verlegung ist die Hausanschlußleitung einzumessen und in Bestandsplänen nach DIN 2425 Teil 1 festzuhalten. Hierbei ist die Einführungsstelle der Anschlußleitung außen durch ein Hinweisschild zu kennzeichnen.

1.3 Trinkwasserhausinstallation

R. SCHNEIDER

Die Palette der Rohrwerkstoffe für die Trinkwasserversorgung innerhalb von Gebäuden ist durch die Kunststoffe größer geworden. Dieser Entwicklung liegt die Tatsache zugrunde, daß Kunststoffrohrleitungen jahrzehntelang korrosionsfrei betrieben werden können. Das ist der Aspekt, den Anwender und Betreiber bei der Auswahl des Rohrwerkstoffs für eine Trinkwasserhausinstallation Kalt- und Warmwasser in den Vordergrund stellen. Korrosionsfreie Kunststoffrohre finden daher in der Trinkwasserhausinstallation immer mehr Bedeutung. Sie sind mittlerweile durch eine Vielzahl von Rohrleitungssystemen, im ursprünglich von metallenen Systemen aus verzinktem Stahl und Kupfer abgedeckten Anwendungsgebiet, zunehmend stark vertreten. Die ständig fortschreitende Substituierung der Rohrwerkstoffe aus Metall durch Kunststoffe ist in erster Linie auf deren ausgezeichnete chemische Beständigkeit zurückzuführen. Das bedeutet für den Bereich der Trinkwasserleitungen in der Hausinstallation, daß auch hier nunmehr dauerhaft korrosionssichere Rohrleitungen geplant und installiert werden können. Unter Einbeziehung aller signifikanten Werkstoffeigenschaften der Kunststoffe, die in dem vorliegenden Handbuch ausführlich beschrieben sind, stehen für diesen Anwendungsbereich Trinkwasserhausinstallationssysteme aus den verschiedensten Kunststoffen zur Verfügung. Sie erfüllen die festgeschriebenen Anforderungen hinsichtlich der Betriebsweise solcher Anlagen und der geforderten Mindest-Gebrauchsdauer von 50 Jahren. Technisch ausgereifte und bewährte materialgerechte Verbindungs- und Verlegetechniken sorgen für die wirtschaftliche Verlegung von Kalt- und Warmwasserleitungen in der sanitären Hausinstallation.

Rohrleitungssysteme aus Kunststoff

Die verwendeten Rohrsysteme (Tafel 1) unterscheiden sich im Werkstoff, teilweise auch in der Verlegetechnik und in der Verbindungstechnik. Es sind Rohrleitungssysteme mit Rohren und Formstücken aus:

Rohre aus vernetztem Polyethylen (PE-X), *DIN 16892/16893.*
Formstücke.

Rohre aus Polypropylen (PP), *DIN 8077/8078.*
Formstücke aus Polypropylen (PP), *DIN 16962.*

Rohre aus Polybuten (PB), *DIN 16968/16969.*
Formstücke aus Polybuten (PB), *DIN 16831.*

Tafel 1: Rohrleitungssysteme und Verbindungen

	Leitungsabschnitte			Verbindungen	
	Steigleitungen	Stockwerksleitungen		Steigleitungen	Stockwerksleitungen
	biegesteif geradlinig	biegesteif geradlinig	flexibel Rohr in Rohr	Verbindungsart	Verbindungsart
PE-X	–	–	O	–	klemmen, pressen
PP-R	O	O	–	schweißen	schweißen
PB	O	–	O	schweißen	klemmen schweißen
PVC-C	O	O	–	kleben klemmen	kleben klemmen
PVC-U	O	O	–	kleben klemmen	kleben klemmen
Kunststoff/ Metall-Verbundrohr-Systeme	O	O	–	klemmen pressen	klemmen pressen

O = zutreffend
– = nicht zutreffend

Rohre aus chloriertem Polyvinylchlorid (PVC-C), *DIN 8079/8080*.
Formstücke aus chloriertem Polyvinylchlorid (PVC-C), *DIN 16832*.

Rohre aus weichmacherfreiem Polyvinylchlorid (PVC-U), *DIN 8061/8062*.
Formstücke aus weichmacherfreiem Polyvinylchlorid (PVC-U), *DIN 8063*.

Rohre aus Kunststoff/Metall-Verbundrohren
Formstücke

1.3.1 Anforderungen an Kunststoffrohrleitungssysteme

Trinkwasser-Rohrleitungen gelten als langlebige Wirtschaftsgüter. Wasserwirtschaft und Anwender verlangen deshalb für solche Leitungen eine Mindestgebrauchsdauer von 50 Jahren. Dies setzt voraus, daß alle in einer Rohrleitung eingebauten Rohre, Formstücke und Verbindungen die geforderte Gebrauchsdauer auch voll funktionsfähig erfüllen. Zu diesem Zweck sind Mindestanforde-

Trinkwasserhausinstallation 245

rungen festgelegt, die durch entsprechende Prüfnachweise belegt werden müssen. Die Anforderungen für die Planung, den Bau und Betrieb von Rohrleitungen in der Trinkwasserversorgung sind verbindlich festgelegt in der:

DIN 1988
Technische Regeln für Trinkwasser-Installation
(TRWI)
Technische Regel des DVGW
Ausgabe Dezember 1988

1.3.1.1 Anforderungen an Druck und Temperatur

Kunststoff-Rohrleitungen werden in der Trinkwasserversorgung als Kaltwasser- und Warmwasserleitungen verwendet. Sie müssen nach ihren jeweiligen Festigkeitseigenschaften so dimensioniert sein, daß alle Anforderungen hinsichtlich der Langzeitfestigkeit erfüllt werden und eine 50jährige Gebrauchsdauer garantiert wird. In DIN 1988 Teil 2 sind die Betriebsbedingungen für Rohre, Formstücke und Rohrverbindungen vorgeschrieben (Tafel 2).

Tafel 2: Betriebsbedingungen für Rohre, Rohrleitungen und Rohrverbindungen

	Betriebsüberdruck [bar]	Temperatur [°C]	jährliche Betriebsstunden [h/a]
Kaltwasser [1]	0 bis 10 schwankend	bis 25	8760
Warmwasser [2]	0 bis 10 schwankend	bis 60	8710
		bis 85	50

[1] Bezugstemperatur für die Zeitstandfestigkeit: 20 °C
Für die Bemessung von Kunststoffrohren in der Trinkwasser-Installation ist der 50-Jahreswert der Vergleichsspannung der jeweiligen Zeitstandskurve abgemindert mit dem in der Grundnorm enthaltenen Sicherheitsfaktor anzuwenden.

[2] Bezugstemperatur für die Zeitstandfestigkeit: 70°C
Für die Bemessung von Kunststoffrohren in der Trinkwasser-Installation (kalt- und warmgehende Rohre) ist der 50-Jahreswert der Vergleichsspannung der jeweiligen Zeitstandskurve abgemindert mit dem in der Grundnorm enthaltenen Sicherheitsfaktor anzuwenden.

1.3.1.2 Berechnung der Wanddicken

Die Berechnung der Rohrwanddicken setzt das Vorhandensein von Zeitstanddiagrammen voraus. Für alle Kunststoffe, die in der Hausinstallation für Kalt- und Warmwasserleitungen eingesetzt werden, existieren solche Diagramme. Sie sind Bestandteil der jeweiligen Grundnormen.

Aus diesen Zeitstanddiagrammen ist die Spannung $\sigma_{v,\,zul.}$ am Schnittpunkt der Standzeit 50 Jahre bei der gewählten Temperaturkurve abzulesen. Mit Abminderung dieses Wertes durch den Sicherheitsfaktor SF ergeben sich die zulässigen Dimensionierungsspannungen z.B. für 20 °C (Tafel 3).

Die Wanddicken s der Kunststoffrohre werden in Übereinstimmung mit den Angaben der ISO-Norm 161/1 nach der folgenden Formel berechnet:

$$s = \frac{p_{e,zul.} \cdot d}{2 \cdot \sigma_{v,zul.} + p_{e,zul.}}$$

oder

$$s = d/2\,S + 1$$

Legende:

$\sigma_{v,\,zul.}$ = zulässige Dimensionierungsspannung [N/mm²]
$p_{e,\,zul.}$ = zulässiger Betriebsüberdruck bei 20° C [bar]
d = Rohraußendurchmesser [mm]
s = Rohrwanddicke [mm]
S = Serie S nach ISO/DIS 4065

Für Verbundrohre gelten modifizierte Berechnungen für die Ermittlung der Rohrwanddicke s.

Tafel 3: Dimensionierungsspannungen

Rohre aus:	Dimensionierungsspannung $\sigma_{v,\,zul.}$ (20 °C) [N/ mm²]		
	$\sigma_{v,\,zul.}$	SF	Zeitstanddiagramme nach
PE-X	6,3	1,5	DIN 16892
PP-R	5	1,25	DIN 8078
PB	8	1,5	DIN 16968
PVC-C [1]	10	2,5	DIN 8080
PVC-U	10	2,5	DIN 8061

[1] Für Rohrleitungsteile aus PVC-C gilt abweichend das Zeitstanddiagramm nach DIN 16832 mit einer Dimensionierungsspannung $\sigma_{v,\,zul.}$ = 8 N/mm².

Trinkwasserhausinstallation 247

1.3.1.3 Anforderungen an die Hygiene

Trinkwasser ist ein Lebensmittel. Alle Formstücke, die mit Trinkwasser in Berührung kommen, sind Bedarfsgegenstände im Sinne des Lebensmittel- und Bedarfsgegenständegesetzes. Es sind die Festlegungen der im Bundesgesundheitsblatt 20 (1977) veröffentlichten 1. Mitteilung „Gesundheitliche Beurteilung von Kunststoffen und anderen nichtmetallischen Werkstoffen" im Rahmen des Lebensmittel- und Bedarfsgegenständegesetzes für den Trinkwasserbereich (KTW-Empfehlungen) sowie 2. Mitteilung (Prüfbestimmungen) bezüglich der toxikologischen und physiologischen Unbedenklichkeit zu berücksichtigen.

1.3.1.4 Auswahl der Rohrwerkstoffe

Dem Planer, Verleger und Betreiber von Trinkwasserleitungen in der Hausinstallation stehen die Rohrwerkstoffe gem. Tafel 1 zur Verfügung. Die Eigenschaft dieser Werkstoffe ist, was den Bereich der Trinkwasserversorgung angeht, sowohl vom Medium Wasser als auch von der Temperaturbeanspruchung her nahezu identisch.

Des weiteren sind die Verfügbarkeit eines ausreichenden Rohr- und Formstücksortiments, die einem System zugeordneten Verbindungstechniken und eine

Tafel 4: Weitere Eigenschaften der Rohrwerkstoffe

	Eigenschaften				
	Dichte	E-Modul	Kerbschlag-Zähigkeit	Wärmeleitfähigkeit	Längenausdehnungs-Koeffizient
Meßmethode	DIN 53479	DIN 53457	DIN 53453	DIN 52612	DIN 53752
Einheit	[g/cm^3]	[N/mm^2]	[kJ/m^2]	[W/m · K]	[mm/m · K]
Werkstoff	Werte				
PE-X	0,94	600	o.B.	0,35	0,18
PP-R	0,86	800	15	0,24	0,15
PB	0,92	350	40	0,22	0,13
PVC-C	1,55	3400	10	0,14	0,07
PVC-U	1,38	3000	5	0,16	0,07
Kunststoff-Metall-Verbundrohr	1,3	12000	o.B.	0,43	0,024

ökonomische Verlegetechnik von besonderer Bedeutung bei der Auswahl des Rohrwerkstoffs für eine Trinkwasserleitung in der Hausinstallation. Weitere Angaben enthält Tafel 4.

1.3.1.5 Transport und Lagerung

Der Transport und die Lagerung von Kunststoffrohren und Formstücken werden in diesem Buch eingehend beschrieben. Die dort gemachten Angaben sind grundsätzlich auch auf die Rohre und Formstücke im Bereich der Trinkwasserleitungen für die Hausinstallation anzuwenden. Es sollen Beschädigungen und Verschmutzungen beim Transport und der Lagerung vermieden werden. Rohre und Formstücke werden von den Herstellern sorgfältig verpackt und in Verpakkungseinheiten an den Handel und Verbraucher ausgeliefert.

Alle Rohre und Formstücke müssen mit geeigneten Fahrzeugen befördert und materialgerecht und sachkundig be- und entladen sowie gelagert werden. Um Beschädigungen zu vermeiden, dürfen Rohre und Formstücke nicht über den Boden geschleift werden. Die Verpackungen und Kartonagen sollen auch an der Baustelle bei Einzelentnahmen sofort wieder verschlossen werden. Die Rohre und Formstücke dürfen nicht mit Stoffen in Berührung kommen, die Kunststoffe schädigen können.

1.3.1.6 Berechnung der Rohrabmessungen

Berechnungsgrundlagen

Die Ermittlung der in der Hausinstallation erforderlichen Rohrdurchmesser und Druckverluste erfolgt nach DIN 1988 Teil 3, Abschnitt 3.

Druckverluste in Kunststoffrohren und Formstücken

Für die einzelnen Rohrwerkstoffe stehen Druckverlusttabellen oder Diagramme zur Verfügung. Diese Berechnungsunterlagen können bei den Lieferfirmen angefordert oder teilweise aus DIN 1988 entnommen werden. Dasselbe gilt auch für Druckverlustangaben in Formstücken.

1.3.1.7 Verlegetechnik

Berechnung der thermischen Längenänderung

Thermoplastische Kunststoffe unterliegen wie alle anderen Rohrmaterialien einer thermischen Längenausdehnung. Diese Materialeigenschaft muß bei der Verlegung von Kalt- und Warmwasserleitungen in der Hausinstallation unbedingt berücksichtigt werden. Schon bei der Planung sollten deshalb hinsichtlich der Leitungsführung alle Möglichkeiten ausgeschöpft werden, um die thermische Längenänderung in den Leitungsabschnitten zu kompensieren. Die linearen

Trinkwasserhausinstallation 249

Längenausdehnungskoeffizienten für die Kunststoffrohre sind der Tafel 4 zu entnehmen. Die Berechnung der Längenänderung erfolgt nach der Formel:

$\Delta L = \Delta T \cdot L \cdot \alpha$

Legende:

ΔL = thermische Längenänderung [mm]
α = Längenausdehnungskoeffizient [mm/mK]
L = Leitungslänge in [m]
$\Delta T = T_{max} - T_{min}$ = Temperaturdifferenz [K]

Berechnung der Biegeschenkel

Die thermische Längenänderung in einer Rohrleitung kann oft schon mit einer Richtungsänderung innerhalb der Leitungsführung kompensiert werden. Dies kann unter Verwendung von Biegeschenkeln erfolgen, deren Längen nach folgender Formel berechnet werden:

$L_B = C\sqrt{d \cdot \Delta L}$

Legende:

L_B = Länge des Biegeschenkels [mm]
d = Rohraußendurchmesser [mm]
ΔL = Längenänderung [mm]
C = werkstoffabhängige Konstante [–]

Werkstoffkonstante C	
PE-X	12
PP-R	15
PB	10
PVC-C	33
PVC-U	30

Beispiel: Bezogen auf Bild 1 für eine Warmwasserleitung aus PVC-C

Länge des Rohrabschnitts	L	= 8 m
Verlegetemperatur	T_V	= 20 °C
max. Betriebstemperatur	T_{max}	= 60 °C
min. Betriebstemperatur	T_v	= 20 °C
Längenausdehnungskoeffizient	α	= 0,07

a) Thermische Längenänderung ΔL

$\Delta T = 40\ °C$

$\Delta L = \Delta T \cdot L \cdot \alpha = 40 \cdot 8 \cdot 0{,}07 = 22{,}4\ mm$

b) Länge des Biegeschenkels L_B

$\Delta L = 22{,}4\ mm,\ C = 33,\ d = 32\ mm$

$L_B = C\sqrt{d \cdot \Delta L} = 33\sqrt{32 \cdot 22{,}4} = 883{,}5\ mm$

Verlegung von Trinkwasserleitungen mit biegesteifen Rohren

Kunststoff-Rohrleitungen mit biegesteifen Rohren lassen sich wie herkömmliche metallene Rohre verlegen. Dabei sind einige wichtige Verlegeregeln zu beachten. Die thermische Längenänderung darf nicht behindert werden. Das erfolgt durch sinnvolle Anordnung von Festpunkten. Zwischen diesen Festpunkten müssen die Rohrleitungen durch geeignete Leitungsführung, z.B. Biegeschenkel in kunststoffgerechten Rohrschellen, gleiten können (Bilder 1 und 2). Bei der Verlegung von Kunststoffrohren als Steigleitungen (Bild 3) und in Schächten (Bild 4) ist darauf zu achten, daß abgehende Stockwerksleitungen genügend ausfedern können. Auch bei unter Putz verlegten Leitungen muß die Leitungsführung eine ausreichende Längenänderung der Leitung innerhalb der Dämmung zulassen.

L = Länge des Rohrabschnittes
ΔL = Längenänderung
L_B = Länge des Biegeschenkels

= Festpunkt

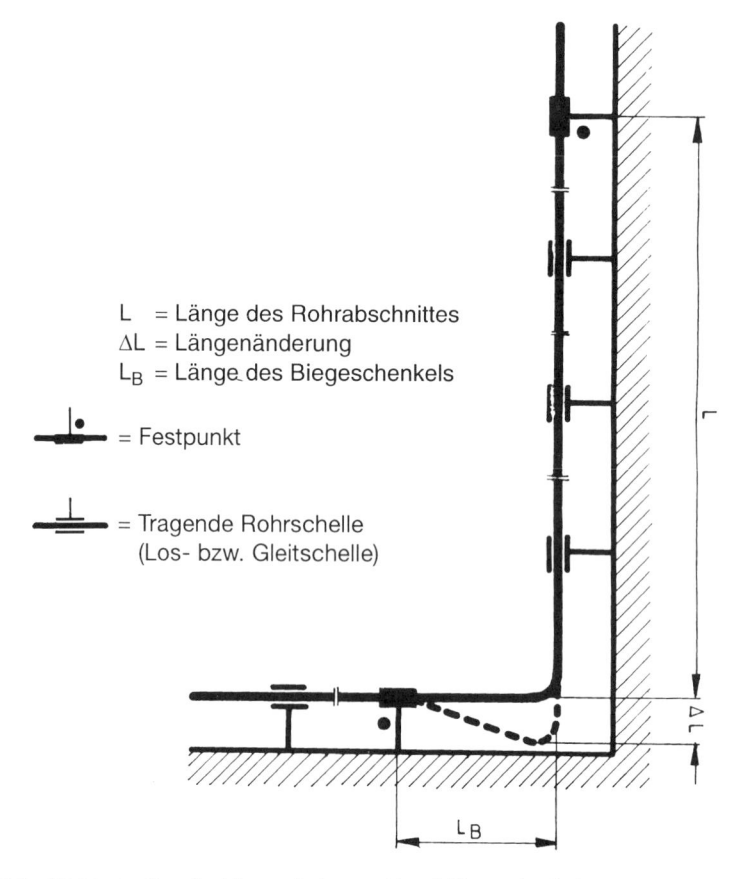

= Tragende Rohrschelle
(Los- bzw. Gleitschelle)

Bild 1: Kompensation der Längenänderung ΔL mit Biegeschenkel

Trinkwasserhausinstallation

l_1 = ~ 0,5 x L_B
L = Länge des Rohrabschnittes
ΔL = Längenänderung
L_B = Länge des Biegeschenkels

⊥• = Festpunkt

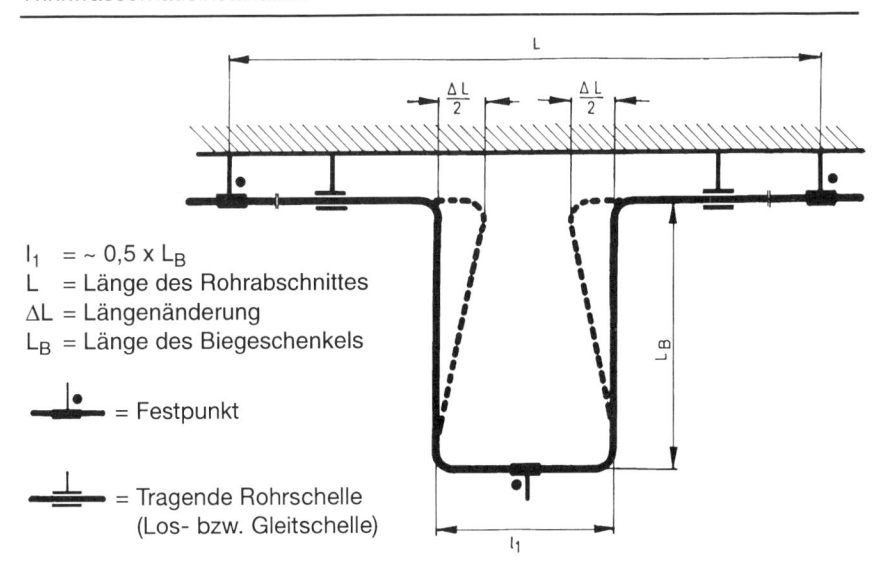

⊥ = Tragende Rohrschelle
(Los- bzw. Gleitschelle)

Bild 2: Kompensation der Längenänderung ΔL mit Dehnungsbogen

L_B = Länge des Biegeschenkels

⊥• = Festpunkt

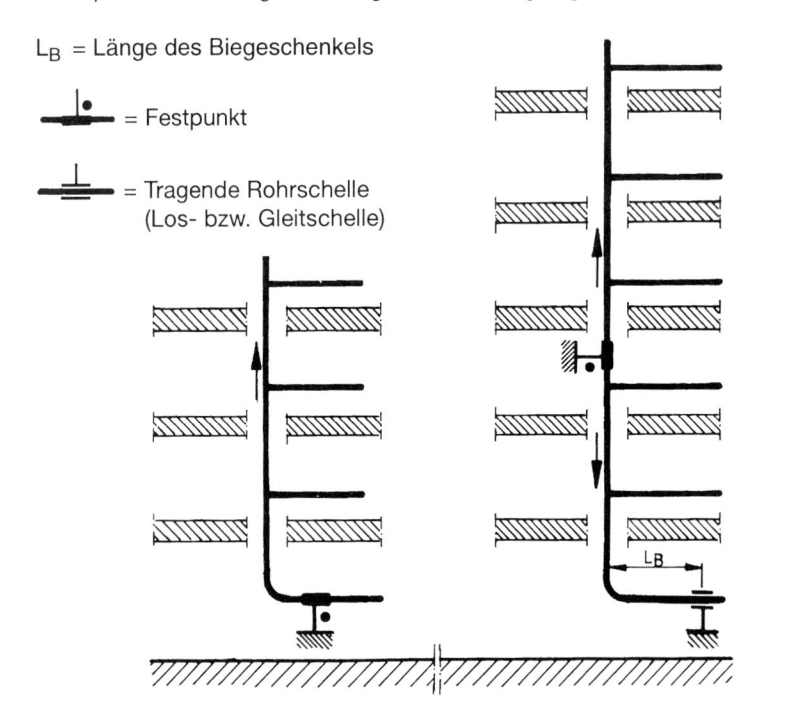

⊥ = Tragende Rohrschelle
(Los- bzw. Gleitschelle)

Bild 3: Anordnung der Festpunkte bei Steigleitungen

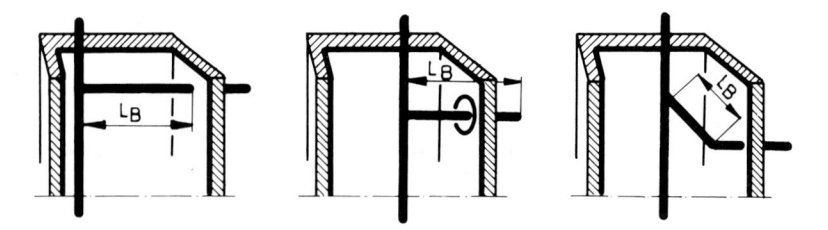

Bild 4: Verlegung von Rohrleitungen in Schächten

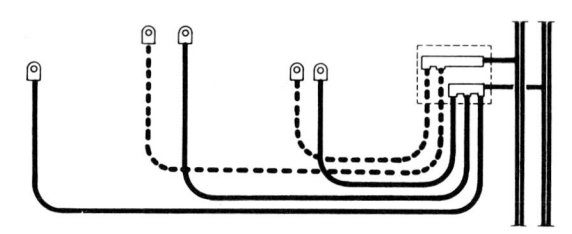

a) Einzelleitungen

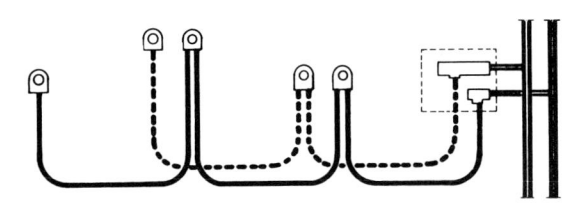

b) Strangleitungen

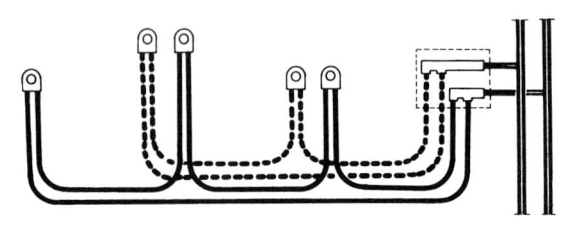

c) Ringleitungen

Bild 5: Freihängende oder in Schleifen verlegte Rohrleitungen mit oder ohne Schutzrohr

Verlegung von Trinkwasserleitungen mit flexiblen Rohren

Flexible Kunststoffrohre ermöglichen eine einfache Verlegetechnik. Die Rohre werden meistens als Ringbunde ausgeliefert, und der Abmessungsbereich beschränkt sich auf kleinere Rohrdimensionen. Flexible Kunststoffrohre werden deshalb vorwiegend im Stockwerksausbau eingesetzt. Die einzelnen Leitungen lassen sich, wie in Bild 5 gezeigt, verlegen. Die thermische Längenänderung dieser Rohrleitungen ist von untergeordneter Bedeutung, da bei einer flexiblen Verlegung, z.B. Rohr im Rohr, ein ausreichender Raum für Dehnvorgänge vorhanden ist.

1.3.1.8 Anforderungen an installierte Kunststoffrohrleitungen

Trinkwasserleitungen aus Kunststoff werden sowohl in Neubauten als auch bei der Altbausanierung eingesetzt. Neben den rein technischen Anforderungen an eine Rohrleitung sind auch für das direkte Umfeld der installierten Leitungen Maßnahmen erforderlich, die in den einschlägigen Bestimmungen festgelegt und Stand der Technik sind.

Druckprobe der Leitungssysteme

Kunststoff-Rohrleitungen müssen nach Fertigstellung der Leitung auf Dichtheit geprüft werden. Dies erfolgt in einer vorgeschriebenen Druckprobe nach DIN 1988 Teil 2. Die Leitungsteile dürfen dabei nicht abgedeckt sein. Die Druckprobe erfolgt in 3 Abschnitten:

– Füllen des Leitungssystems

Die Leitungen sind mit filtriertem Wasser so zu füllen, daß sie luftfrei sind. Es sind Druckmeßgeräte zu verwenden, die ein einwandfreies Ablesen einer Druckänderung von 0,1 bar gestatten. Das Druckmeßgerät ist an der tiefsten Stelle des Leitungssystems anzuordnen.

– Vorprüfung

Für die Vorprüfung wird ein Prüfdruck entsprechend dem zulässigen Betriebsdruck +5 bar (15 bar) aufgebracht, der innerhalb von 30 Minuten im Abstand von jeweils 10 Minuten 2 mal wiederhergestellt werden muß. Nach weiteren 30 Minuten darf der Prüfdruck um nicht mehr als 0,6 bar (0,1 bar je 5 Minuten) gefallen und keine Undichtheit aufgetreten sein.

– Hauptprüfung

Unmittelbar nach der Vorprüfung ist die Hauptprüfung durchzuführen. Die Dauer der Hauptprüfung beträgt 2 Stunden. Dabei darf der nach der Vorprüfung abgelesene Prüfdruck nach 2 Stunden um nicht mehr als 0,2 bar gefallen sein. Undichtheiten dürfen an keiner Stelle der geprüften Leitung feststellbar sein. Es ist ein Protokoll über die durchgeführte Druckprüfung anzufertigen (Tafel 5).

Tafel 5: Muster – Prüfprotokoll

Muster - Prüfprotokoll
(Analog der Vorgaben nach DIN 1988)

Objekt-Beschreibung: _____
Ausführende Firma: _____
Bauherr: _____
Objekt: _____
Systemlieferant _____

Rohrwerkstoffe: PE-X ☐   PP-R ☐   PB ☐   PVC-U ☐   PVC-C ☐   Verbund-Rohr ☐

Leitungs- länge:	ϕ 16 ___ m	ϕ 20 ___ m,	ϕ 25 ___ m
	ϕ 32 ___ m	ϕ 40 ___ m	ϕ 50 ___ m
	ϕ 63 ___ m	ϕ 75 ___ m	ϕ 90 ___ m
	ϕ 110 ___ m		

Verbindungen:	Schweißen ___ Stck.	Pressen ___ Stck.
	Klemmen ___ Stck.	Kleben ___ Stck.
		Schrauben ___ Stck.

Anzahl der
Zapfstellen: _____ Stck.   Höchste Zapfstelle
                                    über Druckmesser _____ m

Gesamte Leitungslänge _____ m.

Vorprüfung:
Prüfdruck _____ bar

1. Regulierung
nach 10 Minuten _____ bar

2. Regulierung
nach 20 Minuten _____ bar

Druck nach
30 Minuten _____ bar

Druckabfall _____ bar

Ergebnis der
Vorprüfung: _____

Hauptprüfung:
Prüfdruck _____ bar

Druckabfall
nach 2 Stunden
(max. 0,2 bar) _____ bar

Ergebnis der
Hauptprüfung: _____

Bestätigung der Druckprüfung:
Prüfbeginn _____ Uhr   Prüfende _____ Uhr   Prüfdauer _____ h

Ort _____   Datum _____   Uhrzeit _____

Unterschriften: Auftraggeber: _____
                  Auftragnehmer: _____

Trinkwasserhausinstallation 255

Spülen der Leitungssysteme

Trinkwasserleitungen müssen nach DIN 1988 Teil 2, Abschn. 11.2 vor der Inbetriebnahme und nach erfolgter Druckprüfung gründlich gespült werden. Kalt- und Warmwasserleitungen sollen getrennt und möglichst mit Wasser aus der Versorgungsleitung gespült werden.

Wärmedämmung an Trinkwasserleitungen für Warmwasser

Warmwasserleitungen, einschließlich der Zirkulationsleitungen, werden zur Begrenzung von Wärmeverlusten mit einer Dämmschicht versehen. Hierbei gelten die Mindestanforderungen der Heizungsanlagenverordnung (HeizAnlV) zum Energie-Einsparungsgesetz. Unabhängig von den guten Werten der Eigendämmung von Kunststoffrohren gelten die Mindestdicken der Dämmschicht nach der HeizAnlV (Tafel 6). Eine Abminderung dieser Werte bei Kunststoffrohren sowie der mögliche Wegfall der Dämmung ist bei Rohr in Rohr-Systemen von Fall zu Fall zu entscheiden.

Bei Rohrleitungen, deren Nennweite nicht durch Normung festgelegt ist, ist anstelle der Nennweite der Außendurchmesser einzusetzen.

Tafel 6: Wärmedämmung an Trinkwasserleitungen für Warmwasser nach der Heizungsanlagen-Verordnung vom 22.03.1994

Zeile	Nennweite (DN) der Rohrleitungen / Armaturen [mm]	Mindestdicke der Dämmschicht bezogen auf eine Wärmeleitfähigkeit von λ 0,035 W/mK
1	bis DN 20	20 mm
2	ab DN 22 bis DN 35	30 mm
3	ab DN 40 bis DN 100	gleich DN
4	über DN 100	100 mm
5	Leitungen und Armaturen nach den Zeilen 1 bis 4 in Wand- und Deckendurchbrüchen, im Kreuzungsbereich von Rohrleitungen, an Rohrleitungsverbindungsstellen, bei zentralen Rohrnetzverteilern, Heizkörperanschlußleitungen von nicht mehr als 8 Metern Länge als Summe von Vor- und Rücklaufleitungen.	½ der Anforderungen der Zeilen 1 bis 4

Wärmedämmung an Trinkwasserleitungen für Kaltwasser nach DIN 1988

Trinkwasserleitungen für Kaltwasser müssen nach DIN 1988 Teil 2, Abschn. 10.2.2 vor Erwärmung und, wenn notwendig, auch vor Tauwasserbildung geschützt werden. Die Installation der Kaltwasserleitungen soll in einem ausreichenden Abstand zu Warmwasserleitungen erfolgen. Die Leitungen müssen nach Tafel 7 gedämmt werden, damit die Wasserqualität des Kaltwassers nicht beeinträchtigt wird. Bei Rohr in Rohr-Systemen ist ein zusätzlicher Schutz gegen Tauwasserbildung nicht erforderlich.

Schallschutz

Kunststoffe haben ausgeprägte schwingungsdämpfende Eigenschaften. Das gilt insbesondere auch für die Kunststoffrohrwerkstoffe, die in der Hausinstallation eingesetzt werden. Sie übertragen Schallgeräusche weit weniger als metallene Rohrwerkstoffe, so daß ein hoher Anteil der möglicherweise auftretenden Schallgeräusche in einer Rohrleitung allein durch den Rohrwerkstoff gedämpft wird.

Unterstützt wird die Schalldämmung durch Einsatz von geeigneten Verlegetechniken und von schalldämmenden Rohrschellen.

Tafel 7: Richtwerte für die Mindest-Dämmschichtdicken zur Dämmung von Kaltwasserleitungen

Einbausituation	Dämmschichtdicke bei $\lambda = 0{,}040$ W/mK *) [mm]
Rohrleitung frei verlegt, in nicht beheiztem Raum (z.B. Keller)	4
Rohrleitung frei verlegt, in beheiztem Raum	9
Rohrleitung im Kanal, ohne warmgehende Rohrleitungen	4
Rohrleitung im Kanal neben warmgehende Rohrleitungen	13
Rohrleitungen im Mauerschlitz, Steigleitung	4
Rohrleitung in Wandaussparung, neben warmgehenden Rohrleitungen	13
Rohrleitung auf Betondecke	4

*) Für andere Wärmeleitfähigkeiten sind die Dämmschichtdicken, bezogen auf einen Durchmesser von d = 20 mm, entsprechend umzurechnen.

In DIN 4109 sind alle Anforderungen für die Planung, Ausführung und den Betrieb von Trinkwasserleitungen hinsichtlich des erforderlichen Schallschutzes festgelegt.

Frostschutz

In der Hausinstallation ist die Gefahr des Einfrierens von Rohrleitungen gering. Dennoch kann es in bestimmten Bereichen der Installationsleitungen (nicht beheizte Kellerräume, Außenwände, Garagen usw.) vor allem dann, wenn sie nicht ständig durchströmt werden, Situationen geben, die besondere Maßnahmen gegen das Einfrieren der Leitungen erfordern. Eine normale Dämmung kann das Einfrieren lediglich verzögern, aber nicht verhindern. Es ist deshalb zwingend notwendig, daß solche Leitungsteile absperrbar und entleerbar sind.

Brandschutz

Die in der Hausinstallation verwendeten Rohrwerkstoffe müssen mindestens der Brandklasse B 2 – normal entflammbar – entsprechen. Der bauliche Brandschutz ist im Rahmen der Bauordnung in den einzelnen Bundesländern geregelt.

Farbanstrich

Kunststoffrohrleitungen können mit lösemittelfreien Farben unter den üblichen Aufbringungsverfahren gestrichen werden. Es sind die Hinweise der Systemanbieter zu beachten.

Anschluß von Kunststoffrohren an Heißwasserspeicher

Heißwasserspeicher und Durchlauferhitzer dürfen direkt mit Kunststoffrohrleitungen verbunden werden, wenn sichergestellt ist, daß kurzzeitig keine höheren Temperaturen als 95 °C bei Betriebsdruck auftreten können. Die Anweisungen der Systemanbieter sind zu beachten.

Lichtundurchlässigkeit

In Trinkwasserleitungen aus Kunststoffen muß das Trinkwasser gegen Lichteinfall geschützt sein. Lichtundurchlässige Trinkwasserleitungen dürfen nicht mehr als 0,2 % sichtbares Licht durchlassen.

1.3.2 Umweltgerechte Trinkwasserinstallations-Systeme

R. WEINLEIN

Von der Technischen Universität Berlin, Fachgebiet Polymertechnik, wurden Trinkwasserinstallations-Systeme unter ökologischen Gesichtspunkten analysiert [1]. Folgende Werkstoffe und Systeme waren Gegenstand der Betrachtung: Polyethylen vernetzt (PE-X); Polyethylen vernetzt, Rohr im Rohr (PE-X RIR); Polybuten (PB); Polybuten, Rohr im Rohr (PB RIR); Polypropylen (PP); Polyvinylchlorid chloriert (PVC-C); Kupfer (Cu) und verzinkter Stahl (St). Die Analyse umfaßte die Bereiche der Produktion der benötigten Systemkomponenten (Rohre, Formstsücke, Dämmung, Verbindungsmaterialien), beginnend bei der Rohstoffgewinnung bis zur Bauteilproduktion, die Herstellung der Rohrverbindungen sowie die gesamten Transporte.

Alle betrachteten Systeme wurden nach einer beispielhaften Trinkwasserinstallation nach DIN 1988 Teil 3 ausgelegt. Für jeden Schritt innerhalb der Prozeßkette wurde der Bedarf an fossilen Energieträgern und an elektrischer Energie sowie die Menge der durch die Nutzung der Energieträger bedingten prozeßspezifischen Emissionen ermittelt [2]. Die Energieinhalte der Kunststoffe wurden nicht berücksichtigt.

Datenbasis

Die Grunddaten der Herstellung von PE, PP und PVC wurden den Eco-profiles der Association of Plastics Manufacturers in Europe (APME) [3] entnommen. Die Daten zur Chlorierung von PVC-C wurden direkt beim Kunststofferzeuger erfaßt. Die Daten zur Vernetzung von PE zu PE-X beruhen auf Angaben des Verarbeiters, und die Daten für PB entstammen einer unveröffentlichten Studie des Rohstofferzeugers, die nach Richtlinien der APME durchgeführt wurde. Die bei der Herstellung von Rohren und Formstücken anfallenden relevanten Daten für Extrusion und Spritzguß wurden durch Messungen des Fachgebietes Polymertechnik vor Ort an den Anlagen ermittelt. Die Daten der für das PE-X-System verwendeten Messingfittinge basieren auf theoretischen Analysen.

Für den Bereich der Kupfererzeugung wurde eine Recyclingquote von 49 % berücksichtigt. 51 % werden durch den Abbau und die Verhüttung von sulfidischem Kupfererz als Primärkupfer bereitgestellt. Der Energiebedarf der Abbau- und Aufbereitungsprozesse wurde von [4] übernommen und auf die geltenden Systemgrenzen umgerechnet. Für die Verhüttung des Erzes wurde das Outokumpo-Verfahren zugrunde gelegt. Die Herstellung der Rohre aus den Kupfer-Drahtbarren erfolgt nach dem Pilgerschrittverfahren. Kupferformstücke werden durch das Umformen von Kupferrohren hergestellt.

Für den Bereich der Stahlerzeugung wurde eine Recyclingquote von 35 %, aufgeteilt in den Einsatz im Hochofen (15 %) und im Elektroschmelzofen (20 %),. festgelegt. Tempergußformstücke wurden ebenfalls berücksichtigt.

Die notwendigen Verbindungsmaterialien (Klebstoff, Lot), Hilfsstoffe und Verbindungstechniken (Kleben, Löten, Schweißen) wurden energetisch und emissionsmäßig durch Versuche im Labor des Fachgebiets Polymertechnik erfaßt. Alle Trinkwasserinstallationssysteme werden mit Low-Density Polyethylen (PE-LD) -Rohrisolierungen gedämmt.

Wirkungsbilanz

Die Erstellung von Wirkungsbilanzen erfolgte mit dem Ziel, die in der Sachbilanz erhobenen umweltrelevanten Stoffströme hinsichtlich ihrer potentiellen Wirkungen auf die Umwelt zu beschreiben und, wo dies möglich ist, Stoffe mit vergleichbaren Wirkungen zu aggregieren. Die Aussagen zur Wirkungsbilanz sind zu großen Teilen der Veröffentlichung des Umweltbundesamtes „Ökobilanz für Getränkeverpackungen" [5] entnommen. Bei der Auswertung der Ergebnisse für Trinkwasserinstallations-Systeme wurden die globalen Effekte berücksichtigt.

Treibhauseffekt

Zur Bestimmung der Klimawirksamkeit eines Stoffes wird das Global Warming Potential (GWP-Wert) definiert. Es wird der CO_2-Wert der Sachanalyse als GWP-Wert aufgeführt.

Bildung von Photooxidantien

Zur Abschätzung des Oxidantienpotentials wird mit dem POCP-Wert (Photochemical Ozone Creation Potential) gearbeitet. Da im Rahmen der Arbeit die einzelnen Kohlenwasserstoffe nicht näher aufgeschlüsselt werden konnten, wird mit dem Kohlenwasserstoff-Summenwert gerechnet.

Versauerung von Böden und Gewässern

Zur Beschreibung der versauernden Wirkung von Stoffen wird deren Säurebildungspotential berechnet. Folgende Emissionen werden berücksichtigt: Chlorwasserstoff, Fluorwasserstoff, Stickoxide, Schwefeloxide und Schwefelwasserstoff.

Eintrag von Nährstoffen in Böden und Gewässer

Sowohl Eutrophierung als auch Sauerstoffzehrung sind mit dem PO_4-Äquivalenzwert berücksichtigt. Ein Maß für die Beanspruchung des Sauerstoffhaushaltes in Gewässern stellt der chemische Sauerstoffbedarf (CSB) dar. Folgende Emissionen bilden den Summenwert: Stickoxide in der Luft, Gesamtstickstoff im Wasser, Gesamtphosphat im Wasser und Chemischer Sauerstoffbedarf.

Ergebnisse

Die Ergebnisse der Wirkungsbilanz sind in Tafel 8 aufgeführt. Verglichen werden die Wirkungsbilanzen des ausgewählten metallischen Systems mit den beiden Kunststoff-Systemen (Min und Max). Die Kunststoff-Systeme stellen reale Trinkwasserinstallations-Systeme dar und repräsentieren jeweils eines der vorgestellten sechs Systeme.

Tafel 8: Ergebnisse der Wirkungsbilanz für ausgewählte Trinkwasserinstallations-Systeme

System	Energie-bedarf [MJ/System]	Treibhaus-effekt [g/System]	Photo-oxidantien [g/System]	Versauerung [g/System]	Nährstoff-eintrag [g/System]
Metall	21.200	1.195.200	6.280	10.680	710
Kunststoff-Min	7.730	270.700	2.360	2.480	240
Kunststoff-Max	16.100	573.230	9.120	6.700	610

Vergleicht man das Ergebnis Metall- und Kunststoff-Min-System, liegt das Kunststoff-System in den aufgeführten ökologischen Kategorien um 170 bis 340 % günstiger. Ähnlich verhält es sich beim Vergleich Metall-System mit Kunststoff-Max-System. In allen Bereichen – mit Ausnahme der Photooxidantien – liegt das Kunststoff-System um 20 bis 110 % ökologisch günstiger. Das Ergebnis der Wirkungsanalyse ist in normierter Form in Bild 6 dargestellt und zeigt, daß die Trinkwasserinstallations-Systeme aus den untersuchten Kunststoffen PE-X, PVC-C, PP und PB bei den ökologischen Kategorien Energiebe-

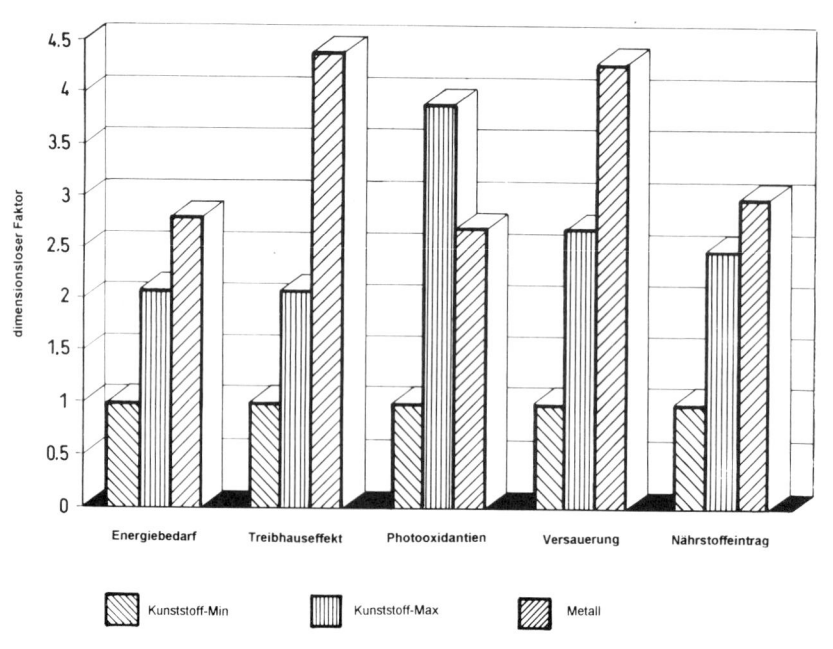

Bild 6: Normierte Ergebnisse der Wirkungsbilanz für Trinkwasserinstallations-Systeme

darf, Treibhauseffekt, Nährstoffeintrag und Versauerung günstiger abschneiden und eine umweltgerechtere Lösung darstellen [6]. Diese schon lange behauptete Aussage wurde durch die vorliegenden Untersuchungen bestätigt.

Schrifttum

[1] Käufer, H., Weinlein, R., Jäkel, C., Rößler, H.J.: Vergleichende normierende Bewertung von Trinkwasserinstallations-Systemen, unveröffentlichter Abschlußbericht, Technische Universität Berlin, Berlin, Dezember 1994
[2] Habersatter, K., Widmer, F.: Oekobilanz von Packstoffen Stand 1990, Studie im Auftrag des Bundesamtes für Umwelt Wald und Landschaft (BUWAL), Bern, Februar 1991
[3] Boustead, I.: Eco-profiles of the European plastics industry, Report 3: Polyethylene and Polypropylene, Report 6: Polyvinylchloride, Association of Plastics Manufactures in Europe (APME), Brüssel, Mai 1993 und April 1994
[4] Krüger, J., Winkler, P., Reuter, M.: Sachbilanz einer Ökobilanz der Kupfererzeugung und -verarbeitung, Teil 1,2,3, Zeitschrift Metalle Nr. 4,5,6, Hüthig Verlag, Heidelberg, April bis Juni 1995
[5] Schmitz, S., Oels, H.-J., Tiedemann, A.: Ökobilanz für Getränkeverpackungen, Texte 52/95 des Umweltbundesamtes, Berlin, August 1995
[6] Käufer, H., Weinlein, R., Jäkel, C.: Umweltanalyse von Trinkwasserinstallations-Systemen, Zeitschrift Sanitär- und Heizungstechnik, Kammer Verlag, Düsseldorf, April 1995

1.3.3 Rohrleitungen aus PE-X

F.-J. RIESSELMANN

1.3.3.1 Rohre

Seit über 20 Jahren werden PE-X-Rohre in der Druckklasse PN 20 für die Verteilung von Trinkwasser eingesetzt (Tafel 9).

Die Hauptanwendung liegt in der Stockwerksverteilung; somit kommen in erster Linie die kleineren Dimensionen zum Einsatz. Aber es gibt auch Steigleitungen aus PE-X.

Ein weiterer Vorteil ist die Rohr im Rohr-Technik für die flexiblen Leitungen, da

– das Innenrohr gegen Beschädigungen geschützt ist,
– das Innenrohr ausgewechselt werden kann, wenn z.B. das Rohr angebohrt wurde,
– die Isolierung beim Einsatz für Kaltwasser gespart wird,
– die Schallübertragung stark gemindert wird.

Tafel 9: Rohrabmessungen nach DIN 16893

Nenndruck		PN 20	
S		3,15	
SDR		7,3	
d [mm]	s [mm]	d_1 [mm]	Gewicht [kg/m]
10	1,8	6,4	0,047
12	1,8	8,4	0,059
16	2,2	11,6	0,098
20	2,8	14,4	0,153
25	3,5	18	0,238
32	4,4	23,8	0,382
40	5,5	29	0,594
50	6,9	36,2	0,926
63	8,7	55,6	1,47
75	10,3	54,4	2,07
90	12,4	65,2	2,98

Die Lieferung erfolgt normalerweise in Ringbunden: die dadurch größer werdenden Längen führen zu weniger Abfall und Verbindungsstellen.

Die Verstärkung mit Aluminium führt zu Rohren mit weiteren interessanten Eigenschaften (s. Abschnitt 1.3.8).

1.3.3.2 Formstücke

Um die Rohre aus PE-X zu verbinden und anzuschließen, kann auf ein entsprechendes Sortiment an Formstücken zurückgegriffen werden (Tafel 10 und Bild 7), das in der Regel aus Kupferknetlegierungen besteht. Diese entsprechen den Anforderungen des DVGW-Arbeitsblattes W 534.

Von Vorteil ist, daß man normalerweise mit einer kleinen Auswahl auskommt und auf übliche Verschraubungen zurückgreifen kann.

1.3.3.3 Verbindungen

Das Schweißen von vernetzten PE-X-Rohren ist nicht so einfach wie bei unvernetzten PE-Rohren. So kommen hauptsächlich metallene Verbinder in Frage, bei denen die Kraftübertragung form- und kraftschlüssig erfolgt.

Trinkwasserhausinstallation 263

Tafel 10: Abmessungsbereich für Formstücke nach Bild 7

Bezeichnung	Rohrdurchmesser d			Verbindungsart	Bemerkung
Verteiler	14	16	20	Pressen, Klemmen	
Wandscheibe (einfach)	14	16	20	Pressen, Klemmen	
Wandscheibe (doppelt)	–	16	20	Pressen, Klemmen	
Kombidose (einfach)	–	16	–	Klemmen	Rohr im Rohr

Klemmverbinder mit Überwurfmutter

Der Klemmverbinder (Bild 8) besteht aus

– dem profillierten Stützkörper

– dem Klemmring

– der Überwurfmutter.

Funktionsprinzip:

Das montierte PE-X-Rohr wird beim Anziehen der innen konisch geformten Überwurfmutter durch den sich schließenden Klemmring gegen den innenliegenden Stützkörper gepreßt.

Schiebehülsenverbinder

Der Verbinder (Bild 9) besteht aus

– dem profillierten Stützkörper

– der Schiebehülse.

Funktionsprinzip:

Das am Ende aufgeweitete PE-X-Rohr wird auf den Stützkörper geschoben und durch das axiale Verschieben der zuvor aufgesteckten Schiebehülse auf den Stützkörper gepreßt.

Preßverbinder

Der Preßverbinder (Bild 10) besteht

– dem profillierten Stützkörper mit O-Ring

– der Preßhülse aus Metall, z.B. Edelstahl, Messing.

264　　　　　　　　　　　　　　　　　Trinkwasserhausinstallation

Wandscheibe einfach

Wandscheibe doppelt　　　　　　　Kombidose

Bild 7: Ausgewählte Verbindungs- und Anschlußteile

Trinkwasserhausinstallation 265

Bild 8: Klemmverbinder

Bild 9: Schiebehülsenverbinder

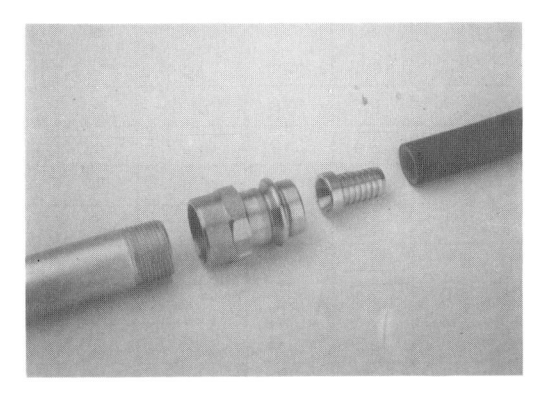

Bild 10: Preßverbinder

Funktionsprinzip:

Das Rohrende wird auf den Stützkörper geschoben. Die vorher aufgesteckte Hülse wird im Bereich des Stützkörpers mit einem Preßwerkzeug auf den Stützkörper gepreßt, so daß eine unlösbare Verbindung entsteht.

1.3.4 Rohrleitungen aus PP-R

R. SCHNEIDER

1.3.4.1 Rohre

Für den Bau von Trinkwasserleitungen in der Hausinstallation werden Rohre der Druckstufen PN 20/25 eingesetzt. Der benötigte Abmessungsbereich der Rohre liegt zwischen 16 mm und maximal 90 mm (Tafel 11). Die Rohre sind mit allen notwendigen und geforderten Daten signiert. Die Lieferlänge beträgt 4 Meter. Die Rohre werden in Verpackungseinheiten und in Folienbeutel verschweißt ausgeliefert. Bei kleineren Abmessungen ist die Lieferung auch in Ringbunden möglich.

Tafel 11: Rohrabmessungen nach DIN 8077

Nenndruck	PN 20			PN 25		
S	2,5			2		
SDR	6			5		
d [mm]	s [mm]	d_1 [mm]	Gewicht [≈ kg/m]	s [mm]	d_1 [mm]	Gewicht [≈ kg/m]
16	2,7	10,6	0,110	3,2	9,6	0,125
20	3,4	13,2	0,172	4,0	12,0	0,193
25	4,2	16,6	0,266	5,0	15,0	0,301
32	5,4	21,2	0,434	6,4	19,2	0,493
40	6,7	26,6	0,671	8,0	24,0	0,765
50	8,4	33,2	1,050	10,0	30,0	1,190
63	10,5	42,0	1,650	12,6	37,8	1,890
75	12,5	50,0	2,340	15,0	45,0	2,680
90	15,0	60,0	3,360	18,0	54,0	3,860

VERBINDUNGEN FÜR EINE EWIGKEIT

■ lange und kurze Bauformen ■ für Elektromuffenschweißung oder Stumpfschweißung ■ entsprechend der DIN 16962/63 ■ mit RAL-Gütezeichen ■ für Gas-Versorgungssysteme zugelassen vom IIP, Italien ... der GdF, Frankreich ... der Association Royale de Gaziers, Belgien

BÄNNINGER KUNSTSTOFF-FITTINGS
mit dem **Plus** der Wirtschaftlichkeit

BÄNNINGER
KUNSTSTOFF-PRODUKTE
GMBH
REISKIRCHEN

B·R
BÄNNINGER
REISKIRCHEN

BÄNNINGER STRASSE 1
D-35447 REISKIRCHEN
TEL. (0 64 08) 89-0
FAX (0 64 08) 67 56

Erste Wahl·International

Das Angebot der Rohre aus PP-R wird ergänzt durch Rohre mit einem integrierten Aluminium-Mantel auf dem Außendurchmesser der Rohre. Solche mechanisch stabilisierten Rohre besitzen eine höhere Steifigkeit und ein verändertes Dehnverhalten. Sie werden im selben Abmessungsbereich geliefert wie die Rohre aus PP-R ohne mechanische Stabilisierung.

1.3.4.2 Formstücke

Bei den Rohrleitungssystemen aus PP-R steht dem Anwender ein umfangreiches Formstücksortiment zur Auswahl (Bilder 11–13). Mit den im Spritzgießverfahren hergestellten Formstücken können alle installationstechnisch notwendigen Arbeitsschritte wie Richtungsänderungen, Abzweigungen, Übergänge an Sanitärartikel und Leitungsumfahrungen durchgeführt werden. Die Auslieferung erfolgt üblicherweise in Folienverpackungen, in denen bis zu 10 gleichartige Teile enthalten sind.

Der Abmessungsbereich der wichtigsten Formstücke für Trinkwasserleitungen in der Hausinstallation entspricht dem Bereich der Rohrabmessungen von d = 16 mm bis max. d = 90 mm. Die Formstückmaße sind angelehnt an DIN 16962 Teil 6 ff für Formstücke zur Heizelementmuffenschweißung.

Bei der Hausinstallation, vor allem im Stockwerksausbau, sind eine Reihe von Übergangsformstücken nötig, um alle Sanitärartikel anschließen zu können. Diese Übergangsformstücke besitzen eine oder zwei Schweißmuffen und einen Gewindeabgang mit zylindrischem Innengewinde oder mit kegligem Außengewinde für Gewindeverbindungen nach DIN 2999.

Die Gewindekomponenten sind aus Kupfer-Knetlegierungen, die in die Formstücke eingespritzt sind.

Im Formstücksortiment für Trinkwasserleitungen in der Hausinstallation werden auch Formstücke gefordert, die lösbare Verbindungen und Übergänge von Kunststoffleitungen auf metallene Rohrleitungen ermöglichen. Mit Rohrverschraubungen in den verschiedensten Kombinationen lassen sich diese Aufgaben in der branchenüblichen Weise lösen. Das Sortiment der Formstücke wird abgerundet durch Geradsitzventile und Schrägsitzventile. Sie werden fest in die Rohrleitungen eingeschweißt. Lösbare Konstruktionen sind möglich.

Alle Systemhersteller bieten in der Regel weitere Formstücke und Sonderteile an; z.B. Überspringbogen zum Umfahren einer in der Verlegerichtung liegenden anderen Leitung, Heizwendelschweißmuffen zum Verbinden von Leitungsteilen an schwer zugänglichen Stellen oder auch Entleerungsvorrichtungen. Zu den Formstücken gehören schließlich auch alle Montageplatten für das Setzen von Anschlußformstücken für Sanitärarmaturen, Tragschalen und Rohrschellen.

In jedem Falle ist zu prüfen, ob Sonderteile für Rohrleitungen in der Hausinstallation geeignet sind. Vielfach sind Sonderteile lediglich für die industrielle Anwendung vorgesehen.

Trinkwasserhausinstallation 269

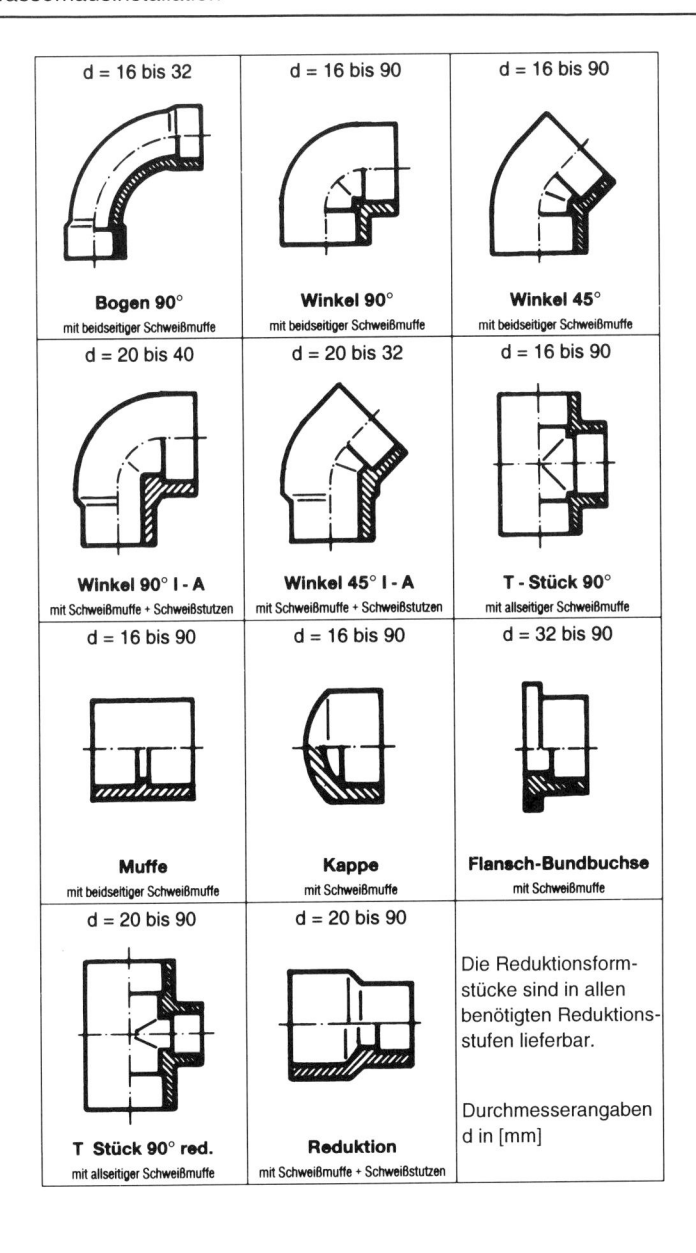

d = 16 bis 32	d = 16 bis 90	d = 16 bis 90
Bogen 90° mit beidseitiger Schweißmuffe	**Winkel 90°** mit beidseitiger Schweißmuffe	**Winkel 45°** mit beidseitiger Schweißmuffe
d = 20 bis 40	d = 20 bis 32	d = 16 bis 90
Winkel 90° I - A mit Schweißmuffe + Schweißstutzen	**Winkel 45° I - A** mit Schweißmuffe + Schweißstutzen	**T - Stück 90°** mit allseitiger Schweißmuffe
d = 16 bis 90	d = 16 bis 90	d = 32 bis 90
Muffe mit beidseitiger Schweißmuffe	**Kappe** mit Schweißmuffe	**Flansch-Bundbuchse** mit Schweißmuffe
d = 20 bis 90	d = 20 bis 90	Die Reduktionsformstücke sind in allen benötigten Reduktionsstufen lieferbar.
T Stück 90° red. mit allseitiger Schweißmuffe	**Reduktion** mit Schweißmuffe + Schweißstutzen	Durchmesserangaben d in [mm]

Bild 11: *Ausgewählte Formstücktypen aus PP-R als reine Schweißformstücke für die Heizelementmuffenschweißung*

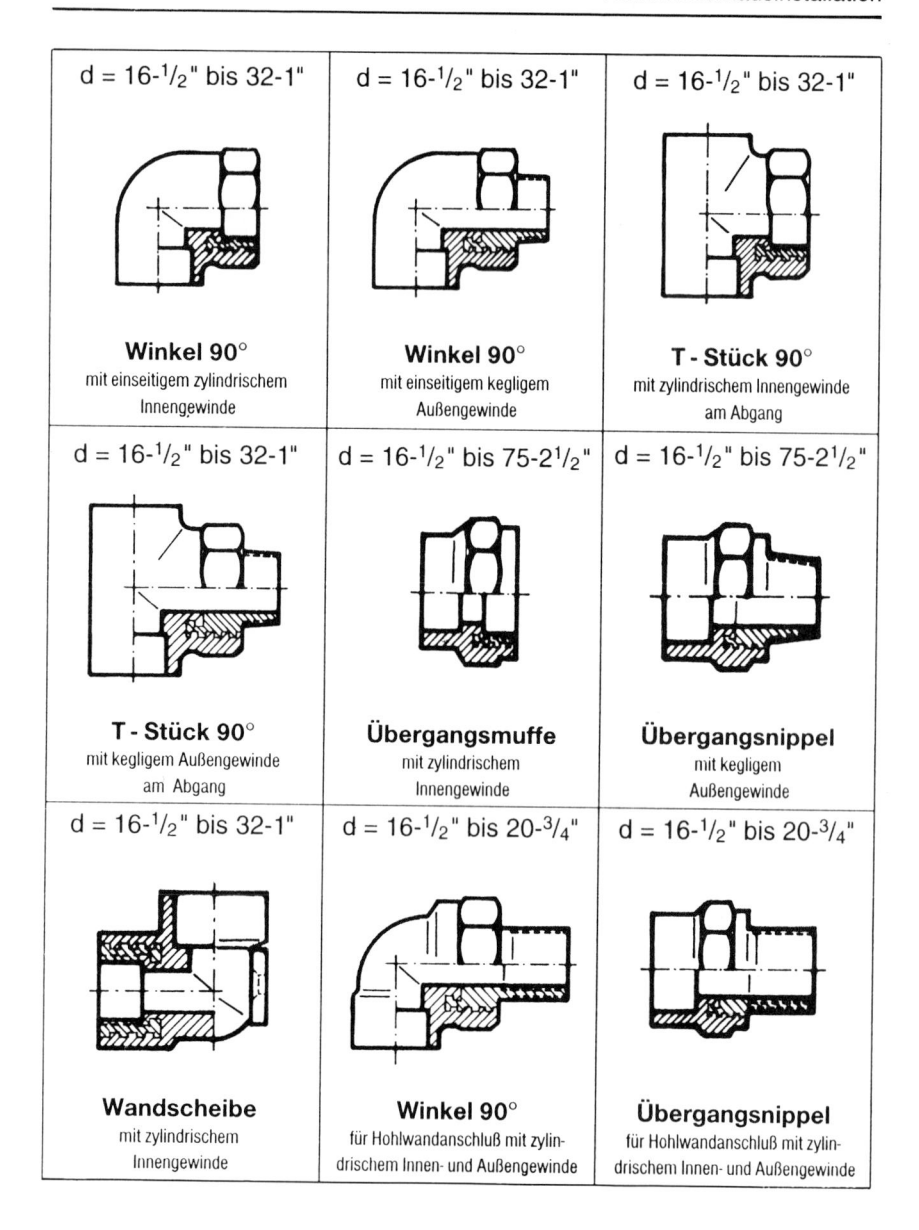

d = 16-½" bis 32-1"	d = 16-½" bis 32-1"	d = 16-½" bis 32-1"
Winkel 90° mit einseitigem zylindrischem Innengewinde	**Winkel 90°** mit einseitigem kegligem Außengewinde	**T - Stück 90°** mit zylindrischem Innengewinde am Abgang
d = 16-½" bis 32-1"	d = 16-½" bis 75-2½"	d = 16-½" bis 75-2½"
T - Stück 90° mit kegligem Außengewinde am Abgang	**Übergangsmuffe** mit zylindrischem Innengewinde	**Übergangsnippel** mit kegligem Außengewinde
d = 16-½" bis 32-1"	d = 16-½" bis 20-¾"	d = 16-½" bis 20-¾"
Wandscheibe mit zylindrischem Innengewinde	**Winkel 90°** für Hohlwandanschluß mit zylindrischem Innen- und Außengewinde	**Übergangsnippel** für Hohlwandanschluß mit zylindrischem Innen- und Außengewinde

Bild 12: *Ausgewählte Übergangsformstücke aus PP-R mit integrierten Gewindekomponenten aus Metall*

Trinkwasserhausinstallation 271

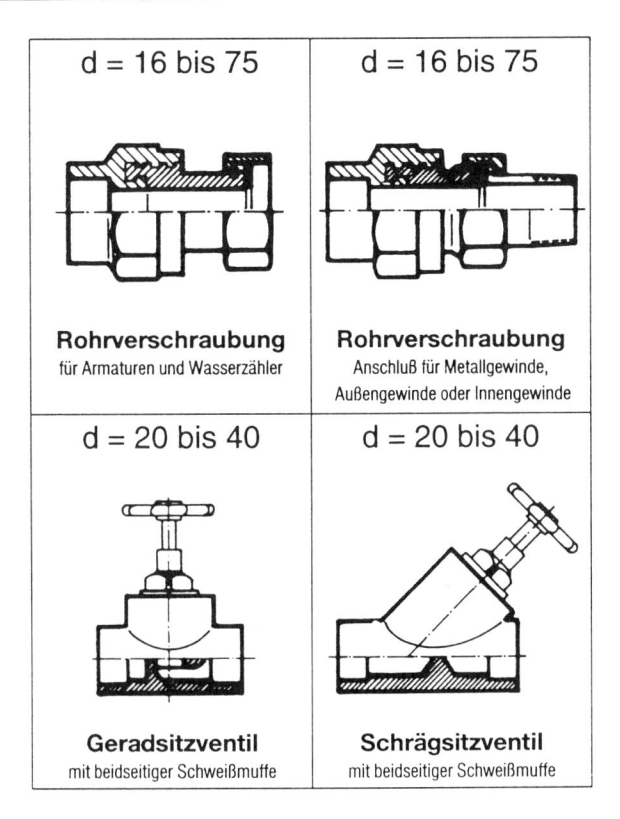

d = 16 bis 75	d = 16 bis 75
Rohrverschraubung für Armaturen und Wasserzähler	Rohrverschraubung Anschluß für Metallgewinde, Außengewinde oder Innengewinde
d = 20 bis 40	d = 20 bis 40
Geradsitzventil mit beidseitiger Schweißmuffe	Schrägsitzventil mit beidseitiger Schweißmuffe

Bild 13: Ausgewählte Rohrverschraubungen und Armaturen aus PP-R mit integrierten Komponenten aus Metall

1.3.4.3 Verbindungen

Schweißverbindung

Die Kunststoffrohrleitungen aus PP-R in der Hausinstallation werden durch Heizelementmuffenschweißen verbunden. Die Muffenabmessungen sind in DIN 16962 und die dazu notwendigen Heizelemente in der DVS-Richtlinie 2207, Teil 1 festgelegt. Bis zur Abmessung 50 mm können die Rohre und Formstücke mit einem leichten Heizelement von Hand verschweißt werden. Oberhalb von 50 mm werden die Verbindungen mit handlichen Schweißmaschinen durchgeführt. Die Heizelementmuffenschweißung ist unlösbar und längskraftschlüssig. Die Verbindung überträgt alle Axialkräfte, die durch den Innendruck hervorgerufen werden, und sie ist unempfindlich gegen auftretende Biegebeanspruchungen.

Der Schweißablauf zur Heizelementmuffenschweißung ist im Teil V schematisch dargestellt.

Heizelemente und Schweißvorrichtungen

Die Heizelemente und Schweißvorrichtungen für die Heizelementmuffenschweißung (Bilder 14–16) müssen den Anforderungen der DVS-Richtlinie 2208 Teil 1 entsprechen. Jeder Rohrabmessung ist eine Heizbuchse und ein Heizdorn zugeordnet. Diese werden mit dem Heizelement fest verbunden. Die Schweißwerkzeuge, Buchse und Dorn, sind mit den Maßen der Fügeteile aus PP-R so aufeinander abgestimmt, daß sich während des Fügevorgangs ein notwendiger Schweißdruck aufbauen kann. Die Oberflächen der Schweißwerkzeuge besitzen eine temperaturbeständige Beschichtung, die nach jedem Schweißvorgang gesäubert werden muß. Die Heizelemente werden elektrisch beheizt. Die eingebaute Regelautomatik gewährleistet eine hohe Temperaturgenauigkeit. Alle Heizelemente sind mit einer Temperaturanzeige ausgerüstet.

Vorbereitung der Schweißung

Die Sicherheit einer Heizelementmuffenschweißung hängt entscheidend von der werkstoffgerechten Vorbereitung der Fügeteile ab: Die Rohre müssen rechtwinklig zur Rohrachse abgeschnitten werden. Hierzu verwendet man vorwiegend Kunststoffscheren für kleinere Rohrdurchmesser und Rohrabschneider für größere Rohre (Bild 17). Sägeschnitte sind möglichst zu vermeiden, da PP-R-Rohre beim Sägen der Rohre an den Schnittflächen stark ausfasern. Die Schnittfläche muß an der Außenkante mittels Anfasgerät oder mit einer geeigneten Feile angefast werden (Bild 18). Die Innenkante wird mit einem Messer entgratet. Beide Fügeflächen, Rohrende außen und Formstücksmuffe innen, anschließend mit Spiritus oder Spezialreiniger und saugfähigem Papier sorgfältig reinigen. Abschließend wird die Muffentiefe des Formstücks auf dem Rohrende gut sichtbar markiert (Bild 19).

Zur Vorbereitung der Schweißung muß schließlich auch das Heizelement überprüft werden. Die Schweißwerkzeuge sollen gereinigt sein und die Heizelementtemperatur 260 °C betragen. Die Temperaturtoleranz ist mit ± 10 °C erlaubt.

Ausführung der Schweißung

Die zum Schweißen vorbereiteten und gereinigten Fügeteile Rohr und Formstück werden zügig und axial bis zum Anschlag des Heizdornes bzw. der Heizbuchse geschoben und ohne Verdrehung festgehalten (Bild 20). Die Anwärmzeit

Trinkwasserhausinstallation 273

Bild 14: Heizelement-Handschweißgerät für Rohrverbindungen bis 50 mm

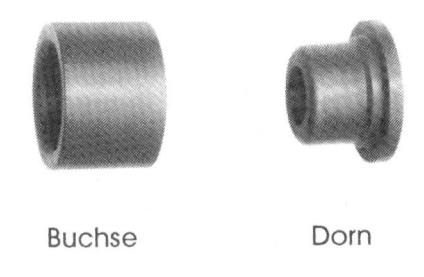

Buchse   Dorn

Bild 15: Schweißwerkzeuge Heizbuchse und Dorn

Bild 16: Schweißvorrichtung mit integriertem Heizelement für Verbindungen bis 90 mm

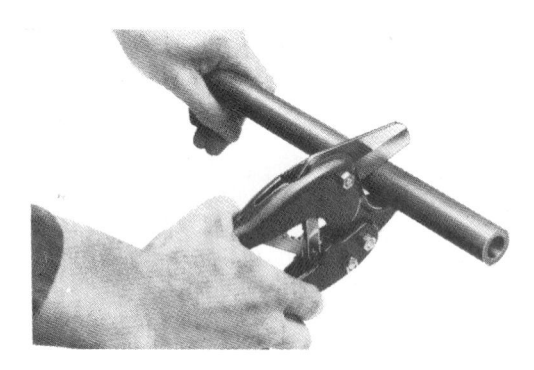

Bild 17: Rohr mittels Kunststoffschere oder Rohrabschneider rechtwinklig ablängen

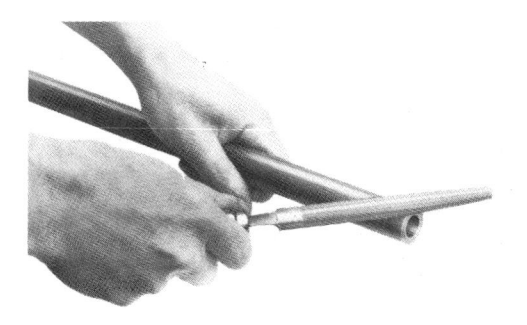

Bild 18: Rohr mit Anfasgerät oder Kunststoff-Feile außen anfasen und innen mit einem Messer entgraten

Bild 19: Einstecktiefe des Formstückes auf dem Rohr anzeichnen. Vorher beide Fügeflächen mit Reiniger säubern

Trinkwasserhausinstallation 275

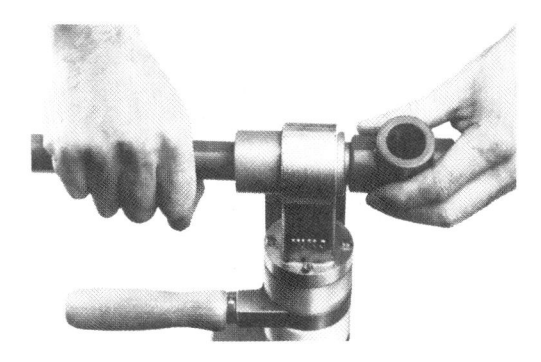

Bild 20: Rohr und Formstück gleichzeitig anwärmen. Fügeteile axial ein- bzw. aufschieben

Bild 21: Rohr und Formstück nach Ablauf der Anwärmzeit von dem Heizelement ruckartig abziehen

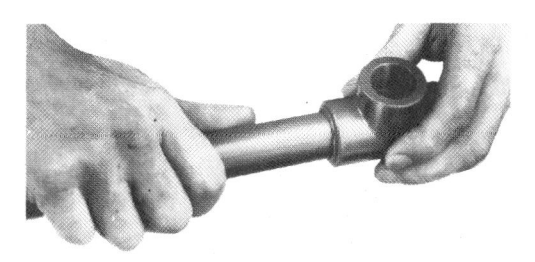

Bild 22: Rohr und Formstück innerhalb der zulässigen Zeit umstellen und, ohne die Teile gegeneinander zu verdrehen, fügen

ist durchmesserabhängig. Nach Ablauf der Anwärmzeit nach Tafel 12 sind das Rohr und der Formstücke ruckartig von den Heizwerkzeugen abzuziehen (Bild 21) und sofort zu fügen. Die Fügeteile müssen axial und ohne Verdrehung bis zur Einschubmarkierung bzw. bis zum Anschlag ineinander geschoben und im Fügezustand noch einige Sekunden festgehalten werden (Bild 22). Am Übergang Rohr-Formstück-Stirnfläche muß eine Wulst sichtbar sein. Die Verbindung kann nach dem Erkalten mechanisch beansprucht werden.

Tafel 12: Richtwerte für das Heizelementmuffenschweißen

Rohrdurch-messer d [mm]	Anwärmen [sec.]	Umstellen/ Schweißen [sec.]	Abkühlen [min.]	Einsteck-tiefe [mm]
16	5			13
20	5	4	2	15
25	7			16
32	8			18
40	12	6	4	21
50	18			24
63	24			28
75	30	8	6	30
90	40			33

Gewindeverbindung

Gewindeverbindungen für Rohrleitungen in der Hausinstallation müssen DIN 2999 Teil 2 entsprechen (Bild 23). Das bedeutet, daß Formstücke mit zylindrischem Innengewinde und solche mit kegligem Außengewinde montiert werden müssen. Bei dieser Gewindeverbindung handelt es sich um eine im Gewinde abdichtende Verbindung im Zusammenwirken mit einem Dichtmittel nach DIN 30660. Das Dichtmittel kann Hanf mit Dichtpaste oder PTFE-Band sein. Gewindeverbindungen mit zylindrischem Innengewinde und zylindrischem Außengewinde nach DIN-ISO 228 (Bild 24) sind lediglich Befestigungsgewinde. Sie benötigen ein Dichtelement, z.B. in Form eines Dichtringes an der Stirn- oder Umfangsfläche der zu verschraubenden Teile, um dauerhaft abzudichten.

Trinkwasserhausinstallation 277

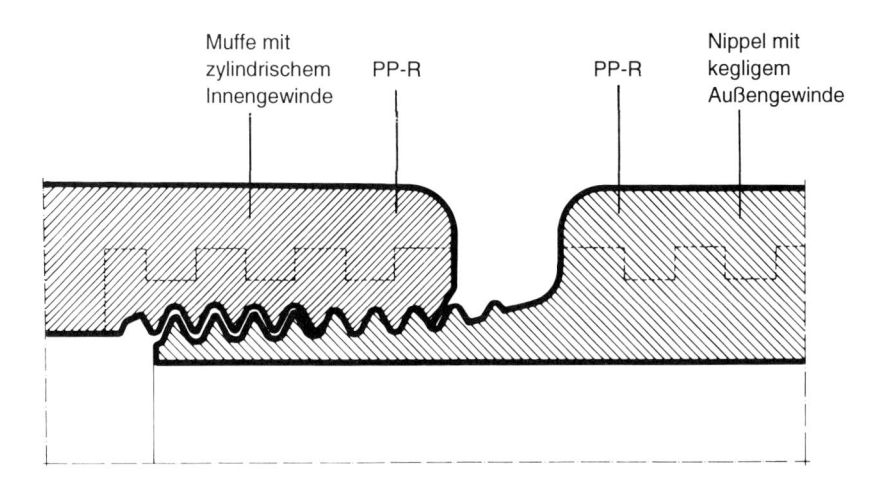

Bild 23: Schematische Darstellung einer Gewindeverbindung nach DIN 2999 mit zylindrischem Innengewinde und kegligem Außengewinde

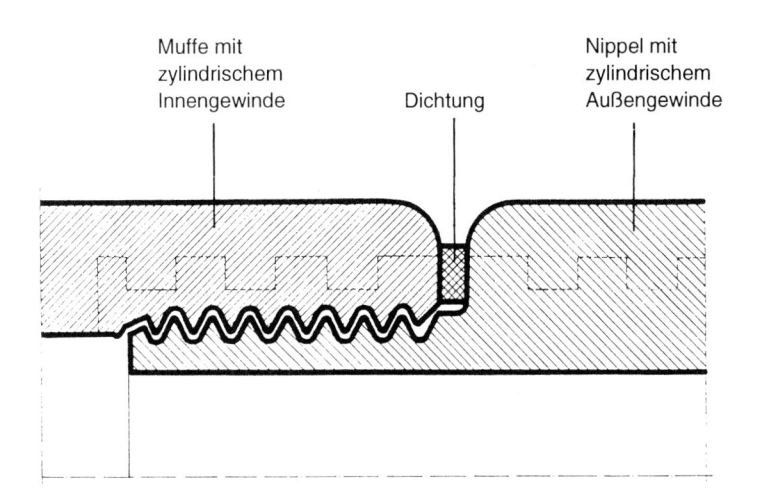

Bild 24: Schematische Darstellung einer Gewindeverbindung nach DIN-ISO 228 mit zylindrischem Innengewinde und Außengewinde

1.3.5 Rohrleitungen aus PB

H. HILLINGER

1.3.5.1 Rohre

Der Werkstoff Polybuten wird seit den 70er Jahren im Rohrleitungsbau eingesetzt. Polybuten mit der Stabilisierung 4137 entspricht den Qualitätsanforderungen in der Trinkwasserverteilung. Der Werkstoff besitzt sehr gute mechanische Eigenschaften, eine hervorragende chemische Widerstandsfähigkeit, eine hohe Wärmeformbeständigkeit und ist lebensmittelrechtlich zulässig. Die Formstücke und Rohre aus diesem Werkstoff sind geruchs- und geschmacksneutral sowie physiologisch unbedenklich. Polybuten ist der universelle Kunststoff zum Klemmen und Schweißen und bietet folgende Vorteile:

- hohe Zeitstandfestigkeit

- geringe Kriechdehnung

Tafel 13: Rohrabmessungen nach DIN 16969

Nenndruck	PN 16		
S	5		
SDR	11		
d [mm]	s [mm]	d_1 [mm]	Gewicht [kg/m]
16	2,2*	11,6	0,088
20	2,8*	14,4	0,141
25	2,3	20,4	0,152
32	3,0	26,0	0,254
40	3,7	32,6	0,392
50	4,6	40,8	0,610
63	5,8	51,4	0,969
75	6,8	61,4	1,354
90	8,2	73,6	1,960
110	10,0	90,0	2,920

*gegenüber DIN 16969 erhöhte Werte

Trinkwasserhausinstallation 279

- hohe Spannungsrißbeständigkeit
- gute Stabilisierungsausrüstung gegen UV-Schädigung
- niedrige Versprödungstemperatur
- hohe Schlagzähigkeit
- hohe Abriebfestigkeit
- Pigmentierung gegen Algenbildung.

Aufgrund der hohen Zeitstandfestigkeit sind kleine Rohrwanddicken möglich und damit größere Rohrinnendurchmesser, ein günstigeres hydraulisches Verhalten und ein sehr geringes Rohrgewicht.

Der Werkstoff Polybuten findet in der Trinkwasserverteilung Einsatz vom Keller bis zum Dach, ohne Korrosion und ohne Inkrustierung. Der Abmessungsbereich der Rohre (Tafeln 13 und 14) liegt zwischen 16 mm und 110 mm. Die Rohre sind mit allen notwendigen und geforderten Daten signiert, die Lieferlänge beträgt 3 und 6 Meter bzw.bei Ringbundware 30 und 60 Meter. Die Ringbundware ist auch mit PE-Schutzrohr für die Unterputzverlegung lieferbar.

Tafel 14: Kennwerte PB

Rohrdurch-messer d [mm]	Wasser-volumen pro m Rohr l	Innen-fläche F [mm^2]	Druckverlust Δp bei v = 2,0 l/sec [mbar/m]	Schall-geschwin-digkeit [m/sec.]	Abrieb-festig-keit [%]
16	0,10	106	1140		
20	0,16	163	480		
25	0,33	327	120		
32	0,53	531	45,4		
40	0,83	834	18,4	620	1*
50	1,31	1307	7,5		
63	2,07	2074	3,0		
75	2,96	2959	1,5		
90	4,25	4252	0,7		
110	6,36	6356	0,3		

*Sandaufschwemmung bei 23°C und 100 h

Sehr interessant ist der geringe Druckverlust von PB durch den großen Rohrinnendurchmesser. Dies führt dazu, daß bei der Rohrdimensionierung kleinere Rohrabmessungen gewählt werden können. Von Interesse sind auch die günstige Abriebfestigkeit und die niedrige Schallgeschwindigkeit als wichtiges Kriterium bei der Körperschallübertragung.

1.3.5.2 Formstücke

Bei den Rohrleitungssystemen aus PB steht dem Planer und Installateur ein umfangreiches Formstück- und Armaturenprogramm zur Verfügung. Alle installationstechnisch erforderlichen Gegebenheiten, Richtungsänderungen, Abzweigungen, Übergänge an Sanitärartikel, Leitungsumfahrungen u. a. können vorgenommen werden. Für die einzelnen Bauteile sind Standardpackungen vorgesehen, die bis zu zehn gleichartige Teile enthalten.

Die Formstücke werden für die Herstellung von Klemmverbindungen für das Heizelementmuffenschweißen im Markt angeboten. Im Marktangebot kann man aus verschiedenen Armaturenanschlüssen, Formstücken für das Heizelementmuffen- und Heizwendelschweißen, Formstücken zum Klemmen, Verteilern, Zubehör und Armaturen auswählen. Des weiteren enthält das System eine Reihe von Montage-und Verlegehilfsmitteln. In den Bildern 25–27 sind ausgewählte Formstücke zum Klemmen und Schweißen sowie Armaturen und Armaturenanschlüsse aus PB dargestellt.

1.3.5.3 Verbindungen

Klemmverbindungen

Die Klemmverbindung ist eine mechanisch wirkende Verbindung zwischen einem Kunststoffrohr und einem Verbindungskörper.

Es wird auf Teil V. 2.1.4 verwiesen. Für die Klemmverbindungen in der Trinkwasser-Installation muß die in DIN 1988 festgelegte Betriebsweise erfüllt werden. Dazu gehört, daß die Klemmverbindung kunststoffgerecht, funktionssicher und wirtschaftlich ausgeführt sein muß. Die Unterteilung der Verbindung in einen Haltebereich und einen Dichtbereich wirkt sich positiv auf das Kerbverhalten aus. Zur Funktionssicherheit gehört die dauerhafte Dichtheit, bezogen auf die Auslegungsdauer des Systems von 50 Jahren. Weiter gehören dazu auch die einfache Montage und das Vermeiden von Überbeanspruchung am Kunststoffrohr.

Heizelementmuffenschweißverbindung

Mit dem Werkstoff PB sind Heizelementmuffenschweißverbindungen von d 16 bis d 110 ausführbar (Tafel 15). Die Schweißformteile aus dem identischen PB-Formstoff der Rohre sind für Betriebsdrücke bis 16 bar bei 20 °C und 10 bar bei

Trinkwasserhausinstallation 281

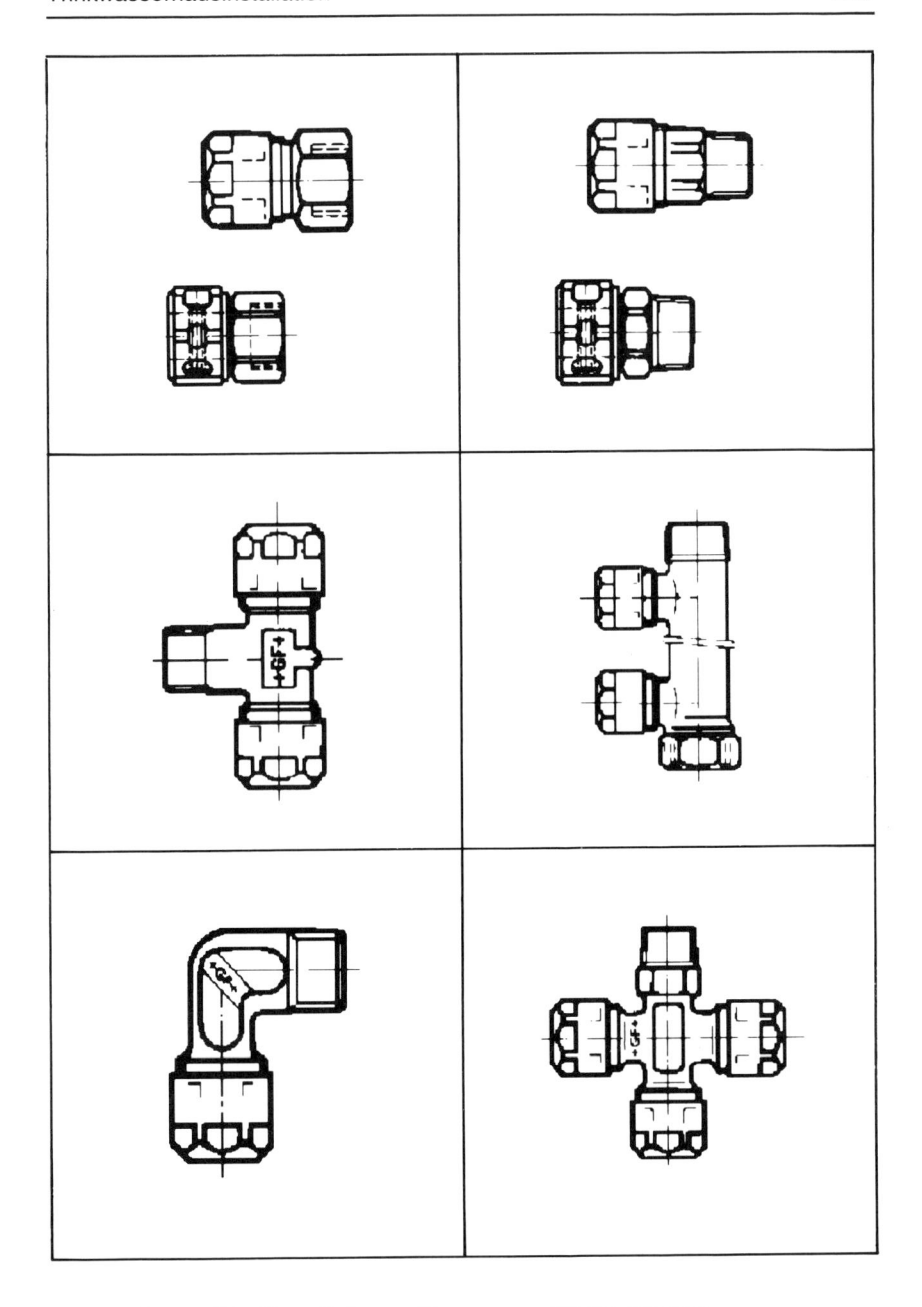

Bild 25: Ausgewählte Formstücke zum Klemmen von PB-Rohrleitungen

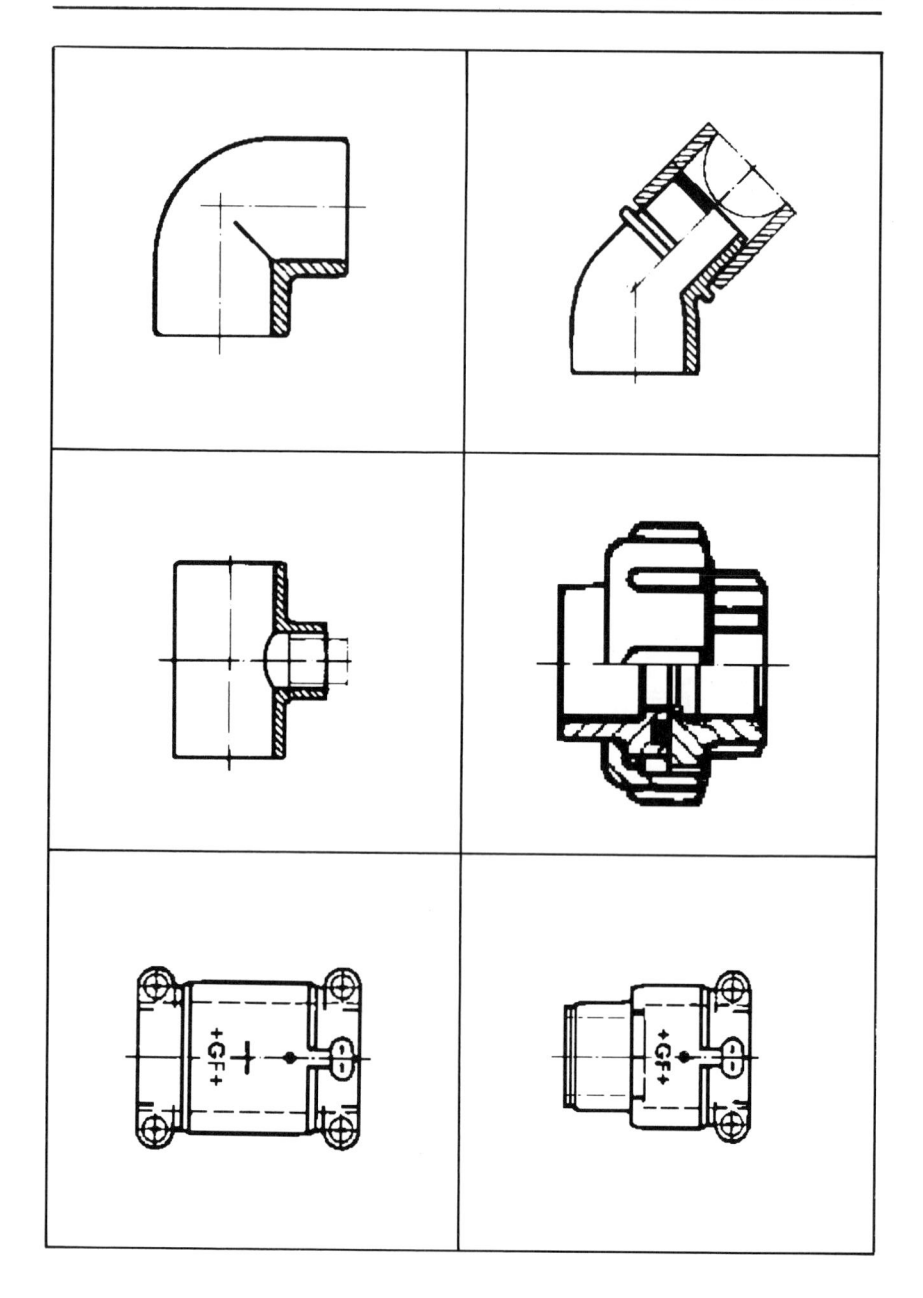

Bild 26: Ausgewählte Formstücke zum Schweißen von PB-Rohrleitungen

Trinkwasserhausinstallation 283

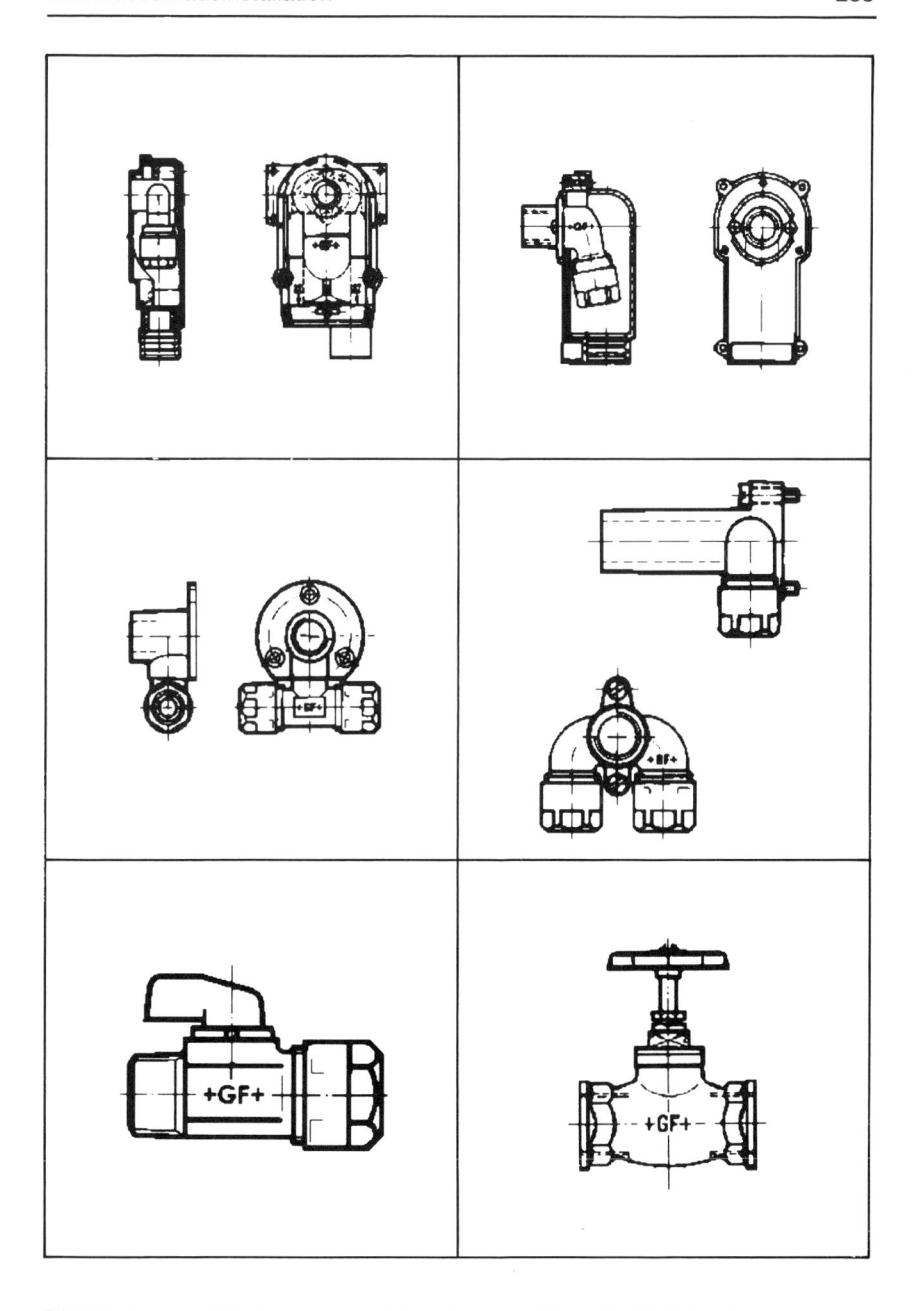

Bild 27: Ausgewählte Armaturen und Armaturenanschlüsse für PB-Rohrleitungen

Tafel 15: Schweißparameter für PB-Muffenschweißung

Rohraußen-durchmesser d [mm]	Minimum Wanddicke s [mm]	Schweiß-länge l [mm]	Anwärm-zeit t [s]	Halte-zeit t_1 [s]	Abkühl-zeit t_2 [min]
16	2,0	15	5	15	2
20	2,0	15	6	15	2
25	2,3	18	6	15	2
32	3,0	20	10	20	4
40	3,7	22	14	20	4
50	4,6	25	18	30	4
63	5,8	28	22	30	6
75	6,9	31	26	60	6
90	8,2	36	30	75	6
110	10,0	42	35	90	6

70 °C geeignet. Wir verweisen auf die Richtlinie DVS 2208, Teil 1 sowie auf Teil V. 1.1.2. Die Schweißtemperatur für PB beträgt 260 °C +/-10 °C. Bis einschließlich d 63 mit angeschrägten Rohrenden kann die Muffenschweißung von Hand durchgeführt werden. Bei geschälten Rohrenden sind Handschweißungen bis einschließlich d 110 möglich. Die Muffenschweißungen können auch bei Außentemperaturen von -10 °C ausgeführt werden. Als vorteilhaft hat sich sowohl bei den Handschweißgeräten als auch bei den Muffenschweißmaschinen eine elektronische Temperaturregelung erwiesen. Bei den Maschinen ist auf eine kunststoffgerechte Rohrspannung zu achten.

Heizwendelschweißverbindungen

Zu den Einzelheiten: Beim Heizwendelschweißen von PB kann auf Teil V. 1.1.2 hingewiesen werden. Die Formstücke sind aus dem gleichen PB-Werkstoff gefertigt wie die Rohre, so·daß eine ideale Voraussetzung für die Verschweißbarkeit vorliegt.

Bild 28 zeigt ein Heizwendelschweißsystem PB mit einem kompakten Schweißgerät. Diese Verbindungstechnologie ist in der Haustechnik vorteilhaft einsetzbar, besonders wenn integrierte Haltevorrichtungen gegeben sind, keine Rohrendenbearbeitung erforderlich ist, kein axiales Verschieben der Rohre bei der Montage erfolgt und die Kennzeichnung und Schweißanzeige gut sichtbar ist.

Trinkwasserhausinstallation

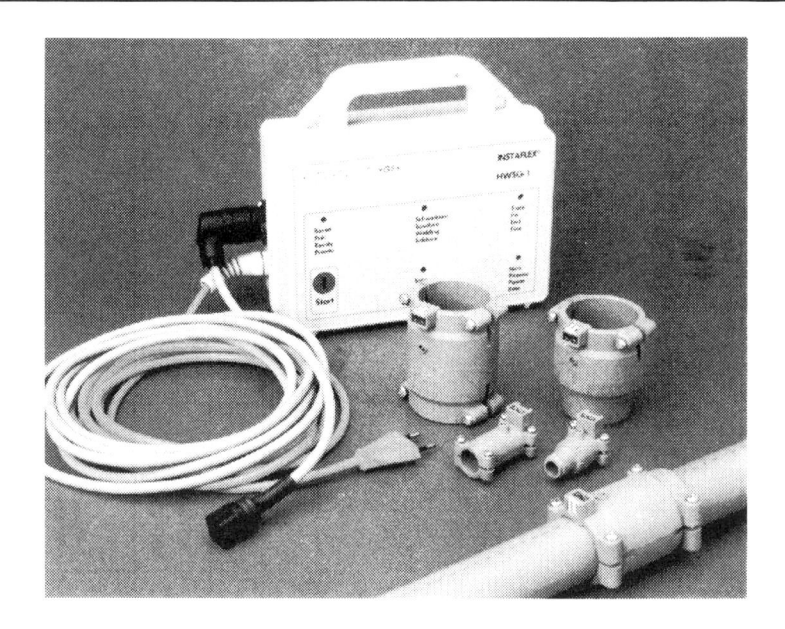

Bild 28: Heizwendelschweiß-System PB

Auch die Kabelverbindung muß einfach und funktionssicher erfolgen. Ein praxisgerechtes System braucht auch einfache Übergänge vom Heizwendel- auf das Heizelementmuffenschweißen. Tafel 16 zeigt die Schweißparamenter für Heizwendelschweißen PB.

Tafel 16: Schweißparameter für PB-Heizwendelschweißung

Rohrdurchmesser d [mm]	Einstecktiefe l [mm]	Schweißzeit t [sec]
16	27	45
20	30	50
25	34	65
32	37	75
40	40	85
50	44	105
63	50	120

1.3.5.4 Systemspezifische Erläuterungen

Die Installationskomponenten aus Polybuten besitzen ein außergewöhnliches Eigenschaftsmix aus Schlagzähigkeit, Flexibilität auch bei niedrigen Temperaturen und einer großen Widerstandsfähigkeit gegen Kriechdehnung, Spannungsrisse und Abrieb. Der Werkstoff behält diese Eigenschaften bis zu Temperaturen von 90 °C weitgehend bei. Kurzzeitige Belastungen von 110 °C mit 7,5 bar Rohrinnendruck erbrachten Standzeiten von über einem Jahr. Der Einsatz des Systems in Verbindung mit elektronisch gesteuerten Durchlauferhitzern ist ohne Einschränkung möglich.

Bei der Auslegung von Trinkwassersystemen kann beim Werkstoff PB der größere Durchflußquerschnitt Berücksichtigung finden.

Ein PB-Installationssystem gestattet Betriebsweisen der Warmwasserinstallation, die den Legionellen die Existenzgrundlage weitgehend entziehen. Bei 10 bar sind periodische Temperaturerhöhungen bis 85 °C für eine Stunde pro Woche möglich, alternativ sind Dauerbetriebstemperaturen von bis zu 70 °C zulässig.

Alle erforderlichen Zulassungen in den verschiedenen europäischen Ländern liegen vor.

1.3.6 Rohrleitungen aus PVC-C

H. HESSE und E. PFEIFFER

Der Einsatz von Rohren und Formstücken aus chloriertem Polyvinylchlorid (PVC-C) als Installationssystem erfolgt seit etwa 1960. Entwickelt wurde dieser Werkstoff 1935 im Werk Bitterfeld der IG Farben. Durch das spezielle Verfahren der Nachchlorierung wurde dem PVC-U ein verbessertes Eigenschaftsbild verliehen. Die um bis zu 30 K höhere Temperaturbeständigkeit eröffnete dem Werkstoff u.a. auch den Anwendungsbereich der Kalt- und Warmtrinkwasserleitungen in der Hausinstallation. War der Einsatz in den 60er Jahren auf die USA und Kanada beschränkt, so hielten die Rohrsysteme ab 1970 auch in Europa und Deutschland Einzug. Erleichtert wurde dies durch die relativ einfachen Verlegemethoden, die von den schon länger bekannten Rohrsystemen aus PVC-U übernommen werden konnten. Für die Verlegung sind keine speziellen Werkzeuge und Vorrichtungen erforderlich.

Recherchen in jüngster Zeit ergaben, daß bisher weltweit ca. 900.000 km PVC-C-Rohre nur in der Trinkwasserhausinstallation verlegt wurden. PVC-C ist der Kunststoff, der weltweit als erster Kunststoff im Trinkwasserbereich eingesetzt wurde und über zahlreiche Zulassungen verfügt. In Deutschland werden Rohre und Formstücke aus PVC-C vorwiegend in der Trinkwasserhausinstallation angeboten.

Trinkwasserhausinstallation 287

1.3.6.1 Rohre

Rohre aus PVC-C werden in der Trinkwasserhausinstallation in der Druckstufe PN 25 eingesetzt. Am Markt sind die Rohre im Abmessungsbereich von d 16 mm bis d 110 mm mit DVGW-Registrierung erhältlich (Tafel 17).

Alle zugelassenen Rohre sind fortlaufend signiert. Die Lieferlänge liegt bei 3 m und 5 m. Die PVC-C-Rohre werden in den Farben grau und elfenbein angeboten.

1.3.6.2 Formstücke

Die Kunststoff-Formstücke aus PVC-C werden aus Granulaten im Spritzgießverfahren hergestellt. Ein ausreichendes und umfangreiches Formstücksortiment in der gesamten Dimensionspalette sichert dem Anwender die nahezu unbeschränkte Anwendungsmöglichkeit in der Hausinstallation. Die PVC-C-Formstücke werden in der jeweils gleichen Farbe wie die dazugehörigen Rohre ausgeliefert. Alle Formstücke sind dauerhaft mindestens mit dem Hersteller- oder Warenzeichen, dem Nenndurchmesser, dem Werkstoff und dem Herstelldatum gekennzeichnet. Am Markt existieren zwei Verbindungssysteme, die sich durch die Muffenform der PVC-C-Formstücke unterscheiden. Es gibt diese mit zylindrischen und mit konischen Muffen (Bilder 29 und 30).

Tafel 17: Rohrabmessungen nach DIN 8079

Nenndruck	PN 25		
S	4		
SDR	9		
d [mm]	s [mm]	d_1 [mm]	Gewicht [≈ kg/m]
16	1,8	12,4	0,136
20	2,3	15,4	0,217
25	2,8	19,4	0,326
32	3,6	24,8	0,534
40	4,5	31,0	0,830
50	5,6	39,2	1,280
63	7,0	48,8	2,050
75	8,4	58,2	2,880
90	10,0	69,8	4,150
110	12,3	85,4	6,160

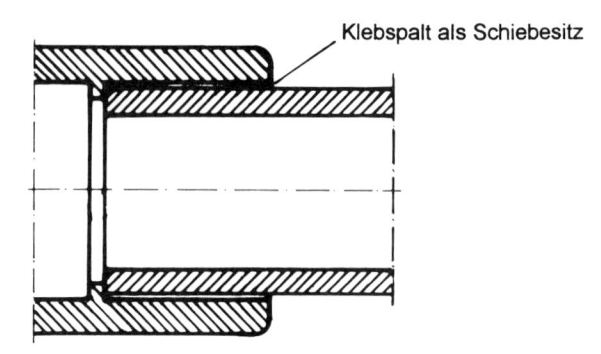

Bild 29: Prinzipskizze der zylindrischen Muffe – Klebspalt als Schiebesitz

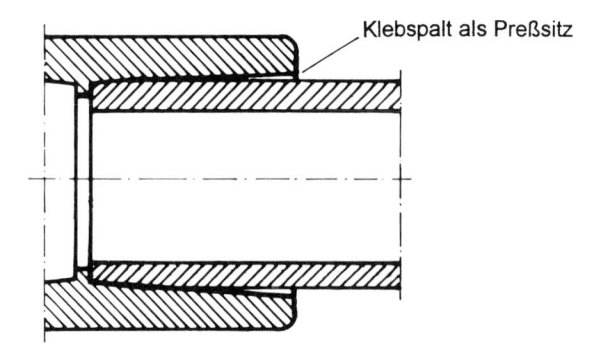

Bild 30: Prinzipskizze der konischen Muffe – Klebspalt als Preßsitz

Die zylindrischen Muffen haben über die gesamte Muffenlänge einen gleichbleibenden Muffenspalt. Die Abmessungen entsprechen den Angaben der DIN 8063 (Tafel 18).

Bei konischen Muffen wird der Innendurchmesser zum Muffengrund hin kleiner; es ergeben sich dadurch enger werdende Spalte, die im Muffengrund einen Preßsitz bilden (Tafel 19).

Dem Anwender stehen sämtliche Formstücktypen wie Winkel 45°,90°, IA- Winkel, T-Stücke, Red.-T-Stücke, Doppelmuffen, Kappen aus PVC-C sowie Flansche und metallene Übergangsverbinder zur Verfügung.

Die metallenen Verbindungselemente werden aus Gründen des Korrosionsschutzes in ihren wasserführenden Teilen in der Regel aus zinkarmen Rotgußlegierungen gefertigt.

Tafel 18: Grenzabmaße der Muffeninnendurchmesser und Muffentiefe bei zylindrischen Muffen (Maße in mm)

Nenndurchmesser der Muffen d_n	Muffendurchmesser min	Muffendurchmesser max	Muffentiefe L_{min}
16	16,1	16,3	14
20	20,1	20,3	16
25	25,1	25,3	18,5
32	32,1	32,3	22
40	40,1	40,3	26
50	50,1	50,3	31
63	63,1	63,3	37,5
75	75,1	75,3	43,5
90	90,1	90,3	51
110	110,1	110,4	61

Tafel 19: Grenzabmaße der Muffeninnendurchmesser und Muffentiefe bei konischen Muffen (Maße in mm)

Nenndurchmesser der Muffen d_n	Muffeninnendurchmesser Muffen-Eingang A min	Muffeninnendurchmesser Muffen-Eingang A max	Muffeninnendurchmesser Muffen-Grund B min	Muffeninnendurchmesser Muffen-Grund B max	Muffentiefe L_{min}
16	16,25	16,45	15,90	16,10	16
20	20,25	20,45	19,90	20,10	20
25	25,25	25,45	24,90	25,10	25
32	32,25	32,45	31,90	32,10	30
40	40,25	40,45	39,80	40,10	35
50	50,25	50,45	49,80	50,10	41
63	63,25	63,45	62,80	63,10	50
75	75,30	75,60	74,75	75,10	60
90	90,30	90,60	89,75	90,10	72
110	110,30	110,60	109,75	110,10	88

Die Verlegelängen, die sog. z- bzw. k-Maße, die bei der Verlegung der Formstücke als Rohrlänge in die Rohrleitung eingehen, sind den einschlägigen Standards sowie den Firmenunterlagen zu entnehmen.

1.3.6.3 Verbindungen

Die Verbindung von PVC-C-Rohren und Formstücken erfolgt:

- durch Kleben

- mit metallenen Klemmverschraubungen

- durch Flansch- und Schraubverbindungen

Klebverbindungen

PVC-C-Rohre und Formstücke werden durch Kleben miteinander verbunden. Dies erfolgt nach den speziellen Anleitungen der Hersteller in Anlehnung an die Festlegungen des DVGW-Arbeitsblattes W 534 „Rohrverbindungen und Rohrverbinder für Kunststoffrohre" sowie der DVS-Richtlinie 2204, Teil 5 „Kleben von thermoplastischen Kunststoffen / PVC-C-Druckrohrleitungen".

PVC-C wird aufgrund der guten Anlösbarkeit des Werkstoffes mit Lösungsmittelklebstoffen geklebt. Die Lösemittel diffundieren in die Fügeflächen ein, lösen Molekularbewegungen aus und führen nach ihrem Entweichen zu festen und dauerhaften Verbindungen.

Es ist besonders darauf zu achten, daß nur solche Klebstoffe verwendet werden, die vom Hersteller für den Anwendungsbereich Hausinstallation vorgesehen und entsprechend deklariert sind. Die Klebstoffgebinde sind mit der Bezeichnung des Klebstoffes, dem Verwendungszweck, dem Zulassungszeichen sowie dem Herstellerkennzeichen versehen. Weiterhin sind die Chargennummer, die erforderlichen Schutzmaßnahmen bei der Verarbeitung, die Verarbeitungshinweise sowie das Herstell- oder Verfallsdatum auf den Behältnissen aufgedruckt.

Weitere Angaben zum Kleben sind dem Teil V. 1.1.1 dieses Handbuches zu entnehmen.

Bei der Montage ist zu beachten, daß bei Umgebungstemperaturen von $< + 5°C$ die zu klebenden Teile z.B. mittels Baustellenbeheizung auf eine Temperatur von mindestens $+ 5°C$ gebracht werden müssen.

Als Werkzeuge für eine fachgerechte Installation werden lediglich ein Kunststoffrohrabschneider für starre Rohre sowie ein Handanfasgerät benötigt.

Bilder 31 und 32 verdeutlichen die Herstellung von PVC-C-Rohrverbindungen mit zylindrischen und konischen Klebmuffen.

Trinkwasserhausinstallation 291

Rohre mit Rohrabschneider rechtwinklig auf Länge abschneiden.	1 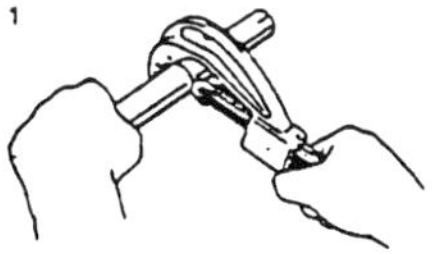
Rohre mit dem Handanfasgerät anfasen.	2 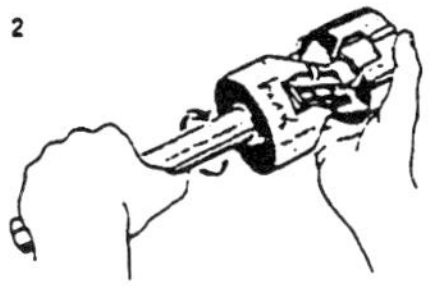
Klebflächen von Rohr und Formstück mit Reiniger gründlich säubern.	3 
Klebflächen gleichmäßig – im Formstück dünn, auf dem Rohr reichlich – mit Klebstoff bestreichen. Pinselführung nur in Längsrichtung.	4 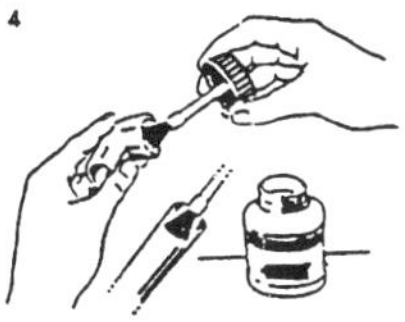
Rohr und Formstück nach dem Klebstoffauftrag innerhalb max. einer Minute bis zum Anschlag zusammenstecken, kurz ausrichten und dann fixieren.	5 
Eine gleichmäßige Klebstoffwulst an der Außenkante zeigt die werkstoffgerechte Klebverbindung an. Die Wulst muß mit sauberem Papier entfernt werden.	6 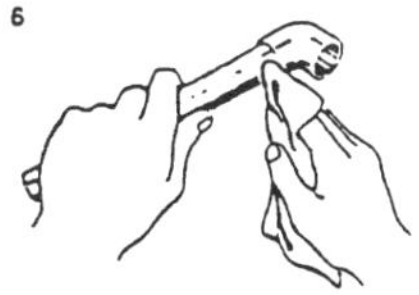

Bild 31: Montageanleitung für Klebverbindungen mit zylindrischen Muffen

Klebflächen von Rohr und Formstück mit sauberem und ölfreiem Tuch reinigen. Einschubmarkierung auf dem Rohrende anzeichnen	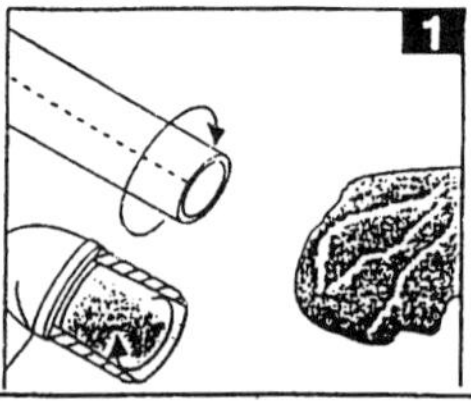 **1**
Klebstoff auf Rohr- und Formstückklebfläche vollflächig auftragen, bis Einschubmarkierung verwischt.	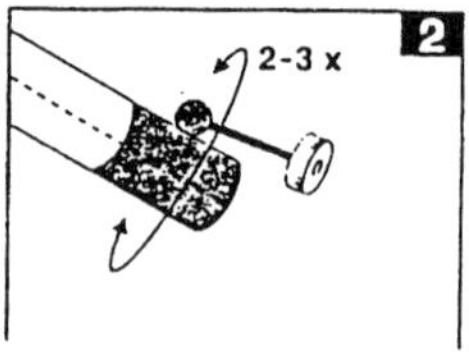 **2** 2-3 x
Klebstoff in Muffenkante auftragen.	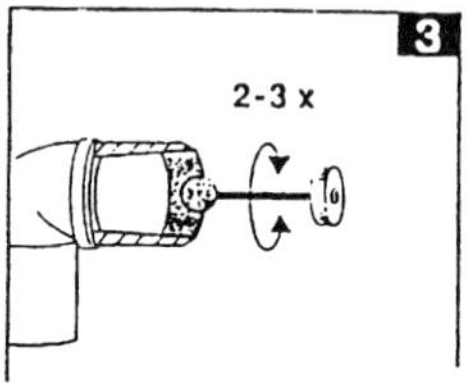 **3** 2-3 x
Rohr und Formstück nach dem Klebstoffauftrag innerhalb von zehn Sekunden bis zum Anschlag zusammenstecken, kurz ausrichten und dann fixieren.	**4** ~ 10 sec.
Verbindung ca. eine Minute ruhen lassen.	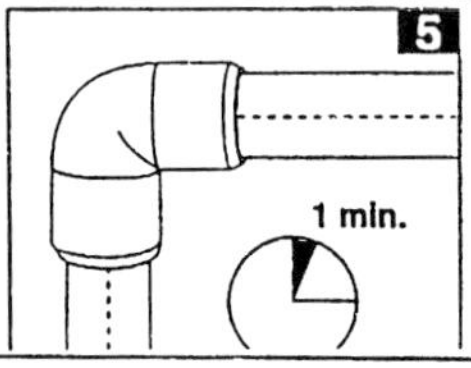 **5** 1 min.

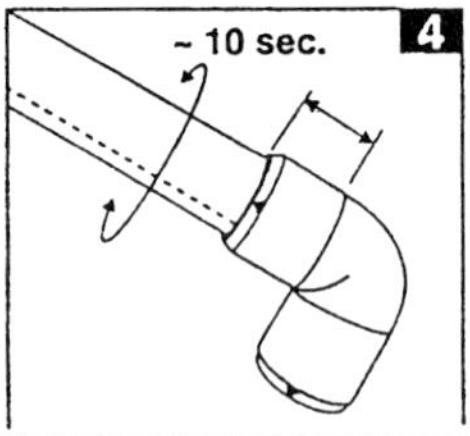

Bild 32: Montageanleitung für Klebverbindungen mit konischer Muffe

Trinkwasserhausinstallation

Klemmverschraubungen

Klemmverschraubungen (Bilder 33 und 34) sind metallene Verbindungselemente, die vor allem für kleinere Rohrdimensionen Verwendung finden. Sie sind mit einem Klemmring versehen, der das zu verbindende Rohr in der Verschraubung hält. Ein zusätzlicher O-Ring bewirkt die Dichtheit der Verbindung. Das andere Ende der Verschraubung ist mit einem Innen- oder Außengewinde versehen. Wandscheiben sind in der Regel ebenfalls Klemmverschraubungen.

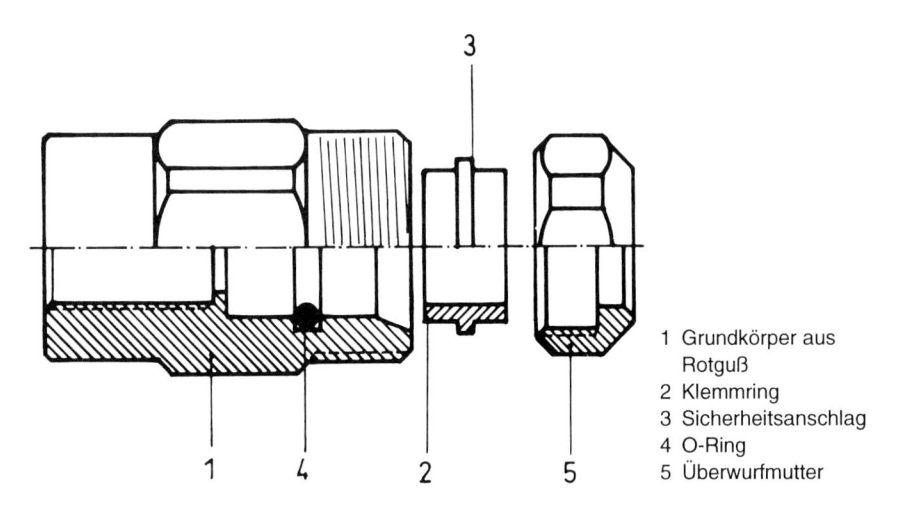

1 Grundkörper aus Rotguß
2 Klemmring
3 Sicherheitsanschlag
4 O-Ring
5 Überwurfmutter

Bild 33: Klemmringverschraubung

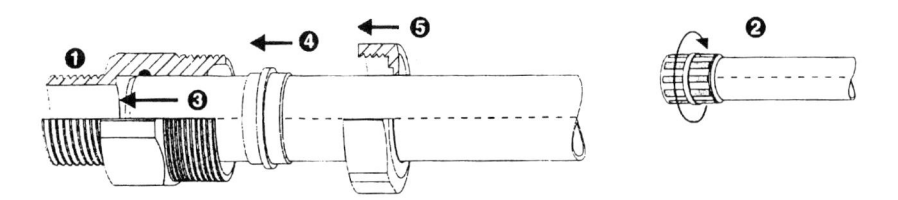

❶ - Grundkörper am Gewinde eindrehen
❷❸ - starres PVC-C-Rohr anschrägen und über O-Ring bis Anschlag schieben
❹ - Klemmring anschieben
❺ - Überwurfmutter handfest anziehen und mit Werkzeug (1 Umdrehung 360°) festziehen

Bild 34: Montage von PVC-C-Klemmringverschraubungen

Gewindeverbindungen

Für PVC-C-Rohrleitungssysteme in der Hausinstallation stehen eine Reihe von Messing- und Rotgußgewinden als Übergänge auf andere Metallgewinde zur Verfügung (Bilder 35 bis 38). Es wird dabei zwischen lösbaren und nichtlösbaren Verbindungen unterschieden.

Lösbare Verbindungen sind meist Rotgußverschraubungen oder Flanschverbindungen.

Nichtlösbare Verbindungen sind metallene Verschraubungen mit Innen- oder Außengewinde mit integrierten PVC-C-Einlegteilen.

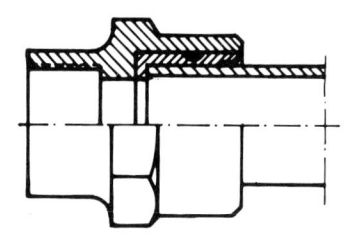

Bild 35: Metallene Verschraubungen mit Übergängen zum Einkleben

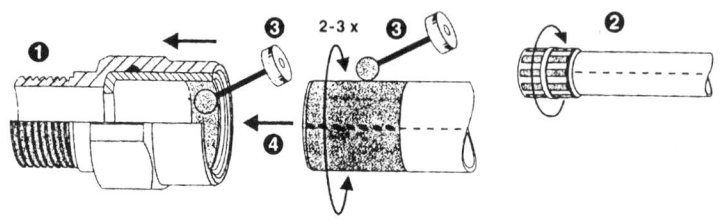

❶ Übergang am Gewinde eindrehen und montieren, ❷ PVC-C-Rohr entgraten, ❸ Klebstoff nach der Klebanleitung auftragen, ❹ Rohr einschieben, ausrichten und fixieren

Bild 36: Montage von metallenen Verschraubungen mit Übergängen zum Einkleben

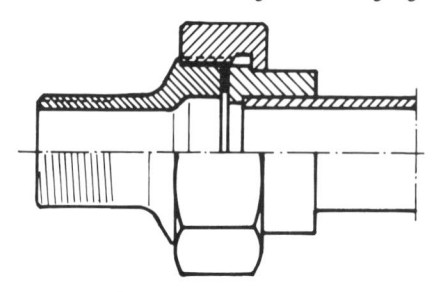

Bild 37: Bundbuchsen mit Überwurfmutter für Armaturen

Trinkwasserhausinstallation 295

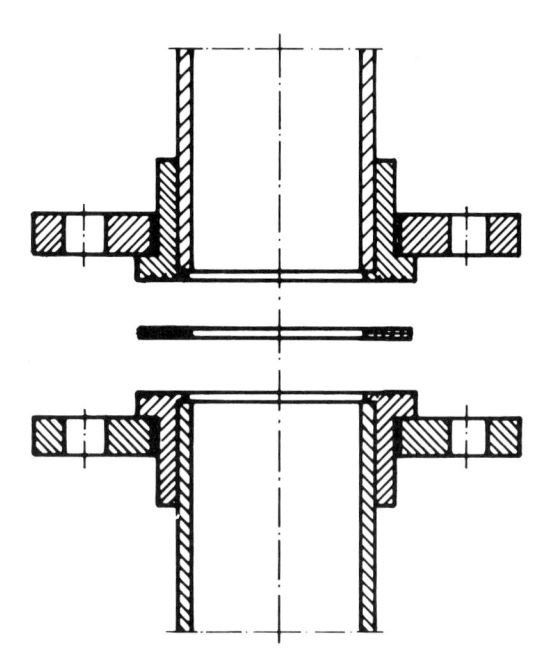

Bild 38: Klebmuffen mit Bund und Flansch

1.3.6.4 Systemspezifische Erläuterungen

Folgende Tips zur Verbindungstechnik sind für den Installateur interessant:

– Reduzierung zunächst in das Formstück einbringen und danach die Rohrverbindung herstellen.

– Ab Außendurchmesser 63 mm empfiehlt es sich, die Klebverbindungen durch zwei Personen herstellen zu lassen.

– Die Reinigung der Fügeteiloberflächen soll unmittelbar vor der Verbindung erfolgen.

– PVC-C-Rohre sind in allen Dimensionen warmformbar.

PVC-C-Rohre sind biegesteif. Deshalb ist die Leitungsführung von PVC-C-Installationssystemen weitgehend mit der von metallenen Rohrsystemen vergleichbar. Beim Einsatz in Warmwassersystemen ist es am wirtschaftlichsten, die Rohrführung in der Praxis durch Federschenkel oder Z-Formen bzw. Dehnungs- oder Lyrabögen aufzunehmen. Die Länge der Federschenkel wird aus den Diagrammen der Hersteller berechnet.

Zur Befestigung der PVC-C-Rohrleitungen sind die beim Fachhandel erhältlichen Schellen für Kunststoffrohre zu verwenden. Dabei wird zwischen sog. Festpunktschellen und Gleit- oder Pendelschellen unterschieden. Die Rohrleitungen sind grundsätzlich so zu führen, daß die thermischen Längenänderungen nicht behindert werden. Um eine Durchbiegung der Rohre zu vermeiden, müssen bei der Verlegung die richtigen Schellenabstände eingehalten werden. Die Angaben der Hersteller sind zu beachten.

Bei der Verlegung in Schächten und Wanddurchführungen kann die Längendehnung entweder durch günstige Plazierungen der Steigleitungen im Schacht oder durch ein entsprechend groß bemessenes Futterrohr sowie durch den Einbau eines Federschenkels sichergestellt werden. Eine Verlegung unter Putz und Estrich ist grundsätzlich möglich. Die PVC-C-Rohrleitungen sind dabei in ihrer gesamten Länge mit handelsüblichem Material gemäß den gesetzlichen Vorschriften so zu ummanteln, daß die ungehinderte Bewegungsfreiheit zur Aufnahme der Längenänderung gewährleistet wird.

Bei PVC-C-Hausinstallationssystemen muß – wie bei Metallrohren – ein Frostfahrbetrieb gewährleistet sein. Bei frostgefährdeten Bereichen ist eine Entleerung oder Begleitheizung der gesamten Leitung vorzusehen.

Schrifttum

- Bassewitz, A. v.: Kunststoffrohre. Konferenzbericht MKZ-Tagung Halle 1991, S. 31–44
- Bassewitz, A. v.: Dimensionierung von Kunststoffrohren für Warmwasserleitungen in der Haustechnik. Bauen mit Kunststoffen (1991)2, S. 8–11
- Brach, B.: Fortschritte bei der Herstellung von PVC-Rohren (poln.) Przemysl Chemiczny 66(1987)3, S. 122–124
- Butler, P.: Kunststoffe für Rohrleitungen überwinden Temperatur- und Druckbarrieren (engl.). Process Engng. (1972)11, S. 82–83
- Dalal, G.T.: PVC-C als technischer Thermoplast jetzt eine leistungsfähige Alternative (engl.). Journal of Vinyl Technology 7(1985)1, S. 36–41
- Hesse, H.: Kleben von Kunststoffrohren. Konferenzbericht MKZ-Fachtagung Halle 1991, S. 45–59
- Hesse, H.: Das friatherm-Installations-System für Trinkwasserleitungen. KRV-Nachrichten 1/89, S. 8–16
- Hesse, H.: Problemlose Sanierung mit dem friatherm-Installationssystem. KRV-Nachrichten 2/90, S. 3–11
- Hunt, J.: Verbinden von Thermoplastrohren – Was ist wie zu tun? (engl.) Chemical Engineering (New York) 97(1990)2, S. 110–114
- Kaivers, M. und Kaufmann, H.: Zum heutigen Stand der Verbindungstechnik von Kunststoffrohren. 3R International 19(1980)3, S. 135–142
- Nowack, R. und Barth, E.: Kunststoffrohrleitungen im Bereich der Verfahrenstechnik, Chemie und Lebensmitteltechnik. 3R International 20(1981)6/7, S. 337–353
- Poschet, G.: Kunststoffrohre in der Trinkwasserversorgung. Technik am Bau 16(1985)12, S. 857–860

– Reichherzer, R.: Kunststoffrohre als Warmwasserleitungen. Technika 24(1975)10, S. 735–737
– Rudlof, H.: Verlegetechnik von Kunststoffrohrleitungen. 3R International 19(1980)7/8, S. 430–434

1.3.7 Rohrleitungen aus PVC-U

H. HILLINGER

1.3.7.1 Rohre

Rohre aus PVC-U werden seit über 50 Jahren für die Verteilung von Trinkwasser eingesetzt.

Die Hauptanwendung liegt im Bereich von Kaltwasser für Keller und Steigleitungen. Eine Eignung für Warmwasser ist aufgrund der technischen Rahmenbedingungen nicht gegeben.

Das Marktangebot liegt in einem Dimensionsbereich, der weit über die Bedürfnisse der Trinkwasser-Installation hinausgeht.

Die Lieferung erfolgt üblicherweise in Stangen von 5 Metern Länge.

Die Abmessungen und Kenndaten der PVC-U-Rohre sind im Teil VII. 6 aufgeführt.

1.3.7.2 Formstücke

Um die Rohre aus PVC-U zu verbinden, kann auf ein sehr umfangreiches Sortiment, das im industriellen Anlagenbau Verwendung findet, zurückgegriffen werden. Wir verweisen in diesem Zusammenhang auf Teil VII. 6.5.1.

1.3.7.3 Verbindungen

Kleben

Kaltwasserleitungen aus PVC-U sind schnell und einfach mit Hilfe von lösemittelbasierten Klebstoffen herzustellen. Es handelt sich dabei um längskraftschlüssige, unlösbare Verbindungen, wie sie im Teil V. 1.1 dieses Handbuches beschrieben werden.

Gewindeverbindungen

Neben Gewindeverbindungen sind für den Werkstoff PVC-U auch Flansch- und Steckverbindungen nutzbar.

Zu Einzelheiten wird auf Teil V. 1.2.1 hingewiesen.

1.3.7.4 Systemspezifische Erläuterungen

Der Werkstoff PVC-U wird in der Trinkwasserhausinstallation nur für Kaltwasserleitungen eingesetzt. Er erfüllt dort sämtliche hygienischen und lebensmittelrechtlichen Anforderungen.

Das Rohr-, Formstücke,- und Armaturenangebot des Werkstoffs PVC-U ist umfassend und deckt alle Bedürfnisse ab.

1.3.8 Rohrleitungen aus Kunststoff-Metall-Verbundrohren

F.-J. RIESSELMANN

1.3.8.1 Rohre

In den letzten Jahren ist eine neue Rohrgeneration auf den Markt gekommen, die die Vorteile des Kunststoffrohres und die Vorteile des Metallrohres aufweist (Bild 39).

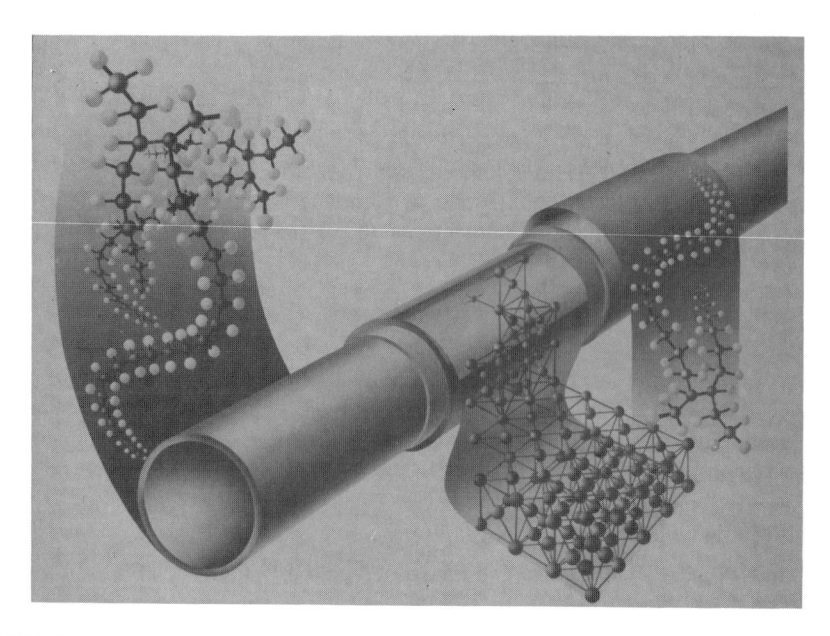

Bild 39: Rohraufbau

Zum Einsatz kommt in der Regel PE-X als Kunststoffrohr, doch sind weitere Varianten denkbar:

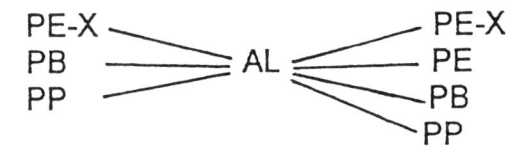

```
PE-X              PE-X
PB   ====> AL <==== PE
PP                PB
                  PP
```

Die Kunststoff-Metall-Verbundrohre sind noch nicht genormt. Maßgebend ist die Richtlinie DVGW W 542; Tafel 20 stellt nur eine Auswahl dar. Im Einzelfall ist der Hersteller anzusprechen.

Tafel 20: Rohrabmessungen

d	s	d_1
14	2	10
16	2,25	11,5
20	2,5	15
26	3	20
32	3	26
40	3,5	33
50	4	42

Durch den Einsatz der Metallverstärkung (z.B. Aluminium) erreicht man eine höhere Steifigkeit sowie eine plastische Verformbarkeit des Rohres. Das führt zu einfacherem Verlegen und zur Reduzierung von Verbindungsteilen. So können einige Kunststoff-Metall-Verbundrohre so eng gebogen werden, daß keine Winkelstücke benötigt werden.

Bei Freiverlegung können die Stützweiten vergrößert werden; auch ist der Temperatureinfluß stark reduziert, was sich bei der Freiverlegung ebenfalls positiv auswirkt.

Die Druckbelastung ist gegenüber den PE-X-Rohren höher.

1.3.8.2 Formstücke

Für das Verbinden und Anschließen von Kunststoff-Metall-Verbundrohren kann z. T. auf das Sortiment der PE-X-Rohre zurückgegriffen werden (Tafel 21).

Tafel 21: Abmessungsbereich für Teile nach Bild 40

Bezeichnung	Rohrdurchmesser d					Verbindungsart
Kupplung	14	16	20	26	32	40	Pressen Klemmen
Verteiler	14	16	20	–	–	–	Pressen Klemmen
Wandscheibe (einfach)	14	16	20	–	–	–	Pressen Klemmen
Wandscheibe (doppelt)	–	16	20	–	–	–	Pressen Klemmen
Kombi T-Stück	14	16	20	–	–	–	Klemmen

Kunststoff-Metall-Verbundrohre werden in der Regel in den kleineren Dimensionen in Ringbunden geliefert; doch können diese auch in Stangen geliefert werden, wobei 5- oder 6 m-Längen üblich sind. Die größeren Dimensionen werden vorwiegend als Stangen geliefert.

Ein Vorteil ist, daß die Kunststoff-Metall-Verbundrohre mit wenig Aufwand gerichtet werden können.

Ansonsten sind diese Rohre während des Transports, im Lager und auf der Baustelle wie Kunststoffrohre zu behandeln.

1.3.8.3 Verbindungen

Aufgrund der Rohrkonstruktion und des PE-X-Innenrohres kommen hauptsächlich metallene Verbinder in Frage, bei denen die Kraftübertragung form- und kraftschlüssig erfolgt.

Die Verbinderkonstruktionen für Kunststoff-Metall-Verbundrohre entsprechen den Verbindungstechniken für PE-X-Rohre. Zur Vermeidung von Kontaktkorrosionen zwischen dem Aluminium des Verbundrohres und dem Verbinderkörper

Trinkwasserhausinstallation 301

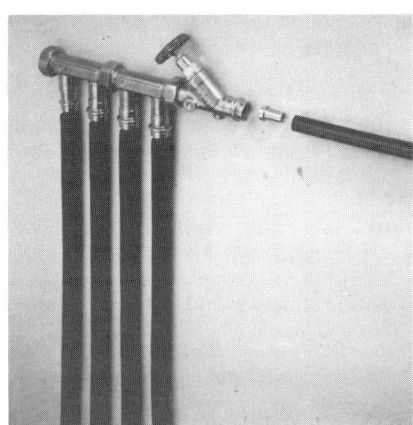

Kupplung

Wandscheibe einfach   Wandscheibe doppelt

Bild 40: Ausgewählte Verbindungs- und Anschlußteile

sind ein Materialtrennring bzw. Freistich vorgesehen, der die Stirnseite des Rohres schützt.

Für die Montage ist darauf zu achten, daß das Rohrende entgratet wird, um den O-Ring beim Aufschieben des Rohres nicht zu beschädigen. Eine Vorkalibrierung des Rohres kann das Aufschieben erleichtern.

Für bestimmte Verbinderkonstruktionen ist es notwendig, das Rohrende vor dem Einstecken des Verbinderstützkörpers aufzuweiten, was bei den stumpfgeschweißten Kunststoff-Metall-Verbundrohren problemlos möglich ist.

Weitere Hinweise sind den technischen Angaben der Hersteller zu entnehmen.

Klemmverbinder mit Überwurfmutter

Der Klemmverbinder (Bild 41) besteht im wesentlichen aus:

- dem profilierten Stützkörper mit 2 O-Ringen
- dem Klemmring
- der Überwurfmutter.

Funktionsprinzip:

Das montierte Kunststoff-Metall-Verbundrohr wird beim Anziehen der innen konisch geformten Überwurfmutter durch den sich schließenden Klemmring gegen den innenliegenden Stützkörper gepreßt.

Bild 41: Klemmverbinder

Trinkwasserhausinstallation

Preßverbinder

Der Preßverbinder (Bild 42) besteht aus:

- dem profilierten Stützkörper mit 2 O-Ringen
- der Preßhülse aus Metall, z.B. Edelstahl.

Funktionsprinzip:

Das Rohrende wird in den Stützkörper geschoben. Die vorher aufgesteckte Hülse wird im Bereich des Stützkörpers mit einem Preßwerkzeug auf den Stützkörper gepreßt, so daß eine nicht wieder lösbare Verbindung entsteht.

Es gibt auch Preßverbindungen, die ohne Hülse arbeiten. Die Verformungskräfte werden nur vom Aluminium übernommen.

1.3.8.4 Systemspezifische Erläuterungen

Kellerleitung / Steigleitung

Aufgrund seiner höheren Steifigkeit und geringen Längenausdehnung bietet sich das Kunststoff-Verbundrohr für den Kellerleitungs- und Steigstrangbereich an.

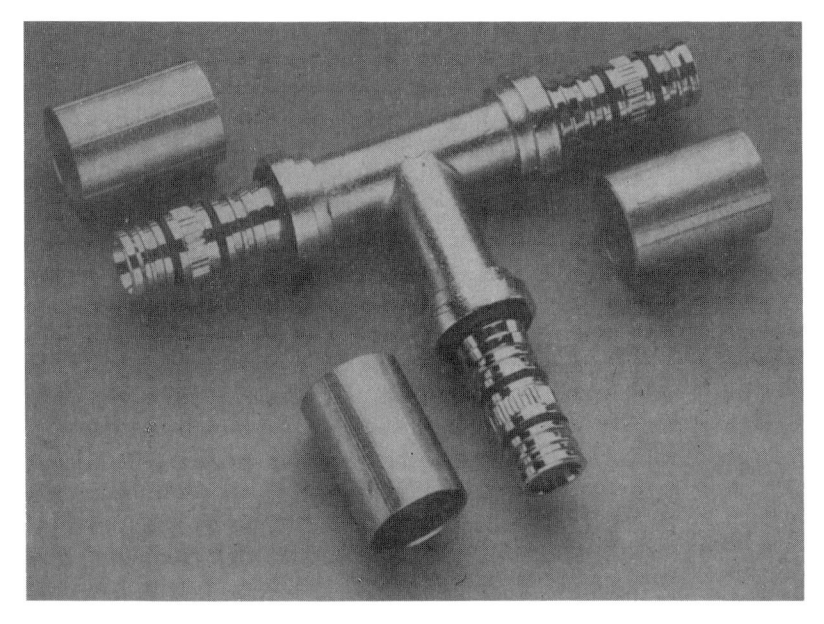

Bild 42: Preßverbinder

Zirkulationsleitungen

In den Abmessungen 16 mm und 20 mm werden Kunststoff-Metall-Verbundrohre auch als Zirkulationsleitungen eingesetzt, um entfernt liegende Entnahmestellen in kürzester Zeit mit Warmwasser zu versorgen.

Alternativ können diese Rohre mit einer elektrischen Begleitheizung ausgerüstet werden. Hierbei sind die Angaben des Herstellers zu beachten.

Stockwerksleitungen

Stockwerksleitungen aus Kunststoff-Metall-Verbundrohr sind in vielen Fällen eine Ergänzung zu den Rohr im Rohr-Systemen, besonders bei niedrigen Fußbodenaufbauhöhen und dünnen Wänden.

Auf-Putz-Verlegung

Für die sichtbare Verlegung auf der Wand, z.B. für den Anschluß von Entnahmestellen im Keller, bieten sich Kunststoff-Metall-Verbundrohre an.

2 Gasversorgung

H. J. BIEBER

Mit dem Beginn der Gasverteilung 1827 in Berlin wurden zunächst Rohre aus Gußeisen, später dann aus Stahl eingesetzt. Nachdem Kunststoffrohre für die Wasserversorgung und die chemische Industrie erfolgreich Verwendung fanden, werden sie seit etwa 30 Jahren auch für die Gasversorgung verlegt.

Ihre wesentlichen Vorteile, wie:

- Korrosionsbeständigkeit,

- Wirtschaftlichkeit und

- leichte Verlegung

führten bei immer mehr Gasversorgungsunternehmen zu einer Umstellung bzw. ermöglichten erst eine flächendeckende regionale Gasversorgung. Seit 1970 hat sich in den alten Bundesländern die Zahl der mit Erdgas beheizten Wohnungen von 1,5 Millionen auf jetzt fast 10 Millionen erhöht. Das entspricht einem Anteil von mehr als einem Drittel am gesamten westdeutschen Wohnungsbestand.

- **Kabelschutzrohre aus PVC-U und Zubehör**

- **Kabelschutzrohre aus PEHD**
  mit zugfesten Rohrverbindungen
  - in Stangen
  - in Ringbunden
  - auf Rohrtrommeln

- **Farbige Vortriebsrohre**
  mit zugfesten Rohrverbindungen als Mantelrohre
  - für den Kabelschutz
  - für Gas- und Wasser-Hausanschlüsse

- **Vortriebsrohre als Abwasserleitungen nach DIN 19534**
  - für Hausanschlüsse
  - für Rohrrelining und Rohrcracking

- **Gasrohre aus PEHD**

- **Sonderrohre für spezielle Anwendungsgebiete**

Bitte fordern Sie ausführliche Unterlagen an

Karl Schöngen KG
Kunststoff-Rohrsysteme

Alter Weg 12 a
38229 Salzgitter (Engerode)
Tel.: 0 53 41 / 7 99 - 0
Fax: 0 53 41 / 7 99 - 99

Zusätzlich stieg der Kunststoffrohranteil am bereits verlegten Mitteldruck-Gasnetz in der Bundesrepublik Deutschland kontinuierlich auf über 65 % (Bild 1). Addiert man Nieder- und Mitteldrucknetz, sind das mehr als 85.000 km verlegte Kunststoffrohre für die Gasversorgung.

Dabei ist zu berücksichtigen, daß diese Dominanz vor allem durch einen Anteil am neu verlegten Netz herrührt, der im Mitteldruckbereich bei ca. 85 % liegt.

Für den langen Weg des Gases vom Produzenten bis zum Endverbraucher unterscheidet man Gastransport- und Gasverteilungsleitungen. Die ersteren haben Durchmesser bis 1600 mm und Drücke von 16 bis 100 bar. Dafür kommen nur Stahlrohre hoher Festigkeit zum Einsatz.

Anders sieht es bei den Gasverteilungsnetzen bis 4 bar aus, wo insbesondere bei der Neuerschließung hinsichtlich des Rohrmaterials eine freie Auswahl getroffen werden kann. Auch bei der Netzerweiterung bzw. bei Reparaturarbeiten besteht die Möglichkeit, durch den Einsatz von Übergängen alte Materialien zu ersetzen. Noch vorhandene Graugußleitungen bis DN 150 müssen nach einer DVGW-Empfehlung komplett ausgetauscht werden.

2.1 Gas-Verteilungsnetze

Für den wirtschaftlichen Betrieb eines Gasversorgungsunternehmens ist die Rohrnetzgestaltung von entscheidender Bedeutung. Neben allen Kenndaten der Leitungstrasse ist dabei die Festlegung folgender Leitungskenndaten entscheidend:

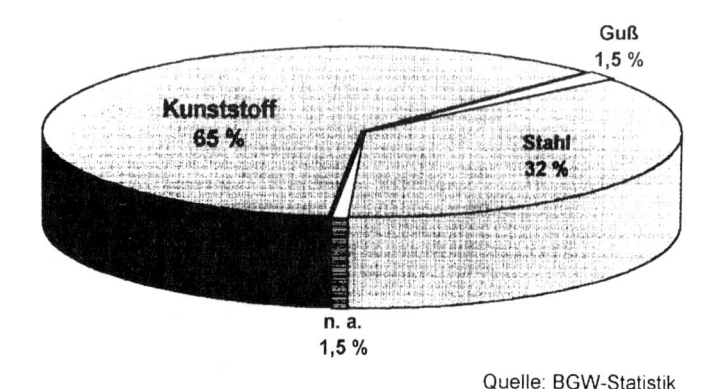

Quelle: BGW-Statistik

Bild 1: Werkstoffanteile am verlegten MD-Gasnetz in der Bundesrepublik Deutschland

Gasversorgung

- Anschlußwerte
- Betriebsdruck (Druckstufe der Rohre)
- Nennweite
- Rohrwerkstoff.

Anschlußwerte

Für die Anschlußwerte unterteilt man die Gasverbraucher in 3 Gruppen: private Haushalte, Gewerbebetriebe und Sonderabnehmer. Bei den privaten Haushalten liegen die Anschlußwerte zwischen 1,5 m^3/h in Mehrfamilienhäusern und 2,0 m^3/h in Einfamilienhäusern. Die Anschlußwerte für Gewerbebetriebe werden durch Befragung der Kunden oder aus spezifischen Listen ermittelt. Bei den Sonderabnehmern bzw. Großabnehmern, wie öffentliche Einrichtungen oder Industrieunternehmen, sind gesonderte Bedarfsrechnungen durchzuführen und entsprechend zu berücksichtigen.

Betriebsdruck

In der Gasversorgung unterscheidet man folgende Druckstufen:

- Niederdruck (ND) bis 100 mbar
- Mitteldruck (MD) über 100 mbar bis 1 bar
- Hochdruck (HD) über 1 bar.

Niederdrucknetze, die klassische Gasversorgung ohne Regelgeräte vom Netz bis zum Verbrauchsgerät, bieten für heutige Ansprüche keine ausreichende Transportkapazität. Ein Versorgungsdruck bis 1 bar ist für alle Kundengruppen durch einfache Gasdruckregelanlagen wirtschaftlicher, alle zugelassenen Rohrmaterialien sind noch einsetzbar. Hochdruckverteilung bis 4 bar oder auch 16 bar ist durch die zusätzlich notwendigen Sicherheitsarmaturen oft mit erheblichen Schwierigkeiten verbunden.

Nennweite

Die Nennweiten errechnen sich aus den Anschlußwerten und dem gewählten Betriebsdruck bzw. dem zulässigen Druckverlust. Je höher der Betriebsdruck, desto kleiner kann die Nennweite des Rohres gewählt werden, aber die dann erforderlichen Regelanlagen sind kostenmäßig zu berücksichtigen. Einfluß hat auch der Rohrwerkstoff, da die Rohrwandrauhigkeit sehr unterschiedlich ist. Kunststoffrohre haben auch hier eindeutige Vorteile durch ihren geringen k-Wert von nur 0,007 mm.

Rohrwerkstoff

Nachdem man bei Betriebsdruck und Nennweite immer gewisse Wahlmöglichkeiten hat, sollten beim Werkstoff in jedem Gasversorgungsunternehmen Grundsatzentscheidungen gefallen sein. In der Praxis hat sich im Druckbereich bis 4 bar das Kunststoffrohr durchgesetzt.

Nach dem zuständigem Regelwerk des DVGW, Arbeitsblatt G 472, dürfen bis 4 bar Betriebsdruck PE-HD Rohre und bis 1 bar Betriebsdruck PVC-U Rohre eingesetzt werden.

2.2 Gasleitungen aus PVC-U

Mitwirkung: A. v. BASSEWITZ

Gasleitungen aus PVC-U haben heute nur noch eine untergeordnete Bedeutung.

In Gebieten mit hochaggresiven Böden versuchte man als erstes, durch den Einsatz von Rohren aus diesem Werkstoff höhere Standzeiten zu erreichen. Dabei beschränkte man sich in der Gasverteilung auf den Einsatz im Niederdruckbereich. Für die Qualitätsanforderungen gelten: DIN 8061/8062 für Rohre, 8063 für Rohrverbindungen und Formstsücke, DVGW Arbeitsblatt G 472 Errichtung von Gasleitungen bis 4 bar Betriebsdruck aus PE-HD und bis 1 bar Betriebsdruck aus PVC-U, und G 477 Herstellung, Gütesicherung und Prüfung von Rohren für Gasleitungen.

Aufgrund der wirtschaftlichen Vorteile und der Korrosionsbeständigkeit gegenüber den bisherigen metallischen Rohrwerkstoffen wurden seit 1963 über 70.000 t Gasrohre aus PVC-U verlegt. Neben längskraftschlüssigen, unlösbaren Klebverbindungen waren seit Ende 1977 auch lösbare Steckverbindungen zugelassen.

Bei noch zu erstellenden Hausanschlüssen muß unbedingt auf eine spannungsfreie Anbohrung mit geeigneten Anbohrarmaturen (gezahnte Bohrer) geachtet werden.

Bereits Ende der 60er Jahre machte der Werkstoff Polyethylen (PE-HD) dem PVC-U zunehmend Konkurrenz. Folgende Nachteile der PVC-U-Rohre wurden immer offensichtlicher:

– Verarbeitung bei Außentemperaturen unter 5°C nicht zulässig

– Bei den Klebverbindungen nehmen die Verarbeitungsschwierigkeiten mit steigendem Rohrdurchmesser stark zu

– zulässiger Betriebsdruck nur 1 bar

Gasversorgung

- begrenzte Beständigkeit gegen einige Gasbegleitstoffe
- begrenzte Elastizität und Schlagzähigkeit
- keine Verschweißbarkeit.

Bei den Gasversorgungsunternehmen in Deutschland setzt sich immer mehr PE-HD durch. Im Gegensatz zu anderen Ländern werden Rohre und Formstsücke aus PVC-U nur noch für die Instandhaltung und Ergänzung vorhandener PVC-U-Gasnetze produziert. Anders lief die Entwicklung z.B. in den Niederlanden; dort arbeitet man in der Gasverteilung auch heute noch mit modifizierten, schlagzähen PVC-U-Rohren und Formstücken mit speziellen Steckmuffen.

2.3 Gasleitungen aus PE

Die Gründe für den rasanten Anstieg des PE-Marktanteils seit Mitte der 70er Jahre liegen in den Werkstoffeigenschaften:

- Korrosionsbeständigkeit
- hohe Beständigkeit gegen alle Gasbegleitstoffe
- große Lieferlängen (Ringbunde)
- geringes Gewicht
- hohe Flexibilität und Schlagzähigkeit auch bei niedrigen Temperaturen
- Widerstand gegen schnelle Rißfortpflanzung
- gute Verarbeitung (Verschweißbarkeit)
- sehr gute Rohrinnenrauhigkeit
- elektrisch nicht leitend.

Diese Vorteile führen letztendlich zu der von den Gasversorgungsunternehmen geforderten guten Wirtschaftlichkeit Ihrer Verteilungsnetze.

Von den unterschiedlichen 3 Polyethylentypen (s. Teil II) werden in der Gasversorgung Deutschlands nur Rohre aus Polyethylen hoher Dichte (PE-HD) eingesetzt.

PE-HD

Im Gegensatz zu anderen internationalen Normen gibt es in der DIN keine weitere Unterscheidung, so daß man Polyethylen mittlerer Dichte (PE-MD) und PE-HD zusammenfaßt als PE-HD mit einer Dichte zwischen 0,94 und 0,95 g/cm^3.

PE 80 und PE 100

Mit der Erstellung europäischer Systemstandards unterscheidet man PE-Rohre nach MRS-Werten (**M**inimum **R**equired **S**trength). Dieser Wert gibt die Mindestzeitstandfestigkeit für 50 Jahre bei 20 °C, für einen nach der zul. Wandspannung möglichen Innendruck, an. Beispielsweise liegt der Bezeichnung PE 80 ein MRS 8,0 N/mm^2 zugrunde.

Die Wanddicken der nach DIN 8074 eingesetzten Abmessungsreihen für Gasrohre basieren auf einer zulässigen Vergleichsspannung von nur 2 N/mm^2, was einem Sicherheitsfaktor 4 bei PE 80 entspricht. Die in den letzten Jahren verbesserten Zeitstandfestigkeiten wurden dabei nicht berücksichtigt.

Heute ist PE 100 mit einem MRS 10,0 N/mm^2 verfügbar, so daß eine Reduzierung der Wanddicke oder Erhöhung der Druckstufe aus wirtschaftlichen Gründen sinnvoll wäre. Andere Länder, wie Belgien und England, haben auch schon lange reagiert und betreiben Ihre PE-Gasleitungen mit deutlich höheren Betriebsdrücken bzw. Außendurchmessern bis 500 mm. Das ergibt natürlich im Vergleich zu metallischen Werkstoffen neue Perspektiven, insbesondere bei größeren Abmessungen als dem zur Zeit in Deutschland noch üblichen Außendurchmesser von 225 mm.

Nach der neuen DVGW-Prüfgrundlage VP 608 ändert sich in der Gasverteilung die Kennzeichnung der Werkstoffe in PE 80 bzw. PE 100. In Bezug auf die zulässigen Betriebsdrücke werden beide Werkstoffe jedoch gleich behandelt, d.h. entsprechend dem DVGW-Arbeitsblatt G 472 sind die Rohre mit dem Wanddickenverhältnis SDR 17,6 für einen maximalen Betriebsdruck von 1 bar und die Rohre mit einem SDR 11,0 bis 4 bar zugelassen.

Verändert man, wie vorstehend erwähnt, nichts an der Dimensionierung der Rohre, so gewinnt man bei PE 100 unter Inkaufnahme eines geringen Mehrpreises einen noch höheren Sicherheitsfaktor. Die geringere Elastizität bringt aber besonders beim Einsatz von Ringbundware Probleme mit sich. Zur Unterscheidung von bisherigen PE 80-Gasleitungen ist für PE 100 ein Farbton gelb-orange (RAL 1033) vorgesehen.

2.3.1 Rohre

Die Herstellung von Gasrohren aus PE unterscheidet sich nicht grundsätzlich von allen anderen Rohren aus Thermoplasten (s. Teil IV). Die Unterschiede liegen in den speziellen Anforderungen für die Gasversorgung.

Rohre und Formstücke aus PE-HD sind nach dem DVGW-Arbeitsblatt G 472 für Gasleitungen bis zu einem Betriebsdruck von 4 bar (DIN 8074 SDR 11,0) bzw. 1 bar (DIN 8074 SDR 17,6) einsetzbar. Bei kleineren Abmessungen werden aus Sicherheitsgründen gegenüber dem geringen Preisvorteil ausschließlich Rohre SDR 11,0 gefordert (Tafel 1).

Vogelsang
Druckrohre
Gas
Wasser

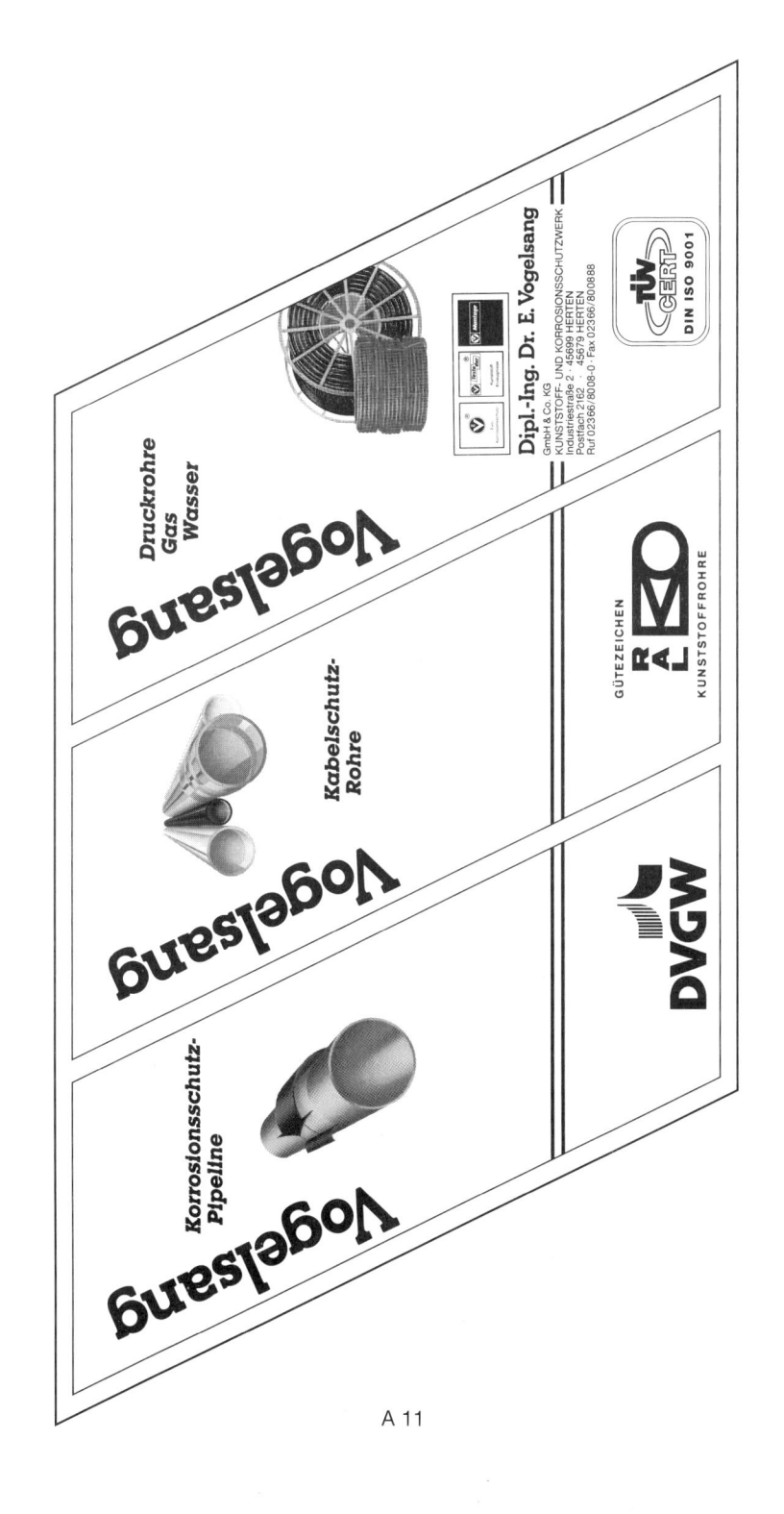

Dipl.-Ing. Dr. E. Vogelsang
GmbH & Co. KG
KUNSTSTOFF- UND KORROSIONSSCHUTZWERK
Industriestraße 2 · 45699 HERTEN
Postfach 2162 · 45679 HERTEN
Ruf 02366/8008-0 · Fax 02366/800888

TÜV CERT – DIN ISO 9001

Vogelsang
Kabelschutz-Rohre

GÜTEZEICHEN
RAL
KUNSTSTOFFROHRE

Vogelsang
Korrosionsschutz-Pipeline

DVGW

A 11

FACHLITERATUR AUS DEM VULKAN-VERLAG

ROHRLEITUNGEN IM BODEN – UMWELTSCHONEND UND WIRTSCHAFTLICH

IRO-SCHRIFTENREIHE:
Immer das Neueste für den Rohrleitungsbau!

1994, ca. 540 Seiten, zahlreiche Abbildungen, Format 16,5 x 23 cm, ca. DM 140,- / öS 1092,- / sFr 140,-
ISBN 3-8027-5359-3
Bestell-Nr. 5359

Der Titel sagt deutlich, worum es bei diesem Buch im besonderen geht: Sicherheit und Wirtschaftlichkeit beim Verlegen und Instandhalten von Rohrleitungen im Boden stehen im Vordergrund der Betrachtungen. Rechtsfragen, Versicherungsschutz und Computereinsatz sind jedoch ebenso aktuelle und bedeutende Themen.

Das Buch enthält zahlreiche praktische Hinweise und wichtige Neuigkeiten vom Rohrleitungsmarkt. Die einzelnen Themen wurden erstmalig als Vorträge den interessierten Teilnehmern des diesjährigen Oldenburger Rohrleitungsforums vorgestellt.

Bleiben Sie dran an der rasenten Entwicklung auf dem Gebiet des Umweltschutzes im Rohrleitungsbau. Erfahrene Autoren vermitteln Ihnen mit diesem Buch die notwendigen Kenntnisse.

INHALT: ■ Umweltgefährdung - auch durch Rohrleitungen? ■ Umweltrecht und Umwelthaftung - auch für Rohrleitungen? ■ Behandlung und Weiter-/Wiederverwendung von Rohrmaterial ■ Rohrleitungen im Boden ■ Abwassersysteme und Grundstücksanschlüsse ■ Moderne Leitungsverlegung ■ EDV-Anwendungen für Rohrleitungen

VULKAN ▽ VERLAG
FACHINFORMATION AUS ERSTER HAND

Postfach 10 39 62, D-45039 Essen, Telefon (0201) 8 20 02-14, Fax (0201) 8 20 02-40

Gasversorgung

Tafel 1: *Zulässiger Betriebsdruck für Gasrohre aus PE 80 und PE 100*

Außendurch-messer d [mm]	1 bar		4 bar	
	Wanddicke s [mm]	SDR nach DIN 8074	Wanddicke s [mm]	SDR nach DIN 8074
20	2,0	11	2,0	11
25	2,3		2,3	
32	3,0		3,0	
40	3,7		3,7	
50	4,6		4,6	
63	5,8		5,8	
75	4,3	17,6	6,9	
90	5,1		8,2	
110	6,3		10,0	
125	7,1		11,4	
160	9,1		14,6	
180	10,2		16,4	
225	12,8		20,5	
280	15,9		25,5	
315	17,9		28,7	
400	22,7		36,4	

Güteanforderungen

Die gleichbleibende Qualität der Rohre wird durch folgende Normen und Richtlinien sichergestellt:

- DIN 8075 Rohre aus PE-HD, Allgemeine Güteanforderungen u. Prüfung
- DVGW-Arbeitsblatt G 477 Herstellung, Gütesicherung und Prüfung von Rohren aus PVC und PE-HD für Gasleitungen. Der Abschnitt 5, Gütesicherung von Rohren aus PE-HD, wird ersetzt durch die vorläufige Prüfgrundlage
- VP 608 Rohre aus PE-HD (PE 80 und PE 100), für Gas- und Trinkwasserverteilungen, Anforderungen und Prüfungen.
- Richtlinie R 14.3.1 Druckrohre aus PE-HD mit dem Gütezeichen der Gütegemeinschaft Kunststoffrohre.

Zur Herstellung der Rohre dürfen nur Werkstoffe verwendet werden, die in der Zusammensetzung bekannt sind. Regenerat darf nicht verwendet werden. Die Verwendung von Umlaufmaterial der Druckrohrfertigung des Rohrherstellers aus dem gleichen Werkstofftyp und gleicher Rezeptur sind zulässig. Die Werkstoffe müssen beständig gegen Gase nach dem DVGW-Arbeitsblatt G 260/I sein.

Es werden sowohl Prüfungen durch den Rohrhersteller (Eigenüberwachung), wie auch durch eine Materialprüfanstalt (Fremdüberwachung) gefordert (im übrigen siehe Teil VI).

Präqualifikationsverfahren

Neben der Einhaltung der technischen Regeln und Gütesicherung vergeben mittlerweile alle großen Gasversorgungsunternehmen Lieferaufträge für Gasrohre nur entsprechend der EG-Richtlinie 90/531/EWG. Dazu wird ein Präqualifikationsverfahren mit folgendem Verfahrensablauf durchgeführt: Vorprüfung anhand von Fragebögen, Auditierung von Unternehmen durch Werksbesuche, Prüfung von Musterlieferungen auf Einhaltung aller technischen Regeln, Erteilung eines Probeauftrages. Nur nach erfolgreicher Prüfung wird der Rohrhersteller in eine Liste qualifizierter Bewerber aufgenommen. Aus dieser Liste werden dann nach kaufmännischen Gesichtspunkten mit einem oder mehreren Lieferanten Rahmenverträge abgeschlossen.

Lieferlängen (Bild 2)

Rohrstangen: 6, 12, 20 m oder Sonderlänge als Palette verpackt. Je nach Abmessung beinhaltet dabei eine Palette bis über 100 Rohre.

Ringbunde: 100 m oder länger mit Verpackungsbändern, die ein Aufspringen des Bundes verhindern.

In Sonderfällen werden größere Längen nach Kundenwunsch auf Trommeln gewickelt.

Im Durchmesserbereich bis 63 mm hat sich Ringbundware durchgesetzt; technisch machbar sind aber auch Ringbunde bis zu einem Außendurchmesser von 180 mm. Für die Verlegung sollten aber nur spezielle Ringbundhaspel eingesetzt werden. Bei Stangenware liegt die größte Abmessung nach dem DVGW-Arbeitsblatt G 472 bei 400 mm; die Nachfrage beschränkt sich aber am deutschen Markt auf maximal 225 mm.

Kennzeichnung

Die Mindestkennzeichnung wurde entsprechend der neuen DVGW-Prüfgrundlage VP 608 folgendermaßen festgelegt:

Herstellerzeichen, DVGW-Prüfzeichen mit Registriernummer, Werkstofftyp PE 80 oder PE 100, MFI-Gruppe, SDR 11,0 oder 17,6, Außendurchmesser x Wanddicke, Herstelldatum und Maschinennummer. Rohre, die nach der Richtlinie R 14.3.1 überwacht werden, tragen zusätzlich das Gütezeichen der Gütegemeinschaft Kunststoffrohre.

Gasversorgung 313

Bild 2: Rohrstangen und Ringbund

Farbe

PE-Gasrohre werden überwiegend in gelb (RAL 1018) produziert, vereinzelt noch schwarz mit gelben Streifen, z.B. zur Erkennung unterschiedlicher Betriebsdrücke. Für PE 100-Material sieht die VP 608 einen gelb-orangen Farbton (RAL 1033) vor.

2.3.2 Formstücke

Für alle Formstücke aus PE gelten grundsätzlich die gleichen Anforderungen wie für das Rohr; sie richten sich nach dem DVGW-Arbeitsblatt G 477. Schließlich soll für das gesamte Gasrohr-System eine gleich hohe Standzeit sichergestellt sein. Für alle Formstücke benutzt man in der Gasversorgung praktisch nur noch 2 Schweißverfahren:

– Formstücke für das Heizelementstumpfschweißen

– Formstücke für das Heizwendelschweißen.

Das in anderen Bereichen noch eingesetzte Heizelementmuffenschweißen hat keine Bedeutung mehr. PE-Formstücke für das Heizwendelschweißen mit verlängerten Schenkeln können auch für das Heizelementstumpfschweißen eingesetzt werden, sind aber entsprechend teurer.

Güteanforderungen

Die vorgesehene Überarbeitung des DVGW-Arbeitsblattes G 477 wurde aufgrund der europäischen Normungsarbeiten zeitweilig zurückgestellt und jetzt wieder aufgenommen. Als Übergangslösung für alle Anwender und Hersteller hat der DVGW für Formstücke aus PE-HD die vorläufige Prüfgrundlage VP 607 erstellt. Sie gilt für alle Formstsücke nach DIN 16963 mit Ausnahme der aus Rohrabschnitten geformten Bögen. Für die Erlangung des Rechts zur Führung des Gütezeichens gilt die Richtlinie R 12.3.10.

Dem Hersteller wird dadurch zur Vorgabe gemacht, durch sorgfältige Überwachung seiner Produktion eine gleichbleibende Qualität seiner Erzeugnisse zu sichern.

Alle Formstücke müssen dauerhaft lesbar mit folgenden Mindestangaben gekennzeichnet sein: Herstellerzeichen, DVGW-Prüfzeichen bzw. Gütezeichen und Registernummer, Außendurchmesser des anzuschließenden Rohres, Werkstoff, Nenndruck, Herstelldatum.

Formstücke

Für den Bau von Gasleitungen verwendet man nur noch aus Rohrabschnitten geformte Teile oder Spritzgußteile.

Formstücke, die aus Rohrabschnitten geformt werden, müssen vom Werkstoff her den gleichen Anforderungen wie das Rohr entsprechen. Beim Hersteller werden aus vorher exakt abgelängten Gasrohrabschnitten Bögen bis 90° unter Wärmeanwendung in speziellen Biegewerkzeugen gebogen. Auf der Baustelle ist dies nicht zulässig.

Die Formstücke werden im Spritzgießverfahren hergestellt (s. Teil IV). Die notwendige Kennzeichnung der Teile kann direkt im Spritzgießwerkzeug angebracht sein. Für die in Deutschland üblichen Gasrohrabmessungen in PE-HD bis 225 mm sind alle notwendigen Formstücke nach diesem Herstellverfahren verfügbar. Dazu gehören Winkel, T-Stücke, Reduzierstücke, Endkappen und Vorschweißbunde (Bild 3).

Alle bisher genannten Teile dürfen nur mit Rohren der gleichen Abmessungsreihe, das heißt gleicher Wanddicke, verschweißt werden. Von dieser Forderung kann abgewichen werden, wenn im Schweißbereich gleiche Wanddicken vorhanden sind.

Gasversorgung 315

Bild 3: PE-HD-Formstücke

Heizwendelschweißformstücke

Das problemlose Heizwendelschweißen hat in den letzten Jahren immer mehr an Bedeutung zugenommen und bietet jetzt auch für Durchmesser > 90 mm eine Alternative zur Stumpfschweißung.

Für die einfache und sichere Verarbeitung werden zur Schweißparameterkennung Barcode- und Magnetkartensysteme sowie elektronische Protokolliereinrichtungen eingesetzt.

Eine besondere Bedeutung für die Gasversorgung haben die Anbohrarmaturen, die nachträgliche Hausanschlußleitungen ermöglichen. Neben den integrierten Heizwendeln enthalten sie ein Bohrwerkzeug, wodurch die unter Betriebsdruck stehende Leitung sicher ohne Gasaustritt angebohrt werden kann. Die ausgeschnittene PE-Scheibe verkeilt sich dabei fest im Werkzeug.

2.3.3 Verbindungstechniken

Nach dem DVGW-Arbeitsblatt G 472 sind alle Verbindungen möglichst spannungsfrei auszuführen. Für PE-HD Gasrohre ist in der Regel eine Schweißverbindung anzuwenden.

Bild 4: Heizwendelschweißung

Das Verlegepersonal muß nach dem DVGW-Merkblatt GW 330 ausgebildet sein. Für die Herstellung der Schweißverbindungen sind die Bestimmungen der DVS-Richtlinie 2207 Teil 1 zu beachten. Die zum Schweißen verwendeten Maschinen und Vorrichtungen müssen den Anforderungen der DVS-Richtlinie 2208 Teil 1 entsprechen. Als Schweißverbindung kommen die Heizelementstumpfschweißung, oder die Heizwendelschweißung (Bild 4) zur Anwendung. Die Stumpfschweißung sollte erst bei einer Wanddicke ab 10 mm angewendet werden, d.h. Außendurchmesser $\geq$ 110 mm. Die Heizwendelschweißung ist dagegen problemlos für Rohre ab 20 mm Außendurchmesser einsetzbar.

Daneben sind noch Klemmverbindungen mit Innenstützkörper nach DVGW-VP 600 und Flanschverbindungen zulässig. Dabei haben sich PE-Vorschweißbunde mit losen Flanschen aus Metall oder verstärktem Kunststoff durchgesetzt. In beiden Fällen hängt die Qualität der Verbindung stark vom Verlegekönnen des Personals ab. Die Montageanleitungen der Hersteller sind zu berücksichtigen.

Andere Arten von Verbindungen sind zulässig, soweit durch Betriebserfahrung oder Versuche nachgewiesen ist, daß die gewählte Verbindung den Anforderungen hinsichtlich Festigkeit und Dichtheit genügt.
Für die Anbohrung von Gasleitungen sind nur besonders entwickelte Anbohrarmaturen oder Anbohrvorrichtungen zu verwenden. Anbohrarmaturen müssen bezüglich der Güteanforderungen DIN 3544 Teil 1 und bezüglich der Maße DIN 3543 Teil 4 entsprechen und aufschweißbar sein.

Gasversorgung 317

Weitergehende Angaben zu Rohrverbindungen und Verbindungstechniken sind im Teil V aufgeführt.

2.3.4 Verlegung

Die Verlegevorteile wie geringes Gewicht, Rohrlängen bis über 300 m, einfache, sichere Rohrverbindungen und Flexibilität sind ein wesentlicher Grund für den Siegeszug von Kunststoffrohren in der Gasversorgung. Anwendung findet die geltende Verlegeanleitung PE-Gasrohre des Kunststoffrohrverbandes für die Gasverteilung außerhalb von Gebäuden. Hier sollen nur die wichtigen oder ergänzenden Punkte speziell für PE-Gasrohre angesprochen werden, da ein Großteil der Verlegehinweise mit dem Bau von Trinkwasserleitungen identisch ist (s. Teil VII. 1.1).

Allgemeines

Mit den Verlegearbeiten dürfen nur Rohrleitungsbaufirmen beauftragt werden, die über eine DVGW-Bescheinigung gemäß DVGW-Arbeitsblatt GW 301 verfügen. Das Verlegepersonal muß nach dem DVGW-Merkblatt GW 330 ausgebildet sein. Die Tätigkeiten sind von einer Schweißaufsicht nach dem DVGW-Merkblatt GW 331 zu überwachen.

Bei den Verlegearbeiten sind die Unfallverhütungsvorschriften der Berufsgenossenschaften, die Sraßenverkehrsordnung und die Richtlinien für die Sicherung von Arbeitsstellen an Straßen zu beachten. Bei einer Vergabe der Bauarbeiten gemäß VOB ist die VOB/C, Allgemeine Technische Vertragsbedingungen für Bauleistungen, anzuwenden.

Daneben ist das DVGW-Arbeitsblatt G 472 zu beachten. Für Hausanschlußleitungen gilt das DVGW-Arbeitsblatt G 459.

Es dürfen nur Rohre und Formstücke eingesetzt werden, die einer Qualitätssicherung unterliegen (Teil VI). In Absprache mit dem DVGW tragen derartige Rohre neben der allgemein geforderten Kennzeichnung nach der VP 608 das Gütezeichen.

Transport und Lagerung

Diesem Punkt sollte eine besondere Aufmerksamkeit gewidmet werden, denn beim Transport bzw. dem Auf- und Abladen werden die meisten Fehler gemacht. Vor dem Abladen sind deshalb die Rohre auf Transportschäden zu untersuchen, um spätere Reklamationen zu vermeiden.

Für die heute meist produzierten Rohrlängen in Paletten von 12 m oder 20 m sollten in jedem Falle Traversen mit breiten Hebegurten eingesetzt werden.

Gasrohre sind bei einer Lagerung von mehr als 2 Jahren vor unmittelbarer Sonneneinstrahlung zu schützen. Ringbunde sind möglichst liegend zu lagern. Beschädigungen können auch durch Motorenkraftstoffe, Lösungsmittel, Holzschutzmittel o.ä. hervorgerufen werden. Häufigste Schadensursache sind aber mechanische Beanspruchungen, z.B. durch Schleifen der Rohre oder Ringbunde über den Boden.

Rohrgraben

Der Rohrgraben ist entsprechend der Abmessung des PE-Gasrohres nach DIN 4124 herzustellen. Die Überdeckung aller Leitungsteile (Bild 5) soll in der Regel 0,6 bis 1,0 m betragen, an örtlich begrenzten Stellen (Gehwege, Vorgärten usw.) darf sie ohne besondere Schutzmaßnahmen bis auf 0,5 m verringert werden. Um den Zugang zur Leitung nicht zu beeinträchtigen, sollen 2,0 m Überdeckung nicht überschritten werden.

Bei felsigem oder steinigem Untergrund ist die Grabensohle mindestens 0,15 m tiefer auszuheben und der Aushub durch eine geeignete Schicht aus Sand oder Feinkies bis zu einer Korngröße von 20 mm zu ersetzen.

Das gleiche Material ist auch für die Verfüllung der Rohrleitungszone bis 0,3 m über Rohrscheitel zu verwenden und von Hand zu verdichten. Zur Sicherheit kann darauf (0,3 bis 0,5 m über Rohrscheitel) ein gelbes Trassenwarnband verlegt werden.

Bei Kreuzungen zwischen Gasleitungen und Kabeln mit Betriebsspannungen über 1 kV ist ein Abstand von mindestens 20 cm einzuhalten.

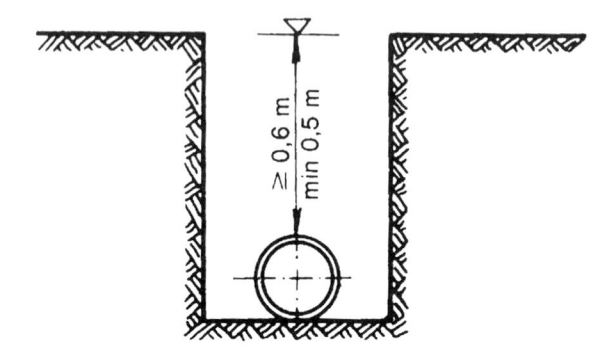

Bild 5: Rohrüberdeckung

Bei Einhaltung der genannten Einbaubedingungen ist ein statischer Nachweis der PE-Gasrohre nicht erforderlich. Ein Überbauen der Gasleitung ist unzulässig.

Sonderbauverfahren

Neben der herkömmlichen offenen Arbeitsweise im Rohrgraben haben sich in den letzten Jahren verschiedene Sonderbauverfahren für die Verlegung von Gasleitungen aus PE etabliert. Dazu gehören:

- Einpflügen der Leitung

- Voll- oder teilmechanische Rohrverlegung mit Grabenfräsen

- Steuerbare Horizontalbohrverfahren

- Bodendurchschlagsraketen

Für alle Verfahren, vor allem auch für Sanierungsmaßnahmen (Relining), ist PE aufgrund seiner hohen Elastizität besonders als Ringbundware bis 180 mm geeignet. Darüber hinaus kann Stangenmaterial für Verlegelängen bis ca. 350 m durch die genannten Schweißverfahren vorproduziert werden.

Beim Einziehen des PE-Gasrohres ist eine gewisse Beanspruchung der Rohrwandung in der Pilotbohrung unvermeidlich. Deshalb ist bei dem Einziehvorgang das Rohr in der Zielgrube so weit herauszuziehen, daß der erste Meter zur Beurteilung von Schädigungen herangezogen werden kann. Das Rohr darf keine Quetschungen, Dellen und scharfkantigen Riefen mit $\geq 10\ \%$ der Normwanddicke des PE-Rohres aufweisen.

Hinweis:

Bei einem Betriebsdruck bis 1 bar können zum Ausgleich der fehlenden Rohreinbettung Rohre SDR 11 verwendet werden. Dadurch erreicht man außerdem eine größere Sicherheit gegen eventuelle Schädigungen des Rohres und erhöht die maximal zulässigen Zugkräfte des PE-Rohres um über 50 %!

Einbau von Rohren und Formstücken

Es wird empfohlen, Rohre aus PE bei Temperaturen unter 0 °C nur unter Anwendung besonderer Maßnahmen wie z.B. Vorwärmen, Einzelten oder Beheizen zu verlegen. Die modernen Heizwendelschweißformstücke mit barcodegesteuerten Schweißautomaten gewährleisten eine Temperaturkompensation der Schweißzeit auch bei Minustemperaturen.

Zur Richtungsänderung in der Rohrtrasse werden werksmäßig hergestellte Rohrbögen oder Heizwendelschweißwinkel eingesetzt. Keinesfalls dürfen auf der Baustelle durch Erwärmen mit Brennern „Biegeversuche" durchgeführt wer-

Tafel 2: Biegeradien

Verlegetemperatur	kleinster zulässiger Biegeradius r
0° C	50 x d
10° C	35 x d
20° C	20 x d

den. Dagegen kann die Elastizität des Rohrwerkstoffes ohne Erwärmung bis zu den folgenden Werten voll ausgenutzt werden (Tafel 2).

Auch Gasrohre werden sofort nach der Produktion beidseitig mit Stopfen oder Kappen verschlossen, die erst kurz vor Herstellung der Verbindung entfernt werden sollten.

Hausanschlußleitungen

Für die Errichtung von Gas-Hausanschlüssen ist das DVGW Arbeitsblatt G 459 zu beachten. Die Hausanschlußleitung ist die Verbindung der Versorgungsleitung mit der Hausinstallation.

In keinem anderen Bereich hat sich PE mit seinen Vorteilen so durchgesetzt wie bei den Hausanschlußleitungen. Selbst wenn noch Stahl-Versorgungsleitungen verlegt werden oder vorhanden sind, für die abzweigende Hausanschlußleitung werden ausschließlich PE-Gasrohre eingesetzt.

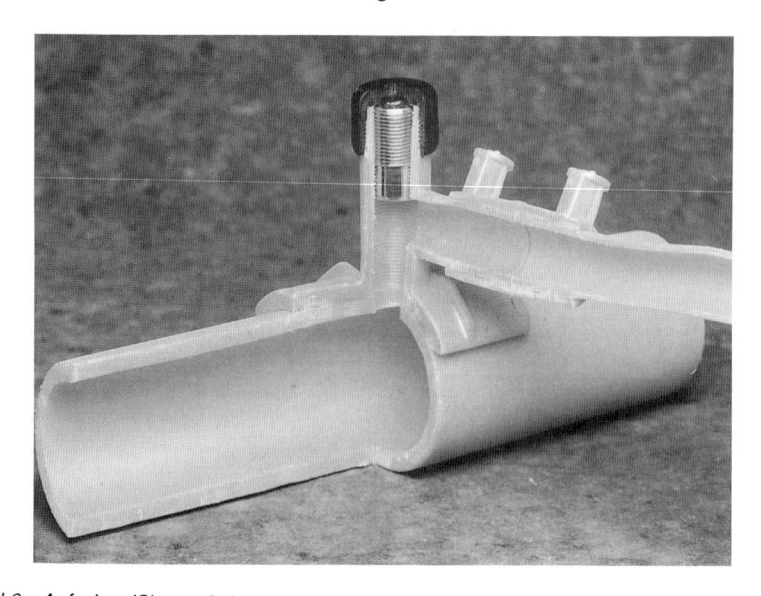

Bild 6: Aufschweißbarer Anbohrsattel mit Bohrvorrichtung

Gasversorgung

Für abzweigende Hausanschlußleitungen von Hauptleitungen aus PE verwendet man entweder aufschweißbare Anbohrarmaturen nach DIN 3543 Teil 4 oder T-Stücke, die auch mit Heizwendeln angeboten werden (Bild 6).

Die Heizwendel-Anbohrsättel oder auch Anbohrschellen sind lieferbar für alle gängigen PE-Versorgungsleitungen und verfügen in der Regel über Ausgangsstutzen von 32 oder 63 mm. Hier kann die Anschlußleitung einfach mittels einer Heizwendelschweißmuffe oder -reduktion verbunden werden. Für die Verschweißung sollten neben den Angaben der DVS 2207 Teil 1 auch die Verarbeitungsrichtlinien der Hersteller beachtet werden. Nach der Verschweißung und der bestandenen Druckprüfung für den Hausanschluß kann die Versorgungsleitung unter Betriebsdruck angebohrt werden.

Für die Einführung der Hausanschlußleitung in das Gebäude werden Hausanschlußkombinationen eingesetzt. Nach DVGW G 459 sind für Rohrleitungen aus PE zwei prinzipielle Ausführungsformen zulässig (Bilder 7 und 8).

Eine Vielzahl von Herstellern bietet unterschiedliche Ausführungen dieser Gas-Hauseinführungen auch mit integrierter Absperreinrichtung und Ausziehsicherung an. Die PE-Leitung dient dabei gleichzeitig als Sollbruchstelle, um im Falle eines Baggerangriffs die Hausinstallation zu schützen.

Druckprüfung

Vor Inbetriebnahme ist die PE-Gasleitung zusammenhängend oder abschnittsweise einer Druckprüfung zu unterziehen; siehe DVGW-Arbeitsblatt G 472, Abschnitt 5. Dafür ist hochqualifiziertes Personal einzusetzen; in vielen Fällen übernehmen Fachfirmen, wie z.B. der Technische Überwachungsverein mit einem Sachverständigen, diese Aufgabe.

Von den verschiedenen in Frage kommenden Druckprüfverfahren nach dem DVGW-Arbeitsblatt G 469 wird das Druckdifferenzmeßverfahren mit Luft C 3 oder das Druckmeßverfahren mit Luft B 3 empfohlen. Bei einem Betriebsdruck

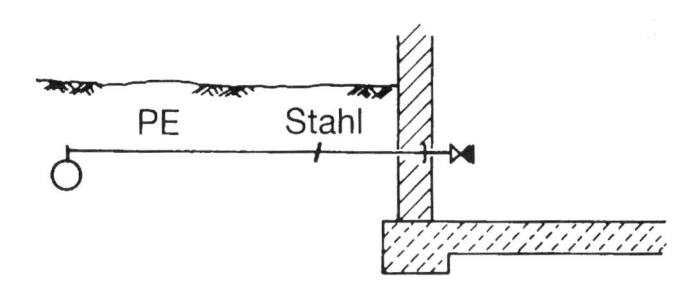

Bild 7: Übergang PE auf Stahl vor der Hauswand

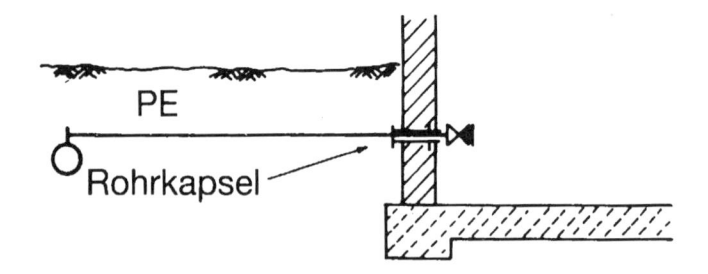

Bild 8: Übergang PE auf Stahl mittels Rohrkapsel in der Gebäudewand

bis 1 bar soll dabei der Prüfdruck mindestens 3 bar, bei 4 bar Betriebsdruck mindestens 6 bar betragen.

Für einzelne Rohrverbindungen, insbesondere im Bereich von Hausanschlußleitungen, kann nach dem Sichtverfahren mit Luft A 3 oder Betriebsgas A 4 geprüft werden. Dabei wird die Leitung solange unter Prüfdruck gehalten, bis alle Leitungsverbindungen mit einem schaumbildenden Mittel auf Dichtheit geprüft sind.

Über das Ergebnis der Prüfung stellt der Sachkundige bzw. Sachverständige eine Abnahmebescheinigung aus. Darin bestätigen Bauaufsicht und Bauleitung die ordnungsgemäße Verlegung der Gasleitung nach G 472 und der Sachverständige bzw. Sachkundige, daß hinsichtlich des Ergebnisses der durchgeführten Druckprüfung gegen die Inbetriebnahme des geprüften Leitungsabschnittes mit dem höchstzulässigen Betriebsdruck keine Bedenken bestehen.

Reparaturarbeiten, Abquetschen

Für die Reparatur bei Leitungsbeschädigungen sind Heizwendelschweißmuffen, die als Überschiebmuffen eingesetzt werden können, gut geeignet. So lassen sich leicht innerhalb des Rohrgrabens neue, beliebig lange Rohrabschnitte einbinden. Dafür muß die Leitung drucklos sein; dies kann bei einem Betriebsdruck bis 100 mbar auch durch Setzen von Absperrblasen oder Abquetschen erreicht werden. Für die Ausführung dieser Arbeiten sind die Unfallverhütungsvorschriften gemäß VGB 50 einzuhalten.

Empfehlen kann man das Setzen von Sperrblasen mit speziellen Armaturen, die ein spannungsfreies Anbohren der PE-Leitung ermöglichen. Dafür sind die Montagevorschriften der Hersteller und Richtlinien der Gasversorgungsunternehmen zu beachten.

Zum einfacheren Abquetschen dürfen nur die dafür entwickelten Vorrichtungen verwendet werden. Obwohl Abquetschvorrichtungen bis 400 mm angeboten werden, sollten wegen der hohen Spannungen nur Rohre bis maximal 110 mm

Gasversorgung 323

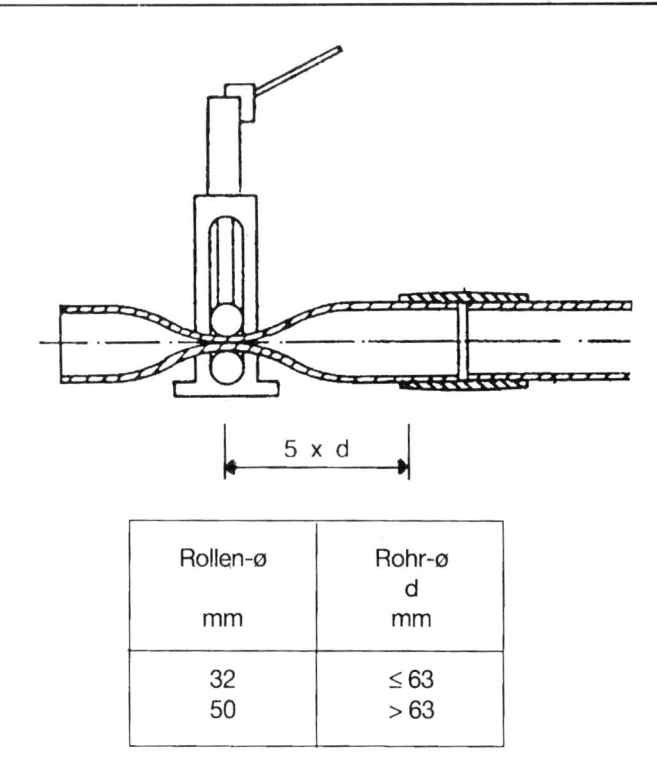

Rollen-ø mm	Rohr-ø d mm
32	≤ 63
50	> 63

Bild 9: Abquetschvorrichtung, zulässige Rollendurchmesser

abgequetscht werden. Die Quetschrollen müssen die im Bild 9 gezeigten Durchmesser aufweisen und mit rohrwanddickenabhängigen Anschlägen ein Überquetschen des Rohres vermeiden. Die Quetschstelle muß von der nächsten Rohrverbindung einen Abstand von 5 x d haben.

Vor Beginn von Schweißarbeiten ist z.b. durch eine Ausblasvorrichtung sicherzustellen, daß sich kein explosives Gemisch im Rohrgraben gebildet hat. Nach dem Schweißvorgang dürfen die Quetschvorrichtungen erst nach der vorgegebenen Abkühlzeit gelöst werden. Dann wird das neue Verbindungsstück entlüftet.

Durch eine Kennzeichnung der Stelle muß ein nochmaliges Quetschen in diesem Bereich verhindert werden; Abstand mindestens 5 x d. Auf keinen Fall sollten zusätzliche Verstärkungsschellen eingesetzt werden, da hierdurch erneut Materialspannungen eingeleitet werden.

2.4 Gasleitungen aus PE-X

Von den unterschiedlichen Vernetzungsverfahren (s. Teil II. 3.4) liegen für den Bereich der Gasversorgung nur Erfahrungen mit dem peroxidvernetzten PE-X a Rohr nach dem Engel-Verfahren vor. Alle technischen Aussagen hinsichtlich Verhalten und Beständigkeit treffen grundsätzlich auch für vernetzte PE-Rohre, also PE-X zu, mit den zusätzlich gewonnenen Eigenschaften wie

- sehr günstiges Zeitstandverhalten

- hohe Kratzbeständigkeit

- hohe Temperaturbeständigkeit

- Flexibilität, auch bei niedrigen Temperaturen

- Spannungsrißbeständigkeit.

So hat zum Beispiel die Untersuchung durch ein Prüfinstitut bei einem Vergleich der Standzeiten von unvernetztem und vernetztem PE unter Kerbeinfluß eine vielfach höhere Belastbarkeit der vernetzten PE-Rohre erbracht.

Dies ist ein wichtiges Kriterium bei in der Praxis u. U. auftretenden Punktbelastungen, wie z. B. durch spitze Steine. PE-X a eignet sich deshalb hervorragend für grabenlose Verlegeverfahren oder auch für eine Verlegung ohne Sandbett.

PE-X a Rohre unterliegen den Güteanforderungen der DIN 16892 bzw. Maßen nach DIN 16893 und der DVGW Prüfgrundlage VP 605 für den erdverlegten Rohrleitungsbau, für die Gasversorgung in Verbindung mit dem DVGW-Arbeitsblatt G 477. Nach der DIN 16892 entsprechen Rohre SDR 11 einem Betriebsdruck von 12,5 bar, SDR 7,3 einem Betriebsdruck von 20 bar.

PE-X a Rohre werden in Stangen von 6 oder 12 m und in Ringen von 50 bzw. 100 m geliefert, wobei es in Einzelfällen auch möglich ist, größere Längen festzulegen. PE-X a Rohre nach Verfahren Engel werden heute in den Außendurchmessern bis max. 160 mm geliefert.

PE-X a Rohre sind heute schon mit weit über 100.000 m hauptsächlich größerer Dimensionen sowohl für die Wasser- als auch für die Gasversorgung im Einsatz und haben sich weit über die anfängliche Testanwendung hinaus bewährt.

PE-X a Rohre sind fortlaufend mit den wichtigsten Kenndaten dauerhaft gekennzeichnet: Kurzzeichen des Herstellers, DIN und/oder DVGW-Zeichen, Außendurchmesser, Wanddicke, Herstelldatum und Extrudernummer. Die Prägetiefe soll 0,1 mm nicht überschreiten.

Zu der in jüngster Zeit rasanten Verbreitung von PE-X a Rohren als erdverlegte Gas- oder Wasserleitung hat die Feststellung beigetragen, daß PE-X a Rohre entgegen früheren Annahmen mit PE-Heizwendelschweißformstücken zu verbinden sind.

Die Untersuchungen in diesem Bereich, z. B. durch Gastec Niederlande, haben ergeben, daß alle untersuchten Schweißverbindungen stärker waren als die Ausgangsmaterialien und daß bei keiner der vielfach geprüften Schweißverbindungen ein adhäsiver Versagensmechanismus in der Schweißverbindung erkennbar war.

Gegen das Verschweißen von PE-X a Rohren mit PE-HD-Formstücken gibt es heute von der Herstellerseite keine Einwände. Auch die Mechanismen, die zu dieser guten Bindung führen, sind erklärt. Was noch aussteht, ist die genaue Bestimmung des Schweißfaktors. Derzeit läuft darüber noch ein vom DVGW initiiertes Forschungsvorhaben; auch der DVS prüft zur Zeit die Zulässigkeit der Verschweißung.

2.5 Flüssiggasleitungen

Für Flüssiggasleitungen gelten die TRF. Neben Stahl- und Kupferrohren können auch Kunststoffrohre verwendet werden, allerdings nur für erdverlegte Leitungen. Es darf sich dabei nur um Rohre und Formstücke aus PE-HD nach dem DVGW-Arbeitsblatt G 477 handeln. Vorgeschaltet sein muß immer ein Sicherheitsabsperrventil (SAV).

Schrifttum

- DVGW Arbeitsblatt G 459: Gas-Hausanschlüsse für Betriebsdrücke bis 4 bar, Errichtung
- Verlegeanleitung PE-Gasrohre des Kunststoffrohrverbandes für die Gasverteilung außerhalb von Gebäuden
- DVGW Arbeitsblatt G 469: Druckprüfverfahren für Leitungen und Anlagen der Gasversorgung
- Technische Regeln Flüssiggas (TRF)

3 Abwasserkanäle, -leitungen und -schächte

3.1 Abwasserleitungen (Hausabfluß)

H.-J. LORENZ

Rohrleitungssysteme aus Kunststoffen werden in den verschiedensten Anwendungsgebieten zum Transport von unterschiedlichen Medien eingesetzt. Speziell zur Ver- und Entsorgung von Wohneinheiten hat man mit Beginn der 50er Jahre Rohrleitungssysteme entwickelt, die auf den jeweiligen Anwendungsfall speziell zugeschnitten sind. In der Entsorgung von häuslichen Abwässern kam von 1957 an das Hausabflußrohr aus Polyvinylchlorid (PVC-U) verstärkt zum

Einsatz. Die Einführung der Verbindungstechnik, bestehend aus einer Steckmuffe mit integriertem Gummidichtring, hat dem Hausabflußrohrsystem zum Durchbruch am Markt verholfen. Die sichere Abdichtung gegen Unter- und Überdruck sowie die leichte Montierbarkeit waren für die Anwender überzeugende Argumente, denen sie sich nicht verschließen konnten.

Parallel zu dieser Produktentwicklung wurde die Erarbeitung von DIN-Normen – unterteilt in Grund- und Anwendungsnormen – vorangetrieben. Ausgehend von den Grundnormen, in denen die Abmessungen und Toleranzen festgelegt wurden, wie dies beispielsweise in der DIN 8062 „Rohre aus weichmacherfreiem Polyvinylchlorid (PVC-U, PVC-HI) – Maße" oder DIN 8072 „Rohre aus PE-weich (Polyethylen weich) – Maße" erfolgte, wurden die Anwendungsnormen DIN 19531 für Rohre und Formstücke aus PVC-U sowie die DIN 19535 für Rohre und Formstücke aus PE-HD erstellt.

Vor diesem normativen Hintergrund und der Verbesserung und Erweiterung der Hausabflußrohrsysteme erfolgte eine rasante Marktdurchdringung. Dabei erwiesen sich Eigenschaften wie geringes Gewicht, glatte Innenflächen und hohe Korrosionsbeständigkeit gegen häusliche Abwässer im Bereich von pH 2 bis pH 12 als tragfähige Argumente bei der Vermarktung. Das Hausabflußrohrsystem aus PVC-U nach DIN 19531 hatte bis 1973 den höchsten Marktanteil mit annähernd 65 Prozent erreicht.

Zu Beginn der 70er Jahre zeigte sich, daß die Hausabflußrohre aus PVC-U den Temperaturanforderungen, hervorgerufen durch erhöhte Abwassertemperaturen als Folge des steigenden Lebensstandards, nicht mehr gewachsen waren.

Um dem entgegenzuwirken, hat die Kunststoffrohrindustrie hochtemperaturbeständige Hausabflußrohrsysteme aus geeigneten Kunststoffen entwickelt. Dabei mußte der Austauschbarkeit der Produkte untereinander verstärkt Rechnung getragen werden. Man hat in Zusammenarbeit mit dem Deutschen Institut für Bautechnik (DIBt) sowie dem Zentralverband Sanitär Heizung Klimatechnik (ZVSHK) die Wechselbelastung mit 95 °C und die Dauerbelastung mit 90 °C festgelegt, die später in den Prüfungsanforderungen der DIN 19550 „Allgemeine Anforderungen an Rohre und Formstücke für Abwasserleitungen innerhalb von Gebäuden", DIN 19560 und DIN 19561 festgeschrieben wurden.

Von der obersten Bauaufsichtsbehörde der Bundesrepublik Deutschland (DIBt) wurde das Hausabflußrohrprogramm aus PVC-U nach DIN19 531 ab 1.1.1974 aus Sicherheitsgründen auf kaltgehende Leitungen beschränkt. Nach dieser Norm dürfen Rohre und Formstücke aus PVC-U nur noch für Lüftungsleitungen, innenliegende Regenfalleitungen und Anschlußleitungen für Balkonentwässerungen, Klosett- und Urinalanschlußleitungen, Anschlußleitungen für Decken- und Bodenabläufe ohne seitlichen Einlauf eingesetzt werden.

Folgende Hausabflußrohrsysteme können nach obiger Festlegung hinsichtlich der Einleitung von thermisch belastetem häuslichem Abwasser eingesetzt werden:

- DIN 19560 „Rohre und Formstücke aus Polypropylen (PP) mit Steckmuffen für heißwasserbeständige Abwasserleitungen (HT) innerhalb von Gebäuden; Maße, Technische Lieferbedingungen".

- DIN 19561 „Rohre und Formstücke aus Styrol-Copolymerisaten mit Steckmuffen für heißwasserbeständige Abwasserleitungen (HT) innerhalb von Gebäuden; Maße, Technische Lieferbedingungen".

- DIN 19535 Teil 1 und Teil 2 „Rohre und Formstücke aus Polyethylen hoher Dichte (PE-HD) für heißwasserbeständige Abwasserleitungen (HT) innerhalb von Gebäuden; Maße sowie Technische Lieferbedingungen".

Das Hausabflußprogramm aus PVC-C (chloriertes Polyvinylchlorid) nach DIN 19538 hat sich aus Kostengründen nicht am Markt durchsetzen können.

Leitbildfunktion für den vorbeugenden Brandschutz hat die Musterbauordnung. Die Anforderungen an den Brandschutz sind in den jeweils geltenden Landesbauordnungen festgelegt.

Mit der DIN 4109 „Schallschutz im Hochbau" wurde eine Norm geschaffen, die den Themenkomplex Geräuschverhalten von Sanitärinstallationen in schutzbedürftigen Räumen behandelt. Der hierbei einzuhaltende maximal zulässige Geräuschpegel von 35 db (A) konnte in der Vergangenheit oft nur durch zusätzliche Maßnahmen wie beispielsweise den Einbau von Schallisolierungen sichergestellt werden. Die Forderung nach noch geringerer Schallemission wird durch weiterentwickelte Kunststoffrohrsysteme mit verbesserten integrierten Schallschutzeigenschaften heute bereits erfüllt. Der Einbau von Hausabflußrohrsystemen ist materialübergreifend in DIN 1986 Teil 1 bis 4 geregelt.

Durch das gute Handling bei der Installation, die hohe Korrosionsbeständigkeit, geringe Neigung zu Inkrustation und gute Verlegbarkeit sowie das hohe Qualitätsniveau der Produkte, sichergestellt durch die von der Gütegemeinschaft Kunststoffrohre e.V. festgeschriebene Eigen- und Fremdüberwachung und dokumentiert durch das Gütezeichen, sind Hausabflußrohre aus Kunststoffen Produkte, die auch in der Zukunft ihren festen Platz im Hochbau einnehmen werden.

3.1.1 Rohrleitungen aus PP

A. SCHOEMAKER und G. TAUBERT

Als Alternative zum Hausabflußrohr aus PVC-U boten sich im wesentlichen drei Materialgruppen an. Aufgrund vielschichtiger Erfahrungen im Bereich der Prozeßleitungen entschied sich die Mehrzahl der Kunststoffrohrhersteller für Polypropylen. Dies zeigt sich noch heute durch die dominierende Position dieses Werkstoffes im Hausabflußrohrmarkt.

Die bewährte Verbindungstechnik, bestehend aus der Steckmuffe mit integriertem Gummidichtring, wurde auch auf dieses System übertragen.

Anwendungsgebiete

Rohre aus dem Werkstoff PPs (s = schwerentflammbar) werden nach DIN 1986 Teil 4 beim Transport von Abwasser als Anschlußverbindungsleitung, Falleitung, Sammelleitung und Grundleitung unzugänglich in Baukörper und Lüftungsleitung eingesetzt. Weitere Einsatzgebiete sind die Verwendung als Regenwasserleitung innerhalb des Gebäudes sowie die Verwendung als Leitung für Kondensate aus Feuerungsanlagen.

Die Rohre sind nach DIN 19560 genormt, zugelassen durch das DIBt und tragen ein PA-I Prüfzeichen sowie das Gütezeichen der Gütegemeinschaft Kunststoffrohre e.V., Bonn.

Die Produkte sind inzwischen aus der Prüfzeichenpflicht entlassen.

Materialeigenschaften

Nach DIN 19550 Teil 2 Abschnitt 3.4 müssen die Werkstoffe für das Rohrsystem eine der Baustoffklassen A1, A2, B1 oder B2 nach DIN 4102 Teil 1 zugeordnet sein (Klassifizierung gemäß DIN 4102 Teil 4).

Entsprechend den Anforderungen gemäß DIN 19560 wird der Werkstoff Polypropylen schwerentflammbar ausgerüstet (Klasse B 1 nach DIN 4102).

In der DIN 1986 Teil 4 Tabelle 1 ist das Brandverhalten der einzelnen Rohrwerkstoffe explizit aufgeführt. Andere Klassifizierungen bezüglich des Verhaltens von brennbaren Werkstoffen sind nicht relevant.

Chemische Beständigkeit

Die chemische Beständigkeit von Polypropylen und den Dichtmitteln ist den Merkblättern des jeweiligen Herstellers zu entnehmen. Hausabflußrohre und -Formstücke aus PPs sind resistent gegenüber anorganischen Salzen, Laugen und Säuren im Bereich pH 2 – pH 12. Sie sind somit zur Ableitung chemisch aggressiver Abwässer geeignet.

Ergänzend wird auf DIN 1986 Teil 3 Abschnitt 2.2 „Zulässige Benutzung" sowie auf das Beiblatt 1 zu DIN 8078 verwiesen.

Abwasserleitungen (Hausabfluß) 329

Temperaturverhalten

Rohrsysteme aus dem Werkstoff PPs müssen für eine maximale Abwassertemperatur von 95 °C geeignet sein.

Nach DIN 19560 müssen die Rohrsysteme folgende Prüfungen bestehen:

Wechselbeanspruchung: das Rohrsystem wird stoßweise mit 30 l 95 °C heißem Wasser für eine Minute beaufschlagt und nach einer Pause von einer Minute mit der gleichen Menge kalten Wassers wiederum für eine Minute durchflossen. In 300 Zyklen darf der Test dreimal unterbrochen werden.

Dauerbeanspruchung: im Anschluß an die Wechselbeanspruchung wird das Rohrsystem für 20 Stunden mit 90 °C heißem Wasser bei einer Durchflußrate von 30 l/min durchströmt.

Produktpalette

Das Rohrsystem wird angeboten in den Nennweiten DN 40 bis DN 150 und umfaßt eine Vielfalt von Formstücken. Die Rohre werden in 5 m Stangen mit glatten Enden oder mit einseitiger Muffe in der Läge von 150 mm bis 2000 mm gefertigt. Das Formstückangebot setzt sich wie folgt zusammen:

Bögen: 15° ,30°, 45°, 67°, 80°, 87°

Einfachabzweige: 45°, 67°, 87°

Doppelabzweige: 67°

Eckdoppelabzweige: 67°

Um die Produktpalette abzurunden, werden von den Herstellern eine Vielzahl weiterer Formstücke angeboten, z.B. Reinigungrohre, Muffenstopfen, Siphonbögen sowie diverse Übergangsrohre und Muffen.

Eine Austauschbarkeit unter den Systemen der verschiedenen Hersteller ist gewährleistet.

Da Polypropylen nicht klebbar ist, bietet sich für eine wirtschaftliche Nutzung von Restlängen die Kelchschweißung im Bereich DN 40 bis DN 100 an.

Zusammenfassung

Das Hausabflußsystem aus PPs ist ein praxisbewährtes und anforderungsgerecht konzipiertes Komplett – System mit Rohren und Formstücken. Die Dichtelemente sind werksseitig eingelegt. Die Systemkomponenten, hervorragende Werkstoffeigenschaften, ein Höchstmaß an Verarbeitungsfreundlichkeit sowie die Austauschbarkeit prädestinieren dieses Hausabflußrohrsystem für ein vielfältiges Anwendungsspektrum.

3.1.2 Rohrleitungen aus PE-HD

T. MEYN

Polyethylen gehört wegen der Vielseitigkeit seiner Anwendungsmöglichkeiten und seiner leichten Verarbeitbarkeit zu den meist verwendeten Kunststoffen. Die heute in der Haustechnik eingesetzten Rohre und Formstücke werden aus heißwasserbeständigem Polyethylen mit hoher Dichte (PE-HD) hergestellt.

Der Werkstoff Polyethylen erfüllt hinsichtlich seiner spezifischen Materialeigenschaften (Tafel 1) alle Anforderungen, die an ein Rohrleitungssystem im Hausabflußbereich gestellt werden. Um das Material zu entspannen und um Wärmerückstellungen zu vermeiden, werden PE-HD-Rohre nach der Fabrikation zusätzlich getempert.

Durch die teilkristalline und amorphe Struktur von PE-HD mit der zusätzlichen Oberflächentemperung wird die Sicherheit gegen das Herausziehen von Muffenverbindungen durch nachträgliches Verkürzen erhöht.

Beim Einsatz im Hausabflußbereich ist für PE-HD die hohe Abriebfestigkeit sowie die Formbeständigkeit kennzeichnend.

Zulassung und Normung

Polyethylen-Rohrsysteme im drucklosen Hausabflußbereich werden basierend auf der Grundnorm DIN 8074 hergestellt. Als Produktnorm gilt die DIN 19535 für Rohre und Formstücke innerhalb von Gebäuden.

Alle in Deutschland zugelassenen PE-HD-Hausabflußrohrsysteme besitzen die erforderliche Zulassung des DIBt. Auch die Forderungen der neuen Landesbauordnungen nach Einsatz von geregelten Bauprodukten wird erfüllt. Rohre und Formstücke sind gemäß ihrer brandschutztechnischen Bestimmungen nach DIN 4102 als normalentflammbar mit der Klasse B2 gekennzeichnet.

Polyethylenrohre leiten den Körperschall aufgrund ihrer geringen Schallgeschwindigkeit nur sehr schlecht weiter. Sie sind jedoch gegen Luftschall entsprechend zu dämmen. Werden die Forderungen der DIN 4109 (Schallschutz im Hochbau) konstruktiv eingehalten, erfüllen sie die Bestimmungen des Schallschutzes. Um besseren Schallschutz zu gewährleisten, sind Drei-Schicht-Verbundrohrsysteme als speziell schallgedämmtes Abwassersystem im Einsatz. Hierbei wird eine Schalldämmschicht in Form einer thermoplastischen Elastomer-Ummantelung mit einem sehr niedrigen E-Modul aufgetragen, die anschließend mit einer PE-HD-Schutzschicht koextrudiert wird. Um die hohen Qualitätsansprüche gleichbleibend zu garantieren, ist die Richtlinie R 2.3.1/8 der Gütegemeinschaft Kunststoffrohre e. V. bindend.

Geberit PE-Rohre halten, was sie versprechen: Dicht!

Das universelle System für die Gebäude- und Grundstücksentwässerung: Geberit PE.

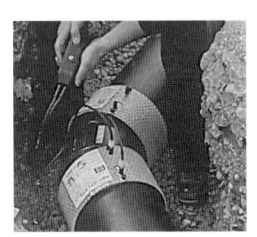

Überall dort, wo es auf Qualität und absolute Dichtheit ankommt!

- Einfach und flexibel in der Anwendung: in der Industrie, in Wohngebäuden, im Erdreich

- Unbegrenzte Lebensdauer

- Garantiert dicht – ob stumpfgeschweißt oder mit Elektro-Muffen verbunden

- Umweltfreundlich: Voll recyclingfähig

Fragen Sie uns, wir informieren Sie gerne:
Tel. 07552 / 934-401, Fax 07552 / 934-866

Geberit GmbH, 88630 Pfullendorf

■ GEBERIT

Tafel 1: Physikalische Eigenschaften

Dichte	0,933–0,955	g/cm³
Schmelzindex	0,4–0,8	g/10 Min.
mittlerer Ausdehnungskoeffizient	$1,7 \cdot 10^{-4}$	k^{-1}
Wärmeleitfähigkeit	0,43	W/m · k

Art der Rohre, Formstücke und Verbindungen

Rohre werden in Stangenform geliefert, mit glatten Enden oder mit einseitigen oder beidseitigen Muffen. Formstücke sind Bogen, Einfachabzweige, Doppelabzweige, Eckdoppelabzweige, Kugelabzweige, Übergangsrohre, Reinigungsrohre, Kurzmuffen, Langmuffen, Schweißmuffen, Übergangsstücke auf andere Werkstoffe.

Zur einfacheren Verlegung für die Hausentwässerung sind vorgefertigte, in sich abgestimmte Formstücke als Komplett-System im Einsatz. Diese sind als Steckmuffen-System ausgelegt und gestatten eine einfache Montage, da nur die Längenmaße eingemessen und entsprechend gekürzt werden müssen.

Die Möglichkeit der Verbindung (Tafel 2) sind Steck- oder Langmuffe, Verschraubung oder Flanschverbindung. Die jedoch üblichen Verbindungsarten für PE-HD-Rohre und -Formstücke sind die Heizelementstumpf- oder Heizwendelschweißung (vgl. Teil V. 1.1.2).

Die thermisch bedingte Längenänderung findet bei der starren Montage keine Anwendung. Bei der Fixpunktmontage sind die auftretenden Längenänderungen über Langmuffen oder Biegeschenkel entsprechend abzufangen.

Tafel 2: Eigenschaften der PE-HD-Verbindungselemente

	lösbar	unlösbar	zugfest	nicht zugfest
Heizelementstumpfschweißung		x	x	
Verschraubung	x			x
Verschraubung mit Bundbüchse	x		x	
Steckmuffe	x			x
Langmuffe	x			x
Heizwendelschweißung		x	x	
Flanschen	x		x	
Schrumpfmuffe		x		x

Bedingt durch die hohe Formstabilität der PE-HD-Rohre und Formstücke ist die kostengünstigere Vorfertigung durch den Installateur üblich. Hierbei werden die Stockwerksinstallationen in der Installationswerkstatt vorgefertigt und auf der Baustelle mit den Abwasser-Falleitungen verbunden.

Einsatzbereich

Der Einsatz von Polyethylen-Rohrsystemen umfaßt den gesamten Bereich der Ableitung von Abwässern der Hausentwässerung, Industrie sowie Laboratorien bis zum Anschluß an das öffentliche Kanalnetz. Auch im Bereich der Regenentwässerung ist der Einsatz von Dachwassereinläufen und Rohrleitungen aus Polyethylen üblich. Einzelne Hersteller bieten auch ein Dachentwässerungssystem mit Druckströmung an, in dem das anfallende Regenwasser auf dem Dach mittels Unterdruck entwässert wird.

3.1.3 Rohrleitungen aus ABS; ASA und ABS/ASA/PVC-U

H.-J. LORENZ

Ausgehend von ihrer früheren PVC-U-Rohrproduktion entschieden sich aufgrund der einleitend geschilderten erhöhten Anforderungen einige Kunststoffrohrhersteller für die Fertigung von Formstücken aus ABS;ASA für ihr Hausabflußrohrprogramm.

Entwicklung

Wie aus Tafel 3 zu ersehen ist, sind wichtige Eigenschaftsmerkmale von PVC-U, ABS und ASA annähernd identisch.

Die Möglichkeit der Klebverbindung von Formstücken hat bei einigen Rohrherstellern die Entscheidung zugunsten von ABS und ASA beeinflußt.

Tafel 3: Eigenschaften der Rohrwerkstoffe

Werkstoff	PVC-U	ABS;ASA Acrylnitril-Butadien-Styrol; Acrylester-Styrol-Arylnitril
Zugfestigkeit [N/mm²]	50–60	40–60
Kriechmodul (1 min Wert) [N/mm²]	3000	2600–2800
Wärmeausdehnungskoeffizient [K⁻¹ x 10⁶]	80	80
Vicat-Erweichungstemperatur [°C]	≥ 80°	≥ 90°
Gebrauchstemperatur [°C]	70	90

334 Abwasserleitungen (Hausabfluß)

Voraussetzung für die Anwendung von Hausabflußrohren ist die Zulassung durch das DIBt. Dies geschieht durch Erteilung eines Prüfbescheides auf der Basis bestehender Bau- und Prüfgrundsätze als Vorläufer einer später zu erstellenden Norm.

Prüfung

Die wichtigsten Prüfbedingungen, die die Eignung der Rohre und Formstücke zum Ableiten von heißem Abwasser sicherstellen, sind aus Bild 1 und den folgenden Prüfbedingungen zu ersehen. Sie wurden später in der Anwendungsnorm DIN 19561 festgeschrieben.

Temperaturverhalten

Rohre, Formstücke und Rohrverbindungen für Anschluß-, Fall- und Sammelleitungen müssen für eine maximale Abwassertemperatur von 95 °C bei einer Umgebungstemperatur von 10 °C geeignet sein.

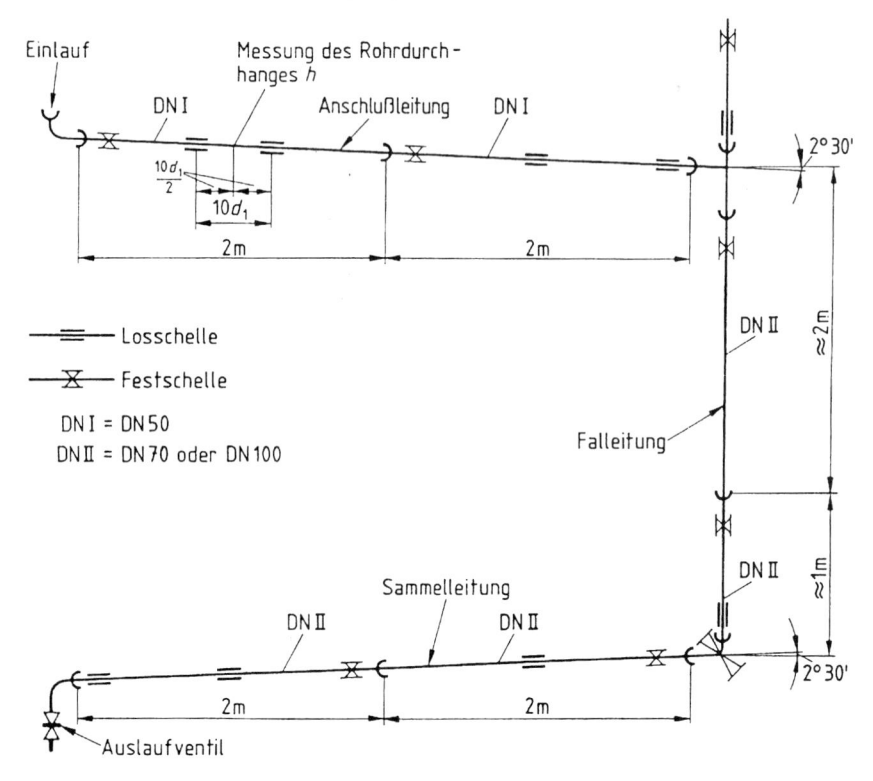

Bild 1: Prüfanordnung

Abwasserleitungen (Hausabfluß) 335

Ein Rohrsystem nach Bild 1, bestehend aus einer Anschlußleitung DN 50 und einer Fall- sowie Sammelleitung DN 70 oder DN 100, ist durch entsprechende Beanspruchung zu prüfen (s. Abschnitt 3.1.1).

Normung, Qualitätssicherung

Die Maße der Steckmuffen und Spitzenden an Rohren und Formstücken sind in DIN 19561 Tab. 1 festgelegt. Die hydraulische Bemessung der Rohre erfolgt gemäß DIN 1986 Teil 2.

Um eine einwandfreie Qualität der Produkte sicherzustellen, ist mindestens die Einhaltung der normativ festgelegten Prüfungen durchzuführen. Mitgliedsfirmen der Gütegemeinschaft Kunststoffrohre e.V. haben sich darüber hinaus verpflichtet, ihre Kunststoffrohrsysteme gemäß der in der Richtlinie R 2.6.1/8 festgelegten Anforderungen zu überwachen und damit ein hohes Qualitätsniveau sicherzustellen.

Anwendung

Heißwasserbeständige Rohre und Formstücke aus Styrol-Copolymerisaten mit Steckmuffen sind geeignet zum Ableiten von häuslichem Abwasser für die Anwendungsbereiche, wie sie in DIN 1986 Teil 4 festgelegt sind. Rohre und Formstücke werden im Regelfall mit Hilfe von Steckmuffen montiert. Für den nachträglichen Einbau von Anschlußleitungen können Sattelstücke auf eine Rohrleitung aufgeklebt bzw. angeformt werden (siehe Verlegeanleitung des Kunststoffrohrverbandes). Um der thermischen Ausdehnung gerecht zu werden, dürfen Rohrabschnitte eine Gesamtlänge von 2 m nicht überschreiten, da die Standardmuffenlänge dafür berechnet und ausgelegt ist.

Material

Folgende Styrol-Copolymerisate ohne Füllstoffe sind zur Herstellung von Rohren und Formstücken nach DIN 19561 zugelassen:

– Acrylnitril-Butadien-Styrol (ABS)

– Acrylester-Styrol-Acrylnitril (ASA)

– Polymerblends aus Styrol-Copolymerisaten (ABS/ASA/PVC-U)

Kennzeichnung

Um Rohre und Formstücke auch bei der Erweiterung einer installierten Anlage oder bei einem späteren Schadensfall eindeutig identifizieren zu können, sind die in DIN 19561 festgelegten Mindestkenndaten dauerhaft auf die Produkte aufzubringen.

Brandverhalten

Rohre und Formstücke nach DIN 19561 sind normalentflammbar B2 gemäß DIN 4102. Die Rohre sind selbstverlöschend und erfüllen damit die Bedingungen K1 nach DIN 53438.

Das Rohrsystem aus Styrol-Copolymerisaten hat sich in der Praxis bewährt.

3.1.4 Rohrleitungen aus mineralverstärktem PP

A. SCHOEMAKER

Zunehmend finden Kunststoffrohre auch im Mehrfamilienwohnungs-, Hotel-, Krankenhaus und Bürogebäudebau – also dort, wo die DIN 4109 „Schallschutz im Hochbau" greift – als Alternative zu traditionellen Rohrwerkstoffen Anwendung. Um hier den Anforderungen gerecht zu werden, müssen Kunststoffrohre andere Eigenschaften vorweisen als die HT-Rohre, die Anwendung vor allem im Einfamilienwohnungsbau finden. Rohre, die schalldämmende Eigenschaften haben, sind entweder mehrschichtig aufgebaut oder mineralverstärkt. Im folgenden werden Rohre und Formstücke aus mineralverstärktem Polypropylen beschrieben.

Anwendungsgebiet

Bei einem Rohrsystem aus mineralverstärktem Polypropylen handelt es sich um ein Hausabflußrohrsystem mit schalldämmenden Eigenschaften. Dieses Rohrsystem ist daher geeignet für die Abwasserinstallation in Gebäuden aller Art (vgl. hierzu Abschnitt 3.1.1). Der Werkstoff mineralverstärktes Polypropylen ist heißwasserbeständig und wird nach DIN 4102 als B2 klassifiziert. Die Prüfanforderungen nach DIN 19560 werden erfüllt.

Rohre und Formstücke

Das mineralverstärkte Polypropylen-Rohrsystem wird mit glatten Rohren angeboten. Die Formstücke verfügen über Steckmuffen mit werkseitig eingelegten Dichtelementen. Als Formstücke werden angeboten: Bögen, Einfachabzweige, Doppelabzweige, Eckdoppelabzweige, Parallelabzweige, Umlüftungsbogen 135°, Übergangsrohre, Reinigungsrohre, Muffenstopfen, Überschiebmuffe, Aufsteckmuffe, Paßlängen, Übergangsstücke auf andere Werkstoffe.

Dimensionen: DN 50, 70, 80 (für die Vorwandinstallation), 100, 125, und 150.

Abwasserleitungen (Hausabfluß) 337

Verbindungstechnik

Als Regelverbindung wird die Aufsteckmuffe eingesetzt. Die Aufsteckmuffe verfügt über einen integrierten Dehnungskompensator, der sämtliche temperaturbedingten Längenänderungen eines Rohres mit einer Länge von 3 Metern aufnehmen kann (Bild 2). Zusätzliche Maßnahmen sind im Vergleich zu HT nicht erforderlich. Die Formstücke verfügen über Steckmuffen, die werksseitig mit Lippendichtelementen ausgestattet sind. Der Übergang auf Rohrsysteme aus anderen Werkstoffen kann z. T. direkt erfolgen oder mit Übergangsstücken.

Zulassung und Güteüberwachung

Das Rohrsystem ist zugelassen durch das DIBt in Berlin. Die Güteüberwachung erfolgt durch die Gütegemeinschaft Kunststoffrohre e.V. nach der Richtlinie R.2.11.1/8.

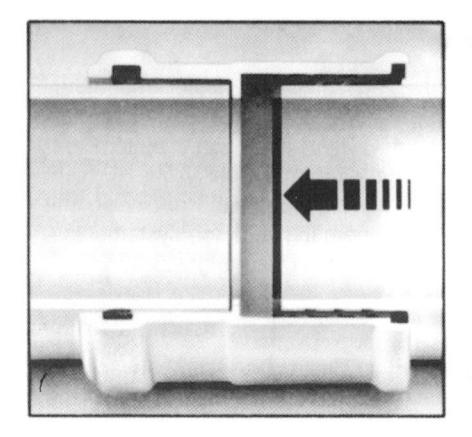

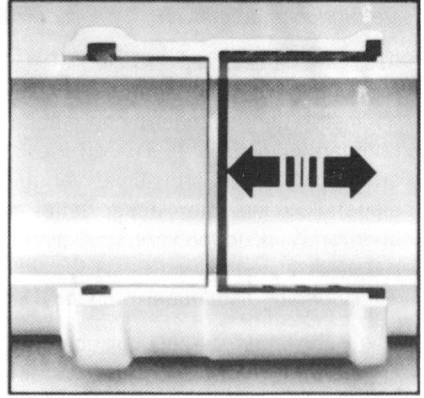

Bild 2: Regelverbindung: Aufsteckmuffe mit integriertem Dehnungskompensator

Kennzeichnung

Auf den Rohren werden mindestens der Name des Herstellers, die Nennweite, das Herstellungsjahr, Gütezeichen, Prüfzeichen, der Werkstoff und die Brandklasse festgehalten.

Brandschutz

Nach den Landesbauordnungen dürfen brennbare und nicht brennbare Rohrleitungen im Mehrfamilienwohnungsbau eingesetzt werden. So werden bei der Deckendurchführung von Kunststoffrohrleitungen im Regelfall alle Anforderungen bereits durch die baulichen Gegebenheiten wie die Verlegung in Mauerschlitzen, mit Abdeckungen, mit Ummantelungen oder mit Abmauerungen erfüllt. Einzige Anforderung: nicht brennbare Verkleidung/Abdeckung, d.h. mindestens 15 mm Putz auf nicht brennbarem Putzträger oder gleichwertig. Abzweigende Rohrleitungen innerhalb eines Geschosses/Brandabschnitts brauchen nicht ummantelt zu werden, wie z.B. im Bad.

Werden die Rohre ohne Verkleidung frei durch die Geschosse (freie Aufputzverlegung) geführt, kann der Einsatz einer Rohrabschottung notwendig sein, um die Anforderungen zu erfüllen. Dafür werden zugelassene Brandschutzmanschetten, die den Anforderungen in bezug auf Schallschutz und Brandschutz gerecht werden, angeboten. Gültig sind in jedem Fall die Landesbauordnungen.

Abwasserleitungen (Hausabfluß)

Weitere Hinweise zum Schallschutz

Die Minderung der Geräusche von Wasser- und Abwasserleitungen kann durch folgende Maßnahmen erfolgen: Wahl bauakustisch günstiger Grundrisse; Führung und körperschallgedämmte Befestigung der Rohrleitung an schweren Wänden (flächenbezogene Masse mind. 220 kg/m^2); Vorsatzschalen in den zu schützenden Aufenthaltsräumen, wenn die Trennwände leicht sind; Vermeidung starker Richtungsänderungen bei Abwasserleitungen und bauakustische Entkupplung des Installationssystems. Aber auch die Materialwahl des Abwassersystems spielt eine wesentliche Rolle.

Grundsätzlich unterscheidet man zwischen Luftschall und Körperschall. Luftschall ist der sich im Rohrleitungssystem ausbreitende Schall, der durch Fließgeräusche entsteht. Körperschall entsteht durch Aufprallgeräusche und setzt sich in der Rohrwandung fort. Um konstruktive Maßnahmen hinsichtlich Luftschall zu treffen, ist es erforderlich, daß das Rohrsystem eine verhältnismäßig hohe Masse besitzt. Zur Körperschalldämmung ist neben einer hohen Masse auch ein niedriger E-Modul erforderlich, den sämtliche Kunststoffe aufweisen. Mit mineralverstärkten Polypropylenrohren hat man sowohl eine hohe Masse geschaffen, als auch durch die Wahl des Kunststoffes einen niedrigen E-Modul, so daß sämtliche Anforderungen in diesem Rohrsystem zum Tragen kommen. Gerade in bezug auf Körperschallverhalten weist dies deutliche Vorteile gegenüber metallischen Werkstoffen auf. So hat mineralverstärktes Polypropylen Eigenschaften, die einen wesentlichen Beitrag zur Einhaltung der DIN 4109 leisten, aber auch höhere Anforderungen erfüllen können.

Zusammenfassung

Neben schalltechnisch günstigen Eigenschaften haben die Rohrleitungssysteme noch andere positive Eigenschaften, wie z. B. die schnelle Verlegung durch das verhältnismäßig geringe Gewicht der Rohrleitungen, durch die Formstücke mit angeformten Muffen, so daß der Verbindungsanteil reduziert wird. Gleichzeitig haben diese Rohre eine hohe Chemikalienbeständigkeit; sie können auch bei aggressiven Abwässern im Bereich von pH 2 – pH 12 eingesetzt werden. Sie sind korrosionsbeständig, hydraulisch glatt, so daß sie nicht zu Inkrustationen neigen. Kunststoffrohre aus mineralverstärktem Polypropylen erfüllen damit alle an ein Abwasserrohr gestellten Anforderungen.

3.1.5 Rohrleitungen aus ABS/ASA/PVC-U mit Rohraußenschicht aus mineralverstärktem PVC-U

H.-J. LORENZ

Im Zuge des gesteigerten Umweltbewußtseins reagiert der Mensch auch zunehmend sensibler auf Geräuschbelästigung. So war es nicht verwunderlich, daß an die Hersteller von Hausabflußrohren aus Kunststoffen Forderungen nach schallgeschützten Rohrsystemen gestellt wurden, um den Wohnkomfort zu erhöhen. Ausgehend vom Hausabflußrohrprogramm aus Styrol-Copolymerisaten stellte sich die Frage, wie man unter Beibehaltung der positiven Erfahrungen mit diesem Produkt die Schallschutzeigenschaften verbessern könnte. Man löste dieses Problem, indem man um die Hausabflußrohre aus Styrol-Copolymerisaten einen Schallschutzmantel aus mineralgefülltem Kunststoff in entsprechender Wanddicke herumlegte. In dem so entstandenen Zweischichtrohr übernimmt das Innenrohr die Anforderungen der Temperaturbeständigkeit bei 90 °C, das Außenrohr reduziert die Abflußgeräusche. Hierbei bietet sich an, Recyclate umweltgerecht in das Außenrohr einzuarbeiten.

Schallschutz

Weitere Maßnahmen zur Verbesserung der Geräuschsituation im Sanitärbereich liegen in der Wahl der Befestigungselemente sowie in der exakten Planung und Installation gemäß DIN 4109 „Schallschutz im Hochbau".

Grundsätzlich müssen Zweischichtrohre die Anforderungen gemäß DIN 1986 erfüllen. Darüber hinaus weisen die Rohre und Formstücke folgende Eigenschaften auf:

- Sicherheit gegen Korrosion und Inkrustation
- gutes Langzeitverhalten
- geringes Gewicht (Montage + Transport)

Weiterhin werden von dem schalldämmenden System die Körperschallübertragung verringert und der Luftschall gedämmt.

Verbindungstechnik

Die Regelverbindung ist die montagefreundliche Steckverbindung. Jedoch kann ein solches Rohrsystem aufgrund der Materialkennwerte beider Rohrschichten auch durch Verkleben verbunden werden (siehe Tafel 4 bzw. Güterichtlinie R 2.12.1/8).

Das beschriebene Hausabflußrohrprogramm ist durch einen Prüfbescheid des Deutschen Instituts für Bautechnik baurechtlich zugelassen.

Tafel 4: Materialkennwerte

Prüfverfahren	Einheit	Werkstoff	
		ABS/ASA/ PVC	PVC-U mineralverstärkt
mittlere Dichte nach DIN 53 479	g/cm^3	≈1,3 ± 0,05	1,5 ± 0,1
4-Punktbiegekriech-modul nach DIN 54 852 (1min Wert)	N/mm^2	≈ 2500	≈ 4000
Zugfestigkeit nach DIN 53 455	N/mm^2	≈ 40	≈ 30
Reiß-Dehnung nach DIN 53 455	%	≈ 15	≈ 20
mittlerer thermischer Längenausdehnungs-koeffizient nach DIN 53 752	mm/m K	≈ 0,07	≈ 0,06
Vicat-Erweichungs-temperatur VST/B/50 nach DIN/ISO 306	°C	≥ 90	≥ 81
Brandverhalten – DIN 4102 Teil 1 – DIN 53 438 Teil 2	Brandklasse Werkstoffklasse	B 2 K 1	B 2 K 1

Brandschutz

Rohrsysteme mit Minderung der Sanitärgeräusche durch integrierten Schallschutz erfordern im Bereich Brandschutz eine systemspezifische Lösung. Dabei müssen die in den jeweiligen Landesbauordnungen festgelegten Mindestanforderungen an den baulichen Brandschutz erfüllt werden.

Unter Berücksichtigung dieser Anforderungen wurde die schalldämmende Brandschutzmanschette entwickelt (Bild 3). Diese Rohrabschottung ist gemäß Zulassungsbescheid bauaufsichtlich und baurechtlich zugelassen und geeignet zum Einbau in Decken und Wände. Es wird bei bestimmungsgemäßer Anwendung die Feuerwiderstandsklasse R 90 nach DIN 4102 erreicht.

Unter Berücksichtigung der Erfordernisse des Marktes wurde ein Rohrsystem entwickelt, das, basierend auf jahrzehntelangen Erfahrungen, den Umweltgedanken Schallschutz, Brandschutz und Recyclatverarbeitung gerecht wird.

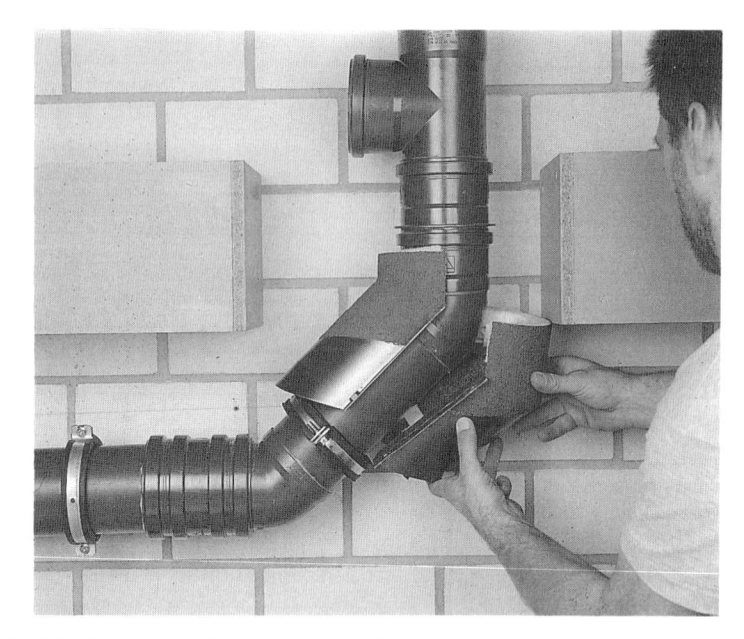

Bild 3: Schalldämmende Brandschutzmanschette

3.1.6 Verlegung

G. NIEDRÉE

In diesem Abschnitt werden die wesentlichen Verarbeitungs- und Verlegehinweise für das fachgerechte Herstellen von HT-Abwasserleitungen in Grundstücksentwässerungsanlagen nach DIN 1986 behandelt. Die hierfür eingesetzten gütegesicherten Rohre und Formstücke sind in Tafel 5 nach Werkstoffen geordnet und mit Hinweisen zum beschreibenden Regelwerk, zur Einfärbung bzw. zum Brandverhalten versehen.

Die Verlegearbeiten sind grundsätzlich nur von Firmen auszuführen, die über ausgebildetes Fachpersonal verfügen.

Nähere Hinweise geben die Verlegeanleitung des Kunststoffrohrverbandes e.V. bzw. die speziellen Verlegeanleitungen der Hersteller.

Befördern und Lagern

Kunststoffrohre sind auf ebenen Flächen, unter Aussparung der Muffen, zu lagern. Die Freilagerung ist möglich; vormontierte Dichtmittel nicht länger als 3 Jahre.

Abwasserleitungen (Hausabfluß)

Tafel 5: Rohr- bzw. -Formstückwerkstoffe für heißwasserbeständige Abwasserleitungen (HT)

Werkstoff	Regelwerk	Farbe	Brandverhalten
PE - HD	DIN 19 535 R 2.3.1/8	schwarz	DIN 4102 B 2 normalentflammbar
PP	DIN 19 560 R 2.6.1/8	staubgrau RAL 7037	DIN 4102 B 1 schwerentflammbar
PP, mineralverstärkt	Prüfbescheid DIBt R 2.11.1/8	lichtgrau RAL 7035	DIN 4102 B 2 normalentflammbar
ABS; ASA	DIN 19 561 R 2.6.1/8	staubgrau RAL 7037	DIN 4102 B 2 normalentflammbar
ABS/ASA/PVC-U			DIN 4102 B 2 normalentflammbar DIN 53 438 K 1 selbstverlöschend
Verbundwerkstoff: – ABS/ASA/PVC-U (innen) – PVC-U, mineralverstärkt (außen) und/oder: – ABS/ASA/PVC-U, mineralverstärkt (außen)	Prüfbescheid DIBt R 2.12.1/8	anthrazitgrau RAL 7016 (außen)	DIN 4102 B 2 normalentflammbar DIN 53 438 K 1 selbstverlöschend

Ablängen und Anschrägen

Das Ablängen ist mit Hilfe von Kunststoff-Rohrschneidern oder feingezahnten Sägen rechtwinklig durchzuführen. Bei Muffenverbindungen ist die Wandung der Rohrenden zu entgraten bzw. wenn erforderlich unter einem Winkel von ca. 15° anzuschrägen.

Herstellung der Verbindung von Rohren und Formstücken

PE-Rohre und Formstücke werden in der Regel stumpf- bzw. muffengeschweißt oder mit Steckmuffen verbunden. Rohre und Formstücke aus den übrigen Werkstoffen, entsprechend Tafel 5, werden mit Steckmuffen verbunden. Reststücke aus PE oder PP können verschweißt werden. Reststücke der übrigen Werkstoffe können verklebt werden.

Um Kunststoffrohre nicht unnötigen Spannungen auszusetzen, muß die thermisch bedingte Längenausdehnung berücksichtigt werden (Ausnahme: PE-HD Rohre).

Bei Steckmuffenverbindungen wird die Längenänderung durch nicht vollständiges Einschieben des Spitzendes in die Muffe ausgeglichen. Die Längenausdehnung kann auch durch Aufsteckmuffen mit integriertem Dehnungskompensator aufgenommen werden. Bei Schweiß- bzw. Klebverbindungen müssen entsprechende Dehnungsaufnehmer (z.b. Langmuffen oder Biegeschenkel) eingebaut werden.

Verlegung von Rohrleitungen

Kunststoffabwasserrohre sind grundsätzlich so zu führen, daß sie spannungsfrei sind und Längenänderungen nicht behindert werden. Als Befestigungselemente sind Rohrschellen mit Einlegebändern zu verwenden (Tafel 6). Diese Rohrschellen können durch mehr oder weniger festes Andrehen der Schrauben als Los- oder Festschelle Verwendung finden.

Tafel 6: Empfohlene Rohrschellenabstände

Nenn-Außendurchmesser	Rohrleitung	
d_1	waagerecht	senkrecht
[mm]	[m]	[m]
40	0,5	1,2
50	0,5	1,5
75	0,8	2,0
110	1,1	2,0
125	1,25	2,0
160	1,6	2,0

Verlegen von Rohrleitungen im Mauerwerk

Unmittelbares Einputzen von Kunststoffrohren erfordert eine lockere Umkleidung mit nachgiebigen Dämmaterialien. Deckendurchführungen sind mit Hilfe geeigneter Deckenfutter feuchtigkeitsdicht und schalldämmend herzustellen.

Hausabflußrohre und Formstücke können einbetoniert werden. Längenänderungen dürfen dadurch nicht behindert werden. Die Muffenverbindungen sind durch Klebeband o.ä. vor dem Eindringen von Schlempe zu sichern.

Verbindungen mit Rohren aus anderen Werkstoffen (siehe Tafel 7)

Schallschutzmaßnahmen

Entwässerungsanlagen sind unter Beachtung von DIN 4109 sowie der Ergänzungserlasse der Länder zu DIN 4109 zu planen und auszuführen. Sofern für fremde, schutzbedürftige Räume nach DIN 4109 (Schlafräume etc.) die bauaufsichtlichen Bestimmungen über „Schallschutz im Hochbau" einzuhalten sind und

Abwasserleitungen (Hausabfluß) 345

Tafel 7: Anschlußstücke

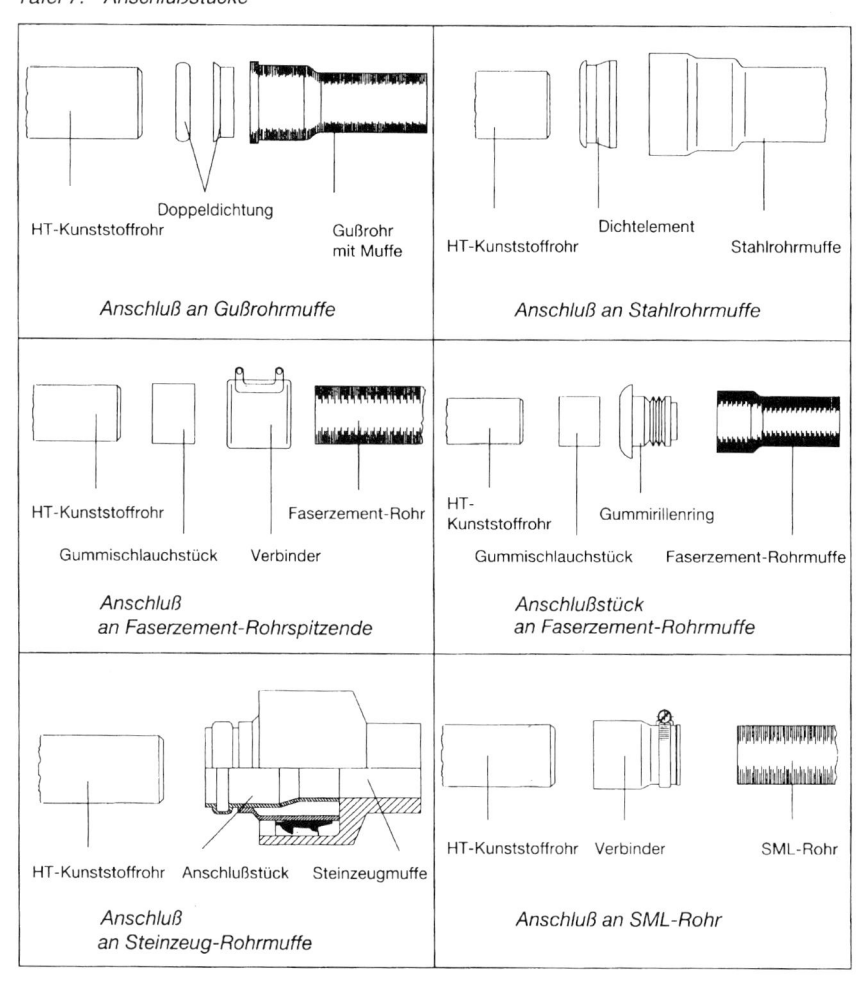

Anschluß an Gußrohrmuffe	Anschluß an Stahlrohrmuffe
HT-Kunststoffrohr — Doppeldichtung — Gußrohr mit Muffe	HT-Kunststoffrohr — Dichtelement — Stahlrohrmuffe
Anschluß an Faserzement-Rohrspitzende	**Anschlußstück an Faserzement-Rohrmuffe**
HT-Kunststoffrohr / Gummischlauchstück — Verbinder — Faserzement-Rohr	HT-Kunststoffrohr / Gummischlauchstück — Gummirillenring — Faserzement-Rohrmuffe
Anschluß an Steinzeug-Rohrmuffe	**Anschluß an SML-Rohr**
HT-Kunststoffrohr — Anschlußstück — Steinzeugmuffe	HT-Kunststoffrohr — Verbinder — SML-Rohr

die von den verlegten Leitungen herrührende Gräuschemission (Schalldruckpegel) 35 dB(A) nicht überschritten werden dürfen, sind die in den technischen Baubestimmungen für alle haustechnischen Einzelanlagen getroffenen Festlegungen über Zuordnung der Rohrdurchführung zu den jeweiligen Grundrißanordnungen zu berücksichtigen.

Abwasserleitungen dürfen nicht frei in schutzbedürftigen Räumen verlegt werden. An Massivwänden, die an schutzbedürftige Räume angrenzen, dürfen nur dann Abwasserleitungen angebracht werden, wenn diese Wände eine flächenbezogene Masse von mindestens 220 kg/m^2 besitzen. Dies gilt auch für die Befestigung an Restwanddicken von Schlitzen, die an Aufenthaltsräume angrenzen. Bei leichteren Trennwänden zu schutzbedürftigen Räumen ist die Eignung durch den Wandhersteller nachzuweisen.

Zur Körperschallminderung sind Schraubrohrschellen mit Einlegebändern aus Profilgummi zu verwenden, die mittels Stockschrauben und Kunststoffdübeln an der Wand befestigt werden.

Weitere Empfehlungen zur Körperschallminderung sind in DIN 1986 Teil 1 und DIN 4109 Bbl. 2 zu finden.

Bei Verwendung schallgeschützter Rohre sind die Angaben der Hersteller zu beachten.

Brandschutzmaßnahmen

Werden Rohrleitungen durch Wände oder Decken geführt, an die Anforderungen hinsichtlich ihrer Feuerwiderstandsdauer gestellt werden, so sind die entsprechenden bauaufsichtlichen Vorschriften (Bauordnungen der Länder und ihre Durchführungsverordnungen) zu beachten.

Für die Installation gilt außerdem die Vorschrift der „Richtlinien für die Verwendung brennbarer Baustoffe im Hochbau" in Verbindung mit den Landesbauordnungen und den Festlegungen der DIN 4102 Teil 11.

Das Brandverhalten der hier beschriebenen Werkstoffe entspricht den Baustoffklassen nach DIN 4102 B 1 (schwerentflammbar) und B 2 (normalentflammbar).

Als Beispiel sei hier die Durchführungsverordnung zur Landesbauordnung von NRW aufgeführt (die nachfolgend beschriebenen Anwendungen beziehen sich auf Wände und Decken, für die eine Feuerbeständigkeit der Feuerwiderstandsdauer F90 AB gefordert ist):

„Eine Übertragung von Feuer und Rauch ist – ohne, daß es eines besonderen Nachweises bedarf – nicht zu befürchten

– bei der Durchführung von Leitungen aus Rohren der Baustoffklassen B 1 oder B 2 gemäß DIN 4102 durch Wände, wenn die Rohrleitungen auf einer Gesamtlänge von 4 m, jedoch auf keiner Seite weniger als 1 m mit mineralischem Putz ≥ 15 mm dick auf nichtbrennbarem Putzträger oder mit einer gleichwertigen Bekleidung aus nichtbrennbaren Baustoffen ummantelt sind.

– bei abzweigenden Rohrleitungen, die ihrerseits nicht durch Decken oder Wände geführt werden; sie brauchen nicht ummantelt zu werden.

– bei der Durchführung von Leitungen aus Rohren der Baustoffklassen B 1 oder B 2 gemäß DIN 4102 durch Decken, wenn die Rohre durchgehend in jedem Geschoß, außer im obersten Geschoß von Dachräumen, mit mineralischem Putz $\geq$ 15 mm dick auf nichtbrennbarem Putzträger oder mit einer gleichwertigen Bekleidung aus nichtbrennbaren Baustoffen ummantelt werden; bei Leitungen aus Rohren der Baustoffklasse B 1 gemäß DIN 4102 sind diese Schutzmaßnahmen nur in jedem zweiten Geschoß erforderlich."

Schrifttum

– KRV-Verlegeanleitung A 264/1
– Bauordnungen der Länder
– Feuerstättenverordnung
– RAL-Farbregister RAL 840-HR

3.2 Dachentwässerung

R. SCHIEDEWITZ

Das Dachentwässerungssystem aus PVC-U, bestehend aus Dachrinne, Regenfallrohr und den verschiedensten Formstücken, hat sich seit mehr als 30 Jahren bei der Gebäude-Außenentwässerung bewährt. Es ist aufgrund seiner besonderen Eigenschaften als Alternative zu Metall-Systemen nicht mehr wegzudenken.

Die Fertigung von Dachentwässerungssystemen mit dem Gütezeichen der Gütegemeinschaft Kunststoffrohre e.V. gibt den Verbrauchern ein konstruktiv ausgereiftes, sicheres Erzeugnis an die Hand, das einer ständigen, unabhängigen Qualitätsüberwachung unterliegt (Bild 1).

Eigenschaften

Das Dachentwässerungssystem aus PVC-U besitzt eine ausgezeichnete Alterungs- und Witterungsstabilität und erreicht eine Lebensdauer von mehr als 20 Jahren.

PVC-U besitzt eine hohe chemische Beständigkeit gegen aggressive Inhaltsstoffe der Luft und der Niederschläge. Der Werkstoff PVC-U ist durchgehend eingefärbt, so daß Farbanstriche oder eine besondere Wartung nicht erforderlich sind.

Die glatte Oberfläche gewährleistet einen guten Wasserablauf und verhindert weitestgehend Schmutzablagerungen.

Bauteile aus PVC-U lassen sich einfach durch Sägen, Kleben, Schweißen und Warmformen bearbeiten.

Die Erweichung von PVC-U beginnt bei einer Temperatur von etwa 80 °C. Bei Temperaturen unter minus 20 °C setzt eine Versprödung des Materials ein. In-

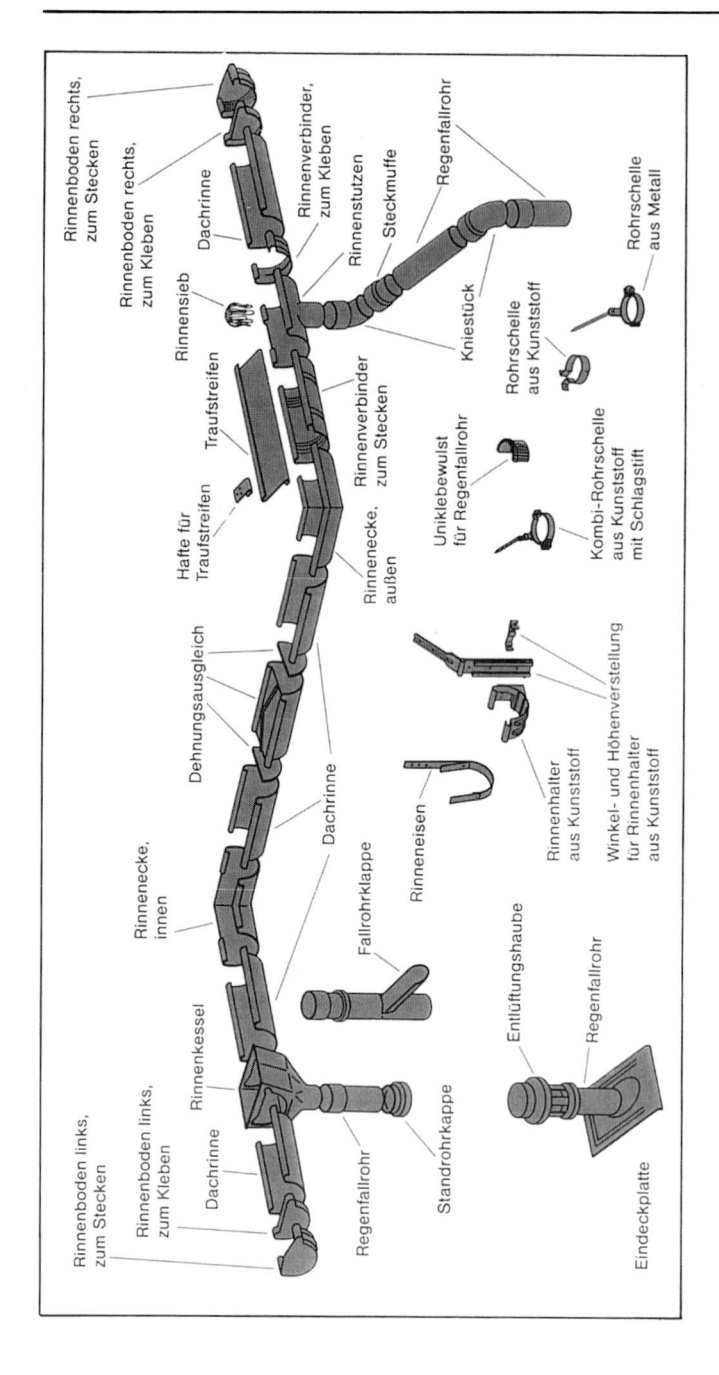

Bild 1: Bauteile des Dachentwässerungssytems

Dachentwässerung 349

nerhalb dieses Temperaturbereichs ist die normale Anwendung des Systems völlig problemlos.

Der lineare Ausdehnungskoeffizient von PVC-U beträgt 8×10^{-5} K^{-1}; d.h. eine PVC-U-Dachrinne oder ein Rohr von 1 m Länge dehnt sich bei Erwärmung von 1 °C um 0,08 mm aus. Dieser Tatsache wurde bei der Konstruktion der Dachentwässerungsbauteile Rechnung getragen und muß bei der Verlegung berücksichtigt werden (Bild 2).

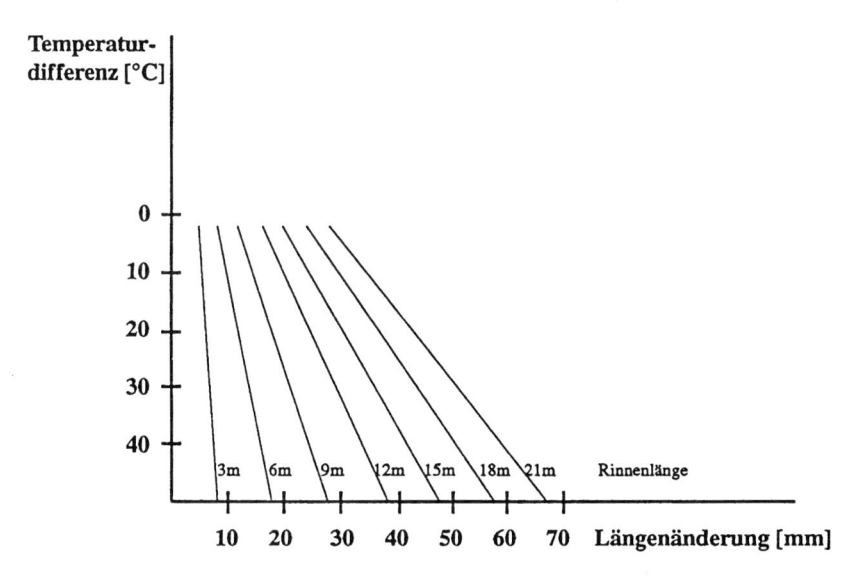

Bild 2: Längenausdehnung einer PVC-U-Dachrinne in Abhängigkeit von der Temperaturdifferenz

3.2.1 Dachrinnen

Die gängige Form der Dachrinne ist die halbrunde.

Eine weitere Ausführung ist die von einigen Herstellern gefertigte kastenförmige Rinne. Die halbrunde Dachrinne wird in den Nenngrößen 80 mm, 100 mm, 125 mm, 150 mm und 180 mm und in Längen von 1 m bis 4 m gefertigt. Die Nenngröße entspricht der lichten Weite der Dachrinne.

Sie werden in den Farben grau, braun, weiß und kupferton hergestellt.

3.2.2 Regenfallrohre

Regenfallrohre werden, ebenso wie Dachrinnen, vorwiegend mit kreisförmigem Querschnitt im Extrusionsverfahren hergestellt. Für die relativ selten verwendeten Kastendachrinnen werden Regenwasserabläufe mit rechteckigem Querschnitt gefertigt. Regenfallrohre werden vorwiegend in Längen von 0,5 m bis 3,0 m und in den Nenngrößen 50 mm, 70 mm, 100 mm und 150 mm hergestellt. Ein Rohrende ist aufgemufft, um eine Verbindung untereinander bzw. mit Formstücken zu ermöglichen.

Die Bemessung der Regenfalleitungen und die Zuordnung der Dachrinnengröße ist in der DIN 18460 festgelegt (Tafel 1).

Tafel 1: Bemessungsgrundlage

Nenngröße der halbrunden Dachrinne	alte Teilung	Nenngröße der Regenfallrohre	ausreichend für m² Dachgrundfläche
80		50	bis 20
80		63	bis 37
100	8 teilig	70	bis 57
125	7 teilig	90	bis 97
150	6 teilig	100	bis 170
180	5 teilig	125	bis 243

3.2.3 Formstücke

Die zur Komplettierung des Systems erforderlichen Formstücke werden vorwiegend im Spritzgießverfahren hergestellt. Einige Produzenten stellen Formstücke manuell aus Dachrinnen- und Regenfallrohrstücken durch Kleben oder Verschweißen her. Die Größe der Formstücke ist auf die Standardmaße der Dachrinne bzw. des Regenfallrohres abgestimmt.

3.2.4 Verlegung

Prinzipiell sind die Verlegerichtlinien der Hersteller zu beachten. Es sollten nur güteüberwachte Bauteile verwendet werden. Je nach Systemaufbau werden die Dachentwässerungsbauteile durch Kleben oder Stecken verbunden. Beim Klebesystem sollten der vom Hersteller vorgeschriebene PVC-Klebstoff verwendet und dessen Verarbeitungshinweise genau beachtet werden. Die Längenausdehnung muß durch entsprechende Bauteile wie Dehnungsausgleich oder Rinnenkessel gewährleistet werden. Rinnenlängen unter 10 m können ohne Dehnungsausgleich verlegt werden, wenn ein Fixpunkt am Rinnenende (Fallrohrablauf) festgelegt wird.

Beim Stecksystem sind die Formstücke mit speziellen, alterungsbeständigen Dichtelementen versehen, die die Wasserdichtheit gewährleisten, gleichzeitig aber auch die Längenausdehnung ermöglichen. Die vorgegebenen Verlegemarkierungen der Steckverbinder sind unter Berücksichtigung der Außentemperatur unbedingt zu beachten. Eine Längenausdehnung von ca. 5 mm/m Dachrinne muß eingehalten werden. Bei allen Verlegevarianten muß gewährleistet sein, daß die Dachrinne in den Rinnenhaltern gleiten kann. Ein Rinnenstutzen, der zwei Rinnenlängen verbindet, muß mit zwei Rinnenhaltern als Fixpunkt ausgebildet werden. Das gilt sowohl für Steck- als auch für Klebsysteme.

Regenfalleitungen werden mittels angeformter Steckmuffen verbunden und mit Rohrschellen aus Metall oder Kunststoff an der Wand befestigt. Es dürfen nur Rohrschellen verwendet werden, die auf den Rohrdurchmesser abgestimmt sind. Sie werden unmittelbar unter der Steckmuffe – eventuell unter Verwendung einer Rohrklebewulst – als Fixschelle und am Einsteckende als Losschelle montiert. Damit wird die Längenausdehnung nicht behindert.

Die Regenfalleitung wird durch Übergangsstücke an das Kanalrohrsystem angeschlossen.

3.3 Gebäudedränung

R. OTHOLD

Der Schutz eines Gebäudes vor Durchfeuchtung erfordert große Beachtung.

Hiervon sind besonders die Teile des Gebäudes betroffen, die im direkten Kontakt zu den Bodenschichten stehen (z. B. Kelleraußenwand, Bodenplatte, erdüberschüttete Dächer).

Als Dränung wird die Entwässerung des Bodens vor, über oder unter erdberührten Bauteilen durch eine Dränanlage bezeichnet. Sie soll das Entstehen von drückendem Wasser verhindern. Dabei soll ein Ausschlämmen von Bodenteilchen nicht auftreten (filterfeste Dränung).

Die Wassermenge, die in einer Zeiteinheit ober- und unterirdisch zu den erdberührten Teilen eines Bauwerkes gelangt, ist abhängig von der Niederschlagshöhe, der Größe des Einzugsgebietes, der Geländeneigung, der Schichtung und der Durchlässigkeit des Bodens (Bild 1).

Bauwerke im Erdreich sind gegen Wasserzudrang durch Abdichtung und Dränung nach DIN 4095 zu schützen (Bild 2). Eine Dränung kann zwar nach unterschiedlichen Verfahren und Systemen erfolgen, sie muß aber sowohl in den einzelnen Komponenten als auch im Wirkungsbereich den Anforderungen der DIN 4095 entsprechen. Außerdem definiert sie die Einflußgrößen für die Bestandteile einer funktionierenden Dränanlage und quantifiziert die Richtwerte für den Regelfall (Bilder 3, 4; Tafel 1). Eine Dränanlage besteht aus einer Dränleitung, einem Spül- und Kontrollschacht und der Dränschicht.

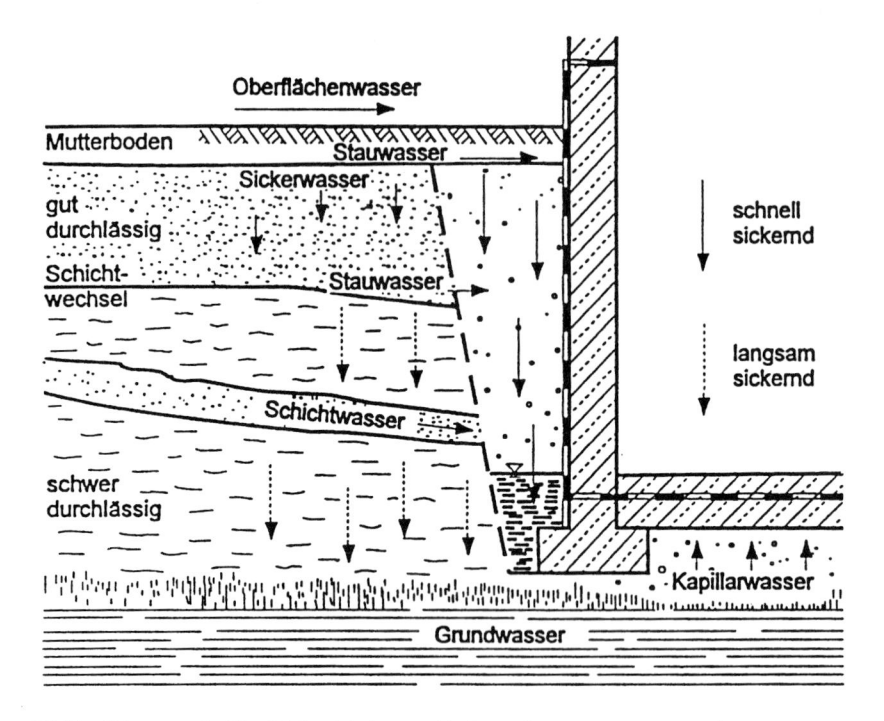

Bild 1: Wasserzufluß in Abhängigkeit verschiedener Parameter

Herkömmliche Abdichtungsmaßnahmen werden durch die Dränung nicht ersetzt, sondern ergänzt. Die Dränleitung muß alle erdberührten Wände erfassen. Sie wird als Ringleitung entlang der Außenfundamente um das Gebäude herumgeführt. Bei jedem Knick (Richtungswechsel) der Dränleitung, bei einem quadratischen Gebäudegrundriß also an den vier Eckpunkten, wird ein Spüloder Kontrollschacht (min. DN 300) installiert (Bild 5, Tafel 2).

Dadurch wird gewährleistet, daß die Dränleitungen kontrollierbar sind und, wenn erforderlich, gespült werden können.

Gebäudedränung

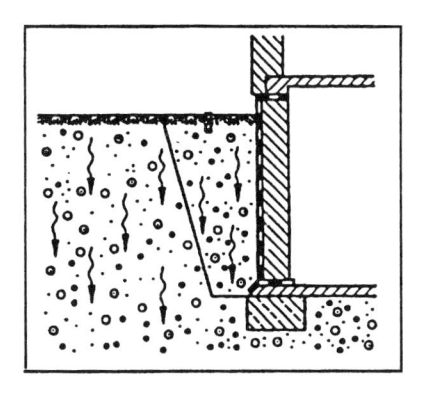

Fall a:
Abdichtung ohne Dränung liegt vor, wenn nur Bodenfeuchtigkeit in stark durchlässigen Böden auftritt.

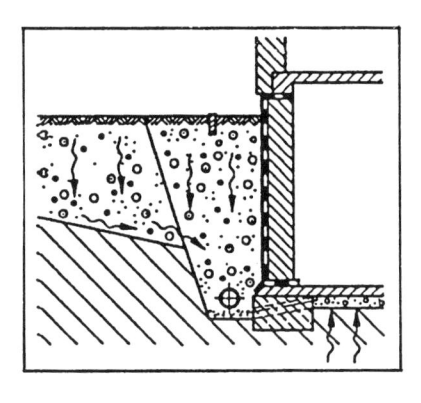

Fall b:
Abdichtung mit Dränung liegt vor, wenn das anfallende Wasser über eine Dränung beseitigt werden kann und wenn damit sichergestellt ist, daß auf die Abdichtung kein Wasserdruck wirkt.

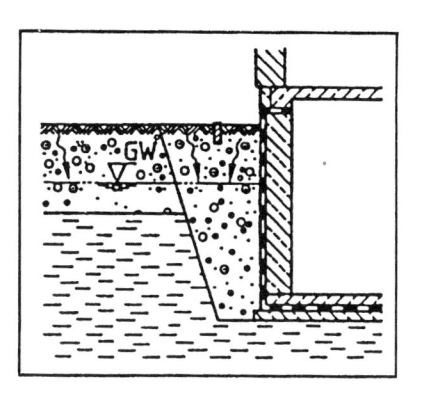

Fall c:
Abdichtung ohne Dränung liegt außerdem vor, wenn drückendes Wasser, in der Regel in Form von Grundwasser, ansteht oder wenn eine Anleitung des anstehenden Wassers nicht möglich ist.

Bild 2: Abdichtung und Dränung

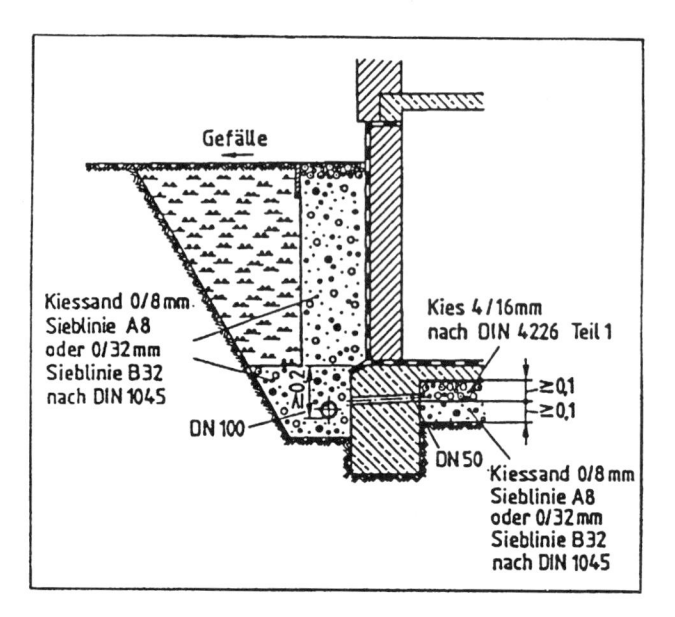

Bild 3: Beispiel einer Dränanlage mit mineralischer Dränschicht

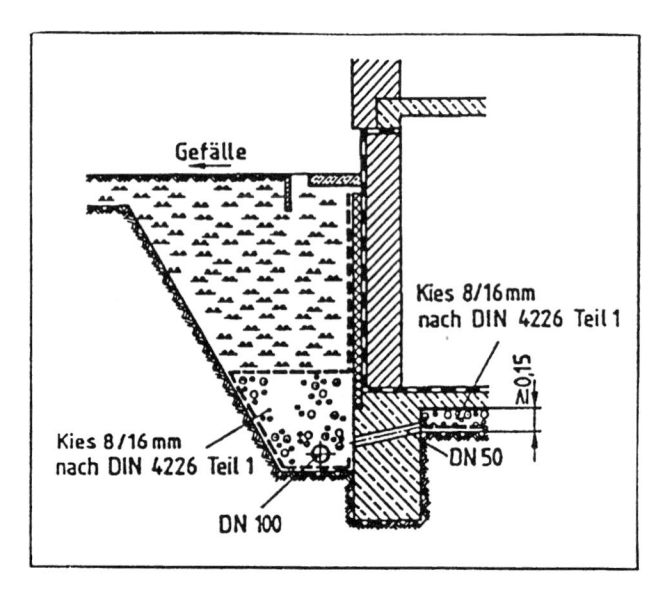

Bild 4: Beispiel einer Dränanlage mit Dränelementen

Gebäudedränung

Tafel 1: Richtwerte für den Regelfall

Richtwerke vor Wänden	
Einflußgröße	Richtwert
Gelände	eben bis leicht geneigt
Durchlässigkeit des Bodens	schwach durchlässig
Einbautiefe	bis 3 m
Gebäudehöhe	bis 15 m
Länge der Dränleitung zwischen Hochpunkt und Tiefpunkt	bis 60 m
Richtwerte auf Decken	
Einflußgröße	Richtwert
Gesamtauflast	bis 10 kN/m^2
Deckenteilfläche	bis 150 m^2
Deckengefälle	ab 3 %
Länge der Dränleitung zwischen Hochpunkt und Dacheinlauf/Traufkante	bis 15 m
Angrenzende Gebäudehöhe	bis 15 m
Richtwerte unter Bodenplatten	
Einflußgröße	Richtwert
Durchlässigkeit des Bodens	schwach durchlässig
Bebaute Fläche	bis 200 m^2

Die Dränleitung wird mit Filtermaterial min. 15 cm dick umhüllt. Bei Verwendung von Kiessand von z. B. 0,8 mm Sieblinie A 8 oder 0/32 mm Sieblinie B 32 nach DIN 1045 darf die Breite der Wassereintrittsöffnungen der Rohre max. 1,2 mm und die Wassereintrittsfläche min. 20 cm je m-Rohrlänge betragen (siehe DIN 4095). Damit ist eine gute Filterstabilität der Dränleitung gewährleistet. Die Rohrsohle ist am Hochpunkt min. 0,2 m unter Oberfläche Bodenplatte anzuordnen. In keinem Fall darf der Rohrscheitel die Oberfläche der Bodenplatte überschreiten (Bilder 6 und 7). Die Dränschicht muß alle erdberührten Flächen bedecken. Sie besteht aus einem Stufenfilter mit Filterschicht und Sickerschicht oder einem Mischfilter aus einer gleichmäßig aufgebauten Schicht abgestufter

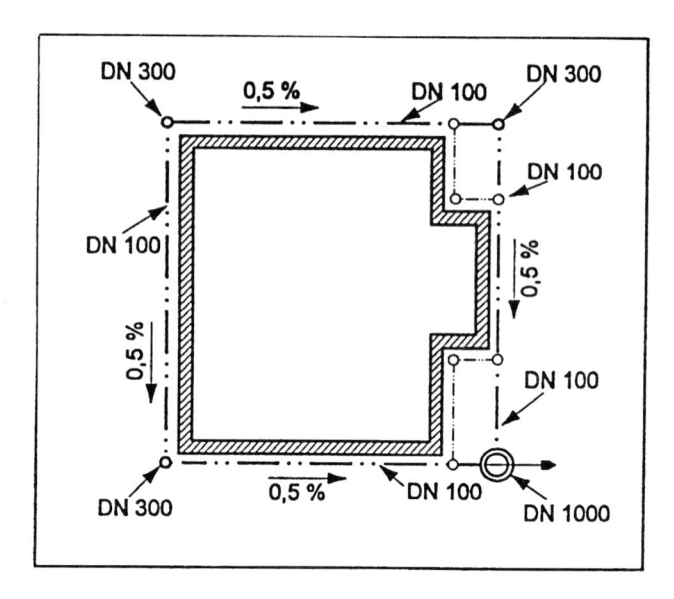

Bild 5: Beispiel für die Anordnung von Dränleitungen, Kontroll- und Reinigungseinrichtungen bei einer Ringdränung (Mindestabmessungen)

Tafel 2: Richtwerte für Dränleitungen und Kontrolleinrichtungen (Regelfall)

Bauteil	Richtwert min.
Dränleitung	Nennweite DN 100 Gefälle $I = 0{,}5\ \%$
Kontrollrohr	Nennweite DN 100
Spülrohr	Nennweite DN 300
Übergabeschacht	Nennweite DN 1000

Gebäudedränung 357

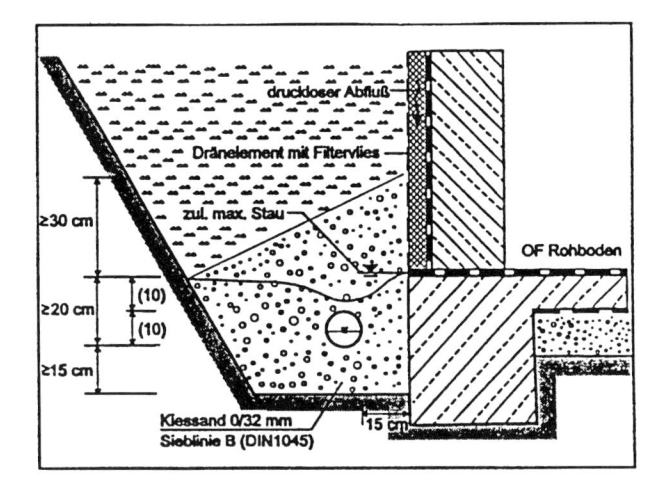

Bild 6: Mindestabmessungen an der Dränleitung

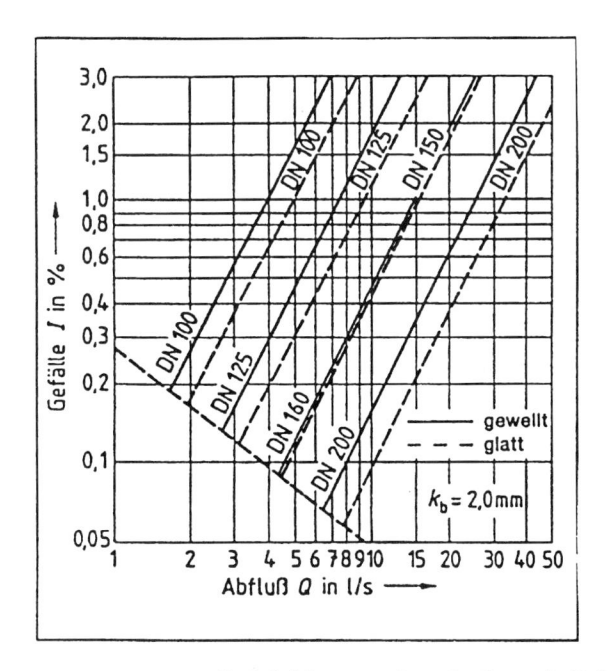

Bild 7: Bemessungsnomogramm für Dränleitungen mit runder Querschnittsform

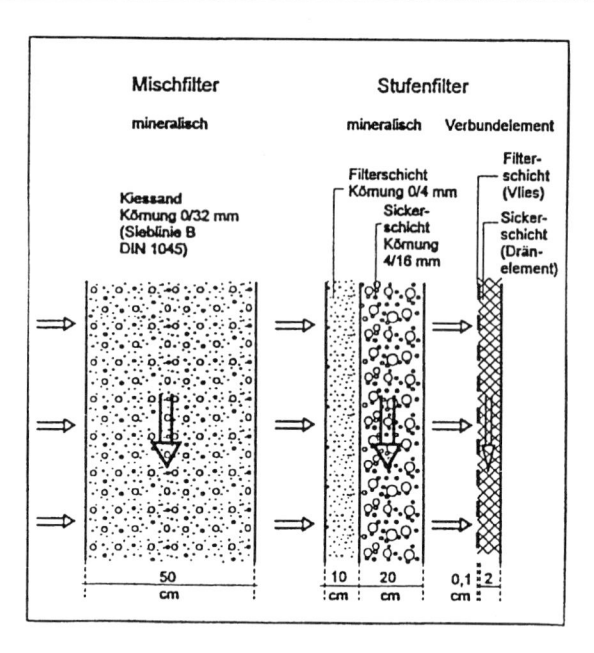

Bild 8: Aufbau der Dränschicht

Körnung (Bild 8; Tafeln 3 und 4). Die Filterschicht nimmt das Wasser aus dem Bereich der erdberührten Bauteile auf und verhindert das Ausschlämmen von Bodenteilchen. Die Sickerschicht leitet das aufgenommene Wasser in die Dränleitung ab. Wird die Dränschicht aus Einzelelementen hergestellt, beispielsweise aus Dränplatten oder Dränmatten, werden diese zusammenfassend als Dränelemente bezeichnet.

Gebäudedränung 359

Tafel 3: Beispiele für die Ausführung und Dicke der Dränschicht mineralischer Baustoffe für den Regelfall

Lage	Baustoff	Dicke in [m]
vor Wänden	Kiessand, z.B. Körnung 0/8 mm (Sieblinie A 8 oder 0/32 mm, Sieblinie B 32 nach DIN 1045)	0,50
	Filterschicht, z.B. Körnung 0/4 mm (0/4 a nach DIN 4226/1) und Sickerschicht, z.B. Körnung 4/16 mm (nach DIN 4226-1)	0,10 0,20
	Kies, z.B. Körnung 8/16 mm (nach DIN 4226-1) und Geotextil	0,20
auf Decken	Kies, z.B. Körnung 8/16 mm (nach DIN 4226-1) und Geotextil	0,15
unter Bodenplatten	Filterschicht, z.B. Körnung 0/4 mm (0/4 a nach DIN 4226-1) und Sickerschicht, z.B. Körnung 4/16 mm (nach DIN 4226-1)	0,10 0,10
	Kies, z.B. Körnung 8/16 mm (nach DIN 4226-1) und Geotextil	0,15
um Dränrohre	Kiessand, z.B. Körnung 0/8 mm (Sieblinie A 8 oder 0/32 mm, Sieblinie B 32 nach DIN 1045)	0,15
	Sickerschicht, z.B. Körnung 4/16 mm (DIN 4226-1) und Filterschicht, z.B. Körnung 0/4 mm (0/4 a nach DIN 4226-1)	0,15 0,10
	Kies, z.B. Körnung 8/16 mm (nach DIN 4226-1) und Geotextil	0,10

Für die Bemessung der Dränelemente im Regelfall und im Sonderfall wird in der DIN 4095 die Abflußspende nach Tafeln 5 und 6 angegeben.

Bei einer ordnungsgemäßen Planung, Bemessung und Ausführung nach DIN 4095 steht an der Bauwerkswand tatsächlich nur Bodenfeuchtigkeit an, so daß das Gebäude wirksam gegen Schäden durch Feuchtigkeit geschützt ist.

Tafel 4: Baustoffe für Dränschichten (Beispiele)

Bauteil	Art	Baustoff
Dränschicht	Schüttungen	Kornabgestufte Mineralstoffe Mineralstoffgemische (Kiessand, z.B. Körnung 0/8 mm, Sieblinie A 8 nach DIN 1045 oder Körnung 0/32 mm, Sieblinie B 32 nach DIN 1045)
	Einzelelemente	Dränsteine (z.B. aus haufwerksporigem Beton, gegebenenfalls ohne Filtervlies) Dränplatten (z.B. aus Schaumkunststoff, gegebenenfalls ohne Filtervlies)
	Verbundelemente	Dränmatten aus Kunststoff (z.B. aus Höckerprofilen mit Spinnvlies, Wirrgelege mit Nadelvlies, Gitterstrukturen mit Spinnvlies)

Tafel 5: Abflußspende zur Bemessung nichtmineralischer, verformbarer Dränelemente

Lage	Abflußspende
vor Wänden	0,30 l/(s · m)
auf Decken	0,03 l/(s · m^2)
unter Bodenplatten	0,005 l/(s · m^2)

Tafel 6: Abflußspenden für die Bemessung der Dränelemente im Sonderfall

	Abflußspende vor Wänden	
Bereich	Bodenart und Bodenwasser Beispiel	Abflußspende q' in [l/(s · m)]
gering	sehr schwach durchlässige Böden ohne Stauwasser, kein Oberflächenwasser	unter 0,05
mittel	schwach durchlässige Böden mit Sickerwasser, kein Oberflächenwasser	von 0,05 bis 0,10
groß	Böden mit Schichtwasser oder Stauwasser, wenig Oberflächenwasser	über 0,10 bis 0,30
	Abflußspende auf Decken	
Bereich	Überdeckung Beispiel	Abflußspende q in [l/(s · m^2)]
gering	unverbesserte Vegetationsschichten (Böden)	unter 0,01
mittel	verbesserte Vegetationsschichten (Substrate)	von 0,01 bis 0,02
groß	bekieste Flächen	über 0,02 bis 0,03
	Abflußspende unter Bodenplatten	
Bereich	Bodenart Beispiel	Abflußspende q in [l/(s · m^2)]
gering	sehr schwach durchlässige Böden	unter 0,001
mittel	schwach durchlässige Böden	von 0,001 bis 0,005
groß	durchlässige Böden	über 0,005 bis 0,010

Was macht Kunststoffrohre auch nach über 40 Jahren noch interessant?

Die Qualität!

Denn die beweist sich...

wenn die Zuleitung von Gas und Wasser, sowie die Ableitung von Abwässern auch nach Jahrzehnten noch immer so dicht und störungsfrei funktioniert, wie am ersten Tag.

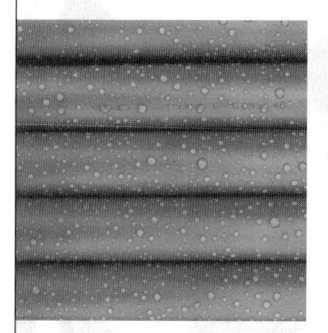

wenn sich unsere über 40jährige Erfahrung ganz unspektakulär in der Langlebigkeit unserer Produkte widerspiegelt.

wenn gelebte Qualität bestätigt wird. Sichtbar in der Zertifizierung unserer beiden Standorte – Ehringshausen und Bitterfeld – nach DIN ISO 9002. Unsichtbar in der Sicherheit für unsere Kunden.

Kunststoffrohr-Systeme von ALPHACAN Omniplast – denn

Wasser ist eine gute Arbeit wert.

ALPHACAN Omniplast

TÜV CERT
DIN EN ISO 9002
REG-NR. 06 100 0159

ALPHACAN Omniplast GmbH
Postfach 1256 · D-35627 Ehringshausen
Telefon 0 64 43 / 90 - 0 · Telefax 0 64 43 / 9 03 69

TÜV CERT
DIN EN ISO 9002
REG-NR. 12 100 6275

ALPHACAN Omniplast GmbH
Postfach 1180 · D-06734 Bitterfeld
Telefon 0 34 93 / 7 28 38 · Telefax 0 34 93 / 7 21 84

3.4 Grundstücksentwässerung und öffentliche Kanäle

R.E. NOWACK und E.W. BRAUN [*]

3.4.1 Einführung

3.4.1.1 Allgemeine Hinweise zur Abwasserentsorgung

Rückblick

„Dir soll ein Platz außerhalb des Lagers sein! Dort tritt aus! In Deinem Gürtel sollst Du einen Spaten tragen! Grabe damit ein Loch, wenn Du draußen niederkauern mußt und bedecke damit Deinen Kot!"
(5. Buch Moses 23, 13–14)

Das Gebot der Sauberkeit – ein Urbedürfnis der Menschheit – führte bereits weit vor Moses zu technischen Höchstleistungen bei der Ver- und Entsorgung von Wohnplätzen.

Erste Zeugnisse von abwassertechnischen Bauten wurden bei archäologischen Ausgrabungen in der Türkei freigelegt und auf das sechste Jahrhundert v. C. datiert. In Mesopotamien fand bereits im zweiten Jahrtausend v. C. das Rohr in der Ver- und Entsorgung Anwendung. Ein Beispiel geregelter Abwasserentsorgung stellte die „Cloaca maxima" im Rom des fünften Jahrhunderts v. C. dar.

Der Blüte der Ver- und Entsorgung im Altertum folgte der Verfall im Mittelalter.

Erst mit Beginn der Industrialisierung im frühen 19. Jahrhundert wurde die Notwendigkeit des ingenieurmäßigen Aufbaues von Ver- und Entsorgungssystemen erkannt und in Angriff genommen.

Die Lage heute

Nach wie vor sind in der Ver- und Entsorgungstechnik dringende und entscheidende Aufgaben zu lösen.

Dies ist vor allem vor dem Hintergrund der gestiegenen gesetzlichen Anforderungen an die Qualität des gereinigten Abwassers und damit an den Trinkwasserschutz, aber auch als Beitrag zum Erhalt der Umwelt zu sehen.

Nicht minder wichtig sind in diesem Zusammenhang die Forderungen nach sicherem, wirtschaftlichem und für den Verbraucher bezahlbarem Betrieb der Ver- und Entsorgungssysteme.

Den Stand des Anschlusses privater Haushalte an Ver- und Entsorgungssysteme zeigt eine Erhebung des Bundesministeriums für Ernährung, Landwirtschaft und Forsten aus dem Jahre 1992 (Tafel 1).

---

[*] Autoren aller Abschnitte innerhalb des Kap. 3.4, sofern kein anderer Autor angegeben ist

Tafel 1: Maßstab der Umweltqualität

Charakteristika	Bundesrepublik Deutschland	
	alte Bundesländer	neue Bundesländer
Wasserversorgung Anschluß an das öffentliche Trinkwassernetz	98,0 %	93,3 %
Entsorgung Anschluß an die öffentliche Kanalisation	92,5 %	73,2 %
Kläranlagen-Anschluß	89,0 %	58,2 %

Die in Tafel 1 dargestellte Situation der Umweltqualität macht den Investitionsbedarf deutlich, der im Entsorgungsbereich – und hier vor allem beim Kläranlagenanschluß – zu leisten ist (s. auch Tafel 2).

Schätzungen der Bundesländer belaufen sich auf ca. 150 Milliarden DM, um den in den Tafeln 1 und 2 aufgezeigten Bedarf zur Sicherung der Umweltqualität zu erfüllen.

Tafel 2: Kläranlagen – Anschlußdichte nach Bundesländern, bezogen auf jeweils 100 Einwohner

Bundesland	Von je 100 Einwohnern sind an Kläranlagen angeschlossen
Thüringen	47
Brandenburg	54
Sachsen-Anhalt	56
Sachsen	57
Mecklenburg-Vorpommern	60
Saarland	66
Schleswig-Holstein	84
Bayern	85
Niedersachsen	85
Rheinland-Pfalz	86
Hessen	92
Nordrhein-Westfalen	92
Hamburg	95
Baden-Württemberg	97
Berlin	98
Bremen	100

Grundstücksentwässerung und öffentliche Kanäle

Aus technischer Sicht ist die Realisierung der erforderlichen Baumaßnahmen durchführbar, da sowohl gesetzliche Vorgaben und behördliche Auflagen als auch entsprechende Regeln der Technik vorhanden sind.

Es zeichnet sich jedoch ab, daß die Durchführung aufgrund leerer Kassen der Kommunen künftig erschwert wird.

Bei der Suche nach technisch intelligenten, alle Anforderungen erfüllenden und dabei kostengünstigen Systemlösungen leisten KUNSTSTOFF-KANALROHR-SYSTEME einen wesentlichen Beitrag, da Abwassersammlung und -transport den größten Anteil der Investitionskosten erfordern.

Dabei beansprucht das Liefern und Verlegen der Rohre und Formstücke im Vergleich zu den notwendigen weiteren Bauarbeiten wie

- Erdarbeiten,
- Baugrubenverbau,
- Aufbruch und Wiederherstellung von Fahrbahnbefestigungen,
- Reparaturen an und Auswechslung von beschädigten Rohren in der Leitungsführung

nur einen geringen Teil der Gesamtkosten.

3.4.1.2 Das Ingenieurbauwerke Abwasserkanal
– Zustand, Alter, Bedeutung

Es ist unzweifelhaft die Aufgabe des 20. und des 21. Jahrhunderts, funktionierende Entwässerungskanäle und Kläranlagen zu erstellen, die ein Optimum an Sicherheit und Technik in sich vereinen. Nur so können Schäden, die durch verschmutztes Wasser entstehen, vermieden und damit ein wesentlicher Beitrag zum Erhalt der Umwelt geleistet werden.

Kanalisationsanlagen stellen ein langlebiges Wirtschaftsgut dar, bei dem Abschreibungszeiträume von 80 bis 100 Jahren die Regel sind.

Die wirtschaftliche Bedeutung der Kanalisation ergibt sich aus den zu leistenden Investitionen und deren Refinanzierung durch bezahlbare Benutzergebühren.

Zustand der Kanäle

Die Aktivitäten der Abwassertechnischen Vereinigung (ATV), z.B. anhand der Erhebung der Jahre 1984/85 sowie deren Fortschreibung 1990 und 1992, führten zu wichtigen Erkenntnissen über den Zustand der öffentlichen Kanalisation in der Bundesrepublik Deutschland.

Tafel 3: Mittlerer Schadensanteil bezogen auf die Kanallänge

Nennweiten	Prozentuale Schadenshäufigkeit [%]
≤ DN 800 (nicht begehbar)	23
> DN 800 (begehbar)	18
alle DN	22

Die Untersuchungen der ATV ergaben unter anderem einen Anteil schadhafter Kanäle von 22 % (Tafel 3) bei einem erreichten mittleren Untersuchungsgrad von 57 % (Tafel 4).

Die in Tafel 3 aufgeführte Schadenshäufigkeit bedarf einer Schadensanalyse nach ATV-Merkblatt M 143 Teil 1 mit den dort definierten Schadensbildern. Im nachfolgenden werden die einzelnen Schadensbilder nach der Häufigkeit ihres Auftretens aufgelistet:

– Riß- und/oder Scherbenbildung

– Undichtigkeiten

– Abflußhindernisse (Wurzeleinwuchs)

– Korrosion

– Lageabweichung

– Mechanischer Verschleiß

– Verformung

– Einsturz

– Rohrbruch (Fehlen von Teilen der Wandung).

Riß- und Scherbenbildung, Undichtigkeiten (z.B. Rohrverbindungen) und Abflußhindernisse (z.B. Wurzeleinwuchs) sind die häufigsten Schadensbilder.

Tafel 4: Mittlerer Untersuchungsgrad bezogen auf die Kanallänge

Nennweiten	Mittlerer Untersuchungsgrad [%]
≤ DN 800 (nicht begehbar)	54
> DN 800 (begehbar)	69
alle DN	57

Grundstücksentwässerung und öffentliche Kanäle

Die Nennung der „Verformung" als Schadensbild ist nicht gerechtfertigt. Verformungen sind bei flexiblen Rohrkonstruktionen möglich und gewollt, ohne Nachteile für die uneingeschränkte Funktionsfähigkeit des Leitungssystems. Deshalb können Verformungen im hier verwendeten Sinne kein Schadensbild darstellen.

Für verformungsfähige Kanalrohre aus PVC-U, PE-HD und GFK (UP-GF) ist nach dem ATV-Arbeitsblatt A 127 eine zulässige vertikale Durchmesseränderung von $\delta_{v\,zul.}$ = 6 % festgeschrieben. Diese zulässige vertikale Durchmesseränderung ist eine willkürliche Grenzwertfestlegung als 90 %-Fraktile. Fachleute aus aller Welt innerhalb des SC 1 (Plastic pipes and fittings for soil, waste and drainage) des zuständigen ISO/TC 138-Arbeitskreises vertreten – wie auch alle deutschen Fachleute, die die Kunststoffrohre kennen – die Meinung, daß folgende Festlegungen der mittleren und maximalen Durchmesseränderungen den Stand der Technik wiedergeben und voll funktionsfähige Kanalrohrleitungen garantieren:

Zeitspanne	Vertikale Durchmesseränderung in [%]	
	mittlere	maximale
kurzzeitig (bis 3 Monate nach der Verlegung)	5	8
langzeitig (bis 50 Jahre)	8 bis 10	15 [1]

[1] vorausgesetzt, daß bei dieser Verformung die Verbindung dicht ist.

Dazu kommen die Erkenntnisse von Horst [1] und Falter [2], die beweisen, daß selbst bei Verformungen bis 25 % der Stabilitätsfall nicht eintritt, daß also das Versagen durch Instabilität erst bei Verformungen über 25 % auftreten kann.

In diesem Zusammenhang soll auch auf den Prüfbericht des Instituts A für Werkstoffkunde an der TU Hannover hingewiesen werden [3]. Ergebnis dieser Arbeit ist, daß selbst bei Verformungen der Muffe von > 40 % die Verbindung einwandfrei dicht war.

Zur Schadensbehebung eingesetzte Verfahren basieren im wesentlichen auf den Einsatz von Kunststoffen. Das Ergebnis der ATV-Umfrage „Kanäle 90" (Verfahren zur Schadensbehebung) zeigt Tafel 5.

Alter der Kanäle

Eine weitere wichtige Erkenntnis aus den ATV-Umfragen ist die Altersstruktur der Kanäle (Tafel 6).

Sie weist einen Anteil von 74 % unter 50 Jahren aus. Die gewählten Entwässerungsverfahren Mischsystem : Trennsystem sind heute etwa gleichgewichtig vertreten.

Tafel 5: Verfahren zur Schadensbehebung

Verfahren	Anwendung in [%]
offene Bauweise	62,5
Abdichtungsverfahren	14,0
Reparatur	12,4
geschlossene Bauweise	4,5
Injektionsverfahren	3,1
Relining	2,5
Montageverfahren	0,7
Beschichtungsverfahren	0,3

Bedeutung der Kanalisation

Die Bedeutung des Ingenieurbauwerks Abwasserkanal liegt primär in der Erfüllung wasserwirtschaftlicher Ziele.

Wasserwirtschaftliche Ziele resultieren aus wissenschaftlichen Erkenntnissen, politischen Vorstellungen und wasserrechtlichen Vorgaben.

Die politischen Zielsetzungen und wasserrechtlichen Vorgaben setzen bewußt eng definierte Grenzen, so daß bei der Realisierung der Ingenieurbauwerke Abwasserkanal nur geringe Spielräume verbleiben, woraus sich zwangsläufig ein sehr hohes Qualitätsniveau ergibt.

Die Bedeutung der Kanalisation, deren Rahmenbedingungen vorher beschrieben wurden, stützt sich nicht nur auf die Funktion der Entsorgung von Abwässern. Die Kanalisation hat, als sicheres Glied im Wasserkreislauf, ebenso dafür Sorge zu tragen, daß die Versorgung mit dem lebensnotwendigen Nahrungsmittel „Trinkwasser" nicht gefährdet wird.

Tafel 6: Altersverteilung der Kanäle

Alter in Jahren	Anteil in [%]
0– 25	46
25– 50	28
50– 75	14
75–100	11
> 100	1

Grundstücksentwässerung und öffentliche Kanäle 369

Schrifttum

[1] Horst, H.: Das Stabilitätsproblem sandgebetteter Kunststoffrohre. Bericht des Instituts für Statik an der TH Hannover.
[2] Falter, B.: Zum Stabilitätsnachweis von erdverlegten Rohren gegen äußeren Wasserdruck nach ATV-Arbeitsblatt A 127. Korrespondenz Abwasser 31 (1984) Nr. 6
[3] Omniplast: Handbuch Band 1 und Band 2, 1974/1975

3.4.1.3 Öffentliche Abwasserkanäle
– Kommunale und regionale Entwässerung

Eine der vornehmsten Aufgaben des Staates ist es, seine Bürger vor einer Bedrohung von Gesundheit und Leben zu schützen.

Im 19. Jahrhundert wurden die schädlichen und gefährlichen Eigenschaften der Abwässer erkannt. Fast zu spät wurden nun Anstrengungen unternommen, um der Sachlage Herr zu werden. Es bleibt eine Daueraufgabe, funktionierende Entwässerungskanäle und Kläranlagen zu erstellen und zu erhalten.

Dies hat man mittlerweile in ganz Europa erkannt, denn der Schmutz – quantitativ und qualitativ durch Regen, Industrie, Haus und Gewerbeabwässer angeschleppt – wechselt in einem Jahrhundert nur seinen Platz. Auf dem Gebiet der Abwasserbehandlung und des -transportes arbeitet man weltweit zusammen.

Wie die Schadensuntersuchungen ausgewiesen haben, kann ein Großteil aller Bauelemente im Abwasserwesen vorläufig nur als Provisorium bezeichnet werden, da die technische Entwicklung weitergegangen ist und die Mängel der in der 1. Hälfte des Jahrhunderts geschaffenen Kanäle durch neue Erkenntnisse klar definiert wurden. Mitte der sechziger Jahre wurden die ersten bauaufsichtlichen Zulassungen für Abwasserkanäle und -leitungen aus Kunststoffen erteilt. Bei der Entwicklung und Produktion dieser modernen Kanalrohrsysteme konnten einerseits durch die Werkstoffauswahl und andererseits durch die optimierte Systemgestaltung entscheidende Fortschritte erzielt werden, die sich in den einzelnen Bauteilen als funktionsverbessernde Eigenschaften auswirkten.

Kanalisationsanlagen stellen ein langlebiges Wirtschaftsgut dar mit Abschreibungszeiträumen bis zu 100 Jahren. Die wirtschaftliche Bedeutung der Kanalisation wächst weiter.

Ein wesentlicher Bestandteil der Anlagen zur Abwasserentsorgung bilden die öffentlichen Abwasserkanäle. Sie sind das Bindeglied zwischen der Grundstücksleitung und der Kläranlage.

In Deutschland wurden mittlerweile Milliardenbeträge für Kanalisationsbauten und -instandsetzungen durch Gemeinden und Städte ausgegeben.

Der Löwenanteil der Kosten entsteht im allgemeinen bei der Kanalisation nicht für das Liefern und Verlegen von Rohren, sondern durch notwendige Nebenarbeiten – wie Erdarbeiten, Baugrubenverbau, Aufbruch und Wiederherstellung von Fahrbahnbefestigungen, Reparaturen und Auswechseln von beschädigten Rohren.

Deshalb verlangen z.B. Kommunen als Auftraggeber von den Rohrleitungssystemen mit Recht gleichbleibend hohe Qualität über lange Zeiträume, da jeder Bürger für das investierte Geld durch die von den Gemeinden erhobenen Entwässerungsbeiträge und -gebühren aufkommen muß.

Bei der produktbezogenen Materialauswahl der Rohrleitungsbauteile für die kommunale und regionale Entwässerung – die eine bauaufsichtliche Zulassung erfordert – dienen gesetzliche Bestimmungen, Ortssatzungen und anerkannte Regeln der Technik als Entscheidungsgrundlage; z.B.

das DIN-Regelwerk,
das ATV-Regelwerk und
die LAWA-Empfehlungen.

Die Entscheidungsträger, z.B. Landesbehörden (in der Regel untere Wasserbehörden), unabhängige und kommunale Planungsbüros, Anlageneigentümer und -betreiber legen aus der gebotenen Sorgfaltspflicht Haupt-Kaufentscheidungskriterien zugrunde; unter anderem Marktverfügbarkeit und – vor allem – Kosten/Nutzen-Verhältnisse.

Die Eignung von Kunststoffrohren für öffentliche Abwasserkanäle läßt sich an einer Summe von Kriterien messen, von denen nachfolgend einige beispielhaft aufgeführt sind:

- Bauaufsichtliche Zulassung oder Normung

- Langlebigkeit ($\geq$ 100 Jahre)

  = Zeitstandverhalten ($\geq$ 100 Jahre)

  = Alterungsverhalten nach Korrosion und Immission ($\geq$ 100 Jahre)

- Komplettes Rohr- und Formstück-Programmangebot
  (von DN 100 bis DN 600)

- Dichtheit gegen inneren und äußeren Wasserdruck durch zuverlässige Verbindungstechnik

- Einfache und sichere Verlegetechnik

- Hervorragende Materialkennwerte für die statische Berechnung

- Optimiertes hydraulisches Verhalten

- Hohe chemische Widerstandsfähigkeit des Rohres, der Verbindung, des Dichtelementes (pH = 2 bis pH = 12)

- Abriebverhalten (≥ 100 Jahre)
- Umweltfreundlichkeit
- Recyclingfähigkeit; das heißt wenn die Rohre und Formstücke nach einer sehr langen Betriebszeit ausgebaut und ersetzt werden, können sie zur Herstellung neuer Kanalrohre aus Kunststoffen wiederverwendet werden.

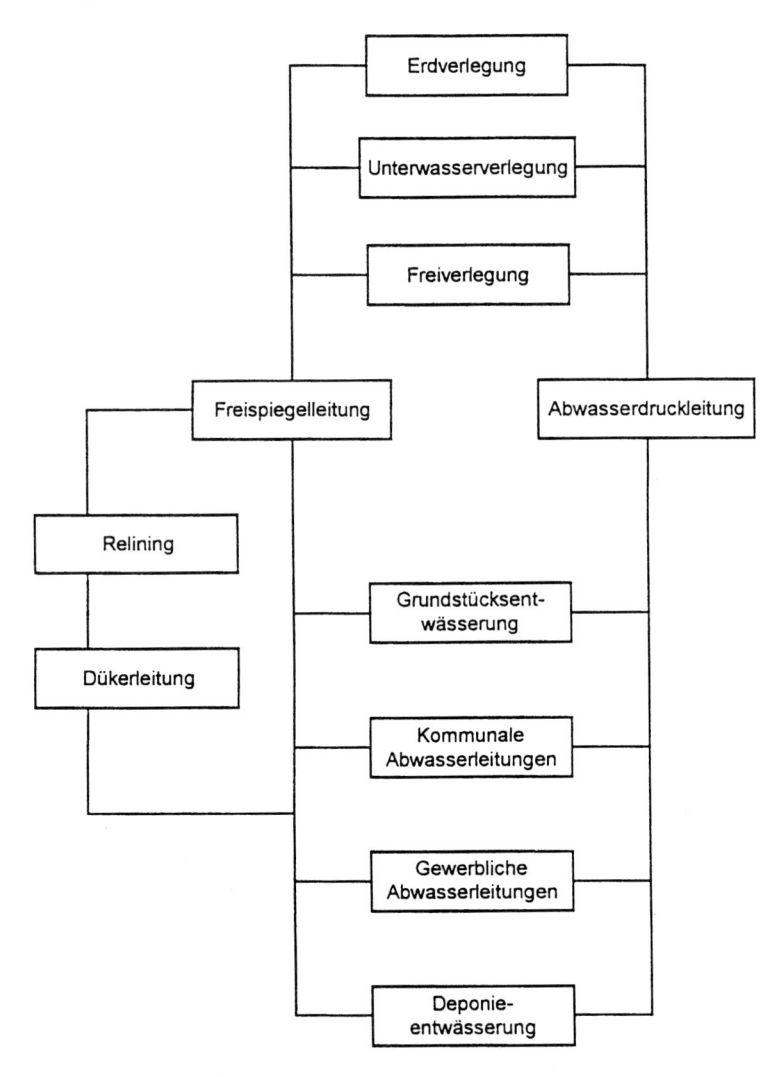

Bild 1: Anwendungsvarianten

Von daher sind die Anwendungsmöglichkeiten von Abwasserkanälen und -leitungen aus Kunststoffen auf allen Gebieten moderner Abwassertechnik gegeben und werden schon seit Jahren mit bestem Erfolg verwirklicht.

Die besonderen Eigenschaften der Kunststoffe machen die Anwendungen besonders dort wirksam, wo abzuleitende Abwässer chemisch aggressive und korrosive oder die Umwelt gefährdende, gefährliche Stoffe enthalten. Weiterhin sind Kunststoffrohre besonders geeignet für chemisch aggressive Böden, Grundwasserbereiche und andere schwierige Bodenverhältnisse wie Bergsenkungsgebiete, Meeresküsten und Marschland.

Speziell die Anforderungen des modernen Umweltschutzes lassen das Kanalrohr aus Kunststoffen unentbehrlich, aus dem Gebiet der Entsorgungstechnik nicht mehr wegzudenken erscheinen.

In Bild 1 sind die Anwendungsvarianten schematisch dargestellt. Zum Gebiet „Hausabfluß" wird auf Teil VII. 3.1 verwiesen.

Es ist ein weiterer bemerkenswerter Vorteil, daß man mit Kunststoffrohren und -formstücken komplette Entwässerungssysteme herstellen kann, bei denen die Rohrleitungen und die Anschlüsse an die erforderlichen Bauwerke wie Abzweigungsbauwerke oder Kontrollschächte aus Kunststoffen, die die dauerhafte Dichtheit eines solchen Systems garantieren.

3.4.1.4 Kunststoffrohre in der Grundstücksentwässerung

R. OTHOLD

Eine Kanalisation ist eine Anlage zur Sammlung und Ableitung von Abwasser. Sie besteht aus einem Entwässerungsnetz (Abwasserkanal und Anschlußkanal) und der Grundstücksentwässerung.

Nach der DIN 4045 und fallweise nach Ortssatzungen erstreckt sich der Anschlußkanal vom öffentlichen Abwasserkanal bis zur Grundstücksgrenze oder bis zum ersten Reinigungsschacht auf dem Grundstück. Den dahinterliegenden Kanal zum Gebäude nennt man Grundleitung.

Nach dem Wasserhaushaltsgesetz (WHG) ist mit der Kanalisation das Abwasser so zu beseitigen, daß das Wohl der Allgemeinheit nicht beeinträchtigt wird. Um dieses zu gewährleisten, müssen die Anlagen regelmäßig gewartet werden. Unterhaltungsarbeiten werden in der Regel nur dann durchgeführt, wenn die Abwasserleitungen, aus welchen Gründen auch immer, verstopft sind und dies zum Rückstau des Abwassers auf den Grundstücken oder im öffentlichen Bereich führt.

In der Bundesrepublik Deutschland gibt es eine Vielzahl von technischen Regeln, in denen die Planungsgrundlagen und die Anforderungen an die Kanalisation dargelegt sind. Diese Regeln sind weitgehend für die Grundstücksentwässerung und den öffentlichen Kanal getrennt. Für die Privatgrundstücke hat das Deutsche Institut für Normung e.v. (DIN) und das Deutsche Institut für Bautechnik (DIBt; allgemeine bauaufsichtliche Zulassung), für den öffentlichen Bereich die Abwassertechnische Vereinigung e.V. (ATV) Regeln erstellt.

In beiden Bereichen hat sich in der Vergangenheit ein unterschiedlicher Standard in der Bauausführung entwickelt. Während im öffentlichen Bereich eine gezielte Bauüberwachung den ordnungsgemäßen Bau der Kanalisation sicherstellt, reicht auf privaten Grundstücken meistens eine Bescheinigung des ausführenden Bauunternehmens über den regelgerechten Bau aus.

Untersuchungen mit Fernsehkameras zeigen aber, daß viele bestehende Abwasserleitungen in Privatgrundstücken nicht den allgemeinen Regeln der Technik entsprechen. Die bisher festgestellte Schadensrate in Verbindung mit der Gesamtlänge der Grundstücksentwässerungsleitungen von 600.000 km erfordert es, daß diesem Bereich der Kanalisation sowohl unter baulichen als auch unter betrieblichen Aspekten ein höherer Stellenwert zukommen muß.

Es ist außerdem zu hoffen, daß sich die Schadenssituation durch die europäische Normung verbessert, da hier für die Entwässerung außerhalb von Gebäuden, für die Grundleitungen auf den Privatgrundstücken, den Anschlußkanälen und den öffentlichen Kanälen gleiche Grundlagen und Anforderungen gelten. Aus diesem Grunde werden in Deutschland immer häufiger Kanal- und Grundleitungsrohre und -formstücke aus Kunststoffen eingesetzt, was in einem Marktanteil von über 90 % zum Ausdruck kommt.

KG-Rohre und -Formstücke sind für ihre glatten Wandungen bekannt. Die Kombination von großen Baulängen (max. 5 m) mit fast übergangslosen Rohrverbindungen ergibt eine sehr hohe hydraulische Leistung.

Das KG-Rohrsystem überzeugt nicht nur durch eine hohe Steifigkeit; vor allem das Zusammenspiel von Steifigkeit und Flexibilität macht das KG-Rohrsystem zu einer sicheren Sache. Zum einen widersteht es der Druckbelastung durch Erd- und Verkehrslast, zum anderen reagiert das KG-System flexibel auf die im Boden auftretenden Spannungen und Verschiebungen. Das bedeutet, daß mit dem KG-Rohrleitungssystem alle Voraussetzungen für eine dauerhaft sichere, die Umwelt schützende Abwasserentsorgung erfüllt sind.

Das KG-Rohrsystem ist auch unter dem Aspekt der Verarbeitung eine optimale Lösung, da keinerlei zusätzliche konstruktive Maßnahmen erforderlich sind. Durch das geringe Gewicht, die einfachen Verbindungen durch Steckmuffen mit eingelegten Dichtringen und die großen Baulängen werden keine weiteren Hilfsmittel benötigt. Rohrverkürzungen sind an jeder Stelle möglich. Abzweigungen oder zusätzliche Anschlüsse können nachträglich angebracht werden.

Außerdem ist durch den Einsatz von nicht begehbaren Kunststoffschächten sichergestellt, daß die Grundleitungen inspiziert, gereinigt und zur Vermeidung von Infiltration von Grundwasser in die Grundleitung und der Exfiltration in das Grundwasser jederzeit während des Baues, nach Abschluß der Bauphase und während der gesamten Nutzungsdauer einer Dichtheitsprüfung unterzogen werden können.

Kunststoffrohrentwässerungssysteme stellen sicher, daß das abgeleitete Abwasser die Umwelt nicht beeinträchtigt. Viele Millionen verlegte Rohrmeter, die seither ohne Beanstandungen in Betrieb sind, liefern hierfür den besten Beweis.

3.4.2 Planung und Bemessung

Anmerkungen

Am Anfang einer jeden Baumaßnahme steht die Planung. Je durchdachter die Planungsarbeiten, desto besser das Ergebnis des Baus einer funktionsgerechten Anlage. Dies gilt im Grunde für alle Planungsarbeiten.

Die Grundlage für Planung und Bemessung im Bereich der Abwasserentsorgung geht auf den eigentlichen Zweck einer Kanalisation zurück, nämlich die umweltfreundliche, geruchsneutrale und technisch einwandfreie Ableitung von Abwässern aller Art aus Haushalt, Gewerbe und Industrie; daneben muß sie auch – gleichzeitig oder getrennt – die Regenwässer von Grundstücken und Straßen aufnehmen.

Die Kanalisation ist ursächlich eine raumordnende und hygienische Aufgabe und erst in zweiter Linie ein technisches Problem. Der planende Ingenieur muß sich dieser übergeordneten Gesichtspunkte bewußt sein und sollte ihnen bei seiner Arbeit entsprechendes Gewicht einräumen.

Bei einer Geländeerschließung und Stadterweiterung, beim Bau neuer Siedlungen und Industrien wird der Bau von Entwässerunganlagen als erste Maßnahme durchgeführt. Zeitgleich werden meistens Versorgungsleitungen verlegt, erst danach folgen der Straßen- und Hochbau. Damit ist die Einmaligkeit und Vorrangigkeit von Kanalisationsanlagen dokumentiert.

Planungselemente

Neben dem Sammeln aller erreichbaren Informationen über ein zu planendes Projekt sind eine Reihe von grundsätzlichen Gesichtspunkten in den Bearbeitungsgang einzubeziehen, z.B.:

– Zeitlicher Vorrang der Kanalisation

– Zusammengehörigkeit von Kanalisation und Abwasserbehandlungsanlagen

– Einordnung der Kanalisation in die allgemeine Bauplanung

Wasser-, Gas- und Wärmeversorgung mit dem WIRSBO PEX-Langzeitrohr.

Das Haltbarste, was Ihnen passieren kann!

WIRSBO
Sicherheit für Wasser, Gas und Wärme

WIRSBO Rohrproduktion und Vertriebs-GmbH
Ernst-Leitz-Straße 18 • 63150 Heusenstamm
Telefon (06104) 68 00-0 • Telefax (06104) 6491

Safety-Line

Die neue Generation von PE-HD-Rohrsystemen

Egeplast-Trinkwasser SLA
Das diffusionsdichte PE-Rohrsystem für den sicheren Transport von Trinkwasser durch kontaminierte Böden

Egeplast Mantelrohre SLM
für die grabenlose Verlegung, für Reliningmaßnahmen und für die Verwendung des Bodenaushubs bei offener Bauweise

Egeplast Trinkwasserrohre SLM
Egeplast Gasrohre   SLM
Egeplast Abwasserrohre   SLM

egeplast®

Kunststoffrohre · Pipes · Tuyaux · Buizen

egeplast Werner Strumann GmbH & Co.
Nordwalder Str. 80 · D-48282 Emsdetten
Postfach 1553 · D-48273 Emsdetten
Tel. 02572/874-0 · Fax 02572/87448
http://www.egeplast.de
E-Mail: info @ egeplast.de

FACHLITERATUR AUS DEM VULKAN-VERLAG

ROHRE, ROHRLEITUNGSTECHNIK, ROHRLEITUNGSBAU

STAHLROHR-HANDBUCH

Bearbeitet von Baldur Sommer
12. Auflage 1995, 880 Seiten, Format 16,5 x 23 cm, gebunden, DM 198,- / öS 1545,- / sFr 198,-, ISBN 3-8027-2693-6

Das Stahlrohr-Handbuch bietet dem Praktiker eine aktuelle Hilfe bei der täglichen Arbeit. Es wendet sich nicht nur an planende und konstruierende Ingenieure, an Techniker und Betreiber von Rohrleitungssystemen, sondern auch an Kaufleute, Betriebswirte und Kommunalpolitiker. Weite Passagen wurden so abgefaßt, daß sie auch Nichttechnikern verständlich bleiben und eine wertvolle und zeitsparende Entscheidungshilfe und/oder wichtige Hintergrundinformation bieten können. Ebenso kann das Werk als Grundlagenlehrbuch in Vorlesungen an Hoch- und Fachhochschulen herangezogen werden. Zahlreiche Kapitel behandeln ausführlich den Rohrleitungsbau als solchen und nicht nur das spezielle Transportmittel „Stahlrohr".

ROHRLEITUNGSTECHNIK

Zusammengestellt und bearbeitet von Bernd Thier
Herausgegeben von H.-J. Behrens, G. Reuter und F.-C. von Hof
6. Ausgabe 1994, 459 Seiten, Format DIN A4, gebunden, DM 186,- / öS 1451,- / sFr 186,-, ISBN 3-8027-2705-3

Das Handbuch enthält Beiträge zu den wesentlichen Entwicklungen der letzten zwei bis drei Jahre auf dem Gebiet der Rohrleitungstechnik. Für Fachleute eine unverzichtbare Informationsquelle, die in übersichtlicher und gebündelter Form Ihr Wissen auf den neuesten Stand bringt. Mit mehreren hundert Literaturhinweisen und einem deutsch-englischen Inserenten-Bezugsquellenverzeichnis.

LECKAGEN

Zusammengestellt und bearbeitet von Bernd Thier
1993, 380 Seiten, Format DIN A4, gebunden, DM 186,- / öS 1451,- / sFr 186,-, ISBN 3-8027-2701-0

Das Handbuch Leckagen beschreibt Einflüsse, Anwendungen und Erfahrungen von Dichtsystemen und Leckverhalten mit entsprechenden betriebs- und meßtechnischen Überprüfungen. Die rund 65 Beiträge sind praxisnah geschrieben und übersichtlich gegliedert. Sie stützen sich auf eine internationale Literaturrecherche über Datenbanken. Zusammen mit entsprechenden Suchbegriffen steht diese dem Leser im Anhang des Buches zur Verfügung.

FLEXIBLE ROHRVERBINDUNGEN
für Industrie und Gebäudetechnik

Von Karl W. Nagel und Eckart Weiß
Herausgegeben von der Stenflex Rudolf Stender GmbH
1995, in Vorbereitung, ca. 300 Seiten, Format 16,5 x 23 cm, broschiert, ca. DM 74,- / öS 578,- / sFr 74,-, ISBN 3-8027-2707-X

Das Buch beschreibt die verschiedenen Möglichkeiten der flexiblen Rohrverbindungen in Rohrleitungssystemen im Hinblick auf Auswahl, Auslegung und Berechnung. Ein Handbuch, das den Ansprüchen der Praxis, der Planung und Konstruktion, aber auch der Fortbildung und Wissenschaft gleichermaßen gerecht wird. Auf dem Gebiet der flexiblen Rohrverbindungen ist diese Art der Darstellung neu. Das Buch geht ausführlich auf verschiedene Produkte ein. Es schließt eine Lücke in der Fachliteratur und ist für Ingenieure, Planer, Konstrukteure, Installateure und Klempner sowie Studenten unentbehrlich.

ROHRLEITUNGEN IN VERFAHRENSTECHNISCHEN ANLAGEN

Herausgegeben von GVC·VDI-Gesellschaft Verfahrenstechnik und Chemieingenieurwesen und W·VDI-Gesellschaft Werkstofftechnik
Bearbeitet von Bernd Thier
1994, 200 Seiten, Format DIN A4, broschiert, DM 98,- / öS 765,- / sFr 98,-, ISBN 3-8027-2706-1

Das Buch enthält die teilweise überarbeiteten Vorträge der vom den Herausgebern veranstalteten Tagung „Rohrleitungstechnik" Ende 1992 in Baden-Baden. Für die in den Bereichen der Anlagenplanung, des Anlagenbaus sowie des Betriebes und der Instandhaltung von Anlagen tätigen Ingenieure und Techniker ist dieses Buch ein aktuelles und informatives Nachschlagewerk für die Praxis.

WÖRTERBUCH DER DRUCKBEHÄLTER- UND ROHRLEITUNGSTECHNIK
Englisch-Deutsch / Deutsch-Englisch

Von Heinz-Peter Schmitz
FDBR-Fachwörterbuch, Band 1/2
2. Auflage 1991, 810 Seiten, Format 16,5 x 23 cm, gebunden, DM 350,- / öS 2730,- / sFr 350,-, für FDBR-Mitglieder DM 282,- / öS 2200,- / sFr 282,-, ISBN 3-8027-2299-X

Mehr als 12000 Fachbegriffe aus Sachgebieten wie Druckbehälter, Tanks, Wärmetauscher, Kolonnen, Festigkeitsberechnung, Werkstoffe, Schweißen, Prüfung und Abnahme, Qualitätssicherung, Wärme- und Strömungstechnik und viele mehr.
Teil 1: Alphabetisches Verzeichnis der englischen Begriffe mit deutschen Übersetzungen. Die teilweise umfassenden und detaillierten deutschen Erläuterungen geben dem Buch den Charakter einer Enzyklopädie.
Teil 2: Alphabetisches Verzeichnis der deutschen Begriffe. Mit Hilfe einer Buchstaben/Zahlenkombination sind die englischen Übersetzungen im ersten Teil sofort zu finden.
Anhang 1: Mehr als 200 Abbildungen und schematische Darstellungen tragen ebenfalls zum besseren Verständnis der Begriffe bei.
Anhang 2: Schrifttumsnachweis

BESTELLSCHEIN

Ja, senden Sie mir/uns gegen Rechnung:

.... Exempl. »**Stahlrohr-Handbuch**«
Bestell-Nr. 2693, Preis je Exemplar DM 198,- / öS 1545,- / sFr 198,-
.... Exempl. »**Rohrleitungstechnik**«
Bestell-Nr. 2705, Preis je Exemplar DM 186,- / öS 1451,- / sFr 186,-
.... Exempl. »**Leckagen**« Bestell-Nr. 2701,
Preis je Exemplar DM 186,- / öS 1451,- / sFr 186,-
.... Exempl. »**Flexible Rohrverbindungen**« Bestell-Nr. 2707,
Preis je Exemplar ca. DM 74,- / öS 578,- / sFr 74,-
.... Exempl. »**Rohrleitungen in verfahrenstechnischen Anlagen**«
Bestell-Nr. 2706, Preis je Exemplar DM 98,- / öS 765,- / sFr 98,-
.... Exempl. »**Wörterbuch der Druckbehälter- und Rohrleitungstechnik**«
Bestell-Nr. 2299, Preis je Exemplar DM 350,- / öS 2730,- / sFr 350,-

| Fax: 02 01 / 8 20 02 40
Bitte Ihrer Buchhandlung übergeben oder einsenden an:

Die Zahlung erfolgt sofort nach Rechnungseingang.

Name/Firma ....

Kunden-Nummer ....

Anschrift ....

VULKAN-VERLAG GmbH
Postfach 10 39 62   Bestell-Zeichen/Nr./Abteilung ....
D-45039 Essen   Datum/Unterschrift ....

VULKAN▼VERLAG
FACHINFORMATION AUS ERSTER HAND

POSTFACH 10 39 62
D-45039 ESSEN
TELEFON (02 01) 8 20 02-14
FAX (02 01) 8 20 02-40

- Planerische Festlegung von Pumpstationen und Abwasserbehandlungsanlagen

- Anwendung des wirtschaftlich und techlogisch günstigsten Verfahrens des Abwassertransportes

- Werkstoffauswahl, insbesondere unter Berücksichtigung der Aggressivität der Abwässer, der vorliegenden Bodenverhältnisse und der daraus resultierenden Lebenserwartung sowie der Gewährleistung für notwendige Instandhaltungs-, Reinigungs- und Reparaturarbeiten der Abwasserkanäle und -leitungen

- Einhaltung von Gefälle und Tiefenlage unter Berücksichtigung der hygienischen Anforderungen

- Funktionsfähigkeit der Kellerentwässerung, auch bei Rückstau

- Zuverlässig dauerhafte Dichtheit der Kanalisationssysteme während der gesamten zu erwartenden Betriebszeit.

Anforderungen an Abwasserkanäle und -leitungen

Unabhängig von der Konzeption der Abwasseranlage als Misch- oder Trennsystem, als Freispiegel- oder als Druckleitung, gelten allgemeine Anforderungen an Kanalleitungen, die jeder Planung zugrunde gelegt werden sollten. In diesem Sinne sind folgende Bedingungen von einer funktionierenden Abwasserleitung zu erfüllen:

- Qualität und Maße der Rohre, Formstücke, Schächte und Bauwerke müssen gesichert sein.

- Rohrverbindungen und Anschlüsse an Schächte und Bauwerke müssen eine zuverlässige Dichtheit des Leitungssystems gewährleisten.

- Dichtelemente müssen allen Anforderungen der Abwassertechnik gerecht werden, z.B. der chemischen Beständigkeit.

Sind diese Punkte bei der Entwicklulng von Rohrleitungssystemen berücksichtigt, stellt dieses Rohrleitungssystem eine optimale ingenieurmäßige Problemlösung dar.

Kanalrohrleitungen aus Kunststoffen erfüllen alle genannten Anforderungen; ein einwandfrei funktionierendes Abwassersystem ist damit gewährleistet.

In DIN V 19543 „Allgemeine Anforderungen an Rohrverbindungen für Entwässerungskanäle und -leitungen" sind alle diesbezüglichen Anforderungen enthalten und beschrieben; z.B.

- Dichtheit
- Abwinklung
- Thermische Beanspruchung
- Chemische Einflüsse
- Wurzelfestigkeit.

Im kommenden harmonisierten europäischen Normungswerk werden sich alle essentiellen Aussagen der derzeitigen deutschen Normung wiederfinden.

Werkstoffauswahl

Die Werkstoffauswahl für Abwasserkanäle und -leitungen stellt eine grundsätzliche Entscheidung des Planers dar. Sie sollte alle objektiv zu beurteilenden Kriterien aus wirtschaftlicher und technischer Sicht einbeziehen, z.B.

- Lebenserwartung
- Abschreibung
- Statik
- hydraulisches Leistungsvermögen
- Abriebverhalten
- allgemeiner Betrieb.

Bei einer Vielzahl von Planungen genießt die statische und hydraulische Bemessung Vorrang unter den Entscheidungskriterien. Es stellt sich zur Statik die Frage, ob eine verformungsfähige Konstruktion (biegeweich) oder eine starre Konstruktion (biegesteif) zu bevorzugen ist.

Kunststoffrohre gehören zur Kategorie der verformungsfähigen, also biegeweichen und damit elastischen Rohrkonstruktionen.

Betrachtet man die Ergebnisse aus Erhebungen der Abwassertechnischen Vereinigung über den Zustand der deutschen Kanäle, liegt eine Entscheidung zugunsten verformungsfähiger Rohrkonstruktionen nahe (s. auch Abschnitte 3.4.2.3 und 3.4.5.4).

Für die Herstellung von Abwasserkanälen und -leitungen aus Kunststoffen werden derzeit in Deutschland nachfolgend aufgeführte Rohrwerkstoffe eingesetzt (Reihenfolge nach Mengenverteilung):

- PVC-U (Polyvinylchlorid weichmacherfrei)
- PE-HD (Polyethylen hoher Dichte)
- GFK (Glasfaserverstärkte Kunststoffe); UP-GF (Ungesättigtes Polyesterharz – glasfaserverstärkt).

3.4.2.1 Abwassersysteme und Trends

Zielvorgabe

Abwassersysteme sind ein Teil zur Erfüllung wasserwirtschaftlicher Ziele; sie können von sich aus kein Eigenleben führen. Sie sind von Vorgaben abhängig, die z.t. aus wissenschaftlichen Erkenntnissen, politischen Zielen, rechtlichen Gegebenheiten oder auch aus wissenschaftlichen Erfordernissen herrühren und die sich letztlich in behördlichen Auflagen wiederfinden.

Systemwahl

Die Systemwahl für kommunale Abwassernetze wird durch gesetzliche Vorgaben und behördliche Auflagen beeinflußt; damit sind planerischen Freiheiten und praktischen Möglichkeiten enge Grenzen gesetzt.

Die Anforderungen an Abwasseranlagen seitens der zuständigen Behörde ergeben sich aus:

– landesspezifisch eingeführten technischen Regeln

– nicht eingeführten technischen Regelwerken

– eigenen Festlegungen der Behörde.

Anforderungen sind nicht nur an die Bemessung und den Bau von Abwasseranlagen zu stellen, sondern auch an den Betrieb und nicht zuletzt an die Kostendeckung.

Kosten und Gebühren sind in den vergangenen Jahren z.T. sprunghaft angestiegen und haben die Grenze der Belastbarkeit für Kommunen und Bürger erreicht. In dieser Situation sind nicht Billiglösungen, sondern technisch ausgereifte, umweltbewußte und kostendämpfende Lösungen gefragt, wie sie die Kunststoffrohr-Industrie der öffentlichen Hand anbieten kann.

Da Abwassersammlung und -transport den größten Anteil bei den Investitionskosten und damit bei den für die Gebührengestaltung maßgeblichen kalkulatorischen Kosten ausmachen, ist auf diesem Gebiet vordringlicher Handlungsbedarf erforderlich.

Trends

Der Trend zum Trennsystem ist ungebrochen. Aber auch Mischsysteme werden weiterhin gebaut, vor allem bei Netzerweiterungen und bei Maßnahmen, die andere Lösungen nicht zulassen. Weiterentwicklungen von Mischsystemen sind jedoch nicht die Regel.

Im Gegensatz dazu werden Trennsysteme weiterentwickelt und mit anderen Systemelementen kombiniert. So finden sich bereits häufiger Systemkombinationen aus Schmutzwassernetzen, die im Straßenraum liegen können, und aus Mulden-Rigolen-Systemen für Regenwässer, die längs der Grundstücksgrenzen (z.B. im Gartenbereich oder unmittelbar neben der Verkehrsfläche im Vorgartenbereich) angeordnet sein können. Das Rigolensystem ist zur Sicherheit meistens bis an einen offenen Graben mit Einleitungsstelle geführt. Die leicht verschmutzten Regenwässer der Straßenflächen werden gefaßt und einigen größeren Versickerungsmulden zugeführt, die wiederum zum Rigolensystem gehören.

Die aufgezeigte Art der Niederschlagswasserversickerung ist nur ein Beispiel für die vielfach planerisch erschlossenen Lösungsmöglichkeiten, die bedauerlicherweise häufig durch das Beharren auf Anwendung der Regelwerke eingeschränkt werden.

Eine weitere, bereits praktizierte Maßnahme zur Kostenersparnis – ohne Nachteile für die technische Funktion – ist die Verlängerung der Haltungen durch den Einsatz von richtungsändernden Kunststoff-Formstücken oder von nicht besteigbaren Kunststoff-Reinigungs- und Inspektions-Formstücken anstelle der bisher üblichen besteigbaren Schachtbauwerke.

Die Haltungslängen können durch den Einsatz von Durchgangs-, Reinigungs- und Inspektions-Formstücken bis zum 8fachen ihrer Länge vergrößert werden.

Gerade auch im Bereich der angeführten Schachtbauwerke, die in einer gebrauchsorientierten Vielfalt marktgängig sind, konnte dem Kunststoff ein neues, sowohl technisch wie auch wirtschaftlich interessantes Feld, erschlossen werden.

Generell gilt, daß alle zur Zeit praktizierten Systeme, ob Misch- oder Trennsysteme und die Weiterentwicklungen in allen Varianten, netzmäßig in den bekannten Rohrsystemen aus Kunststoffen wirtschaftlich und in der gegebenen technischen Zuverlässigkeit zu realisieren sind.

3.4.2.2 Hydraulische Bemessung

P. UNGER

Die günstigen hydraulischen Eigenschaften von Rohrleitungen aus Kunststoffen werden in nicht unerheblichem Maße durch die großen Rohrbaulängen und die damit verbundene geringe Anzahl von Rohrstößen sowie durch strömungsgünstig geformte Fertigteilschächte wirksam unterstützt.

Aus übergeordneten Gesichtspunkten sind in den pauschalen betrieblichen Rauheitswerten im ATV-Arbeitsblatt A 110 für alle Rohrmaterialien einschließlich der Kunststoffrohre die Verluste infolge Wandrauheiten einheitlich mit $k = 0{,}1$ mm festgelegt worden. Dabei hätten die natürlichen Wandrauheitswerte für Kunststoffrohre, die nach allen vorliegenden Erfahrungen geringer als bei herkömmlichen Rohrwerkstoffen sind und dauerhaft bleiben, eine günstigere Einstufung gerechtfertigt. Die hydraulischen Bemessungen mit den empfohlenen pauschalen Rauheitswerten enthalten daher für Leitungen aus Kunststoffrohren eine ausreichende Sicherheitsmarge.

Die wesentlichen Aussagen zur hydraulischen Bemessung von Abwasserleitungen sind der Übersichtlichkeit wegen im Teil IX. 2 enthalten.

3.4.2.3 Statische Bemessung

R.E. NOWACK, E.W. BRAUN und H. SCHNEIDER

3.4.2.3.1 Einführung

Anfang des Jahres 1985 erschien die erste Auflage des ATV-Arbeitsblattes A 127 „Richtlinie für die statische Berechnung von Entwässerungskanälen und -leitungen". Diese Richtlinie wurde weltweit mit Interesse erwartet und angewendet. Nach intensivem direktem Gedankenaustausch zwischen den Anwendern des Berechnungsverfahrens und der ATV-Arbeitsgruppe 1.5.1 (heute ATV-Arbeitsgruppe 1.2.3) „Statische Berechnung von Abwasserkanälen" konnten in der mittlerweile erschienenen zweiten Ausgabe (Dezember 1988) Verbesserungen vorgenommen werden. Einzelheiten, die berücksichtigt wurden, können in [1] nachgelesen werden.

Die dritte Ausgabe ist in Vorbereitung und soll noch im Jahre 1996 erscheinen. Weitere Verbesserungen und Korrekturen wurden eingearbeitet. Zusätzlich wurde auch die Vorverformung von Kanalrohren berücksichtigt. Um Verformungen > 6 % ebenfalls erfassen zu können, wurde der Abschnitt Stabilitätsnachweis neu formuliert. Für die Bodenspannung q_v im Zusammenwirken mit dem äußeren Wasserdruck p_a – wenn Grundwasser vorhanden ist – wurde der klassische Nachweis mit Imperfektionen und der Nachweis nach Theorie II. Ordnung zur Einarbeitung vorbereitet.

Weiterhin wurden Angaben zur Spannungsabhängigkeit der Verformungsmoduln des Bodens zur Einarbeitung vorgesehen. Die Problematik zum Rohrgrabenverbau sowie dessen nachträgliches Ziehen und alle damit zusammenhängenden Fragen wurden weiterentwickelt und eingearbeitet. Für Rohre mit profilierter Wandung, – dazu zählen auch innen und außen glatte coextrudierte, kerngeschäumte Rohre – wurden ergänzende Nachweise erarbeitet.

Im Zuge der europäischen Normung wird die statische Berechnung als wesentliche Bemessungsgrundlage diskutiert und genormt. In einer gemeinsamen Arbeitsgruppe der Technischen Komitees TC 164 „Wassertechnik" und TC 165 „Abwassertechnik", der CEN/TC 164/165/JWG1, wird zur Zeit die Herausgabe der prEN 1295 „Statische Berechnung von erdverlegten Rohrleitungen unter verschiedenen Belastungsbedingungen" vorbereitet. Dieser Normenentwurf beinhaltet zur Zeit die Harmonisierung von acht offiziell durch nationale Normungsinstitutionen eingereichten nationalen Berechnungsverfahren und stellt den ersten Schritt der europäischen Normung dar.

Gleichzeitig wird an einem gemeinsamen europäischen Berechnungsverfahren gearbeitet. Nach Erarbeitung dieses europäischen Berechnungsverfahrens wird die in Kürze erscheinende prEN 1295 novelliert.

3.4.2.3.2 Allgemeine Hinweise zur statischen Berechnung

Die Feststellung bzw. Festlegung der maßgebenden Belastungen, die Schnittkraftermittlung und die Dimensionierung sind die Voraussetzung für die Aufstellung eines statischen Nachweises für Kanalrohre.

Das Ergebnis von statischen Berechnungen kann grundsätzlich nur so gut sein und die Wirklichkeit nur so gut widerspiegeln, wie die maßgebenden Belastungen und Umgebungsbedingungen erfaßt und festgelegt werden können.

Der erste Schritt bei der Aufstellung eines statischen Nachweises ist die Ermittlung der maßgebenden Belastungen. Diese richten sich nach den vorliegenden Objektbedingungen. Die zahlenmäßige Erfassung von vorhandenen oder zu erwartenden Objektbedingungen ist daher die erste und wichtigste Einflußgröße bei der Erstellung eines statischen Nachweises.

Hinweise und Hilfestellung bei der Festlegung der Randbedingungen und der Belastungen gemäß ATV-Arbeitsblatt A 127 gibt relevante Literatur [2]. Eine Aufbereitung für den Bereich „Kunststoffrohre" findet der Anwender im Sonderdruck „Statische Berechnung von erdverlegten Entwässerungskanälen und -leitungen aus PVC-U und PE-HD" [3]. Die GFK betreffenden Hinweise sind in einem weiteren Sonderdruck zu finden.

Die Hinweise und Hilfen entbinden jedoch den Planer zu keinem Zeitpunkt von der Verpflichtung, die Richtigkeit der getroffenen Annahmen in Bezug auf Belastungen und Umgebungsbedingungen kritisch zu überprüfen und eventuell zu korrigieren oder zu bestätigen. Hierbei kann der Objektfragebogen eine weitere große Hilfe darstellen (s. [2]). Dies gilt selbstverständlich nur, wenn er von allen Beteiligten sorgfältig und gewissenhaft ausgefüllt wird.

Grundsätzlich kann eine statische Berechnung nach dem Arbeitsblatt A 127 in drei Einzelschritte untergliedert werden:

a) Erfassung und Aufstellung der Belastungen und Umgebungsbedingungen

b) Ermittlung der Schnittreaktionen (Spannung oder Dehnung) und Spannungs-/Dehnungsnachweis

c) Ermittlung des Verformungs- und Stabilitätsverhaltens.

Grundstücksentwässerung und öffentliche Kanäle 381

Liegen erst die unter a) genannten Daten in Form von Linien- bzw. Flächenbelastungen vor und sind die Werkstoff-Kenndaten bzw. -Eigenschaften mit der notwendigen Sorgfalt erfaßt und festgelegt worden, so handelt es sich bei den Schritten b) und c) um eine reine Anwendung der Grundlagen der Kreisringstatik und der Festigkeitslehre.

Im einzelnen müssen für die Kanalrohre aus Kunststoffen die folgenden Nachweise geführt werden:

– Spannungsnachweis (Kurzzeit) für PVC-U und PE-HD

– Dehnungsnachweis (Kurz- und Langzeit) für GFK

– Verformungsnachweis (Kurz- und Langzeit) für PVC-U, PE-HD und GFK

– Stabilitätsnachweis (Kurz- und Langzeit) für PVC-U, PE-HD und GFK.

3.4.2.3.3 Notwendigkeit einer statischen Berechnung

Die Beantwortung dieser Frage muß für die drei hier besprochenen Kunststoffe getrennt erfolgen.

In DIN V 19534 Teil 1 „Rohre und Formstücke aus weichmacherfreiem Polyvinylchlorid (PVC-U) mit Steckmuffe für Abwasserkanäle und -leitungen; Maße" wurde in Abweichung von der Grundnorm DIN 8062 „Rohre aus weichmacherfreiem Polyvinylchlorid (PVC-U, PVC-UK, PVC-HI); Maße" eine sogenannte Typenrohrreihe genormt, die speziell auf den Anwendungsbereich -Kanalrohrausgerichtet war.

In DIN 19537 Teil 1 „Rohre und Formstücke aus Polyethylen hoher Dichte (HDPE) für Abwasserkanäle und -leitungen; Maße" wurden dagegen aus der Grundnorm DIN 8074 „Rohre aus Polyethylen hoher Dichte (PE-HD) für Abwasserkanäle und -leitungen; Maße" Rohrreihen ausgewählt (Rohrreihen 2, 3 und 4).

In DIN 19565 Teil 1 „Rohre und Formstücke aus glasfaserverstärktem Polyesterharz (UP-GF) für erdverlegte Abwasserkanäle und -leitungen; geschleudert, gefüllt; Maße, Technische Lieferbedingungen" wurden aus der Grundnorm DIN 16869 Teil 1 „Rohre aus glasfaserverstärktem Polyesterharz (UP-GF); geschleudert, gefüllt; Maße" spezielle Rohre (Durchmesserreihen, Steifigkeits-, Druckklassen) ausgewählt und für den Anwendungsbereich „Erdverlegte Kanalrohre" genormt.

Für Kanalrohre aus PVC-U nach DIN V 19534 Teil 1 konnte das Deutsche Institut für Bautechnik, Berlin die nachfolgenden Entscheidungskriterien festlegen.

Unter Berücksichtigung der Tatsache, daß sich Kanalrohre aus PVC-U nach DIN V 19534 Teil 1 seit mehr als 30 Jahren bewährt haben, können Kanalrohre und Formstücke aus PVC-U unter folgenden Bedingungen ohne statischen Nachweis verwendet werden; diese Reglung gilt auch für die bauaufsichtlich zugelassenen coextrudierten, kerngeschäumten Kanalrohre aus PVC-U:

- Mindestüberdeckung von 1,0 m unter Verkehrsflächen, für die keine höhere Verkehrslast als SLW 30 vorgesehen ist.

- Mindestüberdeckung von 0,8 m unter verkehrsfreien Flächen oder solchen Flächen, die nur zeitweise leichtem Fahrzeugverkehr (LKW 12) ausgesetzt sind.

- Höchstüberdeckung von 6,0 m bei Verlegung im Graben mit Mindestbreite nach VOB, bzw. 3,5 m (unter verkehrsfreien Flächen 4,0 m) bei Verlegung unter Dammschüttungen oder in sehr breiten Gräben.

- Art des Verfüllbodens gemäß DIN 1055 Teil 2, Tabellen 1 und 2 mit Kennwerten cal $\gamma \leq 20$ kN/m^3, cal $\varphi' \geq 20°$.

- Lagerungsbedingung gemäß DIN 4033, Abschnitt 6.

Weichen die Verlegungsbedingungen von den vorgenannten in einem oder mehreren Punkten ab, so ist ein statischer Nachweis zu führen. Ergibt sich aus der statischen Berechnung, daß die Wanddicken nach der DIN V 19534 Teil 1 zu gering oder überdimensioniert sind, so sind die Rohre mit Wanddicken einer Reihe der DIN 8062 für PVC-U zu wählen. Diese Aussage gilt insbesondere für die Verkehrslast SLW 60.

Derzeit müssen bei PE-HD-Kanalrohren in jedem Fall – ohne Ausnahme – statische Nachweise erstellt werden, und zwar für jede der in DIN 19537 Teil 1 genormten drei Rohr-Reihen. Man könnte – in Anlehnung an die Entscheidungskriterien, die für Kanalrohre aus PVC-U nach DIN V 19534 Teil 1 festgelegt wurden, – für Kanalrohre aus PE-HD nach DIN 19537 Teil 1 eine ähnliche Regelung treffen. Nur müßte die Freistellung von der statischen Berechnung bei Einhaltung der vorher beschriebenen Mindestanforderungen auf die Rohre der Rohrreihe 4 nach DIN 19537 Teil 1 – also auf PN 6-Rohre – beschränkt werden.

Grundsätzlich müssen z.Zt. für alle Einsatzfälle von GFK-Rohren gesonderte statische Nachweise geführt werden. Ansätze einer der PVC-Regelung ähnlichen Vorgehensweise sind in der KRV-Verlegeanleitung „GFK-Kanalrohre" [4] sowie noch eingehender in einschlägigen Verlegeanleitungen von Rohrherstellern enthalten. Unter Berücksichtigung der für PVC-Rohre festgelegten Entscheidungskriterien wäre es denkbar, z.B. in Tabellenform in Abhängigkeit von anstehenden Böden die zulässige Höchstüberdeckung festzulegen. Eine derartige Vereinfachung der Handhabung statischer Berechnungen für GFK-Rohre müßte einhergehen mit der Aufstellung von Musterstatiken.

Grundstücksentwässerung und öffentliche Kanäle 383

3.4.2.3.4 Objektfragebogen

Aus Abschnitt 3.4.2.3.2 geht hervor, wie wichtig die Informationen, die der planende Ingenieur dem Objektfragebogen entnehmen kann, für die Ermittlung bzw. Festlegung der maßgebenden Belastung sind.

Deshalb sind alle Beteiligten aufgerufen und in die Pflicht genommen, den Objektfragebogen mit größter Sorgfalt vollständig auszufüllen. Je genauer die Angaben des Ausschreibenden und des Rohrverlegers sind, desto genauer stimmt die errechnete Statik mit der Praxissituation überein.

3.4.2.3.5 Vorteile des elastischen Rohres gegenüber dem starren Rohr

Hier soll diskutiert werden, was geschehen kann, wenn die getroffenen Belastungsannahmen nicht von richtigen, dem Objekt entsprechenden Angaben ausgehen. Im schlimmsten Fall kommt es bei der Verwendung von starren, also biegesteifen Rohren zu Rohrbrüchen, und die Leitung muß ausgetauscht werden.

Stimmen jedoch die Annahmen bei Kanalrohren aus PVC-U, PE-HD bzw. UP-GF nicht mit den in Wirklichkeit vorliegenden Verlegebedingungen überein, kommt es im ungünstigsten Fall zu größeren Verformungen, wobei bei Rohren aus thermoplastischen Kunststoffen der Spannungs- und bei UP-GF-Rohren der Dehnungsnachweis beachtet werden muß. Nun muß wiederum darüber nachgedacht werden, welche Konsequenzen sich ergeben können.

Verantwortlich für das günstige Verhalten der Kanalrohre aus Kunststoffen zeichnet die den Rohrwerkstoffen eigene Elastizität.

Werden Kanalrohre aus Kunststoffen eingesetzt, wird fälschlicherweise immer das Kriechen in den Vordergrund geschoben, um dem Anwender zu suggerieren, die Kanalrohre kriechen solange, bis die Verformung soweit fortgeschritten ist, daß ein gesicherter Transport von Abwasser nicht mehr gewährleistet ist.

Bei dieser Betrachtungsweise werden die Tatsachen jedoch auf den Kopf gestellt und die Bodenmechanik und die Festigkeitslehre ignoriert, indem man so tut, als ob über 50 Jahre lang ständig eine große Kraft auf das Rohr einwirkt.

Es ist bekannt, daß Kunststoffe bei einem Retardationsversuch (Kriechversuch) bei konstanter Last eine ständige Zunahme der Dehnungswerte aufweisen. Wenn jedoch der Versuch so angesetzt wird, daß die Dehnung über die Belastungszeit konstant gehalten wird und damit die vorhandenen Spannungen abgebaut werden, also relaxieren, trifft man die für Kunststoff-Kanalrohre zutreffenden Praxisbedingungen an, die nach Erreichen des Ruhezustandes des Bodens gelten (Konsolidierungsphase des Bodens).

Bei Kanalrohren aus Kunststoffen werden sich in Abhängigkeit von der Ausführung der Verlegung Verformungen einstellen. Diese anfängliche Verformung, die übrigens auch ein Maßstab für die geleistete Verdichtungsarbeit bzw. Verlegequalität ist, wird sich während der Konsolidierungsphase des Bodens geringfügig erhöhen. In der Regel ist diese Konsolidierungsphase nach zwei bis fünf Jahren abgeschlossen, d.h. der Ruhezustand des Bodens ist erreicht, die Gewölbebildung weitgehend abgeschlossen, und die in der Rohrwand vorliegenden Spannungen können jetzt abgebaut werden. Damit ist der Zusammenhang mit den vorher theoretisch abgeleiteten Vorgängen beim Retardations- bzw. Relaxationsversuch hergestellt.

Nach diesen Überlegungen zum Thema „Spannungsumlagerung" sollen jetzt die Vorteile aus der Sicht der Praxis dargestellt und behandelt werden. Dies läßt sich am günstigsten durch einen Vergleich von vorhandenen Systemen bzw. Rohrwerkstoffen in Bezug auf unterschiedliche angesetzte Objektbedingungen tun.

Um einen Einstieg in diese Thematik zu finden, sei ein einfaches Beispiel aus der Natur herangezogen. Man stelle sich vor, es tobe ein Orkan über einer Wald- und Sumpflandschaft. Bei dem Wald handele es sich um Eichen, die sich kaum oder gar nicht verformen. Das sich im Sumpf befindende Schilf biegt sich unter der auftretenden Windlast. Die Gefahr, daß die Eichen brechen oder entwurzelt werden, ist sehr groß.

Was in der beschriebenen Szene geschieht, läßt sich auf den Vergleich zwischen biegesteifen und biegeweichen Rohren übertragen. Die biegesteifen Rohre sind mit den Eichen vergleichbar; sie müssen die gesamte Energie, die die Erd- und Verkehrslast auf sie ausübt, über innere Spannungen (Zwängungen) in das unter der Rohrsohle befindliche Erdreich ableiten.

Die biegeweichen (elastischen) Rohre setzen einen Teil der Energie in Verformung um und bauen dadurch innere Spannungen bzw. Dehnungen ab. Die sich einstellenden Verformungen haben noch einen zusätzlichen „Nebeneffekt": Der Seitendruck q_h wirkt sich, unabhängig von der horizontalen Verformung, stützend aus. Zusätzlich dazu wird durch die Kämpferverschiebung ein Bettungsreaktionsdruck q_h^* wirksam, der das Rohr seitlich abstützt.

Im Gegensatz zur Auffassung, die von Befürwortern starrer/biegesteifer Rohre vertreten wird, ist das zeitabhängige Verhalten der Eigenschaften von Kunststoff-Rohren positiv einzustufen. Eine zeitlich abhängige Reduzierung der Rohrsteifigkeit hat einen ebenso großen Abfall der Systemsteifigkeit V_{RB}, ist jedoch wieder gleichbedeutend mit einer Vergrößerung des Beiwertes für den Bettungsreaktionsdruck K*. Dieser Beiwert beeinflußt gemäß dem ATV-Rechenmodell direkt die Größe des auftretenden Bettungsreaktionsdrucks, d.h. daß durch die Reduzierung der Rohr-Steifigkeit das Teil-System „Boden" mehr zum Mittragen herangezogen wird.

Zwar steigt mit größer werdendem K^* auch der Verformungsbeiwert c_v^* an, jedoch wirkt sich dies nicht in voller Höhe auf die Vertikalverformung aus, da durch gleichzeitige Umlagerung der Erddruckverhältnisse der erhöhte Einfluß von q_h zum Tragen kommt (λ_B wird größer).

Zusammenfassend kann für den Vergleich der beiden Systeme festgehalten werden, daß Kunststoffrohre aufgrund ihres Verformungsvermögens im Gesamtsystem Rohr/Boden eine Art „Gewölbe" bilden, über das direkt Lasten in das Erdreich abgeleitet werden. Dieser Gewölbe-Effekt hat gleichzeitig zur Folge, daß, langzeitig gesehen, Spannungen bzw. Dehnungen in der Rohrwand bei konstanter Belastung relaxieren.

Der Vorteil der Kanalrohre aus Kunststoffen ist die Fähigkeit, sich ohne Bruch verformen zu können und dadurch in dem System „Rohr/Boden" Spannungen und Belastungen umzulagern.

Wie interessant diese Eigenschaft ist, zeigt sich daran, daß selbst die Hersteller nicht verformbarer, also starrer Rohre, über die Deformationsschicht gern die Vorteile der Verformbarkeit nutzen, wie z.B. die Steinzeugrohrindustrie mit dem System Flexogrès [5]. Bisher konnte also kein Nachteil aus der möglichen Verformbarkeit hergeleitet werden.

Als weiteres Argument gegen die Verformbarkeit wird das Gespenst der Beulung in die Diskussion einbezogen. Hierzu finden sich einige klärende Ausführungen in der Literatur [6].

In dem ATV-Arbeitsblatt A 127 wird für verformungsfähige Kanalrohre eine zulässige vertikale Durchmesseränderung von $\delta_V \leq 6\ \%$ festgeschrieben. Diese zulässige vertikale Durchmesseränderung ist eine willkürliche Grenzwertfestlegung als 90 %-Fraktile [7, 8].

Obwohl bekannt ist, daß Fachleute aus aller Welt die Meinung vertreten, Verformungen von 15 % garantieren funktionsfähige Kanalrohrleitungen aus thermoplastischen Kunststoffen, ist der obengenannte Grenzwert von $\delta_{V\ zul.} \leq 6\ \%$ auch für diese fixiert. Auch die Erkenntnisse von Horst [9] und Falter [10], die beweisen, daß selbst Verformungen bis 25 % nicht den Stabilitätsfall eintreten lassen (also das Versagen durch Instabilität erst bei Verformungen über 25 % auftreten kann), wurde ignoriert. Seit März 1969 liegt der Untersuchungsbericht des Instituts A für Werkstoffkunde der TU Hannover vor [11]. Ergebnis dieser Untersuchungen ist, daß selbst bei Verformungen der Muffen von > 40 % die Verbindung noch dauerhaft dicht war.

Auch die bisher unveröffentlichten Berechnungsergebnisse für die UP-GF-Rohre zeigen, daß bei Linienbelastung der Stabilitätsfall auch für diese erst bei Verformungen eintritt, die weit über der festgelegten Grenzverformung von 6,0 % liegen.

Also liefert bei genauer Betrachtung auch das Argument „Beulung (Instabilität)" keinen Nachteil, der sich aus der Verformbarkeit der Kanalrohre aus Kunststoffen konstruieren ließe.

Im Handbuch Wasserversorgungs- und Abwassertechnik, Bd. 1 Rohrnetztechnik [12] wird aus der Praxis das Langzeitverhalten und Verformungsverhalten von Abwasserkanälen und -leitungen aus PVC-U nach DIN 19534 für ein Zeitraum von mehr als 25 Jahren dargestellt und diskutiert.

Im Zusammenhang mit der Erarbeitung des ATV-Arbeitsblattes A 127 und der Einbeziehung der probabilistischen Zuverlässigkeitstheorie untersuchte Fuchs [13] bei der Zuverlässigkeitsanalyse von im Boden verlegten Rohren zwei Grenzzustände:

– den Bruch der Leitung und

– die starke Verringerung der Transportkapazität der Leitung durch große Rohrverformung

und kommt zu dem Schluß, der erste Grenzzustand wird nur bei biegesteifen, also starren Rohren auftreten, während der zweite Grenzzustand für Kanalrohre aus Kunststoffen maßgebend ist. Diese Schlußfolgerung geht jedoch an den Tatsachen vorbei, da z.B. bei 6 % zul. Verformung kaum eine Veränderung der Durchflußleistung festgestellt wird, denn 10 % Durchmesserverformung bedeuten 1 % Verminderung der hydraulischen Durchflußleistung. Damit ist auch hier kein Nachteil für das verformungsfähige Kanalrohr nachgewiesen.

3.4.2.3.6 Rechenwerte

Im ATV-Arbeitsblatt A 127 werden unter Abschnitt 3.4 „Rohrwerkstoffe" die Werkstoffkennwerte in Tabelle 3 für alle in den Geltungsbereich des Arbeitsblattes fallenden genormten Kanalrohre aufgeführt. Es handelt sich dabei um die für die Dimensionierung maßgebenden Kennwerte. An dieser Stelle sollen die Rechenwerte unter Berücksichtigung folgender Randbedingungen aufgeführt werden:

– Alterung: > 50 Jahre (100 Jahre)

– Zeitstandverhalten: > 50 Jahre (100 Jahre)

– Schwellbelastung: 2×10^6 Lastwechsel

– Temperatur: 45 °C für DN $\leq$ 400
  35 °C für DN > 400

Die Randbedingung Temperatur stellt die maximal zulässigen Abwassertemperaturen dar, die nach den Festlegungen in der Abwassertechnik in öffentliche Kanäle eingeleitet werden dürfen.

Grundstücksentwässerung und öffentliche Kanäle 387

Um die Einwirkung der Temperatur auf eingeerdete, also erdverlegte Kanalrohre aus thermoplastischen Kunststoffen und deren Verformungsverhalten festzustellen, wurden zwei Prüfanstalten beauftragt, folgende Untersuchungen durchzuführen:

- Messung des Elastizitätsmoduls am Rohr und am Prüfstab bei 23 °C – 20.000 h. Anschließend Extrapolation auf 100 Jahre.
- Messung des Verformungsverhaltens von Kanalrohren im Sandkastenversuch: 1960 h bei 23 °C und 40 h bei 40 °C.

Im Sandkasten wurde eine Belastung gewählt, die eine Ausgangsverformung von 4 % vorgab.

Es wurde dabei das in der Praxis vorliegende Temperaturprofil von

48 Jahre   20 °C und

2 Jahre   45 °C für DN ≤ 400 bzw.

            35 °C für DN > 400

berücksichtigt.

Die Messung des E-Moduls am Rohr wurde nach DIN 19537 Teil 2, durchgeführt, während die Messung des E-Moduls am Probestab entsprechend DIN 53457 an in Längsrichtung aus dem Rohr herausgearbeiteten Probekörpern vorgenommen wurde. Die Ergebnisse wurden veröffentlicht [6].

Die Tabelle 3 des ATV-Arbeitsblattes A 127 bezieht sich bei der Festlegung der für die statische Berechnung relevanten Kenngrößen von GFK auf die Anwendungsnorm DIN 19565 Teil 1. In dieser Norm sind die Rohrsteifigkeiten und die Vertikalverformbarkeiten als absolute Mindestwerte festgelegt.

Durch die Modifikation des Arbeitsblattes wird für GFK der normalerweise in die Rechnung eingehende Elastizitätsmodul direkt durch die entsprechenden Rohrsteifigkeiten ersetzt (demnach wird ein Rechenschritt eingespart). Außerdem wird für GFK als Nachweis des Bruchverhaltens nicht der Spannungsnachweis, sondern, den üblichen Dimensionierungskriterien für GFK entsprechend, ein Dehnungsnachweis geführt. Die Rechenwerte für die Randfaserdehnung können aus den Vorgaben für die Vertikalverformbarkeit und den Geometriedaten berechnet werden.

Die erforderlichen Kenngrößen wurden in Kurz- und Langzeitversuchen nach DIN 53769 Teil 3 ermittelt. Die Prüfdauer war sowohl bei den Kriechversuchen zur Bestimmung der Rohrsteifigkeit, als auch bei den Zeitstandbruchversuchen zur Ermittlung der Vertikalverformbarkeit so ausgelegt, daß eine Extrapolation auf eine Lebensdauer von 50 bzw. 100 Jahren zulässig war. Teilweise betrug die Standzeit bzw. Laufzeit mehr als 10.000 h bzw. 20.000 h. Als Probekörper wurde für beide Versuchsarten der „Rohrring" gewählt, der eine zuverlässige Aussage über das Bauteilverhalten zuläßt.

Tafel 7: Werkstoffkennwerte der Kunststoff-Kanalrohre

Werkstoff	Dichte γ_R [kN/m³]	Elastizitätsmodul E_R		Rohrsteifigkeit S_R		Biegespannung σ_R		Vertikalverformbarkeit $\Delta d_{v,B}$	
		Kurzzeit [N/mm²]	Langzeit [N/mm²]	Kurzzeit [N/mm²]	Langzeit [N/mm²]	Kurzzeit [N/mm²]	Langzeit [N/mm²]	Kurzzeit [%]	Langzeit [%]
PVC-U (Polyvinylchlorid weichmacherfrei) DIN 19534	13,8	3600	1750	–	–	90	50	–	–
PE-HD (Polyethylen hoher Dichte) DIN 19537	9,5	1000	150	–	–	30	14,4	–	–
UP-GF (ungesättigtes Polyesterharz – glasfaserverstärkt) DIN 19565 Teil 1	17,5	–	–	0,08 0,04 0,02	0,032 0,016 0,008	–	–	15 20 25	9 12 15

Grundstücksentwässerung und öffentliche Kanäle 389

Im nachfolgenden Bild 2 sind für die im ATV-Arbeitsblatt A 127 festgelegten Kunststoffe die Rohrsteifigkeiten in Abhängigkeit von der Standzeit dargestellt.

Im ATV-Arbeitsblatt A 127 werden für Kanalrohre aus Kunststoff Rechenwerte für den Verformungs- und Stabilitäts- sowie für den Spannungs- bzw. Dehnungsnachweis angegeben (Tafel 7).

Weitere Informationen zur Statik können [2] entnommen werden. In dieser Veröffentlichung ist der Berechnungsvorgang ausführlich dargelegt.

Schrifttum

[1] Nowack, R.E.; Schneider H.: Hinweise für die Praxis und zur Erstellung der statischen Berechnung von erdverlegten Entwässerungskanälen und -leitungen aus PVC-U (PVC hart), PE-HD (HDPE) und GFK (UP-GF). krv-nachrichten 2/88, S. 11–14
[2] Nowack, R.; Schneider, H.: Statische Berechnung von erdverlegten Entwässerungskanälen und -leitungen aus PVC-U (PVC hart), PE-HD (HDPE) und UP-GF (GFK), 3 R international, 29. Jahrgang, Heft 5/90 und 6/90
[3] Nowack, R.: Statische Berechnung von erdverlegten Entwässerungskanälen und -leitungen aus PVC hart (PVC-U) und PE hart (HDPE), 3 R international, 24 (1985) Nr. 8
[4] KRV-Verlegeanleitung; GFK-Kanalrohre, erdverlegte Abwasserkanäle und -leitungen
[5] Steinzeug-Handbuch, Steinzeug-Gesellschaft m.b.H., Köln (1977)

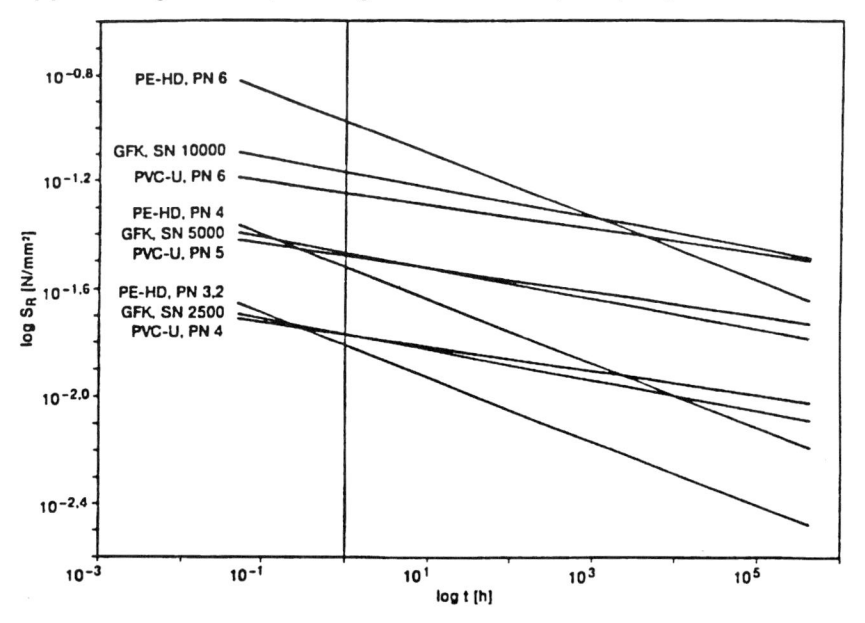

Bild 2: Rohrsteifigkeiten verschiedener Kunststoffrohre

[6] Nowack, R.: Erdverlegte Entwässerungskanäle und -leitungen aus PVC hart (PVC-U) und PE hart (HDPE) – Hinweise für die Praxis und zur Erstellung der statischen Berechnung – kvr-nachrichten 1/86
[7] Nowack, R.: Verformungsmessungen an Kanalrohrleitungen aus PVC hart, krvnachrichten 1/80
[8] Nowack, R.: Das Kunststoffrohr in der Wasserentsorgungstechnik, 3 R international, 23 (1984) Nr. 4
[9] Horst, H.: Das Stabilitätsproblem sandgebetteter Kunststoffrohre. Bericht des Instituts für Statik an der TH Hannover (1976)
[10] Falter, B.: Zum Stabilitätsnachweis von erdverlegten Rohren gegen äußeren Wasserdruck nach ATV-Arbeitsblatt A 127. Korrespondenz Abwasser 31 (1984) Nr. 6
[11] Omniplast, Handbuch, Band 1 und Band 2, 1974/1975
[12] Nowack, R.E.; Braun, E.W.; Metz, K.-A.: Abwasser-Rohrleitung und -Formstücke aus PVC-U nach DIN 19534 – Langzeitverhalten, Verformungsverhalten – Ein Erfahrungsbericht aus der Praxis für den Zeitraum von 1966 bis 1992 – , Handbuch Wasserversorgungs- und Abwassertechnik Band 1 Rohrnetztechnik, 5. Ausgabe Vulkan-Verlag Essen, Seiten 471–505
[13] Fuchs,W.: Grundsätze der probabilistischen Zuverlässigkeitstheorie und ihre Anwendung auf im Erdboden verlegte Rohre. Korrespondenz Abwasser 31 (1984) Nr. 6

3.4.3 Kunststoff-Kanalrohrsysteme

Die ersten Kunststoffrohre wurden 1934/1935 in Bitterfeld hergestellt und dort sowie in Berlin, Hamburg und Salzgitter verlegt.

Für diese Rohre erschienen 1941 die ersten Normen, die die Qualitätsanforderungen und Regeln für die Dimensionierung festlegten.

In den frühen 60er Jahren erhielten die ersten PVC-U-Kanalrohrsysteme die bauaufsichtliche Zulassung.

Bereits im Oktober 1967 wurde die Anwendungsnorm DIN 19534 für Abwasserkanäle und -leitungen aus Polyvinylchlorid weichmacherfrei (PVC-U) als Normentwurf der Öffentlichkeit vorgestellt. 1973 bzw. 1974 konnten die verabschiedeten Anwendungsnormen in das Regelwerk eingliedert und der bis heute gültige Stand der Technik festgeschrieben werden. Die Anwendungsnorm DIN 19537 für Abwasserkanäle und -leitungen aus Polyethylen hoher Dichte (PE-HD) erschien im Juli 1979. Die Anwendungsnorm DIN 19565 Teil 1 für Abwasserkanäle und -leitungen aus glasfaserverstärktem Polyesterharz (UP-GF) wurde im März 1989 in das nationale DIN-Regelwerk eingegliedert.

Die zur Herstellung von Abwasserkanälen und -leitungen heute gebräuchlichen Konstruktionswerkstoffe sind PVC-U (Polyvinylchlorid weichmacherfrei), PE-HD (Polyethylen hoher Dichte) und UP-GF (ungesättigtes Polyesterharz - glasfaserverstärkt).

Ein umfangreiches Formstücksortiment steht für die Rohrprogramme zur Verfügung. Die Formstücke erfüllen die für den Anwendungsbereich geforderten

Qualitätsmerkmale in gleicher Weise wie die Rohre selbst. Die Kombination von Kunststoffrohren, -formstücken und ihren Verbindungen ergibt funktionsgerechte Leitungssysteme.

In der europäischen Normung werden Rohre und Formstücke mit Nennringsteifigkeiten SN 2, SN 4, SN 8 und SN 16 dokumentiert. In Deutschland empfiehlt sich, für die Erdverlegung von Kanalrohren eine Nennringsteifigkeit von mindestens SN 4 einzusetzen. Für Rohre, die dieser und höherer Nennringsteifigkeit entsprechen, sind bei der Verlegung keine besonderen Maßnahmen, die über die normalen Anforderungen hinausgehen, erforderlich. Dies gilt für Verlegetiefen bis zu 6 m, bei allen Bodenbelastungen, auch bei Schwerlastverkehr (SLW 60).

Neue Herstellverfahren und -techniken haben die Angebotspalette auf dem Abwassersektor weiter vergrößert. Dieses Angebot der Kunststoffrohr-Industrie ist in den Abschnitten 3.4.3.1 (Rohre) und 3.4.3.2 (Formstücke) in zusammenfassender, tabellarischer Form mit erläuterndem Bildmaterial dargestellt (Bilder 3–42). Diese Art der Darstellung wurde gewählt im Interesse der Übersichtlichkeit für den Leser und um unnötige Wiederholungen zu vermeiden. Von daher sollen an dieser Stelle nur einige einführende Hinweise gegeben werden.

Es gibt drei verschiedene Konstruktionsprinzipien für die in der Abwassertechnik eingesetzten Kunststoffrohre:

1. Vollwand-Rohrsysteme
   - aus PVC-U nach DIN 19534
   - aus PE-HD nach DIN 19537 sowie
     Zweischichtrohr aus PE-HD: coextrudierte Rohre mit heller Innenschicht. Sie entsprechen im übrigen den Eigenschaften gemäß DIN 19537.
   - aus UP-GF nach DIN 19565 bzw. 16868; Rohre mit mehrschichtigem Aufbau, gewickelt oder geschleudert. Formstücke werden aus Rohrsegmenten durch Laminierung hergestellt.

2. Mehrschichtsysteme
   - aus PVC-U: dreischichtige, coextrudierte, kerngeschäumte Kanalrohre; innen und außen glatt mit geschäumter Mittelschicht.
     Formstückprogramm nach DIN 19534.

3. Systeme mit profilierter Wandung aus PVC-U
   - JUMBO-Rohr: gestecktes System mit glattem Innenrohr und lose aufgestecktem gewelltem Außenrohr. Das außenliegende Wellrohr übernimmt den wesentlichen Teil der Lastaufnahme, das Innenrohr den Transport des abzuleitenden Mediums. Formstückprogramm nach DIN 19534.
   - Ultra-Rib: Rohr mit glatter Innenseite und konzentrisch gerippter Außenoberfläche.

3.4.3.1 Rohre

3.4.3.1.1 Rohrwerkstoff PVC-U

Vollwandrohre nach DIN V 19534

Nennweiten DN	100	125	150	200	250	300	400	500	600
Außendurchmesser d_1 in [mm]	110	125	160	200	250	315	400	500	630
Wanddicken s_1 in [mm]	3,0	3,0	3,6	4,5	6,1	7,7	9,8	12,2	15,4
Nennringsteifigkeiten SN in [kN/m²]	SN 4								
Baulängen I mit Steckmuffe in [mm]	500, 1000, 2000, 5000								
Verbindungen	Steckmuffenverbindung mit werksseitig vormontiertem Lippendichtring								
Farbe	RAL 8023 orangebraun								

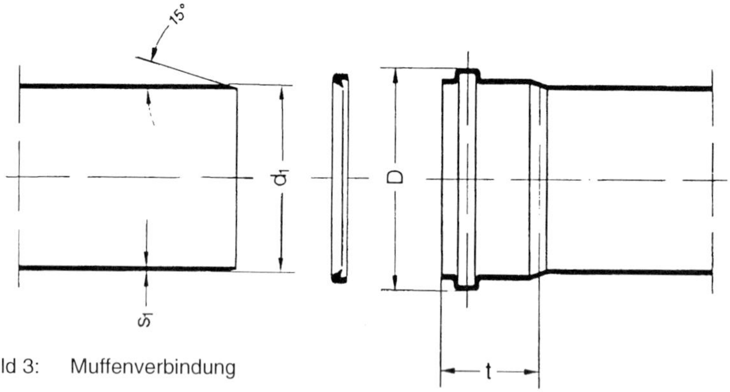

Bild 3: Muffenverbindung

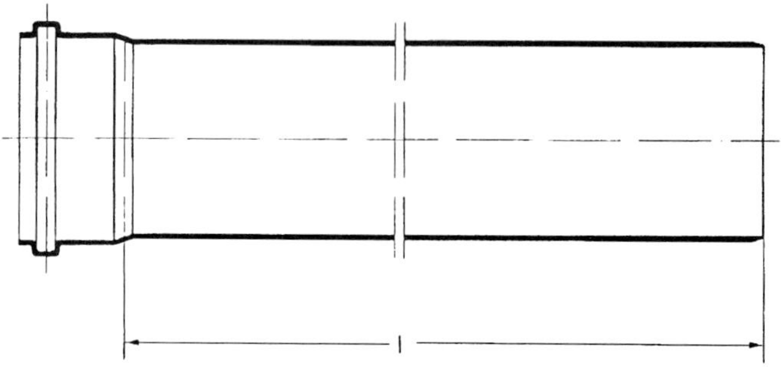

Bild 3a: Baulänge

Coextrudierte kerngeschäumte Rohre SN 4 (Mehrschichtrohre)

Nennweiten DN	100	125	150	200	250	300	400	500	600
Außendurchmesser d_1 in [mm]	110	125	160	200	250	315	400	500	630
Wanddicken s_1 in [mm]	3,0	3,0	3,6	4,5	6,1	7,7	9,8	12,2	15,4
Alternativ s_1 in [mm]	3,2	3,2	4,0	4,9	6,1	7,7	9,8	12,2	15,4
Nennringsteifigkeiten SN in [kN/m²]	SN 4								
Baulängen l mit Steckmuffe in [mm]	500, 1000, 2000, 5000								
Verbindungen	Steckmuffenverbindung mit werksseitig vormontiertem Lippendichtring								
Farbe	RAL 8023 orangebraun								

Bild 4: Wandaufbau SN 4

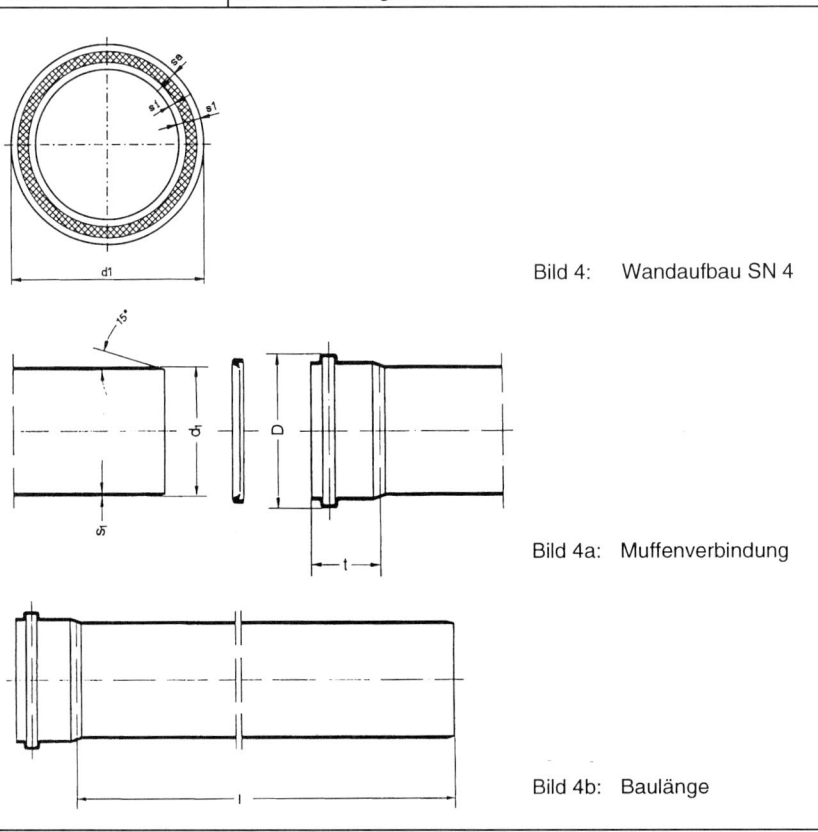

Bild 4a: Muffenverbindung

Bild 4b: Baulänge

Coextrudierte kerngeschäumte Rohre SN 8 (Mehrschichtrohre)

Nennweiten DN	100	125	150	200	250	300	400	500	600
Außendurchmesser d_1 in [mm]	110	125	160	200	250	315	400	500	630
Wanddicken s_1 in [mm]	3,2	3,7	4,7	5,9	7,3	9,2	11,7	14,6	18,4
Alternativ s_1 in [mm]	3,7	3,9	5,0	6,3	7,8	9,8	12,3	15,0	20,0
Nennringsteifigkeiten SN in [kN/m²]	SN 8								
Baulängen l mit Steckmuffe in [mm]	500, 1000, 2000, 5000								
Verbindungen	Steckmuffenverbindung mit werksseitig vormontiertem Lippendichtring								
Farbe	RAL 8023 orangebraun								

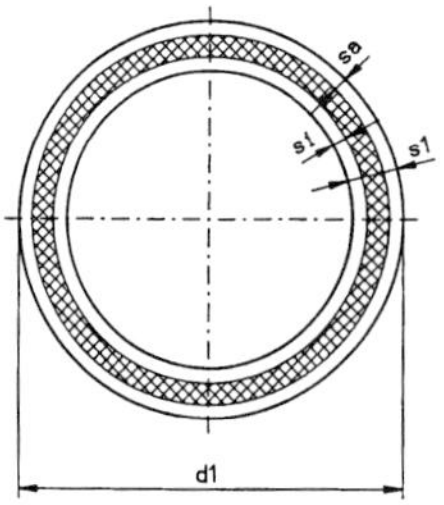

Bild 5: Wandaufbau SN 8

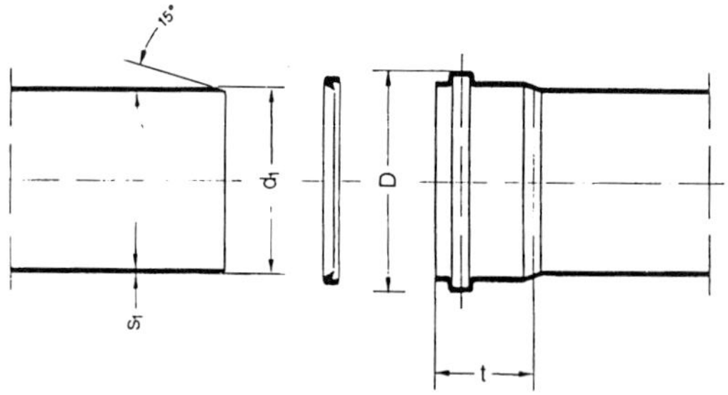

Bild 5a: Muffenverbindung

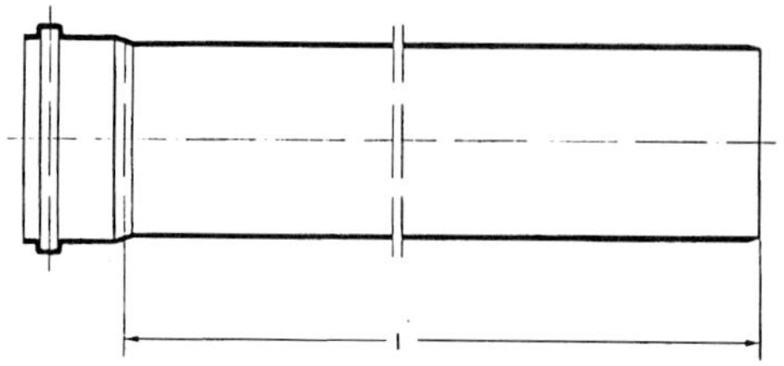

Bild 5b: Baulänge

Grundstücksentwässerung und öffentliche Kanäle

Profilierte Rohre – JUMBO –

Nennweiten DN	150	200	250	300	400	500
Außendurchmesser d_o in [mm]	185	230	298	380	475	579
Wanddicken s_1 in [mm]	3,6	4,5	4,9	6,2	7,9	9,8
Wanddicken w_1 (Wellrohr) w_2 w_3	> 1,0 > 0,8 > 0,7	> 1,3 > 1,0 > 0,9	> 1,2 > 0,8 > 0,7	> 1,3 > 1,1 > 0,8	> 2,4 > 2,0 > 1,8	> 3,0 > 2,6 > 2,4
Nennringsteifigkeiten SN in [kN/m^2]	SN 16					
Baulängen l mit Steckmuffe in [mm]	500, 1000, 2000, 5000					
Verbindungen	Steckmuffenverbindung mit werksseitig vormontiertem Lippendichtring					
Farben	RAL 8023 orangebraun (Innenrohr) RAL 9011 schwarz (Wellrohr)					

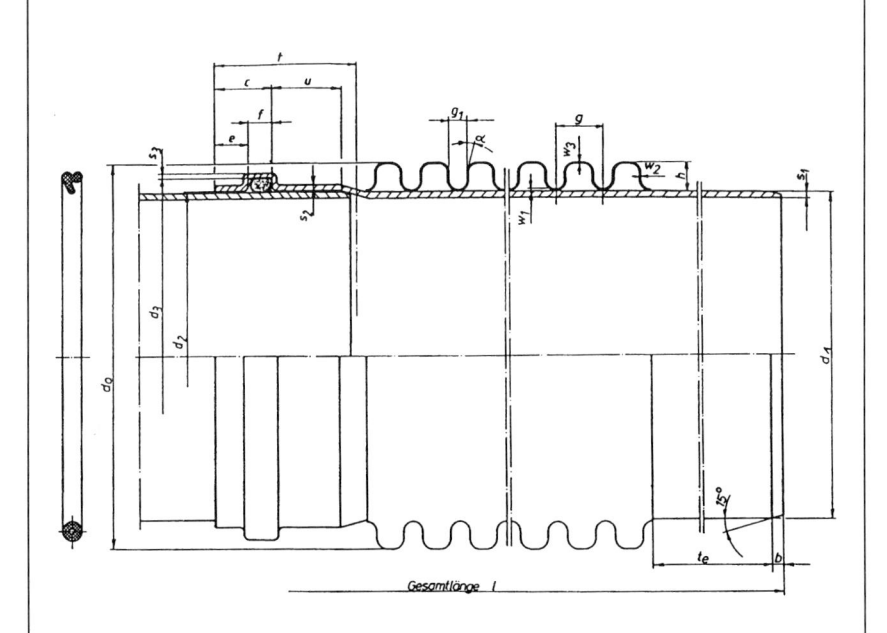

Bild 6: Längsschnitt mit Angaben zum Wandaufbau und zur Muffenverbindung

Grundstücksentwässerung und öffentliche Kanäle

Profilierte Rohre – ULTRA RIB –

Nennweiten DN	150	200	250	300	400	500
Innendurchmesser d_i in [mm]	152	199	249	296	399	499
Außendurchmesser d_2 in [mm]	170	225	280	335	450	560
Muffeninnendurchmesser d_1 in [mm]	171	225,8	281	336,2	452	562,2
Rippenabstand in [mm]	16,9	21,8	25,4	30,5	38,1	38,1
Muffentiefe t in [mm]	85	95	102	128	189	212
Nennringsteifigkeiten SN in [kN/m²]	SN 8					
Baulängen l mit Steckmuffe in [mm]	2000, 3000, 5000					
Verbindungen	Steckmuffentechnik, System ULTRA-RIB					
Farbe	RAL 8023 orangebraun					

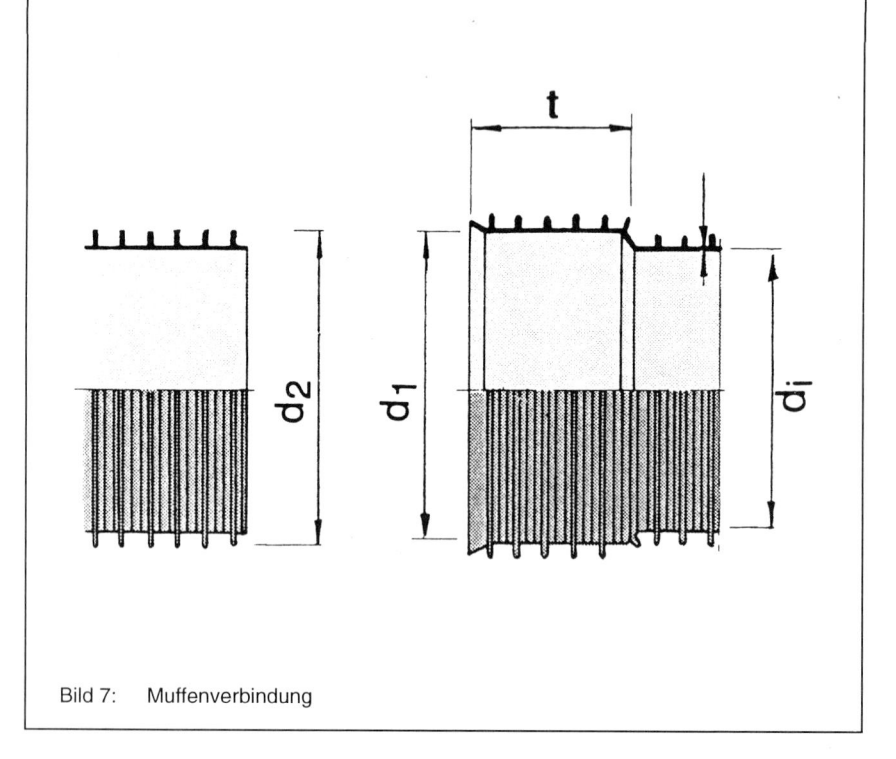

Bild 7: Muffenverbindung

Grundstücksentwässerung und öffentliche Kanäle

3.4.3.1.2 Rohrwerkstoff PE-HD

Vollwandrohre nach DIN 19537 Reihe 2

Nennweiten DN	100	125	150	200	250	300	400	500	600	700	800	900	1000	1200
Außendurchmesser d_1 in [mm]	110	125/ 140	160	200/ 225	250/ 280	315	450	560	630	710	800	900	1000	1200
Wanddicken s_1 in [mm]	3,5	3,9/ 4,4	5,0	6,2/ 7,0	7,8/ 8,7	9,8	14,0	17,4	19,6	22,1	24,9	28,0	31,1	37,3
Nennringsteifigkeiten SN in [kN/m²]	SN 1													
Baulängen l ohne Steckmuffe in [mm]	5000, 6000, 12000													
Verbindungen	Heizelementstumpfschweißverbindung Heizwendelschweißverbindung Steckmuffenverbindung Flanschverbindung													
Farbe	schwarz													

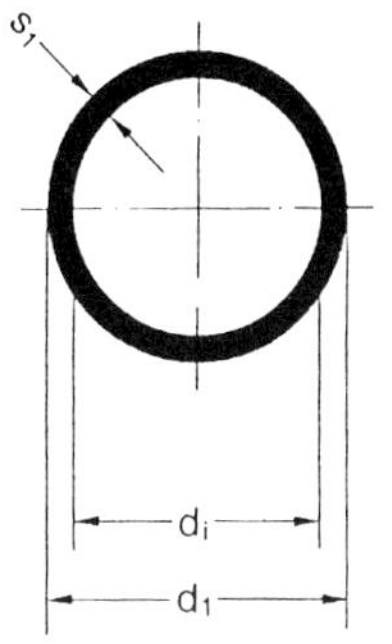

Bild 8: Rohrquerschnitt

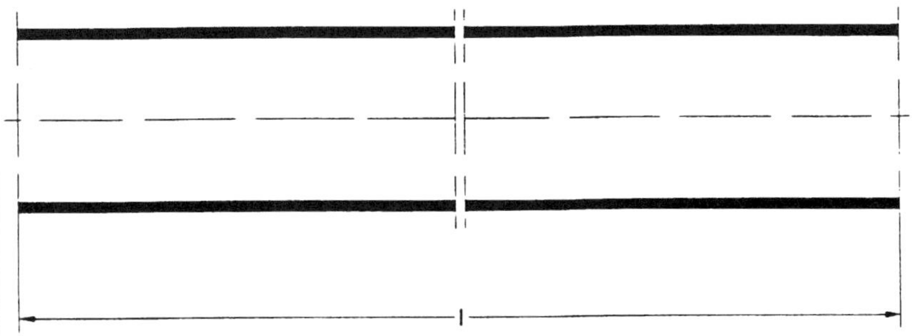

Bild 8a: Baulänge

Vollwandrohre nach DIN 19537 Reihe 3

Nennweiten DN	100	125	150	200	250	300	400	500	600	700	800	900	1000	1200
Außendurchmesser d_1 in [mm]	110	125/ 140	160	225	280	355	450	560	630	710	800	900	1000	1200
Wanddicken s_1 in [mm]	4,3	4,9/ 5,4	6,2	8,7	10,8	13,7	17,4	21,6	24,3	27,4	30,8	34,7	38,5	46,2
Nennringsteifigkeiten SN in [kN/m²]	SN2													
Baulängen l ohne Steckmuffe in [mm]	5000, 6000, 12000													
Verbindungen	Heizelementstumpfschweißverbindung Heizwendelschweißverbindung Steckmuffenverbindung Flanschverbindung													
Farbe	schwarz													

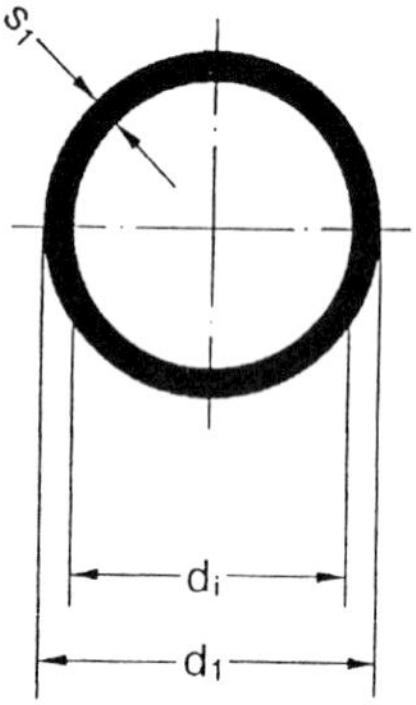

Bild 9: Rohrquerschnitt

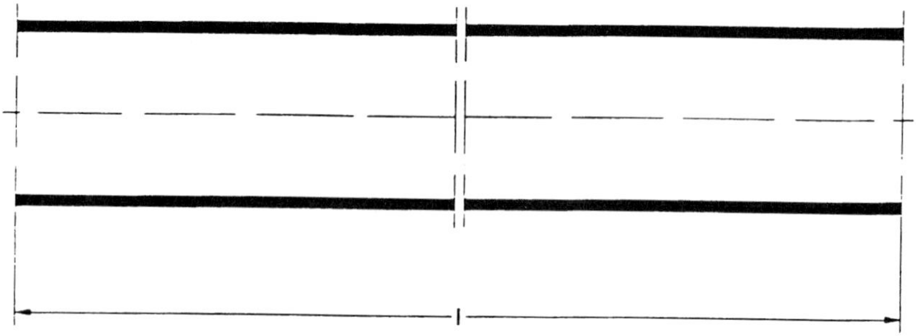

Bild 9a: Baulänge

Grundstücksentwässerung und öffentliche Kanäle

Vollwanddrohre nach DIN 19537 Reihe 4

Nennweiten DN	100	125	150	200	250	300	400	500	600	700	800
Außendurchmesser d_1 in [mm]	125	140	180	225	280	355	450	560	630	710	800
Wanddicken s_1 in [mm]	7,1	8,0	10,2	12,8	15,9	20,1	25,5	31,7	35,7	40,2	45,3
Nennringsteifigkeiten SN in [kN/m²]	SN 8											
Baulängen l ohne Steckmuffe in [mm]	5000, 6000, 12000											
Verbindungen	Heizelementstumpfschweißverbindung Heizwendelschweißverbindung Steckmuffenverbindung Flanschverbindung											
Farbe	schwarz											

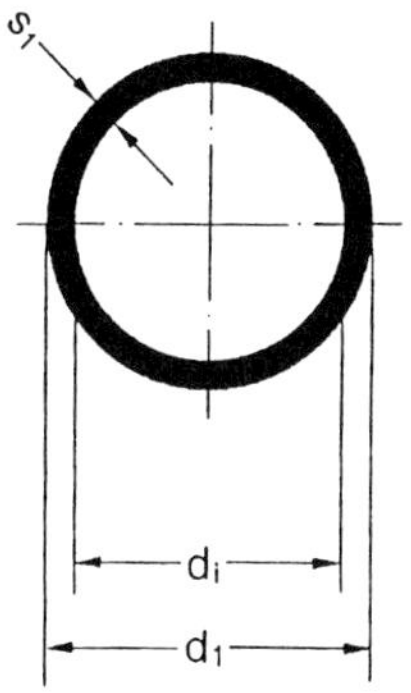

Bild 10: Rohrquerschnitt

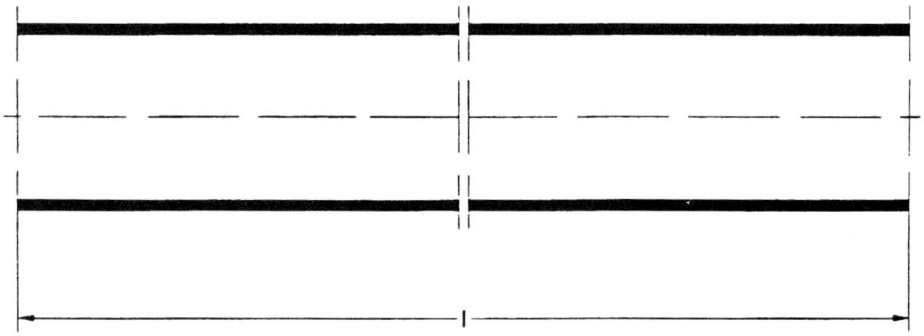

Bild 10a: Baulänge

3.4.3.1.3 Rohrwerkstoff UP-GF

GFK-Rohre gewickelt (DIN 16868) Durchmesserreihe 2

Nennweiten DN	300	350	400	450	500
Außendurchmesser d_2 in [mm]	324,0	375,9	426,6	476,2	529,6
Wanddicken s_5 in [mm]	5,5	6,4	7,3	8,0	8,6
Nennringsteifigkeiten SN in [N/m²]	SN 5000 $\hat{=}$ SN 5 [kN/m²]				
Baulängen l ohne Steckmuffe in [mm]	6000, 12000 Regellängen				
Verbindungen	Überschiebkupplung mit werksseitig vormontierten Dichtringen bzw. integrierter Dichtmanschette				
Farbe	sandfarben bis hellgrau Überlaminate: hellgrün				

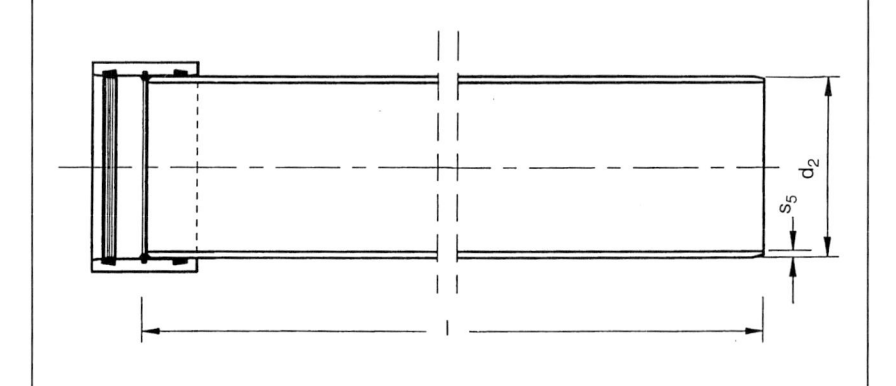

Bild 11: Längsschnitt GFK-Rohr mit REKA-Kupplung

Grundstücksentwässerung und öffentliche Kanäle

GFK-Rohre gewickelt (DIN 16868) Durchmesserreihe 2

Nennweiten DN	100	125	150	200	250
Außendurchmesser d_2 in [mm]	116,0	142,0	168,0	220,5	272,1
Wanddicken s_5 in [mm]	2,9	3,9	4,1	5,3	6,4
Nennringsteifigkeiten SN in [N/m²]	SN 10000 $\hat{=}$ SN 10 [kN/m²]				
Baulängen l ohne Steckmuffe in [mm]	6000, 12000 Regellängen				
Verbindungen	Überschiebkupplung mit werkseitig vormontierten Dichtringen bzw. integrierter Dichtmanschette				
Farbe	sandfarben bis hellgrau Überlaminate: hellgrün				

Nennweiten DN	300	350	400	450	500
Außendurchmesser d_2 in [mm]	324,0	375,9	426,8	478,2	529,6
Wanddicken s_5 in [mm]	6,9	8,1	9,0	10,1	11,0
Nennringsteifigkeiten SN in [N/m²]	SN 10000 $\hat{=}$ SN 10 [kN/m²]				
Baulängen l ohne Steckmuffe in [mm]	6000, 12000 Regellängen				
Verbindungen	Überschiebkupplung mit werkseitig vormontierten Dichtringen bzw. integrierter Dichtmanschette				
Farbe	sandfarben bis hellgrau Überlaminate: hellgrün				

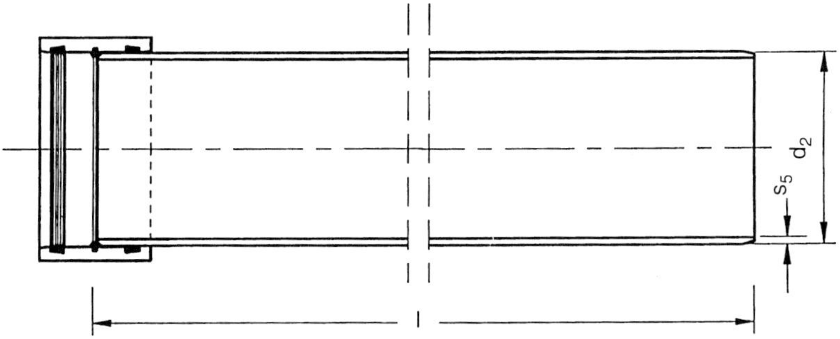

Bild 12: Längsschnitt GFK-Rohr mit REKA-Kupplung

GFK-Rohre geschleudert (DIN 16869/19565) – Durchmesserreihe 2

Nennweiten DN	200	250	300	350	400	500
Außendurchmesser DE in [mm]	200,8	272,6	324,5	376,1	427,1	530,2
Wanddicken e in [mm]	4,9	5,7	6,6	7,5	8,3	10,0
Nennringsteifigkeiten SN in [N/m²]	SN 5000 $\hat{=}$ SN 5 [kN/m²]					
Baulängen l ohne Steckmuffe in [mm]	6000 Regellänge					
Verbindungen	Überschiebkupplung mit werksseitig vormontierten Dichtringen bzw. integrierter Dichtmanschette					
Farbe	sandfarben bis hellgrau Überlaminate: hellgrün					

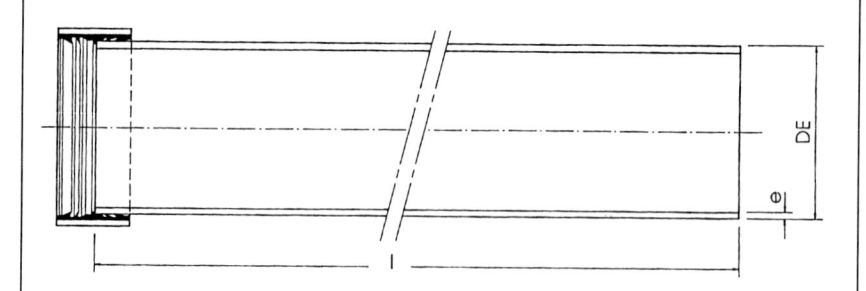

Bild 13: Längsschnitt GFK-Rohr mit FWC-Kupplung

Grundstücksentwässerung und öffentliche Kanäle

GFK-Rohre geschleudert (DIN 16869/19565) – Durchmesserreihe 2

Nennweiten DN	200	250	300	350	400	500
Außendurchmesser DE in [mm]	220,8	272,5	324,5	376,1	427,1	530,2
Wanddicken e in [mm]	5,8	6,9	8,0	9,1	10,2	12,3
Nennringsteifigkeiten SN in [N/m²]	SN 10000 $\hat{=}$ SN 10 [kN/m²]					
Baulängen l ohne Steckmuffe in [mm]	6000 Regellänge					
Verbindungen	Überschiebkupplung mit werksseitig vormontierten Dichtringen bzw. integrierter Dichtmanschette					
Farbe	sandfarben bis hellgrau Überlaminate: hellgrün					

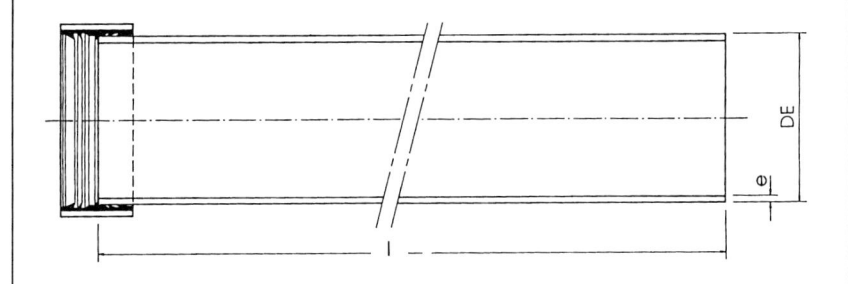

Bild 14: Längsschnitt GFK-Rohr mit FWC-Kupplung

GFK-Rohre gewickelt (DIN 16868) – Durchmesserreihe 1

Nennweiten DN	600	700	800	900	1000	1200
Außendurchmesser d_2 in [mm]	616,5	718,5	820,5	922,5	1024,5	1228,5
Wanddicken s_5 in [mm]	10,1	11,9	13,2	14,9	16,3	19,6
Nennringsteifigkeiten SN in [N/m²]	SN 5000 $\hat{=}$ SN 5 [kN/m²]					
Baulängen I ohne Steckmuffe in [mm]	6000, 12000 Regellängen					
Verbindungen	Überschiebkupplung mit werksseitig vormontierten Dichtringen bzw. integrierter Dichtmanschette					
Farbe	sandfarben bis hellgrau Überlaminate: hellgrün					

Nennweiten DN	1300	1400	1600	1800	2000	2200	2400
Außendurchmesser d_2 in [mm]	1331,0	1433,0	1637,0	1841,0	2045,0	2249,0	2453,0
Wanddicken s_5 in [mm]	21,2	22,7	25,8	28,9	31,9	35,5	38,1
Nennringsteifigkeiten SN in [N/m²]	SN 5000 $\hat{=}$ SN 5 [kN/m²]						
Baulängen I ohne Steckmuffe in [mm]	6000, 12000 Regellängen						
Verbindungen	Überschiebkupplung mit werksseitig vormontierten Dichtringen bzw. integrierter Dichtmanschette						
Farbe	sandfarben bis hellgrau Überlaminate: hellgrün						

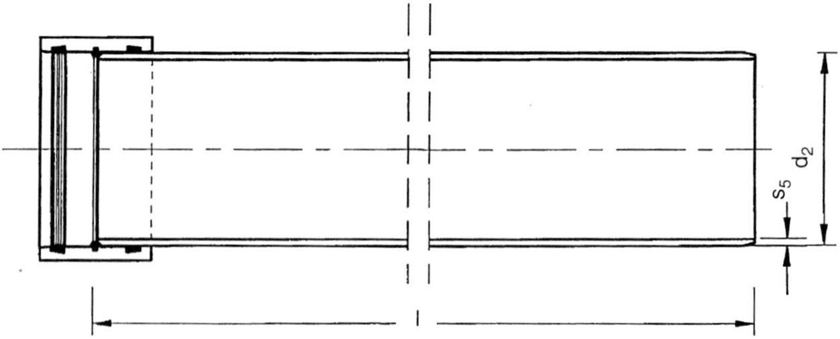

Bild 15:   Längsschnitt GFK-Rohr mit REKA-Kupplung

Grundstücksentwässerung und öffentliche Kanäle

GFK-Rohre gewickelt (DIN 16868) – Durchmesserreihe 1

Nennweiten DN	600	700	800	900	1000	1200
Außendurchmesser d_2 in [mm]	616,5	718,5	820,5	922,5	1024,5	1228,5
Wanddicken s_5 in [mm]	12,6	14,6	16,7	18,7	20,7	24,6
Nennringsteifigkeiten SN in [N/m²]	SN 10000 $\triangleq$ SN 10 [kN/m²]					
Baulängen l ohne Steckmuffe in [mm]	6000, 12000 Regellängen					
Verbindungen	Überschiebkupplung mit werkseitig vormontierten Dichtringen bzw. integrierter Dichtmanschette					
Farbe	sandfarben bis hellgrau Überlaminate: hellgrün					

Nennweiten DN	1300	1400	1600	1800	2000
Außendurchmesser d_2 in [mm]	1331,0	1433,0	1637,0	1841,0	2045,0
Wanddicken s_5 in [mm]	26,6	28,7	32,7	36,6	40,3
Nennringsteifigkeiten SN in [N/m²]	SN 10000 $\triangleq$ SN 10 [kN/m²]				
Baulängen l ohne Steckmuffe in [mm]	6000, 12000 Regellängen				
Verbindungen	Überschiebkupplung mit werkseitig vormontierten Dichtringen bzw. integrierter Dichtmanschette				
Farbe	sandfarben bis hellgrau Überlaminate: hellgrün				

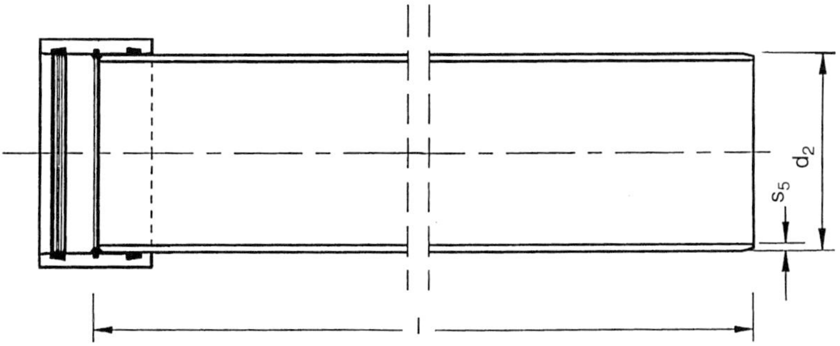

Bild 16: Längsschnitt GFK-Rohr mit REKA-Kupplung

GFK-Rohre geschleudert (DIN 16869/19565) – Durchmesserreihe 1

Nennweiten DN	600	700	800	900	1000	1200
Außendurchmesser DE in [mm]	616,4	718,8	820,4	924,1	1026,1	1229,0
Wanddicken e in [mm]	11,5	13,2	14,9	16,6	18,3	21,7
Nennringsteifigkeiten SN in [N/m²]	SN 5000 $\hat{=}$ SN 5 [kN/m²]					
Baulängen l ohne Steckmuffe in [mm]	6000 Regellänge					
Verbindungen	Überschiebkupplung mit werkseitig vormontierten Dichtringen bzw. integrierter Dichtmanschette					
Farbe	sandfarben bis hellgrau Überlaminate: hellgrün					

Nennweiten DN	1400	1600	1800	2000	2200	2400
Außendurchmesser DE in [mm]	1439,0	1638,0	1842,0	2047,0	2252,0	2460,0
Wanddicken e in [mm]	25,5	28,5	31,9	35,3	41,0	44,0
Nennringsteifigkeiten SN in [N/m²]	SN 5 000 $\hat{=}$ SN 5 [kN/m²]					
Baulängen l ohne Steckmuffe in [mm]	6000 Regellänge					
Verbindungen	Überschiebkupplung mit werkseitig vormontierten Dichtringen bzw. integrierter Dichtmanschette					
Farbe	sandfarben bis hellgrau Überlaminate: hellgrün					

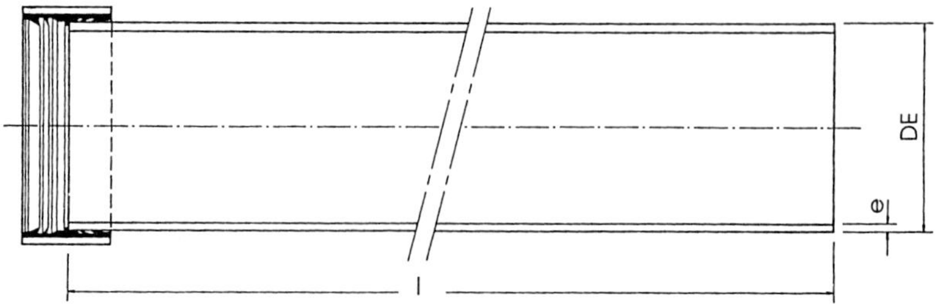

Bild 17: Längsschnitt GFK-Rohr mit FWC-Kupplung

Grundstücksentwässerung und öffentliche Kanäle

GFK-Rohre geschleudert (DIN 16869/19565) – Durchmesserreihe 1

Nennweiten DN	600	700	800	900	1000	1200
Außendurchmesser DE in [mm]	616,4	718,8	820,4	924,1	1026,1	1229,0
Wanddicken e in [mm]	14,1	16,3	18,4	20,6	22,8	27,0
Nennringsteifigkeiten SN in [N/m²]	SN 10000 ≙ SN 10 [kN/m²]					
Baulängen l ohne Steckmuffe in [mm]	6000 Regellänge					
Verbindungen	Überschiebkupplung mit werkseitig vormontierten Dichtringen bzw. integrierter Dichtmanschette					
Farbe	sandfarben bis hellgrau Überlaminate: hellgrün					

Nennweiten DN	1400	1600	1800	2000	2200	2400
Außendurchmesser DE in [mm]	1439,0	1638,0	1842,0	2047,0	2252,0	2400,0
Wanddicken e in [mm]	31,5	35,7	40,0	44,2	50,0	55,0
Nennringsteifigkeiten SN in [N/m²]	SN 10000 ≙ SN 10 [kN/m²]					
Baulängen l ohne Steckmuffe in [mm]	6000 Regellänge					
Verbindungen	Überschiebkupplung mit werkseitig vormontierten Dichtringen bzw. integrierter Dichtmanschette					
Farbe	sandfarben bis hellgrau Überlaminate: hellgrün					

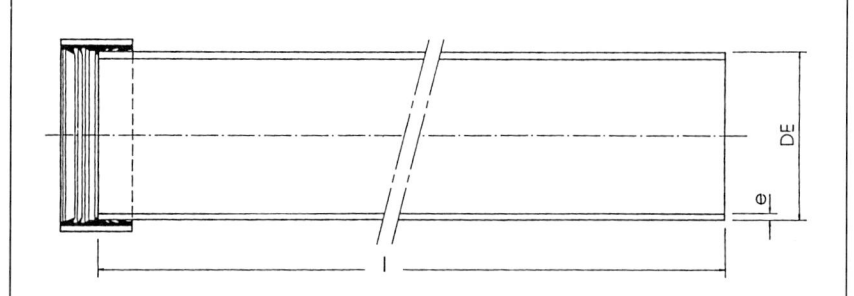

Bild 18: Längsschnitt GFK-Rohr mit FWC-Kupplung

3.4.3.2 Formstücke

L. BOSCHE

	Formstück-Ausführungen	Formstückprogramm zu		
		Vollwandrohren nach DIN V 19534	Coextrudierten, kerngeschäumten Rohren	Profilierten Rohren – Jumbo –
1	Bogen 15°	X	X	X
2	Bogen 30°	X	X	X
3	Bogen 45°	X	X	X
4	Bogen 67,5°	X	X	X
5	Bogen 87,5°	X	X	X
6	Abzweige 45°	X	X	X
7	Abzweige 87,5°	X	X	X
8	Sattelstücke	X	X	X
9	Überschiebmuffe	X	X	X
10	Doppelmuffe	X	X	X
11	Übergangsrohr/Reduktion	X	X	X
12	Aufklebmuffe [1])	X	X	X
13	Endverschluß	X	X	X
14	Anschlußstück an Gußrohr-Spitzende [1])	X	X	X
15	Anschlußstück an Stg-Spitzende [1])	X	X	X
16	Anschlußstück an Stg-muffe [1])	X	X	X
17	Anschlußstück an FZ-Spitzende [1])	X	X	X
18	Anschluß an andere Rohrsysteme	X	X	X
19	Reinigungsrohr [1])	X	X	X
20	Schachtfutter	X	X	X
21	Flansch-Muffenstück [2])	X	X	X
22	Einflanschstück [3])	X	X	X
23	Formstück-Werkstoff	PVC-U	PVC-U	PVC-U
24	Durchmesserbereich	DN 100–600	DN 100–600	DN 150–500
25	Normen für Formstücke	DIN V 19534	DIN V 19534	DIN V 19534
	[1]) Nennweite bis DN 200 [2]) Nennweite bis DN 400 [3]) Nennweite bis DN 500			

Grundstücksentwässerung und öffentliche Kanäle

	Formstück-Ausführungen	Profilierten Rohren – Ultra-Rib –	Vollwandrohren nach DIN 19537 – PE-HD –	GFK-Rohren (UP-GF) nach DIN 16869/19565 bzw. DIN 16868
1	Bogen 15°	X	X	X
2	Bogen 30°	X	X	X
3	Bogen 45°	X	X	X
4	Bogen 67,5°			X (60°)
5	Bogen 87,5°	X	X	X (90°)
6	Abzweige 45°	X	X	X
7	Abzweige 87,5°	X	X	X (90°)
8	Sattelstücke	X		X
9	Überschiebmuffe	X		X
10	Doppelmuffe	X	X [4]	
11	Übergangsrohr/ Reduktion	X	X	X
12	Aufklebmuffe [1]			
13	Endverschluß	X		X
14	Anschlußstück an Gußrohr-Spitzende [1]	X	X	X [5]
15	Anschlußstück an Stg-Spitzende [1]	X	X	X
16	Anschlußstück an Stg-muffe [1]	X	X	X
17	Anschlußstück an FZ-Spitzende [1]	X	X	X
18	Anschluß an andere Rohrsysteme	X	X	X
19	Reinigungsrohr [1]	X	X	X
20	Schachtfutter	X	X	X
21	Flansch-Muffenstück [2]		X	X
22	Einflanschstück [3]			X
23	Formstück-Werkstoff	PVC-U	PE-HD	GFK
24	Durchmesserbereich	DN 150–500	DN 100–1200	DN 100–2400
25	Normen für Formstücke	DIN V 16961	DIN 19537	DIN 19565

[1] Nennweite bis DN 200
[2] Nennweite bis DN 400
[3] Nennweite bis DN 500
[4] Ausgeführt als Heizwendelschweißmuffe
[5] DN 100–500 Außendurchmesser identisch mit GGG

Die nachfolgend dargestellten Formstücke (Bilder 19–42) sind typische Beispiele für die in der vorstehenden Übersicht aufgeführten. Die genauen Konstruktionsmerkmale und Abmessungen sind den entsprechenden Normen bzw. den Unterlagen der jeweiligen Hersteller zu entnehmen.

Wie bereits im Abschnitt 3.4.3 erwähnt, ist diese Form der Darstellung im Interesse des Lesers gewählt: Sie vermeidet einerseits Unübersichtlichkeit durch mehrfache Abbildung eines Formstück-Typs; Ausnahmen bilden konstruktionsbedingte Sonderlösungen (Verbindungstechnik, Dichttechnik). Andererseits soll sie das Angebot der Kunststoffrohr-Industrie zur Thematik „Rohrverlegung" mit allen Ausführungsvarianten eines kompletten Formstück-Programms zeigen.

Jedes dargestellte Formstück, das einem speziellen Rohr- und Formstück-Programm aus einem der in der Übersicht aufgeführten Konstruktionswerkstoffe zugeordnet ist, wird mit der dem Stand der Technik entsprechenden Verbindungstechnik ausgeführt und angewendet.

Grundstücksentwässerung und öffentliche Kanäle 411

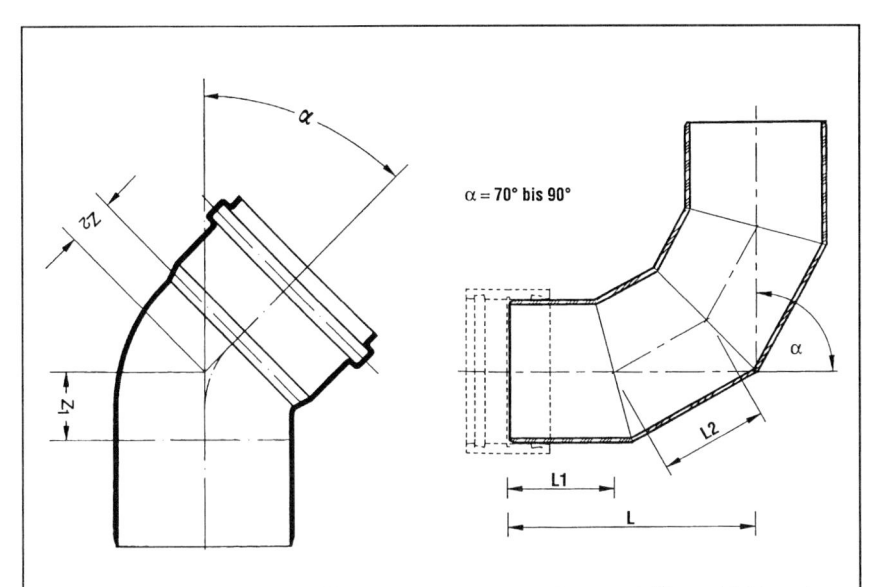

$\alpha = 70°$ bis $90°$

Bild 19: Bogen mit Steckmuffe

Bild 20: Bogen mit Überschiebkupplung

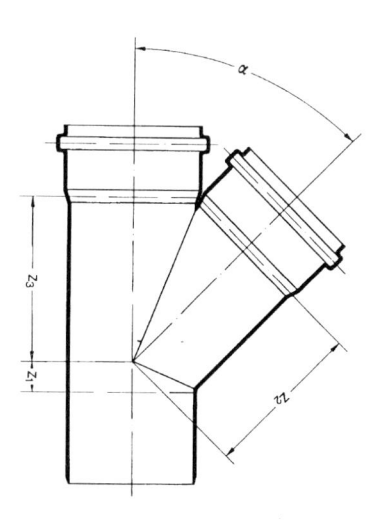

Bild 21: Abzweige mit Steckmuffe 45°

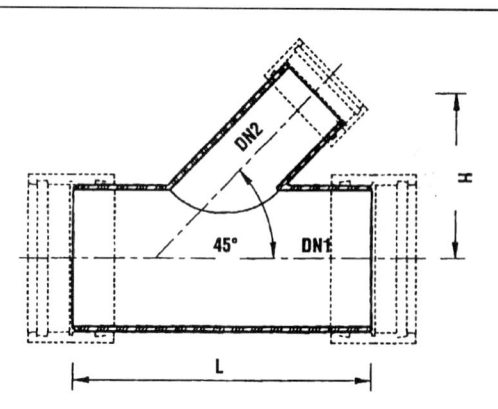

Bild 22: Abzweig 45° mit Überschiebmuffen

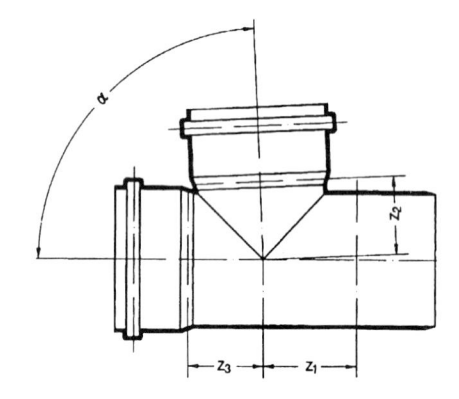

Bild 23: Abzweige mit Steckmuffe 87,5°

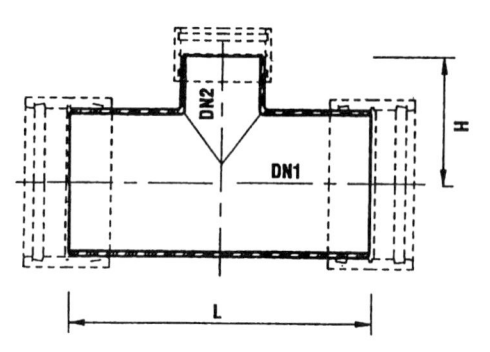

Bild 24: Abzweig 90° mit Überschiebkupplungen

Grundstücksentwässerung und öffentliche Kanäle 413

Bild 25: Sattelstücke (Klebschellen) 45°

Bild 26: GFK-Sattelstücke Kanal DN1: 400 bis 1000
DN2: 150 bis 200

Bild 27: Überschiebmuffen

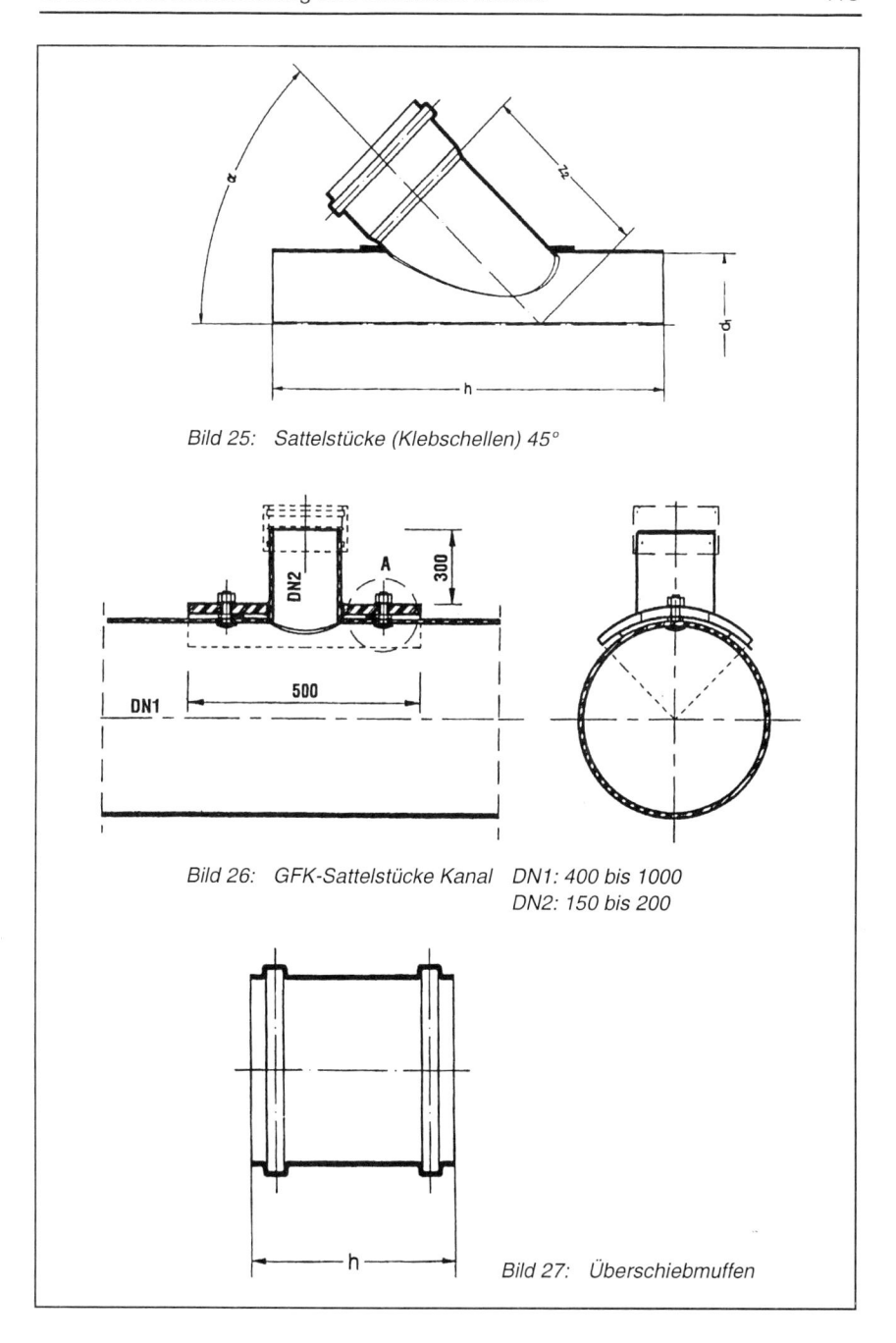

Bild 28: Doppelmuffen

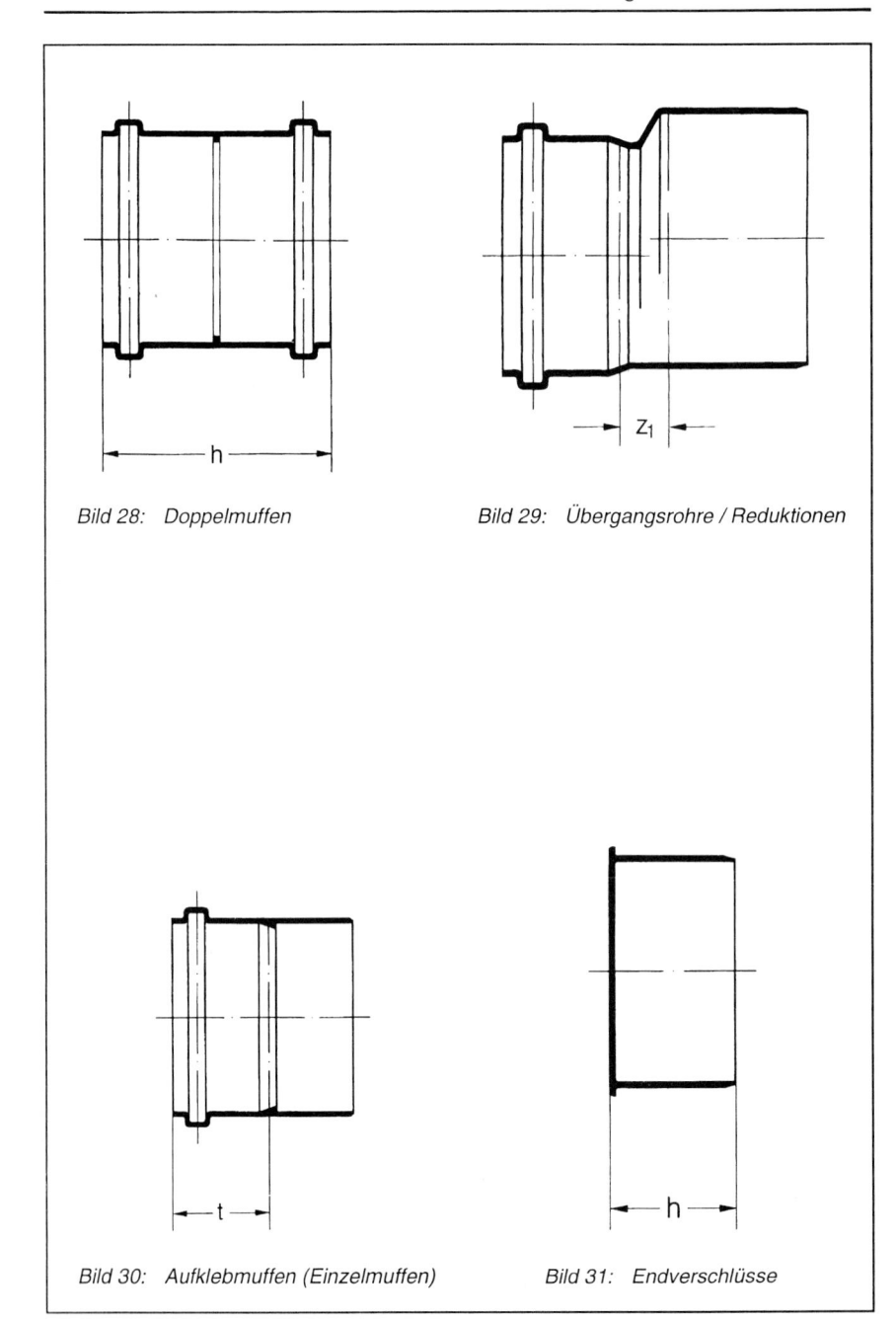

Bild 29: Übergangsrohre / Reduktionen

Bild 30: Aufklebmuffen (Einzelmuffen)

Bild 31: Endverschlüsse

Grundstücksentwässerung und öffentliche Kanäle 415

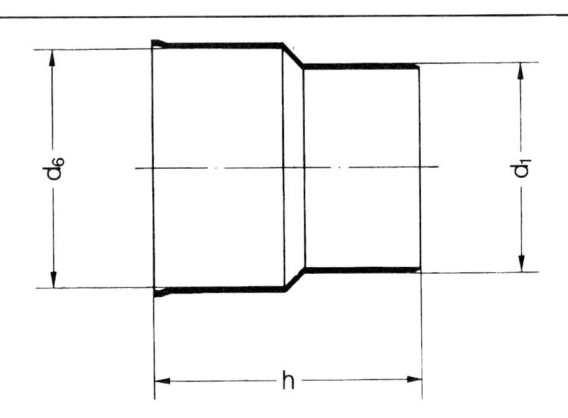

Bild 32: Anschlußstücke an Gußrohr-Spitzende

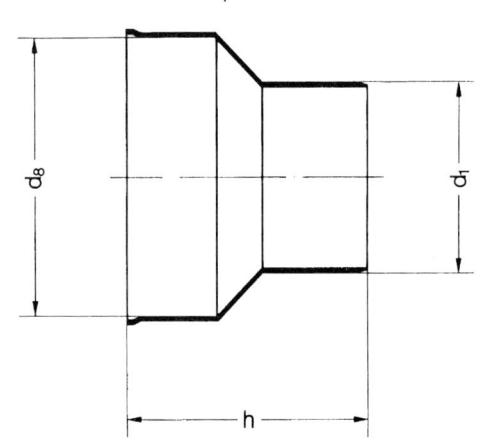

Bild 33: Anschlußstücke an Steinzeugrohr-Spitzende

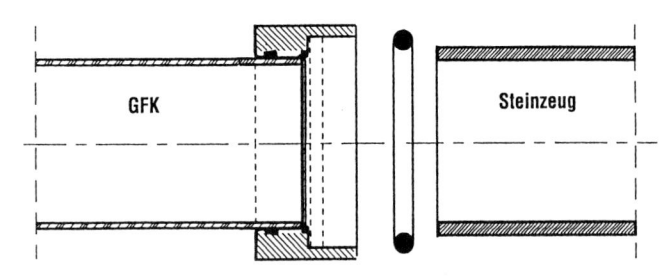

Bild 34: Übergang auf Steinzeug mit REKA-Übergangskupplung und Dichtung gemäß EN 691

Bild 35: Anschlußstücke an Steinzeugrohr-Muffe

Bild 36: Anschlußstücke am FZ-Spitzende

Bild 37: Anschlußstücke an andere Rohrsysteme (Ultra Rib an KG)

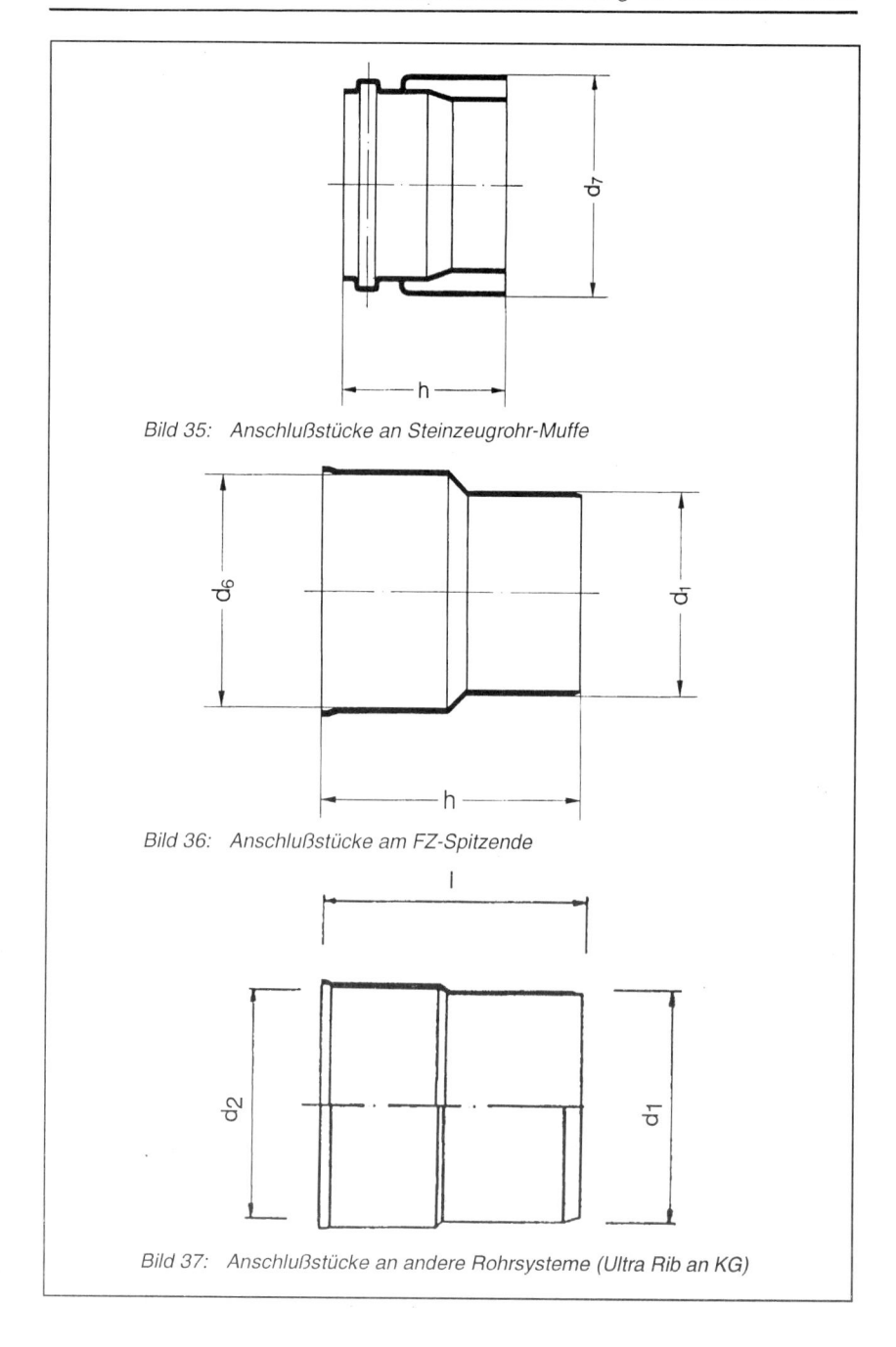

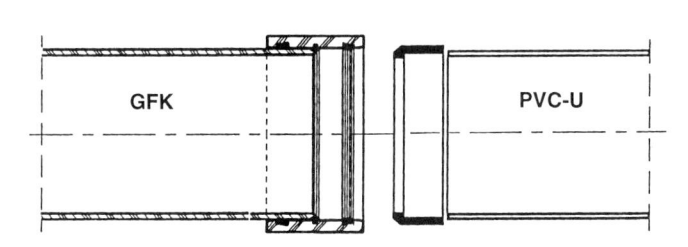

Bild 38: Übergang GFK auf PVC-U mit REKA-Kupplung und UM-Manschette

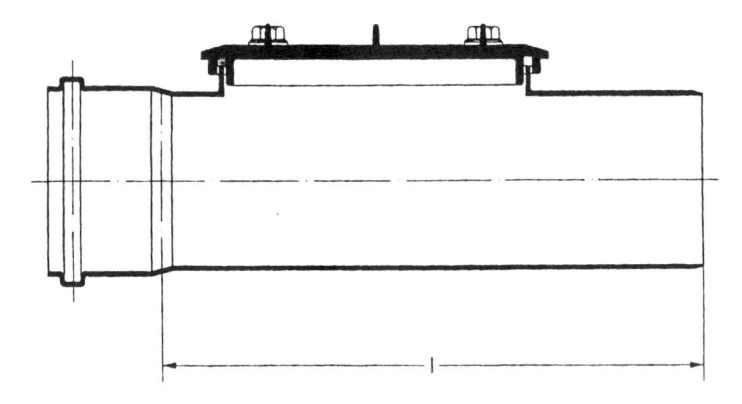

Bild 39: Reinigungsrohre

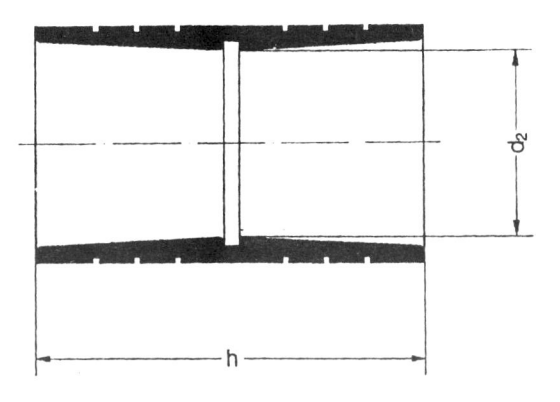

Bild 40: Schachtfutter

Bild 41: Flanschmuffenstücke

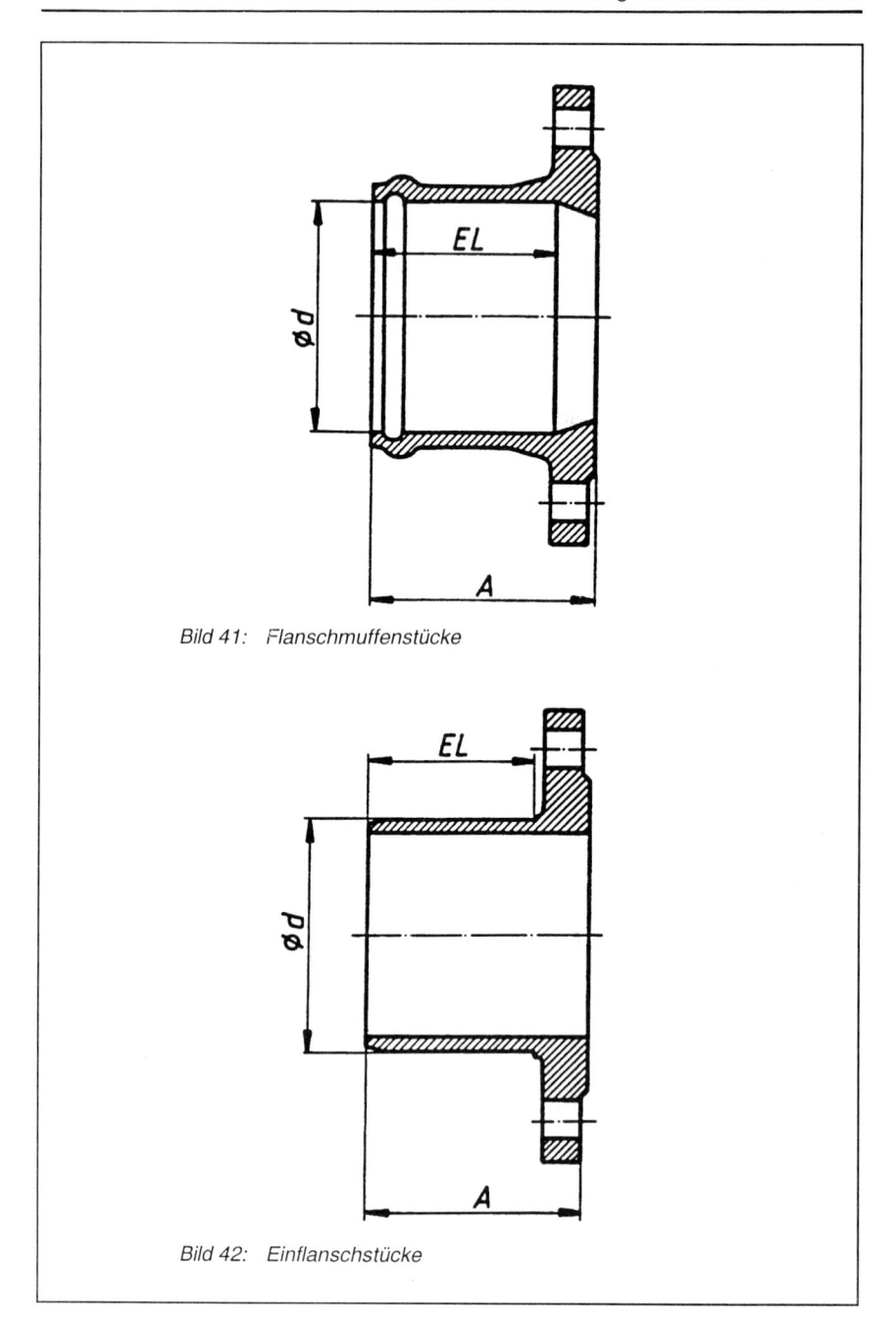

Bild 42: Einflanschstücke

3.4.3.3 Schachtbauteile

L. BOSCHE
Mitwirkung: H. NIEMANN und H. SCHULZ

Der Einsatz von Kunststoffschächten in der Abwassertechnik ist die logische Konsequenz des Erfolges von Kunststoffrohren in diesem Anwendungsbereich, vor allem in der Haus- und Grundstücksentwässerung.

Der Markt für Kunststoffschächte ist in den letzten Jahren kontinuierlich gewachsen. Sie kommen besonders dort zur Anwendung, wo praktische und wirtschaftliche Lösungen gefragt sind. Dies gilt insbesondere für nichtbesteigbare Schachtsysteme. Sie haben sich Einsatzgebiete erschlossen, auf denen bislang keine oder nur sehr wenige Schächte zur Sammlung von Oberflächenwasser, zu Kontroll- und Reinigungszwecken eingebaut wurden. Video-Inspektionen brachten Erkenntnisse über den schlechten Zustand der Entwässerungssysteme ans Tageslicht, und die unzureichende Inspizierbarkeit auf Grundstücken hat zur verstärkten Forderung nach Kontroll-und Reinigungsmöglichkeiten geführt.

Neben den aus zementgebundenen Materialien hergestellten besteigbaren Schächten gibt es solche aus den Kunststoffen PVC-U, PE-HD und GFK, die vor allem ihre Anwendung in der Industrie, im Deponiebau und auf dem Abwassersektor finden. Die hohe Korrosionsbeständigkeit, Dichtigkeit und leichtere Handhabung der Komponenten vor und nach der Verlegung sind ihre Vorteile, die besonders geschätzt werden. Auch im öffentlichen Bereich werden diese besteigbaren Schachtbauwerke aus Kunststoffen immer häufiger eingesetzt, weil sie gegenüber aggressiven Abwässern zusätzliche Sicherheit garantieren. In der Deponietechnik sind sie Stand der Technik und tragen dort zu einer sicheren und langlebigen Ableitung der teilweise hochaggressiven Deponiesickerwässer bei.

3.4.3.3.1 Vorschriften und Normen

Einsatz und Ausführung der Schächte für die Haus- und Grundstücksentwässerung sind u.a. in der DIN 1986 Teil 1 beschrieben. Das Deutsche Institut für Bautechnik in Berlin vergibt entsprechende bauaufsichtliche Zulassungen.

Die Gütegemeinschaft Kunststoffrohre e.V. überwacht nach strengen Güterichtlinien die Einhaltung der festgeschriebenen Anforderungen an die Schachtbauteile.

Im öffentlichen Bereich ist die DIN 19549 „Schächte für erdverlegte Abwasserkanäle und -leitungen" maßgebend. Dort heißt es u.a.:

„Ein Schacht im Sinne dieser Norm ist ein Bauwerk für einen erdverlegten Abwasserkanal oder eine Abwasserleitung. Er dient besonders der Be- und

Entlüftung, Kontrolle, Wartung und Reinigung, ggf. der Aufnahme von Anlagen zur Hebung von Abwasser, der Zusammenführung sowie zu Richtungs-, Neigungs- und Querschnittsänderungen von Kanälen oder Leitungen. Schächte können gemauert, betoniert und/oder aus Fertigteilen zusammengesetzt werden."

Diese Anforderungen werden auch von nichtbesteigbaren Schächten erfüllt.

3.4.3.3.2 Schachtkonstruktionen und Materialien

Es gibt eine Vielzahl von Schachtkonstruktionen die auf den jeweiligen Anwendungsfall zugeschnitten sind oder wo sich aufgrund des verwendeten Materials und des Einsatzzweckes bestimmte Konstruktionen aus der Herstellung ergeben (Spritzgußteile, Handfertigungsteile, Komponenten). In den folgenden Abbildungen (Bilder 43–45) sind typische Schachtbauwerke dargestellt.

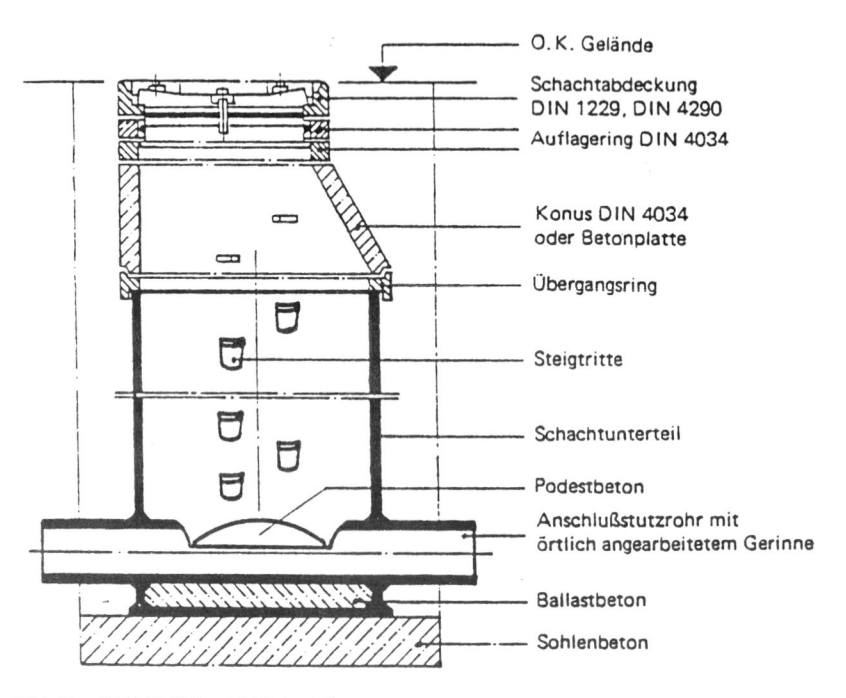

Bild 43: PE-HD Schacht (Beispiel)

GESCHÄFTSVERBINDUNGEN

Uponor Anger. Top-Anbieter mit weltweiten Referenzen im Bereich Kunststoffrohrsysteme sucht Entscheider der gehobenen Klasse, die eine langfristige Verbindung als Komplettlösung wünschen. Wir sind kundenorientiert und extrem servicefreundlich, bieten reichlich Produkterfahrung in Sachen Druckrohrsysteme für Wasser- und Gasleitungsnetze sowie Kanalisationssysteme für Kommunen und Industrie. Bewährter Typ aus unserem Haus: Ultra-Rib-Kanalrohrsystem. Günstig im Preis, leicht zu verlegen, dadurch absolut wirtschaftlich. Kontaktaufnahme über 0 23 65/69 60, Stichwort „Komplettsysteme". Sie erhalten ausführliche Informationen über uns und und unsere Produkte.

Uponor
Rohre mit System

Uponor Anger GmbH, Brassertstraße 251, D-45768 Marl · Telefon 023 65/696-0 · Telefax 023 65/696-102

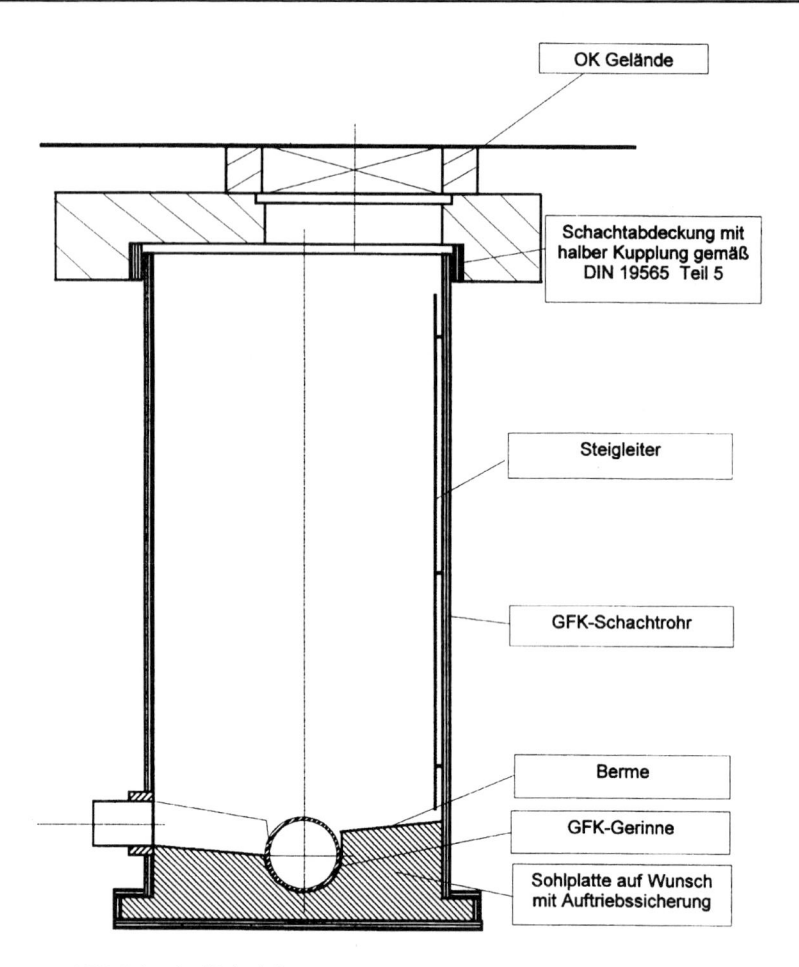

Bild 44: GFK-Schacht (Beispiel)

(Labels in figure: OK Gelände; Schachtabdeckung mit halber Kupplung gemäß DIN 19565 Teil 5; Steigleiter; GFK-Schachtrohr; Berme; GFK-Gerinne; Sohlplatte auf Wunsch mit Auftriebssicherung)

3.4.3.3.3 Nichtbesteigbare Schächte im Haus- und Grundstücksbereich

Dem Markt steht heute eine Vielzahl von kompakten Schächten aus verschiedenen Kunstoffmaterialien in unterschiedlichen Ausführungen und Aufbauten zur Verfügung. Dort, wo die gezielte Sammlung und Ableitung von Abwasser und Oberflächenwasser beginnt – im Grundstücksbreich – beginnt auch das Einsatzgebiet der sogenannten Hausübergabeschächte sowie anderer Spül- und Kontrollschächte mit Anschlußnennweiten von DN 100 bis 200.

Grundstücksentwässerung und öffentliche Kanäle 423

Bild 45: Vollkunststoffschacht mit Teleskoptechnik (PVC-U)

Vorteile:
- geringes Gewicht
- platzsparend
- einfacher Transport
- leichte Handhabung
- hohe Dichtigkeit
- korrosionsbeständig
- langlebig
- preiswert
- recycelbar

Aufgrund dieser Vorteile finden Kunststoffschächte ihre hauptsächliche Anwendung als Reinigungs- und Kontrollschächte in der privaten Grundstücksentwässerung. Als Übergabeschacht von der privaten Abwasserableitung zur öffentlichen Kanalisation sind die nichtbesteigbaren Kunststoffschächte eine echte Alternative zu den herkömmlichen Konstruktionen. Mit unterschiedlich großen Steigrohren ist dieser Schacht für alle von Kommunen und Verbänden benutzten Geräte zur Kontrolle (Videoinspektion) und Wartung (Spül- und Absaugschläuche) zugänglich und somit für diesen Einsatzzweck uneingeschränkt geeignet.

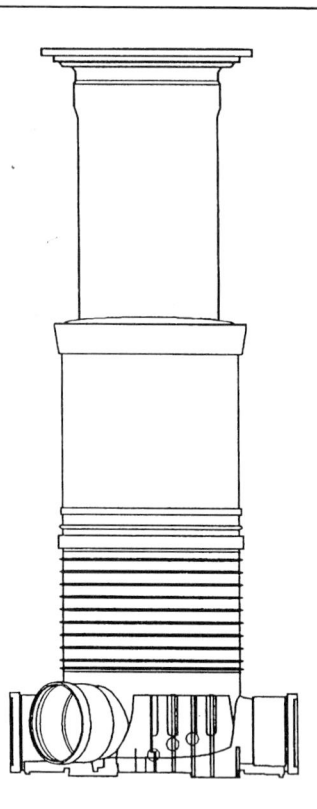

Bild 46: Schachtaufbau (Beispiel 1)

Funktion und Aufbau

An Schächte werden Anforderungen gestellt, wie Widerstand gegen Korrosion und Abrasion sowie günstiges hydraulisches Verhalten, so daß entsprechende Gerinne mit Gefälle ausgebildet sein müssen. Außerdem sind bestimmte Einbauvarianten vorgesehen, wie z.B. für Haus- und Grundstückseinfahrten, öffentliche Straßen und Plätze sowie Parkflächen, so daß dem jeweiligen Belastungsfall entsprechende Abdeckungen zuzuordnen sind.

Allen diesen Forderungen trägt ein systematischer Aufbau – ein „Baukastenprinzip" – Rechnung. Es kann so der für jeden Bedarfsfall entsprechende Kunststoffschacht zusammengestellt werden.

Die Bilder 46 und 47 zeigen den typischen Aufbau zweier nichtbesteigbarer Schächte mit folgenden Hauptkomponenten:

Grundstücksentwässerung und öffentliche Kanäle 425

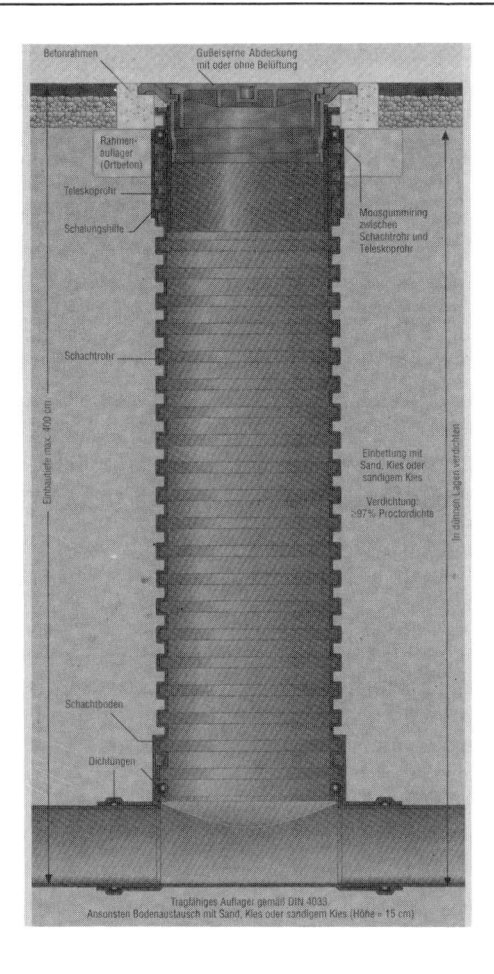

Bild 47: Schachtaufbau (Beispiel 2)

- Teleskopabdeckung mit Rohrstück für eine exakte Anpassung an Gelände-/ Pflaster-/ Straßenhöhen. Diese Abdeckungen werden in allen einschlägigen Belastungsklassen angeboten.

  Dichtelemente, die die für Kunststoffrohre gewohnte Dichtigkeit garantieren (Bild 46).

- Glatte, gewellte oder profilierte Steigrohre von 300 bis 500 mm Durchmesser für jede (verschiedene Systeme) gewünschte Einbautiefe.

Schachtboden-/grundkörper in bis zu 5 Anschlußvarianten (gerader Durchlauf, rechts-mitte-links Zulauf, mitte-rechts und mitte-links Zulauf) sind möglich mit Anschlüssen von DN 100 bis zu DN 500 (Bild 47).

Anders als bei herkömmlichen Schächten schwerer Bauart, werden bei Kunststoffschächten die Lasten häufig nicht bis auf den Schachtboden weitergeleitet Die von der Gußabdeckung aufgenommenen Kräfte werden direkt in den Randbereich um das Teleskoprohr, den Wege- oder Straßenaufbau, abgeleitet. Durch diese Teleskoptechnik werden so gut wie keine Lasten von der Abdeckung auf den Schachtboden und damit auf die angeschlossenen Rohrleitungen übertragen. Die dichte Verbindung Kunststoffkanalrohr/Kunststoffschacht bleibt frei von Straßenlasten dauerhaft erhalten.

Die Teleskopabdeckung besteht aus einer fertig vormontierten Einheit (Rohr und Abdeckung) und ist in der Lage, Einbauhöhenunterschiede bis zu 50 cm auszugleichen. Eine gußeiserne Abdeckung wird nach der EN124 in den Belastungsklassen A (1,5t), B (12,5t) und D (40t) mit und ohne Lüftung sowie Einlaufroste angeboten. Andere Abdeckungen ohne Teleskop werden mit einer begehbaren Kunststoff-, Stahlbeton- oder Gußabdeckung versehen.

Der Schachtboden (Varianten s. Bild 48) weist durch seine glatte Oberfläche und Formgebung optimale hydraulische Strömungseigenschaften auf, die Verstopfungen weitestgehend vermeiden. Außerden besitzt der Schachtboden einen tiefen Aufnahmeschaft für das Steigrohr, so daß Bodensetzungen, z.B. durch Frosteinwirkung, auch in diesem Bereich ausgeglichen werden können. Jede gewünschte Einbautiefe bis max. 4 m kann ohne statischen Nachweis realisiert werden. Auch größere Einbautiefen sind nach Rücksprache mit den Herstellerwerken möglich.

Vorteile beim Einbau

Der Schachtboden mit dem Steigrohr ist leicht von einer Person zu transportieren und deshalb einfach und schnell an der gewünschten Stelle einzubauen. Es handelt sich hierbei um bewährte Materialien wie PVC-U und PP, die im Spritzgießverfahren oder um PE-HD/PEM, die im Rotationsgießverfahren hergestellt werden. Schächte aus GFK werden mit entsprechenden Herstellverfahren gefertigt. Für den Einbau ist kein besonderer, weiträumiger Aushub notwendig; d.h. der Schachtboden wird als Bestandteil der Rohrleitung im Rahmen der Rohrverlegung gleich mitverlegt. Das leichte Steigrohr wird in seiner zuvor grob festgelegten Länge aufgesetzt und verfüllt, abschließend die Teleskopabdeckung mit der schon vormontierten Gummimanschette aufgesetzt. Damit sind alle Bausteine des Schachtes ohne Verschrauben, Verputzen usw. eingebracht.

Jetzt können die letzten Schichten des Straßen- oder Wegeaufbaus jeweils über den Deckel aufgefüllt werden und anschließend die teleskopierbare Abdeckung wieder herausgezogen und der Oberkante angepaßt werden. Dieser Vorgang

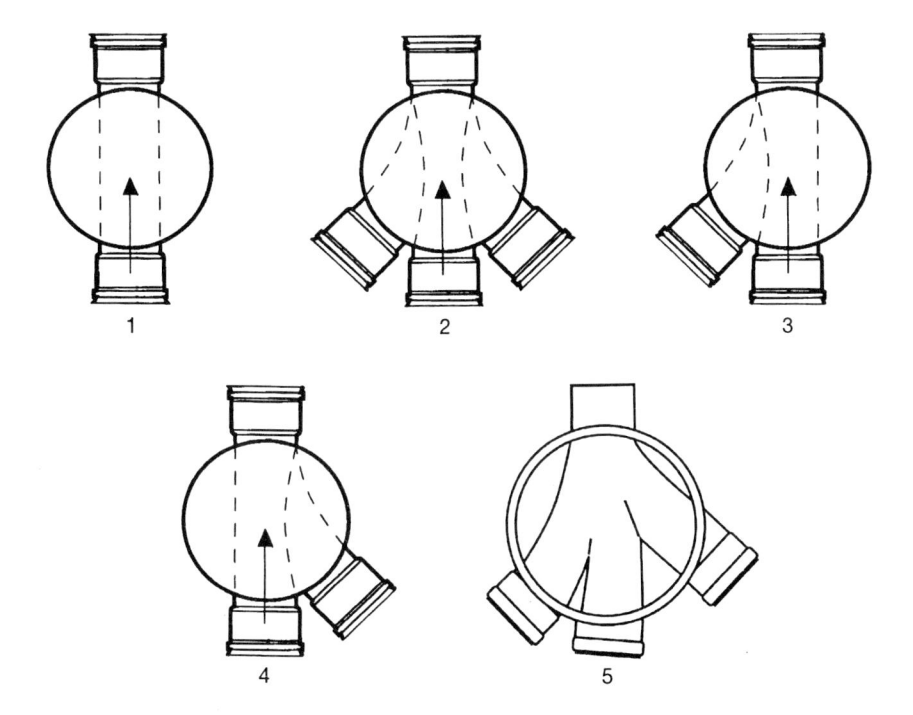

Grundstücksentwässerung und öffentliche Kanäle 427

Bild 48: Variantenvielfalt

wiederholt sich bis zur letzten Schicht, mit der der Deckel verdichtet wird. Somit ist ein sauberer Abschluß gewährleistet.

3.4.3.3.4 Nichtbesteigbare Schächte im öffentlichen Bereich

Obwohl in Deutschland noch wenig verbreitet, lösen Kunststoffschächte mit dem zuvor beschriebenen Baukastenprinzip ihre Aufgaben auch in öffentlichen Einsatzgebieten (Bilder 49 u. 50). Moderne Kontroll- und Reinigungstechniken machen die Besteigbarkeit vielerorts entbehrlich. Auch wenn die Vorschriften nicht schritthalten mit den technischen Neuerungen, so zeigt ein Blick auf unsere europäischen Nachbarn, daß diese Entwicklung auch in Deutschland zu erwarten ist.

Die Schachtabdeckung bildet als Fremdkörper im Staßenaufbau lediglich eine Brücke. Die Lasten werden aufgenommen und in den Straßenaufbau um den Teleskopabdeckungsrahmen eingeleitet, der für diese Lasten ausgelegt ist.

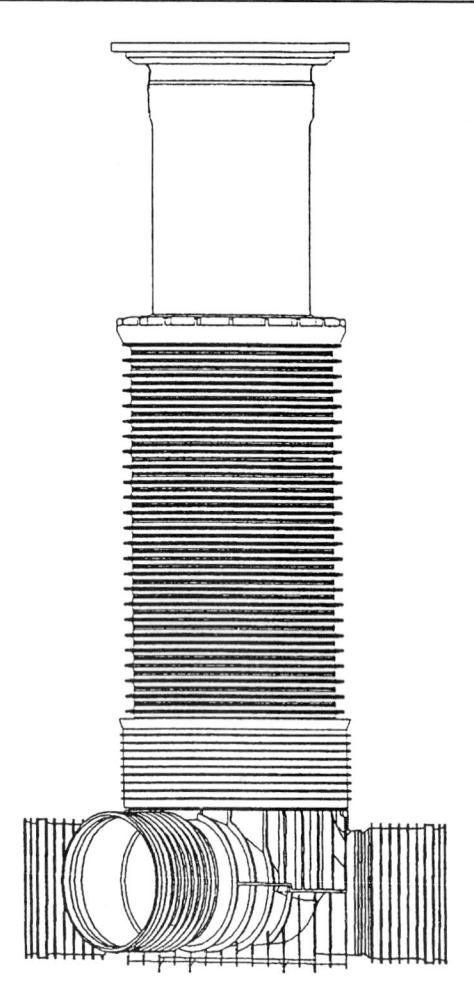

Bild 49: Systemschacht (Beispiel)

3.4.3.3.5 Besteigbare Schachtbauwerke

Für den Bau von besteigbaren Schachtbauwerken werden hauptsächlich die Materialien PE-HD (Bild 51) und GFK verwendet. Diese Kunststoffschächte werden heute mit Durchmessern bis zu 3,5 m hergestellt.

PE-HD-Schächte werden aus Rohren dieses Werkstoffes individuell gefertigt. Nach DIN 19537 Teil 3 (Schächte) müssen die Schachtbauteile der selben Norm Teil 2 (Rohre) entsprechen.

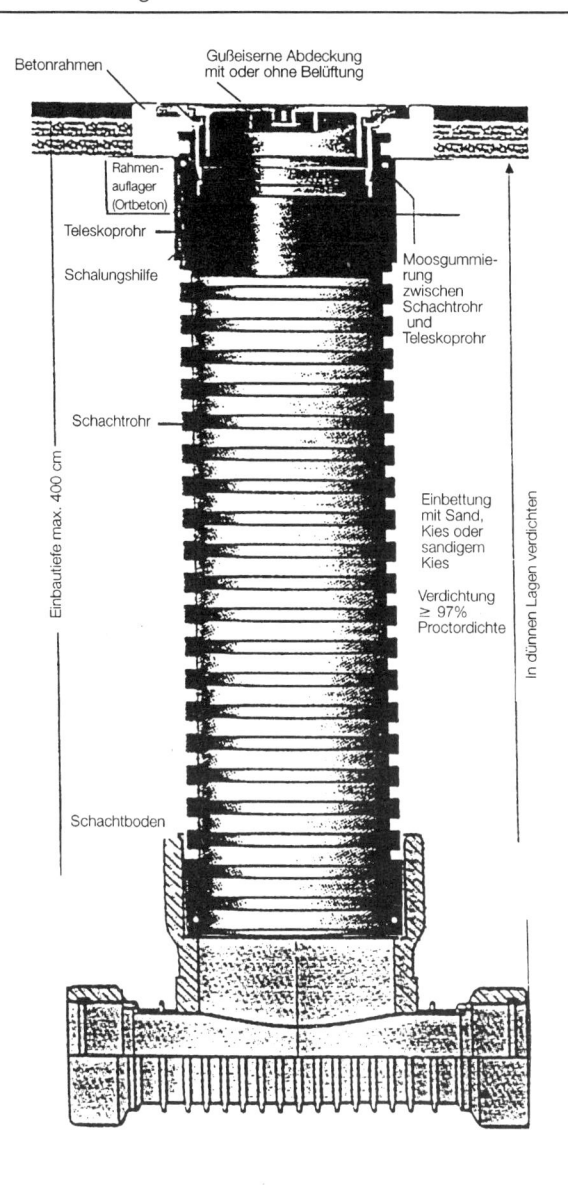

Grundstücksentwässerung und öffentliche Kanäle 429

Bild 50: Nichtbesteigbarer Schacht (Prinzipzeichnung)

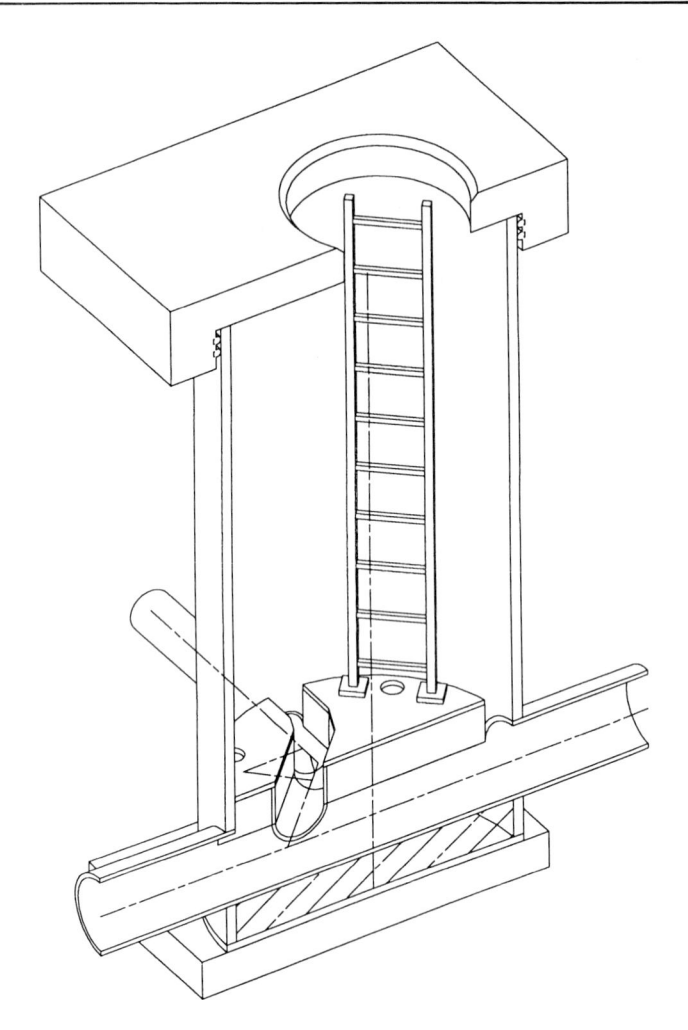

Bild 51: Schachtbauwerk aus PE-HD (besteigbar)

Aufgrund der guten mechanischen Verarbeitbarkeit sowie der Verschweißbarkeit sind alle denkbaren Konstruktionen möglich. Das hat den Einsatz besonders in der Deponietechnik gefördert, wo heutzutage ausschließlich Schachtbauwerke aus Kunststoff zum Einsatz kommen. Denoch sind bei der Herstellung dieser Schächte die DIN 4033 und das ATV-Arbeitsblatt A 139 zu berücksichtigen.

Schächte aus GFK werden heute weitestgehend nach der DIN 19565 Teil 5 oder in Anlehnung an diese Norm gebaut. Sie zeichnen sich durch einen sehr hohen

Vorfertigungsgrad aus, so daß die Einbauzeit auf der Baustelle auf ein Minimum reduziert werden kann. Weiterhin werden diese Schächte weitestgehend fugenlos gefertigt, was den Einsatz in Wasserschutzgebieten ermöglicht, wo nach ATV-Arbeitsblatt A 142 besondere Anforderungen an die Dichtheit gestellt werden. Der komplette Schacht besteht aus Sohlplatte, Gerinne, Bermen, Anschlüssen, Steigleiter und – falls notwendig – einer Auftriebssicherung, die nach den Angaben und Wünschen des Auftraggebers gefertigt wird. Auch vorgefertigte Sohlgerinne aus GFK kommen in jüngster Zeit vermehrt zum Einsatz, weil dadurch ein aufwendiges Laminieren des Betongerinnes vor Ort entfällt.

Die Schachtabdeckungen bestehen in der Regel aus einer Stahlbetonabdeckplatte nach DIN 4034. In der Schachtabdeckung befindet sich eine zentrische oder exzentrische Einstiegsöffnung. Diese Schächte aus GFK werden in Durchmessern von DN 1000 bis 2400 hergestellt. Dabei können Anschlüsse von DN 100 bis 800 in die Schächte eingesetzt werden. Es ist problemlos möglich, auch andere Rohrwerkstoffe an den GFK-Schacht anzuschließen.

Tangentialschächte

Besteigbare Inspektionsschächte für Rohrleitungen mit großen Durchmessern werden am wirtschaftlichsten durch einen Tangentialschacht realisiert. Tangentialschächte finden nur Anwendung in Nennweiten > DN 1000. Dabei wird auf das Hauptrohr ein Einstiegsdom von DN 800 oder DN 1000 aufgesetzt und verschweißt bzw. laminiert. Die notwendigen Einstiegshilfen werden anschließend montiert. Die Schachtabdeckung des Tangentialschachtes erfolgt analog zu den stehenden Schächten.

Deponieschächte

In der Deponietechnik zeichnen sich Kunststoffschächte durch hohe mechanische Festigkeiten und chemische Widerstandsfähigkeit gegen Deponiewässer und -gase aus. Deponieschächte aus Kunststoff sind schon bis zu Bauhöhen von 100 m gebaut worden. Dabei wird zwischen sogenannten starren und flexiblen Schächten innerhalb und außerhalb von Schüttungen unterschieden. So werden zum Beispiel sehr hohe Schächte in einer Teleskopbauweise schrittweise mit der Schüttung mitgeführt und verlängert. Auch elektrisch leitfähige Kunststoffmaterialien sind möglich. Diese leiten Streuströme oder elektrische Aufladungen ab und senken somit ganz entscheidend die Gefahr des Entzündens der Deponiegase.

3.4.3.3.6 Notwendigkeit der Besteigbarkeit

Schächte sind im Verhältnis zum nur sehr sporadisch anfallenden Bedarf – also der Notwendigkeit zur Nutzung – enorm teure Bauwerke. Was sie so teuer macht, ist die Unterbrechung der Leitung durch Gelenkstücke, Fundamente,

Gerinneausbildung sowie der Bedarf an Steigeisen und Abdeckungen – vom Aufwand für Schachtringe oder Ortbeton gar nicht zu reden. Dies alles, um einerseits eine Zugänglichkeit in der Leitungssohle zu schaffen, andererseits relevante Bauvorschriften zu erfüllen. Aber ist eine Zugänglichkeit, wenn diese nur erforderlich ist, ab Flur (OK Gelände, Gehweg, Straße) vielfach nicht auch ausreichend?

Was muß heute verlangt werden?

- Das Reinigungsgerät muß zugeführt werden können. Dies geschieht heutzutage fast ausschließlich per Hochdruckschlauch ab Flur. Der Reinigungswagen, bedient von einer Person, erledigt heute in jeder Kommune diese Arbeit in routinemäßigen Zyklen.

- Die Inaugenscheinnahme des Leitungsquerschnittes durch Spiegelung. Diese Methode ist durch die Videoinspektion (Bild 52) abgelöst worden. Heute werden Rohrinnendurchmesser ab 100 mm problemlos per Videokamera befahren.

- Sonderaufgaben wie im Schacht eingebaute Abscheider, Schlammfänger, Sammelbehälter, Hebeanlagen, Rückstauverschlüsse usw. bedingen eine Zugänglichkeit bzw. Begehbarkeit.

Bild 52: Videoinspektion

Im Abschnitt 3.2 der DIN 19549 für Schächte im öffentlichen Bereich werden Angaben zu den Abmessungen gemacht. Dort wird ausgeführt:

„Besteigbare Schächte müssen bei kreisförmigen Querschnitten eine Mindestnennweite von DN 1000 haben. Die Verwendung von Schachtringen mit 800 mm Durchmesser ist zulässig, wenn darunter ein Arbeitsraum von mindestens 1200 mm Durchmesser und 2000 mm Höhe vorhanden ist...".

Es heißt dann aber weiter:

„Nichtbesteigbare Schächte können andere Querschnitte haben, sofern Wartung und Reinigung des anschließenden Kanals bzw. der anschließenden Leitung nicht beeinträchtigt werden."

Hier ist eindeutig festgelegt, daß auch nichtbesteigbare Schächte eingesetzt werden können, die andere Querschnitte haben dürfen. Entscheidend ist, daß die Reinigung und Wartung gewährleistet wird, was mit den heutigen modernen Reinigungsverfahren und Videoinspektionen kein Problem mehr darstellt bzw. Stand der Technik ist.

3.4.4 Bau von Abwasserkanälen und -leitungen

H. B. SCHULTE

Allgemeine Anforderungen

Abwasserkanäle und -leitungen sind Ingenieur-Bauten, bei denen das Zusammenwirken von Rohr, Rohrverbindung, Rohrauflager, Einbettung und Überschüttung die Grundlage für Stand- und Betriebssicherheit bildet. Die zugelieferten Teile wie Rohre, Formstücke, Dichtungen usw. stellen mit den erbrachten Leistungen wie Rohrauflager, Herstellen der Rohrverbindung, Einbettung und Überschüttung eine Einheit dar. Von daher ist es notwendig, daß die Arbeiten von geschultem Personal durchgeführt und die geltenden Unfallverhütungsvorschriften der Berufsgenossenschaften, die Straßenverkehrsordnung und die Richtlinien für die Sicherung von Arbeitsstellen an Straßen beachtet werden.

Einbau von Rohren und Formstücken

Damit den Anforderungen des Auftraggebers entsprochen wird, empfiehlt es sich, Rohre und Formstücke vor dem Einbau auf eventuelle Beschädigungen sowie die Rohrkennzeichnung (Herstellerzeichen, Zulassung bzw. DIN-Nr., Gütezeichen der Gütegemeinschaft Kunststoffrohre e. V. usw.) zu überprüfen.

Kunststoffkanalrohre zeichnen sich durch das äußerst günstige Gewicht aus, d. h. kleinere Nennweiten können auch von Hand in den Rohrgraben abgelassen werden. Bei größeren Nennweiten stehen geeignete Geräte zur Verfügung, z. B. breite Gurte, die durch Haken sicher an Hebeeinrichtungen befestigt sind.

Herstellen der Rohrverbindungen

Da grundsätzliche Unterschiede beim Herstellen der Verbindungen gegenüber anderen Anwendungen nicht bestehen, wird z. B. auf die Hinweise für Druckleitungen im Trinkwasserbereich verwiesen (Teil VII.1.1.8.4).

Flexibilität

Auch wenn bei drucklosen Abwasserleitungen grundsätzlich ein gerader Verlauf einzuhalten ist, kann die Leitungsführung – die Flexibilität thermoplastischer Werkstoffe nutzend – in begrenztem Maße angepaßt werden. Rohre größerer Abmessungen lassen sich wegen der höheren Eigensteifigkeit kaum noch biegen. Geringe Richtungsänderungen können jedoch auch bei diesen Rohren erzielt werden. Auf Grund der größeren Muffenspalte und des Dichtringvolumens, z. B. bei PVC-U-Kanalrohren, ist eine Abwinklung in der Muffe möglich. Sie darf ca. 0,5° (entspricht ca. 5 cm Auslenkung bei 5 m Baulänge) betragen.

Rohrgraben

Durch die Einführung der prEN 1610 „Herstellen von erdverlegten Abwasserkanälen und -leitungen" werden Begriffe geprägt, die bisher in der Form nicht üblich waren. Zum besseren Verständnis daher die bildliche Darstellung der wichtigsten Bezeichnungen (Bild 53).

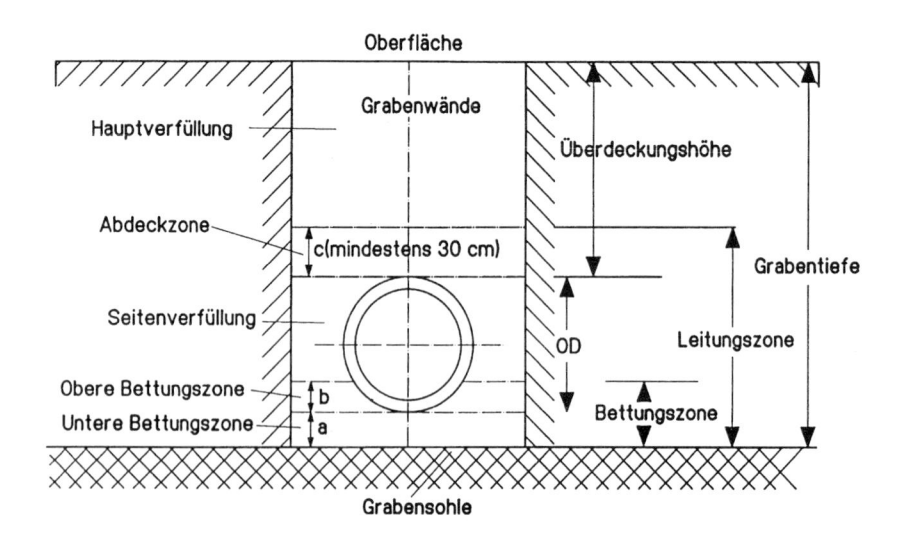

Bild 53: Darstellung der Begriffe

Baustoffe in der Leitungszone

Baustoffe für die Leitungszone müssen der verlegten Leitung eine dauerhafte Stabilität und eine ausreichende Tragfähigkeit bieten und dürfen das Rohrmaterial nicht beeinträchtigen. Für außen profilierte Rohre können zusätzlich Festlegungen definiert sein; daher sind die Hinweise der Rohrhersteller zu beachten.

Grundsätzlich gilt, daß gefrorenes Material nicht verwendet werden darf.

Der anstehende Boden kann wiederverwendet werden, wenn dieser

– verdichtbar und

– frei von rohrschädigenden Materialien ist.

Nachstehend aufgeführte Baustoffe können als geeignet angesehen werden:

– rollige Baustoffe

– Ein-Korn-Kies

– Kies mit abgestufter Körnung

Abstufung von Ein-Korn-Kies			
Siebgröße in [mm]	Siebdurchgang in [%]		
	32,00	16,00	8,00
16,00	0–25	85–100	100,00
8,00	0–5	0–25	85–100
4,00	–	0–5	0–25
2,00	–	–	0–5

Abstufung von Kies mit unterschiedlicher Körnung			
Siebgröße in [mm]	Siebdurchgang in [%]		
	2/8	8/16	16/32
16,00	100,00	90–100	0–15
8,00	90–100	0–15	–
4,00	10–65	–	–
2,00	0–15	–	–

– Sand

– Kiessand (Größtkorn max. 20 mm)

– Gebrochene Baustoffe (Größtkorn 11 mm)

Baustoffe für die Hauptverfüllung

Baustoffe, die für die Leitungszone geeignet sind, können auch für die Hauptverfüllung verwendet werden.

Die maximale Korngröße kann jedoch z. B. durch besondere Bodenbedingungen und Grundwasser eingeschränkt werden. Die Eignung des ausgehobenen Materials auf Einbaufähigkeit ist zu überprüfen – vor allem, wenn die Leitungen unter Verkehrsflächen geführt werden.

Auflager und Einbettung

Wie bei allen anderen Kanalrohren ist sicherzustellen, daß die Rohre gleichförmig aufgelagert sind. Nachbesserungen der Höhenlage dürfen nicht durch örtliche Verdichtungen, sondern nur durch Auffüllen oder Abtragen der Bettungszone erfolgen. Beim Verlegen von Rohren mit Steckmuffen sind zudem Aussparungen im Boden vorzusehen, damit die Verbindung ordnungsgemäß hergestellt werden kann. Die Aussparung darf jedoch nicht größer sein, als für die ordnungsgemäße Verbindung notwendig ist.

– Auflager in nichtbindigem Boden

Rohre können auch auf nichtbindige Böden aus Sand bis Mittelkies gelagert werden, wenn die Auflagerfläche vor dem Verlegen der Rohre entsprechend der Form der Rohraußenwand aus dem gewachsenen Boden herausgeformt wird und das verlegte Rohr auf der ganzen Rohrlänge satt aufliegt.

Das Auflager kann bei lageweisem Einbringen und Verdichten von nichtbindigem, verdichtungsfähigem Material über den vorgeformten Auflagerwinkel hinaus vergrößert werden.

In gleicher Weise kann das Rohr auch auf ebener Sohle verlegt werden, wenn das Auflager durch Unterstopfen und Verdichten mit nichtbindigem, verdichtungsfähigem Material hergestellt wird und sichergestellt ist, daß die seitliche Unterstopfung durch Verdichtung mindestens eine gleich gute Lagerungsdichte aufweist wie die Sohle.

Hierzu eignen sich Sande und stark sandige Kiese mit Größtkorn 20 mm, Brechsand und Splitt mit Größtkorn 11 mm. Sandige Kiese dürfen verwendet werden, wenn eine gute Verdichtung erreichbar ist.

– Auflager in bindigem Boden

Bei Auflager in bindigem Boden kann wie bei nicht bindigem Boden verfahren werden. Es ist darauf zu achten, daß der gewachsene Boden und der für die Unterstopfung vorgesehene verdichtungsfähige Boden geeignet sind.

Damit Linien- und Punktauflagerungen vermieden werden, darf die Zone unter dem Rohr nicht härter sein als das übrige Auflager. Andererseits ist zu vermeiden, daß die Grabensohle z. B. durch Baggerzähne aufgelockert oder durch Wasser aufgeweicht wird. Wenn eine Auflockerung oder Aufweichung entstanden ist, so muß die ursprüngliche Lagerungsdichte der Grabensohle wiederhergestellt werden.

– Auflager auf eingebrachten Sand oder Kies

Eignet sich der anstehende Boden nicht als Auflager, so ist die Grabensohle tiefer auszuheben und ein Auflager aus verdichtungsfähigem Material herzu-

Grundstücksentwässerung und öffentliche Kanäle 437

stellen. Hierzu eignen sich Sande, stark sandige Kiese mit Größtkorn 20 mm, Brechsand und Splitt mit Größtkorn 11 mm. Die Dicke des Auflagers in der Sohllinie muß mindestens 100 mm + 1/10 DN in [mm] betragen.

Bei Arbeiten im Grundwasserbereich ist dafür zu sorgen, daß das Auflager während der Bauausführung wasserfrei ist.

– Besondere Ausführungen von Bettungszone und Tragkonstruktionen

Weist die Grabensohle eine zu geringe Tragfähigkeit für die Bettungszone auf, sind besondere Maßnahmen erforderlich. Dies ist in der Regel bei instabilen Böden (z. B. Torf, Fließsande) der Fall.

Beispiele für besondere Ausführungen schließen den Austausch von Boden durch andere Baustoffe ein oder die Unterstützung der Rohrleitung durch Pfähle. Die Unterstützung kann durch auf Pfählen gelagerte Querbalken erreicht werden.

Auch bei Übergängen zwischen verschiedenen Arten von Untergrund mit unterschiedlichen Setzungseigenschaften sind besondere Maßnahmen zu treffen.

Vor Aufnahme der Arbeiten ist eine statische Berechnung für jede besondere Ausführung der Bettungszone oder der Tragkonstruktion durchzuführen, um deren Eignung festzustellen.

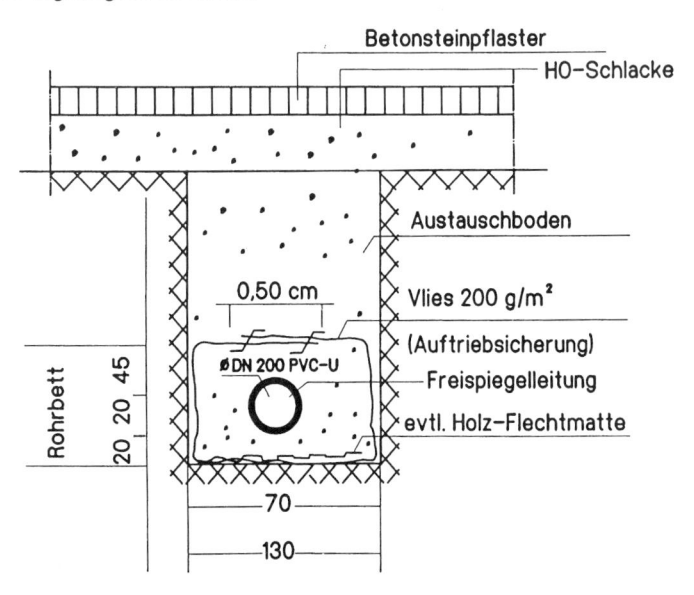

Bild 54: Ausführungsbeispiel für Verlegung in weichem Boden

– Stabilisierung der Leitungszone

Die Leitungszone kann entsprechend Bild 54 ausgeführt werden. Das Ausweichen des Bodens in der Leitungszone kann durch die Verwendung von Geotextilien verhindert werden. Zusätzliche Stabilisierung der Leitungszone ist unter Verwendung von Kunststoffgittern, Holzgeflecht oder Filterkies zu erreichen.

Verlegung in Steilhängen

Bei Rohrleitungen in Steilhängen ist ein Abschwemmen der Bodenmaterialien im Bereich der Leitungszone durch Einbau von Beton- oder Lettenriegeln zu verhindern. Dadurch werden gleichzeitig auch Längsverschiebungen vermieden.

Betonauflager und -ummantelung

Direkte Betonauflager sind nicht zulässig.

Ist aus bautechnischen Gründen im Auflagerbereich eine Betonplatte erforderlich, ist zwischen Rohr und Betonplatte eine Zwischenlage aus verdichtungsfähigem Sand und Feinkies mit einer Mindestdicke von 100 mm + 1/10 DN in [mm] vorzusehen.

Werden aus statischen Gründen zusätzliche Maßnahmen für erforderlich gehalten, so wird anstelle einer Betonummantelung für die Lastverteilung eine Betonplatte oberhalb der Abdeckzone empfohlen. Wird eine Betonummantelung vorgesehen, ist sie so auszuführen, daß die gesamte statische Belastung von ihr aufgenommen wird.

Verfüllen und Verdichten

Die Herstellung der Leitungszone und der Hauptverfüllung sowie die Entfernung des Verbaus haben bedeutenden Einfluß auf das Tragverhalten des Systems Rohr/Boden und sind daher entsprechend der Planung und den Vorgaben der statischen Berechnung sorgfältig auszuführen. Während des Bodeneinbaus in der Leitungszone bis 30 cm über Rohrscheitel ist besonders zu beachten, daß

– die Rohrleitung nicht aus Richtung und Lage gebracht wird. Hilfreich können Sandkegel oder andere Hilfsmittel sein.

– durch lagenweises Einbringen geeigneten Bodens und intensiver Verdichtung bis über Kämpferhöhe sichergestellt wird, daß keine Hohlräume unter dem Rohr entstehen und der in der statischen Berechnung zugrunde gelegte Auflagerwinkel von 180° erreicht wird.

Jede Schüttlage ist separat – von Hand oder mit leichten Geräten – zu verdichten.

Der Grad der Verdichtung muß mit den Angaben der statischen Berechnung der Rohrleitung übereinstimmen. Die Wahl des Verdichtungsgerätes, die Zahl der

Tafel 8: Bodenverdichtung, Schütthöhen und Zahl der Übergänge

Geräteart		Dienst-Gewicht in [kg]	Verdichtbarkeitsklasse								
			V1*			V2*			V3*		
			Eignung	Schütt-höhe [cm]	Zahl Überg.	Eignung	Schütt-höhe [cm]	Zahl Überg.	Eignung	Schütt-höhe [cm]	Zahl Überg.
1. Leichte Verdichtungsgeräte (vorwiegend für Leitungszone)											
Vibrations-stampfer	leicht	- 25	+	- 15	2–4	+	- 15	2–4	+	- 10	2–4
	mittel	25–60	+	20–40	2–4	+	15–30	3–4	+	10–30	2–4
Explosions-stampfer	leicht	- 100	O	20–30	3–4	+	15–25	3–5	+	20–30	3–5
	leicht	- 100	+	- 20	3–5	O	- 15	4–6	-	-	-
Rüttel-platten	mittel	100–300	+	20–30	3–5	O	15–25	4–6	-	-	-
Vibrations-walzen	leicht	- 600	+	20–30	4–6	O	15–25	5–6	-	-	-
	mittel										
2. Mittlere und schwere Verdichtungsgeräte (oberhalb der Leitungszone)											
Vibrations-stampfer		25–60	+	20–40	2–4	+	15–20	2–4	+	10–30	2–4
Explosions-stampfer	schwer	60–200	+	40–50	2–4	+	20–40	2–4	+	20–30	2–4
	mittel	100–500	O	20–40	3–4	+	25–35	3–4	+	20–30	3–5
Rüttel-platten	schwer	500,00	O	30–50	3–4	+	30–50	3–4	+	30–40	3–5
	mittel	300–750	+	30–50	3–5	O	20–40	3–5	-	-	-
Vibrations-walzen	schwer	750,00	+	40–70	3–5	O	30–50	3–5	-	-	-
	mittel	600–8.000	+	20–50	4–6	+	20–40	5–6	-	-	-

+ empfohlen
O meist geeignet
- ungeeignet

V1* Nichtbindige oder schwachbindige Böden (z. B. Sand und Kies)
V2* Bindige, gemischt-körnige Böden (Kies und Sand mit größerem Ton- oder Schuttanteil
V3* Bindige, feinkörnige Böden (Tone und Schluffe)

Verdichtungsvorgänge und die zu verdichtende Schichtdicke müssen auf das zu verdichtende Material abgestimmt sein (Tafel 8).

Einschlämmen ist nur in Ausnahmefällen und nur bei geeigneten nichtbindigen Böden zulässig, jedoch nicht bei Feinsanden und nicht im Bereich der Leitungszone.

Entfernen des Verbaus

Das Entfernen des Verbaus aus der Leitungszone nach Abschluß der Hauptverfüllung führt zu ernsthaften Folgen für das Tragverhalten und zu Veränderungen der Seiten- und Höhenlage der Rohrleitung. Die Entfernung des Verbaus sollte während der Herstellung der Leitungszone fortschreitend erfolgen. Wenn dies nicht möglich ist, sind besondere Maßnahmen erforderlich:

– besondere statische Berechnung

– Verbleiben von Teilen des Verbaus im Boden

– Verfüllung entstandener Hohlräume

– zusätzliche Verdichtung der Seitenverfüllung nach dem Entfernen

– besondere Wahl des Baustoffes für die Leitungszone.

Die Entfernung des Verbaus muß mit den Einbaubedingungen der statischen Berechnung übereinstimmen.

Dichtheitsprüfung

Rohrleitungen und Schächte müssen wasserdicht hergestellt werden. Abwasserkanäle und -leitungen sind auf Wasserdichtheit zu prüfen. Es können Leitungsabschnitte, die ganze Leitung oder die einzelne Rohrverbindung geprüft werden.

Sämtliche Öffnungen des zu prüfenden Leitungsabschnittes einschließlich aller Abzweige und Einmündungen sind wasserdicht und drucksicher zu schließen. Die Verschlußelemente sind gegen Herausdrücken zu sichern.

Es empfiehlt sich insbesondere, im Grundstücksbereich die Vielzahl der Formstücke durch Einschlagen von Pfählen bzw. durch Verwendung entsprechender Sicherungsschellen so zu verankern, daß Lageveränderungen vermieden werden.

Auch in geraden Leitungen sind Rohre und Prüfstopfen gegen die in horizontaler Richtung wirkenden Druckkräfte entsprechend abzustützen (Tafel 9).

Die Rohrleitung ist – sofern noch nicht abgedeckt – gegen Lageveränderungen zu sichern. Die Leitung ist mit Wasser so zu füllen, daß sie luftfrei ist. Sie wird

Grundstücksentwässerung und öffentliche Kanäle 441

Tafel 9: Abstützung von Druckkräften

da	P	Bei einem Prüfdruck p = 0,5 bar sind folgende Kräfte abzustützen: resultierende Kraft [kN] $\alpha°$ für Bogenwinkel			
[mm]	[kN]	15,00	30,00	45,00	90,00
110,00	0,48	0,12	0,25	0,36	0,67
125,00	0,61	0,16	0,32	0,47	0,87
160,00	1,01	0,26	0,52	0,77	1,42
200,00	1,57	0,41	0,81	1,20	2,22
250,00	2,45	0,64	1,27	1,88	3,47
315,00	3,90	1,02	2,02	2,98	5,51
400,00	6,28	1,64	3,25	4,81	8,89
500,00	9,82	2,56	5,08	7,51	13,88
630,00	15,59	4,07	8,07	11,93	22,04

P = Schubkraft parallel zur Rohrachse infolge des Prüfdruckes, auf einen Endverschluß wirkende Schubkraft in [kN]
da = Rohraußendurchmesser in [mm]
p = Prüfdruck in [bar]

deshalb zweckmäßig vom Leitungstiefpunkt aus so langsam gefüllt, daß an den Entlüftungsstellen (ausreichend groß zu bemessen) am Leitungshochpunkt die in der Rohrleitung enthaltene Luft entweicht.

Die zu füllende Leitung darf dabei nicht direkt an eine Druckleitung (z. B. über Hydranten) angeschlossen werden. Die Leitung ist im freien Zulauf über ein in der Befülleitung angeordnetes Druckausgleichsgefäß zu füllen.

Zwischen dem Füllen und Prüfen der Leitung ist eine ausreichende Zeitspanne von 1 Stunde vorzusehen, um vom Füllvorgang her in der Leitung noch verbleibender Luft die Möglichkeit zum allmählichen Entweichen zu geben.

Der Prüfdruck ist auf den tiefsten Punkt der Prüfstrecke zu beziehen. Freispiegelleitungen sind mit 0,5 bar Überdruck zu prüfen. Der Prüfdruck, der vor Beginn der Prüfung aufgebracht sein muß, ist 15 Min.(bei prEN 30 Min.) lang zu halten. Gegebenenfalls ist die für die Wasseraufnahme benötigte Wassermenge nachzufüllen und zu messen.

Die alternative Luftdruckprüfung ist wegen ihrer vielen Vorteile gegenüber der Wasserdruckprüfung ein gängiges Verfahren. Die Prüfzeiten sind unter Berück-

Tafel 10: Prüfzeiten/Luftdruckprüfung

Verfahren	pσ in [mbar]	Δp in [kPa]	Prüfzeit in [min] für				
			DN 100	DN 200	DN 300	DN 400	DN 600
LA	10,00 (1)	2,50 (0,25)	5,00	5,00	7,00	9,50	14,50
LB	100,00 (10)	15,00 (1,5)	4,00	4,00	5,50	7,50	11,00
LC	300,00 (30)	50,00 (5)	3,00	3,00	4,00	5,50	8,00

sichtigung von Prüfverfahren und Nennweiten der Tafel 10 zu entnehmen. Um durch die Prüfapparatur auftretende Fehler auszuschließen, sind geeignete, luftdichte Verschlüsse zu verwenden. Ein Anfangsprüfdruck, der den erforderlichen Prüfdruck leicht überschreitet, ist zuerst für etwa 5 Min. aufrechtzuerhalten. Anschließend ist der nach den einzelnen Verfahren und Nennweiten angegebene Druck einzustellen. Der Druckabfall ist aufzuzeichnen und auf Übereinstimmung zu prüfen. Ist der Druckabfall größer als Δp, so ist die Prüfung zu wiederholen; wird Δp abermals überschritten, so muß die Dichtheit mittels Wasserdruckprüfung durchgeführt werden.

Während der Prüfung ist besondere Vorsicht (Unfallgefahr) geboten.

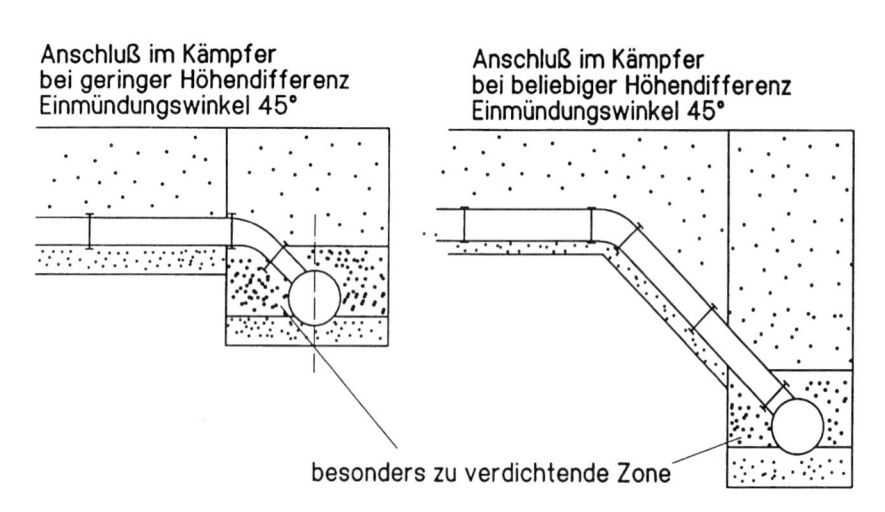

Bild 55: Beispiele für Anschlußkanäle an den Hauptkanal

Anschlüsse an den Hauptkanal

Anschlüsse, z. B. für zukünftige Grundstücksentwässerungsleitungen, sollten gleichzeitig mit dem Straßenkanal geplant und eingebaut werden. Dabei sind 45°-Abzweige zu bevorzugen (Bild 55).

Sind lotrechte Leitungen auf Grund der örtlichen Umstände nicht zu vermeiden, sollte man den Anschluß zwischen Kämpfer und Scheitel seitlich herausführen. Die entsprechende lotrechte Leitung wird mit einem 67°-Bogen angeschlossen (Bild 56). Die Formstückgruppe ist in Sand einzubetten. Auf die besonders zu verdichtende Zone wird hingewiesen. Von einer Ummantelung, z. B. mit Beton, wird abgeraten.

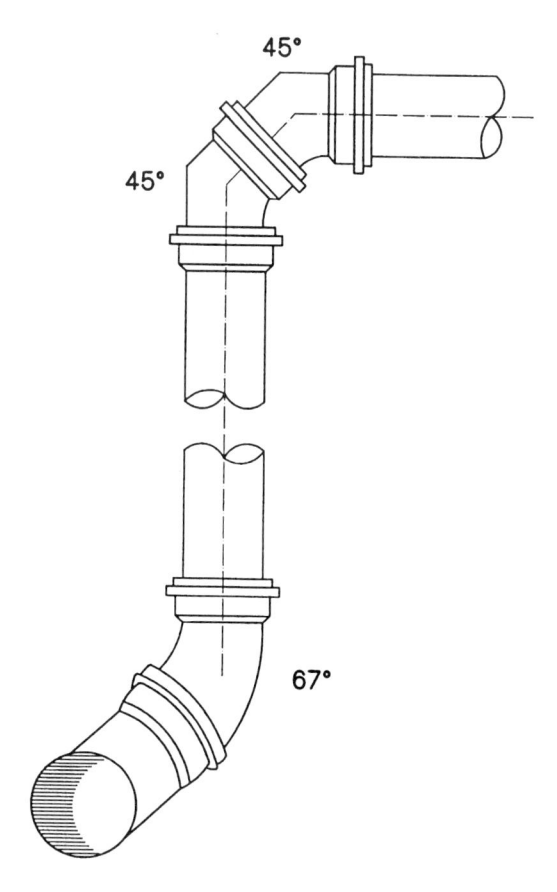

Bild 56: Beispiel für den lotrechten Anschluß an den Hauptkanal

Anschluß an Schächte und Bauwerke

Schächte und Rohrleitungen unterliegen unterschiedlichen Belastungen. Um unzulässigen Spannungen vorzubeugen, sind Gelenkstücke in Form von Schachtfuttern vorzusehen.

Es gibt Schachtfutter aus Faserzement, Polyurethan oder glasfaserverstärktem Polyesterharz mit besandeter bzw. profilierter Außenoberfläche. Die Abdichtung zwischen Schachtfutter und Kanalrohr erfolgt mit einem Elastomer-Dichtelement.

Die Schachtfutter – geeignet als Ein- und Ausmündungsstücke – werden in die Schachtwandung innen bündig abschließend einbetoniert. Sie erlauben eine Abwinkelung des eingeschobenen Rohres um 3°.

Nachträglicher Anschluß

Sofern nicht bereits entsprechende Anschlußmöglichkeiten bei der Verlegung berücksichtigt worden sind, können nachträgliche Anschlüsse an im Betrieb befindliche Leitungen ohne Unterbrechung bzw. mit kurzzeitiger Unterbrechung hergestellt werden. Es empfiehlt sich in allen Fällen jedoch, systemabhängig vorgefertigte Formstücke einzusetzen. Daher wird auf die Produktunterlagen der Rohrhersteller verwiesen.

3.4.5 Betrieb

Mit dem Bau von Entwässerungsanlagen wird ein großes Investitionsvolumen in die Erde gelegt, das, weil für den Betrachter unsichtbar, während des Betriebes häufig nicht die Pflege erhält wie ein Hochbauobjekt, obwohl für Abwasseranlagen im allgemeinen eine Lebensdauer von mehr als 100 Jahren vorausgesetzt wird.

Hinzu kommt, daß es auch heute noch für das Abwassernetz zwei Zuständigkeiten gibt: für den kommunalen und für den vom Grundstückseigentümer zu verantwortenden Netzteil.

Die technische Beschaffenheit und der Pflegezustand der Gesamtanlage ist jedoch die Voraussetzung für einen den Anforderungen gerechten Betrieb.

Generell regeln Normen und Vorschriften die Errichtung von Abwassertransportanlagen, wie z.B. die DIN 4033 „Entwässerungskanäle und -leitungen, Richtlinien für die Ausführung" und das ATV-Arbeitsblatt A 127 „Richtlinien für die statische Berechnung von Abwasserkanälen und -leitungen". Sie gelten für die bauliche Ausführung von kommunalen wie auch Grundstücksentwässerungsanlagen.

Die sogenannten Wartungsnormen der DIN 1986 Teil 3 und Teile 30 bis 33 regeln die Inbetriebnahme, Inspektion und Wartung von Grundstücksentwässerungsanlagen. Diese Normenteile sind jedoch nicht als Baubestimmungen eingeführt. Ihre Anwendung ist in den meisten Fällen mit satzungs- und wasserrechtlichen Bestimmungen verbunden.

Die DIN 1986 mit all ihren Teilen und den darin aufgeführten mitgeltenden Normen wird heute als bedeutendste technische Grundlage für eine einwandfrei funktionierende Grundstücksentwässerung betrachtet.

Generelle Hinweise für den Betrieb finden sich im ATV-Arbeitsblatt A 140 „Regeln für den Kanalbetrieb, Teil 1: Kanalnetz".

3.4.5.1 Wartung, Reinigung, Inspektion

Wartung, Reinigung und Inspektion begleiten die im Betrieb befindliche Anlage über die gesamte technische Lebensdauer. Besondere Anforderungen werden dabei an die verwendeten Rohrmaterialien gestellt. Im Rahmen von Inspektionen der Netze, die heute optisch mittels Fernsehkameras erfolgen, wird der bauliche und betriebliche Ist-Zustand festgestellt und bewertet. Grundlage für diese Arbeit ist das ATV-Merkblatt M 143 Teil 2, das durch ein System von Bewertungskriterien eine reproduzierbare Zustandsbeschreibung liefert. Hauptkomponenten sind dabei der bauliche Zustand – z.B. gemessen an der Standsicherheit, der möglichen Umweltbelastung oder der Funktionsfähigkeit – sowie die spezifischen Bedingungen vor Ort – z.B. wiedergegeben in der hydraulischen Auslastung, der Abwasserbeschaffenheit oder der Lage des Abwasserkanals bzw. der -leitung zum Grundwasserspiegel.

Mit dem Instrument der einzelnen Bewertungsmodelle kann ein Netz klassifiziert und nach einer Prioritätenfestlegung entsprechend im Betrieb gefahren, d.h. gewartet, gereinigt und nach Notwendigkeit erneuert oder saniert werden.

Bei der Wartung – dies sind Maßnahmen zur Bewahrung des Soll-Zustandes – und bei der Reinigung ist generell festzustellen, daß in den letzten Jahren seitens der Gesetzgebung Schritte in die richtige Richtung unternommen worden sind.

Bundesweite Regelungen sind jedoch nicht zu erwarten, da die Abwasserentsorgung unter das Landesrecht fällt und dadurch die Aussagen zum Betrieb von Abwasserentsorgungsanlagen in unterschiedlichsten Varianten zu finden sind.

Ungeachtet dessen gibt es auf der Basis von Normen und Richtlinien Grundsätze, die z.B. wiederkehrende Inspektionen fordern bzw. vorschreiben und die sich daraus ergebenden Wartungs- und Reiniungsarbeiten initiieren. Ein Beispiel hierfür ist die „Selbstüberwachungsverordnung Kanal (Süw V Kan)" des Bundeslandes Nordrhein-Westfalen.

Sie ist seit dem 1. Januar 1996 Basis des Kanalnetzbetriebes und gilt für öffentliche und private Kanalisationsnetze auf Grundstücken mit mehr als 3 Hektar Fläche.

Grundsätzlich sind alle Elemente eines Kanalnetzes auf Zustand und Funktionsfähigkeit zu untersuchen. Unter anderem wird durch die Süw V Kan eine optische Erstinspektion der Kanalnetze per TV-Inspektion oder Begehung innerhalb von 10 Jahren vorgeschrieben, wobei jährlich 10% des Bestandes zu untersuchen sind.

An die Erstinspektion schließen sich Wiederholungsprüfungen im 15-Jahres-Turnus an. Analog zur Kanalinspektion sind auch die Schächte zu untersuchen.

Jeder Netzbetreiber muß darüber hinaus eine Anweisung für die Durchführung der Selbstüberwachung erarbeiten. Es ist ein vierteljährlicher gegenzuzeichnender Überwachungsbericht zu erstellen, der drei Jahre lang für die Überwachungsbehörden zugänglich sein muß.

Eine weitere Forderung an den Betrieb und die Unterhaltung von Kanalnetzen stellt die zum 1. Januar 1996 inkraft getretene Landesbauordnung von Nordrhein-Westfalen (LBO-NRW) dar.

§ 45 LBO-NRW sieht nicht nur vor, daß nach ihrer Verlegung oder Änderung neue Grundstücksentwässerungsleitungen einer Dichtheitsprüfung zu unterziehen sind, sondern fordert darüber hinaus Dichtheitsprüfungen auch für den vorhandenen Leitungsbestand.

Nach LBO-NRW ist eine Dichtheitsprüfung bei jeder Änderung der Leitung durchzuführen. Spätestens aber nach 20 Jahren, d.h. im Jahre 2016, muß der vorhandene Leitungsbestand auf Dichtheit geprüft sein.

Durch Ortssatzung kann die netzbetreibende Kommune verfügen, daß die Dichtheitsprüfungen nur von Sachkundigen durchgeführt werden dürfen, die von der jeweiligen Gemeinde zugelassen sind.

Dem Beispiel des einwohnerstärksten Bundeslandes werden sich erfahrungsgemäß die anderen Bundesländer anschließen, so daß es nach einer gewissen „Anlaufphase" in Zukunft in Deutschland zu annähernd gleichen Bedingungen beim Netzbetrieb kommen wird.

Hinreichend bekannt ist, daß in der Vergangenheit ein wichtiger Teil der Ortsentwässerung, die Grundstücksentwässeranlagen, besonders häufig im Betrieb vernachlässigt wurden. Daß sich diese Tatsache nicht zur ökologischen Katastrophe auswuchs, kann nur damit erklärt werden, daß nahezu 90 % aller Grundstücksentwässerungsleitungen der letzten 30 Jahre aus Kunststoffrohren, vor allem aus PVC-U, gebaut worden sind. Gerade Kunststoffe haben sich im Betrieb hervorragend bewährt. Neben den für Abwasserentsorgungssysteme bekannt günstigen mechanischen, chemischen und thermischen Materialeigenschaften von Kunststoffen, bringt das hydraulische Verhalten durch die glatte Rohrinnenoberfläche von sich aus zusätzlich den Vorteil einer gewissen „Selbstreinigung" mit, so daß Probleme der Reinigung weniger im Bereich der Grundstücksentwässerung liegen, sondern mehr in kommunalen Netzen zu finden sind.

Die Reinigungsverfahren sind auf der Grundlage von Erfahrungen entwickelt worden; neben manuellen und mechanischen Vorgehensweisen basieren sie heute fast ausschließlich auf der Spüldüsentechnik (Hochdruckspülung). Nach Aussage der involvierten Fachleute eignen sich Kunststoffrohrnetze besonders für die verschiedenen Spülverfahren, wobei der Sprühdruck an der Düse besondere Beachtung finden sollte.

Die Kanalreinigung umfaßt eine breite Palette von Aspekten, die bei der Materialwahl des Netzes unbedingt berücksichtigt werden sollten, wie z.b.:

- Art und Herkunft der Feststoffe im Abwasser,

- Anteil der organischen und mineralischen Inhaltsstoffe,

- Transportverhalten der Feststoffe,

- Verfahrenskriterien wie Verschmutzungsart, Verschmutzungsgrad, Wasserstand, Abflußhindernisse,

- Bauwerkskriterien wie hydraulischer Durchmesser, Haltungslänge, Schachttiefe, baulicher Zustand.

Berücksichtigung sollte auch finden, daß die Kanalreinigung letztlich eine Aufgabe der Umweltvorsorge darstellt. Ablagerungen in Kanalnetzen führen naturgemäß zu hydraulischer Überbelastung bis hin zum Schmutzwasseraustritt in die Vorfluter – ein Sachverhalt, der unter Umständen strafbar sein kann.

Nicht nur die Errichtung, sondern vor allem der Betrieb muß die notwendige Beachtung und Berücksichtigung bei der Planung und der damit einhergehenden Materialauswahl von Abwasserentsorgungsanlagen finden.

Aufgrund der vorliegenden Erfahrungen von mehr als 40 Jahren mit Entsorgungsnetzen aus bewährten Kunststoffrohren können die angesprochenen Probleme der Wartung, Reinigung und Inspektion technisch und wirtschaftlich optimal gelöst werden.

3.4.5.2 Chemische Widerstandsfähigkeit

R. E. NOWACK, E. W. BRAUN und E. BARTH

Beim Kontakt mit anderen Stoffen kann eine Beeinflussung des Rohrwerkstoffes auftreten. Während feste Stoffe außer einer eventuellen Abrasion der Oberfläche keine Veränderung des Rohrwerkstoffes bewirken, verursacht streng genommen schon Wasser eine Beeinflussung.

Bei Metallen erlauben die hohen atomaren Bindungsenergien und die damit verbundene dichte Packung der Atome im Kristallgefüge das Eindringen von Flüssigkeits- und Gasmolekülen praktisch nur an den Kristallgrenzen. Die Zwischenräume zwischen den nur „verfilzten" bzw. „verknäulten" großen und sperrigen Molekülketten der hier behandelten thermoplastischen Kunststoffe aber sind so groß und die zwischenmolekularen Nebenvalenzbindungen (van der Waal'sche Kräfte) um Größenordnungen (10^{-2} bis 10^{-3}) geringer als bei den Metallen, daß die vergleichsweise sehr kleinen Gas- und Flüssigkeitsmoleküle leicht in diese Zwischenräume eindringen können. Bei glasfaserverstärkten Kunststoffen mit ihrem heterogenen Aufbau sind auch Grenzflächenprobleme zu beachten. Der Hydrolysegefahr beim Einsatz von Wasser höherer Temperatur muß durch die Auswahl geeigneter Harze begegnet werden.

Tritt deshalb ein chemischer Angriff bei Metallen vorwiegend an ihrer Oberfläche als chemische Reaktion des Angriffsmittels mit den dort sitzenden Metallatomen auf, ist die mögliche Beeinflussung von Kunststoffen vielfältiger. Die Moleküle des Angriffsmittels diffundieren je nach ihrer Größe mehr oder weniger gut in den Verband der Kunststoffmoleküle ein. Entsprechend ihrer Eigenschaft oder Aggressivität sind unterschiedliche Wechselwirkungen mit den Kunststoffmolekülen möglich, und zwar nicht nur an der beaufschlagten Oberfläche, sondern im ganzen von der Diffusion erfaßten Volumen.

Ist lediglich eine Absorption der Moleküle des Angriffsmittels zu verzeichnen, tritt eine Quellung ein, wenn die eindiffundierten Moleküle des Angriffsmittels die Abstände zwischen den Kunststoffmolekülen vergrößern. Diese Quellungen sind häufig reversibel, so zu Beispiel beim Eindringen von Wassermolekülen, die sich zu mikroskopisch kleinen Tröpfchen zwischen den Kunststoffmolekülen sammeln. Dieser Vorgang kann bei klar-transparenten Kunststoffen auch mikroskopisch als Trübung festgestellt werden. Wird die Kunststoffoberfläche getrocknet, diffundieren die Wassermoleküle wieder aus dem Kunststoff heraus, ohne eine Veränderung der Eigenschaftswerte bewirkt zu haben.

Bei aggressiven Chemikalien können jedoch die eindiffundierten Moleküle chemische Reaktionen mit Kunststoffmolekülen bzw. den Zuschlagstoffen auslösen, zum Beispiel mit Stabilisatoren und Pigmenten. Auch können die Kunststoffmoleküle vollständig von den Molekülen des Angriffsmittels eingehüllt werden (Solvation). Sie können sich an die Kunststoffmoleküle anlagern oder mit ihnen chemisch reagieren. Schließlich ist besonders bei höheren Temperaturen die Lösung des Kunststoffes im Angriffsmittel möglich. Die Reaktionen bei diesen Vorgängen können aus Oxidationen, Vernetzungen und Aufbrechen der Molekülketten sowie Veränderungen in der Zusammensetzung der Moleküle bestehen. Diese Vorgänge führen zu irreversiblen Veränderungen der Kunststoffe, was in den meisten Fällen zu einer Schädigung des Werkstoffes führt.

Bei der Untersuchung der chemischen Widerstandsfähigkeit der Kunststoffe zeigt sich sehr schnell, daß eine solche Schädigung von mehreren Einflußgrö-

Grundstücksentwässerung und öffentliche Kanäle

ßen bestimmt wird. Sie ist abhängig von der Konzentration des Angriffsmittels, wobei durchaus nicht immer die Widerstandsfähigkeit mit steigender Konzentration abnimmt. Dagegen bewirken steigende Temperatur und zunehmende Einwirkungszeit in der Regel eine Abnahme der Widerstandsfähigkeit. Das ist auch der Fall, wenn der Kunststoff während der Einwirkung einer Zugspannung unterliegt, wie es in Rohrleitungen meist der Fall ist. Steht der Kunststoff dagegen unter Druckspannung, tritt eher eine Erhöhung seiner chemischen Widerstandsfähigkeit ein. Wie durch erhöhte Temperatur wird auch durch Licht- und Sauerstoffeinwirkung die Widerstandsfähigkeit vermindert.

Die Vielzahl der möglichen Angriffsmechanismen und ihrer Einflußfaktoren zeigt, daß eine Vorhersage des Verhaltens eines Kunststoffes gegen Chemikalieneinwirkung außerordentlich schwer ist. Das führte zu einer großen Anzahl von Untersuchungen, die meist als Immersionsversuche vorgenommen wurden. Dabei werden aus dem Werkstoff hergestellte Probekörper bei unterschiedlicher Temperatur und frei von äußeren Spannungen in den Angriffsmitteln gelagert. Erst vor wenigen Jahren wurden die Einwirkungsbedingungen und die Beurteilungskriterien normativ festgelegt.

Aufgrund der Änderungen ihrer Eigenschaftswerte nach mindestens 28 tägiger Einwirkungszeit wird ihre chemische Widerstandsfähigkeit beurteilt. Dabei ist in Deutschland die Beurteilung „widerstandsfähig", „bedingt widerstandsfähig" und „nicht widerstandsfähig" eingeführt. Diese Begriffe sind auch in den umfangreichen Beständigkeitstabellen enthalten, die von praktisch allen großen Rohstoff- und Halbzeugherstellern herausgegeben wurden. Sie fanden zum Beispiel auch Eingang in die Tabellen in Beiblatt 1 zu DIN 8061 (PVC-U), in Beiblatt 1 zu DIN 8075 (PE-HD) und in Beiblatt 1 zu DIN 8078 (PP). Eine Liste der chem. Widerstandsfähigkeit von Thermoplast- und Elastomerwerkstoffen mit entsprechenden Hinweisen ist in Teil IX.3 dargestellt.

Die Erfassung des Einflusses von Spannungen auf die chemische Widerstandsfähigkeit ist die Basis, um die tatsächlichen Betriebsbedingungen exakter erfassen zu können.

Auf Vorschlag von Ehrbar werden die Quotienten der „chemischen Resistenzfaktoren" angegeben:

$$\frac{t_{Angriffsmittel}}{t_{Wasser}} = f_{CRt}$$

Neben diesem zeitabhängigen Resistenzfaktor kann auch der spannungsabhängige Resistenzfaktor

$$f_{CR}\,\sigma = \frac{\sigma_{Angriffsmittel}}{\sigma_{Wasser}}$$

ermittelt werden.

Für die Kombination aus Werkstoff und Angriffsmittel, für welche der f_{CR}-Faktor ermittelt ist, können dann die für eine Rohrleitung zulässigen Betriebsbedingungen genau angegeben werden.

In diesem Zusammenhang ist zu bemerken, daß es sich bei Abwasserkanälen und -leitungen um ein Medium handelt, welches sich hinsichtlich seiner chemischen Aggressivität in einem pH-Wert-Bereich von pH=2 bis pH = 12 bewegt (s. DIN 1986 Teil 3).

Weiterhin sind bei der Beurteilung der chemischen Widerstandsfähigkeit von Abwasserkanälen und -leitungen folgende Parameter zu beachten:

- die Alterung,

- das Zeitstandverhalten,

- die Schwellbelastung und

- die Temperatur.

Diese Einflüsse, die jedoch nicht immer gemeinsam maßgebend sein müssen, sind durch folgende Randbedingungen festgelegt:

Alterung	> 50 Jahre (100 Jahre)
Zeitstandverhalten	> 50 Jahre (100 Jahre)
Schwellbelastung	2×10^6 Lastwechsel
Temperatur	45 °C für DN ≤ 400
	35 °C für DN > 400

Die Angabe der Temperatur bezieht sich auf ein Temperaturprofil von 48 Jahren bei 23 °C und 2 Jahren bei 45 bzw. 35 °C. Dieses Temperaturprofil entspricht den Praxisbedingungen.

Die am häufigsten angewendeten Verbindungsarten von Abwasserkanälen und -leitungen sind die Steckmuffenverbindungen. Bei diesen lösbaren Verbindungen, in denen zum Beispiel Elastomere als Dichtungsmittel eingesetzt werden, kommt es meist zum direkten Kontakt des Durchflußstoffes auch mit dem Dichtungswerkstoff. Deshalb muß die chemische Widerstandsfähigkeit des Dichtungmaterials ebenfalls bekannt sein. Für die gebräuchlichen Dichtungswerkstoffe stehen heute Beständigkeitstabellen zur Verfügung [1].

Bei Schweißverbindungen kann die chemische Widerstandsfähigkeit des Rohrmaterials vorausgesetzt werden, wenn keine Schweißzusatzmittel eingesetzt sind, die von der Zusammensetzung des Rohrwerkstoffes abweichen.

Schrifttum

[1] Handbuch „Dichtelemente" Band 2, 1965 Asbest- und Gummiwerke Martin Merkel KG, Hamburg - Wilhelmsburg

3.4.5.3 Abriebfestigkeit

Einführung

Bei Kanalrohren und Formstücken aus Polyvinylchlorid weichmacherfrei (PVC-U) nach DIN V 19534, aus Polyethylen hoher Dichte (PE-HD) nach DIN 19537 und aus glasfaserverstärktem Polyesterharz (UP-GF) nach DIN 19565 wurde bereits im Entwicklungsstadium dem Abriebverhalten des Rohrwerkstoffes große Bedeutung beigemessen.

Alle dem Kunststoffrohrverband e.V. angehörenden Firmen haben mit dem Beginn einer nennenswerten Fertigung im Jahr 1957 die Ausarbeitung bindender Güte- und Prüfrichtlinien für die Produktion, Lagerung und Verlegung von Kunststoffrohren beschlossen. Als im Jahre 1966 die ersten bauaufsichtlich anerkannten Prüfzeichen des Prüfausschusses für Grundstücksentwässerungsgegenstände beim Länder-Sachverständigenausschuß für neue Baustoffe und Bauarten in Berlin (Vorläufer des heutigen Deutschen Instituts für Bautechnik, DIBt) für Kanalrohr-Programme aus PVC-U vergeben wurden, lagen somit schon umfangreiche Eignungs- und Qualitätsuntersuchungen vor.

Diese teilweise langzeitigen Untersuchungen, die an verschiedenen Instituten, aber auch in den eigenen Entwicklungszentren durchgeführt wurden, beinhalten neben vielen anderen Untersuchungen das Studium des Abriebverhaltens.

Bei der Entwicklung der coextrudierten, kerngeschäumten PVC-U-Kanalrohr-Programme, die die Zulassung durch das DIBt im Jahre 1990 erhielten, wurde das Abriebverhalten dieser Rohrwandkonstruktion ebenfalls sorgfältig untersucht.

In den Jahren 1966 bis 1974 wurde die Thematik Abriebverhalten in Veröffentlichungen von Kirschmer [1], Bujard [2 u. 3], Gruner [4] und Howe [5] für die unterschiedlichen Werkstoffe diskutiert.

In der Zeitschrift „Wasser und Boden", Heft 10, 1978, Seiten 258 bis 260 berichtete H.-J. Dallwig über das Thema „Neuere Untersuchungen der Abriebfestigkeit von Rohren".

Rohre aus Kunststoffen, speziell aus PVC-U, gehörten schon immer zu den Rohren mit den geringsten Abriebwerten und enger Streubreite der untersuchten Rohrprobenpalette.

Diese günstigen Aussagen konnten bei den jüngsten Tests des Instituts für Wasserbau – Ingenieurhydrologie und Hydraulik der Technischen Hochschule Darmstadt für coextrudierte, kerngeschäumte Kanalrohr-Programme aus PVC-U anhand der Prüfung nach dem Darmstädter Verfahren bestätigt werden.

Die Versuche ergaben sowohl für das kompakte als auch für das geschäumte Rohrmaterial optimale Abriebwerte, die eine Abriebbeständigkeit TA von ≥ 100 Jahren erwarten lassen.

Abriebbeständigkeit TA

Die Abriebbeständigkeit TA einer Rohrleitung wird von folgenden Faktoren beeinflußt:

- der Abflußgeschwindigkeit v in [m/s]
- der Geschiebemenge G_A in [kg/a] und
- der Zusammensetzung der Geschiebemenge hinsichtlich der Korndurchmesser.

H. Howe [5] berichtet über die Abriebbeständigkeit und ermittelt anhand eines Praxisbeispiels eine Einheits-Abriebbeständigkeit T_{Ao} von 10000 Jahren für eine Fließgeschwindigkeit v_o von 1,0 m/s und Geschiebeanteil G_{Ao} von 160.000 kg/a bei einer Durchflußleistung Q_o von 100 l/s mit einem Feststoffanteil von q_o = 50 mg/l.

Daraus ergeben sich für Fließgeschwindigkeiten v von bis zu 10 m/s rechnerische Abriebgeschwindigkeiten T_A von > 100 Jahren.

Diese für Steinzeugrohre durchgeführte Auswertung von Praxisergebnissen unter Berücksichtigung von Untersuchungen und Vergleichsversuchen am Institut für Hydromechanik und Wasserbau der TH Darmstadt bezüglich der Art und Zusammensetzung des Geschiebes größerer Städte, können bei Kenntnis der Sachlage und unter Berücksichtigung der Ergebnisse der Abriebversuche (Bilder 57 u. 58) auf Kanalrohre und Formstücke aus Kunststoffen übertragen werden, zumal die Ergebnisse für Kunststoffrohre im allgemeinen kleinere Abriebwerte und unkritischeres Abriebverhalten zeigen.

Diese Aussage schließt die zeitraffenden Abriebversuche nach diversen Abriebprüfverfahren ein, wobei das Darmstädter Verfahren Grundlage der Betrachtungen war und ist. Das im Darmstädter Verfahren verwendete Sand-Kies-Wasser-Gemisch ist ein natürlicher, ungebrochener, rundkörniger Quarzkies mit einer Sieblinie, die folgenden Anforderungen entspricht:

$M = d_{50}$ = 6 mm

$U = d_{80}/d_{20}$ = 8,4 mm/4,2 mm = 2

Darin bedeuten:

M : mittlere Korngröße in [mm].

U : Ungleichförmigkeitsgrad

$d_{50}/d_{80}/d_{20}$: Korngröße, die von 50/80/20 Gewichts-% des Materials unterschritten wird, in [mm].

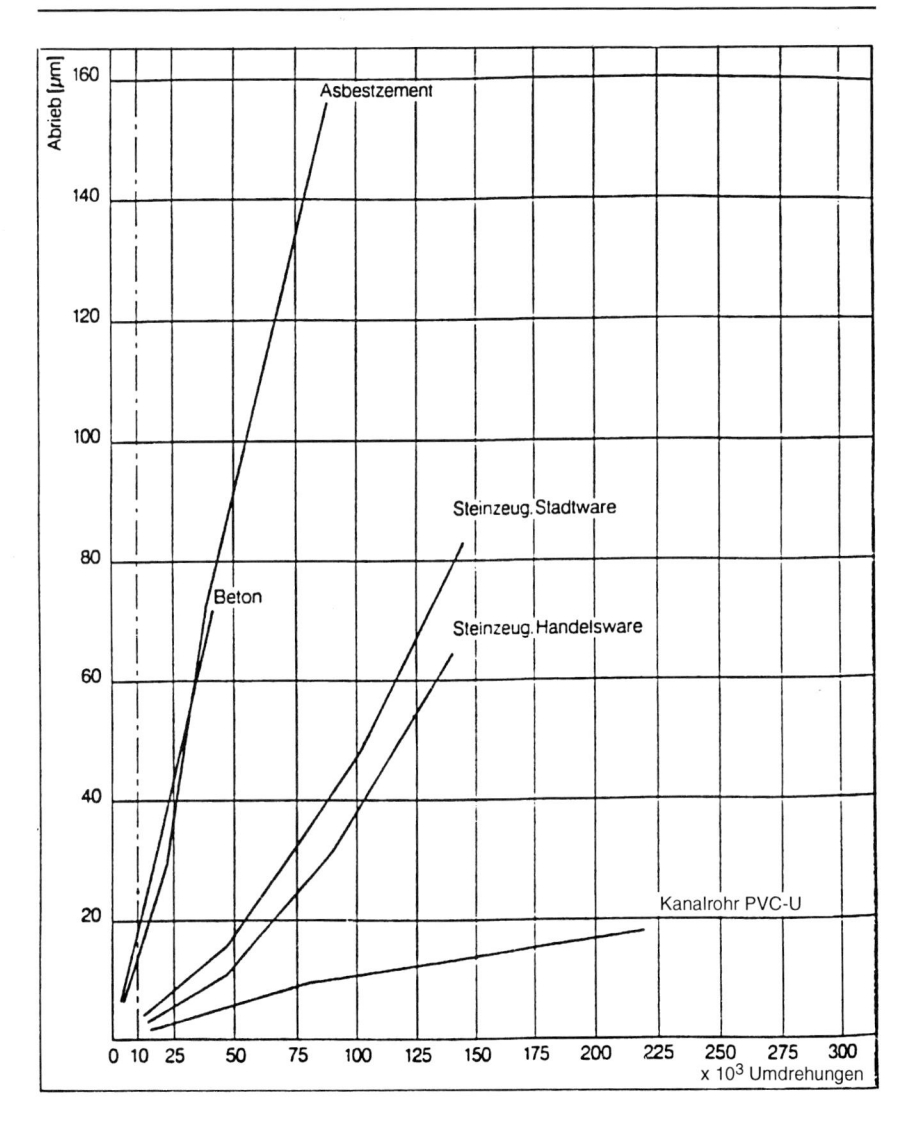

Grundstücksentwässerung und öffentliche Kanäle 453

Bild 57: Abriebkurve Verfahren Wuppertal

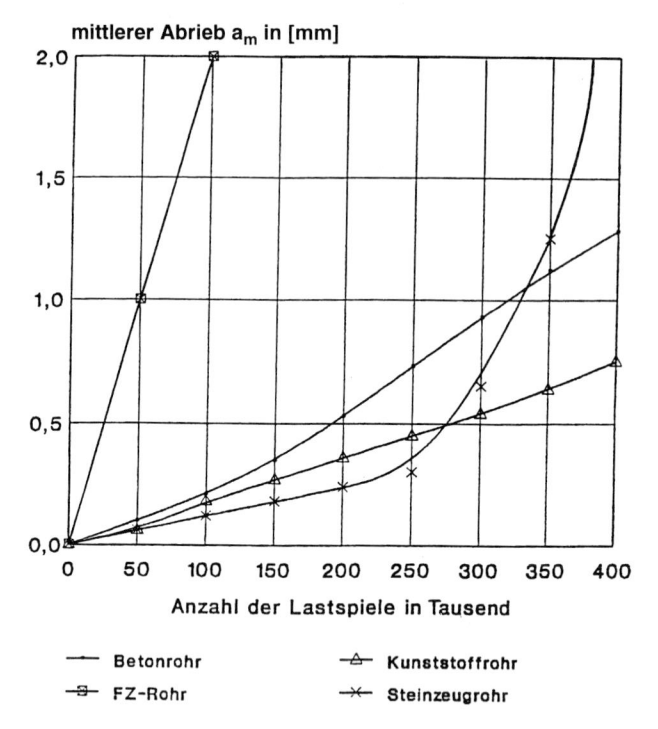

454 Grundstücksentwässerung und öffentliche Kanäle

mittlerer Abrieb a_m in [mm]

[Diagramm: y-Achse 0,0 bis 2,0; x-Achse Anzahl der Lastspiele in Tausend, 0 bis 400]

— Betonrohr   —△— Kunststoffrohr
—▫— FZ-Rohr   —✕— Steinzeugrohr

Bild 58: Abriebkurve Verfahren Darmstadt

Die reine Abriebbelastungszeit beträgt bei 400.000 Lastwechseln pro Abriebversuch 333,33 h, wobei z.B.

bei einem Rohr DN 100 – 3 360 kg Abriebmaterial/h,

bei einem Rohr DN 250 – 5 400 kg Abriebmaterial/h und

bei einem Rohr DN 600 – 8 522 kg Abriebmaterial/h

über die Sohllinie des geprüften Rohrkörpers zwangsweise transportiert werden.

Also werden bei den 400.000 Lastwechseln insgesamt während der ~ 334 h z.B.

bei einem Rohr DN 100 ca. 1.120.000 kg Abriebmaterial,

bei einem Rohr DN 250 ca. 1.800.000 kg Abriebmaterial und

bei einem Rohr DN 600 ca. 2.800.000 kg Abriebmaterial

bzw. Geschiebe über die Sohllinie des Versuchsrohres gefördert.

Nachdem verschiedene Kanalleitungen jetzt über mehr als 25 Jahre beobachtet wurden [6] – 72 Haltungen, ca. 3600 m Kanäle unterschiedlicher Nennweiten (DN 250 bis 500) – und dort keine Anhaltspunkte für eine verstärkte Abrieberscheinung festgestellt werden konnten, entsprechen die hier zusammengefaßten theoretischen Ansätze den Praxiserfahrungen.

Schrifttum

[1] Kirschmer, O.: Problem des Abriebs in Rohren Teil I und II Steinzeuginformation, Fachverband der Steinzeugindustrie, Heft 1, 1966 und Heft 1, 1967.
[2] Bujard, W.: Widerstand von Rohren aus Beton, Stahlbeton und Spannbeton gegenüber mechanischen Angriffen. Das Gas- und Wasserfach 110. Jahrgang (1969), Heft 12, Seiten 769–772.
[3] Bujard, W.: Rohre aus Stahlbeton und Beton, Fließgeschwindigkeiten und Lebensdauer. Tiefbauingenieurbau – Straßenbau, Ausgabe 1, 1972.
[4] Gruner, H.: Das Abriebverhalten von PVC-Rohren. Wasserwirtschaft und Wassertechnik, 24. Jahrgang (1974), Heft 2, Seite 66.
[5] Howe, H.: Der Einsatz von Steinzeugrohren bei Steilstrecken. Steinzeug-Information, Fachverband Steinzeugindustrie, Heft 19, 1973.
[6] Nowack R. E.; Braun, E. W.; Metz, K.-A.: Abwasser-Rohrleitungen und -Formstücke aus PVC-U nach DIN 19534 – Langzeitverhalten, Verformungsverhalten. Ein Erfahrungsbericht aus der Praxis für den Zeitraum von 1966 bis 1992 -.

3.4.5.4 Das flexible Verhalten der Kunststoffkanalrohre

D. SCHARWÄCHTER

Vorbemerkung

Kunststoffrohre haben sich auf Grund ihrer hervorragenden mechanischen und chemischen Eigenschaften und ihrer Langlebigkeit im Bauwesen weitgehend durchgesetzt. In der kommunalen Versorgung in Deutschland sind sie marktführend. Auch in der kommunalen Entsorgung gilt das für die Bereiche Druckentwässerung und Relining.

Bei den Freispiegel-Abwasserkanälen dagegen werden in Deutschland auch heute noch die traditionellen starren Werkstoffe bevorzugt, obgleich die umfangreichen Schäden an diesen Leitungen durch flexible Bauweisen, wie sie Kunststoffrohre bieten, für die Zukunft weitgehend vermieden werden könnten.

Untersuchungen zum Ausbleiben des Erfolges für Kunststoffrohre in diesem Bereich haben gezeigt, daß es bisher nicht gelungen ist, die Vorteile der Flexibilität gerade auch den Erbauern und Betreibern erdverlegter Abwasserkanäle genügend deutlich zu machen.

Die folgenden Ausführungen sollen dazu beitragen, dem Anwender die Vorteile der Kunststoffrohre nahezubringen. Beschrieben werden die Vorgänge beim praktischen Einbau der Leitungen in das Erdreich (die beschriebenen Vorgänge zwischen dem Rohr und umgebendem Boden stehen nicht immer im Einklang mit den Berechnungsansätzen der ATV A 127, sind aber auch international anerkannter Wissensstand).

3.4.5.4.1 Einführung

Werden Kanalrohre aus verschiedenen Materialien wie Beton, Steinzeug, Guß und Kunststoff miteinander verglichen, redet man vornehmlich von materialabhängigen Faktoren wie Lebensdauer, Abrieb, chemischer Beständigkeit, Verhalten beim Reinigen und ähnlichem. Diese Diskussion wird den tatsächlichen Anforderungen der Rohrleitungen in der Praxis nicht gerecht; in den Schadensstatistiken werden andere Faktoren für vorzeitiges Versagen verantwortlich gemacht.

Gerade in Deutschland sind umfangreiche Studien zum Zustand der öffentlichen Kanäle und zu den Ursachen für Schädigungen erstellt und veröffentlicht worden. Sie beziehen sich vornehmlich auf die Werkstoffe Beton und Steinzeug, die auch heute noch im deutschen kommunalen Abwassernetz überwiegend vorzufinden sind. Als Beispiel sind im Bild 59 aus der Veröffentlichung von D. Stein und O. Kaufmann [1] die Schadensarten und -häufigkeiten im (west-) deutschen Kanalnetz dargestellt.

Von den Materialeigenschaften, über die bevorzugt diskutiert wird, findet man nur die chemische Beständigkeit (Korrosion) als allerdings kleinsten der quantifizierten Schäden in der Darstellung (Bild 59).

Risse in den Leitungen mit im Mittel 13 Schäden/1000 m sind einer der wesentlichen Schäden, wobei Beton und Steinzeug praktisch identische Werte aufzeigen. Ursache für die Schäden ist nicht etwa ungenügende Materialqualität, sondern Überlastung.

Beton und Steinzeug sind starre Werkstoffe, oder wie es im „Norm-Deutsch" heißt: beide Werkstoffe sind „biegesteif". Im Tiefbau ziehen Bauteile aus starren Werkstoffen auftretende Lasten auf sich, da der Boden weniger stabil ist. Gleichzeitig reagieren sie auf dabei auftretende Überlastungen mit unmittelbarem Bruch des Bauteiles. Dehnung oder Biegung treten praktisch nicht auf.

Kunststoffrohre dagegen sind flexibel; in der Normung sind sie als „biegeweich" eingestuft. Sie zeigen bei der Erdverlegung im Vergleich zu den starren Rohren ein grundsätzlich anderes Verhalten. In den folgenden Abschnitten wird hierauf näher eingegangen.

3.4.5.4.2 Verhalten der Kanalrohre gegenüber Erdlasten

Um die mechanischen Belastungen zu verstehen, denen erverlegte Rohre ausgesetzt werden, muß man die Wechselwirkungen betrachten, die sich zwischen den Bauteilen und dem sie umgebenden Erdreich ergeben.

Grundstücksentwässerung und öffentliche Kanäle 457

Schadensbilder
Schäden / 1000 m

Risse: 13,1 / 13 / 13,3

Lageabweichungen: 11,6 / 15,2 / 8,5

Schäden an Rohrverbindungen: 5,9 / 8,8 / 3,4

Abflußhindernisse: 5,6 / 7,6 / 3,9

Korrosion: 1,9 / 3,9 / 0,1

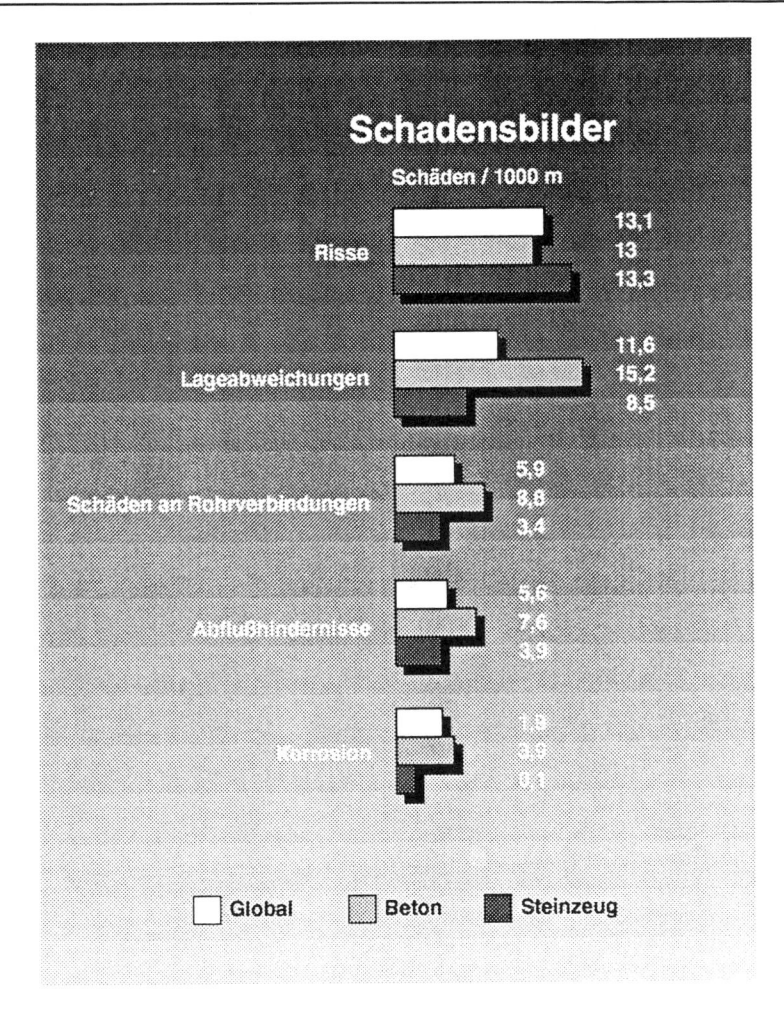

☐ Global ☐ Beton ■ Steinzeug

Bild 59: Auf Schadensgruppen bezogene Schadenshäufigkeit von Abwasserkanälen aus Beton- und Steinzeugrohren

Wie aus Bild 60 zu erkennen ist, verhalten sich starre und flexible Rohre bei der Übertragung der Lasten aus dem Erdreich über der Rohrleitung und den Verkehrslasten grundlegend verschieden. Ursache hierfür sind die Steifigkeitsunterschiede der verwendeten Rohr- und Bodenmaterialien.

Bild 60: Lastausgleich im Rohr-Boden Bereich bei starren und flexiblen Rohren

- *Starre Rohre* sind steifer als das sie umgebende Erdreich. Auftretende Lasten konzentrieren sich auf das Rohr, da das umgebende Erdreich den Lasten z. B. durch Bodensetzung ausweicht. In der Praxis spricht man von der Lastkonzentration auf das Rohr.

- *Flexible Rohre* mit Steifigkeiten, wie sie in der Abwassertechnik als Freispiegelleitungen verwendet werden, sind dagegen deutlich weicher als das sie umgebende Erdreich. Hier weicht das Rohr den Lasten durch Verformung aus. Das bedeutet für den im Vergleich steiferen Boden in der Umgebung, daß er zwangsläufig die Lasten aufnehmen und weiterleiten muß.

Folgerung: das starre Rohr leitet die Auflasten des Grabens in seinem Fußpunkt an den Boden weiter. Um diesen Lasten standzuhalten, muß für eine möglichst breite Auflage des Rohres im Fußpunkt Sorge getragen werden. In den Statiken für die zu verlegenden Rohrleitungen werden die notwendigen Mindestauflagewinkel festgelegt. Nur bei Einhaltung dieser Mindestwerte beim Einbau der Rohre ist die Standfestigkeit der Rohre sichergestellt. Es ist offensichtlich, daß das Einbettungsmaterial in diesem unteren Zwickelbereich sehr hoch verdichtet werden muß, um die Lasten flächig übertragen zu können !

Anders bei den flexiblen Rohren: hier reagiert der Boden seitlich des Rohres auf die Belastungen mit Verdichtung, da das Rohr diesen Lasten durch Verformung ausweicht. Die Verdichtung setzt sich solange fort, bis der Boden eine Steifigkeit erreicht hat, die die Auflasten auf den Untergrund übertragen kann.

3.4.5.4.3 Wesentliche Reaktionen der Kanalrohre auf Belastungen im Erdreich

So wie es unterschiedliche Ursachen für die Belastungen gibt, gibt es auch verschiedene Reaktionen der Rohre hierauf. Im wesentlichen gibt es zwei Ursachen:

Der Lageversatz, relevant für alle Rohrarten

Die Qualität des Rohrauflagers im Graben hat einen entscheidenden Einfluß auf die Qualität der verlegten Leitungen. Das gilt für alle Rohrarten. Auf der Rohrleitung lastet alleine ein Gewicht des Verfüllmaterials im Graben von rund 20 kN/m^3 (entsprechende 2 Tonnen/m^3 hören sich für manchen immer noch gewichtiger an). Befinden sich im Rohrauflager Unterschiede im Bodenmaterial, z.B wechselnde Bodenarten bzw. Verdichtungsgrade, werden die Rohre durch die Erdauflasten zwangsläufig in die weicheren Bodenstellen hineingedrückt. Dabei verändern die Rohre ihre Lage, es entstehen die „Unterbögen". Aus Bild 59 ist dieser Lageversatz mit im Mittel 12 Schäden / 1000 m zu entnehmen.

Schon vor Jahren hat die Betonindustrie in Nordeuropa versucht, als Antwort auf die 5 m-Kanalbaulängen der Kunststoffrohre längere Betonrohre in den Markt einzuführen. Man hat das Vorhaben wieder aufgeben müssen, da die nicht vermeidbaren Unebenheiten im Rohrauflager verstärkt zu radialen Brüchen (Versagen in Querrichtung) dieser längeren Rohre geführt haben, hervorgerufen durch das auf dem Rohr lastende Bodenmaterial.

Die verschiedenen Rohre reagieren auch hier unterschiedlich auf diese Belastungen, wie im Bild 61 dargestellt.

Starre Rohre können auf die Belastungen nur mit Lageversatz und gleichzeitiger Abwinklung in der Muffe reagieren. Die Muffenverbindung muß damit nicht nur die Dichtigkeit gewährleisten, sondern Muffe und Spitzende müssen gleichzeitig

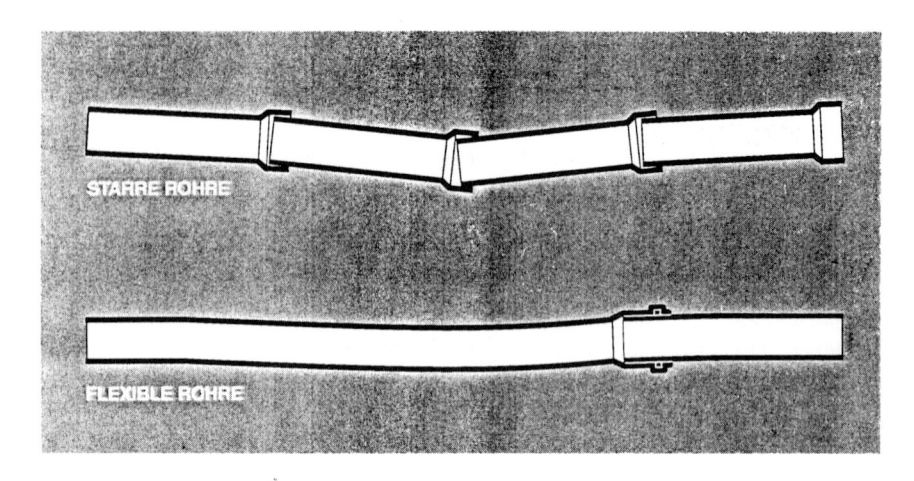

460　　　　　　　　　Grundstücksentwässerung und öffentliche Kanäle

Bild 61: Lageversatz bei starren und flexiblen Rohren

die dabei auftretenden mechanischen Kräfte übernehmen. Dabei weiß man aus den Schäden auf der Baustelle, wie empfindlich gerade die Spitzenden dieser Rohre sind. Inwieweit die Schäden an Rohrverbindungen in der Schadensstatistik Bild 59 auf Überlastungen bei auftretendem Lageversatz zurückzuführen sind, ist nicht ausgewiesen.

Flexible Rohre passen sich den Ungleichmäßigkeiten im Auflager an. Das geschieht, je nach Auflagerbeschaffenheit, sowohl im Rohrschaft als auch im Muffenbereich. Die Muffenverbindung muß bei diesen Vorgängen allerdings keine zusätzlichen Belastungen aus den eventuellen Bewegungen der Rohrlänge aufnehmen. Daher können Kunststoffrohre in der Erdverlegung 5 m, 6 m und 12 m Baulängen haben, wenn sie nicht gleich „von der Rolle" geliefert werden.

Es stellt sich die Frage, ob die Rohre der verschiedenen Werkstoffe mit unterschiedlichem Lageversatz auf die Belastungen reagieren. Betrachtet man die Rohrbelastungen im Erdreich, wie sie im Abschnitt 3.4.5.4.2 und Bild 60 dargestellt und erläutert sind,

– wird das starre Rohr auf Unregelmäßigkeiten im Auflager mit höheren Lageveränderungen reagieren müssen. Wie erläutert, können die Belastungen auf das Rohr nur über die bei der Verlegung erstellte Rohrauflage im Fußpunkt des Rohres in den Untergrund weitergeleitet werden. Das führt zu punktuell höheren Belastungen und damit zu höheren Setzungsreaktionen des Bodens. Folge daraus kann eigentlich nur die stärkere Ausbildung von „Unterbögen" sein.

- *Das flexible Rohr* folgt diesen Vorgängen nur indirekt, da die Belastungen vor allem auf das seitliche Bettungsmatrial wirken. Die Auflasten werden, wie erläutert, durch den seitlichen Boden weitergeleitet und wirken damit auf die gesamte Bodenfläche des Grabenbodens beiderseits des Rohres. Die punktuelle Belastung ist damit deutlich niedriger. In diesem Zusammenhang können auch Unterbögen entstehen, da bei diesen Setzungserscheinungen das Rohr dem umgebenden Erdreich zwangsläufig folgt.

Verläßliche Untersuchungen und Meßergebnisse zu diesen Fragen sind dem Autor nicht bekannt.

Die Verformung der Kunststoffrohre als Reaktion auf die Auflasten

Wie bereits erwähnt, ist eine schlechte Vorbereitung des Rohrauflagers die Ursache für entstehenden Lageversatz in den Leitungen.

Eine ganz andere Ursache kann zur Verformung und damit zur Ovalität des Rohres führen. Hier spielt der seitlich neben dem Rohr eingebrachte Boden die entscheidende Rolle. Zum besseren Verständnis dieser Vorgänge sollte man bei der Verformung von erdverlegten Kunststoff-Kanälen zwischen zwei Zeiträumen unterscheiden (Bild 62):

- Verformung während der Verlegung:

  Während der Einbringung und Verdichtung des Verfüllmaterials im Rohrbereich treten Verformungen am Rohr auf, deren Größe vor allem von der Handhabung der Bodenverdichtung abhängig ist. Die Rohrsteifigkeit spielt dabei, wenn überhaupt, nur eine sehr untergeordnete Rolle. Es läßt sich, wenn gewünscht, durch entsprechende Verdichtung im Bettungsbereich sogar eine „negative" Ovalität des Rohres erzeugen[1].

- Verformung während der Setzungen:

  Nach Abschluß der Grabenverfüllung beginnt bei allen Rohrarten die Setzung des Bodens. Bei Kunststoffrohren führt sie im allgemeinen zu einer Erhöhung der Verformung. Die Bodensetzungen sind üblicherweise nach wenigen Jahren abgeschlossen [2].

Der Zeitraum der Setzungen bestimmt sich vor allem aus dem Grad der Bodenverdichtung während der Verlegung und aus der verwendeten Bodenart im Bettungsbereich. Bessere Verdichtung und weniger bindige Böden führen zu kürzeren Setzungszeiträumen und auch geringerer Zunahme der Verformung

Auch die Größe der Bodensetzungen ist primär von Bodenart und Verdichtung abhängig. Es stellt sich dabei die Frage, welche weitere Verdichtung des seitli-

---

[1] Bei Rohren vor allem mit größeren Durchmessern wird diese Möglichkeit verwendet, um die späteren Setzungsverformungen in Grenzen halten zu können.

chen Verfüllmaterials durch Setzungen notwendig ist, damit es die anstehenden Auflasten an den Untergrund weiterleiten kann.

Beachtet man gleichzeitig, daß bei Freispiegelkanälen aus Kunststoff die Rohrsteifigkeit um einen Faktor von etwa 20 bis über 1000 unter der der Bettungssteifigkeit liegt, wird klar, daß das Rohr zur Lastübernahme kaum beitragen kann. Damit bestimmt sich die Höhe der Rohrverformung praktisch aus der erforderlichen Verdichtung des Bodens.

Wenn das umgebende Erdreich nach Abschluß der Setzungen die Belastungen trägt, *liegt das Rohr praktisch lastfrei im Boden;* eine Zunahme der Verformung kann eigentlich nicht mehr auftreten.

Das bestätigt sich in der Praxis. An Kunststoffabwasserkanälen wurden und werden in vielen Ländern seit Jahrzehnten Verformungsmessungen durchgeführt. Eine der umfangreichsten Sammlungen solcher Meßergebnisse wurde im Rahmen der europäischen Normung für Kunststoffrohre erstellt, die Ergebnisse von über 1000 Haltungen in mehreren europäischen Ländern mit über 50 km Länge erfaßt hat. Erste Messungen an einigen dieser Leitungen wurden schon vor über 20 Jahren durchgeführt [2].

Die Ergebnisse dieser und anderer Untersuchungen bestätigen die hier beschriebenen Vorgänge.

Höhe der Verformung in der Praxis

Im allgemeinen weisen Kunststoff-Kanalrohre, die entsprechend DIN 4033 verlegt sind, Verformungen in der Größenordnung zwischen 2 und 4 % auf (90 % Fraktile). In der europäischen Studie [2] liegt dieser Wert mit etwa 6–8 % höher. Das ist darauf zurückzuführen, daß in anderen Ländern z.T. deutlich niedrigere Anforderungen an die Verlegung und die Bodenverdichtung gestellt werden, gleichzeitig auch höhere Verformungen zugelassen sind.

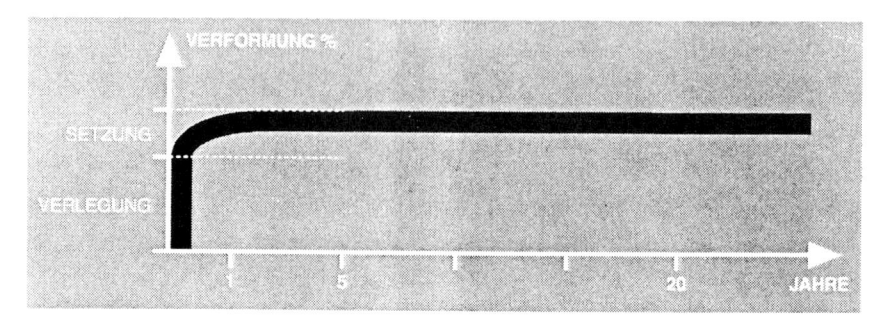

Bild 62: Zunahme der Rohrverformung während der Verlegung und der Bodensetzungen

Die in DIN 4033 festgelegte Obergrenze der Verformung mit 6 % ist ein recht niedriger Wert. Dieser Wert wurde vor vielen Jahren nicht etwa auf Grund der Belastungsfähigkeit der flexiblen Rohre, sondern eigentlich willkürlich festgelegt. In Nord-Europa zum Beispiel, wo Kunststoff-Kanalrohre heute einen Marktanteil im kommunalen Abwasser von über 70 % haben, liegt der maximal erlaubte Verformungswert bei 15 % [2]).

Sicher soll hier nicht eine drastische Anhebung der Grenzwerte für die Verformung gefordert werden. Bester Garant für die Langlebigkeit des Kunststoff-Abwasserkanals ist die einwandfreie Verlegung, für die eine wesentliche Erhöhung der Verformungwerte nicht erforderlich ist. Bei guter Verlegung stehen die Sicherheitsreserven, die das flexible Rohr mit der Verformbarkeit bietet, weitgehend späteren unvorhergesehenen Belastungen zur Verfügung, wie im folgenden Abschnitt näher erläutert wird.

3.4.5.4.4 Verhalten der Kanalrohre bei Veränderungen im umgebenden Erdreich

In der Praxis bleibt die Rohrleitung während der Nutzungsdauer nicht immer unberührt im Boden liegen. Es muß damit gerechnet werden, daß sich der umgebende Boden durch äußere Einflüsse verändert.

Das kann z. B. durch neue Bauarbeiten in der Nähe der Rohrleitung, durch Grundwasserveränderungen und im krassesten Falle durch Bodenverschiebungen und Bergsenkungen verursacht werden.

Dabei entstehen im allgemeinen neue Belastungen, für die die Rohrleitung entsprechende mechanische Reserven besitzen sollte. Das Auftreten solcher neuen Lasten löst im Rohr-Bodenbereich die praktisch gleichen Vorgänge aus, die für die Neuverlegung eingehend beschrieben wurden.

– Bei starren Rohren entsteht eine weitere Lastkonzentration.

– Bei flexiblen Rohren wird das Rohr auf diese Lasten mit einer Erhöhung der Verformung reagieren; gleichzeitig setzt wieder die Lastumlagerung in dem umgebenden Erdreich ein.

Im Bild 63 sind die Vorgänge in Bezug auf das Kunststoffrohr schematisch dargestellt. Vergleichbar mit der Setzungsverformung nach der Neuverlegung ist die Höhe der Verformungszunahme auch jetzt vor allem von den erforderlichen Setzungen im umgebenden Boden abhängig.

---

[2]) Die Ausführungen dieses Beitrages gelten generell für alle Kunststoffrohre. Nur bei Fragen zur zumutbaren Verformungshöhe müssen für Rohre aus GFK Unterschiede gemacht bzw. engere Grenzwerte beachtet werden. Auf Grund ihrer Materialeigenschaften gilt für diese Rohre ein maximaler Verformungswert von 6 %.

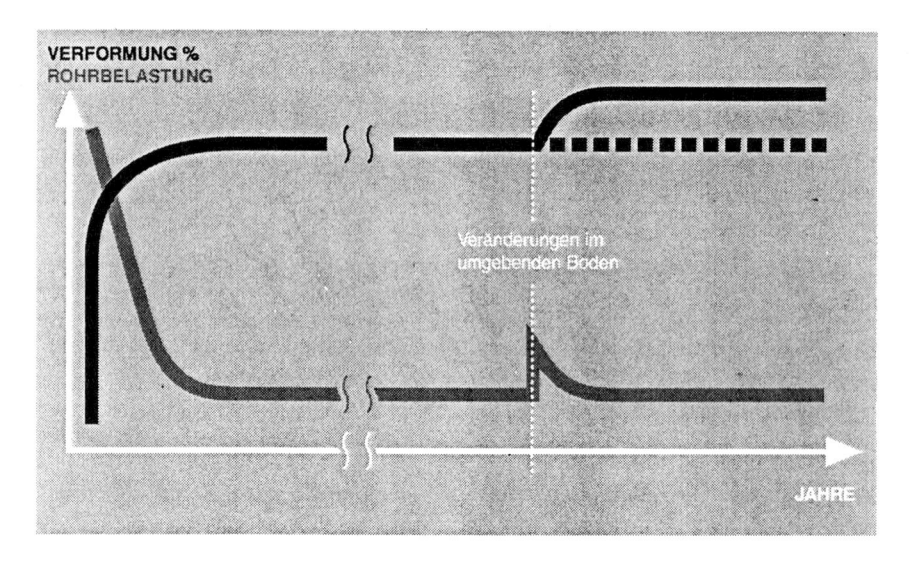

Bild 63: Reaktion des Rohres auf Neubelastungen nach Abschluß der Bodensetzungen

Wie das Rohr nach jahrelangem Einsatz im Boden auf erneute Lasten reagiert, wird in Ländern, in denen Kunststoffrohre der Normalfall in der Abwasserentsorgung sind, seit vielen Jahren untersucht. Besonders aus Nord-Europa und den USA liegen solche Untersuchungen von Universitäten und Instituten vor [3–5] [3]).

Bei diesen Forschungen hat man vor allem zwei Vorgänge untersucht, die am flexiblen Rohr nach Abschluß der Setzungen ablaufen:

– das Langzeitverhalten des Rohres und des Rohrmaterials bei konstanter überhöhter Verformung

– die Entwicklung der (Kurzzeit-) Rohrsteifigkeit und damit des E-Moduls dieser Rohre nach der Langzeit-Lagerung mit solchen Verformungen.

Um Extrembelastungen zu simulieren, hat man in diesen Versuchen Rohre bei aufgezwungenen Verformungen von 10 % bis 50 % und selbst darüber hinaus gelagert.

Als wesentliche Ergebnisse dieser z. T. über mehr als 10 Jahre durchgeführten Untersuchungen kann festgestellt werden, daß

– die Rohre diesen Extrem-Belastungen langfristig standhalten,

---

[3]) Die zitierten Versuche wurden an Rohren aus PVC-U und PE-HD durchgeführt.

- sich die Spannungen, die in der Rohrwandung bei der Verformung auftreten, im Laufe der Jahre weitgehend abbauen (Spannungsrelaxation),

- die Steifigkeit der Rohre und damit der E-Modul des Materials im Laufe der Jahre sich in keinem Falle reduzierte, sondern eher leicht zunahm.

Auch bei überhöhten Verformungen bauen also die Kanalleitungen aus Kunststoff die entstandenen Spannungen in der Rohrwand über die Jahre ab. Gleichzeitig behalten Sie aber ihre Stabilität und Steifigkeit zur Aufnahme neuer Lasten, wann immer erforderlich.

Sicher können bei solchen zusätzlichen Bodenbelastungen, je nach Größe, ungewollt so hohe Verformungen auftreten, daß die erlaubten Grenzwerte überschritten werden. Entscheidend ist in solchen Fällen, daß selbst unter diesen bei der Planung und Berechnung nicht vorgesehenen Extrembelastungen die geforderten Grundeigenschaften des Kanals erhalten bleiben:

- Funktionsfähigkeit

- Dichtigkeit

- Dauerhaftigkeit

Entsprechend den ATV-Regeln (Arbeitsblatt A 139) sind das die entscheidenden Kriterien für kommunale Abwasserkanäle und Grundstücksentwässerungsleitungen.

3.4.5.4.5 Verformung als Indikator für Verlegequalität

Die Schadensstatistiken zeigen immer wieder, daß schlechte Verlegung Hauptursache für auftretende Schäden ist. Sie können, wie erläutert, vor allem durch ungleichmäßige Bettung und durch schlechte Verdichtung in der Rohrleitungszone entstehen.

Bei *flexiblen* Rohren ergibt sich eine einfache Methode, frühzeitig Informationen zur Verlegequalität zu erhalten. Eine Messung der Verformung des Rohres auch schon unmittelbar nach Abschluß der Verlegung gibt hierüber Aufschluß. Dabei gibt vor allem die Streuung der Verformungswerte über die Haltungslängen den Hinweis auf gute, d.h. gleichmäßige oder schlechtere Verlegung. Gute Verlegung führt zu gleichmäßiger Verformung.

Bei *starren* Rohren würde die Messung des Lageversatzes gewisse Informationen zur Qualität geben. Ob die Verlegung und die Sicherstellung des Auflagewinkels einwandfrei erfolgte, ist aber erst festzustellen, wenn die Leitung wegen Überlastung bricht. Vorzeitige Hinweise auf eine ungenügende Verlegequalität gibt es nicht. Eine heute übliche Video-Inspektion unmittelbar nach Verlegung sagt dazu sehr wenig aus; die Setzungen mit ihren Einflüssen auf den Kanal haben ja gerade erst angefangen.

Hieraus abzuleiten, solche Untersuchungen für flexible Rohrleitungen verbindlich vorzuschreiben, sie aber für die Leitungen aus starren Werkstoffen wegen fehlender Aussagemöglichkeiten zu deren Verlegequalität nicht zu fordern, müßte als eindeutige Diskriminierung der Kunststoffrohre verstanden werden.

Verformung ist Sicherheit

Die Flexibilität der Kunststoffrohre führt bei der Erdverlegung zu einem Lastausgleich zwischen dem umgebenden Erdreich und dem Rohr. Das Rohr entzieht sich den auftretenden Lasten durch Verformung und zwingt damit das Bettungsmaterial, die Auflasten zu tragen (Bild 64).

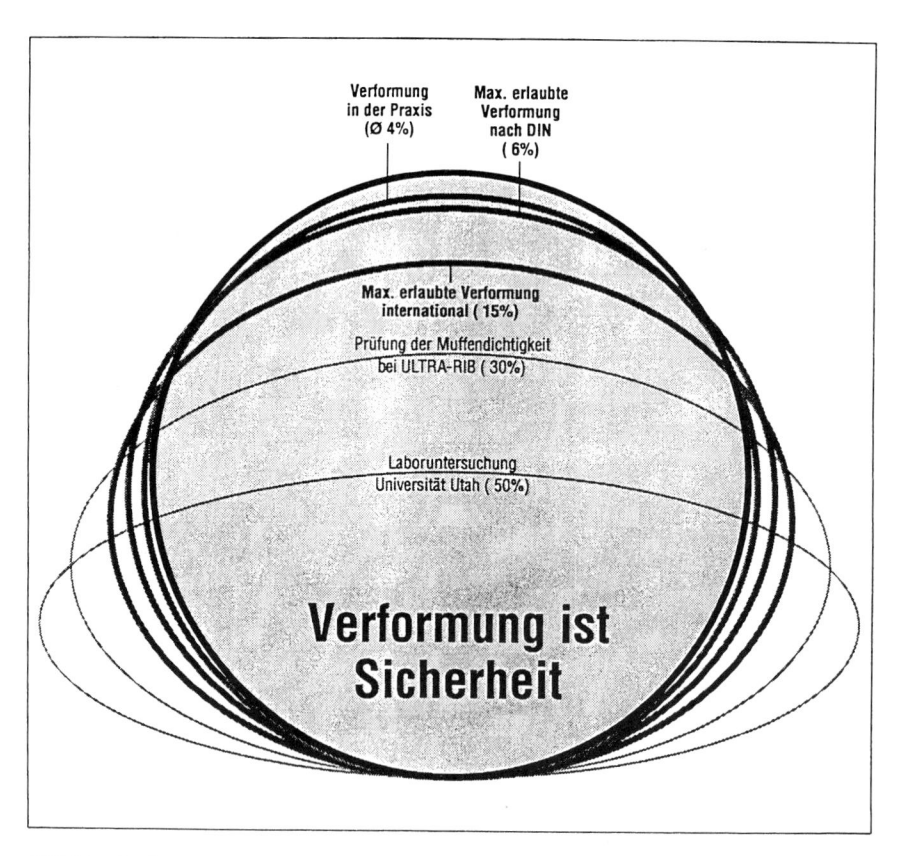

Bild 64: Verformungsreserven bei PVC-U und PE-HD Kanalrohren

Die Verformung ist damit keineswegs als Zeichen von zu hoher Belastung zu verstehen, sondern ist eine gezielte und gewünschte Reaktion auf die auftretenden Kräfte. Die Lasten werden dabei auf das Erdreich übertragen. Das Erdreich erweist sich dabei stärker als alle beschriebenen Rohrsysteme.

Schrifttum

[1] Stein, D.; Kaufmann, O.: Schadensanalyse an Abwasserkanälen aus Beton- und Steinzeugrohren der Bundesrepublik Deutschland-West. Korrespondenz Abwasser Heft 2.93
[2] Die richtige Antwort für Kanalrohre Flexibilität. TEPPFA Veröffentlichung aus Arbeiten von CEN/TC 155 AHG 29
[3] Moser, Shupe and Bishop: Is PVC strain limited after all this years? ASTM Handbook Buried Plastic Pipe Technology (1990)
[4] Janson, L.-E.: Long-term studies of PVC and PE pipes subjected to forced contant deflection. KP-Council Report Nr. 3 Dec. 1991
[5] Koski: Ring stiffness by long-term creep and relaxation tests of rib-reinforced UPVC sewer pipes; Plastic Pipes VII (Symposium in York 1989)

3.4.6 Sonderanwendungen

3.4.6.1 Grabenlose Verlegung

Die Technik der unterirdischen grabenlosen Leitungsverlegung hat in den letzten Jahren eine rasante Entwicklung erfahren.

Die Forderung, großflächige oberirdische Baustellen bei Kanalbaumaßnahmen möglichst zu vermeiden, beschleunigte den Trend zu den sogenannten NO-DIG-Verfahren.

Außerdem verlangt das allgemein wachsende Ökologiebewußtsein die Schonung von Ressourcen, die durch den grabenlosen Leitungsbau eine ausgeprägte Unterstützung erfahren kann.

Verfahren

Bei den NO-DIG-Verfahren handelt es sich um innovative Entwicklungen, die sich in unterschiedlichen Techniken mit entsprechenden Maschinen und Bedienungsverfahren wiederspiegeln.

Fortschritte im Bereich der Elektronik und Sensortechnik für die Steuerungs- und Ortungseinrichtungen haben zur Einsatzreife der Verfahren beigetragen.

Die Anwendbarkeit des jeweiligen Verfahrens ist in Abhängigkeit von der Bodenbeschaffenheit, der Steuerbarkeit und der Möglichkeit an Baustelleneinrichtungen zu beurteilen.

Aufgrund des Arbeitsprinzips teilt man die grabenlosen Verlegetechniken in Trockenbohr- und Naßbohrverfahren ein.

Trockenbohrverfahren

Trockenbohrverfahren arbeiten ausschließlich nach dem Prinzip der Bodenverdrängung. Die Erdröhre wird durch Einpressen oder Einschlagen geeigneter ortungs- und steuerbarer Verdrängungskörper geschaffen. Die Möglichkeit der Richtungsänderung ist durch den Gesamtaufbau der Anlage gewährleistet.

Zur Vermeidung von Schäden an der Geländeoberfläche sollten Mindestüberdeckungen des acht- bis zwölffachen Raketen- bzw. Aufweitdurchmessers eingehalten werden.

Die Bohranlagen bestehen in der Regel aus drei Hauptkomponenten:

- Bohrrahmen mit Bohrmaschine,

- Rakete mit Gestänge bzw. Preßlanze mit Gestänge,

- elektronische Ortungseinheit.

Das Bauteil „Gestänge" übernimmt die wesentlichen Funktionen:

- Zuführung der Druckluft für den Bodenverdrängungshammer (Rakete),

- Drehung des Bohrkopfes bei Geradeausbewegung und Ausrichtung der Rakete bei Richtungsänderungen,

- Anpressen des Bohrkopfes zur Unterstützung der Verdrängungsarbeit,

- Zurückziehen der Rakete bei Einziehen des Rohres sowie bei festgefahrenem Bohrwerkzeug,

- Ableitung der Abluft aus der Erdrakete, wenn im Gestänge zusätzlich ein Schlauch integriert ist.

Die Bohreinheit wird auf einem LKW oder Anhänger antransportiert und mit Hebezeugen in der Startgrube positioniert.

Naßbohrverfahren

Naßbohrverfahren arbeiten nach folgendem gemeinsamen Grundprinzip:

In einem hohlen Gestänge wird eine Suspension unter sehr hohem Druck (z.T. mehr als 100 bar) zu einem Spülkopf gefördert und tritt dort an gerichteten Düsen mit hartem Strahl aus. Auf diese Weise wird der Boden an dem Bohrloch geschnitten und gelöst.

Alle Horizontal-Naßbohrverfahren sehen zunächst eine Pilotbohrung kleinerer Durchmesser vor. In einem zweiten Arbeitsgang wird der Bohrlochdurchmesser mit einem Aufweitkopf auf den für das Einziehen des Rohres erforderlichen Durchmesser aufgeweitet.

Naßbohrverfahren lassen relativ kleine Bohrradien zu, so daß Richtungsänderungen, z.b. für das Umfahren von Hindernissen, keine Schwierigkeiten bereiten.

Im Hinblick auf die erforderlichen Überdeckungshöhen steht weniger die Bodenverdrängung als vielmehr die Auswirkung durch den Druck der Spülflüssigkeit im Vordergrund.

Geringe Abstände zu kreuzenden oder parallel verlaufenden Rohrleitungen und Kabeln sind möglich.

Die Bohrausrüstungen für Naßbohrverfahren setzen sich grundsätzlich aus folgenden Teileinheiten zusammen:

- Bohreinheit mit Lafette,

- Bohr- und Aufweitwerkzeuge,

- Gestänge,

- Versorgungseinheit mit Vorratsbehälter und Pumpe für Spülflüssigkeit,

- Ortungssystem.

Die Bohreinheit mit Lafette ist gewöhnlich auf einem schmalen, teilweise selbstfahrenden Fahrgestell montiert. Engstellen auf der Baustelle können aufgrund der geringen Maschinenbreite gut passiert werden; es kann somit eine schnelle Umsetzung auf eine andere Startposition erfolgen.

Wirtschaftlichkeit und Trend

Bei einer angenommenen Grundstücksleitung DN 100 wird in offener Bauweise ein Bodenaushub von ca. 1,0 m^3 je lfm. Rohrgraben anfallen. Bei grabenloser Bauweise ist in diesem Fall mit 0,02 m^3 Aushub je lfm. zu rechnen, d.h. nur 2 % im Vergleich zur offenen Bauweise.

Nicht generell meß- und wägbare Vorteile des NO-DIG-Verfahrens gegenüber der herkömmlichen Bauweise ergeben sich aus dem Aufwand an Maschinen und Personal bei den jeweiligen Einbauleistungen, aber auch aus individuellen Arbeiten wie der Installation von Anschlüssen bestehender Gebäude in belebten Straßen (kein Queraufgraben und Absperren der Straße) oder dem Sanieren alter bzw. dem Verlegen neuer Leitungen.

Unter Einbeziehung aller Imponderabilien und aufgrund ausgeführter Baumaßnahmen kann die Wirtschaftlichkeit des individuell eingesetzten NO-DIG-Verfahrens erklärt werden.

Der grabenlose Leitungsbau hat sich insofern mit der Abwasserentsorgung ein Anwendungsfeld erschlossen, das auf Zuwachsraten setzen kann, nachdem er sich in der Versorgungswirtschaft (vgl. Teile VII.4 und VII.23) bereits etabliert hatte.

3.4.6.2 Abwasserleitungen in Trinkwasserschutzgebieten

H. B. SCHULTE

Abwasserleitungen haben auf Grund vorliegender Erkenntnisse über Schäden einen bedeutenden Stellenwert. Da zudem bei Abwassereinleitungen von Gewerbe und Industrie davon ausgegangen werden muß, daß im Abwasser auch gefährliche Stoffe enthalten sind, die durch undichte Stellen in den Untergrund sickern könnten, erhalten neben den Schutzanforderungen auch die Konstruktion der Abwasserleitung und die Wahl der Rohrwerkstoffe und Schächte grundsätzliche Bedeutung.

3.4.6.2.1 Schutzanforderungen

Das Wasserhaushaltsgesetz bestimmt in § 1 a, Absatz 2, daß grundsätzlich jedermann verpflichtet ist, bei Maßnahmen, mit denen Einwirkungen auf die Gewässer verbunden sein können, die erforderliche Sorgfalt anzuwenden, um eine Verunreinigung des Wassers zu vermeiden. Darüber hinaus eröffnet es in § 19 die Möglichkeit, Wasserschutzgebiete festzusetzen, in denen über den grundsätzlichen Schutz des Grundwassers hinaus zusätzliche Schutzmaßnahmen möglich sind.

Nutzungseinschränkungen und -verbote in ausgewiesenen Wasserschutzgebieten sind im DVGW-Regelwerk W 101 „Richtlinien für Trinkwasserschutzgebiete; 1. Teil: Schutzgebiete für Grundwasser", festgelegt. Danach sind außer in der weiteren Schutzzone III B Abwasseranlagen grundsätzlich verboten. Die Praxis zeigt allerdings, daß diese Forderung nicht immer aufrecht zu erhalten ist und daher in Ausnahmefällen Befreiungen möglich sind. Sie verlangen besondere Schutzvorkehrungen sowohl für den Bau, als auch für den Betrieb von Abwasseranlagen.

Bei Planung, Herstellung und Betrieb von Abwasserkanälen und -leitungen sind ergänzend zur DIN 4033 und den ATV-Arbeitsblättern A 101, 139 und 140 die besonderen Anforderungen, die in ATV-Arbeitsblatt A 142 „Abwasserkanäle und -leitungen in Wassergewinnungsgebieten" aufgestellt sind, zu beachten (s. Tafel 11). Hiernach ist für den Bereich der Schutzzone II bei der Wahl einwandiger gen Vorsorge zu treffen, daß bei entstehenden Undichtigkeiten unverzüglich Maßnahmen möglich sind, die eine Grundwassergefährdung verhindern; bei einem Doppelrohrsystem ist Leckanzeige vorzusehen.

In der Schutzzone III (weitere Schutzzone) sind die Verlegung und der Betrieb von Abwasserkanälen und -leitungen grundsätzlich zulässig.

3.4.6.2.2 Baustoffe

Gemäß ATV-Arbeitsblatt A 142 müssen Baustoffe und Bauteile mindestens den Anforderungen gemäß ATV-Arbeitsblatt A 139 genügen und einem Prüfdruck bis 2,4 bar standhalten. Zum Nachweis dieser Bedingungen sind 10 %, mindestens jedoch vier Rohre einschließlich der Rohrverbindungen, im Herstellerwerk mit einem Druck von 0 bis 2,4 bar abgestuft zu prüfen. Die Auswahl der Prüfmuster und die Bedingungen der Druckprüfung sind von einer fremdüberwachenden Stelle festzulegen und zu kontrollieren.

3.4.6.2.3 Einwandige Rohrsysteme

Besonders vorteilhaft ist es, wenn Rohre und Schachtkonstruktionen materialidentisch ausgeführt werden. Werkstoffgerechte Verbindungstechniken sowie gleiche Materialeigenschaften und -verhaltensweisen geben zusätzliche Sicherheit.

Bei der Wahl einwandiger Rohrsysteme ist jedoch darauf zu achten, daß ausreichende Rückhaltekapazitäten in der Ortskanalisation für die Dauer der Wiederholungsprüfung zur Verfügung stehen und die Prüfungen laut ATV-Arbeitsblatt A 142

– in der Schutzzone II alle 5 Jahre und

– in der Schutzzone III nach Bedarf

durchgeführt werden.

Die gewünschte Homogenität – Rohre/Schächte/Verbindungen – läßt sich mit den Werkstoffen PE-HD, PVC-U und GFK erzielen. Die gütegesicherten Rohre und Formstücke entsprechen den Anforderungen der jeweiligen Grund- bzw. Anwendungsnorm. Sie zeichnen sich durch ihre chemische Beständigkeit – auch gegenüber chlorierten und aromatischen Kohlenwasserstoffen – aus. Auch aufgrund dieser Eigenschaften werden Kunststoffe für Auskleidungen, z. B. von zementgebundenen Kanalrohren, eingesetzt.

Durch die große Auswahl der Rohrlängen – von 6, 12 bis 30 m-Stangen, Ringbunden bis DA 160 und Längen von 100 – 300 m sowie Trommelware bis ca. 1.500 m – läßt sich die Zahl der Verbindungen reduzieren; sie erlaubt auch hohe Verlegegeschwindigkeiten und den Einsatz moderner Verlegeverfahren. Somit wird dem erhöhten Schutzbedürfnis auch unter wirtschaftlichen Gesichtspunkten Rechnung getragen.

Tafel 11: Anforderungen an Abwasserleitungen in Wasserschutzgebieten (Zone II)

Bei den Ausführungsarbeiten der Abwasserleitungen wird als wesentliche Forderung zum Schutze des Grundwassers in dem Anforderungskatalog herausgestellt, daß
- einwandige Abwasserleitungen unter Beachtung besonderer Anforderungen oder
- die Abwasserleitungen in einem dichten Schutzrohr (Doppelrohr) verlegt werden.

Darüber hinaus sind die allgemeinen Hinweise für Planung, Bauausführung und Dichtheitsprüfungen von Abwasserleitungen und Schächten zu beachten, die im Einzelfall den jeweiligen Verhältnissen anzupassen sind.

↓ ↓

| Für die Planung der Abwasserleitungen in einem dichten Schutzrohr gilt:
- Sorgfältige Abstimmung der zu verwendenden Rohrmaterialien (Schutzrohr, Mediumrohr); es sind möglichst gleiche Baulängen vorzusehen.
- Ausreichend große Schachtbauwerke mit der Möglichkeit zur Sichtkontrolle des Zwischenraumes. Das mediumführende Rohr ist geschlossen durch das Bauwerk zu führen mit wasserdicht verschließbaren Kontroll- und Reinigungsöffnungen. | Für einwandige Abwasserleitungen gilt:
- An die Rohre sind – auch beim Betrieb als Freispiegelleitung – Druckrohranforderungen zu stellen. Die Rohre und die Verbindungen müssen einem Prüfdruck von 2,4 bar entsprechend dem Nenndruck von 1,6 bar standhalten.
- In der Regel sollen zwei Jahre nach Betriebsaufnahme und danach alle 5 Jahre Druckprüfungen durch den Betreiber durchgeführt werden.
Der Abwasserkanal ist geschlossen durch die Schächte zu führen. Für Kontroll- oder Reinigungszwecke sowie zur Durchführung der Dichtheitsprüfung sind geeignete verschließbare Öffnungen vorzusehen. |

↓ ↓

Dichtheitsprüfungen
Abwasserkanäle und Schächte sind jeweils für sich getrennt auf Wasserdichtheit zu prüfen. In Abweichung von DIN 4033 ist in allen Fällen der Prüfdruck von 0,5 bar am höchsten Punkt der Haltung einzuhalten. Liegt der zu erwartende Abwasserdruck höher als 0,5 bar über dem Rohrscheitel, ist der Prüfdruck entsprechend zu erhöhen.

Temperaturbedingte Längenänderungen lassen sich mittels der bewährten Steckmuffenverbindungen bzw. Fixpunkten auch außerhalb des Schachtbereiches auffangen, so daß konstruktionsbedingte Festpunkte wie Schächte nicht zusätzlichen Belastungen ausgesetzt werden.

Damit Transportleitungen bei Arbeiten in der Trasse nicht Verwechslungen ausgesetzt werden, sind Druckrohre aus PE-HD nach der Richtlinie R 14.3.1 der Gütegemeinschaft Kunststoffrohre e. V. dauerhaft mit braunen Streifen, solche aus PVC-U nach der R 1.1.1 in der Farbe gem. RAL 8023 (orangeton) herzustellen. Sie sind in den Druckstufen bis PN 10 einsetzbar – damit für die jeweiligen Anwendungen wählbar. Im Falle der Aufnahme zusätzlicher Verkehrsbelastungen bei kleineren Überdeckungen empfiehlt sich der Einsatz von PN 6- oder PN 10-Rohren.

Aufgrund der Flexibilität der PE-HD-Rohre läßt sich zudem der Einsatz zusätzlicher Formstücke minimieren bzw. sind Anpassungen an die Leitungstrasse möglich. Grundsätzlich wird darauf hingewiesen, daß beim Standsicherheitsnachweis ein erhöhter Sicherheitsbeiwert gegen Versagen der Tragfähigkeit zugrunde zu legen ist. In der statischen Berechnung ist daher der Sicherheitsbeiwert der Spalte A des ATV-Arbeitsblattes A 127 um 20 % zu erhöhen.

Als Verbindungstechnik für die zu- und abführenden Leitungen stehen in der Gas- und Trinkwasserversorgung bewährte Heizelementstumpf- bzw. Heizwendelschweißtechniken zur Verfügung. Hinsichtlich der Ausführung der Schweißarbeiten sowie der Verlegung der Rohrleitungen wird auf die entsprechenden Kapitel in diesem Handbuch verwiesen.

Zur Durchführung der Wiederholungsprüfungen stehen spezielle begehbare Schachtkonstruktionen der gen. Kunststoffe zur Verfügung, die sich grundsätzlich durch ihre Funktion unterscheiden:

- Prüfschächte, in denen sich durch Montage von entsprechenden Verschlußplatten Wiederholungsprüfungen zügig durchführen lassen
- Kontrollschächte, die nur der Zugänglichkeit und der Unterbringung entsprechender Belüftungseinrichtungen dienen.

Die Kunststoff-Schachtkonstruktionen sind so konzipiert, daß das Prinzip der Lastminderung – wie es aufgrund der Flexibilität bei Kunststoffkanalrohren grundsätzlich vorhanden ist – auch beibehalten wird. Verkehrslasten wirken z. B. nicht auf das Bauwerk, sondern werden über Schachtabdeckungen und deren Rahmenkonstruktion direkt auf den Unterbau abgeleitet.

Für den Bau der Schächte werden Werkstoffe nach DIN 8061, 8075 und 16868 bzw. 16869/19565 eingesetzt. Die Schachtunterteile werden gemäß den Anforderungen der relevanten Güterichtlinien der GKR gefertigt. Durch die Anwendung dieser Richtlinien (Eigen- und Fremdüberwachung) wird zudem das Recht zur Führung des RAL-Gütezeichens Kunststoffrohre erlangt.

Bausteine (Beispiel s. Bild 65) sind daher

- Kunststoff-Schachtrohr
- Kunststoff-Sohlplatte mit Überstand für Auftriebssicherung

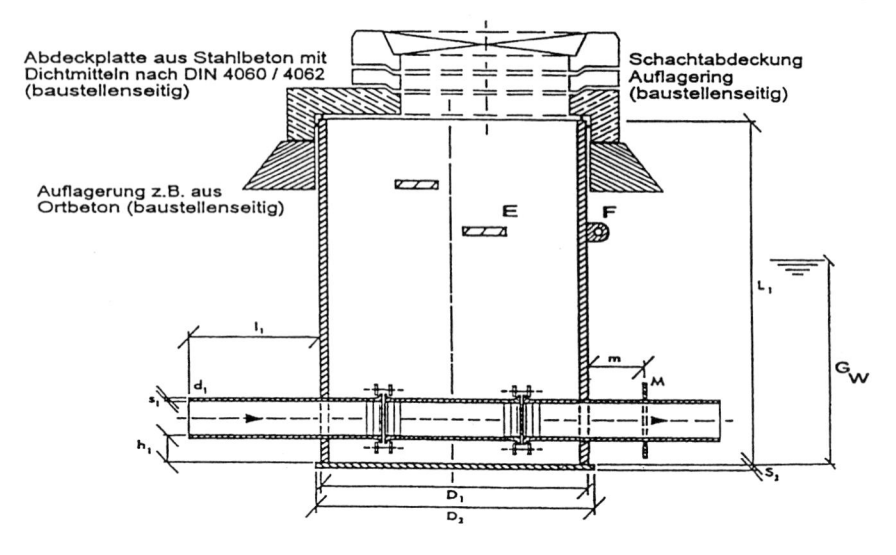

Bild 65: PE-HD Schacht für Druckrohrleitung

- Einsteighilfen
- Abdeckplatten aus Stahlbeton (DIN 4034 Teil 1)
- gußeiserne Schachtabdeckung nach DIN EN 124
- Auflagerung aus Stahlbeton (DIN 4034 Teil 1)
- Auflagerung (baustellenseitig)

Rohre und Schächte können formschlüssig miteinander verschweißt oder durch Steckmuffen verbunden werden. Etwaige unterschiedliche Setzungsverhalten können durch die Flexibilität der Rohre aufgenommen werden. Damit könnten die sonst üblichen Schachteinbindungen in Form von Gelenkstücken entfallen.

Auftriebsbewegungen kann mittels entsprechender Sicherungsmaßnahmen im Bereich der Bodenplatte entgegengewirkt werden. Die Standsicherheit kann im Einzelfall mit Hilfe einer Rahmenstatik nachgewiesen werden.

3.4.6.2.4 Doppelwandige Rohrsysteme

Vorteil von Doppelrohrsystemen ist die Kontrollierbarkeit von Undichtigkeiten bei gleichzeitigem Schutz der Umgebung. Die Außenrohrleitung wird dabei so ausgelegt, daß die maximale Sicherheit des Leitungssystems gewährleistet ist.

Lösungen in verschiedenen Werkstoffen wie PVC-U, PE-HD und GFK, aber auch in unterschiedlichen Kombinationen, sind möglich. Anforderungsgemäß wird das Mediumrohr im Schutzrohr konzentrisch angeordnet. Die Zentrierung kann über individuell konstruierte Gleitschuhe erfolgen. Durch die Formgebung der Gleitschuhe wird eine werkstoffgemäße Lastverteilung zwischen Außen- und Innenrohr erreicht. Zur Vermeidung von Wassersäcken im Mediumrohr wird die Anordnung der Gleitschuhe in Abhängigkeit zum kleinsten zulässigen Gefälle gewählt.

Neben den Doppelrohrsystemen stehen Einlauf- und Auslauf-Schachtbauwerke sowie Durchlauf-Schachtbauwerke für die geforderten Instandhaltungs-, Reinigungs- und Wartungs- sowie Überprüfungsarbeiten zur Verfügung. Druckdichte Durchlauf-Schachtbauwerke mit Revisionsöffnungen werden in der Regel als vorgefertigte Einheiten geliefert und sind so aufgebaut, daß durch eine dicht schließende Abdeckung des Außenrohres sowohl der Ringspalt als auch das ebenfalls zu öffnende Innenrohr (Medienrohr) inspiziert werden können.

Die Abmessungen der Reinigungsöffnungen werden in Anlehnung an DIN 19550 so gewählt, daß alle notwendigen Arbeiten problemlos ausgeführt werden können. Das um die Rohreinheit zu errichtende Schachtbauwerk-Unterteil ist vor Ort herzustellen.

Neben Leitungssystemen mit Steckverbindungen lassen sich auch verschweißte Doppelrohrsysteme auf Basis des Werkstoffes PE-HD realisieren. Entsprechende Heizwendelschweißmuffen zur separaten Verschweißung des Innen- bzw. des Außenrohres stehen zur Verfügung. Im Falle der Vorkonfektionierung ist darauf zu achten, daß beide Rohre dauerhaft fixiert sind.

Der zuletzt angesprochene Sachverhalt ist besonders von Bedeutung, wenn das Doppelrohrsystem entweder als Kaskaden- oder Simultanschweißung stumpfverschweißt wird. Zur Herstellung der Stumpfschweißverbindung sind aufgrund der Doppelwandigkeit gegenüber der üblichen Stumpfschweißtechnik spezielle Vorrichtungen erforderlich.

Grundsätzlich ist zum Doppelrohrsystem noch anzumerken, daß in der Regel gleiche Nenndruckstufen für das mediumführende Innenrohr wie auch für das umhüllende Schutzrohr gewählt werden. Dies hat den Vorteil, daß die Leitung im Falle einer Leckage bis zur Behebung des Schadens ohne Bedenken weiter betrieben werden kann.

3.4.6.3 Planung und Bau von Kanälen im ländlichen Raum
– Möglichkeiten der Kosteneinsparung –

H. B. SCHULTE

Angesichts sehr hoher Abwasserentsorgungsgebühren wird von allen Seiten eine Reduzierung der Kosten für Abwasseranlagen gefordert. Immer mehr setzt sich das Bestreben durch, zielgerichtet nach besonders kostengünstigen technischen Lösungen zu suchen, ohne die grundlegenden Standards zu unterschreiten.

Stärker denn je trifft dieses für die ländlichen und dünn besiedelten Gebiete zu, also für Bereiche, wo durch die weitläufige Bebauung und die geringe Einwohnerdichte meist sehr hohe Kosten für den Bau und Betrieb von Abwasseranlagen entstehen.

Bei Anwendung der klassischen Freispiegel-Gefälleentwässerung bedeutet dies in der Regel tiefes Einschneiden der Sammelleitung in das Gelände. Jedem, der mit Planung und Ausführung von Entwässerungsnetzen vertraut ist, sind die mit wachsender Verlegetiefe überproportional stark steigenden Kosten bekannt. Von daher erhalten Alternativen, mit denen diese Kosten zu minimieren sind, zusehends Aktualität.

Im folgenden werden die Alternativen – verknüpft mit Werkstoffverhaltensweisen und konstruktiven Besonderheiten – erörtert, die für die Grundanforderungen der Entwässerungstechnik von großer Bedeutung sein dürften. Ferner werden in Ergänzung zum ATV-Merkblatt M 200 Lösungsansätze aufgezeigt, die zurückschauend Gegenstand vieler anwendungsbezogener Beratungsgespräche waren:

- Verkürzung der Leitungslänge durch bisher nicht übliche Trassenführung und Verringerung der Verlegetiefe sowie stärkere Kombination von Entwässerungssystemen innerhalb eines Entsorgungsraumes für Sammlung und Transport.

- Unterschreitung von bisher geforderten Mindestrohrnennweiten.

- Verlängerung der Schachtabstände bei Sammelleitungen und Einbindung von Kompakt-Schächten auf den Privatgrundstücken.

Jede der vorgeschlagenen Einsparungsmöglichkeiten hat sich bereits in der Praxis nicht nur als Einzelkomponente bewährt. Damit auch in ländlichen und dünn besiedelten Gebieten möglichst hohe Anschlußraten unter vertretbaren Kostengesichtspunkten sowie Wahrung der gesetzlichen Vorgaben erzielt werden, kommt es darauf an, sämtliche Einsparmöglichkeiten so zu addieren, daß sich die wirtschaftlichste Form der Entwässerung ergibt. Die wesentlichen Forderungen der Entwässerungstechnik wie

- Funktionstüchtigkeit

- Wasserdichtigkeit

- Kontrollierbarkeit

- Reinigungsfähigkeit

müssen dabei weiterhin eingehalten werden. Nachfolgend hierzu Erläuterungen und Lösungsansätze.

Funktionstüchtigkeit

Vordergründig ist zunächst die Frage zu erörtern, durch welche Maßnahmen die unvermeidbaren Belastungen verringert bzw. Risiken ausgeschlossen werden können. Hierzu bieten sich an:

- Verlegung der Kanäle in unbefestigten Seitenstreifen der öffentlichen Wegeparzellen

- Minderung von Lastkonzentrationen durch Einsatz flexibler Komponenten

- Einsatz von Bauteilen mit lastmindernden Konstruktionselementen

- Minimierung der Beeinträchtigung des gewachsenen Bodens

- Verzicht auf Grundstückssammelleitungen unterhalb der Kellersohle

Ein großer Teil der nachgewiesenen Schäden an den derzeit betriebenen Kanalisationssystemen kann schon bei der Planung, Ausschreibung und Ausführung vermieden werden.

Anzumerken ist, daß Kanalleitungen bei beidseitiger Bebauung üblicherweise in der Straßenmitte verlegt werden – insbesondere bei Mischentwässerungen. Bereits durch den reinen Schmutzwassertransport lassen sich nicht nur deutliche Kosteneinsparungen erzielen – auch auf die ökologischen Vorteile der Versickerung vor Ort sei hingewiesen. Kritisch zu überdenken ist, ob nicht auch andere Entwässerungsvarianten (z. B. Druck- oder Vakuumsammelsysteme, die vornehmlich mit Kunststoff-Druckrohrsystemen ausgeführt werden) eingesetzt werden können oder ob auf den verkehrsfreien Flächen sowie Privatgrundstücken flachere Kanäle möglich sind, wodurch auch die kostenintensiven Aufwendungen zur Wiederherstellung von Straßenoberflächen weitestgehend entfallen könnten.

Lastkonzentrationen lassen sich vermeiden, wenn z. B. Erkenntnisse aus dem Tunnelbau in Aufschüttungsbereichen auf den Kanalbau übertragen werden – Verlagerung der Kraftflußlinien durch zusätzlichen Einbau elastischer Konstruktionselemente (Bild 66). Kunststoffkanalrohre zählen zu den flexiblen Kanalrohrkonstruktionen und reagieren auf die Belastungen mit entlastender Verformung (siehe Abschnitt 3.4.5.4). Die hohe Zahl der Schäden an den derzeit betriebenen Kanalisationssystemen ist ein deutlicher Hinweis dafür, daß sich langfristig auch Belastungsveränderungen – verursacht durch Bodenerosion, Grundwasserspiegelveränderungen, Unterspülung und Bodenverschiebungen – in der Rohrleitungszone einstellen können, die weder vorhersehbar noch mit den einschlägigen Berechnungsmethoden zu bestimmen sind. Kunststoffkanalrohre zeichnen sich durch ihre Verformbarkeit und ihre Elastizität aus – in der Natur und Technik der Normalfall.

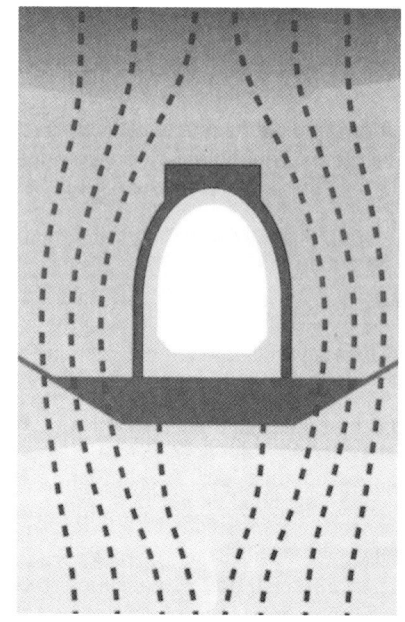

| Belastungslinien bei normaler Verfüllung des Tunnels | Belastungslinien bei Einsatz von Polstern entlang des Gewölbes |

Bild 66: Lastenabweisende Lösungen im Tunnelbau

Das Prinzip der Lastminderung bei Kunststoffkanalrohren wird auch bei Kunststoffschachtkonstruktionen beibehalten, da diese grundsätzlich so konzipiert sind, daß Verkehrslasten bis SLW 60 nicht auf das Bauwerk wirken, sondern über die Schachtabdeckung und deren Rahmenkonstruktion direkt auf den Unterbau abgeleitet werden. Bausteine derartiger Schachtsysteme (Bild 67) sind

– gußeiserne Schachtabdeckung

– Teleskoprohre zwecks Ausgleich von Bodenbewegungen

– glatte oder profilierte Schachtrohre

– Schachtboden mit Zu-/Abläufen DN 200 bis 600

– ggf. Betonrahmen zur Aufnahme der Abdeckung

– Schalungshilfen zur Entkopplung des Schachtrohres bei Fundamentierungen

– Dichtelemente

Grundstücksentwässerung und öffentliche Kanäle 479

Bild 67: Schachtsystem (Beispiel)

Zudem zeichnen sich diese Schächte dadurch aus, daß die Konstruktion bis dicht unter die Geländeoberkante nur über sehr wenige Verbindungen verfügt. Weiterhin ist die Möglichkeit des Niveauausgleichs gegeben.

Flachere Kanäle reduzieren die Beeinträchtigung des Bodens insbesondere dann, wenn die Verlegung oberhalb des Grundwasserspiegels möglich ist. Hierdurch lassen sich nicht nur ca. 9 % der durchschnittlichen Kosten der Kanalbaumaßnahmen einsparen, auch der Anteil des Aushubs kann nennenswert minimiert werden. Im günstigsten Fall können z. B. bei Einsatz von verschweißten PE-HD-Rohren auch neuartige Verlegetechniken, z. B. Grabenfräsen, eingesetzt werden.

Flachere Kanäle bedingen allerdings auch, daß auf Grundstückssammelleitungen unterhalb der Kellersohle verzichtet werden muß. Damit wird nicht nur die erwünschte bessere Zugänglichkeit des Grundstücksentwässerungsleitungssystems erreicht, sondern auch eine permanente einfache Überprüfung der Funktionstüchtigkeit gewährleistet.

Unter dem Gesichtspunkt von Verkehrsbelastungen wirkt sich zwar die Verlegung flacherer Kanäle in Verkehrsbereichen „belastend" aus, jedoch sei an die positiven Erfahrungen mit Kunststoffanschlußkanälen erinnert, die in der Regel wesentlich höher verlegt sind, also in noch „kritischeren" Bereichen. Ein Übergang zugunsten von Druckrohren ist nicht zu empfehlen, da hiermit nachteilige Wirkungen der Lastkonstruktion und damit zusätzliche Belastungen auf das Rohr verbunden sind.

Wasserdichtigkeit – Verbindungstechnik

In Freispiegelleitungen ist die Steckmuffe der Normalfall – auch bei PVC-U-Kanalrohren. Die engen Fertigungstoleranzen der Rohre und der Muffen ergeben Muffenverbindungen, die auch unter extremen Belastungen dicht bleiben. So tritt Wurzeleinwuchs bei Abwasserrohren aus Kunststoffen auch dann nicht auf, wenn die Leitung durch Überlastungen (Setzungen, Verlegefehler usw.) geschädigt, d. h. über die Normalfestlegung hinaus verformt ist. Da die elastischen Eigenschaften auch in der Muffenverbindung erhalten bleiben, findet auch hier ein Lastausgleich statt.

PE-HD-Kanalrohre werden in der Regel verschweißt. Somit liegt eine homogene Verbindung vor. Durch die Wahl der unterschiedlichen Rohrlängen ist zudem die Zahl der Verbindungen deutlich zu reduzieren, wodurch sich weitere Sicherheitsaspekte ergeben.

Hinsichtlich der Dichtheitsprüfungen wird auf Abschnitt 3.4.4 verwiesen.

Im Hinblick auf chlorierte und aromatische Kohlenwasserstoffe sei angemerkt, daß auch die ATV-Arbeitsgruppe 1.1.4 „Korrosion Abwasseranlagen" hierzu ausführt:

„Für den Bereich der öffentlichen Kanalisation sind nachteilige Auswirkungen von Chlorkohlenwasserstoff auf die Dichtelemente nicht zu befürchten. Abgesehen davon, daß Chlorkohlenwasserstoffe nur eine relativ geringe Wasserlöslichkeit besitzen, gehören sie zu den wassergefährdenden Stoffen, die nach den gesetzlichen Bestimmungen nur in für Dichtmittel völlig belanglosen Mengen abgeleitet werden dürfen."

Kontrollierbarkeit

Kanalrohre werden üblicherweise in der kürzesten Verbindung zwischen zwei Schächten – also in der Geraden – verlegt, weil sie noch zum Spiegeln geeignet sein sollen. Dazu werden auch bei großen Gefällen hohe Anforderungen an die Verlegegenauigkeit gestellt, die nur unter Verwendung von Lasergeräten erzielt werden kann und einen begehbaren Graben erfordert. Die Schächte sind grundsätzlich ≥ DN 1000 und mit Steigeisen ausgerüstet, damit man zu Inspektionsarbeiten mittels Spiegel hinabsteigen kann, obwohl auch Spiegel an Stangen vorhanden sind.

Bögen und Knicke in Kanalleitungen sind aus Gründen der Kontrollierbarkeit bisher nicht zugelassen worden, obwohl sich dadurch die Anzahl der Schächte deutlich reduzieren und eine kostengünstige, geländenahe Verlegung ermöglichen ließe.

Bei der Definition oder auch Fortschreibung solcher Anforderungen ist jedoch weitestgehend unberücksichtigt geblieben, daß die Fernsehkameras immer kleiner geworden sind und sich z. B. durch den Einsatz von DN 150-Peilrohren – aufgesetzt auf einen 45°-Abzweig – sowohl eine Kamera als auch ein größerer Spülschlauch einfahren lassen. Zudem können moderne Kameras heute bereits aus einem Sammler $\leq$ DN 200 einen Anschlußkanal untersuchen.

Nach kritischem Studium vieler kommunaler Satzungen ist festzustellen, daß häufig unmittelbar an der Grundstücksgrenze – nach Möglichkeit auf dem Privatgrundstück – ein Hausanschlußschacht zu setzen ist, damit eine Kontrolle des einzuleitenden Abwassers möglich wird und der Hausanschluß gespült und kontrolliert werden kann. Dem gegenüber wird allerdings auch zugelassen, daß der Grundstückseigentümer seine private Kanalisation selbst verlegt, obwohl davon auszugehen ist, daß aus der häufig unfachmännischen Verlegung große Fremdwassereinleitungen resultieren können. Wäre es daher nicht sinnvoller, auf die hohen Kosten der großen Anschlußschächte zu verzichten und stattdessen an allen wichtigen Punkten Alternativkonstruktionen (kompakte Kunststoffschächte oder Peilrohre, die auf einen 45°-Abzweig gesetzt werden) vorzusehen, über die mit einem dünnen Spülschlauch die Rohre in beiden Richtungen gespült werden können? Weiterhin ließe sich dann auch eine Fernsehkamera zur dringend erforderlichen Kontrolle der privaten Kanalisationen einführen. Im Zuge der Forderung, kostenbewußtes Bauen auch in DIN-Normen zu berücksichtigen, sind nunmehr in DIN 1986 Teil 1 – Änderung A 1 – entsprechende Ergänzungen bezüglich des Einsatzes von Inspektionsöffnungen aufgenommen worden, um somit die Zugänglichkeit der Grundleitungen und damit die Kontrollierbarkeit und Funktionssicherheit positiv zu beeinflussen.

Reinigungsfähigkeit

Hervorzuheben ist, daß sich durch die Verringerung des Kanalrohrdurchmessers die hydraulischen Gegebenheiten aufgrund höherer Fließgeschwindigkeiten positiv verändern – ganz abgesehen davon, daß die zu transportierende Abwassermenge doch deutlich kleiner ist als in Kernbereichen. Außerdem unterbindet die Oberflächencharakteristik der Kunststoffrohre – geschlossen, porenfrei – Inkrustationen. Aber auch Ausgangsprodukte (biogene Schwefelsäurekorrosion) können die Oberflächen der Kunststoffmaterialien und werkstoffgleichen Schachtkonstruktionen nicht negativ beeinflussen.

In der Fortschreibung des ATV-Arbeitsblattes A 118 wird zwar davon ausgegangen, daß aus betrieblichen Gründen der Mindestdurchmesser DN 250 bei

Schmutzwasserkanälen beizubehalten ist – in begründeten Fällen kann allerdings auch DN 150 Verwendung finden.

Durch die Verringerung des Sammlerrohrdurchmessers wird zudem das Ablagerungsverhalten bei den üblich geringen Schmutzwasserabflüssen deutlich verbessert.

Durch die Anordnung von kompakten Kunststoffschächten DN 300 und größer im Grundstücksbereich, aber auch als Zwischenschacht in Sammelkanälen (damit begehbare Schächte nur noch im Bereich der Einmündungen von Sammelkanälen), ist das gleichzeitige Ansetzen von Spül- und Saugschlauch gegeben, so daß Einschränkungen der Wartungsarbeiten gegenüber traditionell-konzipierten Kanalsystemen nicht gegeben sind.

Bezüglich der in der Regel eingesetzten Spülwagen sei anzumerken, daß Schlauchlängen von bis zu 200 m vorhanden sind, die sich auch um jede Ecke und Biegung in den Kanal einziehen. Für Wartungen von Deponie- und Sickerrohrleitungen sind im übrigen bereits Fahrzeuge mit Spüllängen von bis zu 800 m entwickelt worden.

Eine Vergrößerung der Schachtabstände eröffnet weitere Einsparungsmöglichkeiten. Die ursprüngliche Begrenzung auf ca. 50 m resultiert aus den Möglichkeiten der Reinigungstechnik der vergangenen Jahrzehnte. Es sei darauf hingewiesen, daß das mögliche Einsparungspotential bei Erhöhung der Schachtabstände von 50 auf 100 m ca. 4 bis 5 % der Gesamtkosten beträgt.

Honorierung kostengünstiger Planungen von Abwasseranlagen

Wegen der grundsätzlichen Kopplung des Planungshonorars an die Baukosten beschnitt der mit hohem Aufwand planende Ingenieur sein eigenes Honorar. Mit dem ab 01.01.1996 geltenden neuen § 5, Absatz 4 a HOAI wird die Möglichkeit zur Vereinbarung eines Erfolgshonorars eingeführt, welches dem planerischen Aufwand besser gerecht wird. Mit dem Planer kann somit vor Erbringung der besonderen Leistungen schriftlich vereinbart werden, daß er mit bis zu 20 % an den durch seine Planung erzielten Kosteneinsparungseffekten partizipiert.

Abschließend sei gesagt: Eine gute Sparplanung für Abwasseranlagen ist teuer – eine billige Standardplanung immer billig.

3.4.7 Ausblick

Im weltweiten und im europäischen Vergleich steht die Abwasserentsorgung in Deutschland auf einem anerkannt hohen Niveau. Unsere Abwassersysteme sichern den Menschen Lebensqualität und Komfort, der Umwelt Schutz und Bestand.

Der Standard in Deutschland ist auf den technologischen Fortschritt, das Ausnutzen des vorhandenen Know-how und die heute erreichte Qualität der Rohrwerkstoffe zurückzuführen. Es genügt jedoch nicht, beim Erreichten stehen zu bleiben; eine Fülle von Aufgaben ist künftig zu lösen. Dabei sollten die notwendigen Investitionsentscheidungen für Neubau- oder Sanierungsmaßnahmen so getroffen werden, daß unkalkulierbare Folgekosten vermieden werden. Es geht um Wirtschaftlichkeit und um Vermeidung ökologischer Dauerschäden.

In einer Zeit schwacher Finanzen ist nicht auszuschließen, daß Experimente mit nicht bewährten Baustoffen zunehmen. Die Resultate solcher Entscheidungen werden oft erst nach Jahren deutlich – d.h. dann, wenn die Verantwortlichen nicht mehr in Regreß genommen werden können.

Beim Bau von Abwasserentsorgungssystemen darf es keine solchen Experimente geben. Die Erfahrung lehrt, daß die Werkstoffwahl wesentlich über die Funktionsfähigkeit und Langlebigkeit eines Abwassernetzes entscheidet.

Kunststoffe erfüllen alle Parameter eines idealen Werkstoffes, wie Korrosionsbeständigkeit, günstiges hydraulisches Verhalten, hohe Abriebfestigkeit, die erforderliche Ringsteifigkeit, zuverlässige Dichtheit, ökologische Verträglichkeit, Ressourcenschonung, Recyclingfähigkeit.

Kunststoffrohre haben sich in mehr als 60jähriger Anwendung bewährt. Ihre Materialeigenschaften, ihre leichte Verlegeweise und ihre zweckmäßigen, sicheren Verbindungstechniken sichern die geforderte Qualität der Abwassersysteme.

Nahezu 95 % aller in der Bundesrepublik verlegten Kunststoff-Kanalrohre unterliegen der strengen Gütesicherung durch die Gütegemeinschaft Kunststoffrohre e.V., um Anwendern und Verbrauchern mit Hilfe betrieblicher Eigenkontrolle und staatlicher Fremdüberwachung ein Höchstmaß an Funktionssicherheit durch geprüfte Produktqualität zu gewährleisten.

Auch unter ökologischen Gesichtspunkten sind die modernen, langlebigen Rohre aus Kunststoffen positiv bewertet (s.a. Teil II. 5).

Die Abwasserbehandlungssysteme werden sich weiterentwickeln, aber der Abwassertransport wird weiterhin durch Rohrnetze erfolgen. Wie immer diese Netze strukturiert und aufgebaut sein werden, Kunststoffe erfüllen bereits heute alle Anforderungen moderner Abwasserbeseitigung und sind besonders qualifiziert, durch Weiterentwicklung und Innovationen im Rohrbereich künftige Auflagen, Kriterien und Problemstellungen zu lösen.

Weitsichtiges Denken, Planen und Handeln im Bereich der Abwasserentsorgung verträgt weder Experimente noch Kompromisse.

Wesentlich und gefordert ist ein hohes Qualitätsniveau der ausgewählten Rohrmaterialien und der zu leistenden Verlegearbeit.

Durch die Zusammenarbeit von Planern, Ingenieur-Büros, Entscheidungsträgern in Behörden und Ämtern sowie den Ausführenden vor Ort und den Herstellern der Rohre und Formstücke wird die richtige Richtung eingeschlagen, um die Forderung nach Qualität aller geleisteten Arbeiten für das Ingenieurbauwerk „ABWASSERKANAL" zu erfüllen.

Den Nutzen aus einem solchen Handeln haben letztlich wir alle, denn Entscheidungen für Qualität bedeuten auf lange Sicht Entscheidungen für wirtschaftlichen Betrieb, lange Lebenserwartung und damit bürgerfreundliche Gebühren.

4 Kabelschutzrohr-Systeme

C. GÜNTHER[*]

Kabelschutz gibt es, seit es Kabel gibt. Die Schutzmaßnahmen begannen mit in Jute verpackten Zementmixturen, die getränkt und als Schutzabdeckung über Kabeltrassen im Erdreich verlegt wurden. Daraus entwickelte sich eine Abdeckung, die anfänglich mit Ziegelsteinen, später auch mit Betonplatten erfolgte. Parallel dazu wurden erdverlegte Kabel in sogenannten „Siederohren" verlegt, Rohren aus Stahl mit einer aufgrund ihrer Korrosionsanfälligkeit relativ kurzen Lebensdauer. Durch die Entwicklung von Kabelformsteinen aus Beton war es erstmalig möglich, im Erdreich auch mehrzügige und geschützte Kabeltrassen neben- und übereinander zu verlegen.

Ende der 50er Jahre wurde mit der serienmäßigen Produktion von Kabelschutzrohren aus Kunststoffen begonnen. Aufgrund ihrer großen Vorteile gegenüber den bisher für Kabelschutzmaßnahmen eingesetzten Materialien konnten sich die Kunststoffrohre sehr schnell einen bedeutenden Marktanteil sichern. Mit den heutigen Rohrsystemen ist es möglich, ein unterirdisches Versorgungsnetz zu schaffen, das allen Anforderungen im Bereich der Elektrizitätswirtschaft (Energieversorgung), der Verkehrstechnik und – in immer zunehmenderem Maße – auf dem Gebiet der vielfältigen Kommunikationseinrichtungen gerecht wird. Ein solches Kabelschutzrohrnetz (Beispiel: Bild 1) ist aufgrund der Korrosionsbeständigkeit der Rohre und moderner Verlegetechniken über Jahrzehnte hinweg einsatzbereit. Die Verwendung von Kunststoff-Rohrsystemen bietet aufgrund der Materialeigenschaften einen breiteren und wirtschaftlicheren Anwendungsbereich als Kabelformsteine. So ist z.B. der Einbau von zusätzlichen Leerrohrtrassen bei schwierigen Bodenverhältnissen möglich, ohne daß im nachhinein größere Tiefbauarbeiten erforderlich werden. Die heutigen Verlegetechniken für Kabelschutzrohr-Systeme gestatten den problemlosen Austausch oder die Ergänzung von Kabeln in bereits belegten Kabelkanälen.

---

[*] Autorenschaft: KRV / Technischer Ausschuß TA5; Beiträge: lt. Autorenverzeichnis; Zusammenstellung: C. Günther

A 15

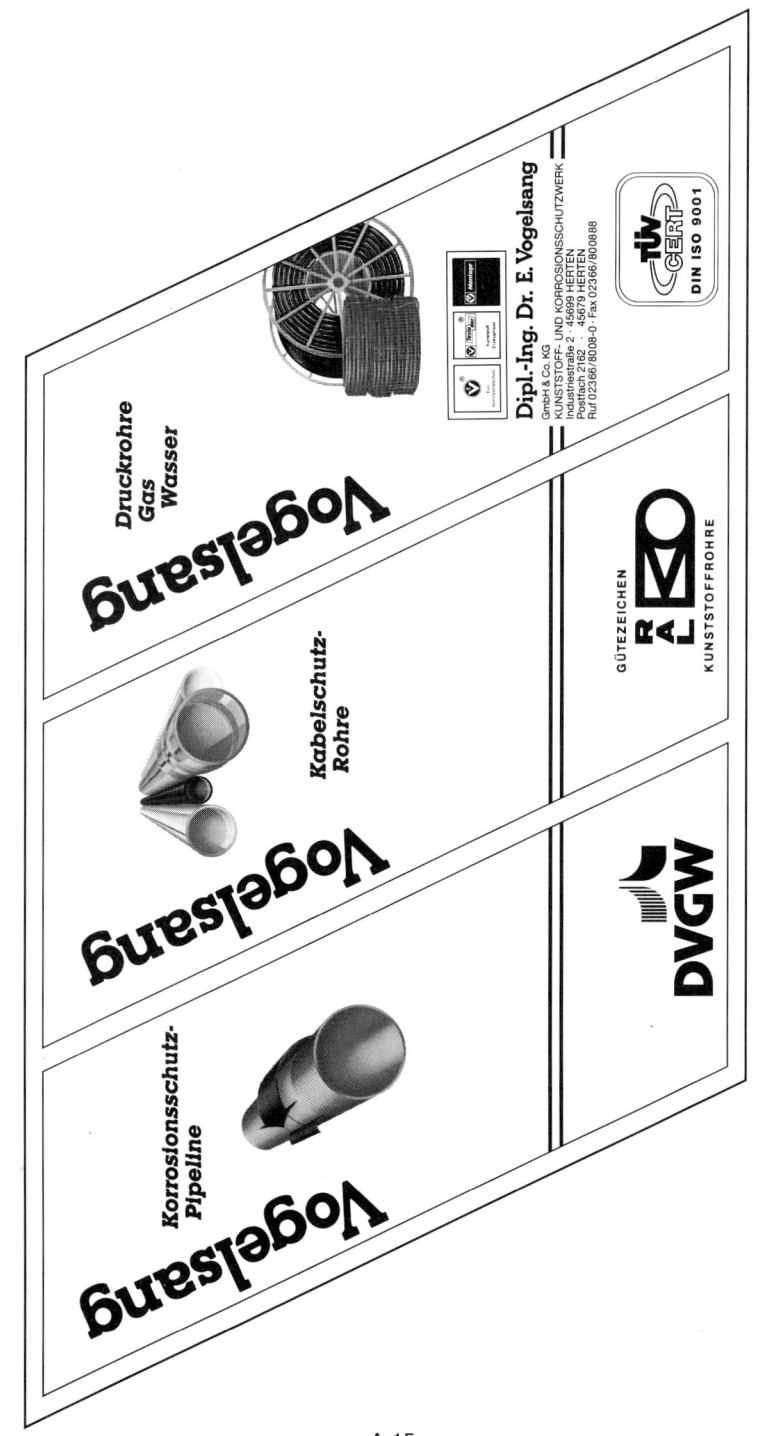

GESCHLEUDERTE GFK-ROHRE

- DICHT
- DAUERHAFT
- UNIVERSELL

HOBAS Rohre GmbH
Neubrandenburg
Gewerbepark 1 - Hellfeld
D-17034 Neubrandenburg
Tel.: 0395-4528-0
Fax. 0395-4528-100

Kabelschutzrohr-Systeme 485

Bild 1: Anwendungsbeispiel für Kabeltrassen

4.1 Rohrleitungen aus PVC-U

Aufgrund wirtschaftlicher Vorteile sind Schutzrohrsysteme aus PVC-U (Bild 2) für den Kabelschutz prädestiniert.

Mit der Einführung der Richtlinie R 5.1.1 der Gütegemeinschaft Kunststoffrohre e.V. einschließlich der zugehörigen Maß- und Arbeitsblätter wurde die wesentliche Qualitätsgrundlage geschaffen. Inzwischen wurde – wie auch bei anderen Kunststoffrohren – eine anwendungsbezogene Norm erstellt. DIN 16873 behandelt Maße und technische Lieferbedingungen für Rohre und Formstücke aus weichmacherfreiem Polyvinylchlorid (PVC-U) für den Kabelschutz.

Diese anwendungsbezogene Norm beinhaltet die unterschiedlichen Rohrverbindungen, die in Abhängigkeit des verwendeten Muffentyps nach Kleb- und Steckverbindungen unterschieden werden. Mehr und mehr werden für druckdichte Verbindungen bei Kabelschutzrohren unterschiedliche Steckmuffensysteme eingesetzt, die unter Verwendung eines elastomeren Dichtelementes die erforderliche Dichtigkeit sicherstellen.

Kabelschutzrohre aus PVC-U (Bild 3) mit angeformter Muffe werden in Längen bis 12 m gefertigt. Aufgrund der besseren Handhabung werden üblicherweise Rohre in Längen von 6 m verwendet.

486   Kabelschutzrohr-Systeme

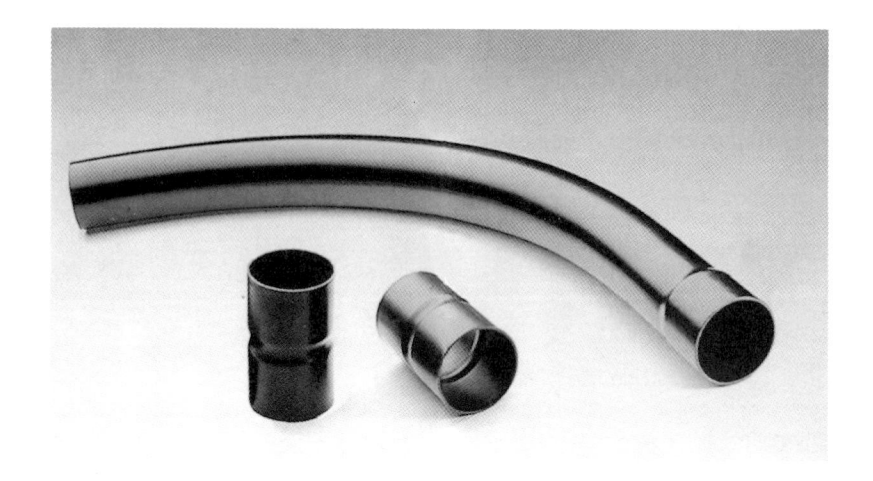

Bild 2: Formstücke aus PVC-U

Bild 3: Kabelschutzrohre aus PVC-U

Kabelschutzrohr-Systeme 487

4.2 Rohrleitungen aus PE-HD

Schutzrohrsysteme aus PE-HD finden in der Praxis dort ihren Einsatz, wo lange Rohrtrassen gefordert werden. Diese Kabelschutzrohre werden als Ringbunde bis 500 m Länge oder in Rohrlängen bis 2500 m auf Spezial-Trommeln geliefert (Bild 4).

Die Verbindung dieser Rohrlängen erfolgt unter Verwendung von Klemm-, Schraub- oder Steckfittings oder durch Einsatz von Schweißmuffen. Dem Stand der Technik entsprechend werden Steckmuffen an PE-Rohrstangen angeformt, angeschweißt oder angespritzt (s. Bild 5). Eine modifizierte Rohrinnenwand verringert die Reibungskräfte beim Einbringen von Kabeln.

Für diese Rohre wurde die Richtlinie R 5.3.1 der GKR erstellt. Eine anwendungsbezogene Norm für Rohre und Formstücke aus PE-HD für den Kabelschutz (DIN 16874) befindet sich in Vorbereitung.

4.3 Mehrfachrohre

Neben „Standardrohren" stehen Sonderausführungen aus Polyethylen zur Verfügung.

Bild 4: Kabelschutzrohre aus PE-HD

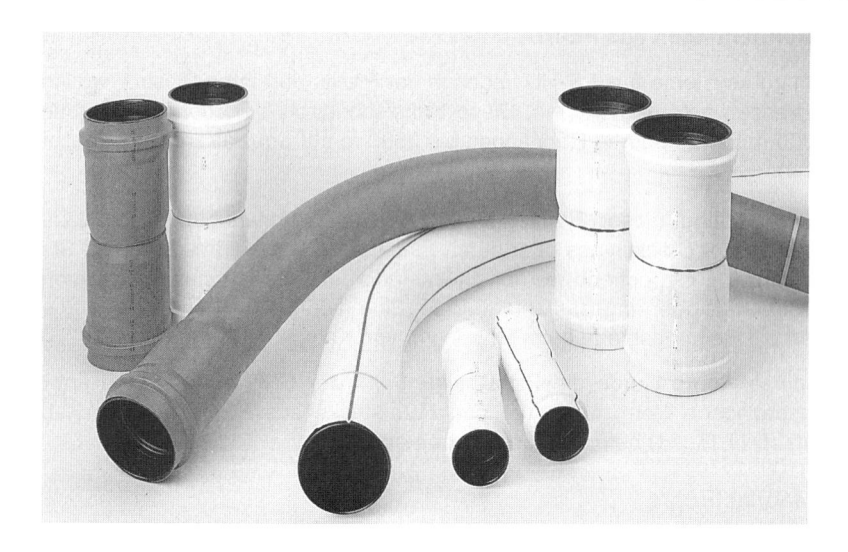

Bild 5: Formstücke aus PE-HD

Bei diesen Rohren handelt es sich um eigenständige Rohrsysteme, die sich in zwei Hauptgruppen unterteilen lassen:

- Mehrfachrohrsysteme für Kabelschutz;
- Mehrfachrohrsysteme für die direkte Erdverlegung.

Mehrfachrohrsysteme für Kabelschutz

Bei Mehrfachrohrsystemen für Kabelschutz (Bild 6) handelt es sich um einen Verbund mit bis zu 5 gleich oder unterschiedlich dimensionierten Rohren, die entsprechend den Anforderungen des Anwenders zusammengestellt werden können.

Die Hauptanwendung ist im Bereich der Telekommunikation, in der Signaltechnik sowie für Verkehrsleitsysteme zu finden. Während in Kabelkanälen diese Rohrsysteme gebündelt werden, erfolgt in anderen Bereichen eine „flache" Verlegung (Bild 7), z.B. auf Rohrbrücken, mit Schellen befestigt oder als Flachbahn in Versorgungsschächten.

Der Rohrverbund kann bei Bedarf (Verbinden, Abdichten, nachträgliches Ergänzen) teilweise oder ganz aufgelöst werden. Die Lieferung erfolgt auf Trommeln, üblicherweise in Rohrlängen von 1000 m. Dieses Rohrsystem umfaßt auch einige wenige Formstücke:

Kabelschutzrohr-Systeme 489

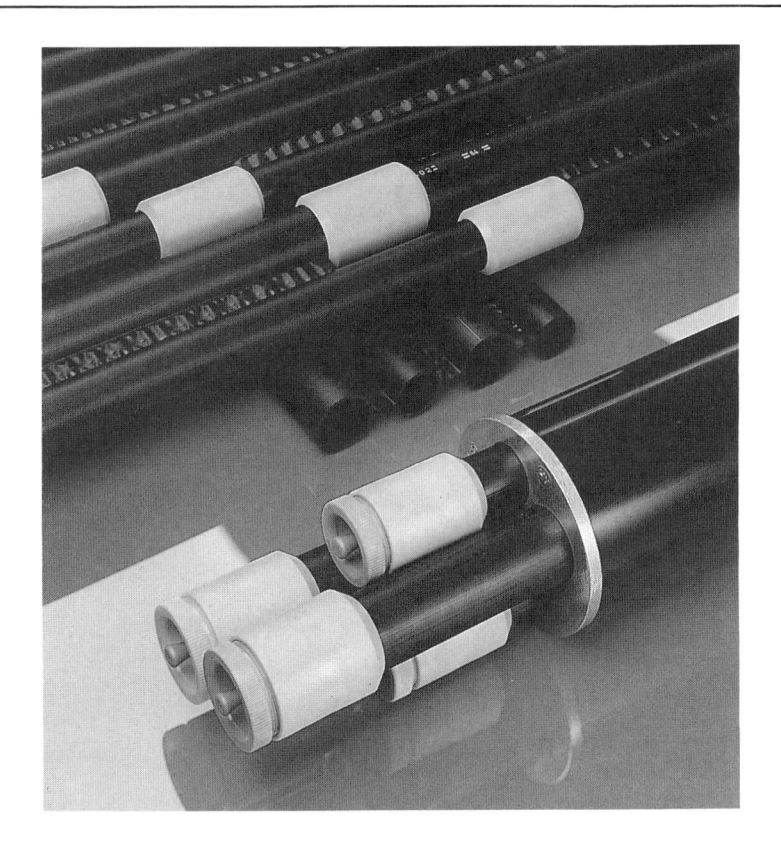

Bild 6: Beispiel für Mehrfachrohre

- Doppelsteckmuffen für mechanische Verbindungen;
- Einzelzugabdichtungen;
- Abdichtscheiben zur Abdichtung des Raumes zwischen Kabelkanal und Mehrfachrohr;
- Fixierscheiben zum Fixieren des eingezogenen Mehrfachrohres zwischen zwei Schächten.

Erdverlegte Mehrfachrohre

Diese Rohre sind zur direkten Erdverlegung geeignet. Das Rohrsystem besteht aus mehreren Rohren unterschiedlichen oder gleichen Durchmessers.

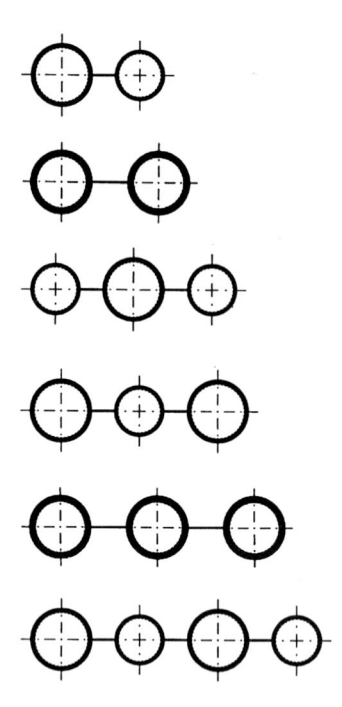

Bild 7: Beispielhafte Darstellung für flache Verlegung

So lassen sich mehrzügige Rohrstrecken größerer Länge unterbrechungsfrei und schnell bauen. Die Verlegung des Rohrverbundes erfolgt mit Standard-Ausrüstung und -Geräten.

Der Formstückbedarf ist ähnlich gering wie bei den Mehrfachrohrsystemen für Kabelschutz. Verbindungen werden vom Systemanbieter empfohlen. Geeignete Garnituren ermöglichen den Anschluß beispielsweise an Kabelschächte oder Abzweigkästen.

4.4 Verlegung

Kabelschutzrohre können unter extremen Verlegebedingungen (höhere Verkehrsbelastungen bis SLW 60) eingesetzt werden, soweit eine Rohrüberdeckung von mind. 0,5 m eingehalten wird und die Rohre unter Langzeitbelastung eine relative vertikale Durchmesseränderung von max. 6 % erfahren. Diese vertikale Durchmesseränderung ist insbesondere ein Maß für die Qualität der Ausführung des Auflagers und der Einbettung der Rohre sowie der erforderlichen Verdichtung der Leitungszone.

In Fällen, in denen eine geringere Überdeckung gefordert wird, sind entsprechende Maßnahmen zur Lastverteilung unter Verkehrsflächen vorzusehen.

Befördern und Lagern der Formstücke

Die Formstücke sind mit geeigneten Fahrzeugen zu befördern und unter sachkundiger Aufsicht auf- und abzuladen. Abwerfen, Fallenlassen sowie hartes Aneinanderschlagen der Rohrlängen ist in jedem Fall auszuschließen. Rohre sollen während des Transportes auf ihrer ganzen Länge aufliegen. Sie sind so zu lagern, daß eine einwandfreie Auflagerung sichergestellt wird und keine Verformungen auftreten können. Verunreinigungen der Rohre und Formstücke sind zu vermeiden.

Rohrgraben

Hinsichtlich der Rohrgrabenausführung gelten die Bestimmungen der DIN 18300 „Erdarbeiten", DIN 18303 „Verbauarbeiten" und DIN 4124 Blatt 1 „Baugruben und Gräben".

Auflager und Einbettung der Rohre und Formstücke sind von ausschlaggebender Bedeutung. Sie sind daher sorgfältig nach DIN 4033, Abschnitt 4.1.5 und 6.0 auszuführen. In felsigem oder steinigem Untergrund ist die Grabensohle mindestens 0,15 m tiefer auszuheben und der Aushub durch eine steinfreie Schicht (Sand, Feinkies) zu ersetzen (Bild 8).

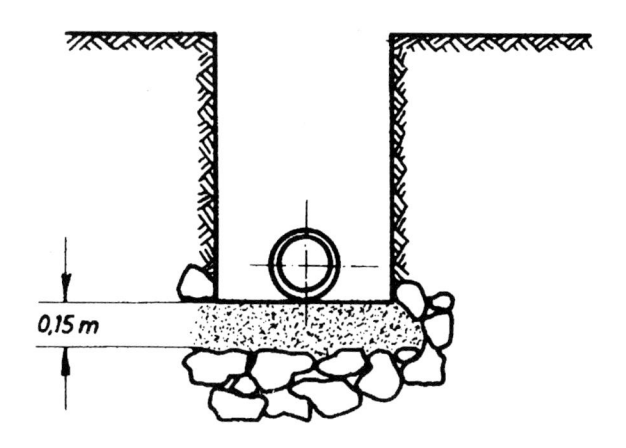

Bei felsigem oder steinigem Untergrund:
0,15 m dicke steinfreie Schicht erforderlich.

Bild 8: Rohrgraben

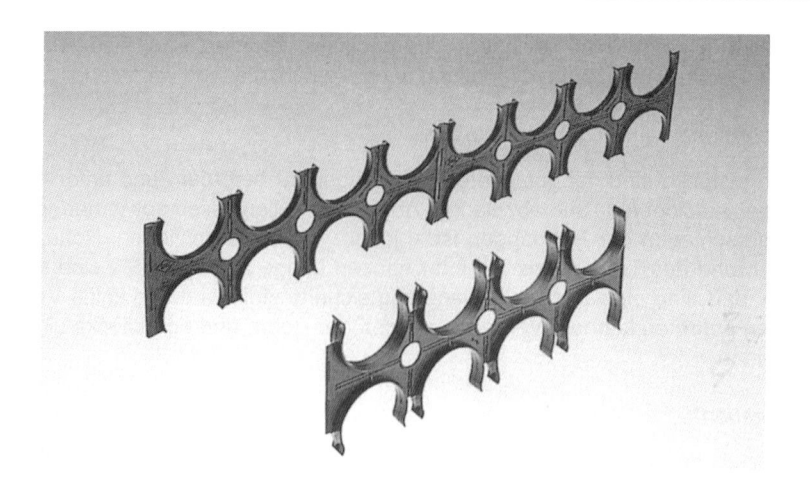

Bild 9: Abstandshalter

Abstandshalter

Bei mehrlagiger Anordnung von Schutzrohren im Rohrgraben empfiehlt sich, die Rohre durch Abstandshalter (Bild 9) zu fixieren.

Richtungsänderungen in der Rohrtrasse

Für Richtungsänderungen von Kabelschutz-Rohrtrassen werden im Regelfall vorgefertigte Kabelschutzrohrbogen verwendet. Für diese starren Bogen ergibt sich der zulässige kleinste Biegeradius aus der Abhängigkeit von Außendurchmesser und Wanddickenreihe (s. DIN 16873).

In begrenztem Maße kann die Elastizität des Rohrwerkstoffes ausgenutzt und das Rohr auch ohne Erwärmung gebogen werden. In diesem Fall lautet die Faustformel für den Biegeradius bei Richtungsänderungen in der Rohrtrasse:

$r \approx 0{,}05 \cdot d$ [m], mit d in [mm] (gilt für Rohre der Reihe 3 nach DIN 8062).

Aufgrund der hohen Flexibilität können Kabelschutzrohre aus PE-HD aber in sehr viel kleineren Biegeradien verlegt werden. Hier gilt bei Temperaturen von 20 °C als Faustformel: $r \approx 8 \cdot d$ [mm].

Neben starren Bogen stehen flexible Kabelschutzrohrbogen zur Verfügung (Bilder 10 und 11). Sie werden eingesetzt zum Ausweichen der Rohrtrasse bei Hindernissen oder Fremdanlagen oder allgemein im unwegsamen Gelände.

Die Anforderung an die Dichtigkeit der starren und flexiblen Bogen muß jeweils der geforderten Dichtigkeit der übrigen Rohrtrasse entsprechen.

Kabelschutzrohr-Systeme 493

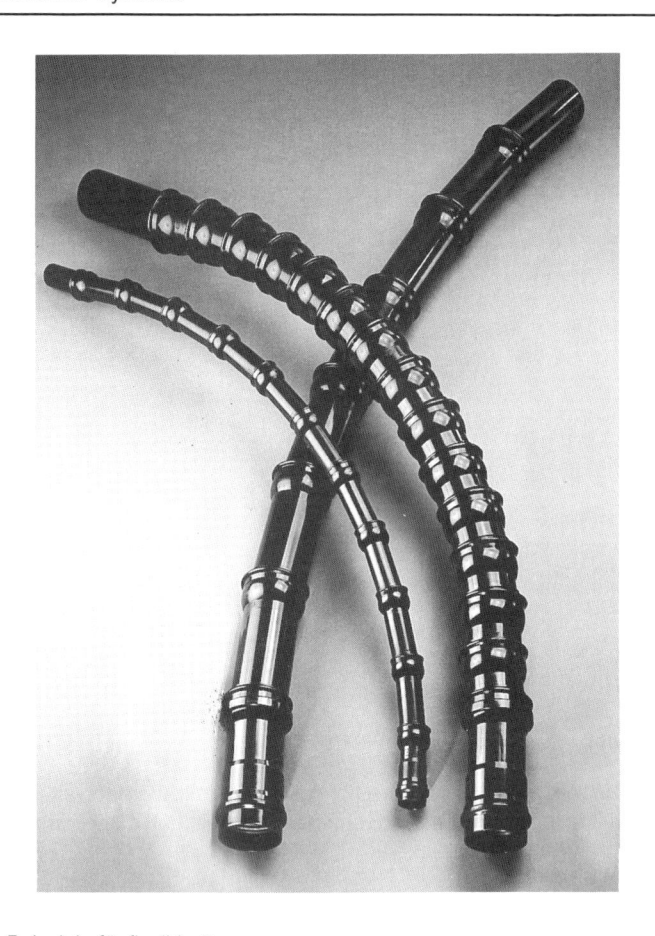

Bild 10: Beispiele für flexible Bogen

Herstellen der Verbindungen bei Rohren und Formstücken

Für die Herstellung der Kleb-, Steck- bzw. Schweißverbindung sind die Hinweise der Rohrhersteller zu beachten. Detaillierte Angaben zur Ausführung der Verbindungen sind Teil V zu entnehmen:

Anschluß an Bauwerke

Anschlüsse an Bauwerke (Schächte usw.) sind unter Verwendung von geeigneten Mauerdurchführungen entsprechend auszuführen.

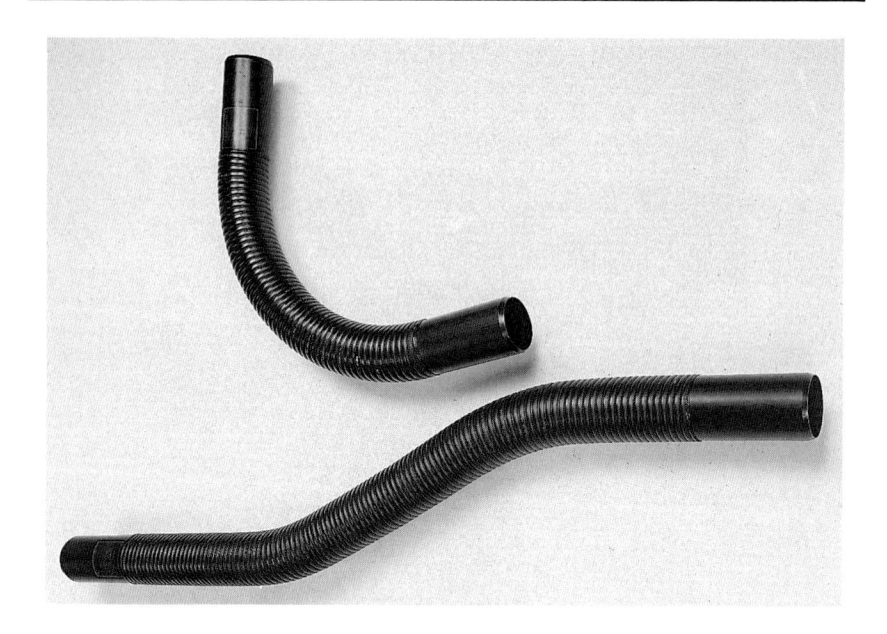

Bild 11: Beispiele für flexible Bogen

Dichtheitsprüfung

Wenn Forderungen hinsichtlich der Dichtigkeit gestellt werden, ist die Leitung vor dem Verfüllen des Grabens abschnittsweise mit Luft (Überdruck 0,5 bar, Prüfdauer 15 Minuten) abzudrücken.

Verfüllen und Verdichten

Beiderseits der Rohrleitung ist steinfreier, verdichtungsfähiger Boden (Größtkorn ∅ 20 mm) in Lagen bis zu 0,30 m anzuschütten und von Hand oder mit leichten maschinellen Geräten zu verdichten (Bild 12).

Die Rohre dürfen dabei seitlich nicht verschoben werden. Erforderlichenfalls soll deshalb gleichzeitig von beiden Seiten angeschüttet und verdichtet werden. Rohre mit kleinen Nennweiten sind beim Einbetten in ihrer Höhenlage zu sichern. Bei mehrlagiger Verlegung im Rohrgraben muß jede Rohrlage gesondert eingebettet (verfüllt und verdichtet) werden, bevor die nächste Lage ausgelegt wird.

Anschließend ist die weitere Verfüllung lagenweise bis auf etwa 0,30 m über dem Rohrscheitel mit steinfreiem Boden unter ausreichendem Verdichten einzubringen. Geeigneter Boden muß ggf. angefahren werden.

Kabelschutzrohr-Systeme

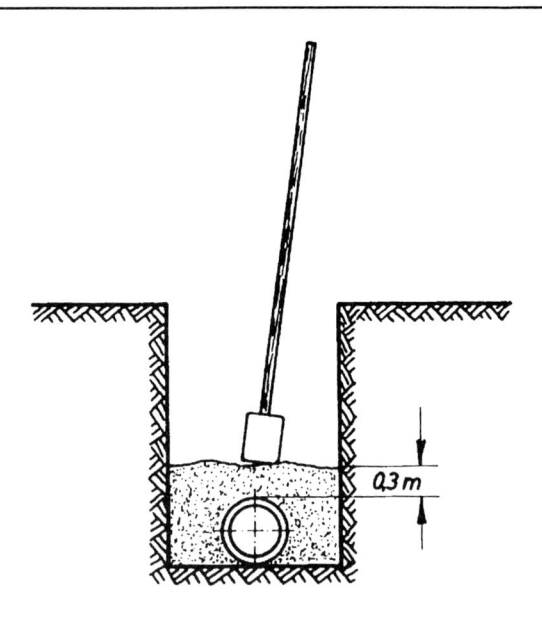

Leitung bis 0,3 m über Rohrscheitel mit steinfreiem Boden von Hand verfüllen und verdichten.

Bild 12: Verfüllen und Verdichten des Rohrgrabens

Bei Unterschreitung der Mindestüberdeckung von 0,50 m sind Maßnahmen für die Lastverteilung (z.B. Einbetonieren) vorzusehen (Bild 13).

Rohre und Formstücke dürfen unmittelbar einbetoniert werden. Dabei sind jedoch folgende Hinweise zu beachten:

– Muffenspalte mit Klebband abkleben, damit kein Zementmörtel eindringen kann, der die spätere Funktion der Steckmuffe behindert;

– Rohre gegen Auftrieb sichern. Dabei sind die Befestigungsabstände so zu wählen, daß keine unzulässig hohen Durchbiegungen auftreten (Wassersackbildung).

Bei mehrlagiger Verlegung ist im Bereich größerer Verkehrslasten der Rohrgraben mit einem Sand-Zementgemisch zu verfüllen (Bild 14).

Das übrige Verfüllen des Rohrgrabens ist im Bereich des Straßenkörpers entsprechend dem Merkblatt für das Verfüllen von Leitungsgräben vorzunehmen. Maschinelle Geräte können unter Beachtung der zulässigen Schütthöhe verwendet werden.

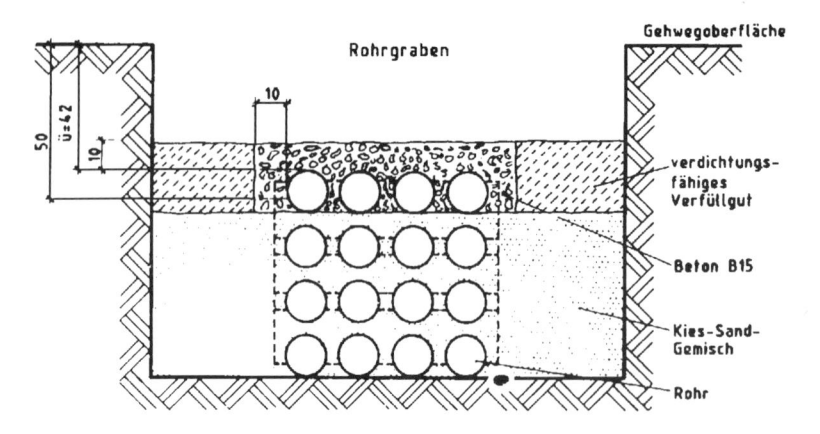

Bild 13: Mindestüberdeckung in Beton verlegter Rohrlage (Beispiel)

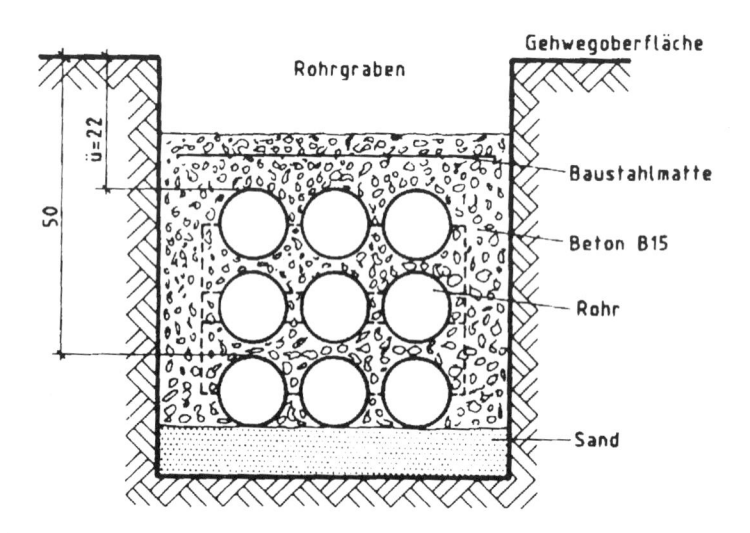

Bei Überdeckung ≥ 30 cm kann auf die Baustahlmatte verzichtet werden

Bild 14: Schutz der Rohrlage gegen Deformierungen und mechanische Beschädigungen beim Unterschreiten der Mindestüberdeckungen (Beispiel)

Fremdanlage	Schutzabstand der Fernmeldeanlage im Kreuzungs-/ Näherungsbereich [m]
Starkstromkabel/Starkstromanlagen	0,3
andere Fernmeldeanlagen	0,3
Gas-/Wasserleitungen	1,0
sonstige Ver- und Entsorgungsleitungen	0,3
Fernwärmeanlagen	1,0

Besondere Maßnahmen

Bei Kreuzungen mit Fremdanlagen sind entsprechende Schutzmaßnahmen (z.B. Sollabstände) laut o.a. Übersicht vorzusehen.

4.5 Erweiterung und Reparatur von Kabelschutzrohren

Unbelegte Kabelschutzrohre

Bei unbelegten Kabelschutzrohren wird ein beschädigtes Rohr durch senkrechte Schnitte herausgetrennt. Das fehlende Stück wird durch eine Paßlänge des Rohres ersetzt. Die Verbindung der Paßlänge mit dem Rest-Kabelschutzrohr erfolgt im Regelfall durch Überschiebmuffen.

Mit Kabeln belegte Kabelschutzrohre

Bei mit Kabeln belegten Rohren wird ein beschädigtes Rohrstück senkrecht zur Rohrachse herausgetrennt. Besondere Vorsicht ist erforderlich, um dabei das Kabel nicht zu beschädigen.

Die Erweiterung oder Reparatur erfolgt durch Einsetzen von Paßlängen aus Halbrohren. Ein Halbrohr (Bild 15) besteht aus zwei Halbschalen. Für nicht druckdichte Kabelschutzrohre können zur Erweiterung oder Reparatur Halbrohre eingesetzt werden, deren Halbschalen z.B. durch H-Profile oder Nut und Federverbindungen verbunden werden.

Druckdichte Kabelschutzrohre werden durch druckdichte Halbrohre repariert. Bei druckdichten Halbrohren befindet sich in der Verbindungsnaht der Halbschalen ein Dichtelement.

Die Verbindung von Halbrohren untereinander oder der Halbrohre mit dem Kabelschutzrohr erfolgt durch geteilte Halbrohrmuffen.

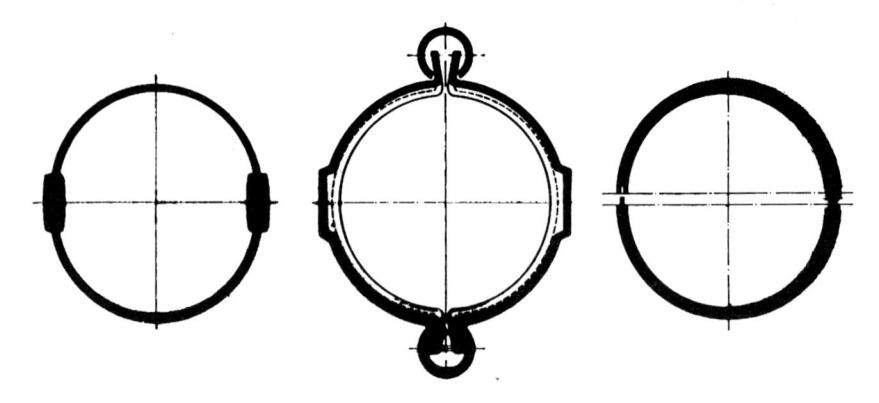

Bild 15: Beispiele für Halbrohrsysteme (2 Halbschalen)

4.6 Statische Berechnung

Für die statische Berechnung von Kabelschutzrohren kann das ATV-Berechnungsverfahren (ATV-Arbeitsblatt A 127, Statische Berechnung von Entwässerungskanälen und -leitungen) angewendet werden (s. Teil VII. 3.4.2.3).

Sogenannte Regelstatiken, d.h. die Auflistung von Grenzbedingungen, bei deren Einhaltung Kabelschutzrohre ohne statischen Einzelnachweis verlegt werden können, sind wegen der zahlreichen Verlegemöglichkeiten, unterschiedlichen Rohrreihen und Rohrwerkstoffe aufwendig und sollen hier nicht weiter behandelt werden.

Zur statischen Eignung von Kabelschutzrohren sollte deshalb im Einzelfall der Rohrhersteller befragt werden.

Das ATV-Berechnungsverfahren ist prinzipiell nur für Einzelrohrverlegungen anwendbar und setzt voraus, daß die Bauausführung nach DIN 4033 erfolgt.

Sonderfälle – wie z.B. die Verlegung von Rohrpaketen – werden von dem Berechnungsverfahren nicht abgedeckt.

Hierbei sind besondere Verlegemaßnahmen zu berücksichtigen:

- jede Rohrlage ist gesondert einzubetten, entweder mit Sand oder einem Sand-Zementgemisch, wobei das eingebrachte Verfüllmaterial mit geeigneten Werkzeugen sorgfältig von Hand zu verdichten ist (speziell zwischen den Rohren);
- oberhalb der letzten Lage ist die Verfüllung lagenweise bis ca. 0,30 m über Rohrscheitel einzubringen und zu verdichten.

Die Verwendung eines Sand-Zementgemisches wird speziell bei mehrlagiger Verlegung im Bereich größerer Verkehrslasten (z.b. Verlegung im Straßenkörper) empfohlen.

Für den restlichen Baugraben gilt das Merkblatt für das Verfüllen von Leitungsgräben. Dabei dürfen zum Verdichten des Verfüllmaterials außerhalb der Leitungszone maschinelle Verdichtungsgeräte eingesetzt werden.

4.7 Alternative Verlegetechniken

Im Bereich der Kabelschutzrohre sind die sogenannten alternativen Verlegetechniken gleichberechtigt neben der klassischen Form, des mit einem Bagger hergestellten Grabens.

Zu nennen sind hier die folgenden Verfahren:

– Grabenfräse;

– Einpflügen;

– Bodenraketen;

– Horizontalspülbohrverfahren.

Bei allen vier Verfahren ist wichtig, daß im Bereich der Leitungszone keine Kabel oder Rohre kreuzen. Bodenraketen und das Horizontalspülbohrverfahren können in einem gewissen Umfang Hindernisse unter- oder überfahren.

Grabenfräse

Dieses Verfahren ist dem klassischen Verfahren ähnlich, da auch hier eine „Öffnung" des Erdreiches über die gesamte Trassenlänge erfolgt. Je nach Ausbauzustand der Fräseinrichtung besteht diese nicht nur aus der eigentlichen Fräse und einem Schutzrohrträger (Halterung für die Trommel und eine Rohrzuführung zum Verlegekasten), sondern verfügt auch über einen Sandtrichter für das Bettungsmaterial. Auch sind heute Fräseinrichtungen anzutreffen, die das Verfüll- und Rückfüllmaterial verdichten. Je nach Verhältnissen des anstehenden Bodens wird dieser direkt über dem Bettungsmaterial aufgebracht.

Rohr- oder Kabelpflug

Hier finden sich im wesentlichen vergleichbare Elemente zur Grabenfräse. Den Hauptunterschied stellt die Kombination aus Pflugschwert und Verlegekasten dar. Im Gegensatz zur Fräse, die ihre Fräselemente in den Boden absenken kann, ist unter Umständen für den Pflug eine Startgrube erforderlich. Wie bereits erwähnt, entsprechen Aufnahmevorrichtungen, Trommelhalter und auch Sandtrichter dem Stand der Technik. Die Pflüge sind sowohl als Selbstfahrer wie auch als gezogene Varianten einsetzbar, wobei es auch Selbstfahrer gibt, die

Bild 16: Einpflügen von Schutzrohren aus PE-HD

gezogen werden können. Mit dem Pflug (Bild 16) sind Verlegegeschwindigkeiten – je nach Boden – von 100 m/10 min und mehr möglich. Als Nachbearbeitung reicht es oftmals aus, die aufgebrochene Geländeoberfläche wieder einzuebnen.

Bodenraketen

Bei diesem Verfahren handelt es sich um ein bodenverdrängendes Verfahren, wobei von einer Startgrube zu einer Zielgrube gearbeitet wird. Der Kopf wird mit Preßluft im Boden vorangetrieben. Die Steuerung wird durch die spezielle Kon-

Kabelschutzrohr-Systeme 501

struktion des Bohrkopfes bewerkstelligt. Ist die Zielgrube erreicht, wird der Rohrstrang an dem Bohrgestänge befestigt und mit zur Startgrube zurückgezogen.

Horizontalspülbohrverfahren

Hierbei handelt es sich um ein nasses Verfahren, bei dem während des Bohrvorganges eine Suspension zum Zerschneiden des Bodens verwendet wird. Außerdem kann durch die Einstellbarkeit dieser Suspension die Wandung der Bohrung gestützt werden. Auch bei diesem Verfahren wird mit einer Start- und Zielgrube gearbeitet. Sind größere Bohrlochdurchmesser gefordert, wird zuerst eine Pilotbohrung vorgenommen und diese im Anschluß daran mit einem Aufweitkopf auf den erforderlichen Durchmesser gebracht. Anschließend wird das Rohr eingezogen. Die Steuerung wird auch hier durch eine spezielle Konstruktion des Bohrkopfes realisiert. Zum Einsatz gelangen Endlosrohre mit bis zu 2500 m Länge.

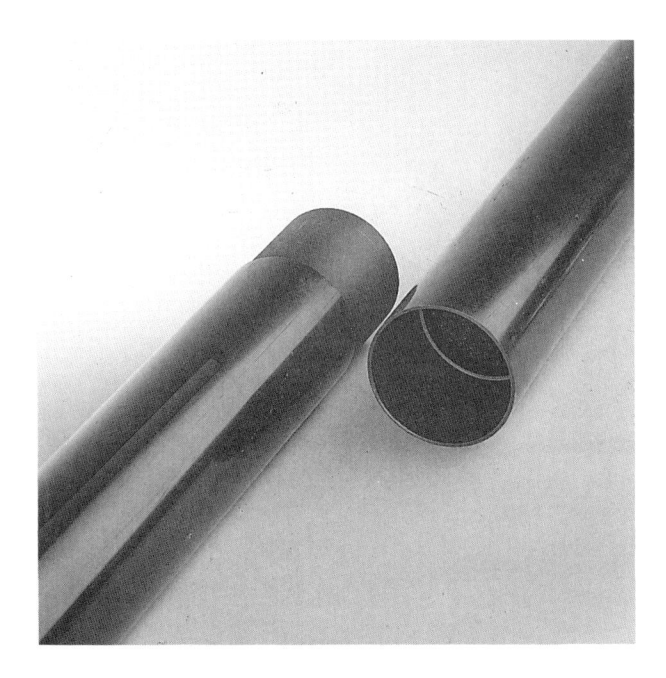

Bild 17: Vortriebsrohr

Preßbohrverfahren

Bei diesem Verfahren werden aus geeigneten Kopfgruben heraus Kurzlängen (in der Regel 1 m) mit eigens hierfür entwickelten muffenlosen Rohrverbindungen (Bild 17) im Preßbohrverfahren eingebracht (s. auch Teil VII. 23).

Schrifttum

- KRV-Verlegeanleitung A 515 — Kabelschutzrohre aus PVC-U für erdverlegte Rohrsysteme
- KRV-Verlegeanleitung A 535 [1]) — Kabelschutzrohre aus PE-HD für erdverlegte Rohrsysteme
- DIN 16874 [1]) — Rohre und Formstücke aus Polyethylen hoher Dichte (PE-HD) für den Kabelschutz – Maße und technische Lieferbedingungen
- DIN 16876 [1]) — Rohre und Formstücke aus Polyethylen hoher Dichte (PE-HD) für Schutzrohrleitungen – Maße und technische Lieferbedingungen

---

[1]) In Vorbereitung

5 Heizungstechnik

H. FELLINGER *)

5.1 Einleitung

Wie bereits in den vorhergehenden Kapiteln beschrieben, haben Rohre und Formstücke aus Kunststoffen in vielen Bereichen der Technik einen festen Platz im Wettbewerb mit herkömmlichen Rohrleitungssystemen eingenommen. In der Haustechnik werden Kunststoffrohrsysteme – neben der Sanitärtechnik –vor allem in der Heizungstechnik, z. B. für Fußbodenheizungen bzw. Heizkörperanbindeleitungen, eingesetzt. Erste Erfahrungen in diesen Bereichen wurden bereits Ende der 60er Jahre gemacht.

Die Entwicklungen in der Kunststoffindustrie sowohl bei der Rohstoffherstellung wie auch bei der Kunststoffverarbeitung waren in den letzten Jahren dadurch gekennzeichnet, die vorhandenen Kunststoffe zu modifizieren, d. h. ihnen verbesserte Eigenschaftswerte zu geben und so die Anwendungsbreite zu erhöhen.

5.2 Rohrwerkstoffe

Im wesentlichen werden Kunststoffrohre aus den Werkstoffen Polybuten nach DIN 16968, Polypropylen nach DIN 8078 und vernetztem Polyethylen nach DIN 16892 eingesetzt. Bei Polypropylen sind nur PP-B und PP-R für die Heiztechnik geeignet. Die Rohre aus vernetztem Polyethylen (PE-X) werden mit unterschiedlichen Vernetzungsverfahren (physikalisch bzw. chemisch vernetzt) hergestellt.

Die besonderen Anforderungen an die Rohre für die Anwendung in Warmwasserfußbodenheizungen bzw. Heizkörperanschlußleitungen sind in DIN 4726 genormt.

Die Dimensionierung dieser Rohrleitungen muß derart erfolgen, daß sie bei einem Temperaturkollektiv nach DIN 4726, einem Betriebsdruck von 3 bar und einer Betriebszeit von 50 Jahren einen Sicherheitsbeiwert von mindestens 2,5 erreichen.Nähere Angaben über das Zeitstandverhalten dieser Rohre und physikalische Eigenschaften sind in Teil II des Handbuches nachzulesen.

Besondere Beachtung in dieser Norm fand die Sauerstoffdiffusion bei Kunststoffrohren in geschlossenen Heizungsanlagen. Um Korrosionsschäden vorzubeugen, ist bei Anlagen mit Kunststoffrohren zu beachten:

– bei Verwendung sauerstoffdichter Rohre keine zusätzlichen Maßnahmen

---

*) Autor aller Abschnitte innerhalb des Kap. 5, sofern kein anderer Autor angegeben ist.

- bei Verwendung von nicht sauerstoffdichten Kunststoffrohren
+ Systemtrennung durch Wärmetauscher oder
+ Inhibierung des Heizungswassers mit korrosionshemmenden Zusätzen.

Grundsätzlich ist der Einsatz von sauerstoffdichten Rohren zu empfehlen, da die Systemtrennung bzw. die Inhibierung stets zusätzlichen Aufwand mit sich bringen. Die Anforderungen an sauerstoffdichte Rohre sind detailliert in DIN 4726 festgeschrieben. Die mit dem Gütezeichen der Gütegmeinschaft Kunststoffrohre e. V. versehenen Rohre bzw. DIN-registrierte Rohre (DIN CERT) müssen mit folgenden Mindestangaben gekennzeichnet sein (Bild 1): Rohrhersteller, DIN 4726, DIN-Püfzeichen mit Registriernummer, Werkstoffkurzzeichen, Rohrnennmaße, Herstellungsdatum, Maschinennummer und Sauerstoffdichtheit.

Den Heizleitungsrohrgebinden sind zusätzlich Beipackzettel beigelegt, in denen Angaben über Biegeradien, Heizwasserzusätze, Sauerstoffdichtheit, Verbindungstechnik sowie Lieferung und Lagerung enthalten sind. Rohre ohne Gütezeichen bzw. DIN-Prüfzeichen sollten nicht verwendet werden.

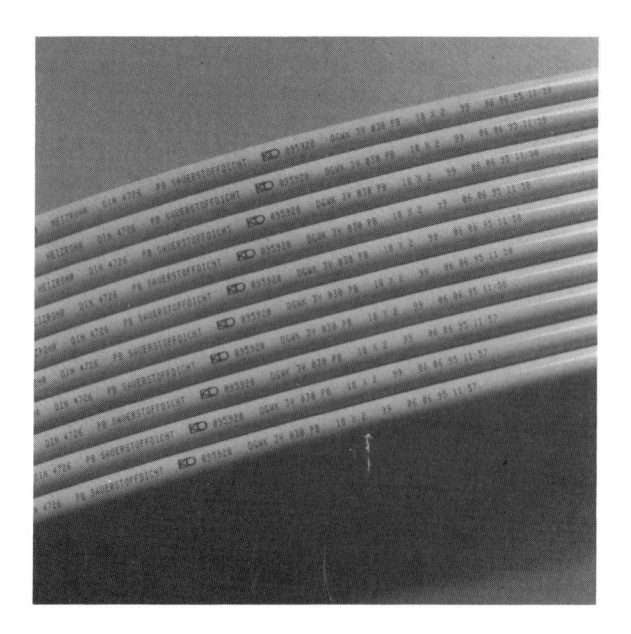

Bild 1: Kennzeichnung eines Polybuten-Rohres mit dem GKR-Gütezeichen und DIN-Prüfzeichen

Neben o. g. Rohrwerkstoffen sind schon seit mehreren Jahren Kunststoff-Metall-Verbundrohre im Einsatz. Bei diesen Rohren handelt es sich um Werkstoffkombinationen aus vernetztem Polyethylen und Aluminium. Diese Rohre haben sich in der Heiz- und Sanitärtechnik bewährt. Es sollte darauf geachtet werden, daß sie mit dem GKR-Gütezeichen gekennzeichnet sind, da die am Markt vorhandenen Verbundrohre in der Qualität sehr unterschiedlich sind. Nur solche Rohre erfüllen definierte Mindestanforderungen, die einer laufenden Eigen- und Fremdüberwachung unterliegen.

In jedem Fall, unabhängig vom Rohrmaterial, sind die Verarbeitungshinweise des Systemherstellers zu beachten.

5.3 Fußbodenheizung

5.3.1 Fußbodenheizung im Wohnungsbau

Wesentliche Pluspunkte der Fußbodenheizung gegenüber klassischen Heizkörpern sind die niedrigen Heizwassertemperaturen und damit die Möglichkeit der Nutzung alternativer Energiequellen, wie beispielsweise Wärmepumpen oder Solarkollektoren. Aufgrund der großen Heizflächen ergeben sich systembedingt weitere Vorteile, z. B. Reduzierung der bei Heizkörpern üblichen hohen Konvektion, Verringerung der Staubmilbenallergie, ungestörte Raumgestaltung (keine Heizkörper) und damit neue architektonische, ästhetische Gestaltungsmöglichkeiten, angenehmes Raumklima und in neuerer Zeit sehr gute Nutzung der Brennwerttechnik. Nach mehr als 20 Jahren Erfahrung der Fußbodenheizungs-Systemhersteller, Planer und des ausführenden Handwerks entstand 1992 die DIN 4725 für Fußbodenheizungen. Mit dieser Norm gelang es, Leistungsdaten (Wärmetechnische Prüfung) der Fußbodenheizungssysteme, Berechnung und Auslegung sowie verschiedene Ausführungen und Konstruktionen festzuhalten. Die bis dahin sehr unterschiedlichen Herstellerangaben wurden diesem Normenwerk im Interesse aller Beteiligten angepaßt. DIN-konforme Fußbodenheizungssysteme sind wärmetechnisch geprüft und führen eine DIN-CERT-Registriernummer. Darüber hinaus erteilt die Gütegemeinschaft Flächenheizungen und Flächenkühlungen e. V. für Systeme mit höheren Anforderungen ein Gütezeichen. Für Fußbodenheizungssysteme mit vorgen. Registrierungen ist die Eignung in bezug auf Leistungskennzahlen, Komponentenabstimmung sowie Bauausführung nachgewiesen.

Nachdem in den Anfangsjahren der Fußbodenheizung die Anwendung hauptsächlich auf den Wohnungsbau beschränkt war, erkannte man bald weitere Einsatzbereiche. Speziell im Industriebau mit anfallender Prozeßwärme sowie in hohen Hallenbauten (Kirchen, Sporthallen, Lagerräumen usw.) findet die Fußbodenheizung Anwendung, unter anderem wegen des fast idealen Raumtemperaturprofils, der physiologischen Vorteile und der Energieeinsparung. Weiter werden Freiflächen (z. B. Landeplätze, Rettungswege, Sportplätze, Garagenrampen) von Schnee und Eis freigehalten, um eine unfallfreie, wirtschaftliche und ganzjährige Nutzung zu gewährleisten. Der Hauptanwendungsbereich liegt jedoch auch heute noch im Wohnungsbau.

5.3.1.1 Bauarten

Wie auch bei herkömmlichen Estrichen werden die verschiedenen Fußbodenheizungssysteme im Wohnungsbau als schwimmende Estriche ausgeführt; d. h. die Estriche werden aus energetischen und schallschutztechnischen Gründen auf Dämmschichten verlegt. Diese Dämmung ist unerläßlich für die Wirtschaftlichkeit der Gebäudeheizung im Zusammenwirken mit der Dämmung des gesamten Gebäudes [1]. Abhängig von der Rohrlage im Estrich bzw. in der Dämmung werden die Fußbodenheizungssysteme im wesentlichen in zwei verschiedene Bauarten untergliedert:

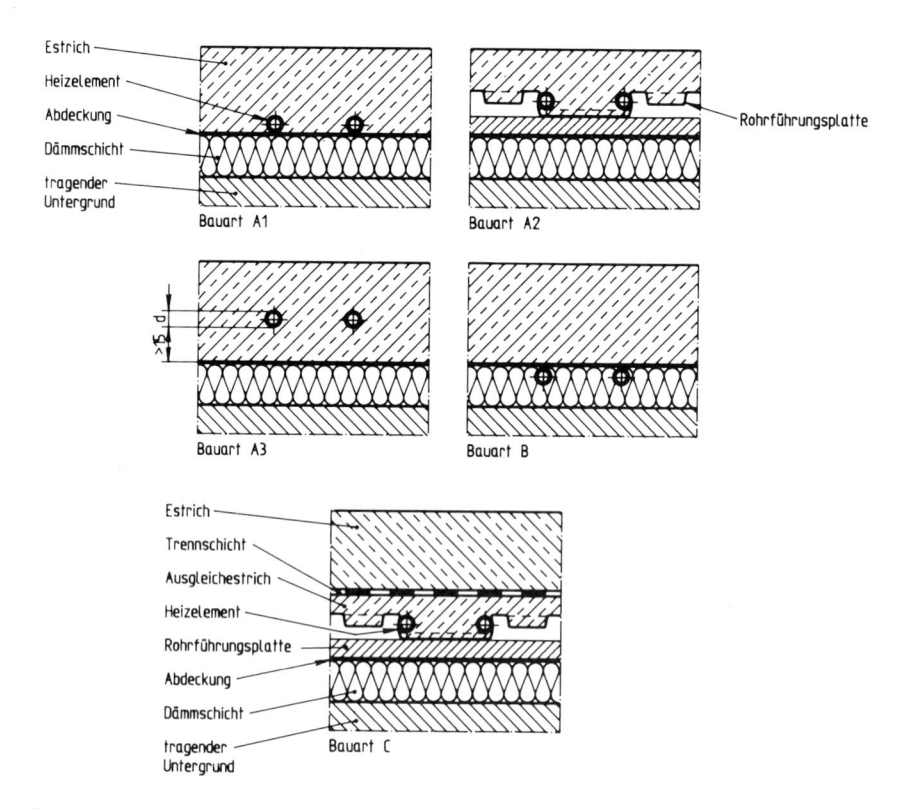

Bild 2: Bauarten von Heizestrichen nach DIN 18560-2

Heizungstechnik

- Naßsysteme (Verlegung der Heizelemente im Estrich)
- Trockensysteme (Verlegung der Heizelemente unter dem Estrich)

Die weitreichenden Anforderungen hinsichtlich Festigkeit, Dämmschichten, Estrichdicke, Bewegungsfugen, tragender Untergrund usw. sind detailliert in DIN 18560 Teil 2 festgehalten. Genauere Angaben enthalten außerdem die Produktunterlagen von Systemherstellern mit DIN-CERT-registrierten Systemen. In Bild 2 sind die einzelnen Bauarten detailliert dargestellt. Die Naßsysteme werden vorwiegend im Neubau eingesetzt. Im Gegensatz dazu werden Trokkensysteme, fast nur bei der Altbausanierung verwendet, da hier sehr oft auf niedrigere Aufbauhöhen und geringes Gewicht geachtet werden muß.

5.3.1.2 Fußbodenkonstruktion

Wie bereits erwähnt, werden Fußböden in Wohnbauten als schwimmend verlegte Estriche konzipiert, die im Hinblick auf Schall- und Wärmeschutz sowie auf Festigkeit und Ebenheit der Oberflächen den hierfür geltenden Normen entsprechen müssen. Der Fußbodenaufbau besteht aus folgenden Elementen:

- tragender Untergrund (Rohbetondecke)
- Abdichtung, sofern erforderlich (bei Decken gegen Erdreich oder in Naßräumen)
- Randdämmstreifen
- Wärme- und Trittschalldämmung
- Dämmschichtabdeckung
- Estrich
- Bodenbelag.

Tragender Untergrund

Der tragende Untergrund muß zur Aufnahme des schwimmenden Estrichs ausreichend trocken und sauber sein, wie auch eine ebene Oberfläche (DIN 18202) aufweisen.

Bauwerksabdichtung

An Erdreich grenzende Bauteile sind gegebenenfalls mit Bauwerksabdichtung nach DIN 18195 Teile 1 – 10 auszuführen.

Randdämmstreifen

Die Randdämmstreifen sollen eine Trittschallübertragung verhindern und die thermische Dehnung des beheizten Estrichs aufnehmen. Dazu ist der Randdämmstreifen an allen Wänden sowie aufgehenden Bauteilen sauber anzuordnen. Bei größeren Flächen kann eine zusätzliche Anordnung von Bewegungsfugen erforderlich werden (DIN 18560).

Wärme- und Trittschalldämmaßnahmen

Dämmkonstruktionen müssen der anerkannten Regel der Technik bzw. gesetzlichen Mindestanforderungen Rechnung tragen. Im wesentlichen sind diese Anforderungen in der DIN 4725, DIN 4109, DIN 18560 sowie in der Wärmeschutzverordnung festgehalten. Im Wohnungsbau wird bei den notwendigen Dämmaßnahmen sowohl auf Schallschutz als auch auf sinnvolle Begrenzung des Wärmestroms nach unten geachtet. Darüber hinaus ist gegen Transmissionswärmeverluste durch die Gebäudehülle [2] im Sinne der Energieeinsparung zusätzlich zu dämmen. Betroffen hiervon sind Decken gegen unbeheizte Kellerräume sowie gegen Erdreich und Außenluft. Diese erforderlichen Dämmaßnahmen sind in Bild 3 dargestellt.

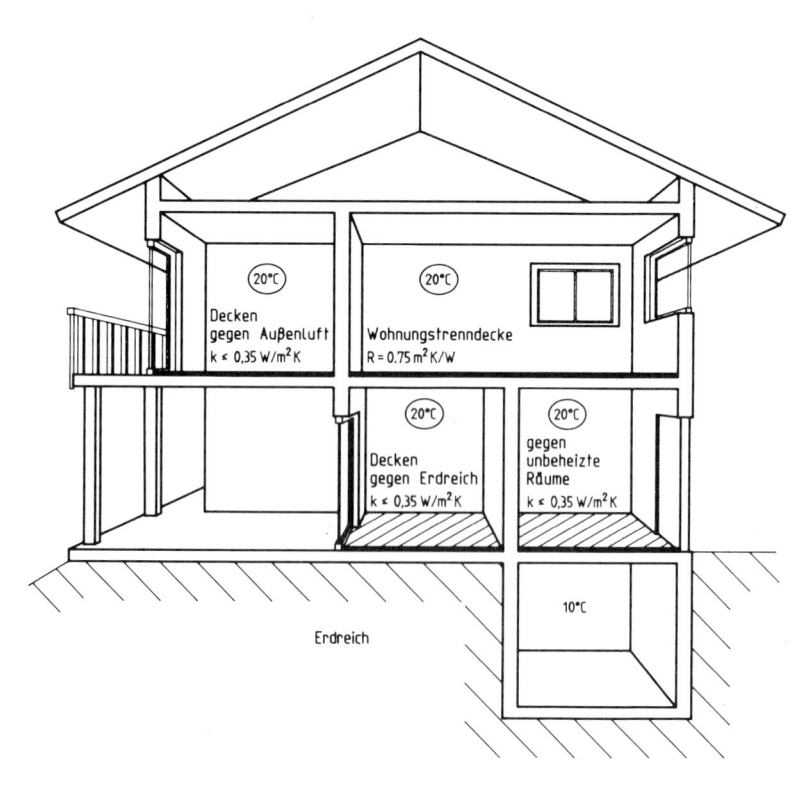

Bild 3: Dämmung nach DIN 4725 und Wärmeschutzverordnung 1994

Heizungstechnik 509

Dämmschichtabdeckung

Die Dämmschichtabdeckung soll die Dämmschicht vor groben Beschädigungen schützen, und das Eindringen von Estrichwasser (evtl. Fließestrich) in den Randbereich bzw. die Fugen verhindern, damit keine Wärme- oder Trittschallbrücken entstehen. Am Markt nehmen Fußbodenheizungsformplatten mit Wärme- und Trittschalldämmung und integrierter Dämmschichtabdeckung (zugleich Rohrfixierung) eine immer bedeutendere Stellung ein. Die wesentlichen Vorteile solcher Systeme liegen in der schnellen Verarbeitung, der geschützten Rohrlage während der Bauphase und in der exakten Fixierung der Rohre nach DIN 4725.

In Bild 4 ist die Verlegung von flexiblen Kunststoffrohren in eine Systemnoppenplatte dargestellt. Die Rohre sind nach DIN 4725 exakt fixiert und während der Bauphase gegen Beschädigung geschützt, da die Rohrverlegeebene unterhalb der Verkehrsebene liegt. In Bild 5 ist der Bodenaufbau mit einer Systemplatte und Wandanschlußausführung (Dehnfuge) detailliert dargestellt.

Estrich

Nach DIN 18560 wird der Estrich als lastverteilende Schicht aufgebracht. Sie soll Belastungen, die auf den Fußboden einwirken, aufnehmen und an die Rohdecke weitergeben. Wie bereits im Abschnitt 5.3.1.1 Bauarten beschrieben,

Bild 4: Rohrverlegung in Systemnoppenplatte

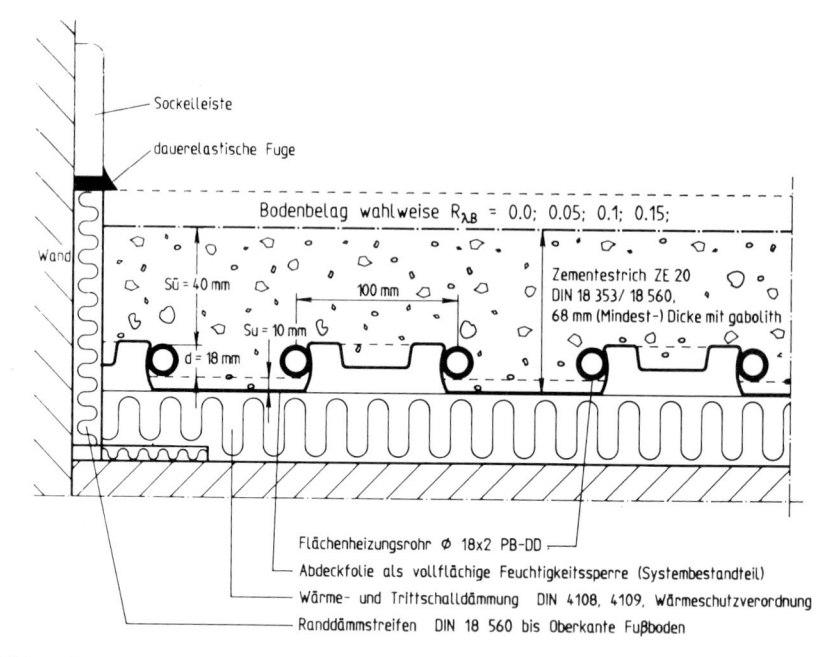

Bild 5: Bodenaufbau mit Systemplatte und Dehnfuge nach DIN 4725

hängt die Estrichdicke von der Bauart und der Estrichqualität ab. Je nach eingesetzter Estrichart (Zementestrich, Fließestrich) sind Estrichzusatzmittel anzuwenden, die eine Plastifizierung des Estrichs und damit eine umfangsschlüssige und porenarme Einbettung der Fußbodenheizungsrohre bewirken. In der Regel werden diese Estrichzusatzmittel von den Systemanbietern geliefert. Bei Fußbodenheizungen im Wohnungsbau sind Estrichbewehrungen nicht erforderlich. Eingesetzte Stahlmatten haben lediglich die Funktion, Rohrhalterungen aufzunehmen und die Rohre von der Dämmung abzuheben, um eine gute Einbettung der Rohre in den Estrich zu erlangen. Aufgrund des geringen Gewichtes der verwendeten Rohrträgermatten ist eine statische Funktion ausgeschlossen. Nach Einbringung des Estrichs ist das Aufheizen dringend erforderlich. Der Aufheizvorgang ist vom verwendeten Estrich abhängig. Bei Fließestrichen sind unbedingt die Angaben des Estrichherstellers zu beachten. Bei Zementestrichen erfolgt der Aufheizvorgang nach DIN 18560 und nach Angaben der Systemhersteller.

Oberbodenbeläge

Nach Fertigstellung des Estrichs und Abschluß des Aufheizvorgangs ist vor den Bodenbelagsarbeiten die Restfeuchte des Estrichs nach DIN 4725 festzustellen.

Je nach verwendetem Estrich bzw. Oberbodenbelag kann eine zusätzliche Oberflächenbearbeitung erforderlich werden. Aufgrund der ausgezeichneten Wärmeleitfähigkeit und der damit verbundenen guten Wärmeabgabe bei niedrigen Heizmitteltemperaturen (Brennwerttechnik, Wärmepumpen), sind keramische Fliesen und Platten, Natur- und Betonwerkstein besonders als Bodenbeläge geeignet. Die im Fliesen- und Plattenverlegerhandwerk üblichen Einbauarten sind:

– Verlegung im frischen Estrichmörtel

– Verlegung im Dünnbettverfahren mit dauerelastischem Material

– Verlegung im Dickbettverfahren

– Verlegung im Mörtelbett auf Trennschicht.

Detaillierte Auskünfte hierzu geben Unterlagen der Systemanbieter. Neben den obengenannten Belägen sind elastische und textile Bodenbeläge (PVC, Linoleum, Teppichböden) für die Fußbodenheizung geeignet. Zur Eignung und Verarbeitung sollten jedoch die Hersteller befragt werden. Ebenso können Holzböden oder Parkett eingesetzt werden, die durch temperaturbeständige Klebstoffe mit dem Estrich verbunden werden. Bei Holzbelägen ist auf die Feuchtigkeit beim Verlegen nach DIN 280 zu achten. Der Wärmedurchgangswiderstand der Bodenbeläge darf den Wert von 0,15 m^2 x K/ W nicht überschreiten. Der Bodenbelag muß rechtzeitig bekannt sein, damit dieser bei der Fußbodenheizungsauslegung in die Projektierung einbezogen werden kann.

5.3.1.3 Einzelraumregelung

Die novellierte Heizungsanlagenverordnung (HeizAnlV) vom 22.03.94 schreibt die selbsttätig und raumweise wirkende Temperaturregelung von heizungstechnischen Anlagen vor. Für Raumgruppen gleicher Art und Nutzung in Nichtwohnbauten ist Gruppenregelung zulässig. Diese Vorschrift wird in der Regel durch Raumthermostate in den einzelnen Räumen verwirklicht. Die Raumthermostate sind über Elektrokabel mit den Stellgliedern in den Verteilerkästen verbunden, wodurch die einzelnen Heizkreise nach Bedarf geöffnet oder geschlossen werden. Die auf dem Markt befindlichen Regelungen sind sehr unterschiedlich in der Ausführung. Die Betriebsspannungen können sowohl 24 V als auch 220 V betragen. Die Regelung kann stetig wirken bzw. als Zweipunktregler ausgeführt sein. Die Funktion dieser Regelungen unterscheidet sich aufgrund der zu regelnden Estrichmasse nur unerheblich, so daß auf diese Differenzierungen nicht so sehr geachtet werden muß. Die gesetzlich vorgeschriebene Regelung bewirkt nicht nur eine Energieeinsparung, sondern auch ein sehr komfortables Raumklima, das zum Behaglichkeitsempfinden in fußbodenbeheizten Räumen wesentlich beiträgt.

5.3.2 Industriefußbodenheizungen

P. WEGWERTH *)

Heizungen in Industriehallen müssen Bedingungen erfüllen, die der jeweiligen Nutzung gerecht werden. Hier ist insbesondere die Arbeitsstättenrichtlinie (ASR § 8, Abs. 1) einzuhalten. Fußbodenheizungen erfüllen die Temperaturanforderungen der ASR, wie z. B. dauerhaft gesicherte 18 °C Fußbodentemperatur, in vorteilhafter Weise. Muß die Wärme bei anderen Heizungssystemen mit teilweise aufwendigen Methoden in die Aufenthaltszone der Beschäftigten transportiert werden, bietet die Fußbodenheizung die Wärme dort an, wo sie gebraucht wird.

---

*) auch Autor der Abschnitte 5.3.3 und 5.3.4

Bild 6: Wartungshalle mit Flächenheizung

Gleichzeitig ist eine große Variabilität in der Nutzung der Halle gegeben, ohne daß besondere Rücksicht auf die Heizungsanlage genommen werden muß. Industriefußbodenheizungen unterscheiden sich von den im Wohn- und Bürobereich eingesetzten Systemen dadurch, daß sie direkt in die auf dem Erdreich liegende Bodenplatte eingebaut werden können. Die Kunststoffrohre werden voll vom Beton umhüllt und können somit nahezu verlustlos die Wärme an den Fußboden übertragen. Kunststoffrohre für Fußbodenheizungen sind für diesen Einsatz prädestiniert. Sie haben die Eigenschaft, die durch Einbettung in Beton verhinderte Längenausdehnung durch Spannungsaufnahme in der Rohrwanddicke schadlos abzubauen. Die dabei entstehenden, gegenüber Metallrohren sehr geringen Reaktionskräfte können problemlos im Beton aufgenommen werden. In der Abbindephase lassen sich in Betonbodenplatten jedoch Haarrisse auch ohne Fußbodenleitung nicht immer ganz vermeiden. Bei Betrieben, in denen Chemikalien hergestellt oder verarbeitet werden, ist eine Infiltration dieser überwiegend aggressiven Stoffe besonders problematisch. Metallrohre wären, bedingt durch Temperatur- und Spannungswechselbelastung, stark gefährdet. Kunststoffrohre sind durch ihre hohe Chemikalienbeständigkeit eine sichere Alternative. Ihr Anwendungsbereich umfaßt das ganze Spektrum von der Werkstatt über das Lager (auch Hochregallager) bis zur Wartungshalle im Flughafenbereich (Bild 6).

5.3.3 Sportstätten

Auch in Sportstätten, im schulischen wie im kommunalen Bereich, werden seit vielen Jahren Kunststoffrohre für Fußbodenheizungen eingesetzt. Das stabile, über die gesamte Raumhöhe fast gleichmäßige vertikale Lufttemperaturprofil läßt auch für sportliche Aktivitäten ein hervorragendes Behaglichkeitsempfinden entstehen.

Der Einsatz von Kunststoffrohr-Fußbodenheizungen beschränkte sich zunächst auf Fußböden als schwimmende Estriche mit punktelastischen Sportböden. War die Fußbodenheizung in Holzkonstruktionen, sog. Schwingböden, zunächst noch einer aufwendigen Stahlrohr/Strahlungslamellen-Konstruktion vorbehalten, ist mittlerweile auch hier die Anwendung von Kunststoffrohren führend. Spezielle Entwicklungen (Bild 7), abgestimmt auf die jeweilige Schwingbodenkonstruktion, haben auch in diesem Bereich durch Einsatz von Kunststoffrohren mit all ihren werkstofftechnischen Vorteilen die heizungstechnischen Anforderungen erfüllt.

5.3.4 Schnee- und Eisfreihaltung

Diese Variante der Fußbodenheizung konnte durch den Einsatz von Kunststoffrohren ganz entscheidend weiterentwickelt werden. Eine der ältesten Anlagen dieser Art mit Kunststoffrohren ist die Rasenheizung im Olympiastadion in Mün-

Heizungstechnik

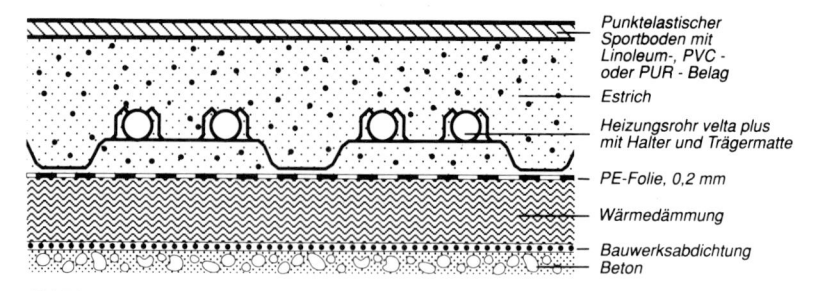

Abbildung 1: Fußbodenheizung unter punktelastischem Sportboden

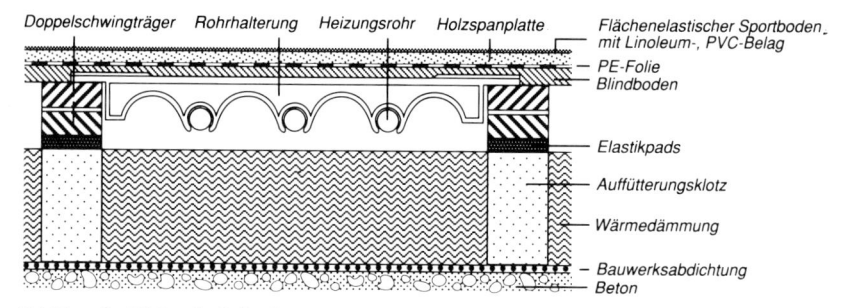

Labels:
- Punktelastischer Sportboden mit Linoleum-, PVC - oder PUR - Belag
- Estrich
- Heizungsrohr velta plus mit Halter und Trägermatte
- PE-Folie, 0,2 mm
- Wärmedämmung
- Bauwerksabdichtung
- Beton

Abbildung 2: Flächenelastischer Sportschwingboden mit integrierter Schwingbodenheizung

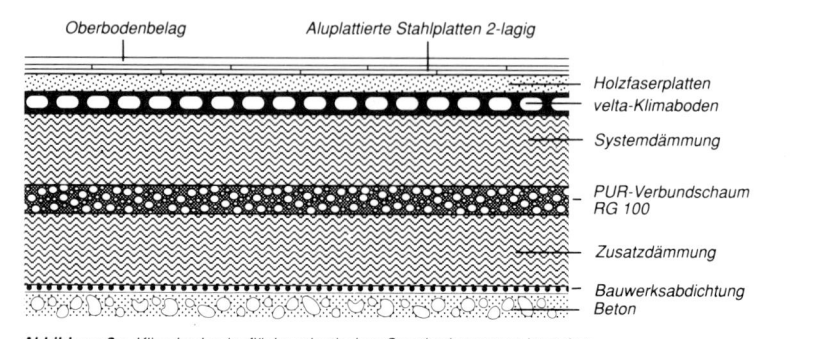

Labels:
- Doppelschwingträger
- Rohrhalterung
- Heizungsrohr
- Holzspanplatte
- Flächenelastischer Sportboden mit Linoleum-, PVC-Belag
- PE-Folie
- Blindboden
- Elastikpads
- Auffütterungsklotz
- Wärmedämmung
- Bauwerksabdichtung
- Beton

Abbildung 3: Klimaboden im flächenelastischen Sportbodensystem integriert

Labels:
- Oberbodenbelag
- Aluplattierte Stahlplatten 2-lagig
- Holzfaserplatten
- velta-Klimaboden
- Systemdämmung
- PUR-Verbundschaum RG 100
- Zusatzdämmung
- Bauwerksabdichtung
- Beton

Bild 7: Flächenheizung in Schwingbodenkonstruktion

chen. In der Folgezeit wurden dann weitere Stadien mit Kunststoffrohr-Rasenheizungen zur Schnee- und Eisfreihaltung ausgerüstet. Ständiger Feuchtigkeitsanfall vermischt mit Erdalkalien, Düngemitteln und Herbiziden, schließen hier die Verwendung von Metallrohren, schon wegen des hohen Korrosionsschutzaufwandes, von vornherein aus. Der Einsatzbereich umfaßt weiter Tief- und Hochgaragenzufahrtsrampen, Rettungshubschrauber-Landeplätze einschließlich der Zufahrtswege sowie PKW-Selbstwaschplätze. Da in allen diesen Einsatzbereichen mit Frostschutzmitteln im Heizwasser gearbeitet werden muß, ist die Verwendung von Kunststoffrohren, schon wegen der Langzeitsicherheit, obligatorisch. Gleichzeitig ist in diesem Bereich die bei Kunststoffrohren mögliche Endlosverlegung auch großer Heizkreise eine nicht zu unterschätzende Sicherheitsgarantie. Außerdem läßt sich ein Kunststoffrohr selbst in komplizierten Bodenkonstruktionen aufgrund seiner Flexibilität noch „einfädeln".

5.4 Heizkörperanbindung in Neubauten

Die Anbindung von Heizkörpern im Wohnungsneubau mit Kunststoffrohren wurde bereits Ende der sechziger Jahre mit Polybutenrohren realisiert. Das besondere an der Heizkörperanbindung liegt in der Rohr im Rohr-Technik mit der speziellen Verlegeart. Gegenüber der konventionellen Anbindung mit Metallrohren werden die einzelnen Heizkörper separat über eine zentrale Verteilerstation pro Wohnung angeschlossen. Aus dieser Montageweise resultieren mehrere Vorteile:

- Eine zentrale Verteilerstation bedeutet, daß nur ein Steigstrang im Mauerwerk ausgespart zu werden braucht.

- Nur ein Steigstrang mit Vor- und Rücklauf ist im Rohbau zu installieren und zu dämmen.

- Die Enden der Steigstränge liegen beim Verputzen geschützt im System-Verteilerkasten.

- Die Montage der Heizkörper und deren Anbindung am Verteiler erfolgt erst im fertig verputzten Bau vor der Estricheinbringung.

- Die Mehrfachmontage der Heizkörper wird vermieden, die Montagezeit minimiert.

5.4.1 Systemkomponenten

Das Heizkörper-Anschluß-System mit Kunststoffrohren besteht im Prinzip aus folgenden System-Bestandteilen:
- Verteilerstation
- Rohrkupplung
- Rohr im Rohr
- Rohrumlenkvorrichtungen

5.4.1.1 Verteilerstation

Als Verteilerstation hat sich seit vielen Jahren der Einsatz von kompletten Bausätzen aus Haltebügeln mit schalldämmenden Schellen und korrosionsfreien Messingverteilerschienen bewährt. Diese Verteilerstation wird im Regelfall im Systemverteilerkasten unter Putz angeordnet. Bei "Preiswertbauweise" kann der Verteiler auch auf Putz montiert werden. Wichtig ist hier eine Rohrführungsschiene, mit der die Rohre im definierten Radius aus der Senkrechten in die Verlegeebene umgelenkt werden.

5.4.1.2 Rohrkupplung

Die Verbindung des wasserführenden Rohres mit dem Verteiler oder dem Heizkörperventil erfolgt durch Rohrkupplungen in verschiedensten Ausführungen mit Gewinde oder 3/4" Eurokonus. Diese Klemmverbinder müssen mindestens den Anforderungen nach DIN 8076 Teil 1 mit Stützhülse entsprechen. Bei der Verlegung ist dringend darauf zu achten, daß die Rohrkupplungen nicht im Rohrbiegebereich installiert werden. Die Rohrkupplungen werden als lösbare Klemmverschraubungen und in jüngerer Zeit als unlösbare Preßverbindungen hergestellt.

Die Preßverbindungen werden als axiale und radiale Verpressungen ausgeführt. Dabei wird das Kunststoffrohr auf die Stützhülse aufgeschoben und mittels Metallhülsen und Spezialwerkzeugen axial bzw. radial verpreßt. Speziell die axiale Verpressung erfordert ein vorheriges Aufweiten des zu montierenden Rohres,

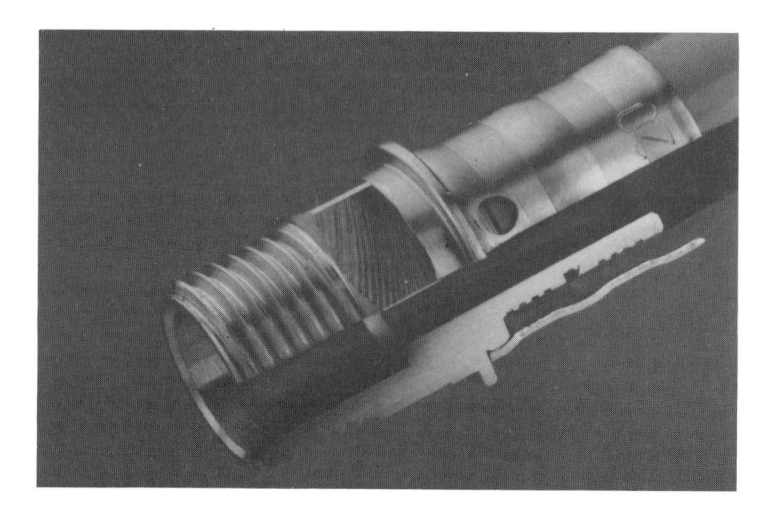

ild 8: Preßfitting für radiale Verpressung mit Sichtfenstertechnik

das heißt zusätzlichen Arbeitsaufwand. Die rationellere Verpressungsmethode ist daher die radiale Verpressung, bei der das Rohr einfach auf den Stützkörper aufgeschoben und anschließend mittels Preßwerkzeug kraftschlüssig verpreßt wird. In Bild 8 ist eine solche Radialverpressung mit drei Dichtstufen und Sichtfenstertechnik zur Überprüfung der Verbindung dargestellt.

Diese Verbindungstechnik wird vorwiegend für die T-Stückverlegung verwendet, die kostengünstiger ist, bei der jedoch diverse Vorteile der "Rohr im Rohr" -Verlegung verloren gehen.

Die Radialverpressung wird weiter bei Kunststoff-Metall-Verbundrohren angewendet, die ähnlich wie Vollkunststoffrohre sowohl für die Neubauinstallation als auch in der Altbausanierung eingesetzt werden. Die Kunststoff-Metall-Verbundrohre werden ebenfalls bis zur Dimension 20 mm als Rollen- oder Stangenware vertrieben. Die Dimensionen über 20 mm sind bisher nur als Stangenware lieferbar.

5.4.1.3 Rohr im Rohr

Die Anordnung wasserführendes Rohr im Schutzrohr, kurz Rohr im Rohr, hat ihren Ursprung in der Elektrotechnik. Sie soll eine rationelle Baustellenverarbeitung gewährleisten und das wasserführende Rohr vor Beschädigung während der Bauarbeiten schützen. Inzwischen ist diese Anordnung Rohr im Rohr zu einem Standard geworden. Zu den wesentlichen Vorzügen des Rohr im Rohr-Systems gehören:

– die Vermeidung störender Fließgeräusche

– die Verhinderung störender Schallübertragung durch Führung des wasserführenden Rohres ohne starre Bindung zum Baukörper

– die Wärmedämmung durch den Luftraum zwischen den Rohren und die damit verbundene Temperaturabstufung zwischen Heizwasser und Außentemperatur des Schutzrohres, und schließlich

– die Austauschbarkeit des Innenrohres bei dessen mechanischer Beschädigung, z. B. durch Anbohren, ohne Eingriff in den Baukörper.

Für die gegebenen Montagebedingungen unter wirtschaftlichen und praktikablen Gesichtspunkten sind nur Rohre aus den Werkstoffen Polybuten und vernetztem Polyethylen geeignet. Diese Rohre besitzen eine genügende Flexibilität, ermöglichen die Verlegung von der Rolle mit engen Biegeradien und die Verarbeitung auch bei Frost. Die Verlegung von der Rolle ist gleichbedeutend mit einem Minimum an Verschnitt bei verbindungsfreier Verlegung vom Verteiler zum Heizkörper.

Durch das Biegen (Bild 9) entstehen im Kunststoffrohr Spannungen. Bei zu engen Biegeradien kann dies zur Schädigung des Rohres führen. Der kleinste zu-

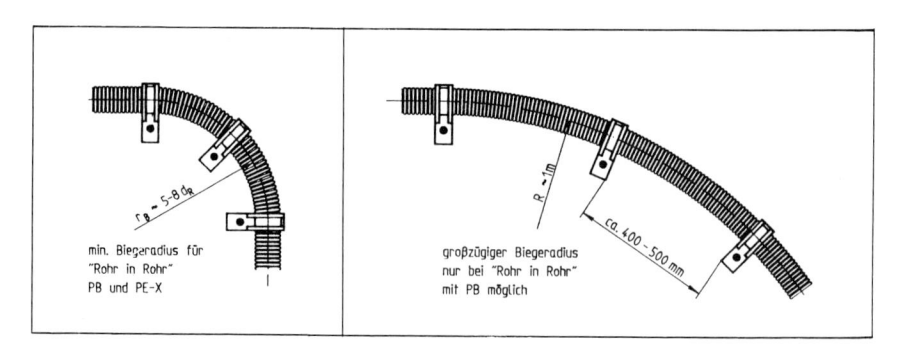

Bild 9: Rohrfixierung bei minimalem und großzügigem Biegeradius

lässige Biegeradius ist nach DIN 4726 in Abhängigkeit des Materials begrenzt. Dieser beträgt bei PB und PE-X 5 x d. Dabei ist d der Rohraußendurchmesser und der Biegeradius der kleinste sich im Bogenbereich einstellende Radius der Rohrachse.

Durch die in den zahlreichen Jahren der Anwendung gesammelten Erfahrungen ergaben sich spezifische Verlegungsarten. So ist beispielsweise bei PE-X-Rohren die sogenannte Z-Verlegung oder rechtwinklige Verlegung (Bild 10) einzuhalten, wohingegen PB-Rohre sowohl in rechtwinkliger (Z-Verlegung) als auch mit großzügigen Biegeradien verlegt werden können. Die Z-Verlegung ist besonders dann zu empfehlen, wenn die Rohre auf der Rohbetondecke verlegt werden, weil dadurch das nachfolgende Einbringen der Wärme- und Trittschalldämmung erleichtert wird. Die Verlegung in großzügigen Radien erlaubt kürzere Wege und eine bessere Austauschbarkeit bei evtl. mechanischer Beschädigung. Die verwendeten Rohrdimensionen für PB und PE-X sind 12 x 1,8 mm; 14 x 2 mm; 16 x 2 mm, im Schutzrohr 21/16 bzw. 25/20.

5.4.1.4 Rohrumlenkvorrichtung – Schutzrohrbogen

Die Stelle des Austrittes eines Heizkörper-Anschlußrohres aus dem Estrich ist durch mechanische Beschädigung am meisten gefährdet. Unmittelbar unter dieser Stelle liegt die Umlenkung des Rohres vom Boden in die Senkrechte zum Heizkörper. Die Umlenkung muß im kleinstmöglichen Radius erfolgen, was am sichersten in einem geschlossenen Formteil geschieht. Spezielle Umlenkvorrichtungen (Bild 11) bzw. Anschlußeinheiten für die Heizkörperanschlüsse von unten bzw. aus der Wand übernehmen diese Funktion. Sinnvollerweise sollen diese Vorrichtungen so konstruiert sein, daß ein Rohraustausch zu einem späteren Zeitpunkt gewährleistet bleibt.

Heizungstechnik 519

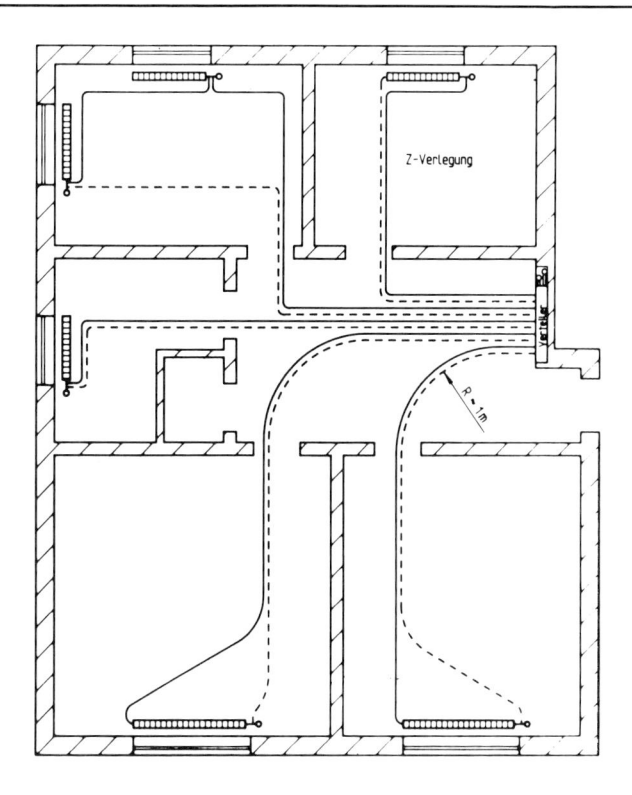

Bild 10: Z-Verlegung von Rohr im Rohr (PB und PE-X) sowie Verlegung mit großzügigen Radien

Mit dem in Bild 11 dargestellten Schutzrohrbogen können Heizkörper mit integrierten Ventilen bequem angeschlossen werden, da auch unterschiedliche Achsabstände einstellbar sind.

5.4.2 Temperierung des Bodens im gleichen Regelkreis

Der Luftraum zwischen dem wasserführenden Rohr und dem Schutzrohr bewirkt ein Temperaturgefälle. So beträgt bei einer Heizwassertemperatur von 70 °C die Außentemperatur am Schutzrohr nur 45 °C, was die direkte Einbettung der Rohre im Estrich erlaubt. Damit kann der Boden z. B. in einer Küche oder in einem Bad zur Steigerung des Komforts temperiert werden. Ein eigener Regelkreis mit einer gegenüber den Heizkörpern abgesenkten Temperatur ist nicht erforderlich. Die Ausführung einer Bodentemperierung kann erfolgen:

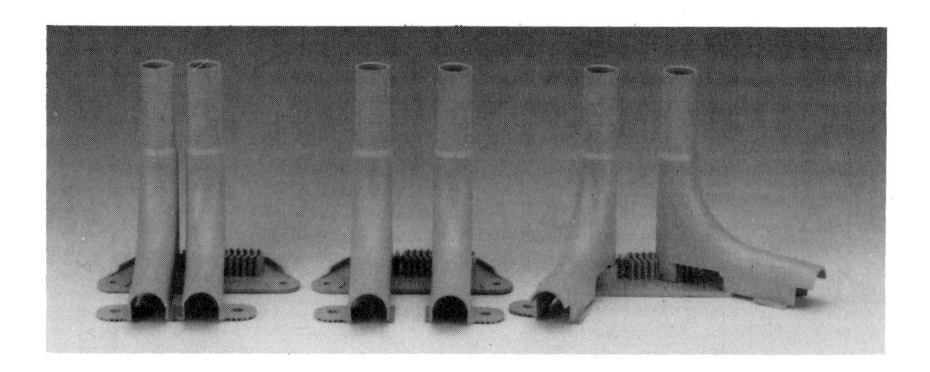

Bild 11: Variabler Schutzrohrbogen für den Heizkörperanschluß von unten

- als eigener Heizkreis, der direkt am Verteiler angeschlossen ist, oder
- in Verbindung mit einem Einrohrventil, das auch im geschlossenen Zustand die Zirkulation des Temperierkreises erlaubt.

5.4.3 Dämmung von Heizkörperanbindeleitungen

Heizkörperanbindeleitungen sind nach der Heizungsanlagenverordnung gemäß § 6 gegen Wärmeverluste durch die Gebäudehülle zu dämmen. Die Dämmung soll einen wirtschaftlichen wie auch umweltverträglichen Betrieb gewährleisten. Danach brauchen Rohrleitungen auf Wohnungstrenndecken, deren Wärmeabgabe vom jeweiligen Nutzer durch Absperreinrichtungen (z. B. Thermostatventil

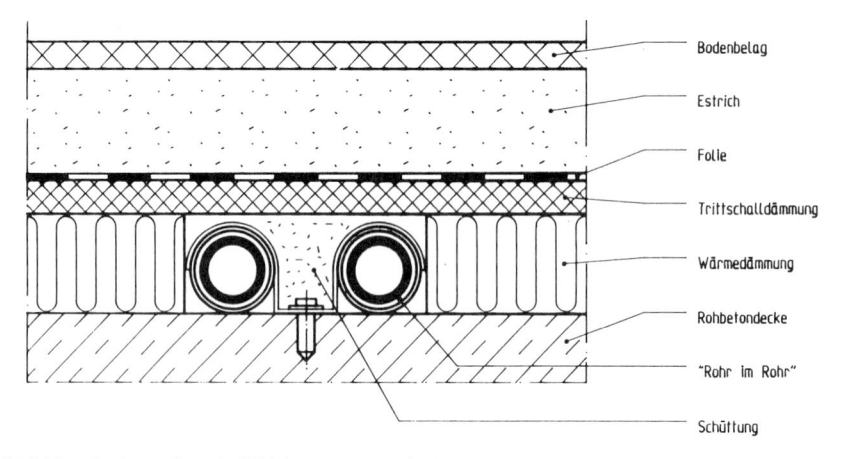

Bodenbelag
Estrich
Folie
Trittschalldämmung
Wärmedämmung
Rohbetondecke
"Rohr im Rohr"
Schüttung

Bild 12: Bodenaufbau bei Wohnungstrenndecken mit Rohr im Rohr

Heizungstechnik 521

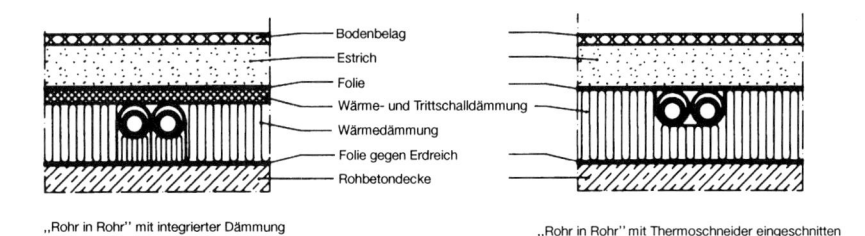

"Rohr in Rohr" mit integrierter Dämmung — "Rohr in Rohr" mit Thermoschneider eingeschnitten

Bild 13: 100%-Dämmung nach Heizungsanlagenverordnung

oder zentrale Absperrvorrichtung) beeinflußt werden kann, nicht gedämmt zu werden. In Bild 12 ist der Bodenaufbau für Wohnungstrenndecken dargestellt. Bei Verlegung von Rohrleitungen auf Decken gegen unbeheizte Räume, gegen Erdreich oder Außenluft sind bei einer Anbindelänge von mehr als 8 m die Rohrleitungen (bis 20 mm) mit 20 mm (WLG 035) Dämmung nach unten zu dämmen. Eine sehr kostengünstige Variante ist die Verlegung in der Dämmschicht. Bei Polystyrol kann dies durch Einschneiden der Rohrleitungen in die Dämmschicht mittels Profilschneider erfolgen. In Bild 13 ist ein solcher Bodenaufbau dargestellt.

5.4.4 Wirtschaftlichkeit des Rohr im Rohr-Systems

Rohr im Rohr-Systeme zum Heizkörperanschluß haben inzwischen den Durchbruch geschafft und konventionelle Werkstoffe immer mehr ersetzt. Dies beruht sicher zum Teil auf der ausgereiften Technik und auf der Sicherheit dieser Systeme. Wesentlich sind Argumente wie der Wegfall von zeitraubenden Nebenarbeiten für Mauer- und Deckendurchbrüche und vor allem der Einbau nach dem Verputzen, wodurch die Mehrfachmontage der Heizkörper erspart bleibt.

5.5 Heizkörperanbindung für Altbausanierung

Bei einem Großteil des Gebäudebestandes in Deutschland ist die Haustechnik auf einem sehr veralteten Stand und daher sanierungsbedürftig. Dies betrifft nicht nur Gebäude mit Einzelfeuerstätten (Ölöfen, Kachelöfen), sondern auch die in den neuen Bundesländern weitverbreiteten Plattenbauten. Bei diesen Gebäuden werden neben der Sanitärtechnik auch die Heizungsanlagen modernisiert, um einen besseren Wohnkomfort sowie einen wirtschaftlicheren Betrieb zu erlangen. Die besondere Schwierigkeit bei solchen Bauobjekten besteht darin, daß die einzelnen Wohnungen während der Sanierung bewohnt bleiben und daher die Montagearbeiten in kürzestmöglichem Zeitraum durchgeführt werden sollen, um die Belastung der Bewohner so gering wie möglich zu halten. Für diese Wohnbauten hat sich die nachträgliche Heizleitungsinstallation in sog. Sockelleisten bewährt. Bei dieser Montageweise sind Mauer- und Deckendurchbruchsarbeiten nur in geringem Maße nötig. Sehr vorteilhaft sind hier Sockelleistensysteme mit Kunststoffrohren sowie Kunststoff-Metall-Verbundrohren und aufeinander abgestimmten Komponenten, da hier keine Löt- bzw. Schweißarbeiten mit offener Flamme erforderlich sind. Speziell bei historischen Gebäuden ist dies ein Faktor, der nicht vernachlässigt werden darf. Die wichtigsten Komponenten für ein schnell zu montierendes Sockelleistensystem sind:

- die Sockelleiste mit den zugehörigen Formstücken

- das Rohr

- Rohrführungen bzw. Formstücke

- Anschlußeinheiten.

Wesentlich für ein gutes System ist die Funktionsabstimmung aller Komponenten. Die Einzelteile kommen alle aus einer Hand und müssen nicht mühselig zusammengesucht werden.

5.5.1 Sockelleiste

Die wichtigste Systemkomponente ist die Sockelleiste (Bild 14), die als erste montiert wird und auf der alle folgenden Montageschritte aufbauen.

Wichtig ist hier eine stabile Kastenbauweise aus Front und Rückwand, welche auf möglichst kleinem Raum die erforderlichen Anschlußkomponenten auf-

Bild 14: Sockelleistendetails

nimmt. Eine Hohlkammer-Bauweise von Frontseite und Rückwand vermindert Wärmeverluste durch die Außenwand und unerwünschtes Aufheizen durchfahrener Räume.

5.5.2 Rohrmaterialien

Wie bei den Heizkörperanbindeleitungen für den Neubau werden auch hier Kunststoffrohre aus PB und PE-X nach DIN 4726 sowie gütegesicherte Verbundrohre eingesetzt. Die Rohrkupplungen werden ebenfalls nach DIN 8076 bzw. als Preßverbinder ausgeführt. Für die Montage bezüglich Festpunktausführungen, Biegeradien, Rohrbefestigungsabständen, thermische Längenänderungen und Heizkörperanschlüssen sind auf jeden Fall die Herstellerangaben zu beachten.

5.5.3 Rohrführungen und Formstücke

Ein besonderer Vorteil von Kunststoff- und Verbundrohren bei der Montage in der Sockelleiste ist die Endlosverlegung zwischen den einzelnen Heizkörpern. Bei Kunststoffrohren erfolgt die Umlenkung der Rohre in kleinstmöglichen Biegeradien mittels Rohrführungsbögen.

Bei sehr kleinen Nischen kann die Rohrführung durch Metallfittinge und bei Polybutenrohren auch durch Heizelementmuffenschweißung erfolgen (Bild 15).

Bei Metallverbundrohren erfolgt die Umlenkung durch das Biegen in sehr kleinen Radien unter Anwendung von speziellem Biegewerkzeug.

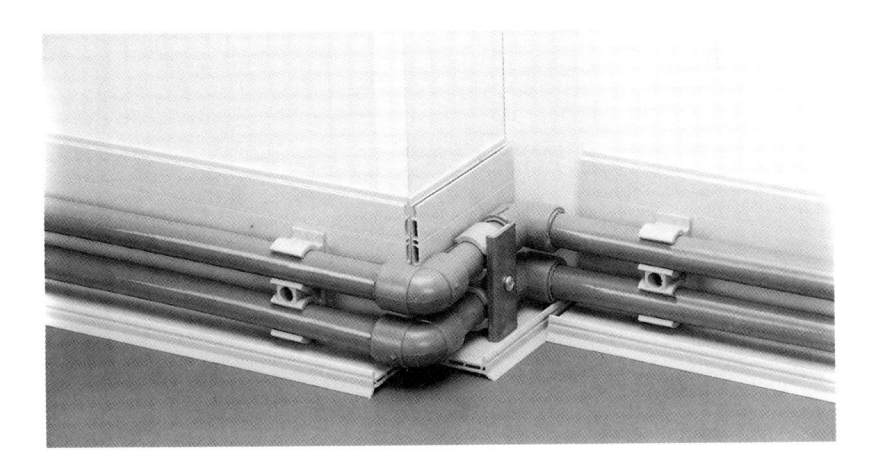

Bild 15: Nischenlösung mit Schweißformstücken aus Polybuten

5.5.4 Anschlußeinheiten

Bei den zu sanierenden Gebäuden werden Heizkörper und Ventile unterschiedlichster Fabrikate verwendet. Die Anschlußeinheiten, die in der Sockelleiste montiert werden, müssen daher universell konstruiert sein und sowohl den wechselseitigen Heizkörperanschluß als auch die Anbindung von Heizkörpern mit integrierten Ventilen gestatten. In der Regel werden die Heizkörper im Zweirohrsystem versorgt. Manche Systeme erlauben jedoch mittels spezieller Formstücke auch die Realisierung von Einrohrsystemen. Bild 16 zeigt den Anschluß eines Heizkörpers mit integrierten Ventilen. Durch die Befestigung der Anschlußteile an der Sockelleistenrückwand ist gleichzeitig ein Fixpunkt hergestellt, wodurch Längenänderungen der Rohrleitungen nicht auf die Heizkörper übertragen werden.

Neben dem bereits genannten Einsatzbereich für die Sanierung von Altbauten und historischen Gebäuden sind diese Systeme auch für den Einsatz im Industrie- und Gewerbebau geeignet. Oftmals werden solche Gebäude im Innenausbau in Leichtbauweise hergestellt, um auf evtl. Nutzungsänderungen flexibel reagieren zu können. Mittels des Sockelleistensystems kann die Anordnung der Heizkörper flexibel umgestaltet werden, ohne daß aufwendige Schweiß- und Mauerdurchbruchsarbeiten erforderlich sind.

Bild 16: Heizkörper mit integrierten Ventilen (Sockelleistenanschluß)

Heizungstechnik 525

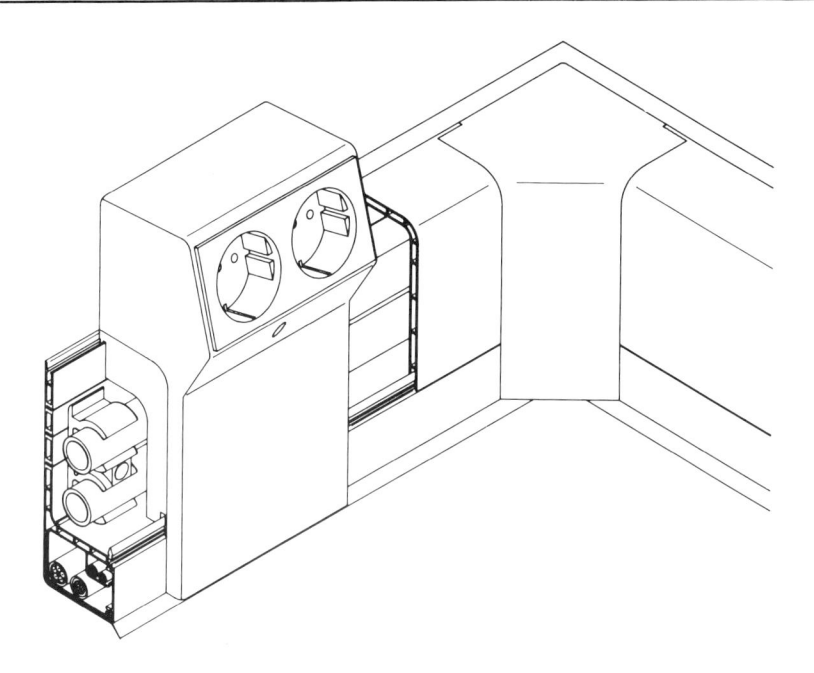

Bild 17: Heizleitungssockelleiste mit integriertem Elektrokanal

Neben den bereits erwähnten Sockelleisten für Heizkörperanbindungen ist auch eine weitere Version mit integriertem Elektrokabelkanal sehr sinnvoll. Bei dieser Ausführung ist darauf zu achten, daß sowohl Schwach- als auch Starkstromkabel integriert werden können. Dies ist nur mittels einer weiteren Kanalunterteilung möglich. In Bild 17 ist ein Sockelleistenkanal für die Aufnahme von Heizleitungen, Stark- und Schwachstromkabel mit einem Gerätebehälter (Schukosteckdosen) dargestellt. Von Vorteil ist die separate Zugänglichkeit der beiden Gewerke Heizung und Elektro.

Schrifttum
[1] Bundesverband Flächenheizungen e.V., Merkblatt Nr. 5 „Wärme- und Trittschalldämmung beheizter Fußbodenkonstruktionen"; Königswinter, März 1991
[2] Bundesanzeiger Verlagsges., „Die neue Wärmeschutzverordnung vom 16. August 1994", Köln

5.6 Fernwärmeversorgung

H.-J. KLIPFEL

5.6.1 Einführung

Große Wolkenfahnen über den Kühltürmen von stromerzeugenden Kraftwerken signalisieren dem Betrachter die Mengen der nutzlos in die Atmosphäre abgegebenen Wärmeenergie.

Mit Maßnahmen, die unter den Begriff Kraft-Wärme-Kopplung fallen, lassen sich Energiesysteme realisieren, die einen außerordentlich hohen Gesamtwirkungsgrad aufweisen. Dieser ist umso höher, je niedriger die Abnahmetemperatur des Wärmeverbrauchers ist.

Einfaches Beispiel für Kraft-Wärme-Kopplung ist der Einsatz eines kleinen Dieselmotors zur Erzeugung von Strom und Wärme in einem Wohnhaus. Mit der Nutzung von Fußbodenheizungen, die eine niedrige Vorlauftemperatur benötigen, lassen sich optimale Nutzungsgrade des eingesetzten Dieselöls erreichen.

Entscheidend für die Wahl der Energieversorgung sind aber letztlich die Gesamtkosten, und so steht im heutigen Wärmemarkt die Fernwärme in marktwirtschaftlicher Konkurrenz, insbesondere zu den Energieträgern Gas und Heizöl.

Der hohe Investitionsaufwand bei der Errichtung von Fernwärmenetzen führt dazu, daß die Fernwärmeversorgung vor allem im Umfeld existierender Stromkraftwerke rentabel sein kann.

Für den weiteren Ausbau der Fernwärme sprechen einige Argumente:

- Fernwärme aus Kraft-Wärme-Kopplung ist primärenergiesparend.

- Fernwärme läßt sich auch aus schwierig handhabbaren Primärenergieträgern (Kohle, Müll) umweltschonend erzeugen.

- Fernwärme-Verbraucheranlagen sind weitgehend wartungs-, störungs- und gefahrenfrei. Sie erzeugen keine Emissionen.

Fernwärme-Transportleitungen

Als Transportmedium für Fernwärme nutzte man seit Beginn der Entwicklung Wasser mit Temperaturen zwischen 80 °C und 120 °C. Die Leitungen waren z.T. in Betonkanälen verlegt und mit Glaswolle und Blech isoliert. Erste Fortschritte brachte die Leitungsausführung als Haubenkanal. Dieser bestand aus zwei gleichartigen Betonelementen (Ober- und Unterteil). Das zentral angebrachte Stahlrohr wurde in das Isoliermaterial, Schaumbeton, eingegossen. Der Haubenkanaltyp forderte keinen großen Aufwand, jedoch eine recht sorgfältige Ausführungs- und Bauüberwachung.

Heizungstechnik

In den sechziger Jahren begann der Siegeszug von vorgefertigten Leitungselementen, die weitaus schneller und sicherer in der Montage waren als Betonkanäle.

Das neue Fernheizrohrsystem war ein Gleitsystem. Die mit Schmiermittel behandelte Oberfläche des Stahlmediumrohres war von einem Polyurethan-Hartschaum umgeben und von einem äußeren PVC-Mantelrohr gegen Feuchtigkeit und mechanische Belastung geschützt. Die Stahlschweißverbindungen wurden mittels PVC-Schrumpfmuffen und Gummi-0-Ringen gedämmt und gedichtet.

Vorgefertigte Bogen und T-Abzweige mit inneren Hohlräumen zur Dehnungsmöglichkeit förderten die Vereinfachung der Montagearbeit auf der Baustelle.

An Fernwärmeleitungen mit Gleitsystem mußten jedoch häufig Korrosionsschäden der Stahlleitungen registriert werden, hervorgerufen durch undichte Schrumpfmuffen oder Risse im Mantelrohr.

5.6.2 Kunststoffmantelrohre

Systembeschreibung

In seiner Ausführung für direkte Erdverlegung (Bild 1) mit einem Mediumrohr aus Stahl (z.T. verzinkt) oder aus Kupfer, Polyurethan-Hartschaumisolation und

Bild 1: Kunststoff-Verbundmantelrohr

konzentrisch angeordnetem Schutzrohr aus Polyethylen hoher Dichte (PE-HD) ist dieser vorgefertigte Leitungstyp heute der bekannteste.

Diese Weiterentwicklung bedeutete einen allgemeinen Übergang auf ein Verbundsystem mit äußerer Dehnung. Thermische Längenänderungen des Mediumrohres werden nur zum Teil durch die Reibung zwischen PE-HD-Mantelrohr und Erdreich über den Schaumverbund Stahl/Mantelrohr unterdrückt. Im Bereich von Rohrenden oder Richtungsänderungen dehnt sich die Leitung nahezu unbehindert aus (Bild 2).

Wird die im offenen Graben noch freiliegende Rohrleitung auf ca. 50 % der Betriebstemperatur vorgewärmt, kann ohne Kompensator jede beliebige gerade

Bild 2 Rohrverlegung Kunststoff-Verbundmantelrohr

Heizungstechnik 529

Länge verlegt werden. Zur Aufnahme der sogenannten „Restdehnung" sind an Richtungsänderungen > 3° in jedem Fall Dehnpolster oder Dehnzonen vorzusehen. Der Verzicht auf definierte Hoch- und Tiefpunkte sowie weitgehend auf Entleerungen/Entlüftungen („Flachverlegung") trägt zur weiteren Minimierung der Verlegekosten bei.

Grundnormung von Kunststoffmantelrohren

Nach dreißig Jahren Erfahrungen mit Kunststoffmantelrohren erlangte mit Stand 12/1994 eine Normreihe Gültigkeit, in der für die wesentlichen System-Komponenten die entsprechenden Mindestanforderungen und Nachweisführungen sowie die Abmessungen festgelegt wurden.

Die europäische Norm EN 253 hat seit Dezember 1994 den Status einer deutschen Norm (DIN EN 253). Sie bildet die Grundlage einer Normenreihe für Verbundmantelrohrsysteme, bei denen die Wärmedämmung aus Polyurethan-Hartschaum zwischen Mediumrohr und Polyethylen-Mantelrohr eingebracht wird. Die Normenreihe enthält außerdem DIN EN 448 „Formstücke", die DIN EN 488 „Armaturen" und DIN EN 489 „Rohrverbindungen".

Festgelegt sind Abmessungen der Mantelrohre vom Außendurchmesser 75 mm bis 800 mm (entsprechend DN 20 – 600 für Stahlmediumrohre), wobei die Anforderungen auf größere Abmessungen übertragen werden können. Alle Mindestwanddicken sind nach der Kesselformel für die Nenndruckstufe PN 1,6 ausgelegt. Die Norm gilt für Verbundsysteme im Dauerbetrieb mit Warmwasser bei Betriebstemperaturen bis 120 °C und für kurzzeitigen Betrieb mit Spitzentemperaturen bis 140 °C.

Anforderungen an PE-HD-Mantelrohre

Die in DIN EN 253 geforderten Eigenschaften des PE-HD-Werkstoffes sind hoch angesetzt, da beim Ausschäumen Belastungen bis an die Streckgrenze auftreten und während der gesamten Gebrauchsdauer Spannungen über die Rohrwand übertragen werden. Erforderlich sind hochdichte, mit Ruß eingefärbte PE-Werkstoffe mit einer Dichte von min. 944 kg/m^3.

Das mechanische Langzeitverhalten von Mantelrohren ist im Zeitstandinnendruckversuch oder an Zugproben im Zeitstandzugversuch zu prüfen. Die Anforderungen für den Innendruckversuch sind identisch mit denen für Druckrohre aus PE-80 nach DIN 8075. Beim Zeitstandzugversuch werden maschinell hergestellte Normprobestäbe in einem Netzmittelbad bei 80°C mit einer Zugspannung von 4 MPa belastet. Die Mindestzeit bis zum Bruchversagen darf 1500 h nicht unterschreiten.

Auf dem Polyethylen-Mantelrohr sind vom Hersteller folgende Angaben anzubringen:

- Rohmaterial des PE, Handelsname oder Code
- MFR-Gruppe
- Nenndurchmesser und Nennwanddicke des Mantelrohres
- Jahr und Woche der Herstellung
- Herstellerzeichen
- Gütezeichen.

Qualitätssicherung

Im informativen Anhang der Norm werden neben der Anwendung von Qualitätssicherungssystemen nach EN 29 001 oder EN 29 002 Prüfungen empfohlen, um für den Anwender sicherzustellen, daß die werkmäßig gedämmten Rohre und Formstücke den Anforderungen dieser Norm entsprechen. PE-Rohrhersteller, die Mitglieder der Gütegemeinschaft Kunststoffrohre e.V., Bonn, sind, verpflichten sich, die Bedingungen der zugehörigen Güterichtlinie R 9.3.17 „Mantelrohre und Rohre für die Herstellung von Muffen und Formstücken aus PE-HD für erdverlegte Verbundmantelrohrsysteme" einzuhalten.

Durch die Anwendung der Richtlinie R 9.3.17 mit einem System aus Eigen- und Fremdüberwachung der Produkte wird das Recht zur Führung des Gütezeichens Kunstoffrohre erlangt. Verbindlicher Bestandteil der Güterichtlinie sind die Normen DIN EN 253 und DIN EN 448.

Schweißen von PE-Mantelrohren

Die unterschiedlichen Schweißtechniken beim Verbinden von Kunststoffmantelrohren sind im Richtlinienwerk des Deutschen Verbandes für Schweißtechnik e.V. dargestellt.

Es gelten insbesondere die Richtlinien

DVS 2207 Teil 5	Schweißen von PE-Mantelrohren – Rohre und Formstücke –
sowie	
DVS 2207 Teil 5 Beiblatt 1	Schweißen von Formstücken und Absperrarmaturen.

Die Ausarbeitung erfolgte in einem technischen Ausschuß des DVS, Arbeitsgruppe „Kunststoffe, Schweißen und Kleben" gemeinsam mit der Arbeitsgruppe „Schweißen von PE-Mantelrohren" der Arbeitsgemeinschaft Fernwärme – AGFW e.V. –. Die Richtlinien beschreiben die Schweißverfahren sowie die Ausführung und Prüfung der Schweißverbindungen. Obwohl PE-Rohrwerkstoffe eine ausgezeichnete Schweißeignung haben, ist der Nachweis des Langzeitverhaltens im allgemeinen nur mit zerstörenden Zeitstandsprüfungen zu führen. Zur Qualitätssicherung von Mantelrohren und Formstücken sind deshalb nur Werkstoffe und Rohrprodukte mit festgelegten Nachweisen der Produktqualitäten einzusetzen, um die Reproduzierbarkeit der Verfahren sicherzustellen. Schweißer sollten einen Ausbildungsnachweis nach DVS 2212 besitzen.

5.6.3 Vollkunststoffrohr-Systeme im Fernwärmetransport

Systembeschreibung

Bei den vorher beschriebenen Stahl/Kunststoff-Verbundrohrsystemen handelt es sich um technisch ausgereifte Produkte, die alle Anwendungsfälle bis zu einer Temperaturobergrenze von 130°C abdecken können.

Naheliegend ist jedoch der Versuch, die Vorteile von Kunststoffen wie z.B. Korrosionsresistenz und Flexibilität für Vollkunststoff-Systeme zum Fernwärmetransport zu nutzen.

Neben Details zum jeweiligen System waren vor allem drei Fragen bei der Entwicklung von Kunststoffmediumrohren zu beantworten:

– Max. Betriebsdruck des Systems

– Temperaturobergrenze

– Lebensdauer.

Bild 3: Vollkunststoff-System mit PE-X Medienrohr und Klemmverbindungen

Bild 4: Vollkunststoff-System mit Polybuten Medienrohr und PB-Formstücken geschweißt

Mit den bei Kunststoffdruckrohren überwiegend eingesetzten Werkstoffen PVC-U und PE-HD konnten Dauerbetriebstemperaturen von ca. 100 °C nicht erreicht werden.

Entwickelt wurden daher Vollkunststoff-Systeme mit Medienrohr aus vernetztem Polyethylen (Bild 3) und Sperrschicht gegen Sauerstoffdiffusion. Ein Hersteller liefert das Medienrohr aus Polybuten (Bild 4).

Nach mehr als zehn Jahren Anwendungserfahrung kann jetzt als gesichert angesehen werden, daß Kunststoffmedienrohre für eine Wassertemperatur bis max. 95 °C und 6 bar Betriebsdruck geeignet sind. Die maßgebende Thermostabilität ist für beide Werkstoffe im Nutzungszeitraum vorhanden. Die Flexibilität der Kunststoffleitungen kleiner Nennweiten vereinfacht das Umfahren von Hindernissen.

5.6.4 Ausblick

Die Fernwärmeversorgung stellt auch in Zukunft ein hervorragendes Instrument zur Einsparung des Primärenergieeinsatzes dar; damit verbunden ist die Senkung der CO_2-Emissionen. Da der Einsatz von Kohle nur in größeren Kraftwerken betriebswirtschaftlich und mit niedrigen Schadstoffraten möglich ist, bieten sich Fernwärmesysteme an, um den Gesamtwirkungsgrad der Anlagen zu steigern. Mit dem PE-Mantelrohrsystem steht ein ausgereiftes und standardisiertes

System für große Netze zur Verfügung. Sekundärnetze für die Aufschließung von Siedlungsgebieten am Rande größerer Städte lassen sich mit flexiblen Kunststoffmedienrohren kleinerer Nennweiten betreiben. Wegen der hohen Kapitalintensität der Fernwärmesysteme wird der rasche Ausbau allerdings erst mit steigenden Primärenergiepreisen rentabler.

6 Industrieleitungen

H. HILLINGER [*]

6.1 Allgemeine Anforderungen

Über 3 % unseres Bruttosozialproduktes werden durch Korrosionsschäden verschlungen. Gerade im industriellen Rohrleitungsbau sind viele dieser Schäden vermeidbar. Kunststoffrohrleitungskomponenten wie Rohre, Formstücke, Armaturen und Zubehör aus technischen Kunststoffen leisten hierzu einen wesentlichen Beitrag.

Die Einsatzbereiche technischer Kunststoffe nehmen ebenso wie die Substitution von metallischen Werkstoffen rasch zu. In vielen Fällen, unter anderem der Wasseraufbereitung und dem Handling von hochreinen Medien, liegt der Anwendungsanteil bereits bei über 80 %. Damit sind Vorteile verbunden, die bei den gegebenen Beanspruchungsbedingungen von anderen Werkstoffen kaum oder nur mit einem deutlich höheren finanziellen Aufwand erreichbar wären.

Funktionserfüllung und Sicherheit sind wesentliche Kriterien für den Betrieb von Rohrleitungssystemen. Eine anspruchsvolle Aufgabe, die gute Vorbereitung und Nutzung aktueller Informationen verlangt, sind Planung und Bau solcher Systeme. Dies ist notwendig, wenn man für einfache, aber auch aggressive Medien passende Werkstoffe bei Rohren, Formstücken und Armaturen, bei Meß- und Regeltechnikkomponenten und Pumpen einsetzen will, die eine optimale Lebensdauer, gute Umweltverträglichkeit und hohe Wirtschaftlichkeit garantieren.

Nachfolgend sollen die Anforderungen behandelt werden, die man bei Rohrleitungssystemen an qualifizierte Rohre, Formstücke und Armaturen stellen muß; danach Planungskriterien mit Ablaufschema, Antriebsvergleichen und Fragen zur Wirtschaftlichkeit.

Wichtige Aspekte bei einem Werkstoffvergleich

Neben Kostengesichtspunkten sind die chemische Widerstandsfähigkeit, das Verhalten in Bezug auf Korrosion und Inkrustation sowie Überlegungen zu den Druck- und Temperaturbedingungen ausschlaggebend. Auch die Dimensionie-

---
[*] Autor des gesamten Kap. 6, ausgenommen Abschnitt 6.5.7

rung, Durchflußwerte, Verlegungsfragen und Verbindungstechniken haben bei Rohrleitungssystemen große Bedeutung. Konstruktionsarten, Funktionen, die Produktauswahl sowie die Installation müssen genauestens bedacht werden. Das Zusammenwirken im System, die Montage- und Wartungsfreundlichkeit, Qualität und Zuverlässigkeit müssen in die Betrachtung einbezogen werden. Nicht zuletzt werden Umweltgesichtspunkte angesprochen und eine Reihe von Anwendungsbeispielen aus der Industrie behandelt.

Mit technischen Kunststoffen im industriellen Rohrleitungsbau ist die hervorragende chemische Resistenz gegenüber einer Vielzahl von aggressiven Medien verbunden, die bei Prozeßleitungen zu befördern sind. Mit den zur Herstellung von Rohren und Formstücken in Betracht kommenden thermoplastischen Werkstoffen PVC-U, ABS, PVC-C, PB, PE, PP-H und PVDF sind im Hinblick auf chemische Beständigkeit gegenüber Säuren, Laugen und Lösungsmitteln fast lückenlos sämtliche Anforderungen erfüllbar. Grenzen für den Einsatz können sich eher durch die gegebenen Einschränkungen bei Druck- und Temperaturbelastbarkeit ergeben. Durch die Auskleidung von Metallrohren mit Kunststofflinern erreicht man in diesen Fällen technisch und wirtschaftlich befriedigende Lösungen. Bei mit Linern ausgerüsteten Rohren aus glasfaserverstärkten Kunststoffen wird im Vergleich zu Metallrohren ein besseres Verhältnis gegenüber gleichzeitig korrosiver Außenbeanspruchung gesichert. Unterhaltungskosten durch Anstriche oder Schutzüberzüge können eingespart werden.

Der Anforderungskatalog für Rohre, Formstücke, Armaturen, Meß-und Regeltechnikkomponenten und Pumpen

Aus der Vielzahl von Kriterien sind vor allem zu nennen:

Sicherheit der Funktion, hohe Gebrauchsdauer, geringe Umweltbelastung, Servicefreundlichkeit, Automatisierbarkeit. Das Liefersortiment, das zur Verfügung steht, der Lieferservice, der vorgehalten und gewährleistet ist sowie Verbindungsmethoden, die genutzt werden können, sind wesentliche Faktoren.

Gesamtpreis / Wirtschaftlichkeit (Anschaffung / Einbau / Betriebskosten / Wartung)

Bei Rohrleitungskomponenten ist die Leckage am Anschluß ein wichtiges Kriterium. Die Dichtheit innerhalb der Rohrleitung und nach außen sowohl bei statischer wie bei dynamischer Belastung und bei längeren Stillstandszeiten hat große Bedeutung für Umweltbelastung, Funktionssicherheit und Betriebsgefahr. Aufnahme von Rohrleitungskräften, Reibungsverschleiß, Inkrustation, Korrosion, Molchbarkeit sowie Leckagefreiheit sind weitere Kriterien für die Funktionssicherheit. Eine Reihe dieser Anforderungen werden in den folgenden Abschnitten näher betrachtet.

Rohrleitungssysteme für die Industrie

Für einfache, anspruchsvolle und aggressive Medien in passenden Werkstoffen.

- Fittings, Armaturen, Zubehör, Pumpen, Meß- und Regeltechnik, Rohre, Halbzeuge und Maschinen mit großem Dimensionsbereich.
- Vielfältige Funktionen und Betätigungsmöglichkeiten.
- Flexible Anpassung an die unterschiedlichsten Einsatzbedingungen

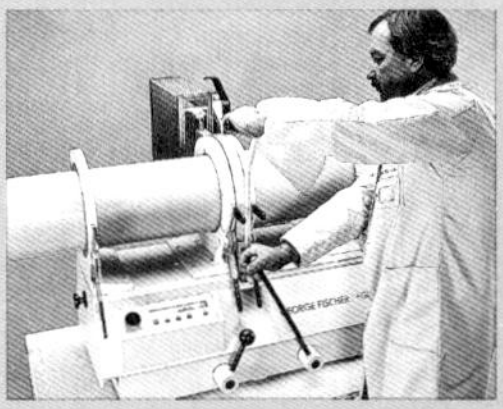

Industriesysteme

- Umfassendes und zuverlässiges Verbindungsangebot in hochwertigen Kunststoffen wie PVC, PE, PP, PB, PVDF, ECTFE, FEP und PFA.
- Innovative Schweißtechnologien WNF und IR

Viele Medien und

- Unsere Projektierungsberatung auch für Zulassungen, Beständigkeit, Verarbeitung und Verlegung, Schulung, Qualitätssicherung und Lieferservice sind für den Anwender wertvoll.

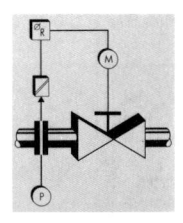

Anwendungen

Hochwertige, beständige Systemkomponenten für praxisgerechte Installationen.

Kompetenz rund ums Rohr.

GEORG FISCHER   +GF+

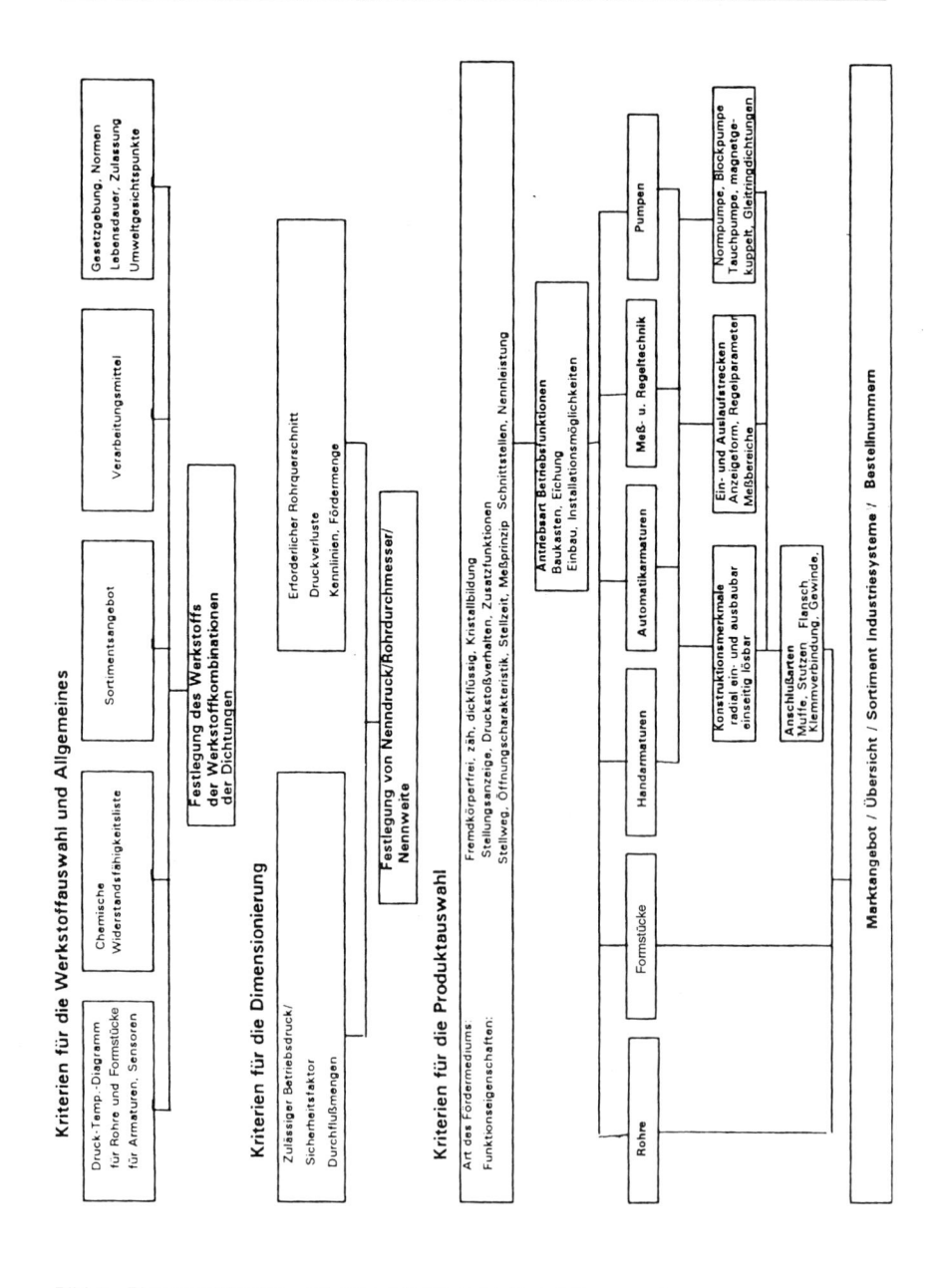

Bild 1: Planungskriterien und -ablauf für Kunststoffrohrleitungssysteme

Natürlich muß der Planer, der die Auswahl vornimmt, sich stets vor Augen führen, ob ein ausreichendes Sortiment an genormten Rohren, Formstücken, Armaturen, Pumpen, sowie Meß- und Regeltechnikkomponenten zur Verfügung steht und dabei auch wirtschaftlich beschafft werden kann. Von einer handgeschneiderten Rohrleitung ist heute aus wirtschaftlichen Erwägungen im allgemeinen abzuraten. Dagegen sprechen auch Aspekte der Produkthaftung, der Ersatzteilhaltung, der Wartung und Reparatur.

Bei den verschiedenen Einsatzfeldern für Rohrleitungssysteme müssen selbstverständlich die gültigen technischen Regeln, einschlägigen Normen und speziell erforderlichen Zulassungen betrachtet werden. Dies gilt sowohl für den Bau von Rohrleitungskomponenten als auch für die Realisierung von kompletten Systemen und Anlagen. Aus den Normen und Richtlinien nach DIN, ISO, DVGW, DVS und GKR ist besonders die DIN 1988, Technische Regeln für Trinkwasserinstallationen (TRWI), zu erwähnen. Diese Norm enthält grundsätzliche Angaben, die über das Medium Wasser hinaus bei Leitungsanlagen Verwendung finden können. Ein weiterer Hinweis gilt dem Wasserhaushaltsgesetz (WHG), der Druckbehälterverordnung und den Zulassungen des DIBt.

Bedeutung des Zusammenwirkens im System

In einem Rohrleitungssystem für flüssige und gasförmige Medien wirken alle Bauteile und die Installationsart auf die Funktion ein. Besonders gilt dies für Pumpen und Stellglieder mit ihren dynamischen Auswirkungen. Einheitliche, gleichartige bzw. zusammenpassende Materialien für die Komponenten vermeiden viele Störungen im System, wie z.B. durch Wärmedehnung und Korrosion. Die Aufhängung, die Berücksichtigung der Längenänderung, die Leitungsführung, die Schaltgeschwindigkeit der Armaturen können zu Druckschlägen mit verheerenden Auswirkungen führen.

Der Planer muß bei der Komponentenauswahl das Zusammenwirken zwischen Differenzdruck, Vakuum und Eigenerwärmung von Komponenten (z.B. bei einem Magnetventil) im System genau beachten.

Sinnvoller Planungsablauf

Neben den allgemein zur Verfügung stehenden Planungsgrundlagen hat sich das Schema „Planungskriterien für Kunststoffrohrleitungssysteme" (Bild 1) als hilfreich erwiesen. Es zeigt einen klaren Ablaufweg zum optimalen System. Betrachtet man die Wirtschaftlichkeit, so muß man zwischen den Anschaffungskosten, den Einbau- und Inbetriebnahmekosten sowie den Betriebskosten unterscheiden. Bei der Preisrelation verschiedener Werkstoffe in fertig verlegten Industrie-Komplettsystemen mit Rohren, Formstücken, Armaturen und Zubehör ergibt sich nach der Analyse des Verfassers zur Zeit ein Ergebnis wie in Bild 2 dargestellt. Die Kosten hängen von der unterschiedlichen Nachfrage, vom Sor-

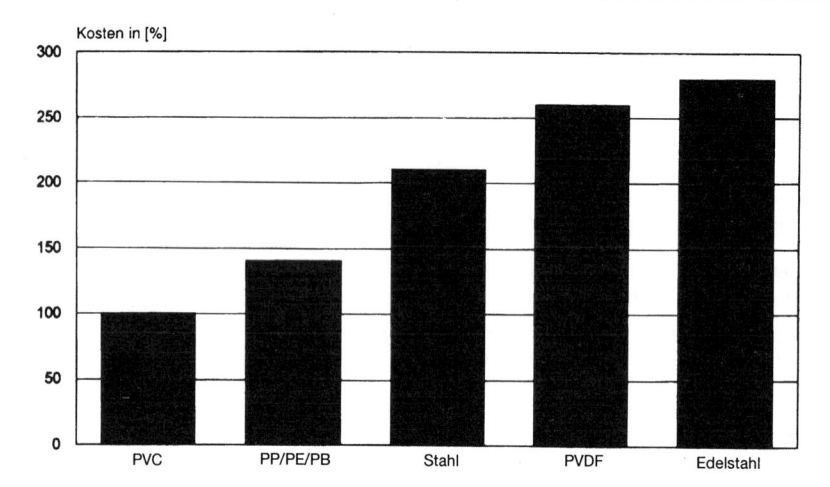

Bild 2: Preisrelation Werkstoffe/Komplettsysteme

timentsangebot am Markt und besonders von den unterschiedlichen Verarbeitungszeiten und -kosten ab. In die Überlegungen bei der Planung muß natürlich mit eingehen, welche Hilfsmittel, Werkzeuge und Maschinen zur Verfügung stehen bzw. angeschafft werden müssen.

SV - Schrägsitzventil pneumatisch
MV - Membranventil pneumatisch
KHp - Kugelhahn pneumatisch
KHe - Kugelhahn elektrisch
MGV - Magnetventil

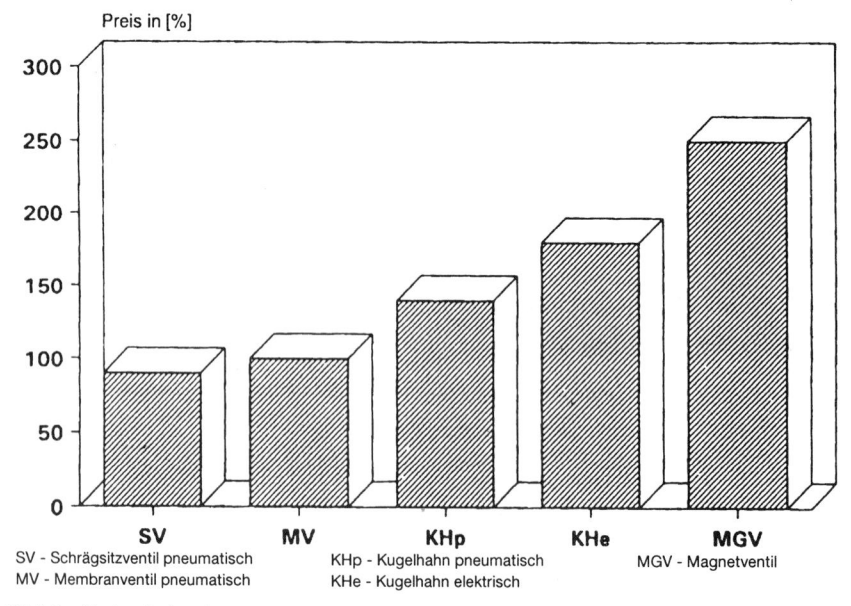

Bild 3: Preisrelation Anschaffung Automatikarmaturen DN 32

Industrieleitungen

		elektromotorisch	magnetisch	pneumatisch
1.	Investitionskosten	2	2,5	1
2.	Betriebskosten/Energiekosten	1	1,5	12
3.	Leistungsgewicht	40 W/kg	30 W/kg	400 W/kg
4.	Geschwindigkeit/Beschleunigung	mittel	hoch	hoch
5.	Schaltzeit	mittel	kurz	kurz
6.	Schalthäufigkeit	mittel	hoch	hoch
7.	Regelbarkeit	einfach	aufwendig	mittel
8.	Zwischenstellung	einfach	aufwendig	möglich
9.	Energiespeicherung	aufwendig	aufwendig	einfach
10.	Überlastungsgefahr	groß	groß	klein
11.	Robustheit	mittel	mittel	hoch
12.	Ex-Schutz	aufwendig	aufwendig	einfach
13.	Druck-/Nennweitenbereich	mittel	niedrig	groß
14.	Wartungsbedarf	gering	gering	gering
15.	Umweltbelastung	gering	gering	klein

Bild 4: Auswahlkriterien und Vergleich elektromot. / magn. / pneum. Antriebe

Bei den Armaturen sind die unterschiedlichen Funktionsrahmenbedingungen einzubeziehen, z.b. die stark differierenden Durchflußwerte und Stellzeiten, außerdem der Anschaffungspreis. Bild 3 zeigt die Preisrelation zwischen einem Schrägsitzventil pneumatisch, Membranventil pneumatisch, Kugelhahn pneumatisch, Kugelhahn elektrisch und Magnetventil elektrisch (Anschaffungskosten für DN 32 ohne Berücksichtigung der Betriebskosten). Aus Bild 4 kann man die Amortisation der Betriebs- und Energiekosten verschiedener Antriebsarten ablesen, die zugunsten des elektrischen Antriebs im Vergleich zum pneumatischen Antrieb ausfällt.

6.2 Werkstoffauswahl

Alle Werkstoffe haben je nach Einsatzfall Vor- und Nachteile. Durch richtige Auswahl kann der Planer Vorteile gezielt nutzen. Die Anwendungsgrenzen der Materialien werden durch das Medium sowie die Druck- und Temperaturbelastbarkeit bestimmt. Ein weiterer Anhaltspunkt, der oft unbeachtet bleibt, ist die Verfügbarkeit von Rohrleitungssystemkomponenten, vor allem mit Blick auf die Notwendigkeit, zusammenpassende Materialien zu verwenden. In Tafel 1 sind die allgemeinen Auswahlkriterien für Kunststoffrohrleitungswerkstoffe zusammengefaßt. Diese Auswahl beinhaltet auch das aktuelle Marktangebot an Komponenten aus serienmäßiger Produktion.

Zur Werkstoffauswahl gehört auch die Kenntnis der Vorteile von technischen Kunststoffen, wie sie heute im industriellen Rohrleitungsbau eingesetzt werden. Es sind dies:

Industrieleitungen

Tafel 1: Allgemeine Auswahlkriterien für Kunststoffrohrleitungswerkstoffe

	Verarbeitungszeit in [%]	Lieferangebot Durchmesserbereich in mm					Druckmax. bar	Temperatur max. °C	chem. Widerstandsfähigkeit	Kleben	Stecken	Flanschen	Kuppeln	Klemmen	Verschrauben	Heizwendelschweißen	Muffenschweißen	Stumpfschweißen	Infrarotschweißen	WNF-Schweißen	Normen – DIN
		Rohre	Formstücke	Armaturen	M+R	Pumpen															
PVC-U	100	6 / 450	6 / 315	10 / 315	15 / 315	–	16 / 4	+5 / +60	++	+	+	+	+	–	+	–	–	–	–	–	–	8062 / 8063 / 3441
PVC-C	100	10 / 160	10 / 160	10 / 110	–	–	25	+60	++	+	+	+	+	–	+	–	–	–	–	–	–	8079 / 16832
PP-H	130	16	16	16	15 / 200	+	10	+10 / +90	++ ($-CH_x$)	–	–	+	+	–	+	+	+	+	+	–	–	8077 / 16962 / 3442
PP-R	130	1600	800	450	–	–	2	+5	+ (-oxyd. säuren)	–	–	+	+	–	+	+	+	+	–	–	–	
PE	130	16 / 1600	16 / 450	–	–	+	10 / 6	+90	++ ($-CH_x$)	–	–	+	+	+	+	+	+	+	+	+	–	
PB	130	16 / 110	16 / 110	–	–	–	25 / 9,5	-45 / +60	+ (-oxyd. säuren)	–	–	+	+	+	+	+	+	–	–	–	–	8074 / 16963 / 3543
PVDF	160	6 / 225	6 / 225	6 / 225	15 / 200	+	16 / 3	+10 / +90	++ (-oxyd. säuren)	–	+	+	+	–	+	–	+	+	+	+	+	16969 / 16831
PFA	250	10 / 32	10 / 25	10 / 25	–	+	10	-35 / +140	++ (-oxyd. säuren)	–	–	–	+	+	+	–	+	+	–	–	–	
GFK	300	25 / 1000	25 / 500	25 / 300	–	+	25	-190 / +250 / +90	++ (-Laugen)	+	+	+	+	–	–	–	–	+	–	–	–	16965 / 16966 / 16967 / 16870 / 16871

- hohe chemische Widerstandsfähigkeit, keine Korrosion, lebensmitteltauglich, für besonders aggressive Medien geeignet

- niedere Dichte, niedriges Gewicht

- einfache Installation

- geringe Wärmeleitfähigkeit mit kleinen Wärmeverlusten, damit verbunden weniger Kondenswasserbildung

- hohe Elastizität, unempfindlich gegen Schlag- und Biegekräfte, gefrierunempfindlich, geringer Abrieb und geringe Körperschallübertragung

- die glatte Oberfläche mindert Druckverluste und verhindert Inkrustation

- die vielfältigen Verbindungsarten wie Schweißen, Kleben, Klemmen, Verschrauben, Flanschen, Kuppeln und Stecken lassen eine optimale Dichtheit der Verbindung zu

- bei entsprechender Rohmaterialauswahl stehen Kunststoffe von höchster Reinheit mit geringer Partikelabgabe und metallionenfrei zur Verfügung.

- zur einfachen Kennzeichnung ist die Herstellung in verschiedenen Farben möglich.

6.2.1 Druck- und Temperaturbelastbarkeit

Alle Rohrleitungswerkstoffe haben bei zunehmender Temperatur eine Verminderung der Druckbelastbarkeit zur Folge. Metallische Rohrleitungswerkstoffe wie Stahl, Gußeisen und Edelstahl zeigen im Temperaturbereich unter 100 °C und bei Drücken unter 16 bar recht breite Anwendungsmöglichkeiten. Da auch bei den meisten metallischen Rohrleitungssystemen Elastomerdichtungen eingesetzt werden, ist wiederum die engere Druck-und Temperaturabhängigkeit zu beachten. Bei thermoplastischen Werkstoffen ist ebenso wie bei Elastomerdichtungen die Korrelation von Druck, Temperatur und Zeit von besonderer Bedeutung. Ausgehend von der Temperatur 20 °C, folgt bei zunehmender Temperatur eine Verminderung der Druckbelastbarkeit.

Zu einer überschlägigen Auswahl dienen Druck-Temperaturdiagramme. Aus diesen Diagrammen kann man in Abhängigkeit von der Betriebstemperatur in °C und dem zulässigen Druck in bar den geeigneten Werkstoff unmittelbar feststellen. Den Diagrammen zugrundegelegt ist jeweils eine angenommene Mindestbetriebsdauer sowie die im Kunststoffrohrleitungsbau üblichen werkstoffspezifischen Sicherheitsfaktoren. Bild 5 zeigt beispielhaft das Druck-und Temperaturdiagramm für Rohre und Fittings aus PVC-U, PE, PP, PB und PVDF. Zugrunde liegen Richtwerte für ungefährliche Durchflußmedien, wie z.B. Wasser, ausgelegt mit einem Sicherheitsfaktor für 25 Jahre Nutzungsdauer (Tafel 2).

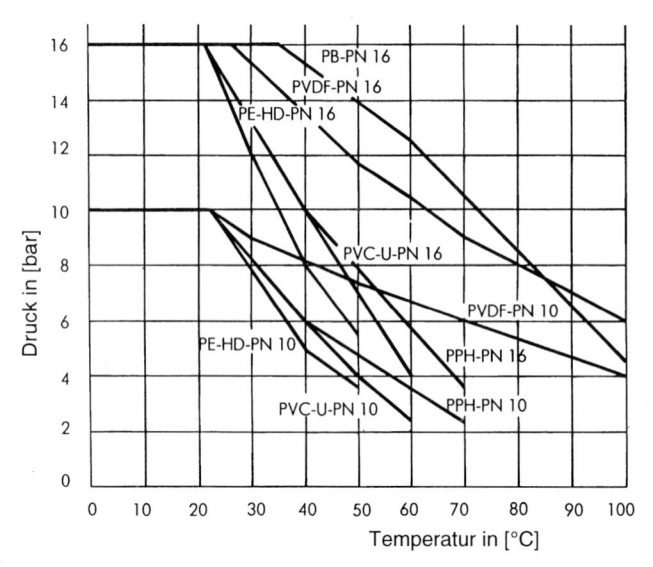

Bild 5: Druck- und Temperaturdiagramm für Rohre und Formstücke aus PVC-U, PE, PP, PB und PVDF

Bei anspruchsvollen, aggressiven und gefährlichen Durchflußmedien ist deren Verhalten gegenüber dem gewählten Rohrleitungswerkstoff und damit der Sicherheitsfaktor zu überprüfen. Als Basis zur Einstufung der Gefährlichkeit sind die Angaben der DIN 2403 zu beachten. Bei gefährlichen Durchflußmedien, bei denen jedoch das Rohr-, Formstücke- und Armaturenmaterial beständig ist, sollte in jedem Fall eine Reduzierung des Druckes um eine Stufe vorgenommen werden. Bei Durchflußmedien, gegenüber denen ein Rohrleitungswerkstoff nur bedingt beständig ist, sollte von Fall zu Fall – in Abhängigkeit von den jeweiligen Belastungsbedingungen und den vorliegenden Erfahrungen hinsichtlich der Einstufung und Eignung – entschieden werden. Die entsprechenden Maßnormen der Werkstoffe müssen Beachtung finden.

Tafel 2: Werkstoffübliche Sicherheitsfaktoren, geltend für ungefährliche Medien

Werkstoff	SF	Werkstoff	SF
PVC-U	2,5	PE-HD	1,25
PVC-C	2,5	PB	1,25
PVDF	2,0	PE-X	1,5
PP-H	1,6	ABS	1,3
PP-R	1,25		

DEKA Rohrsysteme

„Wer Verantwortung trägt, wählt die sichere Lösung"

DEKA Kunststoff-Rohrsysteme kommen dort zum Einsatz, wo nichts passieren darf. Wo aggressive Medien und besondere Anforderungen hohe Standards verlangen.

Daß unsere Systeme auch noch einfach zu verarbeiten sind und kritischen Kosten-Nutzen-Analysen standhalten, macht Ihnen die Wahl sicher nicht schwerer!

DEUTSCHE KAPILLAR-PLASTIK GMBH + CO KG
Kreuzstraße 22 · 35232 Dautphetal-Mornshausen
Telefon (0 64 68) 9 15-0 · Telefax (0 64 68) 9 15-2 21+ 2 22

In Sonderfällen ist es unter Berücksichtigung der gegebenen Betriebsbedingungen auch möglich, den Sicherheitsfaktor den Erfordernissen individuell anzupassen. Ausschlaggebend dafür sind beispielsweise eine nur kurze vorgesehene Betriebsdauer der Leitung oder ein diskontinuierlicher Betrieb. Eine begrenzte Erhöhung des Betriebsdruckes oder der Betriebstemperatur ist unter solchen Bedingungen möglich.

Die unterschiedlichen Elastizitätseigenschaften erfordern auch eine besondere Rücksicht bei gasförmigen Medien. So ist z.B. der Einsatz von PVC bei Druckluft nicht geeignet (s. auch Teil VII. 13).

Zum Zwecke der thermischen Entkeimung bei Warmwasserinstallationen müssen Rohrleitungswerkstoffe in diesem Bereich zwingend Temperaturen von mindesten 70 °C standhalten. Damit verbunden wird z.B. das Wachstum von Legionellen (Erreger der Legionärskrankheit) entscheidend vermindert.

Bei der Auswahl von Werkstoffen unter Berücksichtigung der Druck- und Temperaturbelastbarkeit ist es unbedingt erforderlich, die Herstellerangaben zu Anwendungsgrenzen und Sicherheitsfaktoren zu beachten.

Der Zusammenhang zwischen effektivem Sicherheitsfaktor und zulässigem Betriebsdruck

Zur Berechnung von Sicherheitsfaktoren und zulässigem Betriebsdruck ist die Kenntnis der Zeitstandfestigkeit des Werkstoffes Voraussetzung (s. Teil II. 3). In Abhängigkeit von der gewünschten Nutzungsdauer und der maximalen Betriebstemperatur kann aus Diagrammen der entsprechende Wert der Zeitstandfestigkeit entnommen werden. Da bei Formstücken und Armaturen die Wanddicken gegenüber Rohren gleicher Druckstufe im allgemeinen größer sind, um die geometrische Form der Teile zu berücksichtigen, ist es notwendig, die Berechnung von Außendurchmesser und die Wanddicke eines Rohres gleicher Druckstufe zugrunde zu legen.

Der effektive Sicherheitsfaktor ist am Beispiel von PVC-U mit der folgenden Formel zu berechnen:

$$SF = \frac{\sigma_v \cdot 20 \cdot s}{p \cdot (d-s)}$$

Hierbei bedeuten:

SF = Sicherheitsfaktor
σ_v = Zeitstandfestigkeit in [N/mm²]
s = Wanddicke eines Rohres gleichen Nenndruckes in [mm]
d = Rohraußendurchmesser in [mm]
p = Betriebsdruck in [bar]

Industrieleitungen 545

Beispiel:
vorgesehene Nutzungsdauer: 20 Jahre
max. Betriebstemperatur: 40 °C
maximaler Betriebsdruck: 5 bar
Werkstoff: PVC-U
vorgesehene Druckstufe: PN 10
Rohrabmessung: (63 x 3) mm
$\sigma_{v(20J,\,40\,°C)}$: 16 N/mm²

$$SF = \frac{16 \cdot 20 \cdot 3}{5\,(63-3)} = 3{,}2 > 2{,}5$$

Der maximal zulässige Betriebsdruck ist durch Abwandlung der vorgenannten Formel in analoger Weise zu ermitteln:

$$p = \frac{\sigma_v \cdot 20 \cdot s}{SF \cdot (d-s)}$$

Der besseren Anschaulichkeit wegen soll der Rechengang unter Benutzung des vorhergehenden Beispiels gezeigt werden, wobei in diesem Fall jedoch der für PVC-U übliche Mindestwert für den Sicherheitsfaktor SF = 2,5 eingesetzt wird.

$$p = \frac{16 \cdot 20 \cdot 3}{2{,}5\,(63-3)} = 6{,}4 \text{ bar}$$

Auswahl von Kunststoffrohren nach Druckklassen

Die Bemessung innendruckbeanspruchter Rohre aus Thermoplasten erfolgt streng nach den Festigkeitserfordernissen mit Hilfe der sogenannten Kesselformel:

$$s = \frac{p_{e,zul} \cdot d}{20 \cdot \sigma_{v,zul} + p_{e,zul}}$$

Hierbei bedeuten:

s = Rohrwanddicke in [mm]
d = Rohraußendurchmesser in [mm]
$p_{e,zul}$ = zulässiger Betriebsdruck bei 20 °C in [bar]
$\sigma_{v,zul}$ = zulässige Vergleichsspannung in [N/mm²]

Allen in Normen festgelegten Rohrabmessungen liegt diese Berechnungsformel zugrunde. Abweichungen sind nur im unteren Durchmesserbereich zu finden, weil aus praktischen und aus fertigungstechnischen Gründen gewisse Mindestrohrwanddicken nicht unterschritten werden.

Die zulässigen Vergleichsspannungen sind werkstoffabhängig. Sie sind nicht in allen Ländern gleich. Meist gebräuchlich sind folgende Werte:

PVC-U und PVC-C: $\sigma_{v,zul}$ = 10 N/mm^2

PE-HD: $\sigma_{v,zul}$ = 5 N/mm^2

PP: $\sigma_{v,zul}$ = 6,3 N/mm^2

PVDF: $\sigma_{v,zul}$ = 16 N/mm^2

Um Rohre, Formstücke und Armaturen nach einheitlichen Kriterien auswählen zu können, werden sie nach in Normzahlen gestuften Druckklassen eingeteilt.

Weltweit sehr verbreitet ist die Einteilung nach sogenannten Nenndrücken. Der Nenndruck gibt hierbei den zulässigen Betriebsdruck in bar bei 20 °C an. Dabei gilt die Regel: Bauteile gleichen Nenndrucks haben bei gleicher Nennweite gleiche Anschlußmasse. Bei Armaturen ist dies von besonderer Bedeutung.

Bei Rohren aus Thermoplasten haben sich Bestrebungen durchgesetzt, für Rohre gleicher Druckbelastbarkeit druckneutrale Bezeichnungen anzuwenden. Damit soll eine mißverständliche Anwendung von Rohren in unterschiedlichen Anwendungsbereichen oder bei unterschiedlichen Bedingungen vermieden werden.

Gemäß ISO 4065 werden die Rohre in Serien eingeteilt, wobei Rohre gleicher Seriennummer gleiche Belastbarkeit zulassen, wie das vergleichsweise auch bei der Bezeichnung nach Nenndruckstufen der Fall ist. Die Serie wird mit dem Buchstaben S gekennzeichnet.

Der Serienbezeichnung liegt folgende Formel zugrunde:

$$S \approx \frac{\sigma_{v,zul}}{p_{e,zul}} \approx \frac{1}{2}\left(\frac{d}{s}-1\right)$$

S ist also eine dimensionslose Größe.

Für ein PVC-U-Rohr der Abmessungen 110 x 5,3 mm (PN 10) ergibt sich folgende Berechnung:

$$S = \frac{1}{2}\left(\frac{110}{5,238}-1\right) = 10$$

(5,238 mm ist der rechnerische Wert für die Rohrwanddicke, der hier eingesetzt werden muß)

Industrieleitungen

Aus dem amerikanischen Raum ist auch die Bezeichnung SDR bekannt, wobei SDR für Standard Dimension Ratio steht. Mit SDR wird das Durchmesser/Wanddickenverhältnis angegeben. Es ist also:

$$SDR = \frac{d}{s}$$

Serien- und SDR-Bezeichnung sind durch die Formel:

SDR = 2 · S + 1 verbunden.

Bezogen auf das vorher genannte Beispiel ergibt sich somit:

$$S = \frac{100}{5,238} = 21 = 2 \cdot 10 + 1$$

Derzeit sind am Markt alle drei Bezeichnungen – PN, S und SDR – anzutreffen. (Beispiel hierfür: s. nachstehende Gegenüberstellung marktgängiger Programme)

Werkstoff	PVC			PP, PE-HD			PVDF	
Nenndruck	PN 6	PN 10	PN 16	PN 6	PN 10	PN 16	PN 10	PN 16
Serie	S 16	S 10	S 6,3	S 8	S 5	S 3,2	S 16	S 10
SDR	33	21	13,6	17	11	7,4	33	21

Eine Beeinflussung der Druck- und Temperaturbelastbarkeit kann darüber hinaus durch Druckschläge oder durch überlagerte äußere Beanspruchung des Systems erfolgen. Eine gute Leitungsplanung achtet darauf, daß Druckschläge möglichst vermieden bzw. deren Einfluß auf ein technisch und wirtschaftlich vertretbares Mindestmaß reduziert wird. Auslösende Elemente zur Erzeugung von Druckschlägen können schnellschließende Armaturen, wie beispielsweise ohne Dämpfung arbeitende Magnetventile, schnellschließende Kugelhähne oder Klappen, sowie Pumpen allgemein und speziell Dossierpumpen sein. Druck- oder Druckerhöhungspumpen können in Abhängigkeit von ihrer Kennlinie bei Anlagen ohne Speichereinsatz Druckschläge von beachtlicher Größenordnung erzeugen und damit eine Beeinflussung der Lebensdauer und Betriebssicherheit der Anlage hervorrufen. Generell sind Rohre aus Werkstoffen mit niedrigem Elastizitätsmodul unter solchen Bedingungen weniger gefährdet. Der Grund liegt in der direkten Abhängigkeit der Druckwellenfortpflanzungsgeschwindigkeit und damit auch der Druckspitze vom Elastizitätsmodul des Rohrwerkstoffes.

Die Druckspitze wird in einer Kunststoffrohrleitung unter sonst gleichen Bedingungen, wie Fließgeschwindigkeit der Flüssigkeit und Schließgeschwindigkeit des Ventils, stets deutlich niedriger liegen als in einer Rohrleitung aus metallischen Werkstoffen. Für die Praxis bedeutet dies z.B., daß eine PE-Rohrleitung nur geringfügig durch Druckschläge gefährdet ist. Bei einer PVC-Leitung hingegen sollte unter Einbeziehung der eingebauten Formstücke darauf geachtet werden, daß die Druckänderungen nicht größer als etwa ± 2 bar sind. Andernfalls ist bei hoher Amplitudenzahl ein Ermüdungsbruch bei exponierten Bauteilen nicht auszuschließen.

Den Angaben der zulässigen Druckbelastbarkeit ist jeweils die zulässige Betriebstemperatur zugeordnet. In der Praxis wird die mittlere Rohrwandtemperatur vielfach von diesem Wert abweichen. Dies ist durch die geringe Wärmeleitfähigkeit thermoplastischer Werkstoffe bedingt. Die mittlere Rohrwandtemperatur wird sich daher zwischen dem Medium und der Außentemperatur einpendeln. Liegt hingegen die Außentemperatur über der des Durchflußmediums, muß bei der Materialauswahl die Außentemperatur zugrunde gelegt werden, da bei der Strömungsgeschwindigkeit 0, die immer berücksichtigt werden muß, sich die Rohrwandtemperatur der Außentemperatur angleichen wird. Bei bestimmten Anlagen ist es sinnvoll durch eine Außenisolierung den Einfluß der Außentemperatur zu eliminieren. Eine Außenisolierung kann auch erforderlich werden, wenn bei deutlicher Differenz zwischen der Temperatur eines kalten Mediums und der Außenatmosphäre die Luftfeuchtigkeit hoch und eine Kondensatbildung an den Außenflächen der Leitung unerwünscht ist. Unter entsprechenden Bedingungen kann trotz des sehr niedrigen Wärmeleitwertes des Materials eine Taubildung nicht ausgeschlossen werden.

Oft stellt sich auch die Frage der Anwendungen bei niedrigen Temperaturen. Während bei hohen Temperaturen eine scharfe Grenze des Anwendungsbereiches zu ziehen ist, kann bei niedrigen Temperaturen von einem fließenden Übergang gesprochen werden. Da die Zugfestigkeit von Werkstoffen bei sinkender Temperatur generell zunimmt, die Schlagzähigkeit hingegen abnimmt, wird die zulässige Grenztemperatur im Kältebereich vorwiegend durch die geforderten Gebrauchseigenschaften bestimmt. Wenn bei einer geplanten Rohrleitung z.B. bei einer anzurechnenden Tiefsttemperatur von minus 10 °C mechanische Beanspruchungen nicht auszuschließen sind, wird man PE, PB oder auch PVDF gegenüber PVC-U oder PP vorziehen. Können mechanische Beanspruchungen im Bereich niedriger Temperaturen jedoch ausgeklammert werden, ist PVC-U durchaus geeignet. Kühlsohleleitungen aus PVC-U sind in zahlreichen Unternehmen der Getränkeindustrie seit vielen Jahren bei Temperaturen bis zu etwa minus 15 °C mit bestem Erfolg in Betrieb. Die Bevorzugung von PVC-U ist in solchen Fällen primär auf die Verfügbarkeit von Rohren, Formstücken und Armaturen in den erforderlichen Durchmessern und Typen zurückzuführen. Auch sind die Verarbeitungs- und Verlegekosten sowie der Materialpreis mit-

Industrieleitungen 549

bestimmend. Für tiefe Temperaturen ist der klebbare Kunststoff ABS besonders geeignet. Die Schlagfestigkeit dieses Materials bis zu minus 40 °C ist hervorragend, ebenso seine Eigenschaft, eine Rißfortpflanzung zu verhindern. Gerade bei Industrierohrleitungen sind die genannten Aspekte zu Fragen der zulässigen Druck- und Temperaturbelastbarkeit von besonderer Bedeutung.

6.2.2 Chemische Beständigkeit

Im Normalfall werden metallische Werkstoffe durch abrasive Medien stärker angegriffen als Kunststoffe. Eine wässerige Mangandioxid-Suspension schädigt bereits nach 8 Tagen einen Membranventil-Durchflußkörper aus Gußeisen stark, der mit einer 3 mm Gummierung versehen ist. Eine Lebensdauerverbesserung auf Monate hin ergibt sich bei Durchflußkörpern z.B. aus PVDF. Die steigende Qualität beim Abrasionsverhalten sieht wie folgt aus:

– Gummiertes Material < Gußeisen < PP < PVC-U < PVDF.

Metallische Werkstoffe unterliegen der Korrosion, da sie mit der Umgebung reagieren. Korrosionsfolgen und -schäden können mit entsprechenden Maßnahmen und Zusatzinvestitionen gemindert werden, falls die chemische Widerstandsfähigkeit des Metalls zum Medium grundsätzlich ausreicht. Die erheblichen volkswirtschaftlichen Verluste durch Korrosion in den Industriestaaten können durch den Einsatz von technischen Kunststoffen im Rohrleitungsbau vermieden werden. Durch diesen Einsatz reduzieren sich auch die Einbußen an Qualität, Funktion und Gebrauchsdauer der Anlagen und Anlagenteile.

Die chemische Beständigkeit ist bei einem Vergleich der unterschiedlichen Werkstoffe für Rohre, Formstücke und Armaturen von großer Bedeutung; außerdem müssen in die Überprüfung auch Dichtungen und Rohrverbindungen einbezogen werden.

Tafel 3 zeigt allgemein für Werkstoffe die Medien, gegen die sie beständig bzw. unbeständig sind.

Tafel 3: Allgemeine chemische Widerstandsfähigkeit von Thermoplasten

	PVC-U/PVC-C	PP	PB	PE	PVDF
widerstandsfähig	Säuren und Laugen	Säuren, Laugen und schwache Lösungsmittel			Säuren Oxydierende Medien Lösungsmittel Halogene
nicht widerstandsfähig	aromatische Lösungsmittel	oxydierende Säuren Halogene			Amine Alkalien

Tafel 4: Kunststoffe/Dichtungen – chemische Widerstandsfähigkeit und Anwendungsgrenzen

Werkstoff-gruppe	Bezeich-nung	Temperaturbereich min	Temperaturbereich max	Chemische Widerstandsfähigkeit widertandsfähig
Thermoplaste, amorph	PVC-U	– 10 °C	+ 60 °C	Säuren u. Laugen, Salzlösungen
Thermoplaste, amorph	PVC-C	– 10 °C	+ 90 °C	Säuren u. Laugen, Salzlösungen
Thermoplaste, amorph	ABS	– 40 °C	+ 80 °C	schwache Säuren, Laugen, Kühlsohle
Thermop., teilkrl. Poylolefin	PE-80	– 50 °C	+ 80 °C	Säuren, Laugen, schwache Lösungsmittel
Thermop., teilkrl. Poylolefin	PE-100	– 50 °C	+ 80 °C	Säuren, Laugen, schwache Lösungsmittel
Thermop., teilkrl. Poylolefin	PP-H	– 10 °C	+ 80 °C	Säuren, Laugen, schwache Lösungsmittel
Thermopl., teilkrl. Poylolefin	PB	– 10 °C	+ 90 °C	Säuren, Laugen, schwache Lösungsmittel
Thermop., teilkrl. Fluorkunststoff	PVDF	– 40 °C	+140 °C	Säuren, oxydierende Medien, Lösungsmittel, Halogene
Thermop., teilkrl. Fluorkunststoff	PVDF HP	– 40 °C	+140 °C	Säuren, oxydierende Medien, Lösungsmittel, Halogene
Thermop., teilkrl. Fluorkunststoff	ECTFE	– 76 °C	+160 °C	Säuren, Laugen, Salze, aliph. u. aro. CKW, Alkohole, Phenole, Halogene, Ketone, Ester, Amine
Thermop., teilkrl. Fluorkunststoff	FEP	–190 °C	+205 °C	fast uneingeschränkte Resistenz gegen Chemikalien

Industrieleitungen 551

Chemische Widerstandsfähigkeit nicht widerstandsfähig	Verarbeitung	Besondere Eigenschaften	Anwendungsbereich
aromatische Lösungsmittel, chlorierte Kohlenwasserstoffe	klebbar	allgem. gute chem. Beständigkeit, einfache Verarbeitung	Rohre, Formstücke, Armaturen, Halbzeuge
aromatische Lösungsmittel	klebbar	erhöhte Temperaturbeständigkeit, einfache Verarbeitung	Rohre, Formstücke, Armaturen, Halbzeuge
aromatische Lösungsmittel, Öle	klebbar	besonders schlagzäh bei niedrigen Temperaturen, einfache Verarbeitung	Rohre, Formstücke, Armaturen, Halbzeuge
oxydierende Säuren, Halogene	schweißbar	allgem. gute chem. Beständigkeit, zäh auch bei niedrigen Temperaturen	Rohre, Formstücke, Armaturen, Halbzeuge, Behälter
oxydierende Säuren, Halogene	schweißbar	gleiche Eigenschaften wie PE-80, jedoch höhere Festigkeit	Rohre, Formstücke, Armaturen, Halbzeuge, Behälter
oxydierende Säuren, Halogene	schweißbar	hohe allgem. chem. Beständigkeit gutes Zeitstandsverhalten	Rohre, Formstücke, Armaturen, Halbzeuge, Behälter
oxydierende Säuren, Halogene	schweißbar	besonders flexibles Material, gutes Zeitstandsverhalten	Rohre, Formstücke, Armaturen
Amine, Alkalien	schweißbar	hervorragende phys. u. chem. Eigenschaften, abriebfest, additivfrei	Rohre, Formstücke, Armaturen, Halbzeuge, Auskleidungen
Amine, Alkalien	schweißbar	gleiche Eigenschaften wie PVDF, jedoch hochrein (High Purity)	Rohre, Formstücke, Armaturen, Halbzeuge, Auskleidungen
Furane	schweißbar	außerordentliche physikalische u. chemische Eigenschaften, hohe Resistenz gegen konz. Chemikalien	Halbzeuge, Auskleidungen
	schweißbar	fast uneingeschränkte Korrosions- u. Temperaturbeständigkeit	Halbzeuge, Auskleidungen, Beschichtungen

Tafel 4: Fortsetzung

Werkstoffgruppe	Bezeichnung	Temperaturbereich min	Temperaturbereich max	Chemische Widerstandsfähigkeit widertandsfähig
Thermop., teilkrl. Fluorkunststoff	PFA	−190 °C	+260 °C	fast uneingeschränkte Resistenz gegen Chemikalien
Elastomere	EPDM	max. + 90 °C		aggressive Chemikalien
Elastomere Fluorkautschuk	FPM	max. +150 °C		aggressive Chemikalien, Lösungsmittel
Elastomere Fluorkautschuk	PTFE	max. +260 °C		Hervorragende chemische Beständigkeit aller Werkstoffe

In Tafel 4 sind den hauptsächlich gebräuchlichen techn. Kunststoffen und Dichtungswerkstoffen Angaben zur chemischen Widerstandsfähigkeit und Anwendungsgrenzen zugeordnet.

Aus Tafel 5 ergeben sich entsprechende Hinweise für technische Kunststoffe und metallische Werkstoffe.

Im Teil IX. 3 werden detaillierte Angaben zur chemischen Widerstandsfähigkeit von Thermoplast- und Elastomer-Werkstoffen für den Rohrleitungsbau gemacht.

6.3 Hydraulische Eigenschaften

Der Rauhigkeitswert k kann bei nahtlos extrudierten Kunststoffrohren mit 0,007 mm angenommen werden.

Bei speziellen Qualitäten der Werkstoffe PVDF und PP kann man mit Rauhigkeitswerten von 0,001 mm rechnen.

Für die Bestimmung der Druckverluste von Formstücken dienen die Widerstandsbeiwerte ζ; Richtwerte sind in Tafel 6 aufgeführt. Die Druckverluste sind vom Formstücktyp und vom Strömungsverlauf im Formstück abhängig. Für die Berechnung des Druckverlustes aller Formstücke einer Rohrleitung ist die Summe aller Einzelverluste, das heißt die Summe aller Zetawerte, zu ermitteln. Der Druckverlust kann dann unmittelbar mit der folgenden Formel berechnet werden:

$$\Delta p_{Fi} = \Sigma \zeta \cdot \frac{v^2}{2 \cdot g} \cdot \rho \cdot 1000$$

Chemische Widerstandsfähigkeit nicht widerstandsfähig	Verarbeitung	Besondere Eigenschaften	Anwendungsbereich
	schweißbar	fast uneingeschränkte Korrosions- u. Temperaturbeständigkeit, hochrein	Halbzeuge, Auskleidungen, Schläuche, Beschichtungen
Öle, Fette			Dichtwerkstoff
Amine, Alkalien			Dichtwerkstoff
			Dichtwerkstoff, Auskleidungen, Beschichtungen

Hierbei bedeuten:

Δp_{Fi} = Druckverlust aller Formstücke in [mm WS]

$\Sigma \zeta$ = Summe aller Einzelverluste

v = Fließgeschwindigkeit in [m/s]

g = Erdbeschleunigung 9,81 m/s²

ρ = Dichte des Fördermediums in [g/cm³]

Die Druckverluste von Armaturen sind stark konstruktionsabhängig. Bild 6 zeigt den Vergleich von Durchflußwerten zwischen Kugelhähnen (KH) und Membranventilen (MV) über die verschiedenen Dimensionen. Da viele Konstruktionseinzelheiten firmenabhängig sind, wird empfohlen, die k_v-Werte der einzelnen Armaturen genau zu prüfen.

Der Druckverlust aus dem k_v-Wert einer Armatur kann wie folgt berechnet werden:

$$\Delta p_{Ar} = \left(\frac{Q}{k_v}\right)^2 \cdot \frac{\rho}{1000}$$

Hierbei bedeuten:

Δp_{Ar} = Druckverlust der Armatur in [bar]

Q = Durchflußmenge in [m³/h]

ρ = Dichte des Fördermediums in [kg/m³]

k_v = Ventilkennwert in [m³/h]

Tafel 5: Chemische Widerstandsfähigkeit unterschiedlicher Rohrleitungsmaterialien

Medium	Temp. [°C]	Konz. [%]	Al	Cu	Grauguß	Edelstahl	PVC	ABS	PB/PP/PE	PVDF
Abwasser	20	gesät	0	0	0	+	+	+	+	+
Aceton	20	gesät	0	+	+	+	–	–	+	0
Buttersäure	20		+	–	–	+	+	–	+	+
Chromsäure	50	> 25	–	–	0	–	+	–	–	+
Flußsäure	20	> 20					+	–	+	+
Königswasser	20		–	–	–	–	+	–	0	0
Kupferchlorid	20		–	+	0	0	+	+	+	+
Laugen	20		–	+	–	+	+	+	+	–
Meerwasser	20		+	–	–	0	+	–	+	+
Salpetersäure	20	> 25	–	–	–	0	+	–	0	+
Salzsäure	20	> 30	–	0	–	–	+	–	+	+
Schwefelsäure	50	> 50	–	0	–	–	+	–	+	+
Waschmittel	20		–	+	–	+	+	–	+	+

Tafel 6: Widerstandsbeiwerte für Formstücke

Rohraussendurchmesser d mm	20	32	50	≥ 63
Formstück Typ	Widerstandsbeiwert ζ			
 ⌐ (90° Bogen)	1,5	1,0	0,6	0,5
 ⌐ (90° Winkel)	2,0	1,7	1,1	0,8
 ⌐ (45° Bogen)	0,3			
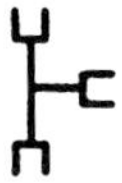 T-Stück	1,5			
 Einströmung	0,5			
 Ausströmung	1,0			

Die Summe aller Druckverluste der Rohrleitung ergibt sich dann aus:

$\Sigma \Delta p = \Delta p_R + \Delta p_{Fi} + \Delta p_{Ar}$

Je nach Anzahl und Ausführungsqualität der Rohrverbindungen sollte für Druckverluste von Verbindungen noch ein Zuschlag von 3–5 % auf den zuvor ermittelten Gesamtdruckverlust $\Sigma \Delta p$ eingerechnet werden.

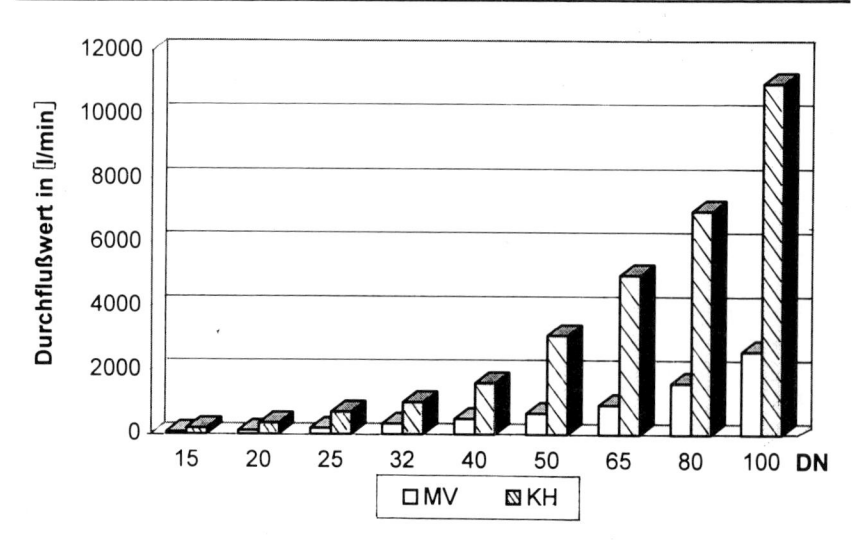

Bild 6: Vergleich von Durchflußwerten k_v 100 zwischen Kugelhähnen und Membranventilen

6.4 Allgemeine chemische und physikalische Eigenschaften

Für die Beförderung von Desinfektionslösungen werden z.B. in Kliniken Rohrleitungen aus Kunststoff installiert. Desinfektionsmittel sind meist wässerige oder alkoholische Lösungen, die spezielle Wirkstoffe gegen Mikroben und meist auch Tenside enthalten. Letztere verstärken durch ihre Kapillaraktivität die mikrobizide Wirkung. Je nach Verwendungszweck werden auch chlorabspaltende Wirkstoffe verwendet. Obwohl auch der pH-Wert innerhalb gewisser Grenzen, von schwach sauer bis schwach alkalisch, schwanken kann, hat dieser praktisch keinen Einfluß auf die Widerstandsfähigkeit der Kunststoffe.

Die Werkstoffauswahl ist sorgfältig zu treffen, da einige Desinfektionslösungen eine Schädigung bestimmter Thermoplaste bewirken können.

In speziell angesetzten Versuchsreihen zeigte es sich, daß PVDF und PE fast ohne Einschränkung geeignet sind, während PP kaum Eignung zeigte. Der Werkstoff PVC ist ebenfalls geeignet, sofern bestimmte Regeln beim Herstellen der Klebverbindung sowie bei der Festsetzung der Betriebsbedingungen eingehalten werden. Es ist zu empfehlen, vom Lieferanten der Desinfektionslösung eine schriftliche Bestätigung über die Verträglichkeit mit dem zur Verwendung vorgesehenen Leitungsmaterial anzufordern.

Die in der Regel im Rohrleitungsbau verwendeten Thermoplaste PB, PE, PP, PVC und PVDF sind nicht leitende Werkstoffe. Ihr spezifischer Widerstand liegt über 10^6 Ωm. Somit ist die Entstehung elektrischer Ladungen nicht auszuschließen. Die mögliche elektrostatische Aufladung der Rohrleitung kann hinderlich und sogar gefährlich werden, wenn elektrisch zündfähige Medien befördert oder die Leitungen in explosionsgefährdeten Räumen verlegt werden sollen. Sobald bei festen Stoffen ein Oberflächenwiderstand von 10^9 Ωm überschritten wird, gilt das Material als elektrostatisch aufladbar. Für die Verlegung von Kunststoffleitungen in Bereichen, in denen zündfähige Gemische auftreten können, z.b. im Bergbau, in Teilbereichen der Lackindustrie oder bei Prozessen, bei denen Dämpfe brennbarer Lösungsmittel entstehen können, müssen Vorkehrungen getroffen werden. Bei der Beförderung von zündfähigen Gasen oder Flüssigkeiten durch Kunststoffrohre besteht solange keine Gefahr, wie das System geschlossen ist. Durch reduzierte Fördergeschwindigkeiten kann die Aufladung außerdem vermindert werden. Grundsätzlich besteht die Möglichkeit, elektrisch nicht leitfähige Kunststoffe durch besondere Maßnahmen, z.B. durch Zusatz von Ruß, leitfähig zu machen. Durch Zusätze dieser Art können allerdings andere Eigenschaften, die wünschenswert sind, nachteilig beeinflußt werden. Es ist daher im Einzelfall zu prüfen, mit welchem Material die beste Lösung zu finden ist. Wenn Kunststoffrohrleitungen in Räumen verlegt werden sollen, in denen zündfähige Gas-/Luftgemische auftreten können, oder wenn durch Kunststoffrohre elektrisch nicht leitfähige Medien befördert werden sollen, sind bei der Planung folgende externe Maßnahmen möglich:

- Vermeidung von zündfähigen Gemischen durch gute Belüftung oder Absaugung

- Vermeidung von Aufladungen durch Ionisieren der Luft

- Ableiten von Aufladungen, durch z.B. Leitfähigmachen der Rohroberflächen durch einen elektrisch leitfähigen Anstrich mit einer Metallstaub enthaltenden lösungsmittelfreien Farbe oder durch Umwickeln der Rohrleitung mit einer leitfähigen Folie (Es ist unerläßlich, die Leitung dann auch zu erden)

- Verhindern von Aufladungen durch Erhöhung der relativen Luftfeuchtigkeit , unter anderem durch Realisieren eines leitfähigen Wasserfilms

- Beachtung des Prozesses im Rohrinnenraum.

Hygienische und toxikologische Anforderungen werden bei industriellen Prozeßleitungen nicht in großem Umfang gestellt. In verschiedenen Bereichen der Halbleiter-, der Getränke-, Lebensmittel- und Pharmaindustrie werden erhebliche Anforderungen an die hygienische und toxikologische Unbedenklichkeit gestellt. Für die normalen Anforderungen in diesen Bereichen sind die aus PB, PE, PP, PVC und PVDF hergestellten Rohre, Formstücke und Armaturen im Regelfall geeignet. Dies gilt besonders für die Beförderung von Trinkwasser.

Spezielle Anforderungen im Pharma- und Halbleiterbereich an die Reinheit der Medien erfordern auch Kunststoffmaterialien von höchster Reinheit. Diese werden unter anderem mit dem speziellen Auswahlverfahren und Prozeßablauf beim Werkstoff PVDF-HP (High Purity) realisiert. Hier werden Reinheitsgrade des Mediums erreicht, die auch von metallischen Werkstoffen nicht erfüllt werden können.

Das Verhalten von Kunststoffen gegenüber intensiver Sonneneinstrahlung und energiereicher Strahlung ist differenziert. Von PVC-, PE- und PVDF-Druckleitungen ist beispielsweise bekannt, daß sie sich in weit mehr als zehnjährigem Einsatz als im Freien angeordnete Installationen sehr gut bewährt haben. Dies, obwohl in einigen Vorschriften zeitliche Begrenzungen für eine Freilagerung enthalten sind. Zweifellos erfolgt durch dauernde und intensive Bestrahlung mit UV-Licht langfristig eine Beeinflussung der Werkstoffeigenschaften, ohne daß jedoch die Gebrauchstüchtigkeit der Leitung dadurch unmittelbar beeinträchtigt werden muß. Eine Abnahme der Schlagzähigkeit bei Bauteilen aus PVC ist einzurechnen. Rohrleitungen aus PP normaler Einstellung sind für Freiverlegungen ungeeignet. PVDF hat eine außerordentliche Resistenz gegenüber UV-Licht sowie gegenüber Gammastrahlen, so daß keine Einschränkungen für eine Freiverlegung bestehen.

Brandverhalten und Brandschutz

Bei jedem Brand laufen Prozesse ab, die auch für Kunststoffe zutreffen. Wichtig ist, daß die Brandschutzbestimmungen eingehalten und kontrolliert werden. Es gibt ein festes Netz von Brandschutzmaßnahmen: das Bauordnungsamt ist zuständig für Sicherheitsmaßnahmen am Gebäude; die Gewerbeaufsicht, die Feuerwehr und die Umweltbeauftragten in den Betrieben kontrollieren die Sicherheit für Menschen und Umwelt.

Jede unkontrollierte Verbrennung ist gefährlich: Mangelnde Sauerstoffzufuhr führt zu starker Rauchentwicklung. Beim Brand chlorhaltiger Stoffe können Chlorwasserstoff und Spuren von Dioxin entstehen. Im übrigen werden Gase wie Kohlenmonoxid und Stickoxid freigesetzt; sie und der sich bildende Ruß belasten Nachbarschaft und Atmosphäre. Für Industrieinstallationen sowie bei Installationen in Bauwerken sind Kenntnisse über das Verhalten des Materials im Brandfall notwendig.

PB, PE und PP-Rohre und Rohrleitungskomponenten in ihren Standardversionen sind nach DIN 4102 Teil 11 der Brandschutzklasse B 2 zugeordnet und damit normal entflammbar. Sind bei Wand- und Deckendurchführungen von Rohren > als d 63 brandschutztechnische Maßnahmen erforderlich, dürfen nur Brandschutzabschottungen mit einer entsprechenden Zulassung verwendet werden. Bei unter Putz verlegten Leitungen sind in der Regel keine besonderen Brandschutzmaßnahmen zu treffen. Beim Einsatz dieser Werkstoffe für Feuerlöschleitungen sind die örtlichen feuerpolizeilichen Bestimmungen zu berücksichtigen. Dazu können unter anderem eine feuerhemmende Verlegung unter

Putz oder – bei offener Montage – eine entsprechende Mindestisolierung gehören.

Unter Einwirkung von offenem Feuer brennen PB, PE und PP mit heller Flamme und tropfen dabei ab. Nach Entfernen der Zündquelle brennen die Materialien selbständig weiter. PVC und PVDF verlöschen ohne Dauereinwirkung von Feuer selbst. Damit entsprechen diese beiden Werkstoffe in ihrem Brandverhalten den Anforderungen B 1 nach DIN 4102 und sind als schwerentflammbar eingestuft. Nahezu alle technischen Thermoplaste können durch Additive ausreichend flammwidrig eingestellt werden. Diese Flammschutzmittel verzögern bzw. unterbinden den Verbrennungsprozeß.

Zum Brandverhalten siehe auch Teil II.5.

6.5 Rohrleitungen

Es sollten nur Produkte von Herstellern eingesetzt werden, die die relevanten Normen für Abmessungen und Werkstoffeigenschaften in gleichbleibender Güte erfüllen. Dies sollte nicht nur durch die Eigenüberwachung der Fabrikation sichergestellt werden, sondern darüber hinaus durch Überwachungsverträge mit

---

TEFLON® PFA GARANTIERT SICHERE VERBINDUNGEN IN VIELEN KRITISCHEN ANWENDUNGSFÄLLEN

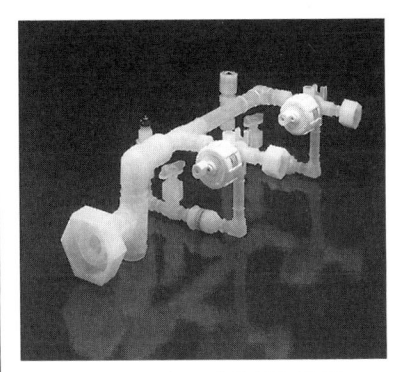

Machen Sie Ihre Verbindungen sicher, indem Sie verläßliche Fluoroware® Critical Fluid Management Produkte einsetzen. Die hohe Zugfestigkeit von Teflon® PFA schafft dauerhafte Produkte, die auch extremsten Bedingungen standhalten. Ideal für Umgebungen mit hohen Temperaturen und im Umgang mit hochreinen und aggressiven Medien werden diese korrosionsbeständigen Produkte erfolgreich unter anderem in Versuchsanlagen und Prozeßkontrollen, eingesetzt.

Fluoroware ist seit April 1993 ISO 9001 zertifiziert.

Zu den Fluoroware® und Galtek® Produkten gehören:

● Schläuche und Rohre ● Ventile und Durchflußmesser
● Rohre und Fittinge ● kundenspezifische Produkte
● Container und Tanks ● espy® kapazitive Sensoren

Fluoroware testet umfassend alle Critical Fluid Management Komponenten in ihrem mit modernster Technik ausgestatteten Versuchslabor – Ihre Sicherheit immer vor Augen.

Für weitere Informationen wenden Sie sich bitte an:

METRON TECHNOLOGY

Metron Technology (Deutschland) GmbH, Saturnstraße 48, D-85609 Aschheim
Telefon 089/90 474-251, Fax 089/90 474-361

unabhängigen Prüfinstituten. Bei Rohren und Formstücken ist auch auf die ordnungsgemäße Kennzeichnung zu achten: Herstellername, Rohraußendurchmesser, Materialbezeichnung, Druckangabe und bei Gewindefittings noch die Rohrgewindegröße. Um die Montagearbeit wesentlich zu erleichtern, ist eine 45° Winkelmarkierung sehr sinnvoll.

6.5.1 Rohre und Formstücke aus PVC-U

Die Farbe der Rohre und Formstücke ist im wesentlichen dunkelgrau. Teilweise gibt es auch transparente oder rot eingefärbte Versionen. Die Abmessungen der PVC-U-Rohre sind in DIN 8062, die der Formstücke in DIN 8063 und DIN 2999 genormt. Für die industrielle Anwendung kommen bevorzugt Rohre der Nenndruckstufen PN 10 und PN 16 in Frage. Die Rohre werden vorwiegend in Baulängen von 5 Metern mit beidseitig glatten Enden als Industrierohre geliefert. Die Verbindung der Rohre erfolgt durch Klebmuffen bzw. Formstücke. Elastomergedichtete Steckverbindungen, die im erdverlegten Druckwasserbereich eingesetzt werden, sind bei Industrieleitungen weniger gebräuchlich. Hier werden wegen der aufzunehmenden Axialkräfte auch bei Verlegung in Gebäuden oder Schächten kraftschlüssige Rohrverbindungen wie Klebverbindungen bevorzugt. PVC-U-Klebformstücke werden für Rohrdurchmesser von 6–315 mm und in den Druckstufen PN 6, PN 10 und PN 16 geliefert. Abmessungen und technische Lieferbedingungen nach DIN 8063 beziehen sich auf die Herstellung kalibrierloser Klebverbindungen unter Verwendung eines spaltfüllenden Klebstoffes. Das angebotene Formstücksortiment am Markt ist außerordentlich umfangreich (Tafel 7) und enthält neben lösbaren Rohrverbindungselementen auch alle in der Praxis benötigten Übergangsverbindungen.

Tafel 7: Marktangebot an Formstücken aus PVC-U

Bezeichnung Max. Betriebsdruck, PN (6, 10) 16	Daten PVC-U
Formstücke zum Kleben Bogen, Winkel, T-Stück, Kreuz, Muffe, Reduktionen, Bundbuchsen	Durchmesserbereich 6–315 mm
Verschraubungen	Durchmesserbereich 10–110 mm
Übergangsverschraubungen Übergangsformstücke	Durchmesserbereich 12 x 1/4" bis 90 x 3" / 4" d110
Gewindeformstücke	Durchmesserbereich bis 4"
Flansche	Durchmesserbereich 16–315 mm
Anschlußschellen, Dichtschellen	Durchmesserbereich 63–225 mm

Das umfassendste Sortiment an Formstücken für industrielle Rohrleitungssysteme gibt es aus dem Werkstoff PVC-U. Neben den verschiedenen Bögen, Winkeln, T-Stücken und Kreuzen werden eine Vielzahl von Verschraubungen, Einlegeteilen, Überwurfmuttern, Bundbuchsen, Muffenreduktionen, Kappen und vor allem Übergangsformstücken und Verschraubungen auf diverse Materialien angeboten. Damit wird die Anbindung dieses Werkstoffes an andere Systeme und Werkstoffe erheblich erleichtert.

6.5.2 Rohre und Formstücke aus PVC-C

Die Abmessungen der PVC-C-Rohre sind in DIN 8079, die der Formstücke in DIN 16832 genormt.

In Tafel 8 ist eine Übersicht des Marktangebotes an Formstücken aus PVC-C aufgeführt.

Tafel 8: Marktangebot an Formstücken aus PVC-C

Bezeichnung Max. Betriebsdruck PN (10) 16	Daten PVC-C
Formstücke zum Kleben Bogen, Winkel, T-Stück, Muffe, Reduktion, Bundbuchse, Kappen	Durchmesserbereich 16–350 mm
Verschraubungen	Durchmesserbereich 16–63 mm
Übergangsverschraubungen	Durchmesserbereich bis 2"
Gewindeformstücke	Durchmesserbereich bis 2"

6.5.3 Rohre und Formstücke aus PE-HD

Von den Werkstoffen hat in der jüngsten Vergangenheit Polyethylen weitere Entwicklungsstufen durchlaufen. Von den PE-Typen der ersten Generation, nach heutiger Klassifizierung PE 63, sind kaum noch Vertreter auf dem Markt. Die gängigen PE-Werkstoffe sind heute die PE 80-Typen. Seit Anfang der 90er Jahre liegt bereits die dritte Generation, das PE 100 vor. Die erheblich höhere Druckbelastbarkeit des PE 100 bei gleichen Wanddicken wird die Anwendungsbereiche weiter ausdehnen. Die Rohre und Formstücke sind meistens schwarz eingefärbt, wodurch eine ausreichende Resistenz gegenüber der Einwirkung ultravioletter Strahlen besteht. Bei Rohren für industrielle Anwendungen steht die Stangenware mit 5 oder 10 Metern und glatten Enden im Vordergrund. In der Verbindungstechnik werden bei PE-HD das Heizelementmuffenschweißen bis d 110 und für Betriebsdrücke bis 10 bar, das Heizwendelschweißen ebenfalls

Tafel 9: Marktangebot an Formstücken aus PE-HD

Bezeichnung Max. Betriebsdruck PN (6, 16) 10	Daten PE-HD
Formstücke zum Muffenschweißen	Durchmesserbereich 20–110 mm
Formstücke zum Stumpfschweißen	Durchmesserbereich 20–315 mm
Formstücke zum Heizwendelschweißen	Durchmesserbereich 20–315 mm
Verschraubungen	Durchmesserbereich 20– 63 mm
Übergangsformstücke	Durchmesserbereich bis 2"
Flansche	Durchmesserbereich bis 12"

bis 10 bar und bis d 315 und das Heizelementstumpfschweißen für Betriebsdrücke von 6 und 10 bar bis d 450 eingesetzt. In allen Fällen kommen für lösbare Rohrverbindungen Flansche zum Einsatz, aber auch Übergänge auf Gewindeformstücke sowie Übergangsverschraubungen. Tafel 9 zeigt das Marktangebot an Formstücken aus PE-HD

6.5.4 Rohre und Formstücke aus PB

Rohre und Formstücke aus Polybuten sind hellgrau pigmentiert und damit besser gegen UV-Einwirkung geschützt. Die hohe Festigkeit von PB ergibt einen größeren Rohrquerschnitt bei gleichem Rohraußendurchmesser. Die Rohre werden in flexibler (bis d 25) und in starrer Ausführung (bis d 110) geliefert. Die Abmessungen der Rohre sind in DIN 16968, die der Formstücke in DIN 16831 genormt. Als Verbindungstechniken werden Klemmverbindungen, Muffenschweißverbindungen und Heizwendelschweißverbindungen genutzt. Tafel 10 zeigt das Marktangebot an Formstücken aus PB.

6.5.5 Rohre und Formstücke aus PP

Die Rohre und Formstücke sind beige eingefärbt. Die Rohre mit glatten Enden haben eine Lieferlänge von 5 Metern. Bevorzugt ist die Druckstufe PN 10, im größeren Durchmesserbereich auch PN 6. Wegen der besseren chemischen Widerstandsfähigkeit ist das PP-H, Polypropylenhomopolymer, für die industrielle Anwendung zu bevorzugen. Die Abmessungen der Rohre sind in DIN 8077, die der Formstücke in DIN 16962 genormt. Als Verbindungstechniken kommen das Heizelementmuffenschweißen,das Heizelementstumpfschweißen sowie das Infrarotschweißen zur Anwendung. Angaben zum Marktangebot an Formstücken enthält Tafel 11.

Tafel 10: Marktangebot an Formstücken aus PB

Bezeichnung Max. Betriebsdruck PN (25) 16	Daten PB
Formstücke zum Klemmen	Durchmesserbereich 16– 25 mm
Formstücke zum Muffenschweißen	Durchmesserbereich 16–110 mm
Formstücke zum Heizwendelschweißen	Durchmesserbereich 16–110 mm
Verschraubungen	Durchmesserbereich 16– 63 mm
Übergangsformstücke	Durchmesserbereich bis 2 ¾"
Verteiler	Durchmesserbereich 32–1"–16–20 mm
Armaturenanschlüsse	Durchmesserbereich 16–20 mm – ¾"

Tafel 11: Marktangebot an Formstücken aus PP

Bezeichnung Max. Betriebsdruck PN (4, 6) 10	Daten PP-H, PP-R
Formstücke zum Muffenschweißen	Durchmesserbereich 16–110 mm
Formstücke zum Stumpfschweißen	Durchmesserbereich 20–315 mm
Verschraubungen	Durchmesserbereich 16–110 mm
Übergangsformstücke	Durchmesserbereich bis 2"
Flansche	Durchmesserbereich 20–400 mm

Tafel 12: Marktangebot an Formstücken aus PVDF

Bezeichnung Max. Betriebsdruck PN (6, 10) 16	Daten PVDF
Formstücke zum Muffenschweißen	Dimensionsbereich 16–110 mm
Formstücke zum Stumpfschweißen	Dimensionsbereich 20–225 mm
Verschraubungen	Dimensionsbereich 20–225 mm
Übergangsformstücke	Dimensionsbereich bis 2"
Flansche	Dimensionsbereich 20–(63)–315 mm

6.5.6 Rohre und Formstücke aus PVDF

Bei diesem Werkstoff gibt es die Standardqualität und die sogenannte HP- (High Purity) Qualität. Die Farbe ist weiß bzw. naturfarben durchscheinend. Der Werkstoff hat ein ausgezeichnetes Verhalten gegenüber kurz- und langwelligen Strahlen, so daß eine weitergehende Stabilisierung nicht erforderlich ist. Die besonders günstige chemische Widerstandsfähigkeit, die hohe Temperaturbelastbarkeit und die extrem geringe Partikelabgabe prädestinieren diesen Werkstoff für qualifizierte und hochreine Medienanwendungen. Die Rohre werden in Baulängen von 5 Metern und hauptsächlich in der Druckklasse PN 16 mit glatten Enden geliefert. Die bevorzugten Verbindungstechniken sind Heizelementmuffenschweißung, Heizelementstumpfschweißung, das berührungslos arbeitende Infrarotschweißen sowie das wulst- und nutfreie WNF-Verfahren. Der Dimensionsbereich geht bis d 225. Das Marktangebot an Formstücken wird in Tafel 12 gezeigt.

6.5.7 Rohre und Formstücke aus GFK

K. SAMIR

Rohre und Formstücke aus glasfaserverstärktem Kunststoff werden hergestellt auf Basis von Epoxidharz und ungesättigtem Polyesterharz bzw. Polyvinylesterharz (Phenacrylatharz). Generell gilt, daß Epoxidharz im Hinblick auf die chemische Beständigkeit das höherwertige dieser Harzarten ist. Außerdem ist es bis zu einer höheren Temperatur einsetzbar (ca. 150 °C Dauertemperatur gegenüber ca. 90 °C für die Polyesterharze). Beide Harzarten haben eine hohe chemische Resistenz gegenüber aggressiven Medien, verbunden mit einer hohen spezifischen Festigkeit. Hierdurch ergeben sich verstärkt Einsätze in Bereichen, die bislang mit konventionellen Werkstoffen (Metalle, Edelstähle) abgedeckt wurden.

Rohre nach DIN 16870, 16871 und 16965 werden bis zu einer Nennweite von 1000 mm, Rohre nach DIN 16868 und 16869 bis zu einer Nennweite von 3200 mm hergestellt. GFK-Rohre können bis zu einer Lieferlänge von 10 m bezogen werden.

Formstücke aus GFK werden hergestellt mit glatten Enden, mit Muffenenden als Vorbereitung für eine Klebverbindung oder mit angeformten Flanschen. Die Herstellung der Formstücke erfolgt nach DIN 16966 (Polyesterharz) und 16967 (Epoxidharz). Lieferbar sind alle gängigen Formstücke wie Bögen, T-Stücke,

MASSGESCHNEIDERT!

NEUE PLUSPUNKTE AM NEUEN STANDORT...

KOMPETENT ARBEITET FIBERDUR SEIT ÜBER 30 JAHREN ALS SPEZIALIST FÜR ROHRSYSTEME AUS GLASFASER-VERSTÄRKTEN KUNSTSTOFFEN (GFK).

INNOVATIV UND QUALITÄTSGEPRÜFT FERTIGT FIBERDUR KUNDENGERECHTE VERBINDUNGSSYSTEME AUF DER BASIS MODERNSTER FERTIGUNGSTECHNIKEN UND EINER VIELSCHICHTIGEN PRODUKTPALETTE.

FIBERDUR GMBH

FIBERDUR GMBH
INDUSTRIEPARK
EMIL MAYRISCH
52457 ALDENHOVEN
TEL. 02464/972-0
FAX 02464/972-117

Hosenstücke, Flansche (als Festflansch oder Bund/Losflansch), Reduzierungen (konzentrisch und exzentrisch) sowie Sonderformstücke, (z.B. T-Stücke mit reduziertem Abgang, Segmentbögen mit beliebigen Winkeln).

Rohre und Formstücke aus GFK sind lieferbar für Nenndrücke bis 40 bar, wobei der höchste Anteil für den Nenndruckbereich von 6 bis 16 bar ausgeführt wird.

Die Dimensionen der verschiedenen Nennweiten und Nenndrücke sind den jeweiligen Normen zu entnehmen.

6.6 Kunststoffarmaturen

Die älteste bekannte Armatur ist ein Verschlußstopfen aus der Tempelanlage der Pyramide des ägyptischen Königs Sahn Re aus dem Jahre 2700 v. Chr. Das Ventil bestand aus Blei und gehörte zu einem Abflußbecken. Armaturen sind die Schaltzentren in Rohrleitungssystemen und dienen zum Absperren, Freigeben, Steuern und Regeln der Medien. Verfahrensabläufe und die moderne Prozeßtechnik wären ohne die heutige Vielfalt an Armaturen nicht denkbar. Obwohl die generelle Armaturentechnologie eine lange Entwicklungsgeschichte hat, haben sich wesentliche Neuerungen doch erst seit etwas mehr als 30 Jahren ergeben. Dies liegt vor allem daran, daß in diesem Zeitraum technische Methoden und neue Werkstoffe entwickelt wurden, die entsprechende Konstruktionen erlaubten. Zu der Gruppe aus dem jüngsten Entwicklungszeitraum gehören die Kunststoffarmaturen.

Aus dem Anforderungskatalog für Armaturen sind folgende Kriterien wesentlich:

- Sicherheit der Funktion
- Hohe Gebrauchsdauer
- Geringe Umweltbelastung
- Servicefreundlichkeit
- Automatisierbarkeit.

In den verschiedenen Einsatzbereichen für Armaturen müssen die gültigen technischen Regeln, die einschlägigen Normen – für Kunststoffarmaturen aus PVC-U gilt DIN 3441 – und speziell erforderliche Zulassungen beachtet werden. Zur Auswahl von Armaturen aus Kunststoff gehören an erster Stelle die Werkstoffwahl, das Sichern der chemischen Widerstandsfähigkeit, die Druckabfall- bzw. Durchflußberechnung sowie die Beachtung der Druck- und Temperaturkriterien, Konstruktionsarten und Funktionen.

6.6.1 Armaturen - Konstruktions- und Funktionsarten

Bei den Hauptgruppen unterscheiden wir zwischen Hahn-, Ventil-, Membran-, Schieber- und Klappenkonstruktionen. In Bild 7 sind diese Varianten gezeigt.

Industrieleitungen 567

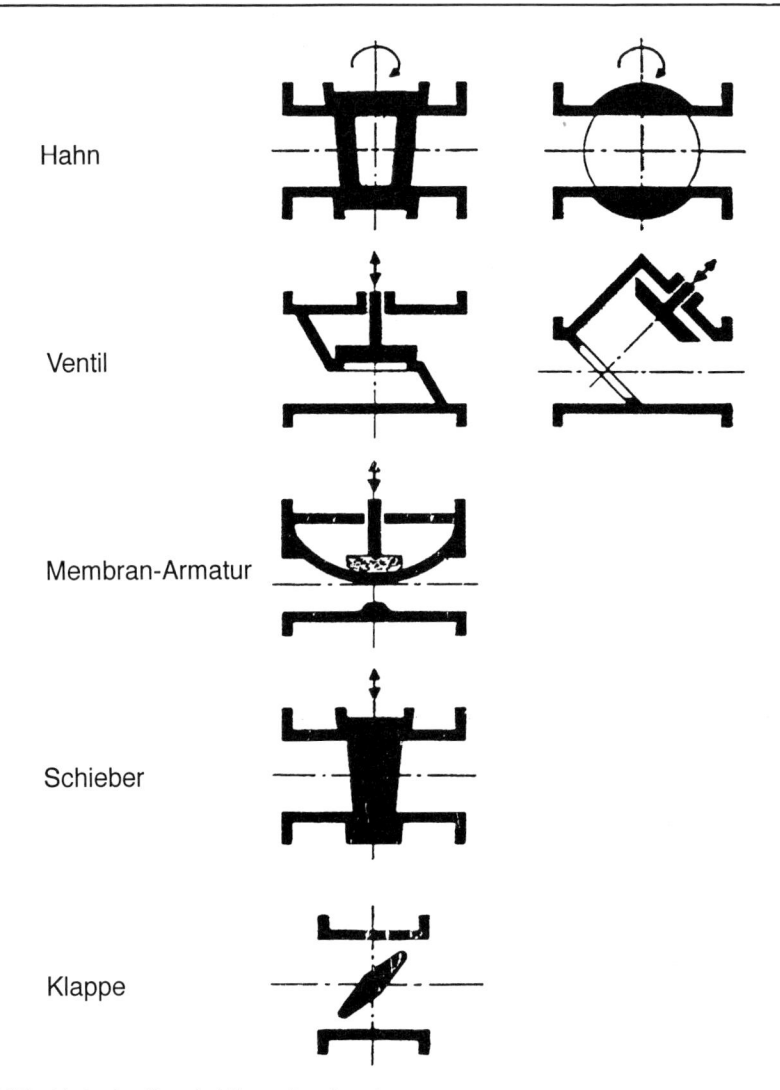

Hahn

Ventil

Membran-Armatur

Schieber

Klappe

Bild 7: Varianten Konstruktionsarten Armaturen

Bei den Wirkungsweisen kennen wir 2/2-Wege, 3/2-Wege und Mehrwege/Mehrpositionsfunktionen. Die Wirkungsweisen von 2/2- und 3/2-Ventilen sind in Bild 8 dargestellt. Die Betätigungsarten für Armaturen sind vielfältig wählbar. Die wichtigsten Ausführungen sind handbetätigt, mediumbetätigt, pneumatisch – und hydraulischbetätigt, elektromotorisch und magnetisch betätigt. Somit kön-

Wirkungsweise: A
2/2-Weg-Durchgangsventil,
in Ruhestellung geschlossen.

Wirkungsweise: D
3/2-Weg-Ventil, in Ruhestellung
Ausgang B beaufschlagt.

Wirkungsweise: B
2/2-Weg-Durchgangsventil,
in Ruhestellung geöffnet

Wirkungsweise: E
3/2-Weg-Ventil als Mischventil
In Ruhestellung Druckanschluß
P_2 geöffnet, P_1 geschlossen.

Wirkungsweise: C
3/2-Weg-Ventil, in Ruhestellung
Ausgang A entlastet.

Wirkungsweise: F
3/2-Weg-Ventil als Verteilerventil.
In Ruhestellung Druckanschluß
P mit Ausgang B verbunden.

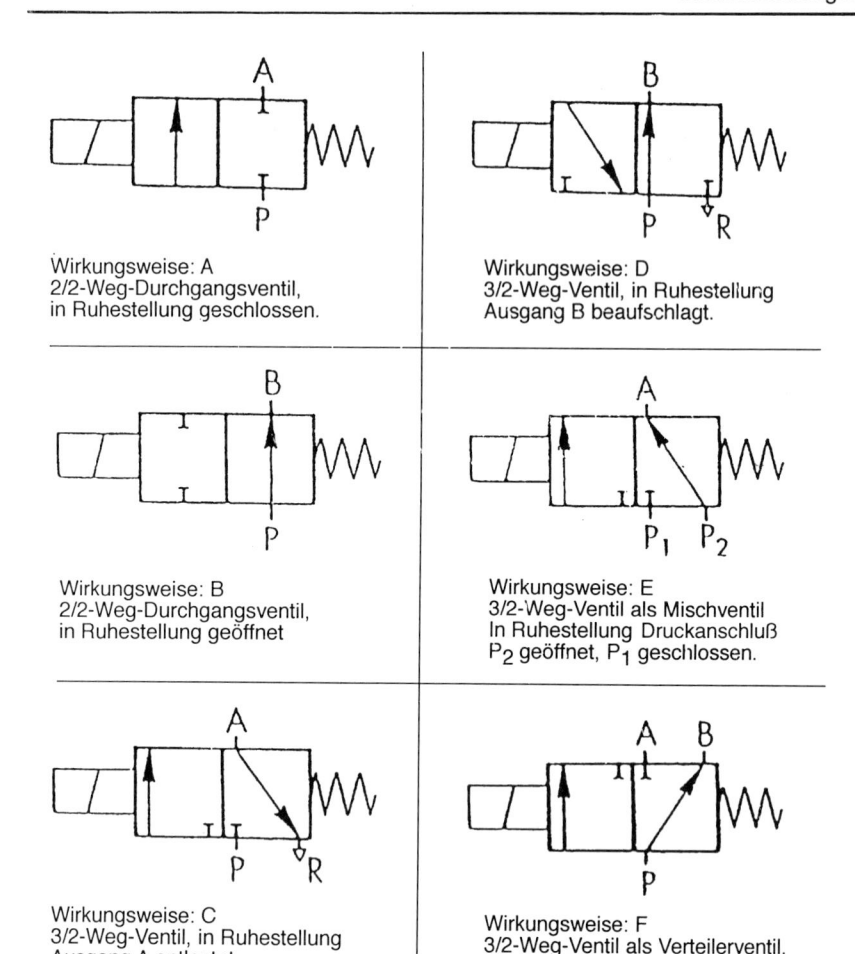

Bild 8: Wirkungsweisen von 2/2- und 3/2- Ventilen

nen spezifische Rahmenbedingungen für den optimalen Einsatz abgedeckt werden (Tafel 13). In Abhängigkeit vom Fördermedium und von gewünschten Funktionen sind die unterschiedlichen Armaturenkonstruktionen mit Vor- und Nachteilen behaftet.

6.6.2 Absperrklappen

Absperrklappen gemäß Bild 9 werden in einem großen Nennweitenbereich angeboten und können, als dichtschließende Armaturen ausgelegt, wirtschaftlich

Tafel 13: Rahmenbedingungen für Kunststoffarmaturen

Typ	Fördermedium					Funktionskriterien				
	Fremd-körper-frei	feststoff-haltig kristalli-sierend	zäh dick-flüssig	gas-förmig	k_v-Wert	regu-lierbar	Stel-lungs-anzeige	molch-bar	vakuum-dicht	Druck-stoß-ver-halten
Kugelhahn	+	0	+/0	+	++	0	+	+	+	+
Membranventil	+	+	+	0	0	+	+	–	0	0
Klappe	+	+/0	+	+	+	+/0	+	–	+	+
Magnetventil	+	–/0	–/0	+/0	–	–	0	–	–/0	–
Schrägsitzventil	+	0	+	0	0	+	+	–	–	–
Schieber	+	0	+	+	+	+	+	0	+	+

+ empfehlenswert   – nicht empfehlenswert   0 bedingt geeignet

Bild 9: Absperrklappen

zum Absperren von aggressiven Medien der chemischen Industrie, im Schwimmbadbau sowie im Trinkwasser- und Abwasserbereich eingesetzt werden. Unterhalb von DN 80 werden jedoch die Durchflußwerte recht ungünstig. Mit dem Konstruktionsprinzip der Absperrklappe können in der Zwischenbauweise kurze Einbaulängen realisiert werden. Totraumfreiheit ist nicht gegeben, und die Abdichtung am Klappenteller und an der drehenden Spindel erfordert besondere Maßnahmen.

6.6.3 Membranventile

Membranventile gemäß Bild 10 sind unter härtesten Praxisbedingungen erprobt und haben den großen Vorteil, daß nur zwei Werkstoffteile, nämlich der Durchflußkörper und die Membrane mit dem Medium in Berührung kommen. Durch eine abgestimmte Auswahl dieser beiden Teile kann die Lebensdauer gegenüber anderen Ventilkonstruktionen wesentlich verlängert werden. Membranventile sind totraumfrei realisierbar und, in den technischen Thermoplasten ausgeführt, gut abrasionsbeständig.

6.6.4 Kugelhähne

Als besonders sicher und einfach im Konstruktionsaufbau gelten Kugelhähne (Bild 11), mit denen man bei kleinsten Abmessungen größte Durchflußwerte erreicht. Neben den Zweiwegedurchgangsfunktionen gibt es Mehrwegefunktionen.

Industrieleitungen 571

Bild 10: Membranventile

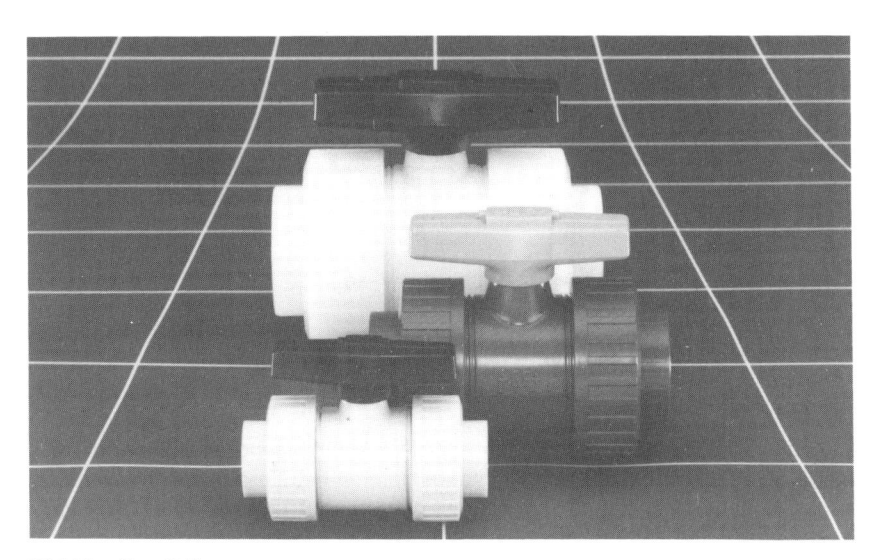

Bild 11: Kugelhähne

	elektromotorisch	pneumatisch	magnetisch
Hahn			
Schrägsitzventil			
Membranarmatur			
Klappe			

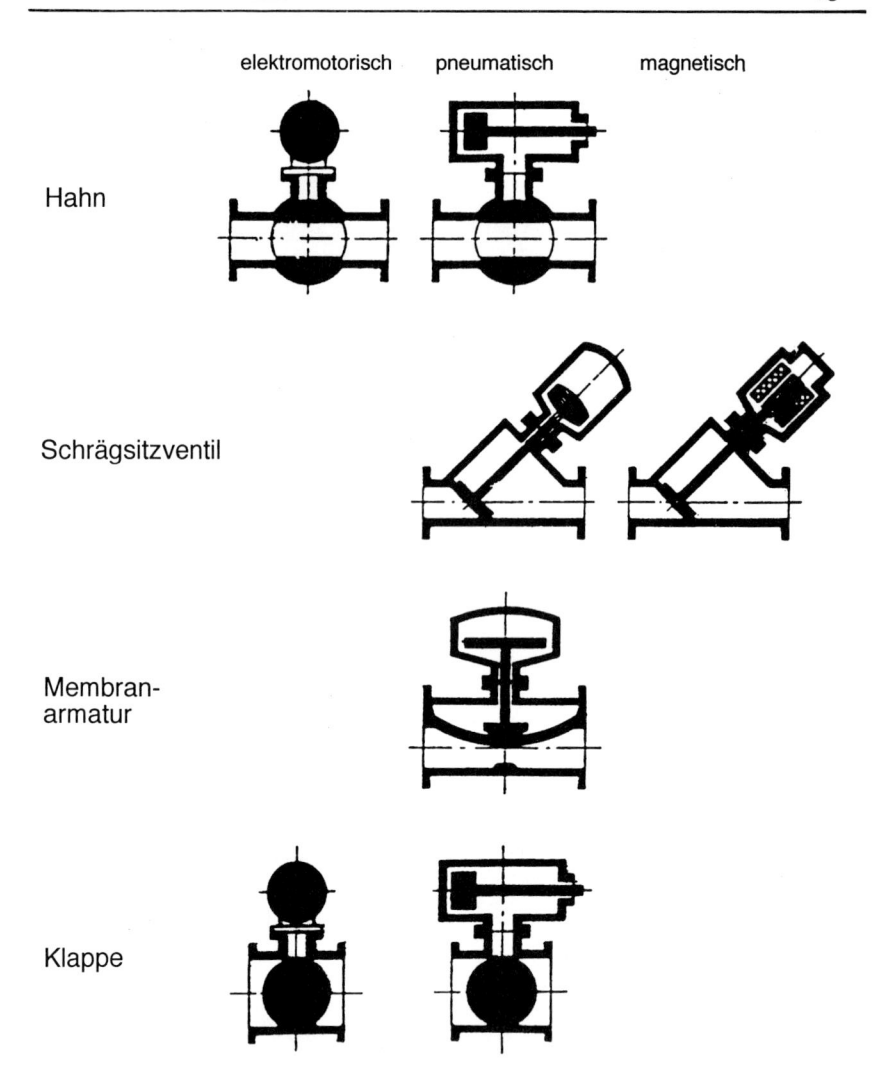

Bild 12: Varianten bei der Automation von Armaturen

Bei Nennweiten bis 150 mm können aus dem Marktangebot vielfältige Varianten, was Gehäusewerkstoff und Dichtungsmaterial betrifft, ausgewählt werden. Bei den Konstruktionen muß man darauf achten, daß unter anderem ein wartungsfreier Betrieb durch kontinuierliches Nachstellen der Kugeldichtung gewährleistet ist, die auftretenden Rohrleitungskräfte beidseitig vom Gehäuse aufgenommen und damit Kugel und Zapfen von zusätzlichen Kräften entlastet werden, so daß über die gesamte Lebensdauer mit einem gleichbleibend niedrigen Betätigungs-Drehmoment gearbeitet werden kann.

6.6.5 Automatikarmaturen

Bei der Automation von Armaturen gibt es verschiedene Varianten (Bild 12). Die wesentlichen Antriebsarten sind pneumatisch, elektromotorisch und elektromagnetisch betätigt.

Vorteile der Automation:

- Bei häufiger Betätigung sind die Betriebskosten günstiger
- Externe Steuerung bei schwerem oder unmöglichem Zugang
- Zentrale Überwachung
- Sofortige Reaktion bei Prozeßfehlern
- Funktionssicherheit
- Humanere Arbeitsbedingungen im Prozeß.

Bild 13 zeigt eine Auswahl von Automatikarmaturen.

Bild 13: Automatikarmaturen – Beispiele

Tafel 14: Auswahlkriterien für Automatikarmaturen

Armaturentyp	Kugelhahn	Membranventil	Schrägsitzventil	Magnetventil	Absperrklappe	
Antriebsart	elektromotorisch	pneumatisch	pneumatisch	elektromagnetisch	elektromotorisch	pneumatisch
Vorteile	Einfache Installation Leistung genau definiert Bei Schaltpausen kein Energieverbrauch Zwischenstellungen möglich Wartungsfreundlich Nachträgliche Zusatzelemente einbaubar	Kurze Schaltzeit Preisgünstig Leistung variabel über Steuerdruck Definierte Endlage Wartungsfreundlich Hubbegrenzung (manuell zu verändern) Nachträgliche Zusatzelemente einbaubar Durchflußregelung mit Zusatzelementen möglich		Kurze Schaltzeit Hohe Schalthäufigkeit Definierte Endlage Wartungsfreundlich		
Besonderheiten	Relativ kostenaufwendig Geringe Unterhaltskosten Lange Stellzeit Für definierte Endlage zusätzliches Gerät notwendig	Steuerventil notwendig Druckluft notwendig Für Stellungsrückmeldung zusätzliche Elemente notwendig Zwischenstellungen erfordern Mehraufwand		Max. Betriebsdruck 6 bar Max. Betriebsdruck/Differenzdruck abhängig von DN, in Offenstellung permanenter Strombedarf Empfindlich gegen Feststoffe bei Servosteuerung Durchflußregelung erfordert hohen Aufwand		

Industrieleitungen

Armaturentyp	Kugelhahn		Membranventil	Schrägsitzventil	Magnetventil	Absperrklappe	
Antriebsart	elektromotorisch	pneumatisch	pneumatisch	pneumatisch	elektromagnetisch	elektromotorisch	pneumatisch
Nennweitenbereich	10–150	10–150	15–150	10–50	2–50	65–250	
Druckbereich	0–10	0–10	0–10 (DN 15–50) 0–8 (DN 65–80) 0–6 (DN 100/150)	0–10	0–6	PVC: 0–10 (DN 65–125/250) 0–6 (DN 150–200) PP: 0–10 (DN 65–200) PVDF: 0–10 (DN 65–200)	
Betriebsfunktionen	offen¹) geschlossen Zwischenstellung	drucklos geschlossen, drucklos geöffnet doppelt wirkend¹)	drucklos geschlossen drucklos geöffnet doppelt wirkend¹)		Diverse	offen¹) geschlossen Zwischenstellung	drucklos geschlossen drucklos geöffnet doppelt wirkend¹)
Mengenregelung (inklusive Hubbegrenzung)	+	–	+	–	–	+	–
Schaltzeit < 5 sec	–	+	+	+	+	–	+
Handbetätigung	+	+	+	–	+/–	+	+
Stellungsanzeige	+	+	+	+	–	+	+
Werkstoff des Strömungskörpers	PVC-U, PP, PVDF		PVC-U, PP, PVDF	PVC-U	PVC-U, PTFE, PVDF	PVC-U, PP, PVDF	

+ = ja   – = nein   ¹) keine definierte Endlage bei Energieausfall

Die Auswahlkriterien für Armaturen mit Stellantrieben sind in Tafel 14 aufgeführt, in diesem Zusammenhang siehe auch Bild 4. Neben Standardkonstruktionen werden oft Sonderlösungen gebraucht. Ein Beispiel dafür sind Armaturen für Doppelrohranlagen, die dem Wasserhaushaltsgesetz (WHG) entsprechen (Bild 14). Der Markt bietet eine große Vielfalt von Armaturen für unterschiedliche Anwendungen an.

6.6.6 Dimensionierung, Durchflußwerte, k_v-Wert von Armaturen

Der Vergleich von verschiedenen Durchflußcharakteristiken der Armaturenkonstruktionen ist sehr interessant. Für Dosier- und Regeleinrichtungen hat der gerade Teil der Armaturenkennlinie, der proportionale Anteil, eine große Bedeutung. Bild 15 zeigt die Durchflußcharakteristik verschiedener Armaturen.

Bei der Forderung nach einem ungehinderten Durchflußstrom mit geringstem Druckverlust ist das Funktionsprinzip Kugelhahn am günstigsten. Starken Einfluß hat auch die Auswahl der Armaturenanschlüsse. Hier müssen die passende Nennweite bzw. konstruktionsbedingte Einengungen Berücksichtigung finden. Der Unterschied im Durchflußwert k_v kann aus den technischen Unterlagen der Hersteller entnommen werden. Es ist darauf zu achten, daß die k_v-Werte gemessen und nicht gerechnet oder gar geschätzt sind. Es wird dazu noch einmal auf den Vergleich zwischen den Durchflußwerten von Membranventilen und Kugelhähnen verwiesen (Bild 6).

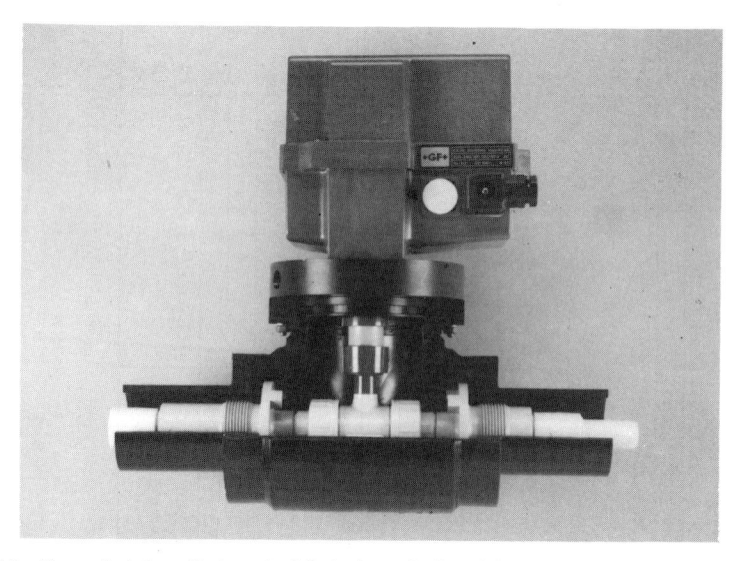

Bild 14: Doppelrohrkugelhahn mit elektrischem Stellantrieb

Industrieleitungen 577

- - - - - Schrägsitzventil
———— Membranventil
- - - - - - - Absperrklappe
———— Kugelhahn

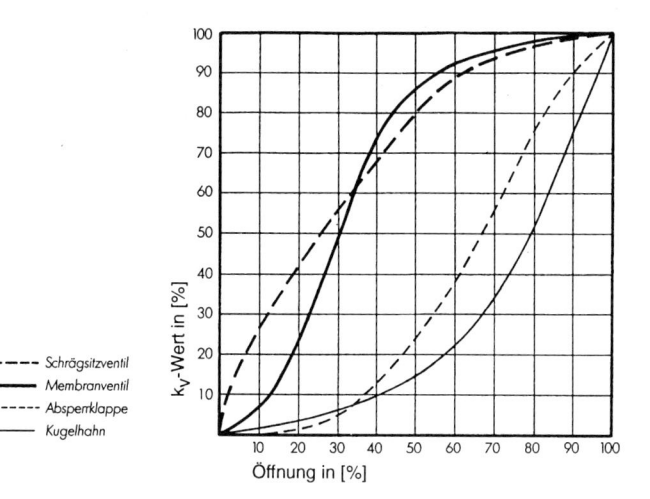

Bild 15: Durchflußcharakteristik verschiedener Armaturen

Oft werden Durchflußwertveränderungen während des Betriebes gewünscht. Dafür ist die Auswahl des Antriebs wichtig. Ein langer Stellweg über feine Gewinde läßt eine Feineinstellung zu. Pneumatische Antriebe erlauben Änderungen, die bei einer Sekunde liegen; elektromotorische Antriebe benötigen dafür drei bis fünf Sekunden.

6.6.7 Auswechselbarkeit und Einbau

Zu allgemeinen Wartungszwecken bzw. zum Austausch von Dichtungen ist es vorteilhaft, Armaturen so in die Leitung einzubauen, daß eine einfache und schnelle Auswechslung möglich ist. Verschraubungen und Flanschanschlüsse sind dafür geeignet. Bei Membranventilen und Kugelhähnen gibt es die radial ausbaubaren Ausführungen, bei denen das Armaturenmittelteil durch Lösen von zwei Überwurfmuttern radial entfernt werden kann. Die durch Kleben oder Schweißen mit der Rohrleitung verbundenen Anschlußelemente bleiben dabei in der Leitung. Bild 16 zeigt einen radial ausbaubaren Kugelhahn. Diese platzsparende Einbaumöglichkeit führt zu einer wirtschaftlichen Konzeption. Bei gut konzipierten Schrägsitz- und Membranventilen ist eine Auswechslung der Dichtung möglich, ohne daß der Strömungskörper aus der Leitung entfernt wird. Dabei wird nur das Oberteil der Armatur entfernt, und die Dichtung kann schnell ausgewechselt werden.

Armaturen eignen sich besonders zur Ausbildung von Festpunkten und leiten damit die Betätigungskräfte nicht in die Rohrleitung, sondern in die Befestigung ab. Moderne Kunststoffarmaturen sind so ausgeführt, daß sie eine direkte Be-

Bild 16: Radial ausbaubarer Kugelhahn

festigung erlauben. Bei anderen Armaturen werden auch diverse Halterungen angeboten, die eine Festpunktauslegung zulassen. Das jeweilige Gewicht der Armaturen, insbesondere auch bei ausnahmsweiser Verwendung von Metallarmaturen in Kunststoffrohrleitungen, muß bei Abstützung und Befestigung beachtet werden, damit die Kunststoffrohrleitung nicht unzulässig belastet wird. Der Einbau von Armaturen ist so vorzunehmen, daß auf die Leitung keine Spannungen übertragen werden. Als Festpunkt ausgelegt kann die Längenänderung, von der Armatur ausgehend, Berücksichtigung finden.

6.6.8 Dichtungen bei Armaturen

Sowohl bei Kunststoff- als auch bei Metallarmaturen werden häufig Elastomerdichtungen eingesetzt. Im Regelfall prägen diese Dichtungen die Druck- und Temperatureinsatzgrenzen. Weiter wird die Lebensdauer bei hochbeanspruchten Rohrleitungen von den Dichtungen bestimmt, da sie normalerweise kürzer ist als die Lebensdauer der Armaturenwerkstoffe oder die Lebensdauer der Rohre und Rohrleitungskomponenten. Unter Berücksichtigung dieser Tatsache ist es von Vorteil, wenn Armaturendichtungen, insbesondere solche, die dem Verschleiß unterworfen sind, leicht ausgewechselt werden können. Ist dies konstruktiv nicht einfach zu realisieren, so muß auf die leichte Auswechselbarkeit der kompletten Armaturen besonderer Wert gelegt werden.

Auf die chemische Widerstandsfähigkeit der ausgewählten Elastomerdichtungen ist auch bei der Auswahl der Armaturen zu achten.

6.7 Verlegung von Industrierohrleitungen

Im Teil V Rohrverbindungen und Verbindungstechniken werden die grundsätzlichen Varianten beschrieben, die auch für Industrierohrleitungen Gültigkeit haben. Zum Einbau von Armaturen wurden im vorangehenden Abschnitt Aussagen gemacht.

Im folgenden sollen die Berücksichtigung von Längenänderungen und die Befestigung von Rohrleitungen mit Rohrschellen behandelt werden.

6.7.1 Berechnung und Berücksichtigung der Längenänderung

Die Längenänderung thermoplastischer Werkstoffe als Folge von Temperaturschwankungen ist größer als die metallischer Materialien. Bei außerhalb des Erdreichs, vor der Wand oder in Schächten verlegten Rohrleitungen, insbesondere solchen, die durch wechselnde Betriebstemperaturen beansprucht werden, ist es notwendig, durch geeignete Maßnahmen Längenänderungen so aufzufangen, daß keine überlagerten Zusatzbeanspruchungen entstehen. Zur Aufnahme der Längenänderung kommen Biegeschenkel oder Kompensatoren in Frage. Die gebräuchlichste, einfach und wirtschaftlich zu realisierende Lösung ist der Biegeschenkel. Die Länge des Biegeschenkels wird im wesentlichen vom Durchmesser des Rohres und der Größe der aufzunehmenden Längenänderung bestimmt. Die Rohrwandtemperatur als dritte Einflußgröße wird nicht berücksichtigt, um die Verlegung, die normalerweise im Bereich von 5–25 °C erfolgt, zu vereinfachen. Natürliche Biegeschenkel ergeben sich stets an Richtungsänderungen sowie an Abzweigungen (Bild 17). Die Bewegung des Biegeschenkels a, als Auswirkung einer Längenänderung ΔL, darf in dem dafür in Betracht kommenden Bereich weder durch unnachgiebig angeordnete Rohrschellen, noch durch Mauervorsprünge, Stahlträger oder dergleichen behindert werden.

Ermittlung der Längenänderung

Um die erforderliche Länge des Biegeschenkels bestimmen zu können, ist zunächst die Größe der Längenänderung zu ermitteln. Dafür dient folgende Formel:

$$\Delta L = L \cdot \Delta T \cdot \delta$$

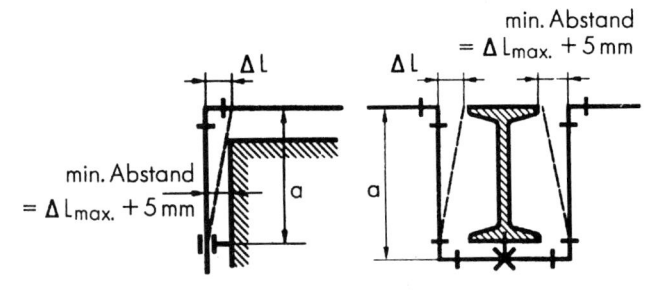

Bild 17: Biegeschenkel

Hierbei bedeuten:

ΔL = Längenänderung in [mm]

L = Länge des Rohres bzw. Leitungsabschnitts, dessen Längenänderung bestimmt werden soll, in [m]

ΔT = Differenz zwischen Verlege- und maximaler bzw. minimaler Betriebstemperatur in [°C]

δ = Längenänderungskoeffizient des Werkstoffes in [mm/m°C]

In Bild 18 sind die Längenausdehnungskoeffizienten δ verschiedener Materialien in [mm/m °C] aufgeführt.

Wenn die Betriebstemperatur höher als die Verlegetemperatur ist, ergibt sich eine Verlängerung der Leitung, im umgekehrten Fall eine Verkürzung der Leitung. Die Bestimmung der Länge des Biegeschenkels erfolgt entweder mit Hilfe von entsprechenden Diagrammen der Hersteller oder mit der Formel

$$a = 33{,}5 \cdot \sqrt{d \cdot \Delta L}$$

Dabei sind:

a = Biegeschenkellänge in [mm]
d = Rohraußendurchmesser in [mm]
33,5 = Faktor für PVC-U

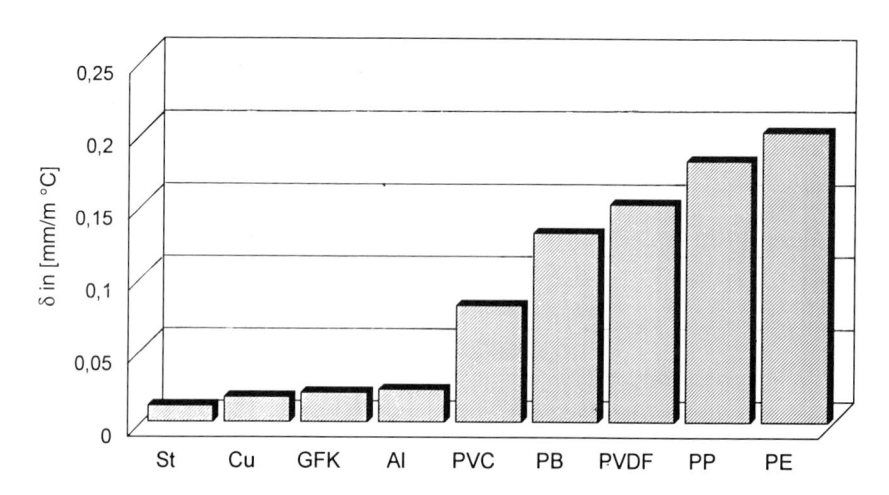

Bild 18: Längenausdehnungskoeffizienten verschiedener Werkstoffe

Als Beispiel wird eine Prozeßleitung aus PP dargestellt. Die Rohrlänge vom Festpunkt bis zur Abzweigung, an der die Längenänderung aufgenommen werden soll, beträgt L = 8 m. Die Verlegetemperatur sei T_v = 25 °C, die maximale Betriebstemperatur T_1 = 65 °C, die minimale Betriebstemperatur T_2 = 10 °C. Die Verlängerung des Leitungsabschnittes während des Betriebes beträgt:

$+\Delta L_1 = L \cdot \Delta T_1 \cdot \delta = 8 \cdot 40 \cdot 0{,}15 = 48$ mm;

die Verkürzung durch Abkühlung:

$-\Delta L_2 = L \cdot \Delta T_2 \cdot \delta = 8 \cdot 15 \cdot 0{,}15 = 18$ mm.

Bei einem PP-Rohr mit dem Durchmesser 50 mm und der maximalen Längenänderung + ΔL_1 von 48 mm und dem Faktor 30 ergibt sich beim Einsatz in obige Formel eine Biegeschenkellänge

$a = 30 \cdot \sqrt{50 \cdot 48} = 1470$ mm.

Längenänderungen von Leitungsabschnitten sollten stets eindeutig durch die Anordnung von Festschellen gesteuert werden. Durch vorteilhafte Plazierung einer Festschelle ist es möglich, die Längenänderung von Leitungsabschnitten aufzuteilen. Sofern an einer Richtungsänderung oder einer Abzweigung ein Biegeschenkel nicht angeordnet werden kann oder größere Längenänderungen im Verlauf gerader Rohrleitungsabschnitte aufzunehmen sind, können auch Dehnungsbogen installiert werden. Die Längenänderung wird dann auf zwei Biegeschenkel aufgeteilt. Mit Hilfe der Vorspannung von Biegeschenkeln kann die Länge des Biegeschenkels verkürzt werden.

In Kunststoffrohrleitungen dürfen nur leichtgängige Kompensatoren, deren Eigenwiderstand gering ist, eingebaut werden. Daher sind Gummikompensatoren und PTFE Wellkompensatoren besonders geeignet. Die entsprechenden Hinweise der Hersteller sind beim Kompensatoreneinbau zu beachten.

6.7.2 Anordnung und Ausführung von Rohrschellen

Rohrleitungen erfordern in Abhängigkeit vom Werkstoff, der mittleren Rohrwandtemperatur, der Dichte des Durchflußstoffes sowie dem Durchmesser und der Wanddicke des Rohres bestimmte Unterstützungsabstände. Die Rohrschellenabstände werden unter Zugrundelegung einer bestimmten, für zulässig angesehenen Durchbiegung des Rohres, zwischen zwei Schellen ermittelt.

Den Berechnungen der im Bild 19 für den Werkstoff PP aufgeführten Rohrschellenabstände wurde eine zulässige Durchbiegung zwischen zwei Rohrschellen von maximal 0,25 cm zugrunde gelegt.

Die Werkstoffe PVC, PB und PVDF kommen mit größeren Rohrschellenabständen aus; der Werkstoff PE benötigt kürzere Abstände. Vertikal installierte Lei-

Werkstoff und PN	d mm	Rohrschellenabstände L in [cm] bei:						
		20 °C	30 °C	40 °C	50 °C	60 °C	80 °C	100 °C
PP PN 10	16	75	70	70	65	65	55	40
	20	80	75	70	70	65	60	45
	25	85	85	85	80	75	70	50
	32	100	95	95	90	85	75	55
	40	110	110	105	100	95	85	60
	50	125	120	115	110	105	90	70
	63	140	135	130	125	120	105	80
	75	155	150	145	135	130	115	85
	90	165	165	155	150	145	125	95
	110	185	180	175	165	160	140	105
	125	200	190	185	180	170	150	110
	140	210	205	195	190	180	155	115
	160	225	225	210	200	190	165	125
	180	240	240	225	215	200	170	130
	200	250	250	235	225	215	185	135
	225	265	260	250	240	230	200	145
	250	280	275	265	255	240	210	200
	315	315	305	295	285	270	235	225

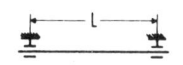

Rohrschellenabstände senkrecht verlaufender Leitungen können gegenüber den Tabellenwerten um 30% erhöht werden, d.h. Tabellenwerte mit 1,3 multiplizieren.

Bild 19: Rohrschellenabstände bei Flüssigkeiten mit einer Dichte von $\leq$ 1g/cm³ sowie bei Gasen (PP)

tungen können gegenüber den Tabellenwerten um 30 % erhöht werden. Bei Flüssigkeiten mit einer Dichte von > 1 g/cm³ müssen die Rohrschellenabstände verkürzt werden: bei einer Dichte von 1,25 g/cm³ um den Faktor 0,9; bei einer Dichte von 2 g/cm³ um den Faktor 0,7.

Bei waagerecht verlegten Rohrleitungen kann, insbesondere im Bereich höherer Temperaturen sowie bei kleinen Durchmessern, eine durchlaufende Unterstützung wirtschaftlicher und vorteilhafter sein als eine Befestigung mit Rohrschellen. Die Verlegung in Winkel- oder U-Profilen aus metallischen oder pyroplastischen Werkstoffen hat sich dabei bewährt.

Anordnung von Los- und Festschellen

Bei Losschellen darf die axiale Bewegung der Rohrleitung nicht durch neben der Rohrschelle angeordnete Fittings oder sonstige Durchmesseränderungen behindert werden. Eine Bewegung der Leitung in mehreren Richtungen wird durch Gleitschellen oder Pendelschellen ermöglicht. Ein am Fuß der Rohrschellen angebrachter Gleitschuh erlaubt auf einer ebenen Unterstützungsfläche beliebige Verschiebungen. Gleit- oder Pendelschellen werden im Bereich von Rich-

Industrieleitungen 583

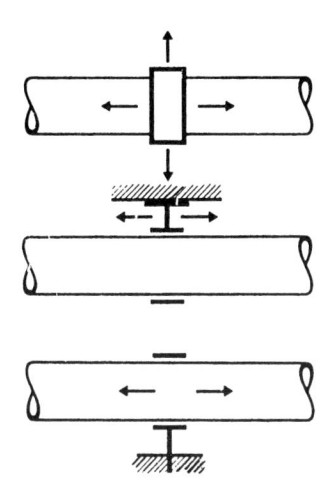

Bild 20: Los- und Gleitschellen

tungsänderungen der Leitung an solchen Stellen notwendig, an denen eine Verschiebbarkeit sichergestellt werden muß. Bild 20 zeigt die Anordnung von Los- und Gleitschellen.

Festschellen werden realisiert, indem man die Rohrschelle unmittelbar neben einem Fitting anordnet und damit die Längenänderung der Leitung nur nach einer Seite begrenzt. Dies führt zu einem einseitigen Festpunkt. Ist es – wie in den meisten Fällen – notwendig, die Längenänderung der Leitung nach beiden Seiten zu begrenzen, so ist die Rohrschelle zwischen zwei Formstücke anzuordnen oder als Doppelschelle auszubilden. Bild 21 zeigt die Festschellenvarianten.

Damit die aus Längenänderungen der Rohrleitung entstehenden Kräfte aufgenommen werden können, muß die Rohrschelle stabil sein und gut befestigt werden. Pendelschellen sind als Festpunkte ungeeignet.

6.7.3 z-Maß-Montagemethode

Wettbewerbsdruck und hohe Lohnkosten zwingen dazu, rationell zu verlegen. Dies gilt ganz besonders für vorgefertigte Baugruppen im Anlagenbau. Die z-Maß-Montagemethode bietet dazu hervorragende Möglichkeiten. Anstelle des mühsamen und zeitaufwendigen Zuschneidens eines Rohres nach dem anderen, erlaubt dieses Verfahren ein schnelles und auch genaues Zuschneiden ganzer Rohrgruppen nach Zeichnung oder Aufmaß. Um diese Methode anwenden zu können, ist es erforderlich, daß die Formstücke und Armaturen mit hoher Präzision maßhaltig gleichförmig gefertigt werden und die z-Maße in den Her-

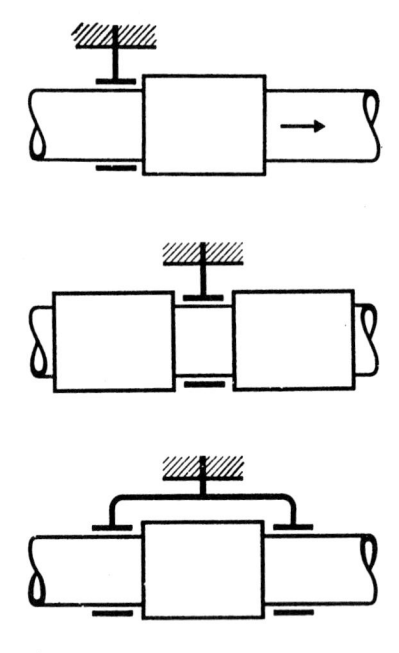

Bild 21: Festschellenvarianten

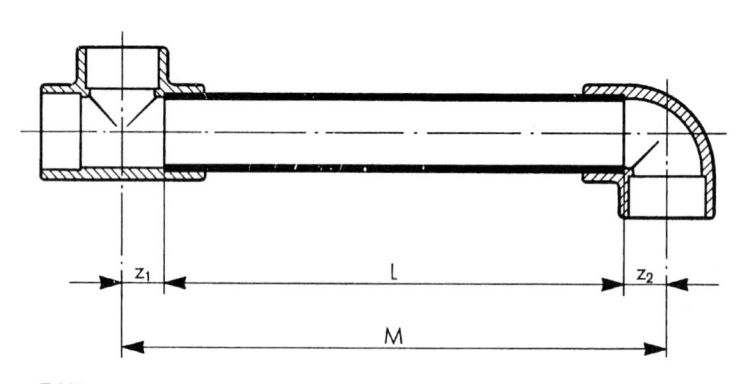

Erklärung:
M = Distanz Mitte bis Mitte Formstück
L = Zuschnittlänge des Rohres
z = z-Maß des Formstücks

Bild 22: z-Maß-Methode

stellerunterlagen genannt werden. Bild 22 zeigt das Prinzip; dabei ist das Maß M die Distanzmitte zu Mitte Formstück, das Maß L die Zuschnittlänge des Rohres und das Maß z das z-Maß der Formstücke aus der Unterlage.

Um die Methode anzuwenden, bedient man sich eines Unterteilungsblattes, in das die jeweilige Rohrgruppe mit den zugehörigen Baumaßen und den Zuschnittlängen eingetragen wird. Die z-Maße der Formstücke entnimmt man den Herstellerunterlagen. Die Länge des zuzuschneidenden Rohres ergibt sich gemäß Bild 22 aus dem Maß Mitte bis Mitte Formstück, vermindert um die z-Maße der im Bereich des betreffenden Rohres angeordneten Formstücks.

Schrifttum

- Kunststoffrohrleitungssysteme; Georg Fischer, Handbuch Ausgabe 1994
- Monatszeitschrift „Die gute Verbindung" Georg Fischer

7 Kunststoffrohre im Schiffbau

H. B. SCHULTE

Kunststoffrohre werden schon seit vielen Jahren im Schiffbau eingesetzt. Die sehr hohe Korrosionsbeständigkeit gab den Anstoß für die Verwendung solcher Rohrmaterialien. Eingesetzt werden heute überwiegend Rohre und Formstücke aus PVC-U. Die Abmessungen der Rohre sind Tafel 1 zu entnehmen.

Die Rohre sind eine Auswahl aus der Grundnorm DIN 8062. Aus Gründen der mechanischen Stabilität sind die kleinen Abmessungen der Rohre entsprechend PN 16 ausgelegt, während für die größeren Abmessungen PN 10 gewählt wurde. Die Formstücke sind die gleichen wie auch bei der Hausinstallation. Sie sind in ihren Abmessungen und Qualitäten in der DIN 8063 festgelegt.

Da es sich bei Rohrleitungen im Schiffbau immer um freiliegende Leitungen handelt, müssen längskraftschlüssige Verbindungen gewählt werden – in der Regel sind es Klebverbindungen.

Weiterhin werden die im Teil VII. 1.3 Trinkwasserhausinstallation beschriebenen Kunststoffrohrsysteme aus PB, PE-X, PVC-C und PP auch im Schiffbau eingesetzt.

Von den im Teil V beschriebenen Rohrverbindungen und Verbindungstechniken kommen vor allem die zum Einsatz, die einen geringen Einbauraum benötigen und bei entsprechender dynamischer Belastung sicher sind.

Die Einsatzgebiete für diese Rohre sind im Schiffbau wegen der strengen Sicherheitsbestimmungen begrenzt. In Abstimmung z. B. mit dem Germanischen Lloyd und der Seeberufsgenossenschaft wurde in DIN 86015 der Verlege- und

Tafel 1: Abmessungen der Rohre aus PVC-U

da [mm]	s [mm]	Gewicht pro m [kg]
10	1,0	0,045
12	1,0	0,055
16	1,2	0,090
20	1,5	0,137
25	1,9	0,212
32	2,4	0,342
40	3,0	0,525
50	3,7	0,809
63	4,7	1,290
75	3,6	1,220
90	4,3	1,750
110	5,3	2,610
140	6,7	4,180
160	7,7	5,470

Geltungsbereich festgelegt. Hiernach dürfen Kunststoffrohrleitungen nur an folgenden Stellen verlegt werden:

– oberhalb von Freibord- oder Schottendecks

– unterhalb des Freibord- oder Schottendecks nur innerhalb einer wasserdichten Abteilung

– Verbindungen vom Außenbord nur in sanitären Abflußleitungen; unterhalb des Freiborddecks und Außenbords müssen jedoch Stahlrohre verwendet werden.

Die Rohre und Formstücke dürfen für Trinkwasserleitungen, Frischwasserleitungen (Sanitär), Meerwasserleitungen für sanitäre Einrichtungen (Spülleitungen), Abflußleitungen, Ballast-Wasserleitungen innerhalb von Ballast-Wassertanks, Lade- und Löschleitungen für Säuren und Laugen, Peil- und Luftrohre für Wassertanks, Kofferdämme und Laderaumbilgen verwendet werden. Aufgrund der teilweise stark schwankenden Temperaturen im Schiffsinnern ergeben sich Längenänderungen der Rohrleitungen, die durch Federschenkel oder Dehnungsausgleich aufgenommen werden müssen. Hierzu gibt die DIN 86015 genaue Hinweise und Berechnungsmethoden. Desgleichen sind darin auch alle erforderlichen Hinweise auf die Verarbeitung und Verlegung von Rohrleitungen aus PVC-U im Schiffbau aufgeführt.

8 Dükerleitungen, Seeleitungen

B. KUHNHENN und H. B. SCHULTE

Zunehmende Vermaschung, zentrale Wasseraufbereitung und ausgewiesene Trinkwasserschutzgebiete erfordern oftmals die Kreuzung von Wasserläufen mittels Düker. Ein Düker ist ein Bauteil, das in abgeknickter Form bestimmte Strecken überwindet. Hierzu empfiehlt sich ein Rohrwerkstoff, der ohne den Einsatz zusätzlicher Formstücke sowie baulicher Sonderkonstruktionen auskommt. Der Rohrwerkstoff PE-HD ist aufgrund seiner mechanischen Eigenschaften für die Verwendung als Dükerleitung prädestiniert.

Zu nennen sind hier die besondere Flexibilität, die einfache Handhabbarkeit und die Möglichkeit des Einsatzes von nur relativ leichtem Baugerät. Die Flexibilität der Rohre gestattet rationale Verlegetechniken. Nach dem Absenken können sich die Rohre dem Bodenprofil des Flusses oder Gewässers in Grenzen bestimmter Mindestbiegeradien anpassen.

Die Rohre besitzen eine geringere Dichte als Wasser. Sie können daher mit geringem Aufwand, z. B. ohne den Einsatz zusätzlicher Schwimmkörper, auf dem Wasser transportiert, zum Verlegeort gezogen oder geschoben und leicht in die optimale Verlegeposition gebracht werden.

Rohre aus PE-HD sind korrosionsbeständig. Auch bei der Verlegung in aggressiven Böden oder in Meerwasser fallen zusätzliche Korrosionsschutzmaßnahmen nicht an.

Für das Verlegen von Dükerleitungen haben sich entsprechend den Gegebenheiten des Verlegeortes drei Verfahren als praktikabel erwiesen.

Einziehverfahren

Hierbei werden die zu verlegenden PE-HD-Rohre am Ufer an einem Zugkopf befestigt. Der so vorbereitete Düker wird mit einer Winde am gegenüberliegenden Ufer durch den bereits ausgebaggerten Graben zum anderen Ufer gezogen. Die Abdeckung des Dükers kann nach dem Einziehen erfolgen (Bild 1).

Einschwimmverfahren

Beim Einschwimmverfahren werden die Rohre oder Rohrstränge zu einem Paket zusammengeschnürt und mit einem entsprechenden Ballastgewicht versehen, über der vorher ausgebaggerten Dükerrinne in die entsprechende Absenkposition gebracht. Nach dem Ausrichten der Leitung wird diese geflutet und der Düker abgesenkt. Zum Schluß erfolgt das Absenken der Leitung bzw. das Zuschütten des Grabens (Bild 2).

Dükerleitungen, Seeleitungen

PE-HD Rohrleitung
auf Rutschblechen
(beschwert)

≥ f zul

Wsp

Flußbettsohle

f zul

Ausgebaggerte
Dükerrinne

Zugkopf oder
Kopfschlitten

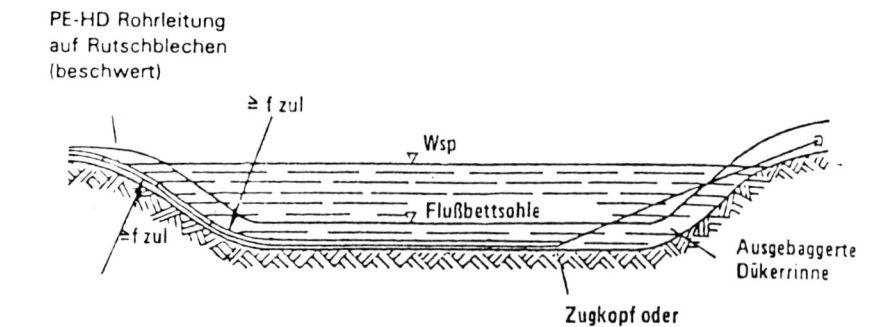

Bild 1   Einziehverfahren

Lageplan Dükerleitung

Lageplan Auslaufleitung

Winde

Winde

Ausgebaggerte
Dükerrinne

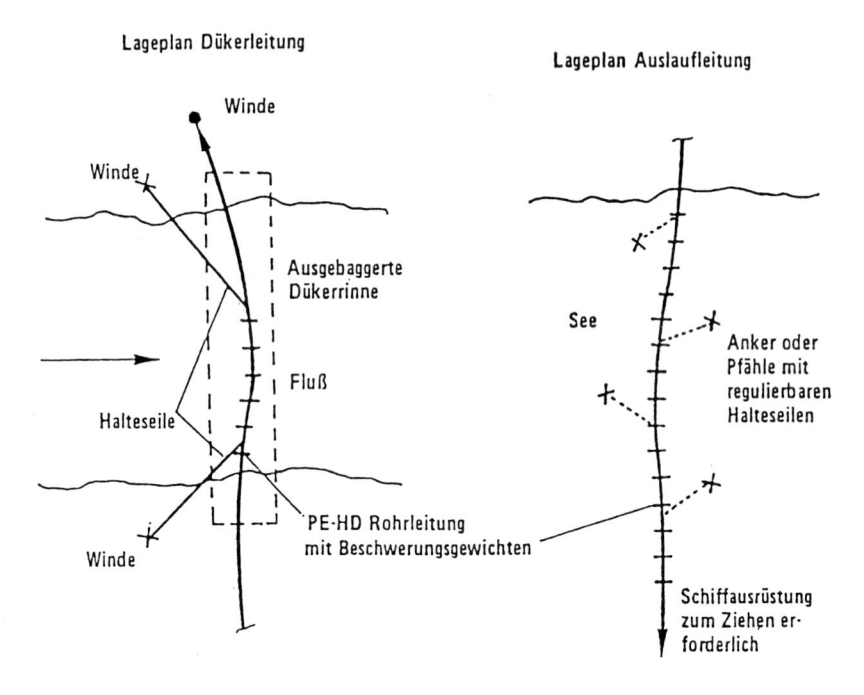

See

Anker oder
Pfähle mit
regulierbaren
Halteseilen

Fluß

Halteseile

Winde

PE-HD Rohrleitung
mit Beschwerungsgewichten

Schiffausrüstung
zum Ziehen erforderlich

Bild 2:   Einschwimmverfahren

Dükerleitungen, Seeleitungen 589

Einspülverfahren

Das Einspülverfahren wird mit Hilfe eines Verlegeschiffes durchgeführt. Die zu verlegende Leitung schwimmt entweder auf der Wasseroberfläche oder ist auf Rohrtrommeln aufgewickelt und befindet sich an Bord des Schiffes. Durch einen Spülkopf, der durch ein am Ufer vorbereitetes Kopfloch auf die gewünschte Verlegetiefe herabgelassen wird, strömt aus mehreren, speziell angeordneten Düsen Preßwasser mit einem hohen Überdruck und einer hohen Literleistung aus. Hierbei wird der anstehende Boden so weit aufgelockert und aufgeweicht, daß das gesamte Spülgerät mühelos in Einschwimmrichtung gezogen werden kann. Aus dem Fuß des Spülgerätes treten – von oben durchgezogen – die zu verlegenden Rohre aus, und die Rinne fällt nach dem Verlegen von selbst wieder zusammen und bedeckt das Rohr. Je nach Beschaffenheit des Bodens sind mit diesem Verfahren Verlegetiefen bis zu 30 m möglich. Gleichzeitig können mehrere Rohre eingespült werden (Bild 3).

Der Anschluß an die an beiden Ufern befindlichen Leitungen erfolgt über Flanschverbindungen. Die Dichtheitsprüfungen werden entsprechend DIN 4279 durchgeführt.

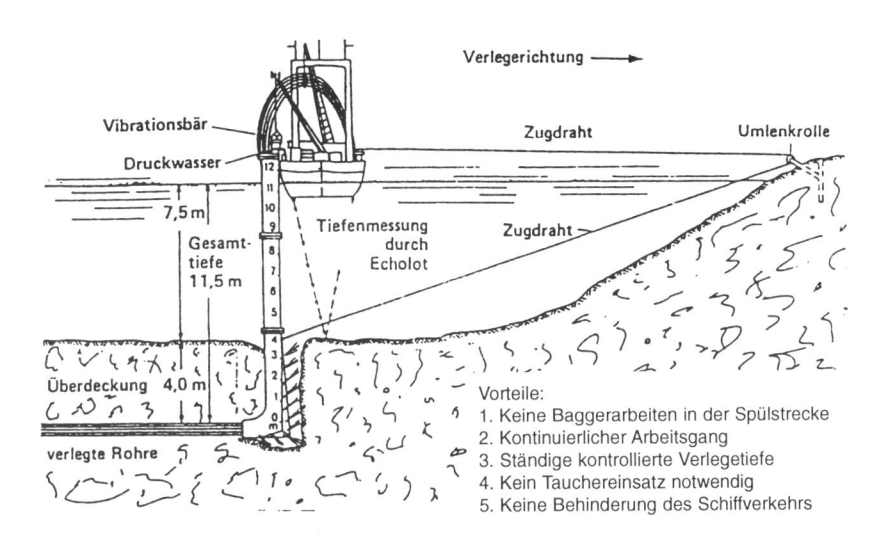

Bild 3: Einspülverfahren

Seeleitungen

Die hohe Flexibilität von Rohren aus PE-HD ermöglicht auch die Verlegung von Leitungen durch Seen. Vorteile hierbei sind, daß aufwendige Erdarbeiten und die damit verbundenen Behinderungen und Schwierigkeiten entfallen. Zudem zeichnet sich die Rohrtrasse meistens durch einen geradlinigeren und damit erheblich kürzeren Verlauf aus. Die Erfahrungen, die in den letzten Jahrzehnten mit der Verlegung von Leitungen durch Seen gemacht wurden, bestätigen dies und zeigen zudem, daß mit diesem Verfahren große Kostenvorteile verbunden sind.

9 Beregnungsrohre, Schnellkupplungen

R. WOLTER

Beregnungsrohre

Beregnungsrohre haben für die Bewässerung in der Landwirtschaft seit über 20 Jahren große Bedeutung.

Die Bewässerung ist notwendig, damit der Wasserbedarf der Pflanzen und Kulturen in den Trockenphasen sichergestellt ist. Hierzu stehen flexible PE-HD-Rohre nach DIN 19658 Teile 1–3 in unterschiedlichen Längen zur Verfügung.

Die wesentlichen Vorteile von Rohren aus Polyethylen sind in diesem Zusammenhang:

- niedriges Gewicht
- Flexibilität
- hohe Biegebeanspruchung
- Zähigkeit
- hohe Zugfestigkeit
- geringe Wandreibungsverluste
- Beständigkeit gegen Chemikalien (Flüssigdünger)
- Beständigkeit gegen Temperaturschwankungen und Sonneneinstrahlung
- hohe Spannungsrißbeständigkeit.

Für die Feldberegnung haben sich neben der Entwicklung der Tropfbewässerung (geschlossene Wassersysteme, die über Tropfelemente das notwendige Wasser an den Boden oder die Pflanzen abgeben) mobile Feldberegnungsanlagen bewährt.

Beregnungsrohre, Schnellkupplungen

Bild 1: Beregnungsanlage

Die Ausstattung besteht aus einer kompakten Trommel, einem bis etwa 640 m langen, auftrommelbaren PE-HD-Rohr mit einem Rohrdurchmesser von 50 mm bis 125 mm sowie verschiedenen Düsenwagensystemen.

Die Beregnung geschieht während des Aufwickelns des Rohres. Moderne Anlagen beregnen mit Einzugsgeschwindigkeiten von 10 m/h bis 160 m/h.

Neue Generationen von Groß-Beregnungsanlagen (Bild 1) sind ausgerüstet für eine Arbeitsbreite bis zu 120 m und erreichen eine Flächenleistung von 80 ha.

Die Durchflußmengen in der Verrohrung liegen zwischen 30 m^3/h bis 80 m^3/h. Die Ausstattung ist in der Technik sehr komfortabel. Elektronische Regelungen, kraftvolle Präzisionsgetriebe, hydraulische Steuerung für Klappen und höhenverstellbare Ausleger sorgen für schnelle Rüstzeiten und leichte Bedienung.

Schnellkupplungen

Speziell entwickelte Schnellkupplungen ermöglichen eine leichte Montage und Demontage der mobilen Beregnungsanlagen.

Die Kupplungen sind mit den PE-HD-Rohren und Düsenwagen zugfest verbunden und lassen sich mit wenigen Handgriffen ohne zusätzliches Werkzeug öffnen und schließen.

Dank der besonderen Konstruktion dieser Systeme muß das Rohr nicht mehr an einer bestimmten Stelle und Seite an den Düsenwagen angekuppelt werden.

Die verwendeten Werkstoffe sind hochfeste Qualitätsstähle, feuerverzinkt nach DIN 50976, und lassen einen Betriebsdruck bis 20 bar bei den Fördermedien zu.

10 Brunnentechnik

W. FRICK und K. RUMÖLLER

10.1 Anforderungen

Kunststoffe werden in großer Vielfalt hergestellt; diesen Umstand hat man sich bei der Anwendung als Brunnenausbaumaterial zunutze gemacht.

Brunnen sind langlebige Wirtschaftsgüter, so daß Langzeitverhalten und Rentabilität entscheidende Kriterien für die Auswahl der Rohrwerkstoffe sind.

Voraussetzungen hierfür:

- Korrosionsbeständigkeit

- ausreichende mechanische Festigkeit

- Erfüllung der KTW (Kunststoffe für Trinkwasser)

- richtige Dimensionierung

- günstiges Preis-/Leistungsverhältnis.

Diese Forderungen werden heute am besten durch PVC-U Brunnenrohre und -Filter erfüllt, die sich am Markt auch durchgesetzt haben.

Für Tiefenbohrungen (z.B. Geothermie, Mineralwasser- bzw.Solebrunnen) werden GFK- (Glasfaserverstärkter Kunststoff) Rohre eingesetzt, die die notwendigen hohen mechanischen Festigkeiten aufweisen.

PE-HD-Rohre werden in zunehmendem Maße eingesetzt, da sie gegen viele Lösungsmittel beständig sind. Allerdings setzt die Festigkeit dem Einbau Grenzen, ebenso das niedrige spezifische Gewicht von unter 1, das im Wasser Auftrieb verursacht.

Rohre aus anderen Werkstoffen wie PP und PTFE werden nur in Ausnahmefällen eingesetzt.

Insbesondere eignen sich Kunststoffrohre zur Brunnenregenerierung mit aggressiven Regenerierungsmitteln. Die Oberflächen der Rohre sind in der Regel sehr glatt und wirken daher Inkrustationen und Ablagerungen entgegen.

Brunnentechnik

10.2 Anwendungsgebiete

Aufgrund der Vielfalt von Kunststoffrohren sind für die meisten Brunnenausbauten geeignete Werkstoffe und die passende Nennweiten vorhanden (Bild 1).

Rohre aus PVC-U

Nennweiten: DN 35–400

Festigkeit gegenüber äußerem Überdruck: 30 bar für Rohre DN 35–50

6–7 bar bei Rohren bis DN 400 mit Normalwanddicke

14–15 bar bei starkwandigen Rohren bis DN 400.

Abmessungen über DN 400 (DN 500 und 600) sind nicht für den Brunnenausbau genormte Sonderabmessungen mit einer reduzierten Festigkeit gegenüber äußerem Überdruck um 2 bar (Tafeln 1 und 2).

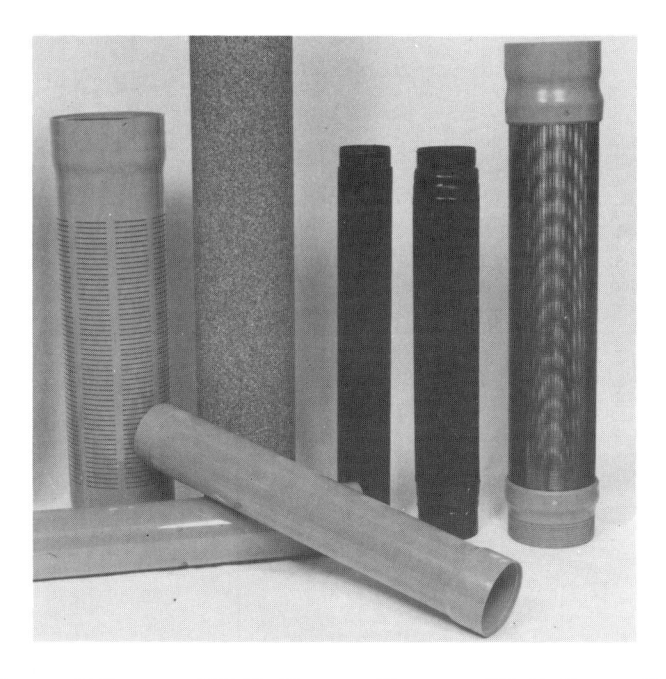

Bild 1: Kunststoff-Filter aus PVC-U, Kiesmantelfilter aus PVC-U, Kunststoff-Filter aus PE-HD und PVC-U-Verbindung zu Stahl

Tafel 1: Festigkeiten gegenüber äußerem Überdruck. PVC-U-Vollwandrohre und Filter

Nennw. DN	Normalwandig		Starkwandig	
	Vollwandrohr [bar]	Filter [bar]	Vollwandrohr [bar]	Filter [bar]
35	54,0	48,6 – 37,8		
40	35,0	31,5 – 24,5		
50	26,0	23,4 – 18,2		
80	7,8	7,0 – 5,5		
100	7,2	6,5 – 5,0		
115	5,2	4,7 – 3,6	13,0	16,2 – 12,6
125	8,3	7,5 – 5,8	14,0	12,6 – 9,8
150	8,1	7,3 – 5,7	16,1	14,9 – 11,3
175	7,1	6,4 – 5,0	17,7	16,0 – 12,4
200	7,2	6,5 – 5,0	16,6	15,0 – 11,6
250	7,3	6,2 – 5,1	16,0	14,4 – 11,2
300	7,0	6,0 – 4,9	16,4	14,8 – 11,5
350	7,0	6,0 – 4,9	12,8	12,0 – 9,0
400	7,0	6,0 – 4,9	11,6	12,0 – 9,0

Diese Werte wurden auf der Basis von Druckversuchen und theoretischen Berechnungen erstellt.

Tafel 2: Abmessungen für Filter und Aufsatzrohre nach DIN 4925

Nennweite	Normalwandig		Starkwandig	
	da [mm]	s [mm]	da [mm]	s [mm]
35	42	3,5	–	–
40	48	3,5	–	–
50	60	4,0	–	–
80	88	4,0	–	–
100	113	5,0	113	7,0
115	125	5,0	125	7,5
125	140	6,5	140	8,0
150	165	7,5	165	9,5
175	195	8,5	175	11,5
200	225	10,0	225	13,0
250	280	12,5	280	16,0
300	330	14,5	330	19,0
350	400	17,5	400	21,5
400	450	19,5	450	23,5

Somit können PVC-U Brunnenrohre mit Durchmessern bis DN 400 in fast allen Brunnenarten bis zu Teufen von 200 Metern eingebaut werden.

Haupteinsatzgebiete:

Durchmesser bis DN 50	– überwiegend als Peilrohre
Durchmesser DN 80–125	– überwiegend für kleine Hauswasserversorgungsbrunnen u. Grundwassermeßstellen
Durchmesser > DN 125	– für Trink- u. Brauchwasserbrunnen.

Rohre aus GFK

Gewickelte Rohre werden üblicherweise für Tiefenbohrungen eingesetzt. Überwiegend handelt es sich um die Abmessungen DN 5.1/2", 7", 9", wobei die „Sandwich"-Bauweise eine Wanddickenanpassung an die Erfordernisse der individuellen Bohrung möglich macht. Geschleuderte Rohre in Abmessungen bis DN 750 werden hauptsächlich als Kiesbelagfilter im Braunkohletagebau zur Grundwasserabsenkung eingesetzt. Geschleuderte Rohre können ebenfalls in der Wandstärke angepaßt werden.

Rohre aus PE-HD

Rohre sind verfügbar in den Abmessungen DN 50–600.

Unter Abschnitt 10.3 wird auf Abmessungen und Gewinde noch gesondert eingegangen.

Die Rohre kommen überwiegend in Deponien zum Sammeln von kontaminierten Sickerwässern und von Deponiegasen zum Einsatz, im Altlastenbereich bei der Erkundung und Sanierung.

Rohre aus PTFE

Die Rohre werden nur bei Erkundungsbohrungen im Altlastenbereich eingesetzt, wenn äußerst aggressive Kontaminierungen angetroffen bzw. erwartet werden.

10.3 Abmessungen, Materialien

Im Brunnenbau werden die einzusetzenden Abmessungen überwiegend durch den Rohrinnendurchmesser bestimmt, da die Förderung des Wassers vertikal durch Unterwasserpumpen erfolgt. Dies erfordert in der Rohrtour genügend Platz für Gewinde oder Flanschensteigleitungen sowie Kabel. Der zu erwartende äußere Überdruck und die Zugbelastungen bestimmen die Materialauswahl und die Wanddicken.

PVC-U

Brunnenausbaurohre werden heute überwiegend aus PVC-U hergestellt. (Abmessungen siehe Tafel 2). Die Abmessungen wurden den speziellen Anforderungen im Brunnenbau angepaßt. Die Filter werden aus Vollwandrohren durch Sägen von Schlitzen unterschiedlicher Größe gefertigt. Die DIN 4925 unterscheidet zwei Rohrreihen: normalwandig und starkwandig (Bild 2). Es wird empfohlen, normalwandige Vollrohre und Filter bis zu Tiefen von etwa 100 m. einzubauen, starkwandige Rohre/Filter je nach Bodenformation und Grundwasserspiegel bis zu einer Tiefe von ca. 230 m. Das starkwandige Rohr ist schon erfolgreich in größeren Tiefen eingebaut worden; allerdings sollten dann die örtlichen Einbaubedingungen exakt geprüft werden. Außerdem ist von den Bohrunternehmen große Erfahrung und Sorgfalt beim Einbau gefordert. Zu berücksichtigen ist immer, daß die größte Belastung nur kurzzeitig erfolgt, und zwar während der Einbringung der Kiesschüttung und während des Entsandungsvorganges.

Die Industrie bietet auch sogenannte PVC-U-Kiesmantelfilter an. Hier werden auf das PVC-U-Filterrohr ein Kiesmantel aus sauberem gerundetem Quarzfilterkies definierter Körnung und Kunstharzkleber aufgebracht. Die Wasserdurchlässigkeit ist bei richtiger Auswahl des Kiesmantels gleichmäßig und gut. Der Kiesmantel erhöht zusätzlich die Außendruckfestigkeit.

Bild 2: Filter und Vollwandrohre in verschiedenen Längen

PE-HD

Vollwandohre und Filter werden in den Abmessungen nach. DIN 8074 eingesetzt. Überwiegend werden Rohre der Nenndruckstufen PN 6 und PN 10 eingebaut. Beim Einsatz von PE-HD-Rohren ist auf die Durchmesser und Wandstärken zu achten. Der Brunnenbauer geht normalerweise vom Innendurchmesser eines Rohres aus.

Kunststoffrohre werden jedoch außendurchmesserbezogen hergestellt. Hinzu kommt, daß PE-HD-Rohre andere Festigkeitseigenschaften besitzen. Um im Verhältnis zu PVC-U-Rohren die gleiche Festigkeit gegenüber äußerem Überdruck zu erhalten, sind also größere Wanddicken und damit verbunden größere Außendurchmesser erforderlich.

Beispiel: DN 200

	PVC-U normalwandig	PE-HD
Außendurchmesser	225 mm	250 mm
Innendurchmesser	205 mm	204 mm
Wand	10 mm	22,8 mm
Festigkeit gegenüber äußerem Überdruck	ca. 7 bar	ca. 7 bar

Da die Wanddicken für PE-HD-Rohre größer ausfallen, sind sehr feine Schlitzungen problematisch. Die kleinste handelsübliche Spaltweite beträgt bei einem Außendurchmesser unter 125 mm = 0,5 mm, von 140 bis ca. 200 mm = 1,0 mm.

Bei größeren Außendurchmessern beträgt die Spaltweite >2,0 mm

GFK

Nachfolgend typische mechanische Werte für GFK-Rohre:

Nennweite	5.1/2"	7"	9"	550 mm	750 mm
Außendurchmesser	142 mm	177 mm	231 mm	616 mm	820 mm
Wand	10,4 mm	13,2 mm	17,3 mm	31 mm	42 mm
Festigkeit gegenüber äußerem Überdruck	143 bar	150 bar	150 bar	38 bar	45 bar
Zul.Tragkraft	260 kN	408 kN	725 kN	300 kN	600 kN

Nach dem Fräsen der Schlitze bzw. der Löcher in großen Durchmessern, sowie nach dem Schneiden von Gewinden bzw. Steckmuffenverbindungen sollten die Oberflächen der Schnittstellen mit Harz versiegelt werden, um eine Delamination zwischen Glasfasern und Harzen zu verhindern.

10.4 Verbindungen

Da Brunnen zu 95 % vertikale Bauwerke sind und die Kunststoffrohre hängend eingebaut werden, sind überwiegend Schraubverbindungen gebräuchlich, in Sonderfällen auch Flansche.

Die Anforderungen an Schraubverbindungen sind:

- gute Verschraubbarkeit
- gute Dichtigkeit
- ausreichende Zugfestigkeit für die Belastung während des Einbaus und beim Kiesschütten.

Für PVC-U-Brunnenrohre nach DIN 4925 werden für die Abmessungen DN 35–80 Rohrgewinde nach DIN 2999 (Witworth-Rohrgewinde) geschnitten.

Für die größeren Abmessungen wird das Trapezgewinde gewählt, in Anlehnung an die DIN 103 Teil 1. Dieses Gewinde läßt sich leicht verschrauben und schließt die Gefahr des Überspringens wegen seiner relativ großen Schnittiefe unter Normalbedingungen aus (Bild 3).

Die nachstehende Übersicht gibt zulässige Zugbelastungen an.

Witworthgewinde		Trapezgewinde		Spezialgewinde	
DN	[kN]	DN	[kN]	DN	[kN]
35	7.8	100	22.4	500	220
40	8.9	115	24.8	600	220
50	13.3	125	37.8		
80	19.0	150	53.2		
		175	69.5		
		200	94.3		
		250	135.8		
		300	151.2		
		350	219.0		
		400	274.5		

Filter sollten nur mit ca. 33 % dieser Werte belastet werden, da der Rohrkörper durch die Schlitzung geschwächt wird.

Von Fall zu Fall sind „schlanke" Rohrtouren mit nicht auftragenden Gewinden gefordert. Die Grundform des Gewindes bleibt unverändert, es wird jedoch auf der Mittelachse der Rohrwand geschnitten. Von der ursprünglichen Wanddicke bleibt dann wesentlich weniger Material stehen, und die zulässige Zugbelastung wird um bis zu 50 % verringert.

Für GFK-Rohre kleinerer Dimensionen werden meistens API-Gewinde (entwickelt aus der Erdölindustrie) in verlängerter Form mit 8-Gang pro Zoll ver-

Brunnentechnik 599

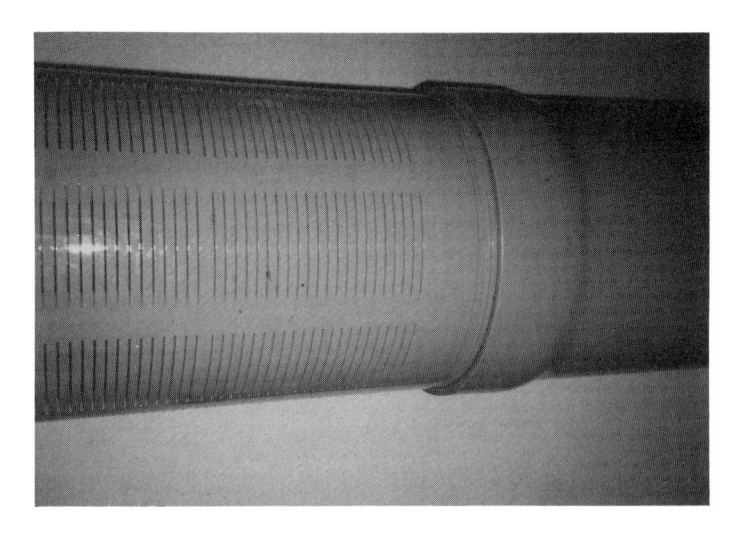

Bild 3: Filter und Vollwandrohre mit Trapezgewinde

Bild 4: Zubehör

wandt. Für die großen Abmessungen im Braunkohletagebau sind Steckmuffenverbindungen üblich.

PE-HD-Rohre werden für den Brunnenbau mit eingeschnittenen Trapezgewinden, ähnlich DIN 4925 für PVC-U-Rohre, geliefert. Gemuffte Rohre mit Gewinden sind nur bedingt herstellbar. Um eine ausreichende Tragfähigkeit des Gewindes zu erreichen, ist unbedingt auf eine ausreichende Wanddicke zu achten. Bei der Auswahl der Wanddicke ist wiederum der sich ergebende Innendurchmesser für den Brunnenbauer maßgebend.

Bei dünnwandigen Absenkfiltern aus PVC-U werden Schnellverbindungen eingesetzt, z.B. mit Noppen am Zapfenende, die in gefräste Schlitze in der Muffe einrasten. Eine weitere Verbindungsart ist die sogenannte Spannbügelschelle, die in Nuten einrastet.

10.5 Zubehör

Zum Bau eines Brunnens gehören nicht nur Filter und Vollwandrohre, sondern auch weitere Systemkomponenten (Bild 4):

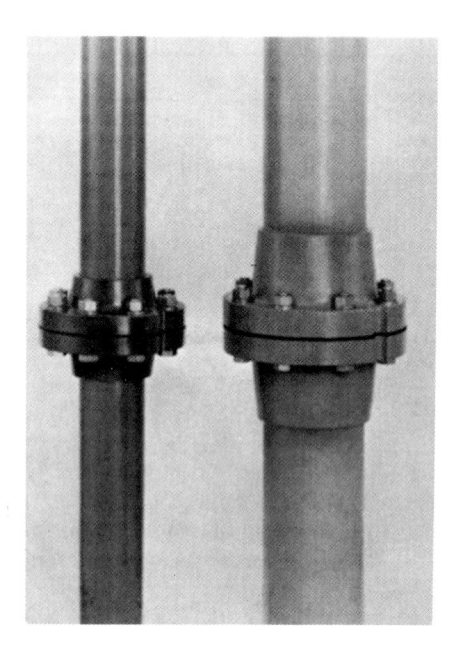

Bild 5: Pumpensteigrohre aus PVC-U

- zum Einbau der Rohrtour
  - Hebekappen zum Herablassen der Rohre in das Bohrloch
  - Abfangschellen zum Zusammenfügen der einzelnen Rohrlängen
  - Zentrierungen zur mittigen Positionierung des Rohrstranges im Bohrloch
  - Bodenkappen, geschraubt oder geschweißt, als unterer Abschluß der Rohrtour
  - Brunnenköpfe in verschiedenen Ausführungen als oberer Brunnenabschluß
  - Brunnenschächte aus PE-HD, GFK oder anderen Werkstoffen.

- für Grundwassermeßstellen Spezialverbindungen mit O-Ring oder Profilringeinlagen, die erhöhten Anforderungen in Bezug auf Dichtigkeit gerecht werden (Forderung lautet: „absolut dicht"). Verfügbar sind Doppelmuffen und besonders am Rohr geformte Muffen.

- Pumpensteigerohre (Bild 5); hier bietet sich PVC-U wegen seiner Korrosionsbeständigkeit an. Die Rohre müssen allerdings stark genug ausgelegt sein, um sowohl die Gewichte der U-Pumpen als auch die Torsionsbeanspruchung beim Pumpenbetrieb aufnehmen zu können. PVC-U Pumpensteigleitungen werden heute im Abmessungsbereich DN 50–150 geliefert. Als Verbindungen dienen in erster Linie Spezialflansche.

11 Wasseraufbereitung

H. HILLINGER

Die Aufbereitung kann vor der Verwendung des Wassers zur Anpassung an die jeweilige Anwendung erfolgen, nach der Verwendung zum erneuten Einsatz im Kreislauf bzw. für einen anderen Zweck, sowie zum Neutralisieren vor der Ableitung.

Natürliches Wasser auf unserem Planeten, die häuslichen, gewerblichen, industriellen und landwirtschaftlichen Wässer/Abwässer enthalten so ziemlich alle auf unserer Erde vorkommenden Stoffe. Dies führt zu einer unterschiedlichen chemischen Aggressivität des Mediums. Wasser ist unter anderem ein gutes Lösungsmittel für Salze, Säuren, Laugen und andere Verbindungen. Es ist mischbar mit Alkoholen, Glykolen, Äthern, Aminen und Aceton. Verunreinigungen im Wasser bereiten Probleme für den Rohrleitungsbau.

Hier sind z. B. verschiedene Korrosionsarten, Chlorid-, Laugen- und Wasserstoffangriff, Entzinkung von Messing, Messing-Amoniakangriff und Inkrustation zu nennen.

Zur Wasseraufbereitung werden mechanische, biologische und chemisch/physikalische Verfahren eingesetzt:.

- Rechen, Siebe, Filter, Schwerkraftabscheider, Flotations- und Absetzanlagen gehören zu den mechanisch/physikalischen Verfahren.

- Bei den biologischen Verfahren entfernen Mikroorganismen gelöste und ungelöste Substanzen aus dem Abwasser.

Man unterscheidet dabei das sauerstoffhaltige (aerobe) Milieu für den Abbau organischer Kohlenstoffverbindungen und das sauerstoffreie (anaerobe) Milieu für die Nitrat-bzw. Sulfatatmung.

- Die chemisch/physikalischen Verfahren sind recht vielfältig. Die Neutralisation, eine chemische Reaktion mit Stoffumsatz wird bei sauren und alkalischen Abwässern vor ihrer Einleitung in Gewässer oder in gemeindliche Kanalisationssysteme vorgesehen. Die Chemie, Raffinerien, Metallverarbeitung und die Oberflächentechnik setzen dieses Verfahren ein (Bild 1).

- Die Flockung ist ein Prozeß, bei dem suspendierte Stoffe, die in kolloidaler Form gegeben sind, in größere Agglomerate überführt werden. Dadurch lassen sich die Schwebstoffe vom Wasser trennen, und mit Hilfe des Transport-

Bild 1: Wasseraufbereitung in PVC-Eloxalbetrieb

Wasseraufbereitung

vorganges bilden sich größere Einheiten. Dieses Verfahren ist für viele industrielle Abwässer (Papier-, Textil-, Keramik- und Chemie-Industrie) geeignet.

- Absorptionsverfahren, bei denen Stoffe an der Oberfläche eines Testkörpers, z. B. an Aktivkohle gebunden werden, kommen in der Chemie, im Lebensmittelbereich, in Färbereien und Walzwerken zur Anwendung. So wird z. B. bei im Kreislauf geführtem Walzenkühlwasser die Trennung von Öl und Fett vorgenommen.

- Weitere Verfahren sind Extraktion mit Lösungsmitteln, Umkehrosmose, Ultrafiltration, Ionenaustauscher, Vakuum- und Strippentgaser, Elektrolyse, Destillation, sowie die Ozon- und UV-Entkeimung.

Vielfach werden die Verfahren im Prozeß der Wasseraufbereitung auch nacheinander eingesetzt.

Nimmt man zum belasteten Wasser die in den Prozessen eingesetzten Chemikalien hinzu, wird deutlich, daß der Anspruch an die Rohrleitungskomponenten sehr hoch ist. Dies gilt vor allem mit Blick auf die chemische Widerstandsfähigkeit gegen anspruchsvolle und/oder aggressive Medien. Um einen sicheren Anlagenbetrieb mit einer hohen Standzeit zu erreichen, müssen die Planer, Anlagenbauer und Betreiber passende Werkstoffe auswählen.

Bild 2: Wasseraufbereitung – Papierfabrik

Als besonders geeignet haben sich die technischen Kunststoffe PVC, PP, PE, PB und PVDF erwiesen. Sie sind, richtig ausgewählt, auf die Anforderungen in der Wasseraufbereitung abgestimmt und bieten ein günstiges Preis-/Leistungsverhältnis. Bei Wasseraufbereitungsanlagen beträgt der Anteil dieser Werkstoffe für den Rohrleitungsbau über 60 %, in speziellen Bereichen nahezu 90 %. Bild 2 zeigt eine Wasseraufbereitungsanlage in einer Papierfabrik.

Reinstwasser, für diesen Begriff gibt es keine übereinstimmende Definition, wird bei unterschiedlichen Anforderungen in der Pharma-, Elektronik-, Medizintechnik, bei Dampfkesseln und in der Lebensmittelindustrie eingesetzt.

Allgemein kann man Reinstwasser als ein Wasser bezeichnen, an das höhere Anforderungen in Bezug auf Restionengehalt und/oder bakteriologische, partikuläre und organische Verunreinigungen gestellt wird, als es normalerweise bei entsalztem Prozeßwasser der Fall ist. Auf die Wiederverwendung des Reinstwassers wegen der Wirtschaftlichkeit wird großer Wert gelegt.

Kleinste Verunreinigungen führen z.B. in der Chip-Fertigung zu erheblichen Ausfallquoten. Ein Chip mit einer 1-Megabit-Kapazität hat eine Strukturbreite von ca. 1 Mikrometer. Partikelgrößen von 0,1 Mikrometer wirken sich bereits kritisch aus. Der Trend in diesem Bereich zu immer größeren Kapazitäten auf

Bild 3: Reinstwasseranlage zur Chipfertigung in PVDF-HP

kleinstem Raum mit schwindenden Strukturbreiten schraubt die Anforderungen an die Medien und die Rohrleitungssysteme in die Höhe (Bild 3). Die Rohrleitungskomponenten dürfen selbst keinen Beitrag zur weiteren Kontamination leisten.

Die Anforderungen an vollentsalztes (VE) Reinstwasser sind in Bezug auf die Leitfähigkeit, Partikelanzahl, Mikroorganismen, Total Oxidizable Carbon (TOC), Kationen und Anionen extrem. Das Verhalten von PVDF-HP, einem nach genauen Vorschriften hergestellten Rohrleitungsmaterial im VE-Wassereinsatz, ist ideal. Eine Leitfähigkeit von 0,05 Mikrosiemens pro cm wird bereits eine Stunde nach dem Einfahren von Reinstwasseranlagen erreicht. Die porenfreie Oberfläche mit einem Rauhigkeitswert < 1 µm, verbunden mit höchster Abrasionsbeständigkeit, sind bezüglich Partikel vorteilhaft. Gegenüber Mikroorganismen ist PVDF ebenso resistent wie Glas. Da keine Additive wie Antioxidantien, Lichtschutzmittel und UV - Stabilisatoren enthalten sind, verhält sich PVDF Material günstig in Richtung TOC.

Die Wasseraufbereitung ist ein vielschichtiges, technisches Gebiet, auf dem hochwertige technische Kunststoffe sich im Rohrleitungs- und Behälterbau ihren Platz erobert haben.

12 Schwimmbadtechnik

H. HILLINGER

Badewasser in einem Hallenbad oder in einem Freibad ist vielfältigen Belastungen ausgesetzt. Dazu gehören eingetragene organische Stoffe, Haut- und Kosmetikfette, Keime, Schmutzpartikel, Schwermetallionen, Harn, Geruchs- und Geschmacksträger, toxische Stoffe sowie nicht zuletzt Bakterien und Viren.

Die Schwimmbadtechnik schafft die Voraussetzungen, um das Badewasser abhängig von seiner Urqualität und seiner Belastung für die Menschen in einwandfreier hygienischer und ästhetischer Qualität zu erhalten.

Diese Technik umfaßt die Werkstoffauswahl, die Wasserführung, die Filteranlagen, die Wasseraufbereitung und -pflege einschließlich Desinfektion, Beckenkonfiguration sowie die Heizung, Entfeuchtung – Klimatisation.

Eine optimale Funktion wird erreicht, wenn die bauliche Ausführung stimmt und die Aufbereitung des Schwimmbeckenwassers nach erprobten Verfahren abläuft. Dies kann in folgenden Schritten geschehen:

– Abgebadetes Beckenwasser wird mit Hilfe von Metallsalzen geflockt

– Geflocktes Badewasser wird über Sand-Schnellfilter gereinigt

- Filtrat wird mit Ozon behandelt
- Ozontes Wasser wird über Aktivkornkohle filtriert
- Filtrat wird u.a. mittels Chlor einer Nachdesinfektion unterzogen.

Die Wasserführung, die Wasseraufbereitung, aber auch die gesamte Schwimmbadtechnik benötigt in großem Umfang Rohre und Rohrleitungskomponenten.

Die Werkstoffauswahl spielt wegen der Wasserqualität für den Betrieb und die Lebensdauer eine große Rolle.

Stark aggressives, aber auch heilsames Thermalwasser war in einem Test von Armaturen aus Stahl und Gußeisen mit Gummiauskleidung nicht zu beherrschen. Vollkunststoffarmaturen aus PVC und PP haben nicht nur den Test glänzend bestanden, sondern sich in mehrjähriger Praxis bewährt. Bild 1 zeigt das Rohrleitungssystem im Thermalbad Baden-Baden.

Neben PVC und PP werden in der Schwimmbadtechnik die technischen Kunststoffe PB, PE und PVDF im Rohrleitungsbau eingesetzt. Die Elastizität der Materialien ist bei Mauerdurchführungen und bei unvermeidbaren Setzungser-

Bild 1: Rohrleitungssystem in PP und PVC im Thermalbad Baden-Baden

scheinungen vorteilhaft. Natürlich müssen bei der Verlegung und Projektierung die Belange im Kunststoffrohrleitungsbau – z. B. Leitungsführung und -befestigung, Ausdehnung – beachtet werden.

Wenn die Technik stimmt, kann man sorglos ins Wasser springen. Wer hätte da nicht Lust, die Badesachen einzupacken?

13 Druckluftleitungen

E. ANT

In weiten Bereichen des Rohrleitungsbaus haben sich Kunststoffrohrsysteme wegen ihrer Flexibilität, Korrosionsbeständigkeit, glatten Oberfläche, hervorragenden Verbindungstechniken, leichten Verarbeitung und Verlegung ihren Platz erobert. Zum Einsatz von Druckluftrohrleitungen aus Kunststoffen kam es dabei erst relativ spät, in den 80er Jahren.

Die Drucklufttechnik unterteilt das Gesamtsystem nach:

– Drucklufterzeugung

– Druckluftverteilung bzw. Druckluftnetz

– Druckluftverbraucher.

Über Jahrzehnte ist das Druckluftnetz – der eigentliche Leistungsträger – als Stiefkind behandelt worden. Die Entwicklung lag vielmehr schwerpunktmäßig auf der Drucklufterzeugung und dem Verbrauch. Die Wirtschaftlichkeit einer Druckluftleitung wird jedoch in viel stärkerem Maße von der Wahl des Rohrwerkstoffes beeinflußt, als dies allgemein angenommen wird. Erst mit dem Einsatz von Kunststoffrohren gelang es, die Grundanforderungen an das Druckluftnetz

– möglichst mit wenig Druckabfall

– möglichst mit wenig Luftverlusten

– möglichst ohne Qualitätsminderung der Luft

optimal zu erfüllen.

Die Druckluftrohrleitungssysteme aus Kunststoff zeichnen sich durch ihr geringes Gewicht aus. Dadurch können Sie ohne teure Haltevorrichtungen in vorhandene Kabelbühnen und Abhängungen oder einfach an die Decke montiert werden. Die glatten Innenwände ermöglichen hervorragende Strömungsbedingungen der Druckluft. Luftdichte Verbindungen schließen Luftverluste aus. Eine Wartung der korrosionsbeständigen Werkstoffe ist nicht mehr erforderlich. Die Luftqualität wird durch die Werkstoffe nicht beeinträchtigt.

Das Medium Luft stellt jedoch im Unterschied zu Wasser oder anderen Flüssigkeiten besondere Anforderungen an den Werkstoff. Die Auswahl des Werkstoffes muß in erster Linie nach den Kriterien

– Bruchverhalten

– Chemische Widerstandsfähigkeit

– Druck-Temperaturverhalten

getroffen werden.

Bruchverhalten

Da Druckluft ein kompressibles Medium ist, sollte das Kunststoffrohr nicht sprödbrüchig sein. Die sprödbrüchigen Kunststoffe können bei einer mechanischen Beschädigung bzw. Überbeanspruchung in scharfkantige Teile zersplittern, während die zähbrüchigen Kunststoffe in solchen Fällen zwar einen Riß oder ein Loch aufweisen, aber nicht durch herumfliegende Teile zusätzliche Gefährdungen verursachen.

Tafel 1: Druckluftrohrleitungssysteme aus Kunststoff

Kunststoff-rohrsystem	PE-X vernetztes Polyethylen	ABS Acrylnitril-Butadien-Styrol	PA Polyamid	PB Polybuten
Grundnorm Rohre	DIN 16892/893	DIN 16890/891	DIN 16982	DIN 16968/969
max. Druck (50 Jahre) [bar] 20 °C 50 °C	12,5 9	12,5 8	15 9	10 8
Rohrverbindung	Klemmverbinder aus Metall Steckverbinder aus Kunststoff Schraub-Klemmverbindungen aus Kunststoff	Verklebung	Klemmverbinder aus Metall Steckverbinder aus Kunststoff Schraub-Klemmverbindungen aus Kunststoff	Klemmverbinder aus Metall Steckverbinder aus Kunststoff Schraub-Klemmverbindungen aus Kunststoff Heizelementmuffen-Schweißen

Chemische Widerstandsfähigkeit

Neben Wasser sind häufig noch Restgehalte von Kompressorenölen im Druckluftstrom. Des weiteren werden viele Druckluftnetze geölt, um die Funktion der Ventile, Motoren und Werkzeuge sicherzustellen. Bei der Auswahl der Kunststoffrohre muß daher auf ihre Verträglichkeit mit den Ölen geachtet, diese gegebenenfalls mit dem Öllieferanten abgestimmt werden. Zu beachten sind die Angaben der Kunststoffrohranbieter.

Druck-Temperaturverhalten

In der Regel wird eine Belastbarkeit der Rohre für eine Betriebszeit von 50 Jahren bis + 50°C und mindestens 8 bar vorausgesetzt. Normalerweise sind die Drucklufttemperaturen jedoch geringer.

Eine Übersicht der zur Anwendung gelangenden Druckluftrohrleitungssysteme aus Kunststoff zeigt die Tafel 1.

Die ausgereiften Systeme werden allen Anforderungen der Drucklufttechnik gerecht.

14 Abgastechnik

H.B. SCHULTE

Kunststoffrohrsysteme dienen überwiegend dem Transport von Wasser, Abwasser und dem Primärenergieträger Erdgas. Ausschlaggebend hierfür waren die jeweiligen kunststoffspezifischen Eigenschaften. Kunststoffrohrsysteme haben aber auch den Bereich Fußbodenheizung wesentlich mitgestaltet und werden aufgrund ihrer Eigenschaften in zunehmendem Maße als alternative Niedertemperatursysteme eingesetzt. Schließlich haben seit gut einem Jahrzehnt Kunststoffsysteme erheblich dazu beigetragen, daß die in den Abgasen enthaltenen Wärmeinhalte genutzt werden. Durch diese Nutzung der Wärmeinhalte werden bei idealen Bedingungen größte Normnutzungsgrade erzielt sowie extrem niedrige Schadstoffemissionen ermöglicht.

Abgastemperaturen < 80 °C (auch bei max. Leistung der Anlage) kennzeichnen diese Technik und ermöglichen den Einsatz kostengünstiger und bauaufsichtlich zugelassener Kunststoff-Luft-/Abgassysteme, die in der Regel aus PPs bestehen. Diese feuchtigkeitsunempfindlichen Kunststoffabgassysteme im Sinne von DIN 4705 Teil 1 sind in den Durchmessern DN 70 bis 150 verfügbar. Sie können in raumluftabhängigen wie auch -unabhängigen Anlagen eingesetzt werden. Für höhere Abgastemperaturen (bis 160 °C) stehen entsprechende Abgassysteme aus PVDF zur Verfügung.

Abgasleitung im
Schacht bis 30 m

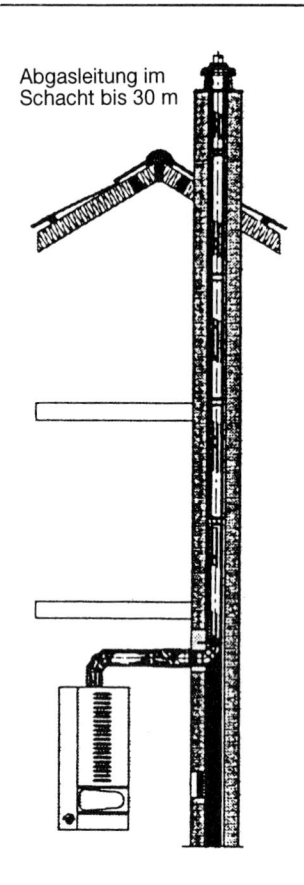

Kaskadenanlage
für 2 bis
Brennwert-Heizkessel

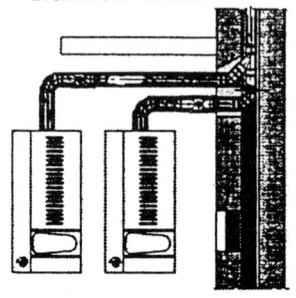

Bild 1: Zuluft-/Abgassystem in einem gemauerten Schacht

Durch die Feuchtigkeitsunempfindlichkeit wird selbst der Einsatz in lufttechnisch kritischen Aufstellräumen wie z. B. in Wäschereien, chemischen Betrieben und solchen, in denen mit dem Auftreten von Luftverunreinigungen zu rechnen ist, ermöglicht.

Die maximal zulässigen Schornsteinhöhen für die unterschiedlichen Betriebsweisen sind dem jeweiligen Zulassungsbescheid zu entnehmen. Bild 1 zeigt den typischen Aufbau eines Zuluft-/Abgassystems in einem gemauerten Schacht. Er besteht aus nicht brennbaren, formbeständigen Baustoffen mit einer Feuerwiderstandsdauer von mindestens 90 Minuten. Dies ist entbehrlich, wenn

- die Ableitung der Gase durch thermischen Auftrieb erfolgt oder

- der Aufstellraum der Feuerstätte oben und unten eine Öffnung der entsprechenden Leitung ins Freie mit jeweils einem freien Querschnitt von mindestens 150 cm^2 hat. Der Ringspalt zwischen Abgasleitung und Schacht sowie zwischen Abgasleitung und Schutzrohr (im Fall der Befestigung außerhalb des Gebäudes) kann zur Verbrennungsluftzuführung von der Mündung zur Feuerstätte verwendet werden.

Abgasleitungen in Schächten werden an der Mündung so ausgebildet, daß in dem Ringspalt zwischen Abgasleitung und Schacht Niederschlag nicht eindringen und Verbrennungsluft einwandfrei einströmen kann. Bei der Installation ist darauf zu achten, daß die Leitung leicht zu reinigen ist und ihr freier Querschnitt und die Dichtheit geprüft werden können. Für Abgasleitungen in Gebäuden, die nicht von der Mündung her geprüft und gereinigt werden können, ist im oberen Teil der Abgasanlage oder über dem Dach eine weitere Reinigungsöffnung vorzusehen. Bei Abgasleitungen außerhalb von Gebäuden an der Außenwand sind im unteren Teil der Abgasanlage entsprechende Reinigungsöffnungen vorzusehen. Weiterhin ist zu beachten, daß innerhalb des Aufstellraumes der Feuerstätte eine Meßöffnung nach der 1. Bundesemissionsschutzverordnung vorhanden ist.

Die Mündung von Abgasleitungen sollte

- den First um mindestens 40 cm überragen oder von der Dachfläche mindestens 1 m entfernt sein; bei raumluftunabhängigen Gasfeuerstätten genügen 40 cm Abstand von der Dachfläche, wenn die Gesamtwärmeleistung der Feuerstätte nicht mehr als 50 kW beträgt und das Abgas durch Gebläse abgeführt wird.

- Dachaufbauten und Öffnungen zu Räumen um mindestens 1 m überragen, soweit deren Abstand zu den Abgasleitungen weniger als 1,5 m beträgt.

- ungeschützte Bauteile aus brennbaren Baustoffen (ausgenommen Bedachungen) um mindestens 1 m überragen oder von ihnen mindestens 1,5 m entfernt sein.

- bei Gebäuden mit weicher Bedachung am First des Daches austreten und diesen um mindestens 80 cm überragen.

Sofern die Ableitung des anfallenden Kondensats nicht über die Feuerstätte erfolgt, ist nahe des Feuerstättenanschlusses in der Abgasleitung ein Kondensatablaufstutzen anzuordnen. Der Innendurchmesser sollte mindestens 15 mm betragen. Das in der Abgasleitung anfallende Kondensat ist entsprechend der Satzung der örtlichen Entsorgungsunternehmen sowie der wasserrechtlichen Vorschriften der Länder zu beseitigen.

Für die feuertechnische Bemessung der Abgasleitung sind DIN 4705 Teil 1 (Ausgabe Oktober 1993), alternativ entsprechende Bemessungstabellen oder -diagramme auf Grundlage von DIN 4705 maßgebend. Für den Wärmedurchlaßwiderstand ist 0,0 m² K/W anzusetzen. Die lichten Querschnitte der Abgasleitung sind so zu bemessen, daß bei bestimmungsgemäßem Betrieb kein höherer statischer Überdruck als 200 Pa auftritt.

Bedingt durch die thermische Längenausdehnung ist darauf zu achten, daß Abgasleitungen längsbeweglich gehalten werden. Der Abstand der Halterungen in Gebäuden sollte dabei 5,0 m, an Gebäuden 2,0 m nicht überschreiten. Die Höhe der Leitung über der letzten Halterung sollte < 1,5 m betragen. Ferner sind die entsprechenden Montageanleitungen des Herstellers derartiger Anlagen zu beachten. Schließlich ist sicherzustellen, daß sowohl im Betriebs- als auch im Störfall keine höheren Abgastemperaturen (bei Abgasleitungen aus Polypropylen = 80 °C und bei entsprechenden Leitungen aus PVDF = 160 °C) auftreten können. Dies ist durch Typprüfung oder Gutachten eines zuständigen Prüfinstitutes (DIN oder DVGW) zu belegen.

Schrifttum

– Allgemeine bauaufsichtliche Zulassung Nr. Z-7.2-0023; EWFE-Heizsysteme GmbH, Bremen

15 Klärwerkstechnik

H. HILLINGER

Die Reinhaltung unserer Bäche und Flüsse sowie des Grundwassers ist wichtig für den aktiven Umweltschutz.

Kläranlagen erfüllen seit Jahren diese Aufgabe.

Die vorhandenen Kläreinrichtungen können die wachsende quantitative Belastung und die veränderten Problemstoffe oft nicht mehr beherrschen.

Modernisierungen, Erweiterungen, Einleitungsvorgaben und Neubauten nach den aktuellen technischen Erkenntnissen sind deswegen Lösungen, die genutzt werden. Künftig gehören zum Schutz des Wassers und der Reinhaltung unserer Oberflächengewässer für nachfolgende Generationen auch die Erstellung von

Klärwerkstechnik

Kanalnetzen für bisher noch nicht zentral entsorgte Orte, die Sanierung undichter Kanalnetze sowie die weitere Verringerung der Ableitung gefährlicher Stoffe. Umweltstandards müssen so definiert sein, daß die Verbesserung der Abwasserqualität im Verhältnis zu den erforderlichen Investitionen steht.

Die Klärwerkstechnik beruht auf sehr verschiedenen Verfahren, und das Einsatzfeld von Rohren und Rohrleitungssystemen ist vielfältig. Anwendungsbereiche sind Belüftungsleitungen, Schlammleitungen, Abwasser-und Frischwasserleitungen, Faulgas-, Chemikalien-, Desinfektions- und Druckluftleitungen.

Für die verschiedenen Anwendungen sind unterschiedliche Kriterien gefordert. So steht z.b. bei Belüftungsleitungen die maximale Betriebssicherheit neben dem minimalen Installationsaufwand im Vordergrund. Flexible Rohre oder spannungsfreie Auswinkelungen werden gefragt.

Bei Schlammleitungen kommt es auf das schnelle Reinigen, die Wartungsfreundlichkeit und die leichte Demontage an. In diesem Fall sind das umfangreiche PVC-U-Formstückangebot, die Funktionen von Kugelhähnen und Schiebern mit freiem Durchgang, die Verbindung über Schalenkupplungen mit einer schnellen Demontagemöglichkeit von Leitungsabschnitten und deren Reinigung von Vorteil. Hinzu kommt, daß das geringe Gewicht der Komponenten die Wartungsarbeiten vereinfacht.

Sicher gehört die Abwasserbehandlung zu den Kernaufgaben einer Kläranlage und der Vorstufensysteme.

Um die Wirkung von Filterpressen und Zentrifugen zu steigern, werden Flokkungsmittel verwendet. Diese Mittel gehören nach § 19 Wasserhaushaltsgesetz zu den wassergefährdenden Stoffen, so daß die umfangreichen Rohrleitungen in der Fällmittelstation als Doppelrohrsystem mit PE-HD ausgeführt werden.

Das Außenrohr wird dabei aus UV-beständigem PE-HD gefertigt, das Innenrohr je nach Medium aus PE, PP, PVC-U oder PVDF.

Transportleitungen zur Verbindung zweier Klärwerke oder Umbauarbeiten bei Aufrechterhaltung des Klärbetriebes erfordern schnelle Montagezeiten und einfache Veränderungsmöglichkeiten.

Bild 1 zeigt den Einsatz von Kunststoffschiebern im Abwasserbereich.

Biologische und chemische Abwasserbehandlungen werden vielfach auch in die zum Teil gesetzlich vorgeschriebenen Vorstufensysteme von Kläranlagen eingesetzt.

Als Beispiel kann die Entsorgung von formalinhaltigen Abwässern aus Krankenhäusern dienen. Formaldehyd wirkt schon bei geringsten Konzentrationen auf viele Organismen wachstumshemmend oder sogar toxisch. Unterhalb bestimmter Grenzwertkonzentrationen wird Formaldehyd von Mikroorganismen sehr

Bild 1: Kunststoffschieber im Abwasserbereich

schnell zu Wasser und Kohlendioxid abgebaut. Dies macht man sich in biologischen Verfahren zunutze, die mit Rührtankreaktoren und Sedimentationskesseln arbeiten.

Der Einsatz von PB, PP und PE-HD Rohrleitungskomponenten bei biologischen Verfahren nimmt ständig zu.

Zur Vermeidung von erhöhtem Algen- und Planktonwachstum und zur Verhinderung des Umkippens von Gewässern werden Kläranlagen mit dem Ziel der Phosphatelimination umgerüstet.

Für die Simultanphosphatfällung mit Eisen-II-Sulfat sind korrosionsfeste Werkstoffe wie die Kunststoffe PVC-U und PE besonders geeignet.

Bild 2 zeigt eine kontinuierliche Abwassermeßtechnik.

Laut Wasserhaushaltsgesetz müssen alle vermeidbaren Belastungen unterbleiben und die Menge der abgeleiteten Schadstoffe so gering wie möglich gehalten werden. Automatisch und kontinuierlich messende Analysesysteme sichern den industriellen Einleitern niedrige Abwassergebühren: Solche Systeme werden wegen der aggressiven Medien gern mit Kunststoffkomponenten aus PVC-U realisiert.

Landwirtschaftliche Dränung 615

Bild 2: Kontinuierliche Abwassermeßtechnik

16 Landwirtschaftliche Dränung

R. OTHOLD

In Deutschland stellt die landwirtschaftliche Dränung eine ergänzende Kulturmaßnahme zur Erhaltung des Bodenertrages und zur Steigerung der Rentabilität der landwirtschaftlichen Betriebe dar.

Entwässerung und Dränung in der Landwirtschaft werden gegenwärtig und künftig weniger als ertragssteigernde, sondern vielmehr als diejenige Meliorationsmethode angesehen, die bei nicht wenigen Böden die bis heute unumgänglich mechanisierte Nutzung überhaupt erst ermöglicht. Vor allen Dingen beseitigt die Dränung Nutzungserschwernisse und dient gleichzeitig der Bodenentwicklung und -erhaltung und damit der Ertragssicherung.

Künftig sollten jedoch auch Dränmaßnahmen daraufhin geprüft werden, ob und welche ökologischen Auswirkungen zu erwarten sind. Entwässerung dient nicht nur der Landwirtschaft, wie oft behauptet wird, sondern sie schützt auch Siedlungs-, Industrie-, Erholungs-, Sport- und Verkehrsanlagen, d. h. sie schafft oft überhaupt erst einen Lebensraum für den Menschen.

Im Drängebiet selbst können folgende bodenkundlichen und hydrologischen Aspekte ökologisch relevant sein:

- verstärkte Durchwurzelung verbessert das Bodengefüge

- im durchlüfteten Boden wird die gewünschte Sauerstoffzufuhr gefördert

- Erosionsgefahr vermindert sich, da weniger Oberflächenabfluß

- ein gedränter Boden wirkt als Speicherraum; daher verringert sich der Oberflächenabfluß

- tiefer Grundwasserstand schafft größeren Speicherraum für Niederschläge im Unterboden; dadurch vermehrte nutzbare Bodenfeuchte.

Durch eine sachgemäße Dränung wird die schädliche Bodennässe beseitigt.

Rohrdränung

Die Rohrdränung besteht aus einem System von im Boden – nach hydraulischen, kulturbaren, technischen Grundsätzen – verlegten Rohren, den Saugern und Sammlern. Durch Schlitze tritt das überschüssige Bodenwasser in die Rohre ein, und fließt, dem Gefälle folgend, über ihre Ausmündungen in den Vorfluter (Graben, Bach) ab.

Dränmaterial

Rohrdränungen sollen auch nach mehreren Jahrzehnten noch voll intakt sein. Dies ist aber nur möglich, wenn die Rohre alterungsbeständig und formstabil sind. Ferner müssen die Eintrittsöffnungen sowie der Dränfilter funktionsfähig bleiben. Dies setzt voraus, daß die Dranrohre robust und problemlos zu verlegen sind. Aufgrund der guten Erfahrungen, die man mit Kunststoffrohren in der Wasserversorgung gemacht hat, gibt es seit 1960 flexible Dränrohre aus Kunststoff.

In Deutschland werden Dränrohre nahezu ausschließlich aus PVC-U nach DIN 1187 hergestellt.

Diese Rohre haben folgende Eigenschaften:

- geringes Gewicht

- hohe Schlag-, Druck- und Zugfestigkeit

Landwirtschaftliche Dränung

- Flexibilität
- gleichmäßig verteilte Wassereintrittsöffnungen
- hohe Lebensdauer.

An ausgegrabenen PVC-U-Dränrohren in unterschiedlichen Böden und Landschaften konnte noch die geforderte Rohrqualität nachgewiesen werden.

Die Abmessungen von gewellten bzw. glatten PVC-U-Dränrohren sind in DIN 1187 genormt (Tafeln 1 und 2).

Die Mindest-Wassereintrittsfläche und Schlitzbreiten sind in der Tafel 3 aufgeführt. Die Eintrittsöffnungen befinden sich in den Wellentälern, wo sie auch bei ungefilterten Rohren gegen Bodeneintrag relativ geschützt sind.

Seit 1969 haben sich die meisten Dränrohrhersteller in der „Gütegemeinschaft Flexible Dränrohre" im Qualitätsverband Kunststofferzeugnisse e. V. zusammengeschlossen. Ihre Produkte sind mit dem RAL-Gütezeichen gekennzeichnet.

Mit dem Einsatz der Dränmaschinen und zur Sicherung einer zuverlässigen, vollständigen Umfilterung der Dränrohre wurden Filterrohre aus PVC-U für die Dränung fabrikmäßig erstellt. Filterstoffe wie Torf, Stroh und Sägespäne haben

Tafel 1: Abmessungen der gewellten PVC-U-Dränrohre

Nennweite (DN)	Außendurchmesser	zul. Abw.	Innendurchmesser min.
50	50	+ 0,5 / − 0,5	44
65	65	+ 0,5 / − 0,5	58
80	80	+ 0,5 / − 0,5	71,5
100	100	+ 0,5 / − 0,5	91
125	125,5	+ 0,5 / − 1	115
160	159,5	+ 0,5 / − 1	144
200	199,5	+ 0,5 / − 1	182

Landwirtschaftliche Dränung

Tafel 2: Abmessungen der glatten PVC-U-Dränrohre

Nennweite (DN)	Außendurchmesser	zul. Abw.	Wanddicke	zul. Abw.	Innendurchmesser min.	Muffentiefe min.
50	50	+ 0,3 / 0	1	+ 0,5 / 0	47	75
63	63	+ 0,4 / 0	1,3	+ 0,6 / 0	59	90
75	75	+ 0,4 / 0	1,5	+ 0,7 / 0	71	105
90	90	+ 0,5 / 0	1,8	+ 0,8 / 0	85	115
110	110	+ 0,6 / 0	1,9	+ 0,8 / 0	105	120
125	125	+ 0,7 / 0	2	+ 0,8 / 0	119	125
140	140	+ 0,8 / 0	2,3	+ 0,9 / 0	134	125
160	160	+ 0,8 / 0	2,5	+ 1 / 0	153	125

Tafel 3: Gesamtfläche der Eintrittsöffnungen für PVC-U-Dränrohre

Nennweite (DN)	Eintrittsöffnungen in [cm^2/m] (gesamt) bei Schlitzbreiten			Anzahl der Schlitze
	eng 0,6 – 0,9	mittel 1,1 – 1,5	weit 1,7 – 2,0	Stück/m
50	23	34	51	560
65	27	41	62	570
80	29	43	64	715
100	30	45	68	625
125	35	52	80	625
160	40	60	90	625
200	32	48	72	500

sich seit Jahrzehnten in der Praxis bewährt. Neue Filtermaterialien wie Kokosfasern, Rohstoffasern aus Polypropylen und Polyester, Polystyrolkugeln sind in Feld- und Laborversuchen geprüft worden und seit vielen Jahren erfolgreich im Einsatz. Bei sachgemäßer Verlegung sind bisher kaum Rohre verschlammt.

Für die Rohrverlegung werden Maschinen mit oder ohne Grabenaushub verwandt, die in der Regel mittels einer Steuereinrichtung (Laserstrahlen) die Dränrohre verlegen.

Die DIN 18308 „Allgemeine Technische Vorschriften für Dränarbeiten auf landwirtschaftlich genutzten Flächen" dient als Grundlage für die Planung, Vergabe und Ausführung.

17 Lebensmittelindustrie

H. HILLINGER

Sicherheit und Unbedenklichkeit für den Verbraucher stehen für jeden an erster Stelle, der mit Lebensmitteln auf dem Weg vom Feld oder Stall, im Gewinnungs-, Verarbeitungs- und Verteilungsprozeß zu tun hat. Die besondere Sorgfalt gilt nach dem Lebensmittelrecht sowohl für die Hygiene im Umgang mit den Lebensmitteln selbst, als z. B. auch für Rohrleitungskomponenten, die im Prozeß eingesetzt werden. Zu achten ist auf das gesundheitliche Gefährdungspotential, das heißt auf jede Situation, in der das Produkt durch mikrobiologische, chemische oder physikalische Einflüsse nachhaltig und unumkehrbar beeinträchtigt wird.

Diese Feststellungen machen deutlich, daß Produkte und Komponenten, die in der Lebensmittelindustrie Einsatz finden, spezielle Bedingungen erfüllen müssen. Dazu gehören neben den mikrobiologischen und lebensmittelchemischen Qualitätskontrollen auch Hygienekriterien, apparative Auslegungen und Vertrauen zum Lieferanten, der für die Belange der Lebensmittelindustrie sensibilisiert sein muß.

Zu beherrschende Inhaltsstoffe sind Laugen, Schwefelverbindungen, Säuren, Blut, Kalium, Magnesium, Melasse, Blausäure, Kalzium, Eiweiß, Molke, Desinfektionsmittel, Fettemulsionen, Fettsäuren, Benzin, Öle, Tran, Kondensate, Dampf, Hefe, Kohlensäure, Nitrat, Nitrit, Phosphate, Phosphoroxid u.a.m.

Die Reduzierung von Konservierungsstoffen in Nahrungsmitteln und deren längere Haltbarkeit lassen neue Anforderungen an die Rohr- und Aggregateverbindungen, die produktberührenden Oberflächen und deren Reinhaltung entstehen.

In der Wasseraufbereitung für die Lebensmittelindustrie werden als Verfahren unter anderem die Flotation und verschiedene Filtrationstechniken eingesetzt.

Bild 1: Mineralwasserleitung aus PVC-U

Kostbares Mineralwasser wird hervorragend mit Komponenten aus PVC-U reguliert (Bild 1).

Im Produktionsbereich Senffertigung haben sich PVDF-Systeme mit der IR-Schweißtechnologie sehr gut bewährt. Bei den strömungsgünstigen und totraumarmen Schweißverbindungen treten Rückstände, verursacht durch notwendige Rohrleitungsspülungen mittels Wasser, nicht mehr auf (Bild 2).

Die Gesamtkosten eines Rohrleitungssystems für die Lebensmittelindustrie aus Edelstahl 316 SS elektropoliert und orbital geschweißt, liegen deutlich über denen eines Kunststoffsystems aus PVDF-HP wulst- und nutfrei geschweißt. Hinzu kommt die erweiterte chemische Widerstandsfähigkeit des Kunststoffmaterials.

In Reinigungsbereichen von Brauereien werden häufig Mittel auf H_2O_2-Basis eingesetzt. Hierfür eignen sich besonders Komponenten aus PVDF, die sich seit vielen Jahren bewährt haben. Im Produktionsprozeß der Getränke- und Lebensmittelindustrie spielt Wasser eine wichtige Rolle. Die Qualität des Lebensmittels hängt von der Qualität des verwendeten Wassers maßgeblich ab. Von daher kommt der Wasseraufbereitung – und hier vor allem der wirtschaftlichen Kombination der Membran- mit der Tiefenfiltration – besondere Bedeutung zu. Die Abscheidung von Trübstoffen und Mikroorganismen bis zu 0,1 µm wird

Lebensmittelindustrie 621

Bild 2: Lebensmittelleitung aus PVDF

damit ohne chemische Zusätze erreicht. Mit Ausnahme der reinen Säfte wird bei allen alkoholfreien Getränken Wasser benötigt. Außerdem müssen Zusätze wie Flüssigzucker, Aromastoffe und Konzentrate aufbereitet bzw. vor einer Verkeimung geschützt werden. Die Anforderungen an die Wasserqualität schwanken dabei zwischen einer reinen Partikelentfernung über die Klar- und Feinfiltration bis hin zur Sterilfiltration. Membranfilter bestehen aus Zelluloseacetat, Polyamid oder PVDF, die Rohrleitungskomponenten häufig aus PVDF.

In der Getränkeindustrie werden das Rohrleitungsnetz für die Ver- und Entsorgung, sowie die lebensmittelführenden Leitungen vielfach in Edelstahl verlegt.

Technische Kunststoffe werden häufig im Bereich der Wasseraufereitung und beim Chemikalientransport, unter anderem für Desinfektionsmittel, eingesetzt.

Die lebensmittelführenden Leitungen haben einen Anteil von ca. 30 %. In diesem Feld wird großer Wert auf eine sehr glatte Innenoberfläche der Rohre gelegt. Die Oberflächenbeschaffenheit muß 3c entsprechen, das heißt Schweißungen und Formierungen werden nachträglich mit 400er Korn geschliffen. 3c entspricht nach VDI Norm 3400 einem Rauhigkeitswert Ra von 0,14. Der Werkstoff PVDF liegt im Bereich von 0,10–0,20.

Alle Brauanlagenbetreiber achten bei ihrem Rohrnetz darauf, daß keine Toträume bei der Verlegung entstehen, die das Wachstum von Mikroorganismen fördern.

Die Reinigungs- und Desinfektionsleitungen nehmen einen Anteil von ca. 50% der gesamten Verrohrung ein. Diese Leitungen haben mit dem Produkt – hier Bier, Hefe, Würze und Brauwasser – keine Verbindung. Sie leiden heute stark unter Spalt- und Spannungsrißkorrosion. Der Reinigungsprozeß erfolgt bei ca. (100–120) °C und einem Druck um ca. 5 bar. Der kritische Wert für Korrosion in den Rohrleitungssystemen ist ein Chloridanteil im Wasser von > 30 mg pro Liter.

Die Einsatzmöglichkeiten von Kunststoffen wie PVC-U, PVC-C, ABS, PB, PP, PE und PVDF umfassen Rohwasser- , Kaltwasser-, Heißwasser- und Produktleitungen, speziell auch bei Chemikalienleitungen und solche für besondere, wassergefährdende Medien.

Der Nachweis für reines Bier aus einer Leitung von hochreinem Werkstoff wurde an einem bekannten Institut der Getränkeindustrie für PVDF-HP geführt. Das Rohrleitungssystem mit der wulst- und nutfreien Schweißtechnologie, hergestellt mit Verschraubungen, Ventilen und Adaptern zum Werkstoffübergang von PVDF auf Edelstahl, wurde unter praxisnahen Bedingungen gespült und gereinigt. Die anschließend untersuchten Proben wurden zuvor unter bestimmten Parametern inkubiert. An sämtlichen Proben dieses PVDF-Systems konnte kein negativer Befund festgestellt werden, was auf gute Reinigungsfähigkeit und Konstruktion hindeutet. Dieses System mit Oberflächenqualitäten Ra < 0,20 µm erfüllt die steigenden hygienischen Anforderungen in der Getränkeindustrie.

Ein besonderes Gebiet hierbei ist die sterile Verfahrenstechnik. Die Steriltechnik hatte ihren Anfang im Getränkebereich bei Fruchtsäften und Bier. Heute erstreckt sie sich auf Futtermittel, Lebensmittel aller Art und auf die Anwendung biotechnischer und gentechnischer Verfahren.

Zu den Anwendungen und Marktsegmenten gehören weiter Speisefabriken, Schlachthöfe, Fleisch-, Wurst-, Fisch- und Konservenfabriken.

18 Versickerungsleitungen

R. OTHOLD

Umweltbewußte Abwasserbeseitigung

Auch in Zeiten fortschreitender Abwasserkanalisierung wird ein gewisser Anteil von Haushalten weiterhin nicht an die öffentliche Kanalisation angeschlossen werden. Denn durch lange Rohrleitungswege in ländlichen Gebieten wird die Abwasserentsorgung zu aufwendig und teuer. Modern ausgerüstete mehrstufige Kleinkläranlagen bieten dagegen eine umweltgerechte und preiswerte Alternative.

Versickerungsleitungen

Diese Systeme, in denen die Abwässer ähnlich wie in einer großen zentralen Anlage behandelt werden, erzielen Reinigungsergebnisse, die zum Teil deutlich unter den vorgegebenen Schadstoff-Grenzwerten liegen.

Die DIN 4261 regelt die Bemessung, den Bau und den Betrieb von Kleinkläranlagen. Eingeleitet werden darf nur häusliches Schmutzwasser, z. B. aus Wasch- und Baderäumen, Küchen und Toiletten. Die Planung und Bauausführung einer Nachreinigungsstufe für Kleinkläranlagen ist in enger Abstimmung mit der jeweils zuständigen unteren Wasserbehörde der Landkreise durchzuführen.

Untergrundverrieselung

Die Länge der Rohrleitungen zum Verrieseln (Bilder 1 und 2) ist unter Berücksichtigung der Aufnahmefähigkeit des Untergrundes zu bemessen. Wenn örtliche Erfahrungswerte fehlen, sind je Einwohner anzusetzen:

– bei Kies- oder Sandboden 10 m

– bei lehmigem Boden 15 m

– bei sandigem Lehm 20 m

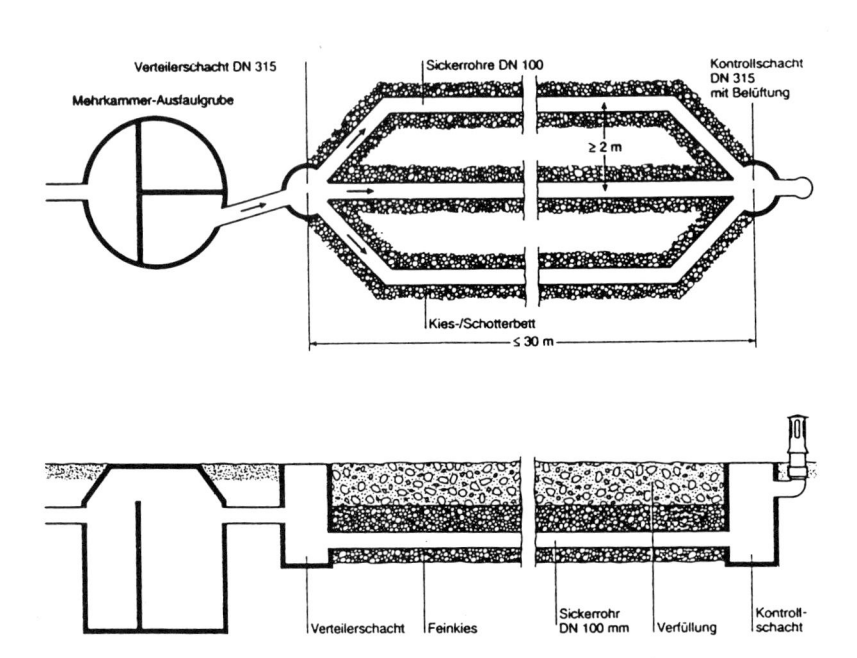

Bild 1 und 2: Grundriß Verrieselungssystem

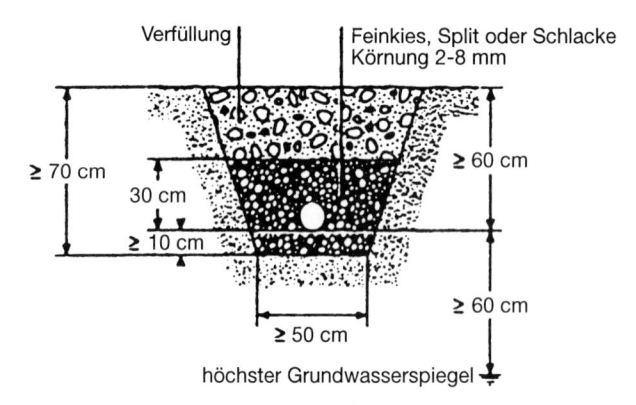

Bild 3: Rohrgraben-Querschnitt

Für die Sickerrohrleitungen sind Dränrohre nach DIN 1187 Form A in Stangenform, DIN 1187 Form B oder DIN 19534 Teile 1 und 2 mit Wassereintrittsöffnungen (Schlitzen) 1,4–2,0 mm und einem Mindestdurchmesser von 100 mm zu verwenden. Neben vorgenannten Rohren dürfen nur solche Rohre eingesetzt werden, die als Versickerrohre zum Verrieseln von behandeltem Abwasser genormt sind. Die Leitungen sollten möglichst in einer Tiefe von 0,5–0,6 m und mit einem Abstand von mindestens 0,6 m über dem höchsten Grundwasserstand verlegt werden. Es sind mindestens zwei Stränge, deren Einzellänge 30 m nicht überschreiten soll, mit einem Abstand von mindestens 2 m und einem Gefälle von 1 : 500 (1 cm auf 5 m) anzuordnen. Die Sickerrohre sind in Feinkies

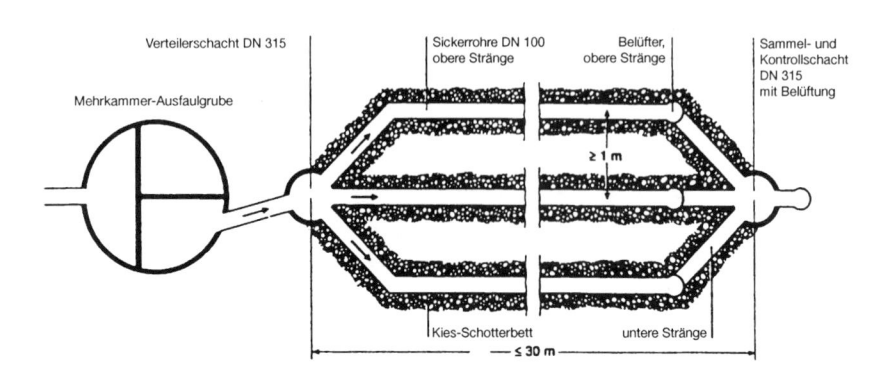

Bild 4: Grundriß Filtergraben-System / Regelfall

2–8 mm (Bild 3) zu verlegen. Die Restverfüllung des Rohrgrabens ist mit einer Bodenart, die ein Zuschlämmen der darunterliegenden Filterschicht verhindert, durchzuführen.

Die Belüftung des Systems erfolgt über Einzellüftung oder über einen Sammel- und Kontrollschacht mit Belüftung.

Filtergraben

Die Filtergrabensysteme

– Regelfall (Bild 4)
– optimierte Variante (Bilder 5 und 6)

erzielen durch eine dickere Filterschicht eine höher kontrollierbare Reinigungsleistung. Die Reinigung erfolgt beim Durchsickern der Filterschicht aus Sand und Feinkies. Nach dem Durchdringen dieser Schicht wird das gereinigte Wasser von den unteren Rohrsträngen aufgenommen und über einen Sammel- und Kontrollschacht einem Oberflächengewässer oder Regenwasserkanal zugeführt.

Filtergräben müssen eine Länge von mindestens 6 m je Einwohner haben. Die Länge eines Sickerstranges soll 30 m nicht überschreiten. Die Sickerrohre sind entsprechend dem Rohrgraben-Querschnitt (Bilder 4 bis 6) zu verlegen.

Das anstehende Erdreich soll wenig wasserdurchlässig sein oder unterhalb des Filtergrabens künstlich abgedichtet werden, damit ein Eindringen des Abwassers in den Untergrund weitgehend vermieden wird.

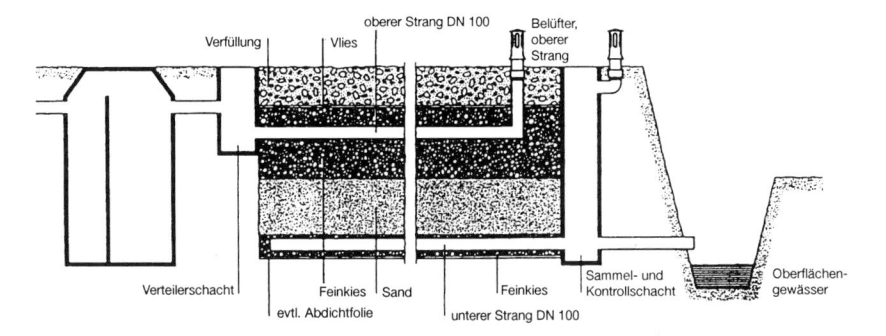

Bild 5: Rohrgraben-Querschnitt / optimierte Variante

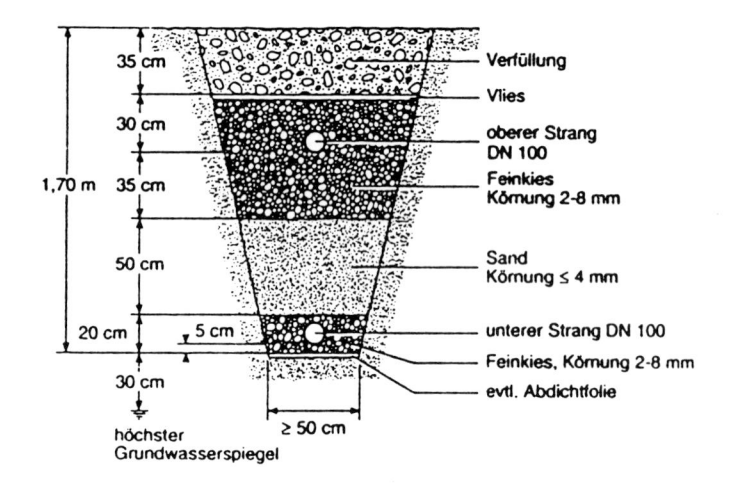

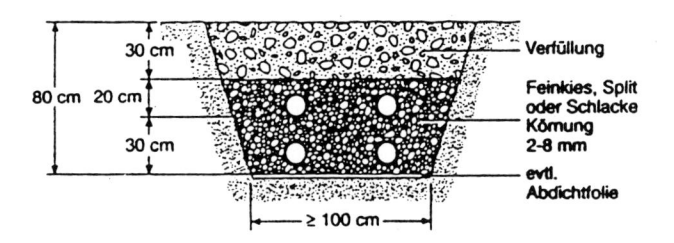

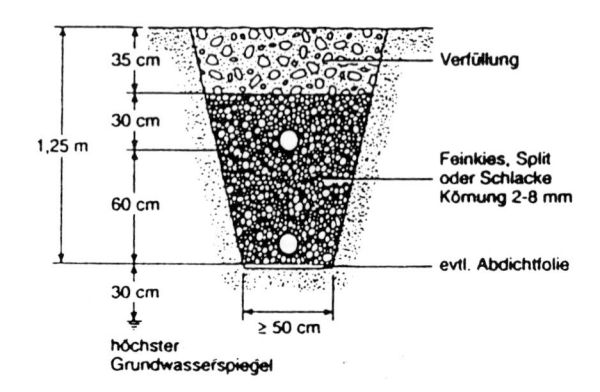

Bild 6: Rohrgraben-Querschnitt / optimierte Variante

19 Sickerleitungen

F. VIEL

Allgemeines

Wasser im Untergrund ist in mehr oder weniger großen Mengen vorhanden. Die Entwässerungseinrichtungen müssen in der Lage sein, im Normalfall zufließendes Wasser aufzunehmen und schadlos abzuleiten. Sie sind so zu gestalten, daß sie in einfacher Weise gewartet und unterhalten werden können.

Dafür haben sich seit Jahrzehnten Sickerleitungen aus Kunststoffen bewährt; sie werden im Verkehrswegebau sowie im allgemeinen Tiefbau verwendet.

Ihre Vorteile gegenüber Sickerleitungen aus anderen Werkstoffen sind u.a.:

- geringeres Gewicht
- höhere Verlegeleistung
- hohe chemische Beständigkeit
- höhere Abflußwerte, dadurch geringeres Gefälle möglich
- Langlebigkeit
- einfache Wartung

Sie bringen Planern und Verlegern größere Sicherheit und Flexibilität.

Rohre und Sickerleitungen sind in DIN 4262 Teil 1 „Sicker- und Mehrzweckrohre aus PVC-U und PE-HD für Verkehrswege- und Tiefbau" genormt und in 6 verschiedene Formen aufgeteilt (Bild 1).

Werkstoffe

Als Rohrwerkstoffe werden PVC-U und PE-HD verwendet.

Die Anforderungen an die PVC-Formmasse richten sich nach DIN 7748 Teil 1 „Weichmacherfreie Polyvinylchlorid (PVC-U) -Formmassen" und zusätzlich nach DIN 4262 Teil 1:

- Vicat-Erweichungstemperatur : > 77 °C
- Kerbschlagzähigkeit : > 3 kJ/m^2
- Elastizitätsmodul : 2500 N/mm^2

Die Anforderungen an die PE-HD-Formmasse richten sich nach DIN 16776 Teil 1 „Polyethylen (PE)-Formmassen" und zusätzlich nach DIN 4262 Teil 1:

- Dichte : > 0.947 g/cm^3
- Schmelzindex MFI 190/5 : < 3 g / 10 min

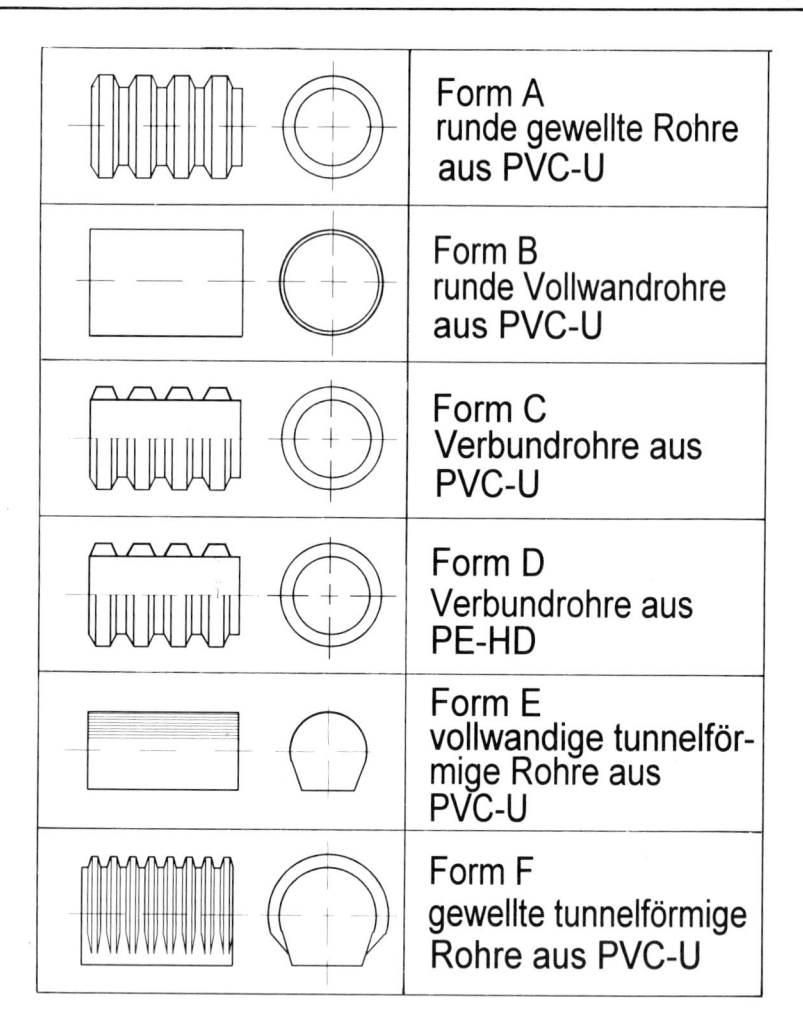

(illustration)	Form A runde gewellte Rohre aus PVC-U
(illustration)	Form B runde Vollwandrohre aus PVC-U
(illustration)	Form C Verbundrohre aus PVC-U
(illustration)	Form D Verbundrohre aus PE-HD
(illustration)	Form E vollwandige tunnelförmige Rohre aus PVC-U
(illustration)	Form F gewellte tunnelförmige Rohre aus PVC-U

Bild 1: Rohrformen

Hydraulik und Wasseraufnahme

Eine wichtige Funktion von Sickerleitungen ist der Transport von über die Schlitze aufgenommenem Wasser. Je nach Konstruktion ergeben sich verschiedene Abflußleistungen, die auch von der Rauhigkeit der Rohrinnenseite abhängen. Prinzipiell sind innenglatte Rohre hydraulisch leistungsfähiger als innenprofilierte Rohre.

Bei der Definition des perforierten Bereichs der Sickerrohre unterscheidet man:

- Vollsickerrohre; sie sind am gesamten Umfang mit Wassereintrittsöffnungen versehen und erlauben die Wasseraufnahme auch von unten (z.B. Tiefenentwässerung oder Absenkung des Grundwasserspiegels).
- Teilsickerrohre mit Wassereintrittsöffnungen, scheitelsymmetrisch über einen Winkel von ca. 220 Grad angeordnet.
- Mehrzweckrohre mit Wassereintrittsöffnungen am Rohrscheitel und mit mindestens 85% geschlossenem Fließquerschnitt; sie erlauben die Aufnahme und den Transport von Sicker- und Oberflächenwasser. Dazu sind Mehrzweckrohre an der Rohrverbindung mit einem Dichtelement versehen.

Gebräuchlich sind die DN 80, 100, 150, 200, 250, 350, selten die DN 50, 65 und DN 300. Teilsickerrohre werden im allgemeinen bis DN 150, Mehrzweckrohre ab DN 200 produziert, um eine größere Menge Wasser ableiten zu können. Die Abmessungen richten sich nach dem zu erwartenden Wasseranfall.

Damit Sicker- und Mehrzweckrohre das Wasser sicher aufnehmen können, sind sie mit Wassereintrittsöffnungen mit einer Gesamtfläche von 50 cm² je m Rohr zu versehen.

Anwendung

Sickerrohre werden heute bei vielen Maßnahmen des Verkehrswege-, Tief- und Ingenieurbaus eingesetzt. Welche Rohrart ausgewählt wird, hängt von den Anforderungen in hydraulischer und statischer Hinsicht ab.

20 Rohrleitungen für den Deponiebau

J. KRAHL

20.1 Allgemeines

Für den Betrieb einer Deponie sind die Erfassung und der Transport von Sikkerwasser und Deponiegas notwendig. Dafür wird fast ausschließlich der Werkstoff PE-HD eingesetzt.

Deponiearten

Entsprechend dem Einlagerungsgut werden die Bezeichnungen gewählt und die Müllwichte definiert (Tafel 1).

Tafel 1: Deponiebezeichnung, Müllwichte und Temperatur

Bezeichnung Abfallart	Wichte [kN/m³]	Sickerwassertemperatur [1] in der Deponie [°C]
Mülldeponie (Hausmüll und haus- müllähnlicher Gewerbemüll)	15	30 - 40
Bauschuttdeponie (Bauschutt +Erdaushub)	20	20
Erddeponie (kontaminierte Böden)	20	20
Sondermülldeponie (z. B. Verbrennungsasche)	10–20	20–30

[1] mittlere Temperatur über 50 Jahre

Notwendigkeit der Entwässerung

Durch schnelle Ableitung des Sickerwassers wird ein Stau auf der Basisabdichtung aus mineralischer Dichtung und/oder Kunststoffdichtungsbahn vermieden. Dadurch werden Permeation und chemische Belastung der Dichtungsmaterialien reduziert. Neuerdings werden auch Asphaltdichtungen eingebaut.

Notwendigkeit der Entgasung

Hausmülldeponien enthalten Biomassen, die durch bakteriellen Vorgang zersetzt werden. Das entstehende Deponiegas enthält die Hauptkomponenten Methan und Kohlendioxid. Dieses Gas ist nicht nur wegen der Geruchsbelästigung, sondern auch wegen evtl. vorhandener schädlicher Spurenelemente zu beseitigen.

Das Gas wird in zunehmendem Maße zur Energiegewinnung genutzt und nicht mehr verbrannt.

20.2 Anforderungen

Für sichere Deponien sind Anforderungen an den Werkstoff und die daraus gefertigten Rohre zu stellen.

Forderungen an den Werkstoff

Bedingt durch hohe Auflasten werden die Rohre auf äußeren Überdruck belastet und müssen statisch dimensioniert werden. Das Zeitstandverhalten muß mindestens DIN 8075 entsprechen. Der Langzeit-E-Modul beträgt ≥ 150 N/mm² (Bild 1) Die Prüfung erfolgt nach DIN 19537 bei 1 min, 24 h und 2000 h; das Ergebnis wird auf 50 Jahre extrapoliert [1].

Rohrleitungen für den Deponiebau

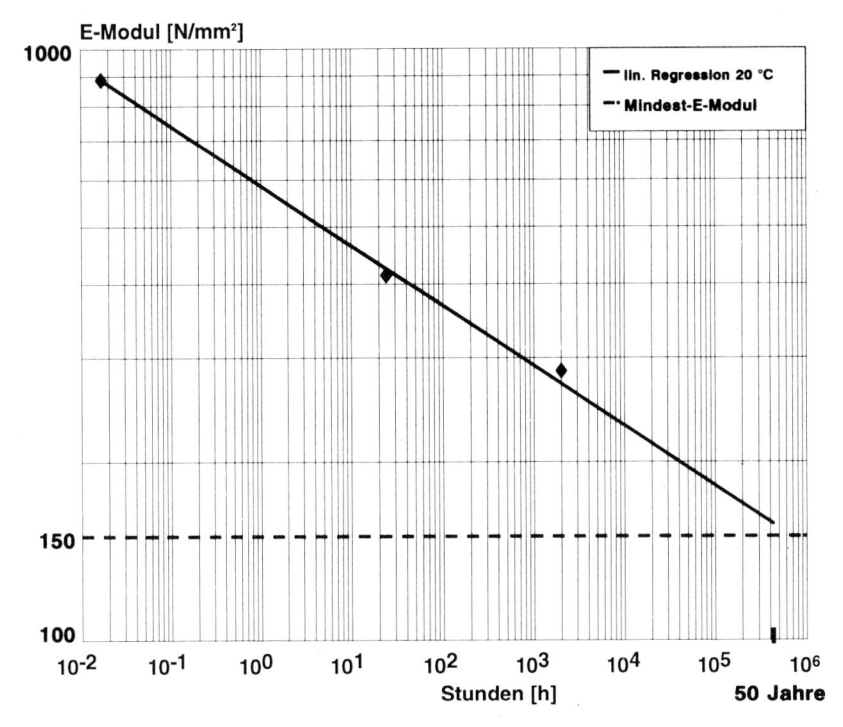

Bild 1: E-Modul $E_{b(50a)}$ für Rohre aus PE-HD

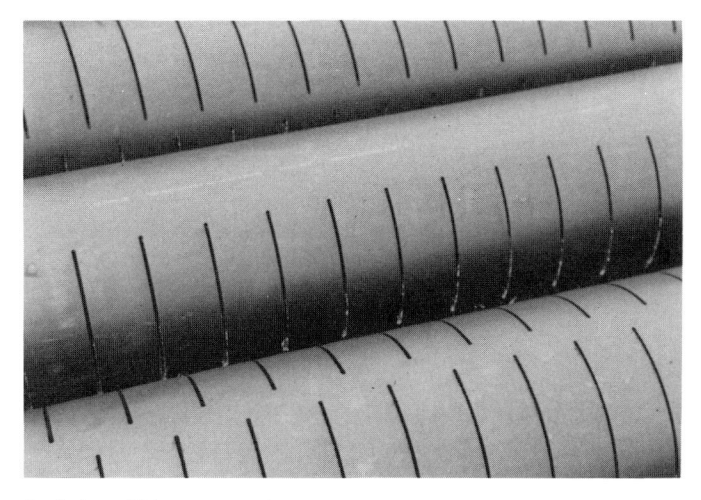

Bild 2: Perforierte Sickerwasserrohre

Forderungen an die Rohre

Im Gegensatz zu den Transportrohren müssen die erfassenden Rohre mit Fließsohle (Entwässerung) [2] oder ohne Fließsohle (Entgasung) perforiert werden (Bild 2). In der Regel sind es Löcher (12 oder 15 mm Durchmesser) bzw. Schlitze (8, 10, 12 oder 15 mm mit einer Länge $\geq$ 25 mm). Für die Entwässerung gilt die Forderung gemäß DIN 4266: Eintrittsfläche $\geq$ 100 cm^2/m Rohr und Fließsohle 120°.

20.3 Deponieentwässerung

Aus hydraulischen Gründen werden die erfassenden Rohre $\geq$ DN 250 eingesetzt. Die außerhalb der Deponie gelegenen Sickerwassertransportleitungen werden wie Kanalrohre (siehe Teil VII. 3.4) eingebaut (Bild 3).

Einbau der Rohre

Um den hohen Lasten gerecht zu werden, muß der Einbau der Rohrleitungen sorgfältig und mit tragfähigen Bodenmaterialien erfolgen. Meist wird ein Einbau gemäß DIN 19667 (Bild 4) vorgenommen.

Bild 3: Schweißen und Verlegen von Sickerwassertransportrohren

Rohrleitungen für den Deponiebau 633

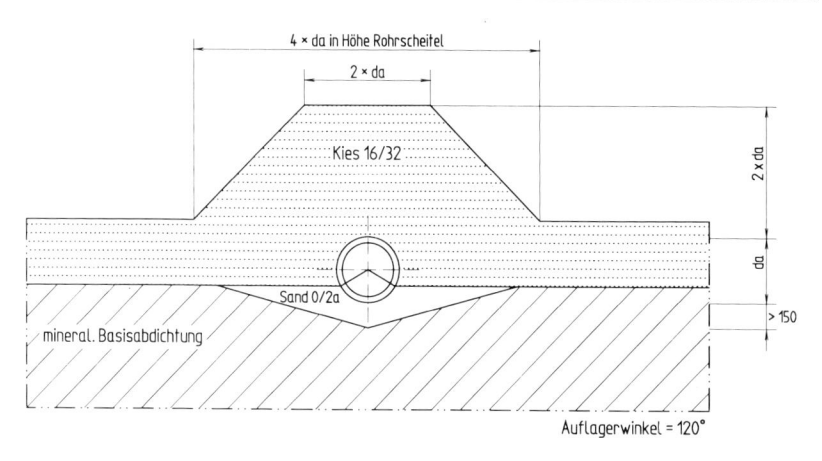

Bild 4: Ausführungsbeispiel für die Leitungszone

Auflager

Die früher übliche Einbettung in die mineralische Dichtungsschicht bzw. in ein Auflager aus Ton oder Lehm auf der Dichtungsbahn wird kaum noch praktiziert. Damit der Wasserzutritt das Auflager in seinen mechanischen Eigenschaften nicht wesentlich verändert, kommen heute Auflager aus

– nicht-bindigem Sand 0/2a
– Sand-Bentonit-Gemisch
– Feinkies bzw. doppelt gebrochenem Material, Körnung maximal 8 mm

zum Einsatz.

Überschüttung

Das Material neben und über dem Rohr besteht aus Kies mit maximaler Körnung 32 mm und hat die Aufgabe, zu filtern und ein tragfähiges Gewölbe über dem Rohr aufzubauen. Aus Kostengründen ist es ausreichend, nur die Rohrumhüllung mit rundkörnigem Material auszuführen und darüber Brechkorn zu verwenden (Bild 5).

Verbindungstechnik

Neben Schweißverbindungen (siehe Teil V. 1.1.2) kommen Überschiebmuffen ohne Dichtringe zum Einsatz, deren Länge mindestens dem Rohraußendurchmesser entsprechen soll. Das Auflager im Bereich der Muffe ist anzupassen.

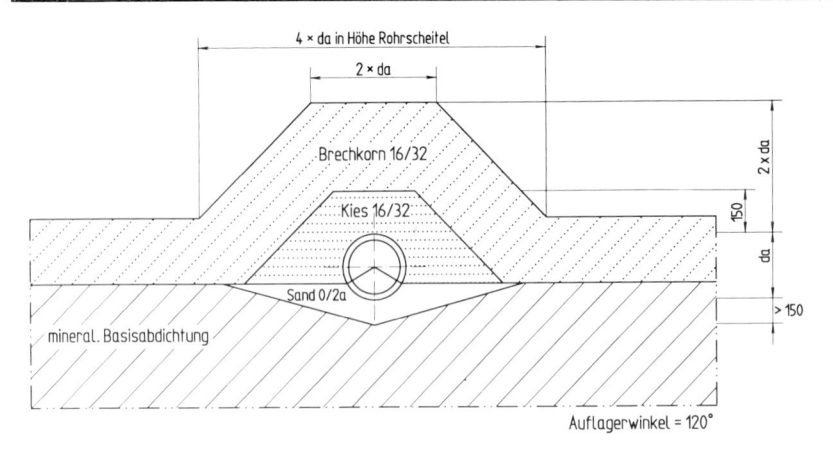

Bild 5: Ausführungsbeispiel für die Überschüttung

Prüffähige Nachweise

Als Basis für die statische Bemessung der Rohre dient das ATV-Arbeitsblatt A 127. Das Berechnungsverfahren kann uneingeschränkt für Transportrohre außerhalb der Müllfläche sowie – in modifizierter Form – für Rohre unterhalb der Müllfläche angewendet werden. Die notwendigen Ergänzungen wurden als Merkblatt ATV M 127-1 veröffentlicht.

Im Gegensatz zum Kanalrohr ist beim Deponieentwässerungsrohr neben dem Verformungs- und Stabilitätsnachweis auch der Spannungsnachweis durchzuführen. Die dafür erforderlichen Spannungsgrenzwerte sind im genannten Arbeitsblatt ATV A 127 nicht geregelt. Entsprechend uneinheitlich fallen die Ansätze und Ergebnisse von Statikern und Prüfstatikern aus.

Die Bodenmaterialien der Rohrleitungszone sollten von einem Gutachter beurteilt und die Werte dem Statiker zur Verfügung gestellt werden. Bei Müllhöhen um 60 m können PE-HD-Rohre der Druckstufe PN 16 eingesetzt werden.

Formstücke wie Bögen oder Abzweige können nach den genannten Arbeitsblättern / Merkblättern nicht berechnet werden. Dazu wird die **Finite-Element-Methode** (FEM) eingesetzt und in der Regel die Abmessung der Rohre auf die Formstücke übertragen.

20.4 Deponieentgasung

Rohrleitungen im Müllkörper können nicht statisch betrachtet werden. Frischer Müll hat keine Tragfähigkeit und unterliegt starker und oft auch ungleichmäßiger Setzung. Die hohe Flexibilität der PE-HD-Rohre kann dies ausgleichen.

Rohrleitungen für den Deponiebau 635

Die Verbindung der Rohre bzw. Formstücke erfolgt durch Heizelementstumpf- oder Heizwendelschweißung.

Rohre zur Gaserfassung

Eingesetzt werden rundum perforierte PE-HD-Rohre ab 90 mm Rohraußendurchmesser, in der Regel PN 10. Die Einbindung geschieht in einer Kiesumhüllung. Die Rohrverlegung erfolgt:

- Horizontal
als oberflächennahe Entgasung direkt unter der Oberflächenabdichtung oder – mit Absaugung während des Deponiebetriebes – terrassenförmig ab Basisabdichtung. Der Abstand zwischen den Rohren soll ca. 15 - 30 m betragen.

- Vertikal
nach Abschluß des Deponiebetriebes in Bohr- oder Rammlöchern durch Absenkung der Rohre oder – mit Absaugung während des Deponiebetriebes – durch Gasdome, die auf die Basisabdichtung aufgesetzt werden. Diese werden mit wachsender Müllhöhe nach oben verlängert. Der Abstand zwischen den Domen beträgt ca. 25–40 m.

Bild 6: Gassammelstation mit angeschlossenen Rohren aus elektrisch leitfähigem PE-HD

Rohre für den Gastransport

Auf setzungsgefährdetem Untergrund sind unperforierte Rohre mit einem Gefälle > 4 % zu verlegen. Bei einem kleineren Gefälle besteht die Gefahr der Kondensatansammlung und damit eines Wasserverschlusses der Rohre.

Der Gastransport erfolgt in Rohren:

- Unterirdisch und außerhalb der Deponie im Erdreich. Einbau wie bei Kanalrohren (siehe Teil VII. 3.4). Statische Betrachtung nach ATV A 127 ist möglich.
- Oberirdisch und auf dem Deponiekörper. Für diesen Einsatz wird in der GUV 17.4 [3] elektrisch leitfähiges PE-HD verlangt (Bild 6). Diese Forderung bezieht sich auch auf weitere zugängliche Teile, wie z. B. Schächte.

Schrifttum

[1] Krahl, J.: Rohre aus PE-HD; Vortrag gehalten am 17. Februar 1995 bei der 1. SKZ-Fachtagung „Die sichere Deponie" in Würzburg.
[2] Krahl, J.: Rohre aus PE-HD für die Deponiegestaltung. krv-nachrichten (1995) Ausgabe 1, S. 19 - 23.
[3]· GUV 17.4: Sicherheitsregeln für Deponien; Bundesverband der Unfallversicherungsträger der öffentlichen Hand - BAGUV -, Juli 1992.

21 Lüftungsleitungen

J. KRAHL

Allgemeines

Be- und Entlüftungen sind Ingenieurbauwerke. Sie werden meist innerhalb von Gebäuden, sowohl im Produktionsbereich wie auch in Laboratorien, installiert. Das Ziel der Belüftung ist die Zufuhr von Außenluft zur Verringerung von Immissionen am Arbeitsplatz. Insbesondere bei der Absaugung von Dämpfen, die sowohl den Menschen wie auch das Umfeld gefährden, werden erhöhte Sicherheitsanforderungen gestellt. In Verbindung mit einer Schadstoffbehandlung werden die Emissionen reduziert. Die zulässigen Konzentrationen am Arbeitsplatz − MAK-Werte [1, 2] − sind zu beachten.

Die Lüfungsleitungen werden in der Regel für zehn Jahre konzipiert und sind entsprechend der thermischen – DIN 4741 Teile 1 u. 2 – und chemischen Belastungen [3] auszulegen. Beim Kreuzen von zwei Brandschutzbereichen werden Brandschutzmanschetten im Übergang eingesetzt. Diese verhindern die Brandübertragung von einem in den anderen Bereich.

Werkstoff

Da im Gasgemisch sehr häufig Lösungsmittelanteile enthalten sind, scheiden klebfähige Werkstoffe, wie z. B. PVC-U, ebenso aus wie Flanschkonstruktionen mit Dichtungsmitteln. In der Regel werden Rohre aus schwerentflammbarem Polypropylen gewählt und durch Schweißen verbunden (Bild1).

Die Basis ist ein Polypropylen-Homopolymerisat, dessen Schwerentflammbarkeit durch relativ geringe Mengen spezieller Zuschlagstoffe, wie z. B. organische Bromverbindungen in Kombination mit Antimontrioxid, erreicht wird. Die Dichte erhöht sich um etwa 4 % auf ca. 0,95 g/cm^3. Die Standardfarbe ist grau, (ähnlich RAL 7037) [4].

Bild 1: Entlüftungsanlage aus schwerentflammbarem PP

Tafel 1: Brandverhalten und Entzündungstemperatur von schwerentflammbarem PP

Brandverhalten nach DIN 4102 Klasse	Sauerstoffindex nach ASTM 2863	Bewertung nach DIN 53438 Klasse		Entzündungstemperatur	
				Selbst	Fremd
B 1	≈ 28 %	K1	F1	≈ 430 °C	≈ 360 °C

Die Prüfung und Klassifizierung erfolgen nach DIN 4102 (Tafel 1). Prüfbescheide stellt das DIBt (Deutsches Institut für Bautechnik in Berlin) nach erfolgter Prüfung mit Hinweis auf die minimal und maximal zulässigen Wanddicken aus (in der Regel von 2 bis 20 mm).

Aufgrund seines hohen Sauerstoffindexes (Mindestsauerstoffkonzentration, die für eine Verbrennung notwendig ist) ist schwerentflammbares PP bei Entzug der Brandquelle selbstverlöschend.

Bild 2: Entlüftungsanlage aus elektrisch leitfähigem PE-HD

Lüftungsleitungen 639

Für den Außeneinsatz ist der Werkstoff PP nicht wirksam UV-stabil und von daher nur begrenzt verwendungsfähig.

Beim Transport von explosiven Gemischen empfiehlt sich der Einsatz von elektrisch leitfähigen Werkstoffen, wie sie z. B. in PE-HD hergestellt werden können (Bild 2).

Tafel 2: Rohrabmessungen und Gewichte

Rohr [mm]	s [mm]	Gewicht [≈ kg/m]
50	3,0	0,453
63	3,0	0,580
75	3,0	0,696
90	3,0	0,841
110	3,0	1,04
125	3,0	1,18
140	3,0	1,33
160	3,0	1,52
180	3,0	1,71
200	3,0	1,91
225	3,5	2,51
250	3,5	2,79
280	4,0	3,54
315	5,0	4,94
355	5,0	5,58
400	6,0	7,52
450	7,0	9,84
500	8,0	12,5
560	8,0	14,0
630	10,0	19,6
710	12,0	26,5
800	12,0	30,0
900	15,0	41,8
1000	15,0	46,6

Baulänge 5 m

Rohrabmessungen

Durch die geringen inneren Über- oder Unterdrücke bis 5000 Pa werden in der Regel keine in der DIN 8077 enthaltenen Abmessungen gewählt (Tafel 2). Größere Abmessungen werden aus Tafeln gefertigt.

Formstücke

Diese werden aus Rohren entweder durch Warmverformung oder Segmentschweißung hergestellt. Zur Verfügung stehen:

Doppelmuffen, Bögen 15°/30°/45°/60°/75°/90°, Hosenstücke, Reduktionen, Enddeckel, Muffenflansche, Sattelstücke, Drosselklappen, Deflektorhaube und Regenhut.

Verarbeitungs- und Verbindungstechnik

Die glattendigen Rohre werden in gemuffte Formstücke gesteckt und mittels Kehlnaht dichtgeschweißt. Ausführung erfolgt durch Warmgasschweißen nach DVS [5, 6].

Bei Unterdruck und höheren Temperaturen reicht die Statik der dünnwandigen Rohre meist nicht aus. Zur Erhöhung der Beulfestigkeit werden aus Tafeln geschnittene Ringe auf die Rohre aufgeschweißt.

Schrifttum

[1] Henschler: Gesundheitsschädliche Arbeitsstoffe; Toxikologische-arbeitsmedizinische Begründung von MAK-Werten. Verlag Chemie, Weinheim
[2] Deutsche Forschungsgesellschaft : Maximale Arbeitsplatzkonzentration und biologische Arbeitsstofftoleranzwerte. VCH Verlagsgesellschaft, Weinheim, jährlich.
[3] SIMONA AG, Kirn: Chemische Widerstandsfähigkeit
[4] RAL: Übersichtskarte – F2, Ausschuß für Lieferbedingungen und Gütesicherung, Frankfurt.
[5] DVS 2207-3: Warmgasschweißen von thermoplastischen Kunststoffen; Tafeln und Rohre. DVS-Verlag GmbH, Düsseldorf, April 1986.
[6] DVS 2207-3 Beiblatt: Warmgasschweißen von thermoplastischen Kunststoffen; Tafeln und Rohre; Schweißparameter. DVS-Verlag GmbH, Düsseldorf, April 1986.

22 Kühldecken

C. SALZBERGER

22.1 Einleitung

Eine Kühldecke senkt die Deckentemperatur ganz oder teilweise unter die mittlere Raumtemperatur und entzieht dem Raum somit Wärme.

Kühldecken

In den letzten Jahren konnten im Bereich der Kühldeckensysteme beachtliche Zuwachsraten verzeichnet werden. Die positiven Auswirkungen eines behaglichen Raumklimas auf den Organismus und die Leistungsfähigkeit des Menschen werden zunehmend erkannt und berücksichtigt. Dazu tragen Kühldecken bei, die hauptsächlich in Verwaltungsgebäuden, Schulungsräumen, Museen, Konzertsälen und Hotels zum Einsatz kommen.
Insbesondere Räume mit hohen thermischen Belastungen (z. B. durch Büromaschinen) sind ohne Raumkühlung nicht denkbar.

Kunststoffrohre haben sich im Bereich der Kühldeckensysteme fest etabliert. Im Wettbewerb mit den Alternativ-Werkstoffen Kupfer und Stahl bestehen gute Chancen, die bisherige Marktposition weiter auszubauen.

22.2 Technische Betrachtung von Kühldeckensystemen

Systembeschreibung

Anlagenschema:

Ein Kühldeckensystem setzt sich im wesentlichen aus folgenden Komponenten zusammen (Bild 1):

- Wärmetauscher zur Trennung von Kälteerzeugungskreislauf und Kühldeckenkreislauf
- Umwälzpumpe
- Regelorgane
- Rohrregister.

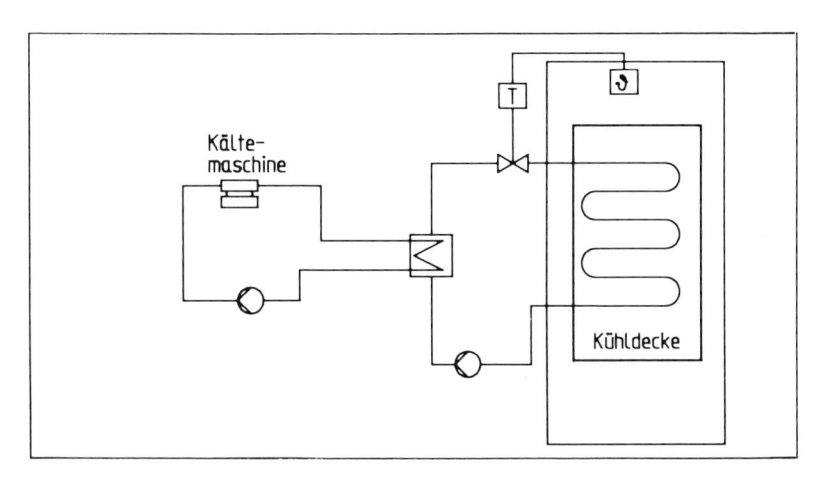

Bild 1: Vereinfachtes Anlagenschema eines Kühldeckensystems

Systembedingt kann eine Kühldecke nur die sensible Wärme eines Raumes aufnehmen. In der Praxis ist deshalb die Kombination mit einer Raumluft-Anlage für die Entfeuchtung und Luftzufuhr zu empfehlen.

Bauformen:

Grundsätzlich unterscheidet man bei Kühldecken zwei Bauformen: die Strahlungs- und die Konvektionskühldecke (Bild 2).

Strahlungskühldecken zeichnen sich durch eine geschlossene Form aus. Die Wärmeübertragung geschieht hier vorwiegend durch Strahlung. Es werden Kühlleistungen von etwa 80–90 W/m^2 erreicht.

Konvektionskühldecken weisen dagegen Öffnungen auf, die eine Luftzirkulation ermöglichen und somit eine Erhöhung des Kühleffekts bewirken. Die Wärme wird dabei in erster Linie durch Konvektion ausgetauscht. Mittels Rippen und

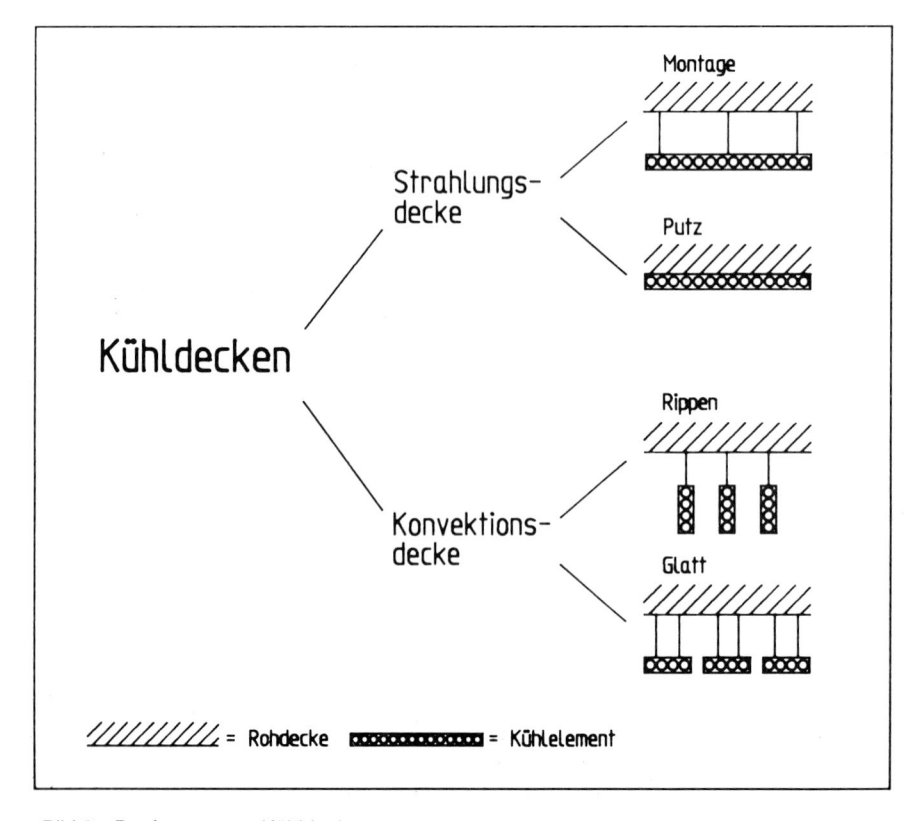

Bild 2: Bauformen von Kühldecken

Lamellen kann der Kühleffekt weiter gesteigert werden, so daß Kühlleistungen bis über 200 W/m² möglich sind.

Der Einsatz der jeweiligen Bauform hängt vom einzelnen Anwendungsfall ab. Bei Räumen mit Publikumsverkehr ist eine Konvektionskühldecke vorzuziehen, da die kühlende Wirkung unmittelbar wahrgenommen wird. Bei Aufenthaltsräumen wird dagegen oft eine Strahlungsdecke bevorzugt, da man bei längerer Einwirkzeit die Strahlungskälte als angenehmer empfindet. Bei der Strahlungsdecke findet auch mit dem Fußboden und den Seitenwänden ein Strahlungsaustausch statt. Der Raum wird dadurch rundum gekühlt, und es stellt sich eine hohe thermische Behaglichkeit ein.

Werkstoffe und Verbindungstechnik

Als Werkstoff für die Rohrregister haben sich Kunststoffe fest etabliert [1]. Zur Verwendung kommen Rohrmatten aus PE und PP. Aber auch bei Einsatz von Kupfer-Kühlflächen haben Kunststoffe ihren Platz, nämlich als flexible Anschlußleitungen der Rohrregister an die Vor- und Rücklaufstränge. Bei der Montage von fertig konfektionierten Paneelen-Kühldecken werden die Einzelplatten an der Decke befestigt und die Kühlflächen in aufgeklapptem Zustand angeschlossen (Bild 3). Bewährt haben sich Anschlußleitungen aus PB – ein Werkstoff, der sich durch hohe Flexibilität und Zeitstandfestigkeit auszeichnet. Die Verbindung

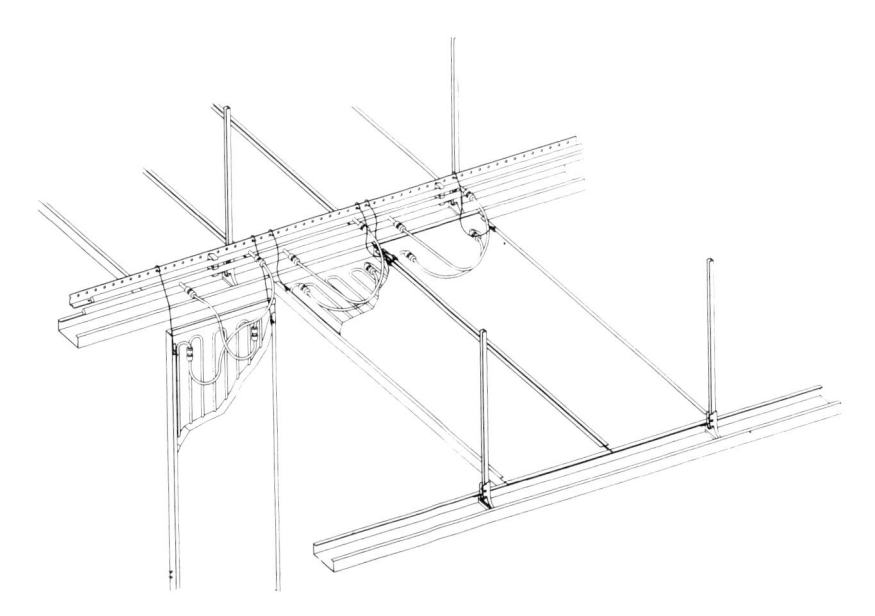

Bild 3: Aufgeklapptes Kühlelement bei der Montage

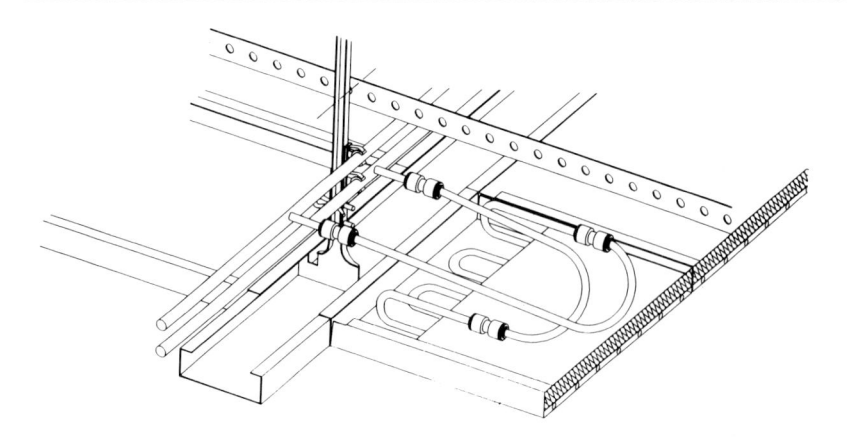

Bild 4: Steckverbinder und PB-Anschlußleitungen

zwischen Kupfer- und PB-Rohr erfolgt durch montagefreundliche Steckverbindungen (Bild 4). Die positiven Erfahrungen mit dem Rohrwerkstoff PB lassen einen baldigen Einsatz auch für die Kühlflächen erwarten, zumal damit Kosten- und Montagevorteile verbunden sind.

Auslegung und Betrieb

Bei der Auslegung einer Kühldecke stellt der Taupunkt eine entscheidende Größe dar. Es ist darauf zu achten, daß zwischen Taupunkt und Vorlauftemperatur immer genügend Abstand eingehalten wird (> 1,5 K). Die Vorlauftemperatur sollte mindestens 16 °C betragen. In der Praxis werden zur Sicherheit Feuchtesensoren an der kältesten Stelle der Anlage installiert. Bei Kondensatbildung wird dann automatisch der Kühlwasserstrom abgeschaltet oder eine höhere Vorlauftemperatur gefahren.

Die Regeleinrichtungen in der Kühldeckentechnik entsprechen denen der Heiztechnik, nämlich einer Mengenregelung je Raumregelkreis in Abhängigkeit von der Raumlufttemperatur. Für größere Regelzonen empfiehlt sich eine Vorlauftemperaturregelung. Auch der Selbstregelungseffekt einer Kühldecke ist nicht zu unterschätzen. Bei erhöhter Raumlufttemperatur nimmt automatisch die Kühlleistung zu.

Vorteile gegenüber Nur-Luftanlagen

Gegenüber der konventionellen Nur-Luftkühlung bietet eine Kühldecke wesentliche Vorteile:

- geringer Platzbedarf
- geringe Raumluftgeschwindigkeiten
- gleichmäßiges Temperaturprofil im Raum
- hohe thermische Behaglichkeit
- niedriger Geräuschpegel

Die Frage der Wirtschaftlichkeit von Kühldeckensystemen im Vergleich mit den Nur-Luftanlagen ist nicht pauschal zu beantworten. Bei richtiger Auslegung und Betriebsweise stellt eine Kühldecke aber oft die kostengünstigere Variante dar [2]. Dies ist auf einen niedrigeren Energieverbrauch und einen geringeren Platzbedarf zurückzuführen.

Die zunehmende Beliebtheit der Kühldecke in den letzten Jahren wirft die Frage auf, ob sie sich bereits einen dauerhaften Markt erobert hat. Durch zunehmenden Einsatz von Kunststoffen erscheinen künftig noch elegantere und preisgünstigere Lösungen möglich.

Schrifttum

[1] KI Klima-Kälte-Heizung 1 – 2/1993; Marktübersicht Kühldecken; S. 47 ff
[2] Brunk, Sodec; Wirtschaftlichkeitsvergleich des Kühldeckensystems mit VVS-System; HLH – Heizung, Lüftung / Klima, Haustechnik; Nr. 11/94; S. 554–559

23 Vortriebsrohre

23.1 Geschleuderte GFK-Vortriebsrohre

U. WALLMANN

Geschichte

Als Ende der siebziger Jahre die Vision des erdverlegten Rohrleitungsbaues der Zukunft entstand, nach dem ferngesteuerte, vollautomatische Maschinen unterirdisch – ohne Beeinträchtigung der Oberflächennutzung – neue Leitungen verlegen, lag es nahe, für diese neue Technologie auch das moderne GFK-Material einzusetzen. Nachdem die technischen Grundlagen zur Herstellung ausreichend großer Wandstärken für die Aufnahme der Pressenkräfte und einer in die Rohrwand integrierten Kupplung geklärt waren, fand Ende 1980 die erste Pressung geschleuderter GFK-Rohre auf einem Testgelände in Süddeutschland statt.

Zur Ausführung kamen Rohre mit einem Außendurchmesser von 820 mm, einer Wanddicke von 26 mm und einer Baulänge von 6 m. An der Stirnseite des ersten Vortriebsrohres wurde eine Schneidkrone angebracht. In die GFK-Vortriebsrohre wurde jeweils vor dem Einsetzen in die Presse eine Schnecke eingebaut. Die Bohrschnecke im ersten Rohr hatte einen Durchmesser von 750 mm, die sich daran anschließende Transportschnecke einen Durchmesser von 650 mm.

Das Einpressen der Rohre erfolgt mit einer Geschwindigkeit von ca. 150 mm/min. Dabei wurde das Rohr mit Hilfe von zwei Hydraulikzylindern, die auf eine Lastverteilungsplatte drückten, ohne Drehbewegung in das Erdreich gepreßt, während gleichzeitig ein Hydraulikmotor die Schnecke im Rohr in Drehbewegung versetzte, wodurch das Erdreich aufgebohrt und aus dem Rohr transportiert wurde. Zum Einpressen der ersten 4 Rohre waren relativ geringe Kräfte zwischen 250 und 400 kN erforderlich. Nach dem Einbau von Rohr Nr. 5 kam es zu einem plötzlichen Anstieg der Pressenkräfte auf 800 kN und im weiteren Verlauf des Einpressens immer häufiger zum Klemmen der Bohr- und Förderschnecke. Als kleine GFK-Splitter im Abraummaterial gefunden wurden, stellte man den Vortrieb ein, um eine spätere Versuchsauswertung nicht zu gefährden.

Zu diesem Zeitpunkt war der Rohrstrang 25,6 m in das Erdreich vorgepreßt. Die Ursache für das Klemmen der Schnecke während der letzten Einpreßphase war eine starke Deformation des 1. Rohres. Der Grund für diese Verformung lag darin, daß die Pressung auf unterschiedlich harte Bodenschichten traf. Da der Vortrieb nicht steuerbar war, brach das Rohr aufgrund der asymmetrischen Belastung aus.

Obwohl der Versuch abgebrochen werden mußte, ließ er erkennen, daß geschleuderte GFK-Rohre für die Verlegung im Vorpreßverfahren geeignet sind. Voraussetzung ist ein Verfahren, bei dem derartige Abweichungen nicht auftreten können und der abgebaute Boden nicht mit dem Rohr in Kontakt kommt (Bild 1). Als wenige Jahre später die gesteuerten Vortriebsmaschinen mit Schnecken- oder Hydraulikförderung einsatzbereit waren, wurde die Anwendung geschleuderter GFK-Vortriebsrohre in der geschlossenen Bauweise zur Routine. In den achtziger Jahren wurden mehr als 5000 m GFK-Vortriebsrohre in Außendurchmessern von 376–820 mm vorwiegend im norddeutschen Raum erfolgreich vorgepreßt. Die erfolgreichste Entwicklung für geschleuderte GFK-Vortriebsrohre fand in den Vereinigten Staaten statt. Hier konnten sich diese Rohre Anfang der neunziger Jahre einen Anteil von 45 % des nichtbegehbaren Vortriebsrohrmarktes sichern.

Produktbeschreibung

Geschleuderte Vortriebsrohre aus glasfaserverstärktem Kunststoff werden in Außendurchmessern von 220 bis 2500 mm hergestellt. Die Baulänge der Rohre liegt bei 0,65 bis 6 m und kann der Größe der Preßgrube und Vorpreßmaschine

Vortriebsrohre 647

Bild 1: Montage eines (UP-GF)-Vortriebsrohres DN 600

angepaßt werden. Die Verbindung dieser Vortriebsrohre erfolgt durch eine GFK-Manschette, die am Rohrende in einem Versatz untergebracht ist, so daß eine außen bündige Oberfläche entsteht. Die Manschette übernimmt die Aufgabe der Führungshülse und der Abdichtung der Rohre untereinander. Die Dichtheit zwischen Manschette und Rohr wird durch einen Dichtungsring gewährleistet (Bild 2).

Geschleuderte GFK-Vortriebsrohre werden mit einem Wandaufbau entsprechend DIN 16869 hergestellt, erfüllen die Anforderungen der ATV-Richtlinie A 125 und des ATV-Merkblattes M 151 und werden entsprechend ATV-Richtlinie A 161 für den Bau- und Betriebszustand statisch nachgewiesen.

Die Wasserdichtheit der Rohrverbindung ist entsprechend DIN 4060 und DIN 4033 bei einem äußeren oder inneren Wasserüberdruck von 0 bis 0,5 bar gewährleistet. Die zulässige Abwinkelbarkeit der Verbindung entspricht – abweichend von DIN 4060 – der ATV-Richtlinie A 125 (Bild 3).

Bild 2: Rohrverbindung

Werkstoffkennwerte

E-Modul in Umfangsrichtung:	14000 N/mm^2	(Kurzzeit)
	7000 N/mm^2	(Langzeit)
Bruchdehnung in Umfangsrichtung:	1,2 %	(Kurzzeit)
	0,8 %	(Langzeit)
Druckfestigkeit in Axialrichtung:	90 N/mm^2	
Bruchsicherheit in Umfangsrichtung:	2,0	
Bruchsicherheit in Axialrichtung:	1,75	
Toleranzen im Außendurchmesser:	DA ± 3 mm	

(s. auch Tafel 1)

Produktvorteile

Durch die glatte Außenoberfläche und die Maßgenauigkeit im Außendurchmesser entstehen relativ geringe Reibungskräfte, so daß geschleuderte GFK-Vortriebsrohre mit geringeren Pressenkräften vorgepreßt werden oder bei gleicher zulässiger Preßkraft größere Preßweiten erzielen können. Unter günstigen Voraussetzungen kann aufgrund dieser Eigenschaft bei GFK-Vortriebsrohren auf Zwischenpreßstationen verzichtet werden.

Vortriebsrohre 649

Rohrverbindung

DN 200 - DN 400

Baulänge L
985 mm
1975 mm
2965 mm
andere Baulängen auf Wunsch

Detail "X" Rohrverbindung

DN 500 - DN 2400

Detail "X" Rohrverbindung

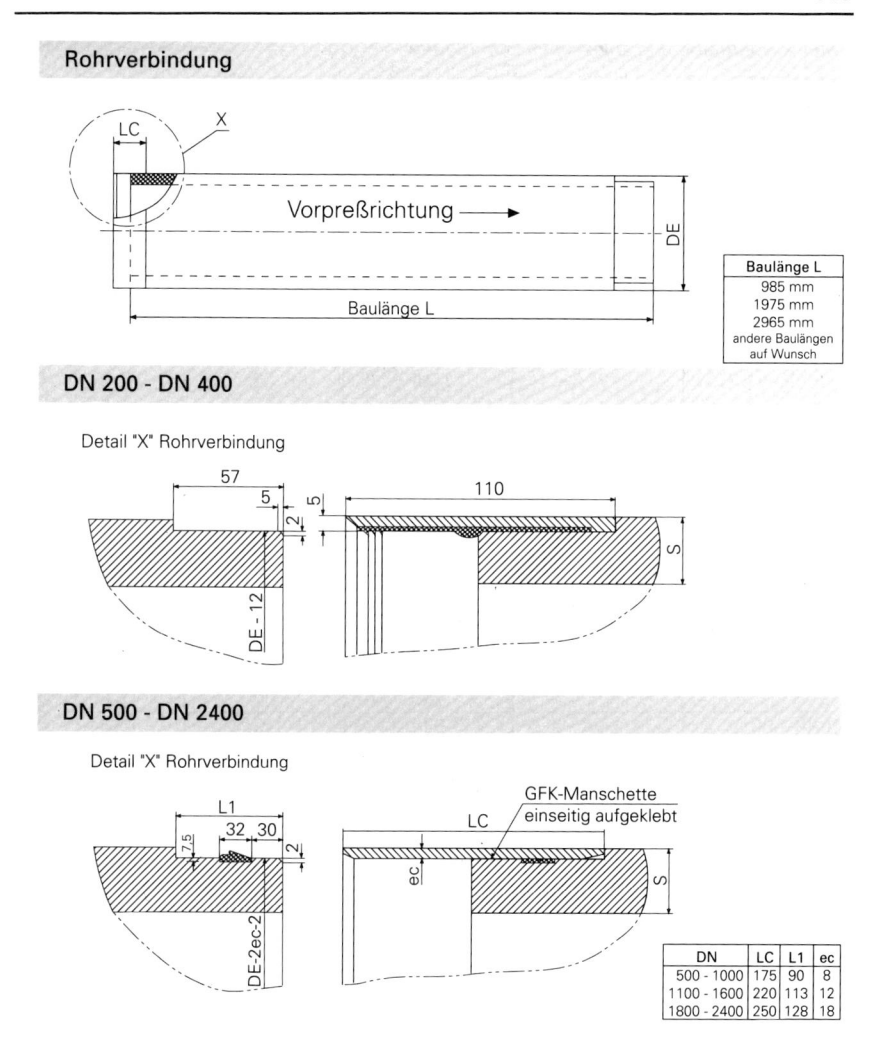

GFK-Manschette einseitig aufgeklebt

DN	LC	L1	ec
500 - 1000	175	90	8
1100 - 1600	220	113	12
1800 - 2400	250	128	18

Aufgrund der Diffusionsdichtheit der Polyesterharze entsteht bei GFK-Vortriebsrohren nur eine geringfügige Wasseraufnahme an der Außenhaut und dadurch kein Festsaugen an feuchtem Boden. Hierdurch entstehen beim Anfahren der Pressung nach längerem Stillstand vergleichsweise geringe Anfahrwiderstände.

Tafel 1: Rohrmaße und zulässige Vorpreßkräfte

Nennweite DN	Außendurchmesser DA [mm]	Innendurchmesser DI [mm]	Wanddicke s [mm]	Maximale Vorpreßkraft F_{max} [kN]
200	220	196	12	97
	272	242	15	180
		222	25	360
250	324	284	20	330
		264	30	550
300	376	336	20	390
		306	35	780
350	401	361	20	420
		341	30	700
		321	40	975
450	550	490	30	540
		470	40	930
		450	50	1300
550	650	590	30	650
		570	40	1120
		550	50	1570
650	752	672	40	1320
		652	50	1850
		632	60	2370
700	820	740	40	1440
		720	50	2030
		700	60	2600
800	924	844	40	1640
		824	50	2320
		804	60	2570
900	1026	946	40	1840
		926	50	2590
		906	60	3330
1000	1099	1019	40	1630
		999	50	2440
		979	60	3240
1100	1229	1149	40	1840
		1129	50	2760
		1109	60	3660
1400	1499	1419	40	2260
		1399	50	3400
		1379	60	4520
1500	1638	1558	40	2480
		1538	50	3730
		1518	60	4960
1600	1720	1640	40	2600
		1620	50	3900
		1600	60	5230
1700	1842	1742	50	3350
		1722	60	4750
2000	2047	1947	50	3740
		1927	60	5300

Durch die geringen Wanddicken lassen sich teilweise große Mengen Aushub und damit erhebliche Kosten einsparen.

Der GFK-Werkstoff ist so elastisch, daß Unebenheiten aus Fertigungstoleranzen unter Druckbelastung schnell ausgeglichen werden und die Stirnkanten der Rohre plan aufeinanderliegen.

Beim Einsatz geschleuderter GFK-Vortriebsrohre kann deshalb auf Lastverteilungsringe verzichtet werden. Allerdings ist zu berücksichtigen, daß durch hohe Pressendrücke eine Art Klebeffekt entsteht, so daß die Steuerbarkeit des Rohrstranges beeinträchtigt wird. Um eine bessere Steuerbarkeit des Vortriebs sicherzustellen, sollten die ersten beiden Rohrverbindungen mit Ausgleichsringen versehen werden. Als Material für die Ausgleichsringe haben sich Spanplatten gut bewährt. Die Breite der Lastverteilungsringe sollte geringfügig kleiner als die Wanddicke der Vorpreßrohre sein, wobei ihre Dicke bei 4–5 mm liegen sollte.

23.2 Vortriebsrohre aus PVC-U

H.-H. MEYER

Einführung

Seit Ende der siebziger / Anfang der achtziger Jahre gewinnen die grabenlosen, geschlossenen Bauweisen zunehmend an Bedeutung.

Die Vorteile liegen auf der Hand:

- Straßen und Gehwege werden geschont, Verkehrsbeeinträchtigungen und Sperrungen ganzer Straßen werden vermieden.

- Sorgsam gepflegte Vorgärten und Grünflächen brauchen nicht aufgegraben zu werden, und die aufwendige Rekultivierung entfällt.

- Zeit- und Kostenersparnis gegenüber der offenen Bauweise, Vermeidung von Umweltbeeinträchtigungen wie Lärm, Schmutz etc. sind weitere Beweggründe für den Einsatz grabenloser Bauverfahren.

Vortriebsrohre aus PVC-U werden vor allem als Mantelrohre zum Schutz von Kabeln, Gas- und Wasserleitungen im Bereich von DN 40 bis 200 und als Abwasserleitungen von DN 100 bis 500 eingesetzt.

Anforderungen

Die seit Jahrzehnten bei den offenen Bauweisen bewährten Verbindungen, nach außen aufgeweitete Steck- und Klebemuffen, sind für die geschlossenen Bauweisen nicht geeignet (Bild 4).

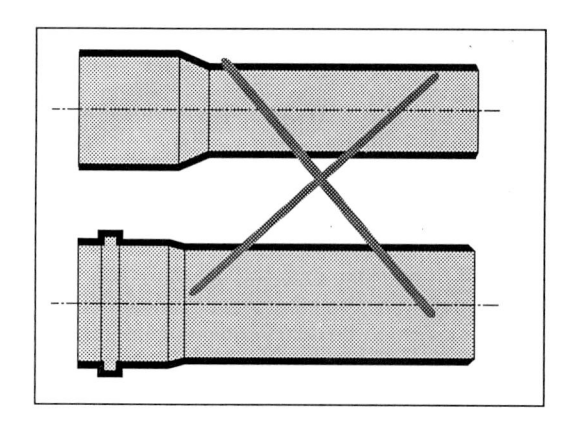

Bild 4: Rohrverbindungen

Durch die nach außen aufgeweiteten Muffen ist eine erheblich größere Bohrung bzw. Pressung erforderlich. Die dadurch entstehenden Hohlräume können zu späteren Bodensetzungen führen. Darüber hinaus führt jeder Millimeter Außendurchmesser, der zusätzlich gebohrt oder gepreßt werden muß, zu einer Erhöhung der Kosten und evtl. zu einem erforderlichen Einsatz größerer Geräte.

Beim Vorpressen oder Bohren baut sich durch die Rückstellkraft und die Rieselfähigkeit des Bodens vor jeder Muffe eine sogenannte „Bugwelle" auf, die im Extremfall zum Scheitern des weiteren Vortriebs führen kann.

Die konisch aufgeweiteten Muffen können nur geringe Axialkräfte aufnehmen. Bei höheren Belastungen verkeilt sich das Rohr in die Muffe hinein und bricht schließlich.

Zur Aufnahme der Axialkräfte müssen die Rohrenden beim Vortriebsrohr stumpf aufeinander stoßen (Bild 5).

Praxiserfahrungen haben gezeigt, daß PVC-U-Vortriebsrohre von der Wanddicke her wenigstens der Serie 10 (SDR 21) DIN 8062 entsprechen müssen.

Vortriebsrohre als Mantelrohre für Kabel, Gas- und Wasserleitungen

Mantelrohre schützen Kabel und Leitungen vor Beschädigungen durch Steindruck und unsachgemäße Tiefbauarbeiten.

Bei späteren Schäden oder Undichtigkeiten können Kabel oder Leitungen ohne erneute Aufgrabungen ausgewechselt werden.

Vortriebsrohre 653

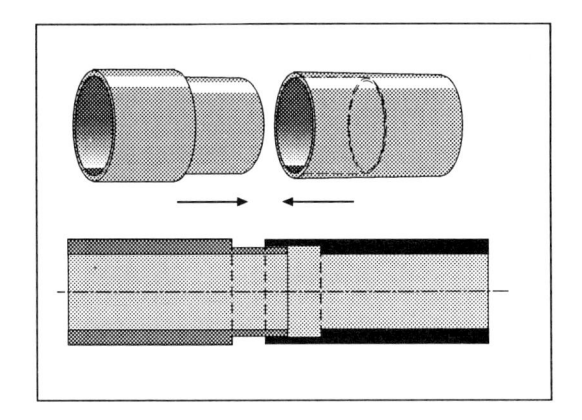

Bild 5: Rohrverbindungen

Bei der grabenlosen Bauweise ist es nicht möglich, ein der Sicherheit dienendes Trassenwarnband einzubringen. Die Warnfarbe und der um jeweils 120 Grad versetzte fortlaufende Warnaufdruck:

        gelbe Rohre = „Achtung Gasleitung"
        blaue Rohre = „Achtung Wasserleitung"
        rote Rohre = „Achtung Starkstromkabel"

sorgen jedoch für einen weitgehenden Schutz der eingezogenen Kabel und Leitungen.

Für Gas-Hausanschlüsse sind die Mantelrohre auch in geschlitzter Ausführung lieferbar. Bei Leitungsschäden wird so ein Eindringen des ausströmenden Gases in die Gebäude verhindert.

Der Rohrvortrieb erfolgt in der Regel aus kurzen Kopfgruben heraus; daher werden bevorzugt Rohrlängen von 1 m verwandt (Tafel 2).

Durch die zugfesten Rohrverbindungen wird aus den Kurzrohren eine stabile, zusammenhängende Rohrtrasse hergestellt (Bild 6).

Die eingerasteten Rohrverbindungen können sich auch beim schwierigen Einziehen (Wicklungsdrall) der Kabel und PE-Leitungen nicht lösen. Einem Herausziehen einzelner Kurzrohre in die Kopfgrube beim Kabel- oder Leitungsziehen wird wirkungsvoll vorgebeugt.

Tafel 2: Übersicht der Abmessungen und zulässigen Vortriebskräfte

Abmessungen [mm]	Gewicht [kg/m]	Zulässige Vortriebskräfte [kN]
40 x 3,0	0,525	12
50 x 2, 4	0,552	10
50 x 3,0	0,668	15
63 x 3,0	0,854	19
75 x 3,6	1,220	24
80 x 3,5	1,270	25
85 x 3,5	1,357	26
90 x 4,3	1,750	33
110 x 5,3	2,610	53
110 x 8,2	3,900	118
125 x 6,0	3,340	79
140 x 6,7	4,180	98
160 x 7,7	5,470	125
200 x 9,6	8,510	167

Vortriebsrohre als Abwasserrohre nach DIN 19534

Beim Bau und der Sanierung von Abwasserkanälen können sich durch die großen Verlegetiefen erhebliche Kostenvorteile für die grabenlosen Bauverfahren ergeben.

Für die Herstellung von Abwasser-Hausanschlüssen, für Rohrrelining und Rohrcracking stehen Vortriebsrohre nach DIN 19534 von DN 100 bis 500 zur Verfügung (Tafel 3).

Der Einbau erfolgt mittels Erdraketen, Preßbohrgeräten und Seilwinden.

Durch die großen Wanddicken ist das Rohr beim Vorpressen in Axialrichtung hoch belastbar, verfügt über eine enorme Scheiteldruckfestigkeit und zeigt ein gutes statisches Verhalten.

Vortriebsrohre 655

Bild 6: Rohrtrasse aus Kurzrohren

Zwei Lippendichtringe garantieren die Dichtigkeit der Rohrleitung auch bei leichten Abwinkelungen in der Trasse, wie sie besonders bei Sanierungsmaßnahmen immer wieder vorkommen (Bild 7).

Der Werkstoff PVC-U zeichnet sich durch Elastizität und eine hohe Abriebfestigkeit aus; daher sind diese Rohre besonders gut für Rohrsanierungen im Grundleitungsbereich (Relining und Cracking) geeignet.

Durch das relativ geringe Gewicht gegenüber anderen Rohrwerkstoffen ergeben sich erhebliche Vorteile beim Transport und beim Entladen auf der Baustelle, beim Herablassen in das Kopfloch und beim Zusammenstecken der Rohre.

Die Gefahr eines Absinkens der Rohrtrasse beim Vortrieb wird durch das geringe Eigengewicht minimiert.

Die Kompatibilität mit anderen Kanalrohren ist durch Übergangsmuffen gewährleistet. Vorgefertigte Abzweige und Schachteinführungen ermöglichen eine problemlose Einbindung der Vortriebsrohre in andere Rohrsysteme.

Vortriebsrohre

Tafel 3: Übersicht der Abmessungen und zulässigen Vortriebskräfte

Abmessungen [mm]	Gewichte [kg/m]	Zulässige Vortriebskräfte [kN]
110 x 6,2	3,0	35
125 x 10,5	5,6	65
140 x 6,7	4,2	50
148 x 10,5	6,4	77
160 x 6,9	4,7	59
170 x 10,0	7,4	70
220 x 10,0	10,0	80
280 x 12,5	15,6	200
330 x 14,5	21,2	310
450 x 19,5	38,9	690
540 x 20,0	48,2	850

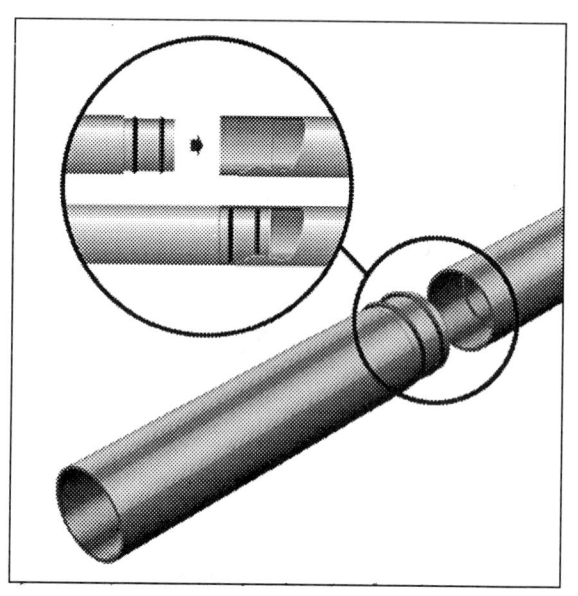

Bild 7 Steckverbindung mit 2 Dichtelementen

24 Rauchgasreinigungsanlagen

K. SAMIR

Durch die in den letzten Jahren immer weiter verschärften Vorschriften zur Luftreinhaltung werden Kraftwerke verstärkt mit Anlagen zur Reinigung der entstehenden Rauchgase ausgerüstet. In Rauchgasreinigungsanlagen werden bevorzugt Waschverfahren eingesetzt, wie z.b. die Kalksteinwäsche oder die Absorptionswäsche mit einer regenerierbaren Waschflüssigkeit. Im Bereich von Rauchgasentschwefelungsanlagen wird größtenteils die Kalksteinwäsche benutzt, wobei Gips als verwertbares Entschwefelungsprodukt entsteht. Durch die Reinigungsprozesse des Rauchgases bilden sich sehr aggressive Säuren und Säuregemische.

Doch nicht nur wegen der aggressiven Medien werden hohe Anforderungen an das Material gestellt (Korrosionsbeständigkeit); auch die Temperaturbeständigkeit und Druckfestigkeit sind Faktoren, welche die Auswahl des geeigneten Rohrleitungswerkstoffes beeinflussen. Im Fall von Suspensionsleitungen mit einem Feststoffgehalt der Suspensionen von ca. 50 Massen % ist außerdem die Beständigkeit gegen Abrasion erforderlich.

Seit ungefähr 10-15 Jahren werden die bis dahin eingesetzten konventionellen Rohrleitungswerkstoffe (Edelstahl, gummierter Stahl) immer stärker durch glasfaserverstärkte Kunststoffe auf Epoxidharz- oder Vinylesterharzbasis verdrängt.

Rohrleitungen aus GFK weisen alle Eigenschaften auf, die im Bereich von Rauchgasreinigungsanlagen gefordert werden: Korrosions- und Abrasionsbeständigkeit sowie Temperatur- und Druckfestigkeit. Zusätzlich haben sie gegenüber den Rohrleitungen aus konventionellen Werkstoffen den Vorteil der besseren Handhabbarkeit durch das niedrigere Gewicht. Auf Hebewerkzeuge kann verzichtet werden. Im Vergleich mit gummiertem Stahl kommt hinzu, daß Rohrleitungen aus GFK vor Ort auf der Baustelle angepaßt werden können; ein Ausmessen von Paßlängen mit Rücktransport ins Werk zum Gummieren entfällt.

Ein weiterer Vorteil von GFK-Rohrleitungen besteht darin, daß sie auch in Bereichen eingesetzt werden können, in denen eine chemische und abrasive Belastung von außen auf die Rohrleitung einwirkt, z.B. im Inneren des Wäschers. Dies wird durch eine harzreiche Außenschicht, welche als Korrosions- und Abrasionsschutzschicht dient, realisiert.

Auch in der Planung und Verlegung bieten Rohrleitungen aus GFK viele Vorteile. So können Flanschverbindungen auf ein Minimum reduziert werden und beschränken sich auf Stellen, die für eine sinnvolle Einteilung der Rohrleitung in einzelne Abschnitte notwendig sind oder die für Inspektions- und Reinigungszwecke als lösbare Verbindung ausgeführt werden. Durch den niedrigen E-Modul werden Kompensatoren und Dehnungsbögen in einem wesentlich geringeren Umfang benötigt als bei Einsatz von Stahl als Rohrleitungswerkstoff. Dies ermöglicht, die Rohrleitungsenden fest einzuspannen und durch einen geeigneten Führungsabstand ein Ausknicken der Leitung durch die behinderte Wärmedehnung zu vermeiden. Kompensatoren werden lediglich eingesetzt, um Vibrationen von Pumpen nicht in das Rohrleitungssystem einzuleiten oder um Bewegungen einzelner Rohrleitungsabschnitte zu entkoppeln.

Die Verbindung der einzelnen Rohrleitungsabschnitte erfolgt in der Regel durch eine Kleb- oder Laminatverbindung. Die höchste Qualität der Verbindungen wird erreicht, wenn auf der Baustelle eine zentrale Station für die Vorfertigung dieser Verbindungen besteht und die Anzahl der Baustellenverbindungen auf ein Minimum reduziert wird.

Rohrleitungen aus GFK werden für den Transport einer Vielzahl unterschiedlicher Medien verwendet: Gipssuspension, Gipsschlamm, Kalkmilchsuspension, Kalksteinmehlsuspension, Waschsuspension, Abwasser, Prozeßwasser, Umlaufwasser, Waschwasser, Wasch-Gipssuspension-Spülwasser, Luft, Reingaskondensat, Reingasentlüftung. GFK-Rohrsysteme werden auch im Inneren der Wäscher eingesetzt als Düsen- und Sprühleitungen, Spülleitungen für Tropfenabscheider, Suspensionssprühlanzen und -systeme und als Oxidationsluftsysteme.

25 Sanierungsverfahren

C. BAUMGÄRTEL

25.1 Problemstellung

Rohrleitungssysteme, ob im Abwasser-, Trinkwasser-, Gas- oder Industrierohrbereich, haben eine begrenzte Funktionsdauer. Je nach Art und Umfang der Ausfallerscheinungen läßt sich durch Wartung, Ausbesserungen, Reparatur oder im schlimmsten Fall durch Neuverlegung von Teilstrecken oder der Gesamtleitung die Funktion der Leitungsnetze aufrechterhalten.

Für die Ausbesserung oder Reparatur gibt es seit Jahrzehnten Lösungsmöglichkeiten, ohne die Rohrleitung freilegen zu müssen; z. B. bei begehbaren Kanalleitungen oder − bei Niederdruck-Gasleitungen mit undicht gewordenen Gußrohrmuffen − auch für den nicht begehbaren Bereich.

Mitte der 80er Jahre sind, ausgelöst durch das gestiegene Umweltbewußtsein und strengere Umweltgesetze, Fragen nach Schäden bei den nicht begehbaren Kanalrohrstrecken, der dadurch möglichen Kontaminierung des Bodens und des Grundwassers, sowie zur Umweltverträglichkeit angewendeter Abdichtverfahren bei Gas- und Abwasserleitungen gestellt worden.

Sanierungsverfahren

Dadurch sind erhebliche Probleme zu Tage getreten. Art und Umfang dieser Probleme waren und sind aus Zeit und Kostengründen, unter Berücksichtigung der Schonung der Umwelt, mit den bis dahin bekannten Sanierungsverfahren bzw. durch Neuverlegung in offener Bauweise nicht mit der gebotenen Dringlichkeit und Sicherheit zu beseitigen.

Allein die Kosten für den Sanierungsbedarf auf dem Kanalrohrsektor werden auf min. 100 Milliarden DM geschätzt. Das hat den entscheidenden Anstoß für die Entwicklung einer Vielzahl neuer Verfahren zur Sanierung und grabenlosen Neuverlegung von Rohrleitungen gegeben.

25.2 Stand der Technik

Die Vielfalt der heute angebotenen und in der Praxis eingesetzten Sanierungsverfahren ist groß. Es ist dadurch schwierig geworden, für einen bestimmten Sanierungsfall das beste Verfahren auszuwählen. Um dem Anwender die Auswahl des für ihn jeweils günstigsten Sanierungsverfahrens zu erleichtern, hat die

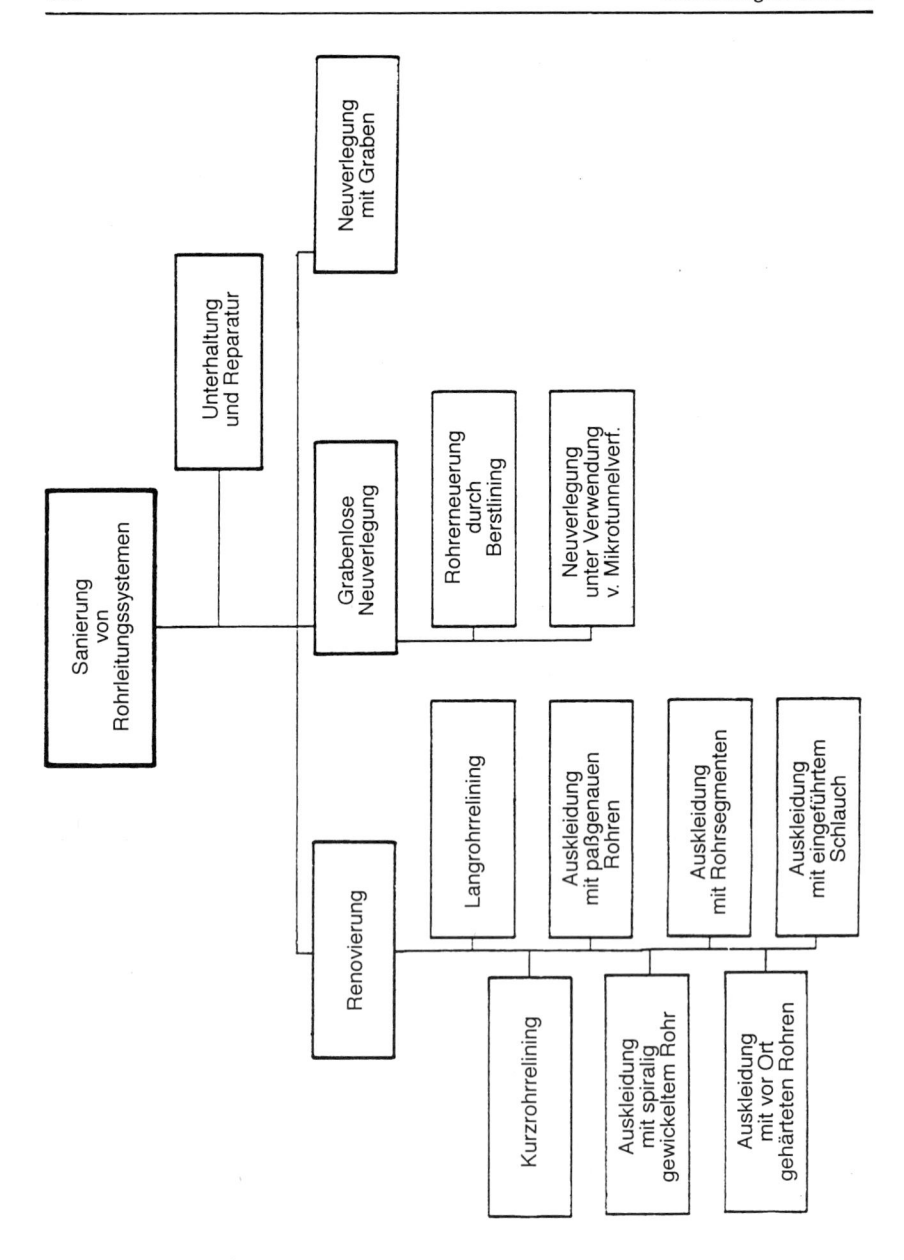

Bild 1: Sanierungsverfahren

ISO im Jahre 1988 mit deren Standardisierung begonnen. Da die überwiegende Anzahl der Sanierungsverfahren auf Kunststoffsystemen aufgebaut ist, hat diese Aufgabe das TC 138 von ISO, zuständig für die Normung von Kunststoffrohren, übernommen und die WG 12 gegründet. Die WG 12 hat einen Bericht über den technischen Stand der Sanierungsmöglichkeiten von Rohrleitungssystemen unter Einsatz von Kunststoffen (Thermoplasten und Duroplasten), den Technical Report ISO/TR 11295 erarbeitet [1].

Durch die Einordnung der verfügbaren Verfahren mit vergleichbaren Systemen in Verfahrensfamilien wird das Angebot transparenter (Bild 1).

In Tafel 1 sind die in Familien zusammengefaßten Verfahren beschrieben und deren Einsatzmöglichkeiten für bestimmte Anwendungsgebiete in verkürzter Form wiedergegeben.

1992 wurde die Normung auf der Basis des Technical Report ISO/TR 11295 von WG 17 bei CEN/TC 155 weitergeführt. Die folgenden Europäischen Normungsvorhaben sind für die verschiedenen Anwendungsgebiete in Vorbereitung, wobei in jeder dieser Normen alle jeweils anwendbaren Verfahrensfamilien berücksichtigt werden [2]:

Norm A   Sanierungssysteme für erdverlegte, drucklose Abwassernetze

Norm B   Sanierungssysteme für erdverlegte Abwasserdruckleitungsnetze

Norm C   Sanierungssysteme für erdverlegte Trinkwasserleitungsnetze

Norm D   Sanierungssysteme für erdverlegte Gasrohrnetze

Norm E   Sanierungssysteme für Industrierohrnetze

Das Normungsvorhaben A wird gegenwärtig verstärkt im dafür zuständigen Technischen Kommitee TC 155 von CEN behandelt. Die Normungsvorhaben C und D sind weitgehend für die offiziellen Umfragen fertiggestellt.

25.3 Anwendung von Sanierungsverfahren

Nicht alle in Tafel 1 genannten Sanierungsverfahren haben sich in der Praxis gleich gut durchsetzen können.

Die Verfahrensauswahl ist von vielen Faktoren abhängig, die in dem Objektfragebogen Tafel 2 zusammengefaßt sind. Je umfassender die Einzelfragen beantwortet werden können, umso zielsicherer läßt sich das optimale Verfahren ermitteln.

In den letzten Jahren werden, abhängig vom Anwendungsgebiet, die im folgenden genannten Sanierungsverfahren bevorzugt eingesetzt.

Tafel 1 Sanierungsfamilien mit Systembeschreibung und Anwendungsbereich

Familie	Systembeschreibung	Allgemeine Anwendung
Langrohrrelining (Lining with continuous pipe)	Einführung eines langen Rohrstranges, einteilig oder aus Einzelrohren zusammengefügt, in eine bestehende Rohrleitung.	Freispiegel- und Druckleitungen
Kurzrohrrelining (Lining with discrete pipes)	Installation einzelner Rohre, welche kürzer sind als der zu renovierende Abschnitt und welche außerhalb oder innerhalb der Rohrleitung verbunden werden können, um eine durchgehende Auskleidung zu bilden.	Freispiegelleitungen, Druckleitungen mit Einschränkungen
Auskleidung mit paßgenauen Rohren (Lining with close-fit pipes)	Einführung eines Rohres mit vorübergehend reduziertem Durchmesser, welcher wieder auf den ursprünglichen Wert erhöht wird, um eine Auskleidung mit enger Anpassung an das bestehende Rohr zu erhalten.	Freispiegel- und Druckleitungen
Auskleidung mit spiralig gewickeltem Rohr (Lining with spirally wound pipes)	Installation einer Auskleidung hergestellt aus einem profilierten Band, das im Startschacht zu einem kontinuierlichen Rohr gewickelt wird.	nur für Freispiegelleitungen

Sanierungsverfahren

Lining with pipe segments	Auskleidung mit Rohrsegmenten	Installation einer Auskleidung, die min. aus zwei Teilen hergestellt wird, welche in Längsrichtung und über den Umfang verbunden sind.	nur für Freispiegelleitungen
Lining with cured-in-place pipes	Auskleidung mit vor Ort ausgehärteten Rohren	Einführung eines mit Harz getränkten Gewebeschlauches der nach der Aushärtung des Harzes eine stabile Auskleidung ergibt.	Freispiegel- und Druckleitungen (nicht alle Systeme)
Lining with inserted hoses	Auskleidung mit eingeführtem Schlauch	Einführung eines nicht paßgenauen armierten Schlauches, um eine Rohrauskleidung zu bilden, wenn Flüssigkeit unter Druck transportiert wird.	nur für Druckleitungen, wobei der Rohrkörper der bestehenden Leitung intakt sein muß
Replacement using pipe bursting	Rohrerneuerung durch Berstlining	Neuverlegung anstelle einer bestehenden Rohrleitung durch Bersten der alten Leitung und Verdrängung der Bruchstücke in den umgebenden Boden, um einen Hohlraum zu schaffen, in welchem im Zuge des Berstvorganges der neue Rohrstrang eingezogen wird.	Druck- und Freispiegelleitungen

Tafel 2: Checkliste zur Überprüfung der Eignung von Sanierungsverfahren

Checkliste zur Überprüfung der Eignung von Sanierungsverfahren

1. Angaben zur bestehenden Leitung

- **Art der Leitung:**

  ☐ Druckleitung
  ☐ ducklose Leitung
  ☐ Dükerleitung

- **Abmessungen der Leitung:**

  Nennweite DN _____
  Nenndruck PN _____
  Innendurchmesser _____
  Wanddicke _____
  Gesamtlänge _____
  Teillängen _____
  _____
  _____

- **Werkstoff der Leitung:**

  ☐ Guß   DIN _____
  ☐ Stahl   DIN _____
  ☐ Steinzeug   DIN _____
  ☐ Beton   DIN _____
  ☐ Stahlbeton DIN _____
  ☐ Asbestzement DIN _____
  ☐ PVC-U   DIN _____
  ☐ PE-HD   DIN _____
  ☐ GFK   DIN _____
  ☐ Sonstiges _____

- **Bei Kanälen, Leitungsprofil:**

  ☐ rund
  ☐ eiförmig
  ☐ rechteckig
  ☐ Maulprofil
  ☐ Sonstige _____

Sanierungsverfahren

- Medium in der Leitung:

    ☐ Brauchwasser
    ☐ Trinkwasser
    ☐ Erdgas
    ☐ Stadtgas
    ☐ Häusliche Abwasser DIN 1986/3
    ☐ Industrieabwasser
        Chemische Zusammensetzung _____

    ☐ Sonstiges   _____

    Betriebstemperatur max _____
                         min _____

- Aufbau und Trassenführung der zu renovierenden Leitung

Gibt es Lagepläne der Leitung?   ja ☐   nein ☐

Sind Bögen in der Leitung ?   ja ☐   nein ☐

Wenn ja,   Anzahl _____   Grad _____
                Anzahl _____   Grad _____
                Anzahl _____   Grad _____

Einzellängen zwischen den Bögen _____

Gibt es Abzweige ?   Anzahl _____

Einzellängen zwischen den Abzweigen _____

Sind Schächte vorhanden?   ja ☐   nein ☐

Wenn ja, Schachtanzahl : _____
             Schachtabstand: _____
             Schachtzustand: _____
             Schachttiefe _____
             Schachtdurchmesser _____

Tafel 2: Checkliste zur Überprüfung der Eignung von Sanierungsverfahren

Sind Hausanschlüsse vorhanden ?   ja ☐   nein ☐

Wenn ja, Abmessung   Anzahl   Zustand

_____   _____   _____
_____   _____   _____
_____   _____   _____

Verlegetiefe der Leitung: _____

- Wo ist das Rohr verlegt ?

☐ im Straßenbereich
☐ im freien Gelände
☐ in Hangbereich
☐ im Bahnbereich
☐ im Flugplatzbereich
☐ in einer Schutzzone   ja ☐   nein ☐

Wenn ja, welche ? _____

☐ Sonstiges _____

- Anstehender Boden:

☐ nichtbindiger Boden (z.B.Kies)
☐ schwachbindiger Boden (z.B Sand)
☐ bindiger Mischboden (z.B Schluff)
☐ bindiger Boden (z.B. Ton)
☐ steht Grundwasser an ?   ja ☐   nein ☐
☐ Sonstiges _____

2. Angaben zum Zustand der bestehenden Leitung

- Wurde die Leitung inspiziert?   ja ☐   nein ☐

- Existiert eine Videoaufzeichnung?   ja ☐   nein ☐

- Wie alt ist die Leitung? _____

Sanierungsverfahren

- Welche Rohrschäden liegen vor?

  ☐ Undichtheit an Muffen
  ☐ Muffenversatz
  ☐ Korrosion
  ☐ Lageabweichung, Sackung
  ☐ Ablagerungen im Rohr
  Wenn ja, welcher Art ? _____
  ☐ Sonstige _____

  Zusätzlich bei Kanälen:

  ☐ Wurzeleinwuchs
  ☐ mechanischer Verschleiß
  ☐ Längsrisse in: ☐ Scheitel ☐ Sohle ☐ Kämpfer
  ☐ Querrisse
  ☐ Scherbenbildung
  ☐ Brüche (fehlende Leitungsteile)
  ☐ Einsturz
  ☐ Verformung bei Kunststoffen
  ☐ Sonstige _____

3. Angaben zur Hydraulik

- Kann eine Querschnittsreduzierung akzeptiert werden?

  ja ☐   nein ☐
  Wenn ja, um welchen Prozentsatz? _____

Wenn nein,

  ☐ Beibehaltung des alten Querschnitts
  ☐ Querschnittsvergrößerung auf DN _____

- **Betriebsdruck** _____

4. Zeitpunkt der vorgesehenen Sanierung ?

_____
_____

25.3.1 Abwassersektor

Cured-in-place-Verfahren

Die Qualität der Sanierung ist maßgeblich abhängig von der Qualifikation und Erfahrung der ausführenden Firma. Dieses Verfahren wird insgesamt am häufigsten auf dem Kanalsektor bei Durchmessern ab DN 300 eingesetzt. Bei kleinen Abmessungen ist es weniger wirtschaftlich. Das Einbinden von Hausanschlüssen erfolgt von der Rohrinnenseite aus ohne Aufgraben.

Close-fit-Verfahren mit PE-HD-Rohren

Von den 5 bekannten Verfahren mit PE-HD-Rohren haben sich für den Kanalrohrbereich nur die Verfahren mit Wärmerückstellung des Liners durchsetzen können. Am wirtschaftlichsten ist das Verfahren bei kleinen Abmessungen bis DN 300. Hausanschlüsse werden ohne Aufgraben wieder-hergestellt.

Berstlining-Verfahren mit Kurzrohren aus PVC-U und verstärkten Polyolefinen

Das Verfahren wird zunehmend eingesetzt. Mit ihm gibt es keinen Querschnittsverlust; man kann sogar den Querschnitt um eine Nennweite vergrößern. Der Nachteil ist, daß Hausanschlüsse in offener Bauweise hergestellt werden müssen.

Weitere Hinweise zur Verfahrensauswahl bei unterschiedlichen Schadensbildern geben Fachbücher, Richtlinien und Merkblätter unter [3–7].

Zulassungen

Zur Zeit gibt es für das Cured-in-place-Verfahren und das Close-fit-Verfahren noch keine Zulassungen.

Für das Berstlining-Verfahren wird in Kürze eine systemspezifische Zulassung durch das DIBt Berlin erteilt.

25.3.2 Druckwassersektor

Close-fit-Lining mit PE-HD-Rohren

Dieses Verfahren erzeugt einen geringen Querschnittsverlust, und der Liner erfüllt die Anforderungen an ein neuverlegtes Rohr. Durch den Einsatz von PE-HD-Rohren ist die Trinkwassereignung problemlos zu erfüllen. Hausanschluß und Rohrverbindungstechnik erfolgen in offener Bauweise.

Continuous-Lining mit PE-HD- und PVC-U-Rohren

Das Verfahren ist einfach, preigünstig und über Jahrzehnte praktisch erprobt. Es werden Standardrohre für die Trinkwasserversorgung verwendet. Hausanschluß- und Rohrverbindungstechnik erfolgen mit Standardformstücken in offener Bauweise. Nachteile liegen in der großen Querschnittsreduzierung und der notwendigen Verdämmung des Liners.

Zulassungen

Für das Close-fit-Lining gibt es zur Zeit keine offiziellen Zulassungen. Es fehlen dafür noch die Prüfrichtlinien.

Der Einsatz erfolgt auf Basis des Nachweises, daß die installierten Rohre die Anforderung an ein neuverlegtes Standardrohr erfüllen.

Prüfrichtlinien werden für Close-fit Liner zur Zeit von der KIWA erarbeitet. Auch der DVGW wird sich demnächst damit befassen.

Für das Continuous-Lining werden nur Rohre mit Zulassungen eingesetzt. Eine Verfahrenszulassung ist nicht erforderlich.

25.3.3 Gassektor

Cured-in-place-Lining

Nicht alle angebotenen Verfahren aus dieser Familie sind für die Gasrohrsanierung verwendbar bzw. werden von Gasversorgern akzeptiert. Das Verfahren eignet sich besonders für Stahlleitungen, mit deren Innenfläche der Liner bei einigen Verfahren eine gasdichte Verklebung erreicht. Die Vorteile des Verfahrens liegen in der minimalen Querschnittsreduzierung und im einfachen Hausanschluß ohne zusätzliche Formstücke.

Close-fit-Lining mit PE-HD-Rohren

Nicht alle angebotenen Verfahren dieser Familie für die Sanierung von Gasleitungen sind von den Gasversorgern akzeptiert. Es können, verfahrensabhängig, Rohrlängen bis zu 700 m in einem Stück saniert werden. Die Hausanschluß- und Rohrverbindungstechnik erfolgt in offener Bauweise.

Zulassungen

Für Cured-in-place-Lining gibt es Prüfrichtlinien des NAGAs Entwurf DIN 30658 Teil 1 [8]. Für Close-fit-Lining gibt es noch keine verfahrensspezifischen Anforderungen.

Die Gasversorger machen ihre Entscheidung über die Anwendung jeweils davon abhängig, ob der Nachweis für den installierten Liner erbracht ist, daß er die Anforderungen eines Standardrohres aus PE-HD gleicher Nennweite erfüllt.

25.4 Perspektiven

Der Sanierungsmarkt entwickelt sich insgesamt positiv, aber etwas anders als erwartet.

25.4.1 Abwassersektor

Die Bedarfserwartungen auf dem Abwassersektor erfüllten sich, nach anfänglich positiver Tendenz, bisher nicht.

Wesentliche Gründe:

- Die bisher noch relative teure Hausanschlußtechnik bringt die Sanierungskosten in die Nähe einer Neuverlegung, besonders bei steigender Zahl von Hausanschlüssen pro Haltung. Positive Lösungen zeichnen sich jedoch ab.

- Den Kommunen fehlt das Geld; hier ist kurzfristig kaum Besserung zu erwarten.

- Die Kontaminierung der Umwelt durch undichte Kanäle und Leitungen wird z. Zt. nicht mehr so kritisch gesehen wie noch vor einigen Jahren.

- Die Kosten für Neuverlegung sind rückläufig.

- Die Verkehrsbehinderung bei offener Bauweise ist kein allgemeines Thema mehr.

- Ob saniert oder neu verlegt wird, ist in erster Linie eine Preisfrage. Der Umweltgesichtspunkt, nicht aufgraben zu müssen, ist nur in Einzelfällen die Entscheidungsbasis.

25.4.2 Druckwassersektor

Close-fit-Lining mit PE-HD-Rohren

Der Markt für diese Sanierungsverfahren entwickelt sich positiv.

Wesentliche Gründe:

- Die Sanierung entspricht einer Neuverlegung (independent liner)

- Die Verbindungstechniken für Hausanschlüsse und die Übergänge von Liner zu Standardrohren sind durch Sonderformteile gelöst.

- Die Arbeitszeiten für die Installation der Liner sind gering und damit auch die Unterbrechung der Wasserversorgung.

- Die Sanierung reduziert die teilweise erheblichen Netzverluste.

Zukunftsentwicklungen

- Einsatz dünnwandiger, preisgünstiger Liner, wenn die alte Leitung zwar undicht aber tragfähig ist (interactive liner).

Sanierungsverfahren

Berstlining

Auch hier sieht die Marktentwicklung positiv aus.

Wesentliche Gründe:

- Grabenlose Neuverlegung
- Einsatz von preisgünstigen Standardrohren und Formstücken
- keine Querschnittsverluste
- Querschnittsvergrößerung möglich.

Continuous-Lining

Die Anwendungsmöglichkeiten sind wegen der großen Querschnittsverluste auf Sonderfälle beschränkt.

25.4.3 Gassektor

Close-fit-Lining mit PE-HD-Rohren

Bei der Gasrohrsanierung dominieren eindeutig die Close-fit-Verfahren.

Die Gründe sind:

- Die Sanierung entspricht einer Neuverlegung (independent liner)
- Die Verbindungstechniken für Hausanschlüsse und die Übergänge von Liner zu Standardrohren sind durch Sonderformstücke gelöst.
- Die Arbeitszeiten für die Installation der Liner sind gering und damit auch die Unterbrechung der Gasversorgung.
- Die Sanierung reduziert die teilweise erheblichen Netzverluste.

Zukunftsentwicklungen

- Einsatz dünnwandiger, preisgünstiger Liner, wenn die alte Leitung zwar undicht, aber tragfähig ist (interactive Liner).

Continuous-Lining

Da das Problem der höheren Druckverluste bei Gasleitungen weniger Bedeutung hat, wird dieses Verfahren, im Vergleich zum Abwasser- und Druckwassersektor, auf dem Gasrohrsektor auch in Zukunft häufig eingesetzt werden.

Wesentlicher Grund:

Sehr wirtschaftliches Verfahren, bei dem Standardrohre und -formstücke Verwendung finden.

Cured-in place-Lining

Das Verfahren läßt durch die Flexibilität des Liners auch die Sanierung von Rohrbögen zu. Es wird sicher auch in Zukunft seinen Markt haben, obwohl es preislich mit den vorgenannten Verfahren vielfach nicht konkurrieren kann.

25.4.4 Gebrauchsdauer/Kosten-Verhältnis sanierter Rohrleitungen

Am Anfang der Diskussion über die zu fordernde Gebrauchsdauer sanierter Leitungen ist man davon ausgegangen, daß sie bei niedrigeren Kosten einer Neuverlegung entsprechen müßte.

Eine abgesicherte Prognose zur Lebenserwartung sanierter Rohrstrecken ist jedoch nur bei an altrohrunabhängigen Linern (independent liner) möglich.

Wenn ein Sanierungsverfahren auf die dauerhafte Tragfähigkeit des Altrohres angewiesen ist, wird die sichere Vorhersage einer bestimmten Gebrauchsdauer schwierig, weil es derzeit noch nicht möglich ist, die Restfestigkeit des Altrohres ausreichend sicher zu definieren.

Schrifttum

[1] ISO/TR 11295 Techniques for rehabilitation of pipeline systems by the use of plastics pipes and fittings (8/1992)
[2] Baumgärtel, Stand der Normung von Sanierungsverfahren auf ISO- und CEN-Ebene, 3 R international 30 (1991) Heft 11
[3] WRC and WAA (Water Resarch Centre and Water Authorities Association): Manual of sewer condition classification. 2nd ed., WRC 1988
[4] Teknologisk Institut: TV-inspektion of aflobsledininger: Standarddefinitioner og fotomanual (in Danish). Byggeteknik February 1986
[5] NNI (Nederlands Normalisatie Instituut): Ontwerp classificatiesysteem bij visuele inspektie von riolen. Voorstudie NEN 3399 (in Dutch); (01. 89)
[6] Worst, W. J. P.: Classification and interpretation of sewer damages. Paper 84, No-Dig V Conference, Rotterdam, April 1990
[7] D. Stein, W. Niederehe, Instandhaltung von Kanalisationen, Kanal Müller Gruppe 1986
[8] Entwurf DIN 30658 Teil 1 Folienschläuche und Gewerbschläuche zum nachträglichen Abdichten von Gasleitungen – Anforderungen und Prüfung

Teil VIII
Übersicht über Normen, Richtlinien, Arbeits- und Merkblätter

Übersicht über Normen, Richtlinien, Arbeits- und Merkblätter

E. ANT

Auf die Richtlinien der Gütegemeinschaft Kunststoffrohre e.V. wird im Teil VI. 1.3 hingewiesen.

Die nachfolgend aufgeführten Normen unterscheiden nicht zwischen bereits in Kraft getretenen Normen und Normentwürfen. Zum Teil bestehen die DIN EN-Normen aus mehreren Teilen. Auf die Nennung der einzelnen Teile wurde in der Auflistung verzichtet.

Bei Anwendung der Normen sollte der aktuelle Stand beim DIN abgefragt werden. Der Herausgeber weist darauf hin, daß der Verkauf der DIN-Normen ausschließlich über den Beuth-Verlag, 10772 Berlin, erfolgt.

Zu den Anwendungsnormen sind die entsprechenden allgemeinen Rohrleitungsnormen, DVS-Richtlinien und -Merkblätter, ATV-Arbeits- und -Merkblätter sowie DVGW-Arbeits- und -Merkblätter zu beachten.

1 Allgemeine Rohrleitungsnormen

DIN 3442-1	Armaturen aus Polypropylen – Anforderungen und Prüfung
DIN 8061	Rohre aus weichmacherfreiem Polyvinylchlorid – Allgemeine Qualitätsanforderungen
DIN 8061 Beiblatt 1	Rohre aus weichmacherfreiem Polyvinylchlorid – Chemische Widerstandsfähigkeit von Rohren und Rohrleitungsteilen aus PVC-U
DIN 8062	Rohre aus weichmacherfreiem Polyvinylchlorid (PVC-U, PVC-HI) – Maße
DIN 8063-1	Rohrverbindungen und Rohrleitungsteile für Druckrohrleitungen aus weichmacherfreiem Polyvinylchlorid (PVC-U) – Muffen- und Doppelmuffenbogen – Maße
DIN 8063-2	Rohrverbindungen und Rohrleitungsteile für Druckrohrleitungen aus weichmacherfreiem Polyvinylchlorid (PVC-hart) – Bogen aus Spritzguß für Klebung – Maße
DIN 8063-3	Rohrverbindungen und Rohrleitungsteile für Druckrohrleitungen aus weichmacherfreiem Polyvinylchlorid (PVC-hart) – Rohrverschraubungen – Maße

Normen, Richtlinien, Arbeits- und Merkblätter

DIN 8063-4	Rohrverbindungen und Rohrleitungsteile für Druckrohrleitungen aus weichmacherfreiem Polyvinylchlorid (PVC-U) Bunde, Flansche, Dichtungen – Maße
DIN 8063-5	Rohrverbindungen und Rohrleitungsteile für Druckrohrleitungen aus weichmacherfreiem Polyvinylchlorid (PVC-U) – Allgemeine Qualitätsanforderungen – Prüfung
DIN 8063-6	Rohrverbindungen und Rohrleitungsteile für Druckrohrleitungen aus weichmacherfreiem Polyvinylchlorid (PVC-hart) – Winkel aus Spritzguß für Klebung – Maße
DIN 8063-7	Rohrverbindungen und Rohrleitungsteile für Druckrohrleitungen aus weichmacherfreiem Polyvinylchlorid (PVC-hart) – T-Stücke und Abzweige aus Spritzguß für Klebung – Maße
DIN 8063-8	Rohrverbindungen und Rohrleitungsteile für Druckrohrleitungen aus weichmacherfreiem Polyvinylchlorid (PVC-hart) – Muffen, Kappen und Nippel aus Spritzguß für Klebung – Maße
DIN 8063-9	Rohrverbindungen und Rohrleitungsteile für Druckrohrleitungen aus weichmacherfreiem Polyvinylchlorid (PVC-hart) – Reduzierstücke aus Spritzguß für Klebung – Maße
DIN 8063-10	Rohrverbindungen und Rohrleitungsteile für Druckrohrleitungen aus weichmacherfreiem Polyvinylchlorid (PVC-hart) – Wandscheiben – Maße
DIN 8063-11	Rohrverbindungen und Rohrleitungsteile für Druckrohrleitungen aus weichmacherfreiem Polyvinylchlorid (PVC-hart) – Muffen mit Grundkörper aus Kupfer-Zink-Legierung (Messing) für Klebung – Maße
DIN 8063-12	Rohrverbindungen und Rohrleitungsteile für Druckrohrleitungen aus weichmacherfreiem Polyvinylchlorid (PVC-U) – Flansch- und Steckmuffenformstücke – Maße
DIN 8072	Rohre aus PE weich (Polyethylen weich) – Maße
DIN 8073	Rohre aus PE weich (Polyethylen weich) – Allgemeine Güteanforderungen, Prüfung
DIN 8074	Rohre aus Polyethylen hoher Dichte (PE-HD) – Maße
DIN 8075	Rohre aus Polyethylen hoher Dichte (PE-HD) – Allgemeine Anforderungen

DIN 8075	Rohre aus Polyethylen hoher Dichte PE 63, PE 80, PE 100 – Allgemeine Güteanforderungen, Prüfungen
DIN 8075 Beiblatt 1	Rohre aus Polyethylen hoher Dichte (HDPE) – Chemische Widerstandsfähigkeit von Rohren und Rohrleitungsteilen
DIN 8076-1	Druckrohrleitungen aus thermoplastischen Kunststoffen Klemmverbinder aus Metall für Rohre aus Polyethylen (PE) – Allgemeine Güteanforderungen, Prüfung
DIN 8076-3	Druckrohrleitungen aus thermoplastischen Kunststoffen Klemmverbinder aus Metall für Rohre aus Polyethylen (PE) – Allgemeine Güteanforderungen, Prüfung
DIN 8077	Rohre aus Polypropylen (PP) – PP-H (100), PP-B (80), PP-R (80) – Maße
DIN 8078	Rohre aus Polypropylen (PP) – PP-H (100), PP-B (80), PP-R (80) – Allgemeine Güteanforderungen, Prüfung
DIN 8078 Beiblatt 1	Rohre aus Polypropylen (PP) – Chemische Widerstandsfähigkeit von Rohren und Rohrleitungsteilen
DIN 8079	Rohre aus chloriertem Polyvinylchlorid (PVC-C) – PVC-C (250) – Maße
DIN 8080	Rohre aus chloriertem Polyvinylchlorid (PVC-C) – PVC-C (250) – Allgemeine Qualitätsanforderungen, Prüfung
DIN 16831-1	Rohrverbindungen und Rohrleitungsteile für Druckrohrleitungen aus Polybuten (PB) – Winkel aus Spritzguß für Muffenschweißung – Maße
DIN 16831-2	Rohrverbindungen und Rohrleitungsteile für Druckrohrleitungen aus Polybuten (PB) – T-Stücke aus Spritzguß für Muffenschweißung – Maße
DIN 16831-3	Rohrverbindungen und Rohrleitungsteile für Druckrohrleitungen aus Polybuten (PB) – Muffen und Kappen aus Spritzguß für Muffenschweißung – Maße
DIN 16831-4	Rohrverbindungen und Rohrleitungsteile für Druckrohrleitungen aus Polybuten (PB) – Reduzierstücke aus Spritzguß für Muffenschweißung – Maße
DIN 16831-5	Rohrverbindungen und Rohrleitungsteile für Druckrohrleitungen aus Polybuten (PB) – Allgemeine Qualitätsanforderungen, Prüfung

DIN 16831-6	Rohrverbindungen und Rohrleitungsteile für Druckrohrleitungen aus Polybuten (PB) – Heizwendelschweißfittings – Maße
DIN 16831-7	Rohrverbindungen und Rohrleitungsteile für Druckrohrleitungen aus Polybuten (PB) – Bunde, Flansche, Dichtungen aus Spritzguß für Muffenschweißung – Maße
DIN 16832-1	Rohrleitungsteile und Rohrverbindungen für Druckrohrleitungen aus chloriertem Polyvinylchlorid (PVC-C) – Maße
DIN 16832-2	Rohrleitungsteile und Rohrverbindungen für Druckrohrleitungen aus chloriertem Polyvinylchlorid (PVC-C) – Allgemeine Qualitätsanforderungen, Prüfung
DIN 16867	Rohre, Formstücke und Verbindungen aus glasfaserverstärkten Polyesterharzen (UP-GF) für Chemierohrleitungen – Technische Lieferbedingungen
DIN 16868-1	Rohre aus glasfaserverstärktem Polyesterharz (UP-GF) – Gewickelt, gefüllt – Maße
DIN 16868-2	Rohre aus glasfaserverstärktem Polyesterharz (UP-GF) – Gewickelt, gefüllt – Allgemeine Güteanforderungen, Prüfung
DIN 16869-1	Rohre aus glasfaserverstärktem Polyesterharz (UP-GF) Geschleudert, gefüllt – Maße
DIN 16869-2	Rohre aus glasfaserverstärktem Polyesterharz (UP-GF) Geschleudert, gefüllt – Allgemeine Güteanforderungen, Prüfung
DIN 16870-1	Rohre aus glasfaserverstärktem Epoxidharz (EP-GF), gewickelt – Maße
DIN 16871	Rohre aus glasfaserverstärktem Epoxidharz (EP-GF), geschleudert – Maße
DIN 16872	Rohrverbindungen und Rohrleitungsteile für Rohrleitungen aus Thermoplasten – Flansche aus glasfaserverstärkten Polyesterharzen (UP-GF) – Maße
DIN 16890	Rohre aus Acrylnitril-Butadien-Styrol (ABS) oder Acrylnitril-Styrol-Acrylester (ASA) – Allgemeine Güteanforderungen, Prüfung
DIN 16891	Rohre aus Acrylnitril-Butadien-Styrol (ABS) oder Acrylnitril-Styrol-Acrylester (ASA) – Maße

DIN 16892	Rohre aus vernetztem Polyethylen (VPE) – Allgemeine Güteanforderungen, Prüfung
DIN 16893	Rohre aus vernetztem Polyethylen (PE-X) – Maße
DIN 16894	Rohre aus vernetztem Polyethylen mittlerer Dichte (PE-MDX) – Allgemeine Qualitätsanforderungen, Prüfung
DIN 16895	Rohre aus vernetztem Polyethylen mittlerer Dichte (PE – MDX) – Maße
DIN 16928	Rohrleitungen aus thermoplastischen Kunststoffen, Rohrverbindungen, Rohrleitungsteile, Verlegung – Allgemeine Richtlinien
DIN 16962-1	Rohrverbindungen und Rohrleitungsteile für Druckrohrleitungen aus Polypropylen (PP), Typ 1 und 2 – In Segmentbauweise hergestellte Rohrbogen für Stumpfschweißung – Maße
DIN 16962-2	Rohrverbindungen und Rohrleitungsteile für Druckrohrleitungen aus Polypropylen (PP), Typ 1 und 2 – In Segmentbauweise und durch Aushalsen hergestellte T-Stücke und Abzweige für Stumpfschweißung – Maße
DIN 16962-3	Rohrverbindungen und Rohrleitungsteile für Druckrohrleitungen aus Polypropylen (PP), Typ 1 und 2 – Aus Rohr geformte Rohrbogen für Stumpfschweißung – Maße
DIN 16962-4	Rohrverbindungen und Rohrleitungsteile für Druckrohrleitungen aus Polypropylen (PP), Typ 1 und 2 – Bunde für Heizelementstumpfschweißung, Flansche, Dichtungen – Maße
DIN 16962-5	Rohrverbindungen und Rohrleitungsteile für Druckrohrleitungen aus Polypropylen (PP), PP-H, PP-B und PP-R – Allgemeine Qualitätsanforderungen, Prüfung
DIN 16962-6	Rohrverbindungen und Rohrleitungsteile für Druckrohrleitungen aus Polypropylen (PP), Typ 1 und 2 – Winkel aus Spritzguß für Muffenschweißung – Maße
DIN 16962-7	Rohrverbindungen und Rohrleitungsteile für Druckrohrleitungen aus Polypropylen (PP), Typ 1 und 2 – T-Stücke aus Spritzguß für Muffenschweißung – Maße
DIN 16962-8	Rohrverbindungen und Rohrleitungsteile für Druckrohrleitungen aus Polypropylen (PP), Typ 1 und 2 – Muffen und Kappen aus Spritzguß für Muffenschweißung – Maße

DIN 16962-9	Rohrverbindungen und Rohrleitungsteile für Druckrohrleitungen aus Polypropylen (PP), Typ 1 und 2 – Reduzierstücke und Nippel aus Spritzguß für Muffenschweißung – Maße
DIN 16962-10	Rohrverbindungen und Rohrleitungsteile für Druckrohrleitungen aus Polypropylen (PP), Typ 1, Typ 2 und Typ 3 – Fittings aus Spritzguß für Stumpfschweißung – Maße
DIN 16962-11	Rohrverbindungen und Rohrleitungsteile für Druckrohrleitungen aus Polypropylen (PP), Typ 1 und 2 – Gedrehte und gepreßte Reduzierstücke für Stumpfschweißung – Maße
DIN 16962-12	Rohrverbindungen und Rohrleitungsteile für Druckrohrleitungen aus Polypropylen (PP-H, PP-B und PP-R) – Bunde, Flansche, Dichtungen für Muffenschweißung – Maße
DIN 16962-13	Rohrverbindungen und Rohrleitungsteile für Druckrohrleitungen aus Polypropylen (PP), Typ 1 und Typ 2 – Rohrverschraubungen – Maße
DIN 16963-1	Rohrverbindungen und Rohrleitungsteile für Druckrohrleitungen aus Polyethylen hoher Dichte (HDPE), Typ 1 und 2 – In Segmentbauweise hergestellte Rohrbogen für Stumpfschweißung – Maße
DIN 16963-2	Rohrverbindungen und Rohrleitungsteile für Druckrohrleitungen aus Polyethylen hoher Dichte (HDPE), Typ 1 und 2 – In Segmentbauweise und durch Aushalsen hergestellte T-Stücke und Abzweige für Stumpfschweißung – Maße
DIN 16963-3	Rohrverbindungen und Rohrleitungsteile für Druckrohrleitungen aus Polyethylen hoher Dichte (HDPE), Typ 1 und 2 – Aus Rohr geformte Rohrbogen für Stumpfschweißung – Maße
DIN 16963-4	Rohrverbindungen und Rohrleitungsteile für Druckrohrleitungen aus Polyethylen hoher Dichte (PE-HD), Bunde für Heizelementstumpfschweißung, Flansche, Dichtungen – Maße
DIN 16963-5	Rohrverbindungen und Rohrleitungsteile für Druckrohrleitungen aus Polyethylen hoher Dichte (PE-HD), Allgemeine Qualitätsanforderungen, Prüfung
DIN 16963-6	Rohrverbindungen und Rohrleitungsteile für Druckrohrleitungen aus Polyethylen hoher Dichte (PE-HD), Fittings aus Spritzguß für Stumpfschweißung – Maße

DIN 16963-7	Rohrverbindungen und Rohrleitungsteile für Druckrohrleitungen aus Polyethylen hoher Dichte (PE-HD), Heizwendelschweißfittings – Maße
DIN 16963-8	Rohrverbindungen und Rohrleitungsteile für Druckrohrleitungen aus Polyethylen hoher Dichte (HDPE), Typ 1 und 2 – Winkel aus Spritzguß für Muffenschweißung – Maße
DIN 16963-9	Rohrverbindungen und Rohrleitungsteile für Druckrohrleitungen aus Polyethylen hoher Dichte (HDPE), Typ 1 und 2 – T-Stücke aus Spritzguß für Muffenschweißung – Maße
DIN 16963-10	Rohrverbindungen und Rohrleitungsteile für Druckrohrleitungen aus Polyethylen hoher Dichte (HDPE), Typ 1 und 2 – Muffen und Kappen aus Spritzguß für Muffenschweißung – Maße
DIN 16963-11	Rohrverbindungen und Rohrleitungsteile für Druckrohrleitungen aus Polyethylen hoher Dichte (PE-HD) – Bunde, Flansche, Dichtungen für Muffenschweißung – Maße
DIN 16963-13	Rohrverbindungen und Rohrleitungsteile für Druckrohrleitungen aus Polyethylen hoher Dichte (HDPE), Typ 1 und 2 – Gedrehte und gepreßte Reduzierstücke für Stumpfschweißung – Maße
DIN 16963-14	Rohrverbindungen und Rohrleitungsteile für Druckrohrleitungen aus Polyethylen hoher Dichte (HDPE), Typ 1 und 2 – Reduzierstücke und Nippel aus Spritzguß für Muffenschweißung – Maße
DIN 16963-15	Rohrverbindungen und Rohrleitungsteile für Druckrohrleitungen aus Polyethylen hoher Dichte (PE-HD) – Rohrverschraubungen – Maße
DIN 16964	Rohre aus glasfaserverstärkten Polyesterharzen (UP-GF), gewickelt – Allgemeine Güteanforderungen, Prüfung
DIN 16965-1	Rohre aus glasfaserverstärkten Polyesterharzen (UP-GF), gewickelt – Rohrtyp A – Maße
DIN 16965-2	Rohre aus glasfaserverstärkten Polyesterharzen (UP-GF), gewickelt – Rohrtyp B – Maße
DIN 16965-4	Rohre aus glasfaserverstärkten Polyesterharzen (UP-GF), gewickelt – Rohrtyp D – Maße
DIN 16965-5	Rohre aus glasfaserverstärkten Polyesterharzen (UP-GF), gewickelt – Rohrtyp E – Maße

Normen, Richtlinien, Arbeits- und Merkblätter 681

DIN 16966-1	Formstücke und Verbindungen aus glasfaserverstärkten Polyesterharzen (UP-GF) – Formstücke – Allgemeine Güteanforderungen, Prüfung
DIN 16966-2	Formstücke und Verbindungen aus glasfaserverstärkten Polyesterharzen (UP-GF) – Bogen – Maße
DIN 16966-4	Formstücke und Verbindungen aus glasfaserverstärkten Polyesterharzen (UP-GF) – T-Stücke, Stutzen – Maße
DIN 16966-5	Formstücke und Verbindungen aus glasfaserverstärkten Polyesterharzen (UP-GF) – Reduzierstücke – Maße
DIN 16966-6	Formstücke und Verbindungen aus glasfaserverstärkten Polyesterharzen (UP-GF) – Bunde, Flansche, Dichtungen – Maße
DIN 16966-7	Formstücke und Verbindungen aus glasfaserverstärkten Polyesterharzen (UP-GF) – Bunde, Flansche, Flansch- und Laminatverbindungen – Allgemeine Güteanforderungen, Prüfung
DIN 16966-8	Formstücke und Verbindungen aus glasfaserverstärkten Polyesterharzen (UP-GF) – Laminatverbindungen – Maße
DIN 16967-2	Formstücke und Verbindungen aus glasfaserverstärktem Epoxidharz (EP-GF) – Bogen, T-Stücke – Maße
DIN 16968	Rohre aus Polybuten (PB 125) – Allgemeine Qualitätsanforderungen
DIN 16969	Rohre aus Polybuten (PB 125) – Maße
DIN 16970	Klebstoffe zum Verbinden von Rohren und Rohrleitungsteilen aus PVC hart – Allgemeine Güteanforderungen und Prüfungen
DIN 16982	Rohre aus Polyamid (PA) – Maße
DIN 54815-1	Rohre aus gefüllten Reaktionsharzformstoffen (PRC) – Maße, Werkstoff, Kennzeichnung
DIN 54815-2	Rohre aus gefüllten Reaktionsharzformstoffen (PRC) – Allgemeine Güteanforderungen – Prüfungen

2 Trinkwasserverteilung

DIN 1988	Technische Regeln für Trinkwasser-Installationen (TRWI)
DIN 3441-1	Armaturen aus weichmacherfreiem Polyvinylchlorid (PVC-U) – Anforderung und Prüfung

DIN 3441-2	Armaturen aus weichmacherfreiem Polyvinylchlorid (PVC-U) – Kugelhähne – Maße
DIN 3441-3	Armaturen aus weichmacherfreiem Polyvinylchlorid (PVC-U) – Membranarmaturen – Maße
DIN 3441-4	Armaturen aus weichmacherfreiem Polyvinylchlorid (PVC-U) – Schrägsitzventile – Maße
DIN 3441-5	Armaturen aus weichmacherfreiem Polyvinylchlorid (PVC-U) – Absperrklappen PN 6 und PN 10 zum Einklemmen – Maße
DIN 3441-6	Armaturen aus weichmacherfreiem Polyvinylchlorid (PVC-U) – Schieber mit innenliegendem Spindelgewinde
DIN 3441-7	Armaturen aus weichmacherfreiem Polyvinylchlorid (PVC-U) für die Wasserversorgung – Anforderungen aus Anerkennungsprüfung für Absperrarmaturen
DIN 3543-3	Anbohrarmaturen aus PVC hart (Polyvinylchlorid hart) für Kunststoffrohre – Maße
DIN 3543-4	Anbohrarmaturen aus Polyethylen hoher Dichte (HDPE) für Rohre aus HDPE – Maße
DIN 3544-1	Armaturen aus Polyethylen hoher Dichte (HDPE) – Anforderungen und Prüfung von Anbohrarmaturen
DIN 4279-1	Innendruckprüfung von Druckrohrleitungen für Wasser – Allgemeine Angaben
DIN V 4279-7	Innendruckprüfung von Druckrohrleitungen für Wasser – Druckrohre aus Polyethylen geringer Dichte PE-LD, Druckrohre aus Polyethylen hoher Dichte PE-HD (PE 80 und PE 100), Druckrohre aus vernetztem Polyethylen PE-X, Druckrohre aus weichmacherfreiem Polyvinylchlorid PVC-U
DIN 16450	Formstücke für Druckrohrleitungen aus weichmacherfreiem Polyvinylchlorid (PVC-U) – Benennungen, Kurzzeichen, Vereinfachte Darstellungen
DIN 16451-1	Formstücke aus duktilem Gußeisen (GGG) für Druckrohrleitungen aus weichmacherfreiem Polyvinylchlorid (PVC-U) – Technische Lieferbedingungen
DIN 16451-2	Formstücke aus duktilem Gußeisen (GGG) für Druckrohrleitungen aus weichmacherfreiem Polyvinylchlorid (PVC-U) – Maße

Normen, Richtlinien, Arbeits- und Merkblätter 683

DIN 19532	Rohrleitungen aus weichmacherfreiem Polyvinylchlorid (PVC hart, PVC-U) für die Trinkwasserversorgung – Rohre, Rohrverbindungen, Rohrleitungsteile, Technische Regel des DVGW
DIN 19533	Rohrleitungen aus PE hart (Polyethylen hart) und PE weich (Polyethylen weich) für die Trinkwasserversorgung – Rohre, Rohrverbindungen, Rohrleitungsteile
DIN 19630	Richtlinien für den Bau von Wasserrohrleitungen, Technische Regel des DVGW

3 Gasversorgung

DIN 3543-4	Anbohrarmaturen aus Polyethylen hoher Dichte (HDPE) für Rohre aus HDPE – Maße
DIN 3544-1	Armaturen aus Polyethylen hoher Dichte (HDPE) – Anforderungen und Prüfung von Anbohrarmaturen

4 Abwasserkanäle und -leitungen

4.1 Abwasserleitungen – Hausabfluß

DIN 19531	Rohre und Formstücke aus weichmacherfreiem Polyvinylchlorid (PVC-U) mit Steckmuffe für Abwasserleitungen innerhalb von Gebäuden – Maße, Technische Lieferbedingungen
DIN 19535-1	Rohre und Formstücke aus Polyethylen hoher Dichte (PE-HD) für heißwasserbeständige Abwasserleitungen (HT) innerhalb von Gebäuden – Maße
DIN 19535-2	Rohre und Formstücke aus Polyethylen hoher Dichte (PE-HD) für heißwasserbeständige Abwasserleitungen (HT) innerhalb von Gebäuden – Technische Lieferbedingungen
DIN 19538	Rohre und Formstücke aus chloriertem Polyvinylchlorid (PVC-C), mit Steckmuffe, für heißwasserbeständige Abwasserleitungen (HT) innerhalb von Gebäuden – Maße, Technische Lieferbedingungen
DIN V 19560	Rohre und Formstücke aus Polypropylen (PP) mit Steckmuffe für heißwasserbeständige Abwasserleitungen (HT) innerhalb von Gebäuden – Maße, Technische Lieferbedingungen

DIN V 19561	Rohre und Formstücke aus Styrol-Copolymerisaten mit Steckmuffen für heißwasserbeständige Abwasserleitungen (HT) innerhalb von Gebäuden – Maße, Technische Lieferbedingungen
DIN 1986-1	Entwässerungsanlagen für Gebäude und Grundstücke – Technische Bestimmungen für den Bau
DIN 1986-2	Entwässerungsanlagen für Gebäude und Grundstücke – Ermittlung der Nennweiten von Abwasser- und Lüftungsleitungen
DIN 1986-2 Beiblatt 1	Entwässerungsanlagen für Gebäude und Grundstücke – Ermittlung der Nennweiten von Abwasser- und Lüftungsleitungen – Berechnungsbeispiele
DIN 1986-3	Entwässerungsanlagen für Gebäude und Grundstücke – Regeln für Betrieb und Wartung
DIN 1986-4	Entwässerungsanlagen für Gebäude und Grundstücke Verwendungsbereiche von Abwasserrohren und Formstücken verschiedener Werkstoffe

4.2 Dachentwässerung

DIN 18460	Regenfalleitungen außerhalb von Gebäuden und Dachrinnen – Begriffe, Bemessungsgrundlagen
DIN 18469	Hängedachrinnen aus weichmacherfreiem Polyvinylchlorid – Anforderungen, Prüfung

4.3 Grundstücksentwässerung und Kanalisation

DIN 4033	Entwässerungskanäle und -leitungen – Richtlinien für die Ausführung
DIN 4060	Dichtmittel aus Elastomeren für Rohrverbindungen von Abwasserkanälen und -leitungen – Anforderungen und Prüfungen
DIN 4262-1	Sicken- und Mehrzweckrohre aus PVC-U und PE-HD für Verkehrswege und Tiefbau – Anforderungen und Prüfungen
DIN 16961-1	Rohre und Formstücke aus thermoplastischen Kunststoffen mit profilierter Wandung und glatter Rohrinnenfläche – Maße

DIN 16961-2	Rohre und Formstücke aus thermoplastischen Kunststoffen mit profilierter Wandung und glatter Rohrinnenfläche – Technische Lieferbedingungen
DIN V 19534-1	Rohre und Formstücke aus weichmacherfreiem Polyvinylchlorid (PVC-U), mit Steckmuffe für Abwasserkanäle und -Leitungen – Maße
DIN V 19534-2	Rohre und Formstücke aus weichmacherfreiem Polyvinylchlorid (PVC-U), mit Steckmuffe für Abwasserkanäle und -Leitungen – Technische Lieferbedingungen
DIN 19537-1	Rohre und Formstücke aus Polyethylen hoher Dichte (HDPE) für Abwasserkanäle und -leitungen – Maße
DIN 19537-2	Rohre und Formstücke aus Polyethylen hoher Dichte (PE-HD) für Abwasserkanäle und -leitungen – Technische Lieferbedingungen
DIN 19537-3	Rohre und Formstücke aus Polyethylen hoher Dichte (PE-HD) für Abwasserkanäle und -leitungen – Fertigschächte, Maße, Technische Lieferbedingungen
DIN 19565-1	Rohre und Formstücke aus glasfaserverstärktem Polyesterharz (UP-GF) für erdverlegte Abwasserkanäle und -leitungen – geschleudert, gefüllt – Maße, Technische Lieferbedingungen
DIN 19566-1	Rohre und Formstücke aus thermoplastischen Kunststoffen mit profilierter Wandung und glatter Rohrinnenoberfläche für Abwasserkanäle und -leitungen – Maße
DIN 19566-2	Rohre und Formstücke aus thermoplastischen Kunststoffen mit profilierter Wandung und glatter Rohrinnenoberfläche für Abwasserkanäle und -leitungen – Allgemeine Anforderungen, Prüfung

5 Schutzrohrsysteme

DIN 16873	Rohre und Formstücke aus weichmacherfreiem Polyvinylchlorid (PVC-U) für den Kabelschutz – Maße und technische Lieferbedingungen
DIN 16875	Rohre und Formstücke aus weichmacherfreiem Polyvinylchlorid (PVC-U) für Schutzrohrleitungen – Maße und technische Lieferbedingungen

6 Heizungstechnik

DIN 4724	Rohrleitungen aus vernetztem Polyethylen mittlerer Dichte für Warmwasser-Fußbodenheizungen – Besondere Anforderungen und Prüfung
DIN 4726	Rohrleitungen aus Kunststoffen für Warmwasser-Fußbodenheizungen – Allgemeine Anforderungen
DIN 4727	Rohrleitungen aus Polybuten für Warmwasser-Fußbodenheizungen – Besondere Anforderungen und Prüfung
DIN 4728	Rohrleitungen aus Polypropylen – Typ 2 und Typ 3 für Warmwasser-Fußbodenheizungen – Besondere Anforderungen und Prüfung
DIN 4729	Rohrleitungen aus vernetztem Polyethylen hoher Dichte für Warmwasser-Fußbodenheizungen – Besondere Anforderungen und Prüfung

7 Schiffsrohrleitungen

DIN 86012	Schiffs-Rohrleitungen aus weichmacherfreiem Polyvinylchlorid (PVC-U) mit Klebverbindungen – Anforderungen, Maße für Klebung, Bauteile
DIN 86013	Rohre aus weichmacherfreiem Polyvinylchlorid (PVC-U) für Schiffs-Rohrleitungen
DIN 86014	Rohrdurchführungen für Rohre aus weichmacherfreiem Polyvinylchlorid (PVC-U)
DIN 86015	Schiffs-Rohrleitungen aus weichmacherfreiem Polyvinylchlorid (PVC-U) mit Klebverbindungen – Anwendung, Verarbeitung, Verlegung
DIN 86016	Rohrschellen aus Stahl, für Schiffsrohrleitungen aus PVC-U

8 Beregnung

DIN 19658-1	Wickelbare Rohre aus Polyethylen (PE) und Schläuche für Bewässerungsanlagen – Wickelbare Rohre – Maße und technische Lieferbedingungen
DIN 19658-2	Wickelbare Rohre aus Polyethylen (PE) und Schläuche für Bewässerungsanlagen – Schläuche mit Gewebeeinlage, formbeständig – Maße und technische Lieferbedingungen

Normen, Richtlinien, Arbeits- und Merkblätter 687

DIN 19658-3	Wickelbare Rohre aus Polyethylen (PE) und Schläuche für Bewässerungsanlagen – Schläuche mit Gewebeeinlage, formunbeständig – Maße und technische Lieferbedingungen

9 Dränung

DIN 1187	Dränrohre aus weichmacherfreiem Polyvinylchlorid (PVC hart) – Maße, Anforderungen, Prüfungen

10 Lüftungsleitungen

DIN 4741-1	Raumlufttechnische Anlagen – Rohre aus Polypropylen (PP) – Berechnung der Mindestwanddicken
DIN 4741-2	Raumlufttechnische Anlagen – Lüftungsleitungen aus Polypropylen (PP), Typ 1 – Formstücke für Rohre, Bögen – Mindestwanddicken

11 Brunnenbau

DIN 4925-1	Filter- und Vollwandrohre aus weichmacherfreiem Polyvinylchlorid (PVC-U) für Bohrbrunnen mit Querschlitzung und Gewinde, DN 40 bis DN 100
DIN 4925-2	Filter- und Vollwandrohre aus weichmacherfreiem Polyvinylchlorid (PVC-U) für Bohrbrunnen mit Querschlitzung und Gewinde, DN 125 bis DN 200
DIN 4925-3	Filter- und Vollwandrohre aus weichmacherfreiem Polyvinylchlorid (PVC-U) für Bohrbrunnen mit Querschlitzung und Gewinde, DN 250 bis DN 400

12 Deponie

DIN 4266-1	Sickerrohre für Deponien aus PVC-U, PE-HD und PP – Anforderungen, Prüfungen und Überwachung
DIN 19667	Dränung von Deponien – Technische Regeln für Planung, Bauausführung und Betrieb

13 Europäische Normung DIN EN

CEN/TC 155

DIN EN 1115	Kunststoff-Rohrleitungssysteme für erdverlegte Druckentwässerung und Druckabwasserleitungen – Glasfaserverstärkte duroplastische Kunststoffe (GFK) auf der Basis von Polyesterharz

DIN EN 1254	Kupfer und Kupferlegierungen – Fittings – Klemmverbindungen für Kunststoffrohre
DIN EN 1329	Kunststoff-Rohrleitungssysteme zum Ableiten von Abwasser (niedriger und hoher Temperatur) innerhalb der Gebäudestruktur – Weichmacherfreies Polyvinylchlorid (PVC-U)
DIN EN 1401	Kunststoff-Rohrleitungssysteme für erdverlegte Abwasserkanäle und -leitungen – Weichmacherfreies Polyvinylchlorid (PVC-U)
DIN EN 1451	Kunststoff-Rohrleitungssysteme zum Ableiten von häuslichem Abwasser (niedriger und hoher Temperatur) innerhalb der Gebäudestruktur – Polypropylen (PP)
DIN EN 1452	Kunststoff-Rohrleitungssysteme für die Wasserversorgung – Weichmacherfreies Polyvinylchlorid (PVC-U)
DIN EN 1453	Kunststoff-Rohrleitungssysteme mit Rohren mit profilierter Wandung und glatten Rohroberflächen zum Ableiten von Abwasser (niedriger und hoher Temperatur) innerhalb der Gebäudestruktur – Weichmacherfreies Polyvinylchlorid (PVC-U)
DIN EN 1455	Kunststoff-Rohrleitungssysteme für Abwasserleitungen (niedriger und hoher Temperatur) innerhalb der Gebäudestruktur – Acrylnitril-Butadien-Styrol (ABS)
DIN EN 1456	Kunststoff-Rohrleitungssysteme für erdverlegte Abwasserdruckleitungen – weichmacherfreies Polyvinylchlorid (PVC-U)
DIN EN 1519	Kunststoff-Rohrleitungssysteme für Abwasserleitungen (niedriger und hoher Temperatur) innerhalb der Gebäudestruktur – Polyethylen (PE)
DIN EN 1555	Kunststoff-Rohrleitungssysteme für die Gasversorgung – Polyethylen (PE)
DIN EN 1565	Kunststoff-Rohrleitungssysteme für Abwasserleitungen (niederer und hoher Temperatur) innerhalb der Gebäudestruktur – Styrol-Copolymer-Blends (SAN +PVC)
DIN EN 1566	Kunststoff-Rohrleitungssysteme für Abwasserleitungen (niederer und hoher Temperatur) innerhalb der Gebäudestruktur – Chloriertes Polyvinylchlorid (PVC-C)

Normen, Richtlinien, Arbeits- und Merkblätter 689

DIN EN 1636	Kunststoff-Rohrleitungssysteme für drucklose Entwässerungs- und Abwasserleitungen – Glasfaserverstärkte duroplastische Kunststoffe (GFK) auf der Basis von Polyesterharz (UP)
DIN EN 1796	Kunststoff-Rohrleitungssysteme für die Wasserversorgung mit oder ohne Druck – Glasfaserverstärkte duroplastische Kunststoffe (GFK) auf der Basis von Polyesterharz (UP)
DIN EN 1852	Kunststoff-Rohrleitungssysteme für Abwasserkanäle und -leitungen – Polypropylen (PP)
DIN EN 12108	Kunststoff-Rohrleitungssysteme – Empfehlungen zum Einbau von Druckrohrleitungssystemen für die Versorgung von Wohngebäuden mit warmem und kaltem Trinkwasser
DIN EN 12200	Kunststoff-Regenwasser-Rohrleitungssysteme für oberirdischen Einsatz im Freien – Weichmacherfreies Polyvinylchlorid (PVC-U)
DIN EN 12202	Kunststoff-Rohrleitungssysteme für Warm- und Kaltwasser – Polypropylen (PP)
DIN EN 12318	Kunststoff-Rohrleitungssysteme für Warm- und Kaltwasser – Vernetztes Polyethylen (PE-X)
DIN EN 12319	Kunststoff-Rohrleitungssysteme für Warm- und Kaltwasser – Polybuten (PB)
[155wi012][1]	Kunststoff-Rohrleitungssysteme für erdverlegte Abwasserkanäle und -leitungen – Polyethylen (PE)
[155wi017][1]	Kunststoff-Rohrleitungssysteme für Abwasserkanäle und -leitungen
[155wi026][1]	Kunststoff-Rohrleitungssysteme für Warm- und Kaltwasser – Weichmacherfreies Polyvinylchlorid (PVC-C)

CEN/TC 164

DIN EN 805	Wasserversorgung – Anforderungen an Wasserversorgungssysteme außerhalb von Gebäuden und Bauteile
DIN EN 806	Technische Regeln für Trinkwasser-Installationen innerhalb von Gebäuden für Trinkwasser für den menschlichen Gebrauch

---

[1] work item zum Zeitpunkt der Drucklegung noch ohne Nummer

CEN/TC 165

DIN EN 476	Allgemeine Anforderungen an Bauteile für Abwasserkanäle und -leitungen für Schwerkraftentwässerungssysteme
DIN EN 752	Entwässerungssysteme außerhalb von Gebäuden
DIN EN 773	Allgemeine Anforderungen für Bauteile von hydraulisch betriebenen Abwasserdruckleitungen
DIN EN 1091	Unterdruckentwässerungssysteme außerhalb von Gebäuden – Leistungsanforderungen
DIN EN 1293	Allgemeine Anforderungen an Bauteile von mit Druckluft betriebenen Abwasserdruckleitungen
DIN EN 1295	Statische Berechnung von erdverlegten Rohrleitungen unter verschiedenen Belastungsbedingungen
DIN EN 1610	Technische Regeln für die Bauausführung von Abwasserleitungen und -kanälen
DIN EN 1671	Druckentwässerungssysteme
DIN EN 12056	Schwerkraftentwässerungsanlagen innerhalb von Gebäuden – Anwendungsbereich, Begriffe, allgemeine Anforderungen und Ausführungsanforderungen
DIN EN 12109	Unterdruckentwässerungssysteme innerhalb von Gebäuden

Normen anderer CEN/TC's

DIN EN 253	Werkmäßig gedämmte Verbundmantelrohrsysteme für erdverlegte Fernwärmenetze – Verbund-Rohrsystem bestehend aus Stahl-Mediumrohr, Polyurethan-Wärmedämmung und Außenmantel aus Polyethylen
DIN EN 488	Werksmäßig gedämmte Mantelrohrsysteme für erdverlegte Fernwärmenetze – Stahlventilkonstruktionen für Stahlmediumrohre, Polyurethan-Wärmedämmung und Außenmantel aus Polyethylen hoher Rohdichte
DIN EN 489	Werksmäßig gedämmte Mantelrohrsysteme für erdverlegte Fernwärmenetze – Verbindungsstück-Konstruktionen für Stahlmediumrohre, Polyurethan-Wärmedämmung und Außenmantel aus Polyethylen hoher Rohdichte
DIN EN 1778	Charakteristische Kennwerte für geschweißte Thermoplast-Konstruktionen – Bestimmung der zulässigen Spannungen und Moduli für die Berechnung von Thermoplast-Bauteilen

Normen, Richtlinien, Arbeits- und Merkblätter 691

14 Weitere Regelwerke

14.1 DVS-Richtlinien und -Merkblätter

DVS 2203 Teil 1 Prüfen von Schweißverbindungen aus thermoplastischen Kunststoffen; Prüfverfahren, Anforderungen
Teil 2 Prüfen von Schweißverbindungen aus thermoplastischen Kunststoffen; Zugversuch
Teil 3 Prüfen von Schweißverbindungen aus thermoplastischen Kunststoffen; Schlagzugversuch
Teil 4 Prüfen von Schweißverbindungen aus thermoplastischen Kunststoffen; Zeitstand-Zugversuch
Teil 5 Prüfen von Schweißverbindungen aus thermoplastischen Kunststoffen; Technologischer Biegeversuch

DVS 2204 Teil 5 Kleben von thermoplastischen Kunststoffen; PVC-C-Druckrohrleitungen

DVS 2205 Teil 1 Berechnung von Behältern und Apparaten aus Thermoplasten; Kennwerte

DVS 2207 Teil 1 Schweißen von thermoplastischen Kunststoffen; Heizelementschweißen von Rohren, Rohrleitungsteilen und Tafeln aus PE-HD
Teil 5 Schweißen von thermoplastischen Kunststoffen; Schweißen von PE-Mantelrohren – Rohre und Rohrleitungsteile –
Teil 11 Heizelementstumpfschweißen von thermoplastischen Kunststoffen; Rohrleitungen aus Polypropylen (PP)
Teil 15 Heizelementstumpfschweißen von thermoplastischen Kunststoffen; Rohrleitungen aus Polyvinylidenfluorid (PVDF)

DVS 2208 Teil 1 Maschinen und Geräte zum Schweißen von thermoplastischen Kunststoffen – Heizelementschweißen –

DVS 2210 Teil 1 Industrierohrleitungen aus thermoplastischen Kunststoffen; Projektierung und Ausführung, Oberirdische Rohrleitungen

14.2 ATV-Arbeits- und -Merkblätter

ATV-A 101 Planung von Entwässerungsanlagen, Neubau-, Sanierungs- und Erneuerungsmaßnahmen

ATV-A 110 Richtlinien für die hydraulische Dimensionierung und den Leistungsnachweis von Abwasserkanälen und -leitungen

ATV-A 115 Einleiten von nicht häuslichem Abwasser in eine öffentliche Abwasseranlage

ATV-A 116	Besondere Entwässerungsverfahren, Unterdruckentwässerung-Druckentwässerung
ATV-A 118	Richtlinien für die hydraulische Berechnung von Schmutz-, Regen- und Mischwasserkanälen
ATV-A 125	Rohrvortrieb (Entwurf)
ATV-A 127	Richtlinie für die statische Berechnung von Entwässerungskanälen und -leitungen
ATV-A 133	Erfassung, Bewertung und Fortschreibung des Vermögens kommunaler Entwässerungseinrichtungen
ATV-A 139	Richtlinien für die Herstellung von Entwässerungskanälen und -leitungen
ATV-A 142	Abwasserkanäle und -leitungen in Wassergewinnungsgebieten
ATV-A 147	Betriebsaufwand für die Kanalisation Teil 1: Betriebsaufgaben und Intervalle Teil 2: Personal-, Fahrzeug- und Gerätebedarf
ATV-A 149	Zustandsklassifizierung und Zustandsbewertung von Abwasserkanälen und -leitungen (Entwurf)
ATV-A 161	Statische Berechnung von Vortriebsrohren
ATV-A 200	Grundsätze für die Abwasserentsorgung in ländlich strukturierten Gebieten (Entwurf)
ATV-M 127	Teil 1: Richtlinie für die statische Berechnung von Entwässerungsleitungen für Sickerwasser aus Deponien. Ergänzung zum ATV-Arbeitsblatt A 127
ATV-M 143	Inspektion, Instandsetzung, Sanierung und Erneuerung von Abwasserkanälen und -leitungen Teil 1: Grundlagen Teil 2: Optische Inspektion Teil 3: Relining
ATV-M 146	Ausführungsbeispiele zum ATV-Arbeitsblatt A 142 Abwasserkanäle und -leitungen in Wassergewinnungsgebieten

14.3 DVGW-Arbeits- und -Merkblätter

G 260/I	Gasbeschaffenheit
G 260/II	Ergänzungsregeln für Gase der 2. Gasfamilie

Normen, Richtlinien, Arbeits- und Merkblätter 693

G 472	Gasleitungen bis 4 bar Betriebsdruck aus PE-HD und bis 1 bar Betriebsdruck aus PVC-U; Errichtung
G 477	Herstellung, Gütesicherung und Prüfung von Rohren aus PVC hart und HDPE für Gasleitungen und Anforderungen an Rohrverbindungen und Rohrleitungsteile
GW 304	Rohrvortrieb
GW 330	Schweißen von Rohren und Rohrleitungsteilen aus PE-HD hart für Gas- und Wasserleitungen; Lehr- und Prüfplan
GW 331	Schweißaufsicht für Schweißarbeiten an Rohrleitungen aus PE-HD für die Gas- und Wasserversorgung; Lehr- und Prüfplan
W 270	Vermehrung von Mikroorganismen auf Materialien für den Trinkwasserbereich; Prüfung und Bewertung
W 302	Hydraulische Berechnung von Rohrleitungen und Rohrnetzen; Druckverlust-Tafeln für Rohrdurchmesser von 40-2000 mm
W 320	Herstellung, Gütesicherung und Prüfung von Rohren aus PVC hart (Polyvinylchlorid hart), HDPE (Polyethylen hart) und LDPE (Polyethylen weich) für die Wasserversorgung und Anforderungen an Rohrverbindungen und Rohrleitungsteile
W 333	Anbohrarmaturen und Anbohrvorgang in der Wasserversorgung
W 403	Planungsregeln für Wasserleitungen und Wasserrohrnetze
W 531	Herstellung, Gütesicherung und Prüfung von Rohren aus VPE (vernetztes HDPE) für die Trinkwasser-Hausinstallation
W 532	Klemmverbinder aus Metall für Rohre aus VPE (vernetztes PE-HD) für die Trinkwasser-Installation; Anforderungen und Prüfung
W 534	Rohrverbinder und -verbindungen für Rohre in der Trinkwasser-Installation; Anforderungen und Prüfung
W 542	Prüfanforderungen für Verbundrohre in der Trinkwasser-Installation
W 551	Trinkwassererwärmungs- und Leitungsanlagen; Technische Maßnahmen zur Verminderung des Legionellenwachstums

VP 302	Absperrarmaturen aus Polyethylen hoher Dichte (PE-HD); Anforderungen und Prüfungen
VP 304	Gas-Anbohrarmaturen mit eingebauter Betriebsabsperrung für PE-HD-Rohrleitungen; Anforderungen und Prüfungen
VP 600	Vorläufige Prüfgrundlage für Klemmverbinder aus Metall für Rohre aus Polyethylen hoher Dichte (HDPE) für Gas- und Trinkwasserleitungen; Anforderungen und Anerkennungsprüfungen
VP 601	Vorläufige Prüfgrundlage für Rohrkapseln für Hausanschlußleitungen aus Polyethylen hoher Dichte (HDPE), Anforderungen und Anerkennungsprüfungen
VP 605	Druckrohre aus vernetztem Polyethylen (PE-X) für die Gas- und Trinkwasserverteilung
VP 606	Formteile aus PVC-U für Trinkwasserleitungen
VP 607	Formteile aus PE-HD für Gas- und Trinkwasserleitungen
VP 608	Rohre aus PE-HD (PE 80 und PE 100) für Gas- und Trinkwasserleitungen; Anforderungen und Prüfungen
VP 609	Klemmverbinder aus Kunststoffen zum Verbinden von PE-Rohren in der Wasserverteilung

Teil IX
Anhang

Anhang

1 Druckverlustermittlung

HJ. LAUER

Auf dem Gebiet der Druckverlustermittlung gibt es für die verschiedenen Anwendungen von Rohrleitungssystemen inzwischen Rechnerprogramme, die am Markt als Software von Dienstleistungsunternehmen angeboten werden. In den nachfolgenden Kapiteln werden Diagramme zur Druckverlustermittlung herangezogen. Diese Diagramme stehen in erweiterter Form als Tabellenbücher beim Kunststoffrohrverband zur Verfügung.

1.1 Druckabfall in Wasserleitungen

Allgemeines

Der Druckabfall in einer stationären Rohrströmung unter Berücksichtigung eines inkompressiblen Mediums beträgt:

$$\Delta p = \lambda \cdot \frac{\ell}{d_i} \cdot \frac{\rho \cdot v^2}{2} \tag{1}$$

Hierin bedeuten:

Δp Druckverlust in [bar]
λ Rohrreibungszahl [–]
ℓ Länge der Rohrleitung in [m]
d_i Innendurchmesser des Rohres in [m]
ρ Dichte des durchfließenden Mediums in [kg/m^3]
v mittlere Strömungsgeschwindigkeit in [m]

Der Druckverlust ist danach abhängig von der Rohrgeometrie (ℓ / d_i), vom sog. Staudruck $\left(\frac{\rho v^2}{2}\right)$ und von der Rohrreibungszahl λ.

Die Rohrreibungszahl ihrerseits ist abhängig vom Strömungsverhalten. Bei laminarer Strömung wird sie lediglich durch die kinematische Zähigkeit (Viskosität) v – bei Wasser von 10 °C beträgt $v = 1,31 \cdot 10^{-6}$ m^2/s – des strömenden Mediums beeinflußt.

Hier gilt:

$$\lambda = \frac{64}{Re} \tag{2}$$

Druckabfall in Wasserleitungen

mit der Reynoldszahl

$$Re = \frac{d_i \cdot v}{\nu} \quad (3)$$

Der laminare Strömungsbereich wird begrenzt durch max. Re = 2320. Diese Bedingung wird nur erfüllt bei extrem kleinen Rohrquerschnitten bei gleichzeitig geringen Fließgeschwindigkeiten bzw. Durchflußmengen. Unter Bezugnahme auf Formel (3) darf dabei das Produkt $d_i \cdot v$ in $\left[mm \cdot \frac{m}{s} \right]$ nicht größer als 3,04 werden. Aus der Sicht der Praxis ist diese Voraussetzung nicht relevant. Hier liegen die Reynoldszahlen bedeutend über Re = 2320, so daß man sich im turbulenten Strömungsbereich befindet. Damit wird die Rohrreibungszahl außer von der Viskosität noch abhängig vom Einfluß der Rohrwand. Diesbezüglich unterscheidet man zwischen hydraulisch glattem und hydraulisch rauhem Verhalten der Rohrwand sowie dem Übergangsbereich zwischen diesen beiden Erscheinungen.

Beim hydraulisch glatten Verhalten geht man davon aus, daß die in geringem Maße vorhandenen Unebenheiten der Rohrwand von einer laminaren Grenzschicht eingehüllt werden und so gesehen der Einfluß der Wand auf die Strömung vernachlässigbar ist. Daher beinhaltet die Formel für die Rohrreibungszahl auch keinen wandabhängigen Rauhigkeitsparameter.

Hier gilt für λ:

$$\frac{1}{\sqrt{\lambda}} = 2 \lg \frac{Re \sqrt{\lambda}}{2,51} \quad (4)$$

Beim hydraulisch rauhen Verhalten liegen die Verhältnisse umgekehrt. Hier ist die Rauhigkeit k so dominierend, daß sie als einzige Einflußgröße – bezogen auf den Rohrdurchmesser – den λ-Wert bestimmt.

$$\frac{1}{\sqrt{\lambda}} = 2 \lg \left(3,71 \frac{d_i}{k} \right) \quad (5)$$

Anfang der dreißiger Jahre erkannte COLEBROOK, gestützt auf zahlreiche Experimente, daß sich Rohrleitungsströmungen im eben genannten Übergangsbereich vollziehen. Demnach wird hier der Einfluß sowohl der Viskosität, als auch der Rohrwand wirksam. Für die Rohrreibungszahl gilt daher folgende Beziehung:

$$\frac{1}{\sqrt{\lambda}} = -2 \lg \left(\frac{2,51}{Re \sqrt{\lambda}} + \frac{k}{3,71 \cdot d_i} \right) \quad (6)$$

Die Werte der nachfolgenden Diagramme wurden anhand der Formeln (1) und (6) ermittelt, wobei die Rohrwandrauhigkeit zu

k = 0,007 mm

angesetzt wurde.

Geltungsbereich

Die Diagramme gelten für Rohre aus PVC-U mit Abmessungen nach DIN 8062, PE-HD nach DIN 8074 und PE-LD nach DIN 8072 (Tafel 1). Darüber hinaus können die Diagramme in gleicher Weise zur Druckverlustermittlung in Wasserrohren aus anderen Kunststoffen verwendet werden, sofern deren Innendurchmesser den vorgenannten Normen entsprechen.

Diese Diagramme gelten exakt nur für Wassertemperaturen von 10 °C. Um in Sonderfällen eine Umrechnung des Druckverlustes Δp innerhalb des Bereiches 0 °C bis 60 °C zu ermöglichen, muß der sich aus nachfolgender Graphik (Bild 1) ergebende Temperaturfaktor φ mit dem aus den Druckverlustdiagrammen ermittelten Δp-Wert multipliziert werden.

Beschreibung der Diagramme

Die Diagramme zeigen auf der Abszisse die Durchflußmenge Q in [l/s] und auf der Ordinate den Druckverlust Δp in [bar/100 m]. Die rohrabhängigen Kurven sind mit Außendurchmesser x Wanddicke gekennzeichnet. Darüber hinaus sind die Linien konstanter Geschwindigkeit v in [m/s] eingezeichnet.

Tafel 1: Numerierung der Druckverlustdiagramme in Abhängigkeit von Rohrwerkstoff und Druckstufe

Diagramm-Nr.	Rohrwerkstoff	Druckstufe	Abmessungen in [mm]
1	PVC-U	PN 6	$40 \leq d_a \leq 630$
2	PVC-U	PN 10	$25 \leq d_a \leq 630$
3	PVC-U	PN 16	$10 \leq d_a \leq 400$
4	PE-HD	PN 6	$25 \leq d_a \leq 630$
5	PE-HD	PN 10	$10 \leq d_a \leq 500$
6	PE-HD	PN 16	$25 \leq d_a \leq 450$
7	PE-LD	PN 6	$16 \leq d_a \leq 125$
8	PE-LD	PN 16	$10 \leq d_a \leq 125$

Druckabfall in Wasserleitungen 699

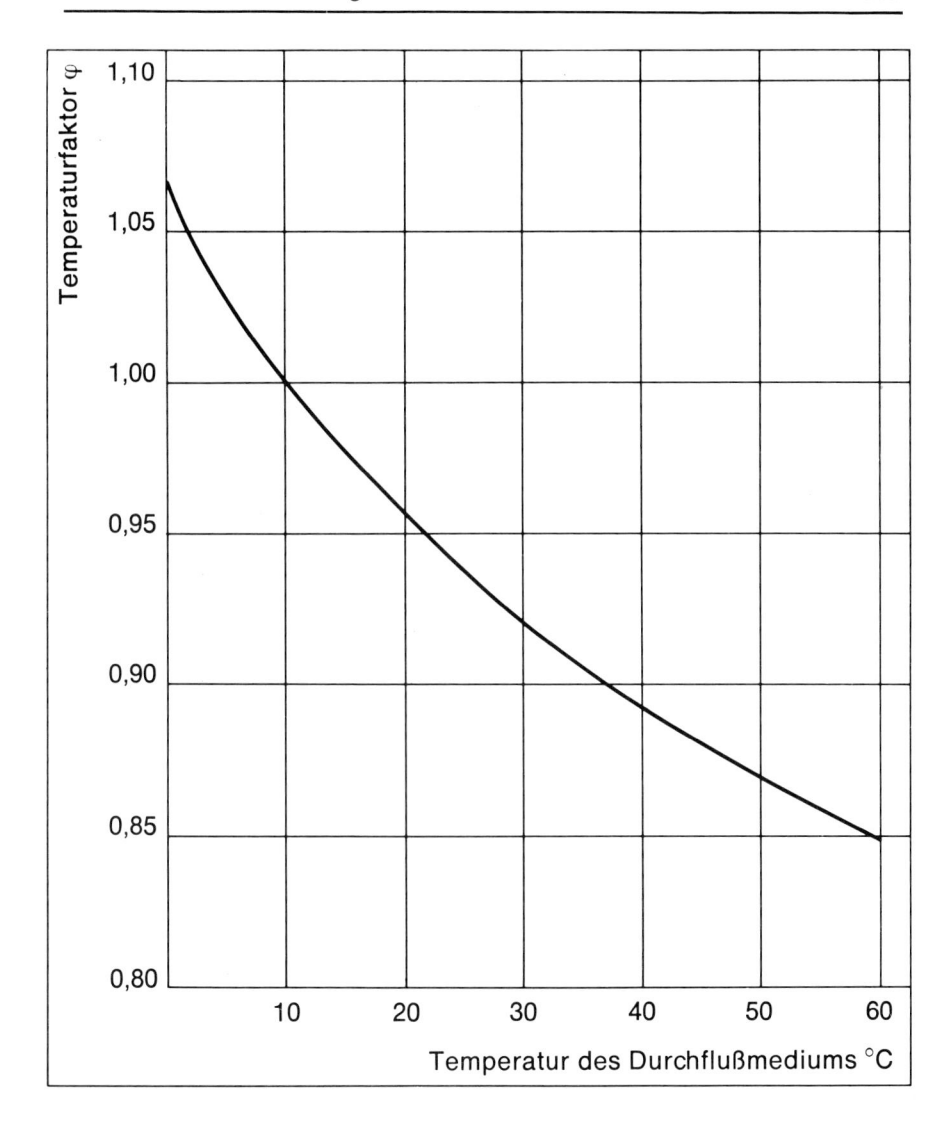

Temperaturfaktor φ (y-axis: 0,80 to 1,10)
Temperatur des Durchflußmediums °C (x-axis: 10 to 60)

Bild 1: Korrekturfaktor zur Berücksichtigung der Temperaturabhängigkeit des Druckverlustes

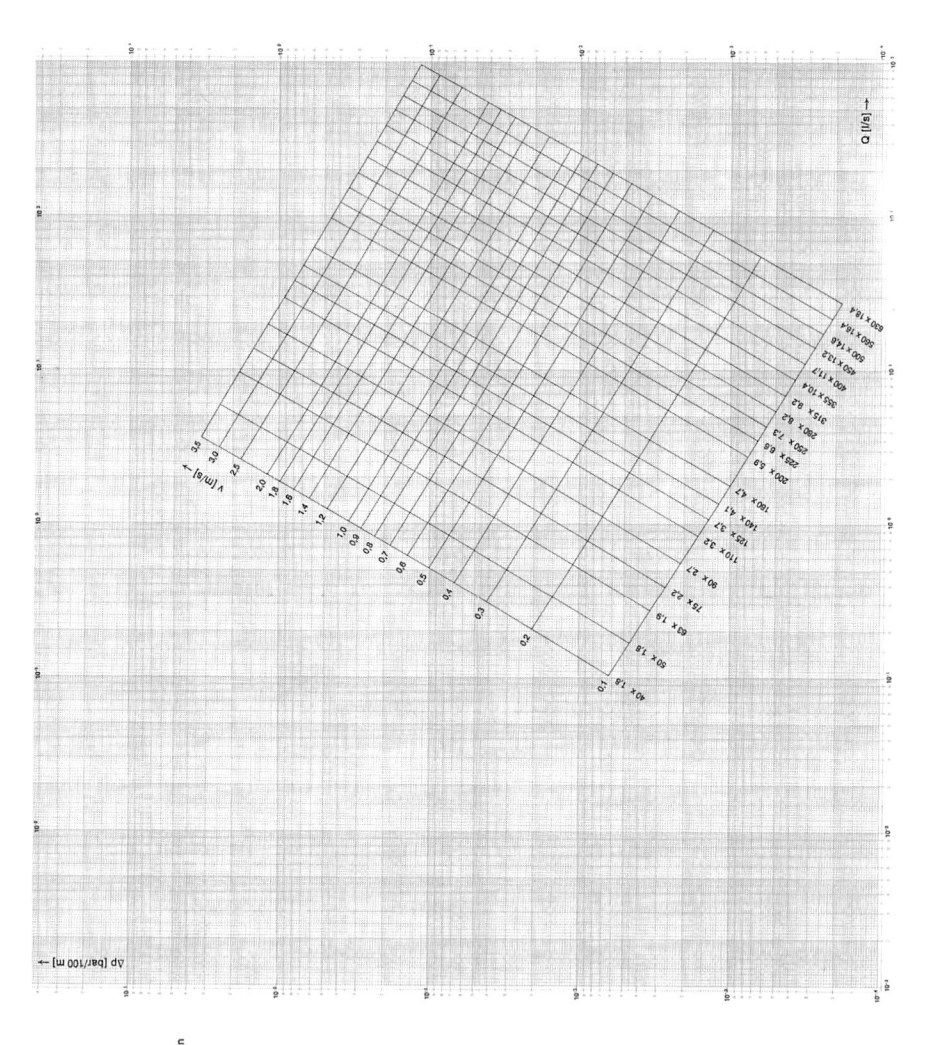

Diagramm 1: Druckabfall in Wasserleitungen aus PVC-U, PN 6

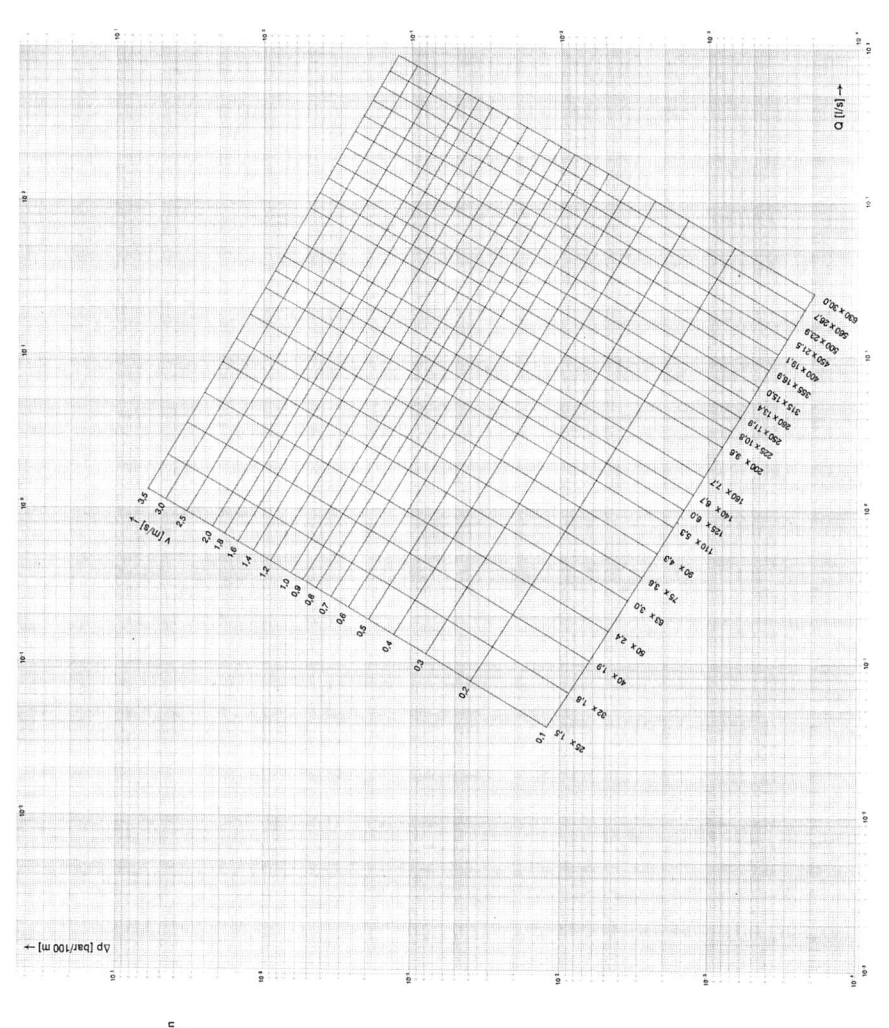

Druckabfall in Wasserleitungen 701

Diagramm 2: Druckabfall in Wasserleitungen aus PVC-U, PN 10

702 Druckabfall in Wasserleitungen

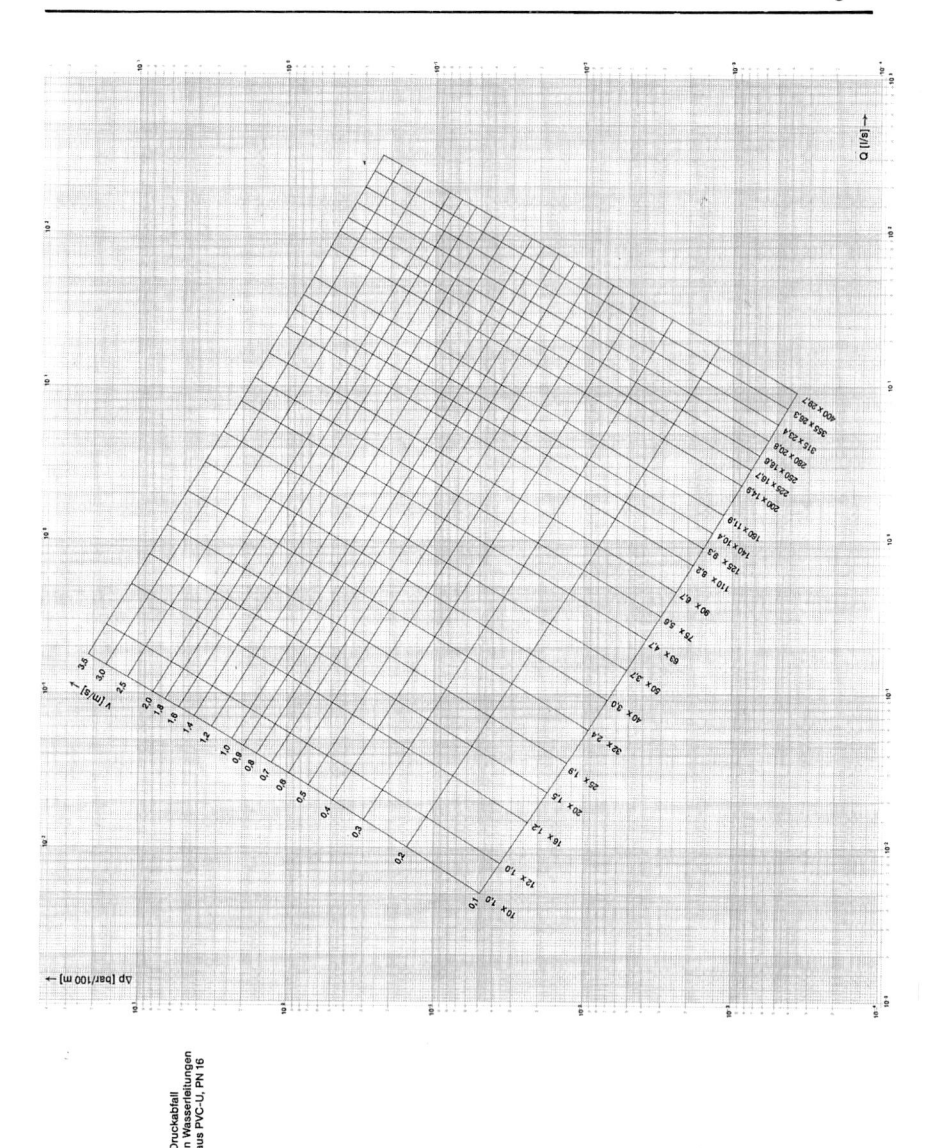

Diagramm 3: Druckabfall in Wasserleitungen aus PVC-U, PN 16

Druckabfall in Wasserleitungen 703

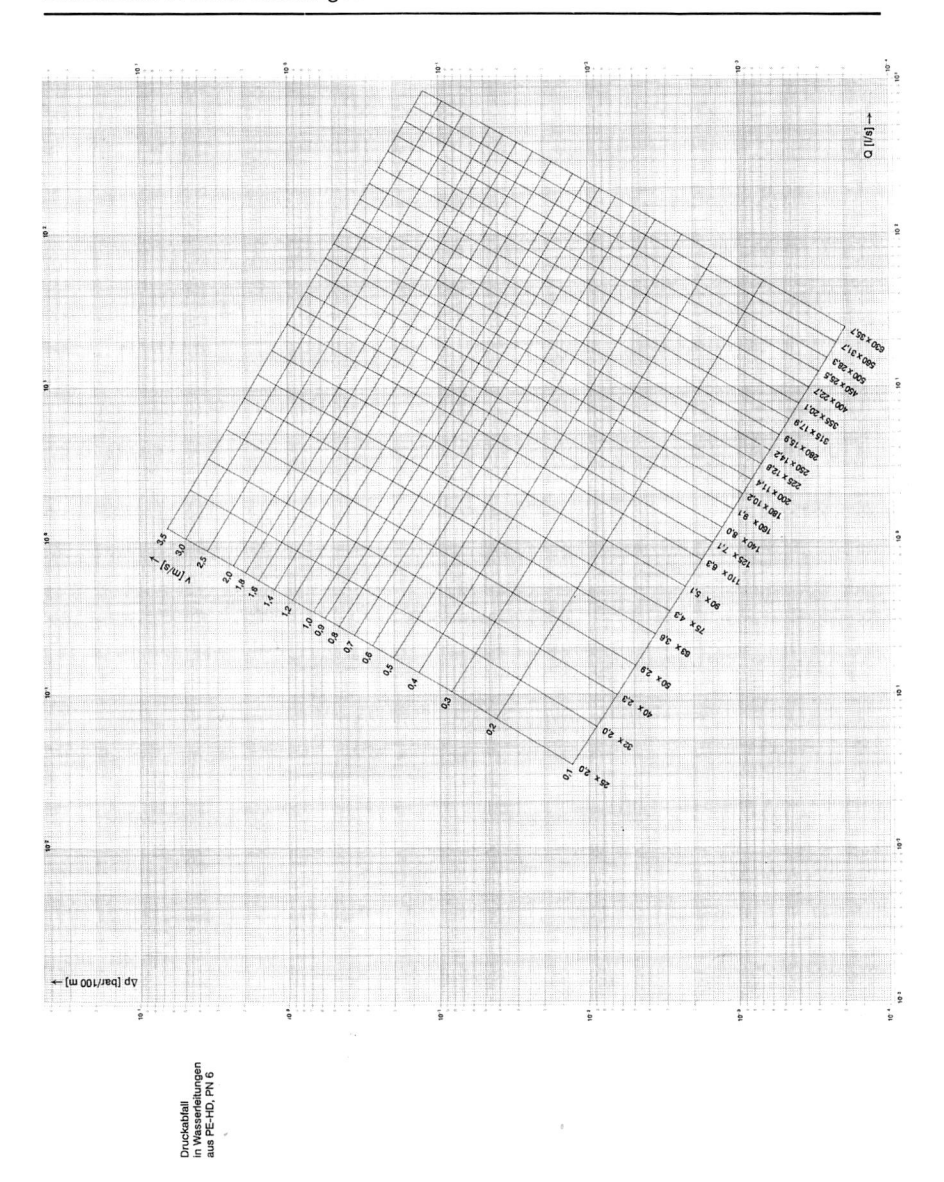

Diagramm 4: Druckabfall in Wasserleitungen aus PE-HD, PN 6

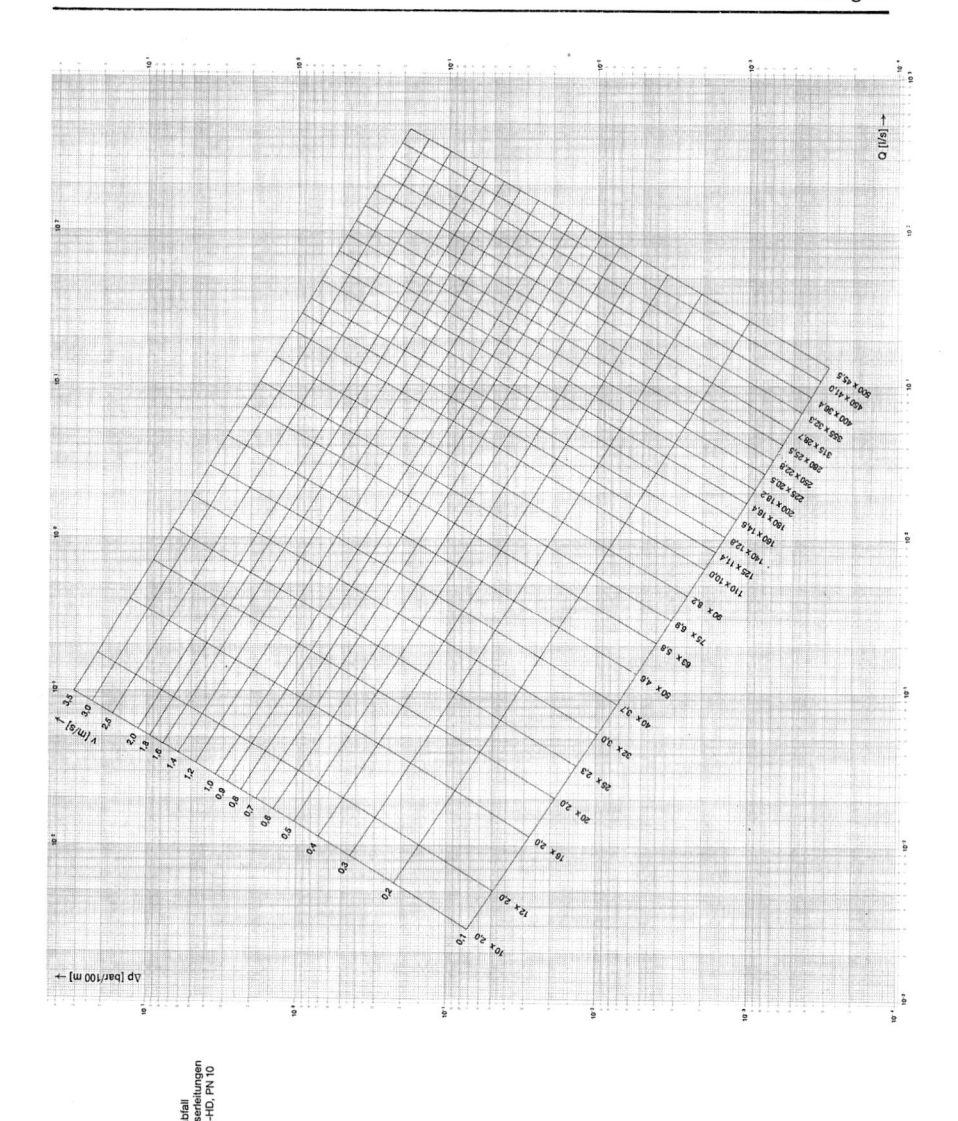

Diagramm 5: Druckabfall in Wasserleitungen aus PE-HD, PN 10

Druckabfall in Wasserleitungen 705

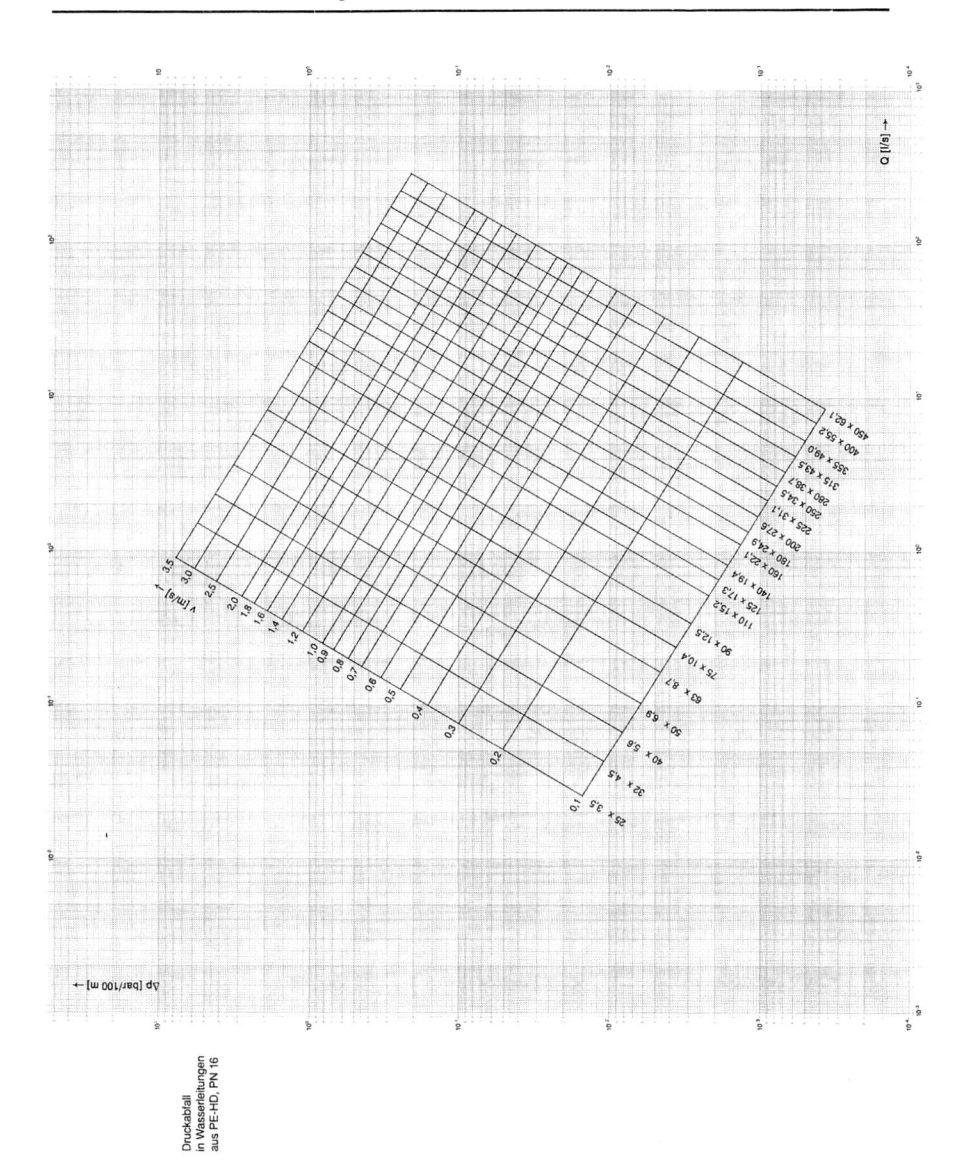

Diagramm 6: Druckabfall in Wasserleitungen aus PE-HD, PN 16

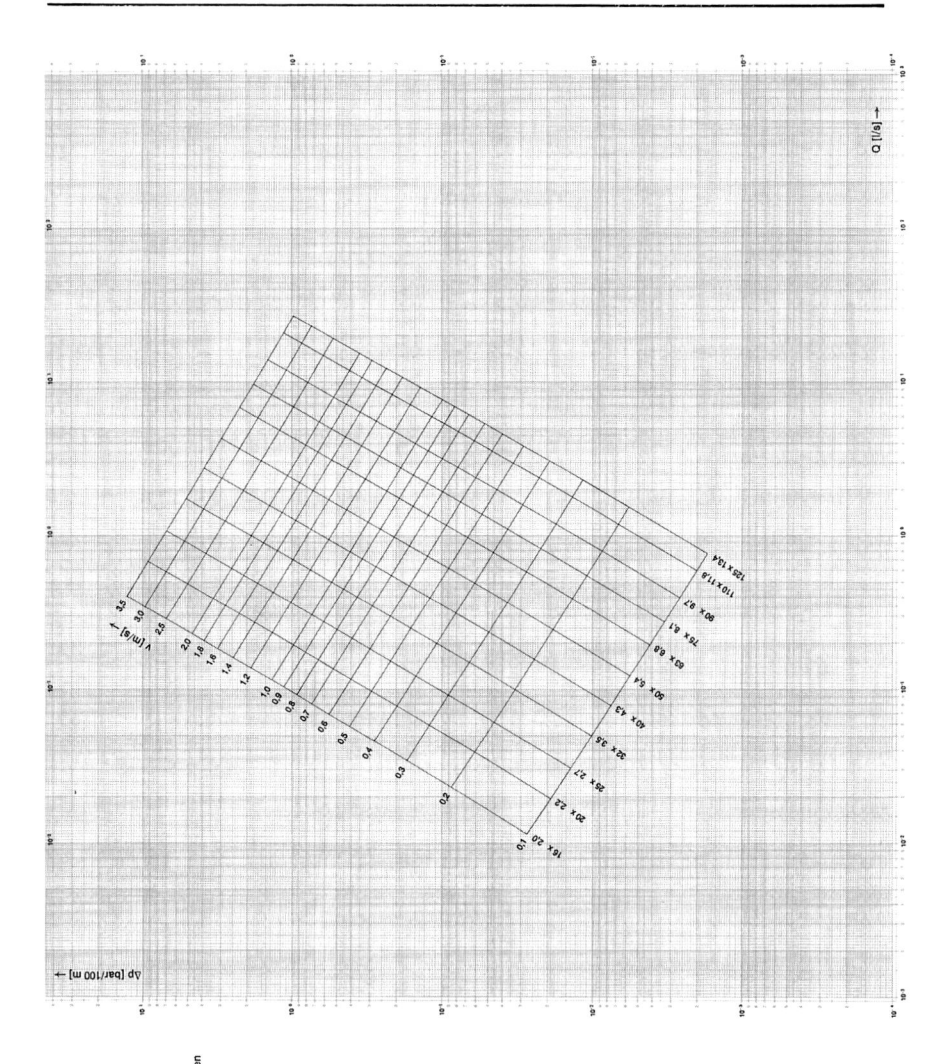

706 Druckabfall in Wasserleitungen

Diagramm 7: Druckabfall in Wasserleitungen aus PE-LD, PN 6

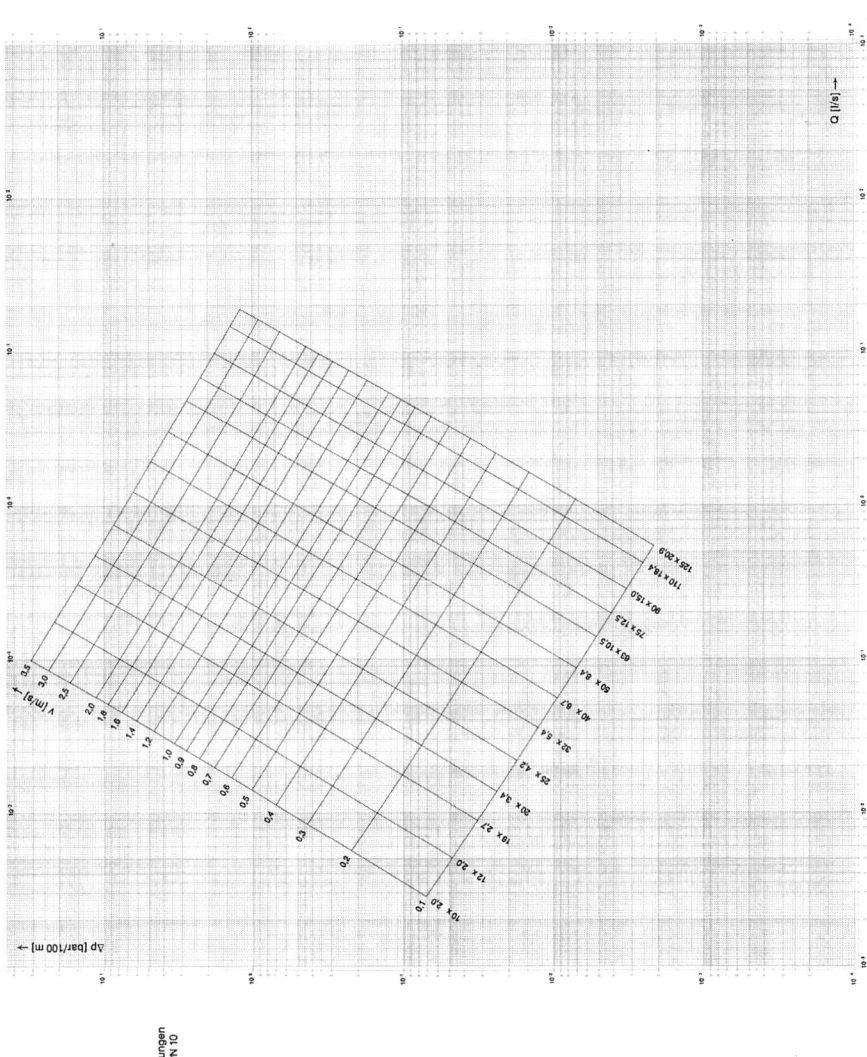

Druckabfall in Wasserleitungen 707

Diagramm 8: Druckabfall in Wasserleitungen aus PE-LD, PN 10

1.2 Druckabfall in Gasleitungen

Allgemeines

Da Gase zu den kompressiblen Medien zählen, erfolgt beim Durchströmen einer Rohrleitung ein Druckabfall, der aufgrund der Expansion qualitativ den in Bild 1 dargestellten Verlauf annimmt.

$$\frac{p_{1\,abs}^2 - p_{2\,abs}^2}{2\,p_{1\,abs}} = \lambda \cdot \frac{\ell}{d_i} \cdot \frac{\rho_1 \cdot v_1^2}{2} \tag{1}$$

Dieser Zusammenhang wird durch die Formel (1) – für raumveränderliche Fortleitung – exakt beschrieben.

Die in den Diagrammen 2, 4 und 6 dargestellten Kurven wurden nach dieser Gleichung ermittelt.

Da sich jedoch die Druckverlustermittlung anhand dieser Diagramme relativ aufwendig gestaltet, erhebt sich die Frage, ob sie nicht in bestimmten Fällen mit Hilfe der linearen Abhängigkeit – für raumbeständige Fortleitung – nach Formel (1) erfolgen kann.

$$\Delta p = \lambda \cdot \frac{\ell}{d_i} \cdot \frac{\rho \cdot v^2}{2} \tag{2}$$

Diese Beziehung wurde in den Diagrammen 1, 3 und 5 berücksichtigt.

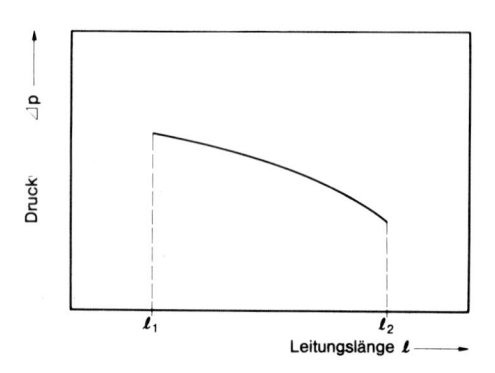

Bild 1: Abhängigkeit des Druckes von der Leitungslänge bei raumveränderlicher Fortleitung

Druckabfall in Gasleitungen

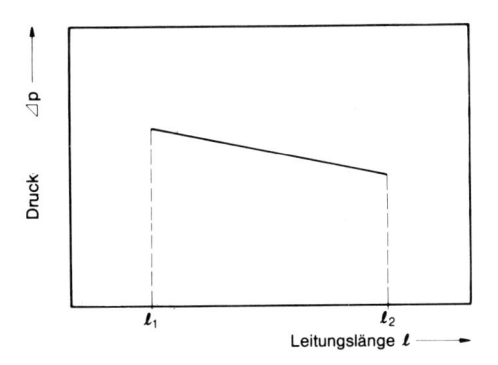

Bild 2: Abhängigkeit des Druckes von der Leitungslänge bei raumbeständiger Fortleitung

Die graphische Darstellung (Bild 2) von Formel (2) zeigt, daß sie ein typisch inkompressibles Medium charakterisiert und damit bei Gasen nur bedingt Anwendung finden kann, und zwar dann, wenn ein geringer Druckverlust zu erwarten ist. Dies trifft vor allem für den Niederdruckbereich (bis 100 mbar) zu. Der bei der Druckverlustermittlung nach Formel (2) zu erwartende Fehler kann anhand der Beziehung (3), die aus dem Vergleich der Formeln (1) und (2) resultiert, abgeschätzt werden.

$$f = \frac{p_{1\,abs} - p_{2\,abs}}{2 \cdot p_{1\,abs}} \cdot 100\ \% \tag{3}$$

In der Praxis wird ein Fehler von f = 5 % noch als vertretbar angesehen.

Unter Berücksichtigung dieser Tatsache folgt nach Umstellung der Formel (3) die Abhängigkeit

$$\Delta p = \frac{p_{1\,abs}}{10} \tag{3 a}$$

Wird hierbei der Umgebungsdruck zu 981 mbar gesetzt, so folgt:

$$\Delta p\,[\text{mbar}] = 981\,[\text{mbar}] + \frac{p_1}{10}\,[\text{mbar}]$$

Dieser Zusammenhang ist im Bild 3 dargestellt. Hieraus ist zu entnehmen, daß im Niederdruckbereich (p_1 bis 100 mbar) bei einem Druckverlust von Δp = 100 mbar der Fehler nicht über 5 % ansteigt. Da aber Δp = 100 mbar schon ei-

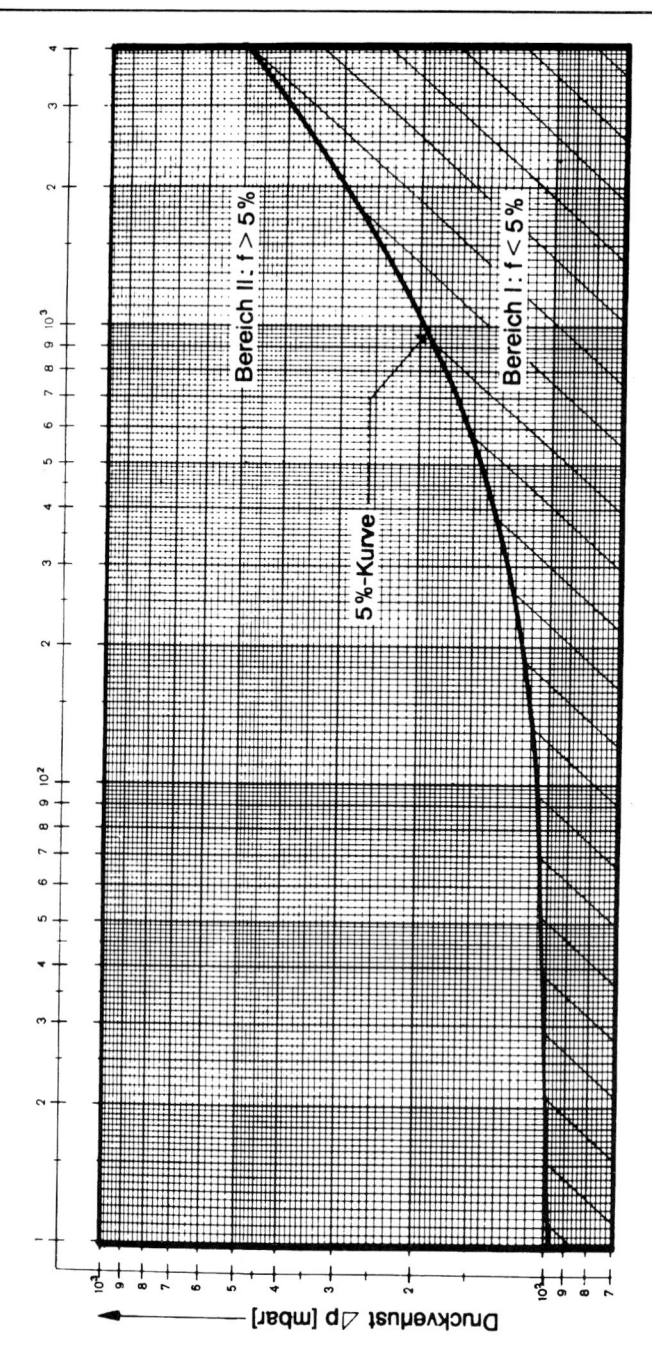

Bild 3: Abhängigkeit des Druckverlustes Δp vom Betriebsdruck p_1 bei einem zulässigen Fehler von 5 %

nen in der Praxis unerwünschten Grenzfall darstellt (vollständiger Abbau des Betriebsdruckes), wird der Fehler normalerweise geringer sein, so daß die Druckverlustermittlung im Niederdruckbereich anhand der Diagramme 1, 3 und 5 erfolgen kann. Bei höheren Betriebsdrücken ist eine Fehlerabschätzung gemäß Formel (3) unbedingt empfehlenswert.

Geltungsbereich

Mit den vorliegenden Diagrammen läßt sich der Druckverlust in geraden Rohrleitungen aus

PVC-U nach DIN 8062
und
PE-HD nach DIN 8074

ermitteln, wobei der Einfluß von Formstücken und geodätischer Höhenunterschiede keine Berücksichtigung findet.

Anmerkung:

Außerdem können die Diagramme in gleicher Weise zur Druckverlustermittlung in Gasrohren aus anderen Kunststoffen angewendet werden, sofern deren Innendurchmesser vorgenannten Normen entsprechen.

Weitere Daten, die den Geltungsbereich der Diagramme bestimmen:

Absolute Rohrwandrauhigkeit	$k = 0{,}007$ mm
Dichte des Gases	$\rho = 0{,}78$ kg/m³
mittlere Gastemperatur	$t = 10\,°C$
mittlerer Barometerstand	$B = 1000$ mbar
dynamische Viskosität bei 10 °C	$\eta = 1{,}1 \cdot 10^{-6}$ kp s/m²

Formelzeichen:

B:	Barometerstand
d_i:	Innendurchmesser des Rohres
k:	absolute Rohrwandrauhigkeit
ℓ:	Rohrleitungslänge
$p_{1,2\,abs}$:	absoluter Druck an der Stelle 1 bzw. 2
p:	Betriebsdruck
Δp:	Druckdifferenz

q: Volumenstrom im Betriebszustand

q_n: Volumenstrom im Normzustand

t: Temperatur

v: Strömungsgeschwindigkeit

ρ: Dichte des Gases

λ: Rohrreibungskoeffizient

η: dynamische Viskosität

Beschreibung der Diagramme

Tafel 1 beinhaltet Umrechnungsfaktoren für verschiedene Druckeinheiten.

a) Diagramm vom Typ A (entsprechend der Diagramme 1, 3 und 5; Tafel 2)

Bei Betriebsdrücken bis 100 mbar kann der Druckverlust anhand dieser Diagramme (1, 3 und 5) ermittelt werden.

Abszisse: Volumenstrom im Betriebszustand q [m³/h]

Ordinate: Längenbezogener Druckverlust $\dfrac{\Delta p}{\ell}\left[\dfrac{\text{mm WS}}{\text{m}}\right]$

Linien v = const.: Diese Angabe kann zur Ermittlung der Druckverluste in Krümmern, Schiebern, Bögen usw. herangezogen werden.

b) Diagramm vom Typ B (entsprechend der Diagramme 1, 3 und 5; Tafel 2)

Übersteigt der Betriebsdruck die 100 mbar-Grenze, so kann der Druckverlust weiterhin mit den Diagrammen 1, 3 bzw. 5 ermittelt werden.

Tafel 1: Einheiten des Druckes

Druck	N/m² = Pa	bar	mbar	mm WS	kp/cm² = at
1 N/m² = 1 Pa	1	10^{-5}	10^{-2}	0,102	$1,02 \cdot 10^{-5}$
1 bar	10^5	1	10^3	$1,02 \cdot 10^4$	1,020
1 mbar	10^2	10^{-3}	1	10,20	$1,02 \cdot 10^{-3}$
1 mm WS	9,81	$9,81 \cdot 10^{-5}$	$9,81 \cdot 10^{-2}$	1	10^{-4}
1 kp/cm² = 1 at	$9,81 \cdot 10^4$	0,981	$9,81 \cdot 10^2$	10^4	1

Die nicht schraffierten Einheiten sind SI-Einheiten

Druckabfall in Gasleitungen

Tafel 2: Numerierung der Druckverlustdiagramme in Abhängigkeit vom Rohrwerkstoff und der Strömungscharakteristik

Diagramm-Nr.	Rohrwerkstoff	Art der Fortleitung
1	PVC-U	raumbeständig
2	PVC-U	raumveränderlich
3	PE-HD	raumbeständig
4	PE-HD	raumveränderlich
5	PE-HD	raumbeständig
6	PE-HD	raumveränderlich

Im Unterschied zu Typ A ist jedoch bei der Anwendung der Diagramme 1, 3 und 5 folgendes zu beachten:

Abszisse: Der Volumenstrom ist auf den Normzustand bezogen nach

$$q_n = q \cdot 0{,}95229 \cdot p_{1\,abs} \qquad (4)$$

wobei $p_{1\,abs}$ in bar einzusetzen ist.

Ordinate: Der längenbezogene Druckverlust $\left(\dfrac{\Delta p}{\ell}\right)_K$ ist, um ihn auf das Betriebsdruckniveau zu beziehen, mit dem Faktor

$$K = \dfrac{1{,}05045}{p_{1abs}\,[bar]} \text{ zu multiplizieren.}$$

Daraus folgt: $\dfrac{\Delta p}{\ell} = K \cdot \left(\dfrac{\Delta p}{\ell}\right)_K \qquad (5)$

Linien v = const.: Da dieser Diagrammtyp für unterschiedliche Druckniveaustufen gilt, dürfen die Kurven v = const. nicht mehr berücksichtigt werden.

c) Diagramm vom Typ C (entsprechend der Diagramme 2, 4 und 6; Tafel 2)

Stellt sich ein Druckverlust ein, der bei der Fehlerabschätzung nach Formel (3) zu Werten f > 5 % führt, muß mit diesem Diagrammtyp (entspr. der Diagramme 2, 4 und 6) gearbeitet werden.

Bei diesem Diagrammtyp jedoch weist die Ordinate eine auf die Länge bezogene Differenz der Quadrate der Absolutdrücke $p_{1\,abs}$ und $p_{2\,abs}$ auf. Wie aus dieser Angabe der effektive Druckverlust $\frac{\Delta p}{\ell}$ ermittelt werden kann, wird nachfolgend anhand einiger Beispiele erläutert.

Beispiele

a) Gegeben: Rohr: PE-HD 63 x 5,8 nach DIN 8074

Betriebsdaten: Volumenstrom $q = 30$ m³/h

Rohrleitungslänge $\ell = 1000$ m

Betriebsdruck ≤ 100 mbar

Gesucht: Druckverlust $\Delta p/1000$ m

Lösung: Da hier Niederdruckbereich vorliegt, kann der Druckverlust anhand des Diagramms 5 ermittelt werden.

Es ergibt sich durch direktes Ablesen:

$$\frac{\Delta p}{\ell} = 0{,}35 \, \frac{mm\,WS}{m}$$

Daraus folgt:

$\Delta p/1000$ m $= 350$ mm WS $= 34{,}34$ mbar

b) In Abänderung zu Beispiel a) soll der Betriebsdruck $p_1 = 4$ bar betragen und die Rohrleitungslänge $\ell = 100$ m

Gesucht: $\Delta p/100$ m

Lösung: Druckverlustermittlung anhand Diagramm 5, allerdings Umrechnung von q in q_n nach Formel (4):

$q_n = q \cdot 0{,}95229 \cdot p_{1\,abs}$

mit $p_{1\,abs} = 4$ bar $+ 0{,}981$ bar $= 4{,}981$ bar

folgt: $q_n = 30$ m³/h $\cdot 0{,}95229 \cdot 4{,}981 = 142{,}3$ m³/h

Hiermit folgt aus Diagramm 5

$$\left(\frac{\Delta p}{\ell}\right)_K = 5{,}4 \cdot \frac{mm\,WS}{m}$$

Druckabfall in Gasleitungen 715

Mit Formel (5) ergibt sich:

$$\frac{\Delta p}{100\,m} = \frac{1{,}05045}{4{,}981} \cdot 5{,}4 \cdot 100 = 113{,}88\text{ mm WS} = 11{,}17\text{ mbar}$$

Fehlerabschätzung gemäß Formel (3):

$$f = \frac{\Delta p}{2\,p_{1\,abs}} \cdot 100\,\% = \frac{0{,}01117}{2 \cdot 4981} \cdot 100\,\% = 0{,}112\,\%$$

Ebenso war aus Bild 3 zu erkennen, daß der Punkt $p_1 = 4$ bar, $\Delta p = 11{,}17$ mbar im Bereich I liegt, also unterhalb der 5 %-Kurve.

c) Beträgt die Rohrleitungslänge 5000 m, so ergibt sich nach Beispiel b) ein Druckverlust von $\Delta p/5000$ m = 50 · 11,17 mbar = 558,5 mbar. Der zugehörige Fehler beläuft sich danach auf 5,6 %.

Deshalb muß der Druckverlust für 5000 m Rohrleitungslänge anhand des Diagramms 6 ermittelt werden:

Mit $q_n = 142{,}3$ m³/h ergibt sich auf der Ordinate der Wert:

$$\frac{p_{1\,abs}^2 - p_{2\,abs}^2}{\ell} = 1{,}13 \cdot 10^{-3}\,\frac{at^2}{m}$$

Für $\ell = 5000$ folgt:

$$p_{1\,abs}^2 - p_{2\,abs}^2 = 5{,}65\text{ at}^2$$

$$p_{2\,abs} = \sqrt{p_{1\,abs}^2 - 5{,}65} = \sqrt{5{,}08^2 - 5{,}65} = \sqrt{20{,}1564} = 4{,}4896\text{ at}$$

$$\Delta p = p_{1\,abs} - p_{2\,abs} = 0{,}5904\text{ at} = 549{,}18\text{ mbar}$$

716 Druckabfall in Gasleitungen

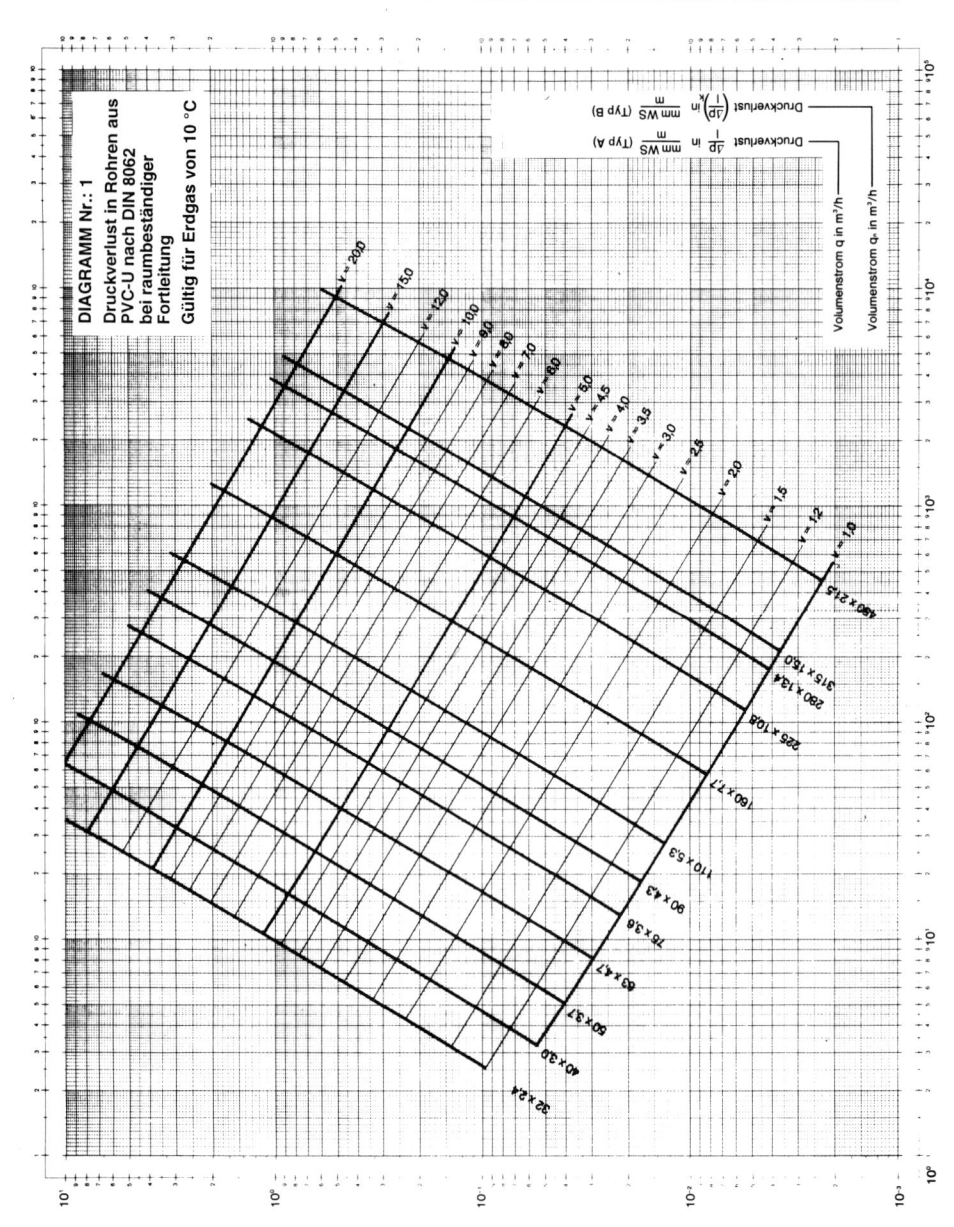

Diagramm 1: Druckverlust in Rohren aus PVC-U nach DIN 8062 bei raumbeständiger Fortleitung
Gültig für Erdgas von 10 °C

Druckabfall in Gasleitungen

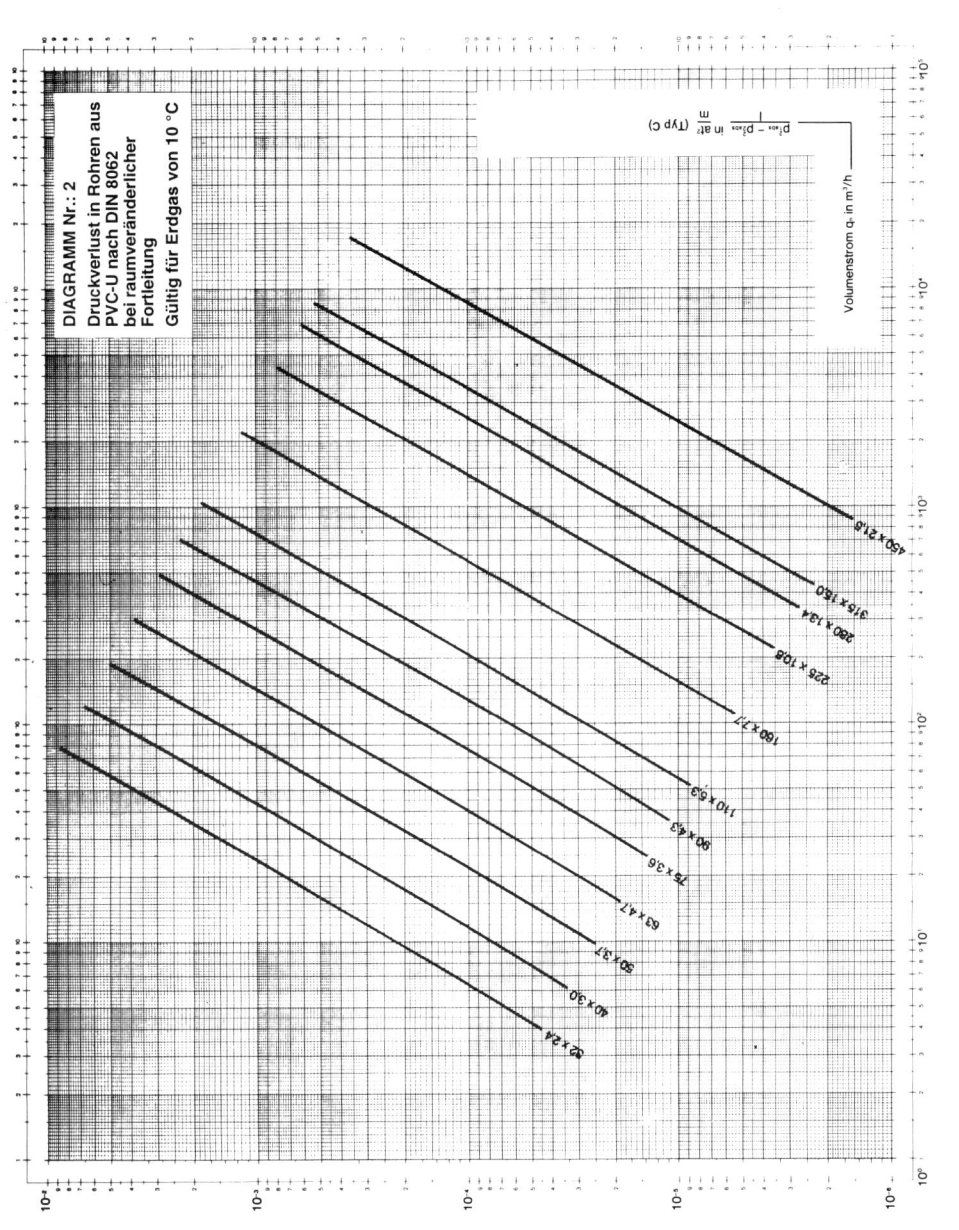

Diagramm 2: Druckverlust in Rohren aus PVC-U nach DIN 8062 bei raumveränderlicher Fortleitung
Gültig für Erdgas von 10 °C

718　Druckabfall in Gasleitungen

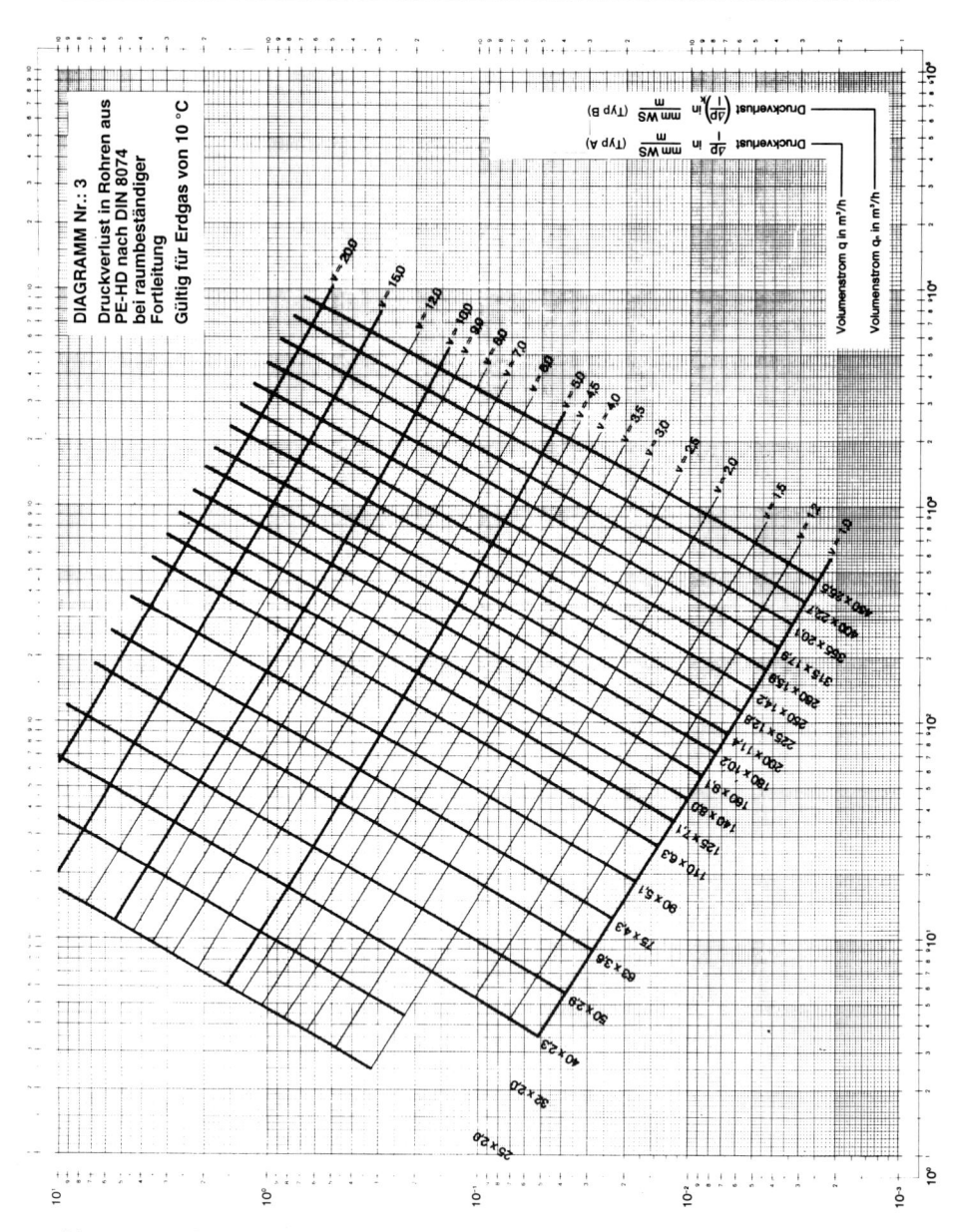

Diagramm 3: Druckverlust in Rohren aus PE-HD nach DIN 8074 bei raumbeständiger Fortleitung
Gültig für Erdgas von 10 °C

Druckabfall in Gasleitungen

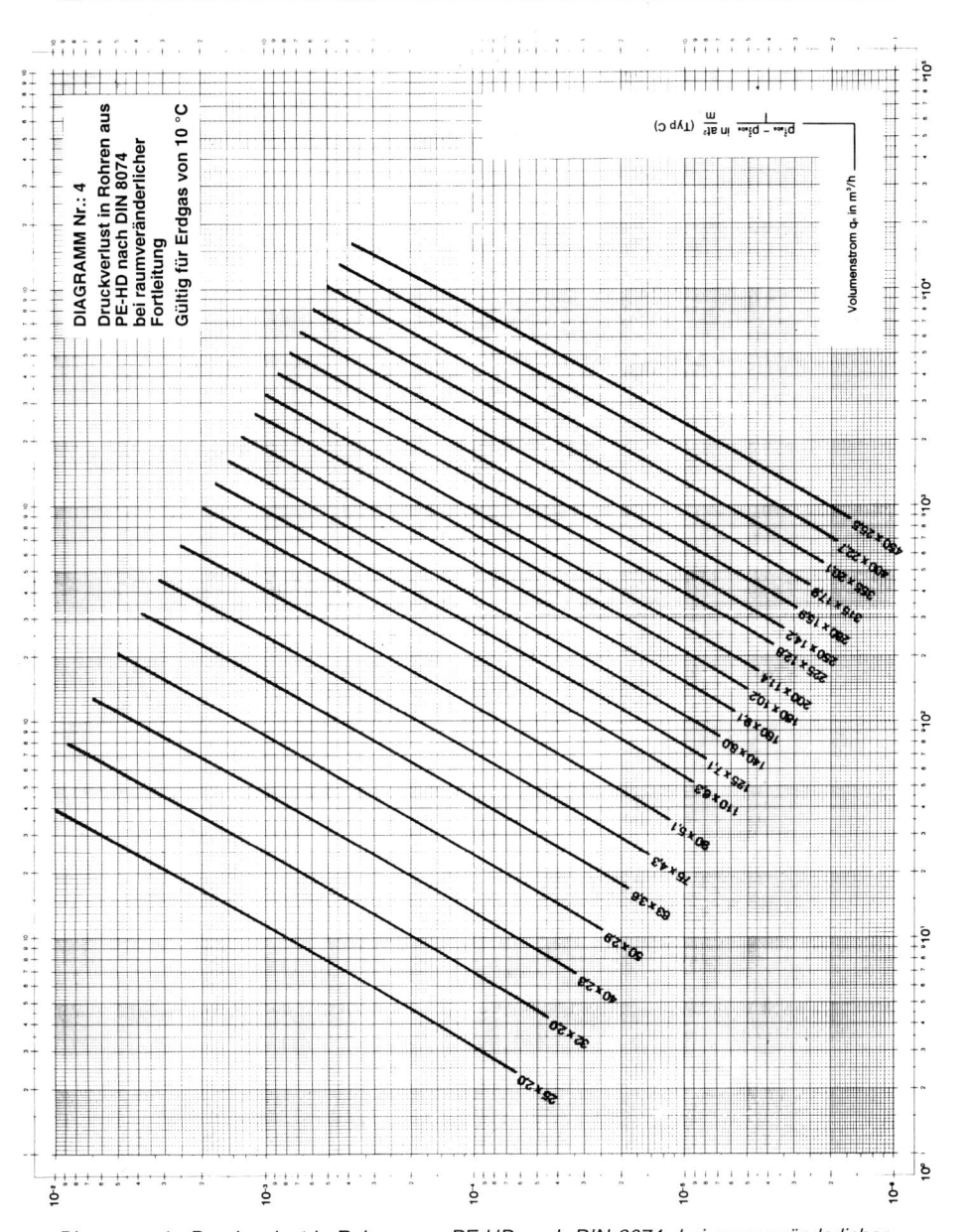

Diagramm 4: Druckverlust in Rohren aus PE-HD nach DIN 8074 bei raumveränderlicher Fortleitung
Gültig für Erdgas von 10 °C

Druckabfall in Gasleitungen

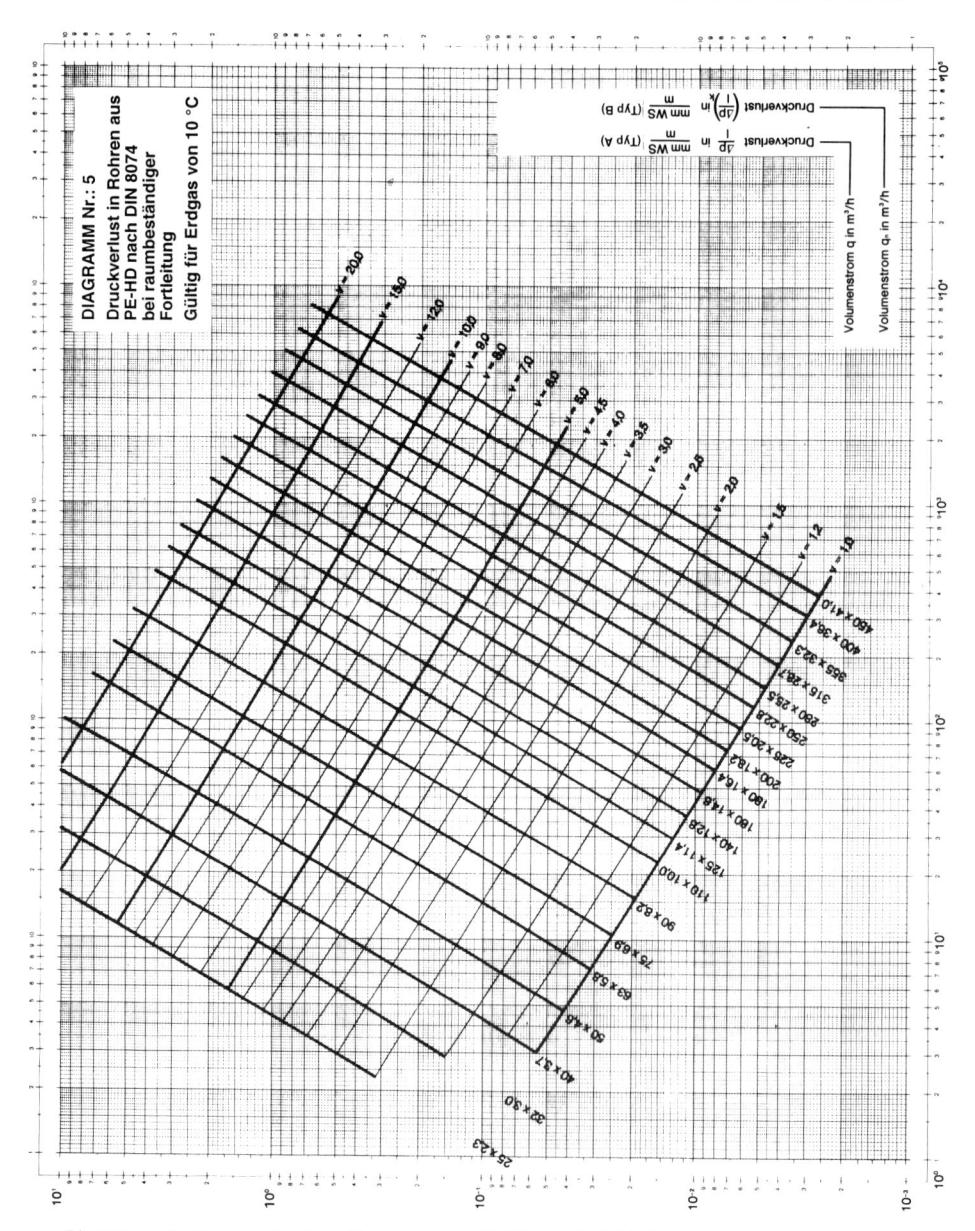

Diagramm 5: Druckverlust in Rohren aus PE-HD nach DIN 8074 bei raumbeständiger Fortleitung
Gültig für Erdgas von 10 °C

Druckabfall in Gasleitungen 721

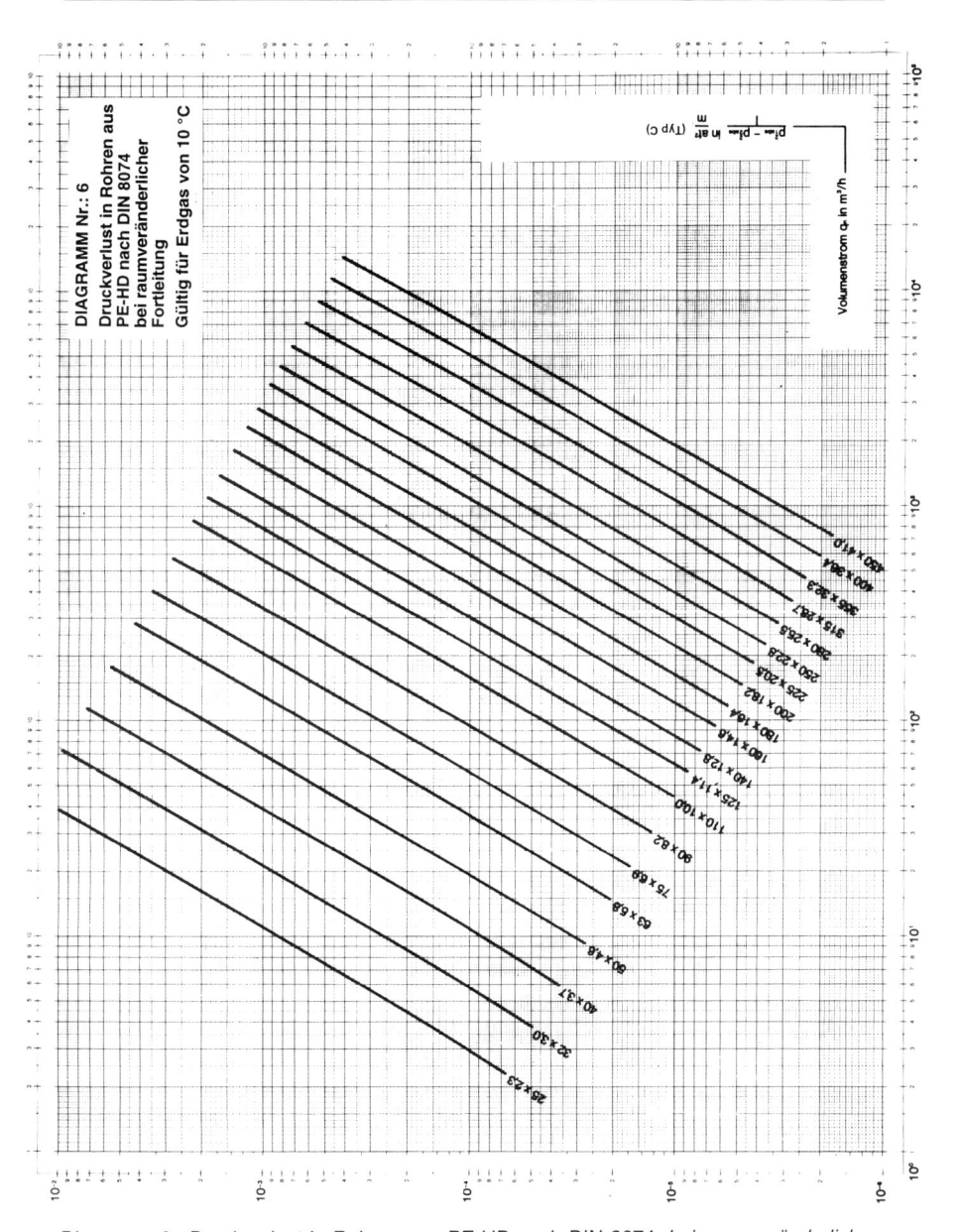

Diagramm 6: Druckverlust in Rohren aus PE-HD nach DIN 8074 bei raumveränderlicher Fortleitung
Gültig für Erdgas von 10 °C

2 Hydraulische Bemessung von Abwasserleitungen

P. UNGER

Vollfüllungsberechnungen bei Normalabfluß

Für den Nachweis des Durch- oder Abflusses Q bei Vollfüllung und stationär gleichförmigem Abfluß – sog. Normalabfluß – in öffentlichen Abwasserkanälen und -leitungen wird im ATV-Arbeitsblatt A 110 und in der europäischen Norm DIN EN 752 die mit den Namen Prandtl-Colebrook verbundene Allgemeine Abflußformel empfohlen.

Dabei ist:

$$Q = \frac{\pi \cdot D^2}{4} \left(-2 \cdot \lg \left[\frac{2{,}51 \cdot \nu}{D \sqrt{2gDJ}} + \frac{k}{3{,}71 \cdot D} \right] \cdot \sqrt{2gDJ} \right) [m^3/s] \qquad (1)$$

Hierin bedeuten:
Q = Durchfluß, Abfluß in [m³/s]
D = Innendurchmesser in [m]
ν = kinematische Zähigkeit des Abwassers in [m²/s]
  (nach ATV A 110: $\nu = 1{,}31 \cdot 10^{-6}$ m²/s)
J = Energieliniengefälle, bei Normalabfluß gleich Sohlgefälle [–]
k = hydraulisch wirksame Rauheit in [m]
g = Erdbeschleunigung in [m/s²]

Für k können bei üblicher Anwendung des Pauschalkonzeptes sog. betriebliche Rauheitsbeiwerte k_b gemäß Tab. 4 im A 110 – je nach Kanalart und -ausführung zwischen k_b = 0,25 und 1,50 mm – eingesetzt werden. Dabei sind lokale Strömungswiderstände oder Energiehöhenverluste mit Verlusten infolge Wandreibung, wie in einer Begleitveröffentlichung zum A 110 [1] beschrieben, in ein erhöhtes Rauheitsmaß „eingerechnet".

Bezüglich der in den k_b-Werten nicht erfaßten Einflüsse und der zu beachtenden Anwendungsgrenzen wird auf A 110, Abschnitt 3.3.2 verwiesen. Weichen die tatsächlichen Verhältnisse von den Annahmen bei der k_b-Wert-Festsetzung (vgl. [1]) stark ab, wie z.B. bei großen Einzelrohrlängen und wenigen Schächten – dies ist bei Einsatz von Kunststoffrohren oft der Fall – sowie extrem steilen oder flachen Gefällen, wird die Anwendung des Individual-Konzeptes nach A 110 Abschnitt 3.3.3 zur Bestimmung des k-Wertes empfohlen.

Hydraulische Bemessung von Abwasserleitungen

Dabei gilt (siehe auch [1]):

$$k = 3{,}71 \cdot D \left(10^{\frac{-1}{2\sqrt{\lambda_b}}} - \frac{2{,}51}{Re \sqrt{\lambda_b}} \right) \,[m] \qquad (2)$$

Hierin bedeuten:

λ_b = betriebsbezogener Reibungsbeiwert [–]

$\lambda_b = \lambda + D/L \cdot \Sigma\zeta$ [–] (3)

λ = dimensionsloser Widerstandsbeiwert der Rohre aus Gl. (1) iterativ oder mit Hilfe von Tabellenbüchern [2, 3] mit $k \geq 0{,}1$ mm nach der Formel

$$\lambda = \frac{\pi^2 \cdot g \cdot J \cdot D^5}{8\,Q^2} \,[-] \qquad (4)$$

bestimmbar

Re = dimensionslose Reynoldszahl [–]

$Re = \dfrac{4 \cdot Q}{\pi \cdot D \cdot \nu}$ [–] (5)

L = Länge der Leitung in [m]

$\Sigma\zeta$ = Summe aller im Bereich einer Leitungsstrecke L gelegenen Störquellen [–], ermittelbar nach A 110, Abschnitt 4.

Beispiele für Anwendung des Individual-Konzeptes sind in der Korrespondenz Abwasser 1/1989 [1] und im ATV Heft zum ATV-Workshop anläßlich der IFAT 1993 [4] zu finden.

Für Bemessungen nach Gl. (1) – insbesondere wenn Durchmesser D oder Gefälle J gesucht sind – stehen Tabellenbücher [2, 3] zur Verfügung.

Die Bemessung von Grundstücksentwässerungsleitungen innerhalb und außerhalb von Gebäuden mit Kunststoffrohren erfolgt ebenfalls nach Gl. (1), wobei ein k_b-Wert von 1,00 mm eingesetzt wird. In DIN 1986-2 stehen hierfür auf der Basis dieser Gleichung aufgestellte Tabellen 13, 14, 18, 19 und 20 mit besonderen Kriterien für Mindestgefälle J_{min} und maximale Füllungsgrade H/D zur Verfügung.

Für Ermittlung des für eine Bemessung erforderlichen Schmutz-, Regen- oder Mischwasseranfalls auf der Basis von spezifischen Verbräuchen, Abfluß- und Regenspenden (oder Anschlußwerten) unter Beachtung von Abflußbeiwerten wird für öffentliche Kanäle und -leitungen auf das ATV Arbeitsblatt A 118 und für Grundstücksentwässerungsleitungen auf die DIN 1986-2 verwiesen.

Teilfüllungsberechnungen bei Normalabfluß

Für die Berechnung von Teilfüllungszuständen bei Normalabfluß stehen im ATV Arbeitsblatt A 110 und in den Tabellenbüchern [2, 3] Teilfüllungstabellen für Fließgeschwindigkeiten nach der Formel:

$$v_T/v_V = (r_{h,T}/r_{h,V})^{0,625} \qquad (6)$$

und für Abflüsse nach der Formel:

$$Q_T/Q_V = A_T/A_V \cdot (r_{h,T}/r_{h,V})^{0,625} \qquad (7)$$

zur Verfügung.

Hierin bedeuten:

v = Fließgeschwindigkeit in [m/s]
r_h = Hydraulischer Radius in [m], bei Kreisprofilen = D/4
A = Durchflossener Querschnitt in [m²]
Index V = Vollfüllungswerte
Index T = Teilfüllungswerte

Direkte Berechnungen sind mit entsprechenden Rechnerprogrammen möglich.

Berechnungsansätze für vom Normalabfluß abweichende Abflußvorgänge in Kanalnetzen

Eine Zusammenstellung aller möglichen Berechnungsansätze mit zugehörigen Gleichungen ist in der Tabelle 2 des A 110 zu finden. Bei Kanalnetzberechnungen mit Niederschlags-Abfluß-Modellen auf der Basis vorgenannter Berechnungsansätze sind neben den ATV-Arbeitsblättern A 110 und A 118 insbesondere das ATV-Merkblatt M 165 [5] und die Tabelle 2 in DIN EN 752 richtungsweisend.

Gegenüber Prüfbehörden sind – soweit möglich – die Grundsätze und Richtlinien der ATV-Arbeitsblätter A 119 [6] und A 120 [7] zu beachten.

Für Bemessungen von Abwasserdruckrohrleitungen aus Kunststoffrohren wird auf das ATV-Arbeitsblatt A 116 verwiesen.

Schrifttum

[1] Unger, P.: Grundlagen der k_b-Wert Festlegung im Arbeitsblatt A 110, Korrespondenz Abwasser 36 (1989) Heft 1 S. 46
[2] Unger, P.: Tabellen zur hydraulischen Bemessung von Abwasserkanälen und -leitungen aus PVC-U und PE-HD, Ingwis Verlag Lich 1988

[3] Unger, P.: Tabellen zur hydraulischen Dimensionierung von Abwasserkanälen und -leitungen nach ATV-Arbeitsblatt A 110, 2. Auflage, Ingwis Verlag Lich, 1994
[4] ATV-Workshop IFAT 1993: Bemessung von Kanälen und Regenwasserbehandlungsanlagen, 13. und 14. Mai 1993, ATV St. Augustin 1993 S. 47
[5] ATV-Merkblatt M 165: Anforderungen an Niederschlag-Abfluß-Berechnungen in der Stadtentwässerung, GFA e.v. Hennef April 1994
[6] ATV-Arbeitsblatt A 119: Grundsätze für die Berechnung von Entwässerungsnetzen und elektronischen Datenverarbeitungsanlagen, GFA e.V. St. Augustin Oktober 1984
[7] ATV-Arbeitsblatt A 120: Richtlinien für das Prüfen elektronischer Berechnungen von Kanalnetzen, GFA e.V. St. Augustin August 1979

3 Liste der chemischen Widerstandsfähigkeit von Thermoplast- und Elastomer-Werkstoffen für den Rohrleitungsbau

H. HILLINGER und E. ANT

3.1 Allgemeine Angaben

Die Liste der chemischen Widerstandsfähigkeit ist eine wertvolle Hilfe bei der Planung von Kunststoffrohrleitungen [1].

Diese Liste wird periodisch überarbeitet und dem jeweiligen Stand der Erkenntnisse angepaßt. Sie enthält die wesentlichen Thermoplaste und Elastomere, die mit dem Durchflußmedium direkt in Berührung kommen können. Die Angaben beruhen auf Tauchversuchen mit flachen Probekörpern und – soweit verfügbar – auf Prüfungen, bei denen neben dem Medium als Beanspruchungsgrößen auch die Temperatur und die Spannung einbezogen worden sind. Das Verhalten von flachen Probekörpern im Tauchversuch ist nicht ohne Einschränkung auf unter Spannung bzw. Innendruck stehende Rohrleitungsteile übertragbar, weil der Faktor Spannung hierbei unberücksichtigt bleibt. Es kann in entsprechenden Fällen von Vorteil sein, unter den vorgesehenen Betriebsbedingungen die Eignung zu überprüfen. In diesem Zusammenhang ist auch auf die Listen der chemischen Widerstandsfähigkeit, die als Normen erschienen sind, zu verweisen. Von der ISO sind dies die ISO/TR 7471, ISO/TR 7473 und ISO/TR 7474 sowie ISO/TR 10358 [2].

Die Untersuchungen erfolgen normalerweise mit reinen Chemikalien. Sofern in der Praxis Chemikaliengemische zu befördern sind, können sich für den Werkstoff im Bezug auf sein Verhalten Abweichungen ergeben. Natürlich muß man bezogen auf die Eignung das jeweils tatsächlich zur Anwendung kommende Durchflußmedium prüfen. Die Rohr- und Formstücklieferanten können auf Grund von vorliegenden Erfahrungen und geeigneten Prüfeinrichtungen genauere Angaben machen.

3.2 Hinweise für den Gebrauch der Liste

3.2.1 Klassifizierung

Die gebräuchlichste Klassifizierung in widerstandsfähig, bedingt widerstandsfähig und nicht widerstandsfähig wird durch die Zeichen +, O und − dargestellt. Sie erlaubt eine einfache Handhabung und Darstellung. Dabei gilt folgende Zuordnung:

widerstandsfähig: + Der Werkstoff wird durch das Medium nicht oder nur gering beinflußt.

bedingt widerstandsfähig: O Das Medium greift den Werkstoff an oder führt zur Quellung. Hinsichtlich Druck und/oder Temperatur sind unter Einbeziehung der erwarteten Betriebsdauer Einschränkungen zu machen. Eine merkliche Verminderung der Betriebsdauer ist nicht auszuschließen. Eine Rückfrage beim Hersteller wird empfohlen.

nicht widerstandsfähig: − Der Werkstoff ist für das Medium nicht oder nur unter besoderen Bedingungen verwendbar.

3.2.2 Rohrverbindungen

Klebverbindungen

Klebverbindungen bei PVC-U, die unter Verwendung von THF-Klebstoff (z.B. Tangit der Firma Henkel) hergestellt werden, sind im allgemeinen so widerstandsfähig wie der Werkstoff PVC-U.

Ausnahmen bilden:

Schwefelsäure H_2SO_4 bei Konzentrationen über 70 %

Salzsäure HCl bei Konzentrationen über 25 %

Salpetersäure HNO_3 bei Konzentrationen über 20 %

Flußsäure HF bei jeder Konzentration.

Bei diesen Medien ist die Klebverbindung als bedingt widerstandsfähig einzustufen. Um die Einstufung "widerstandsfähig" zu erreichen, sind die Klebungen mit einem methylenchloridhaltigen Klebstoff (z.b. Dytex der Firma Henkel) auszuführen.

Schweißverbindungen

Schweißverbindungen bei PE, PP und PVDF besitzen praktisch die gleiche chemische Widerstandsfähigkeit wie der jeweilige Werkstoff.

3.2.3 Dichtwerkstoffe

Die Lebensdauer von Dichtwerkstoffen kann in Abhängigkeit von den Betriebs- und Beanspruchungsbedingungen von der des Werkstoffes der Rohrleitung abweichen. Dichtungen aus dem in der Liste nicht aufgeführten Werkstoff PTFE sind gegen alle aufgeführten Chemikalien widerstandsfähig. Zu beachten ist jedoch die erhöhte Permeabilität von PTFE. Unter entsprechenden Einsatzbedingungen, z.B. bei der Beförderung stark aggressiver Medien wie Salzsäure, muß diese Werkstoffeigenschaft beachtet werden. Hierzu wird auch auf ISO/TR 7620 verwiesen [3].

3.3 Übersicht und Anwendungsgrenzen der Liste

Die nachfolgende Liste enthält alle wesentlichen im Zusammenhang mit dem Rohrleitungsbau interessierenden wichtigsten Werkstoffe und deren Kurzbezeichnungen. Die Übersicht dient einer ersten Information über das allgemeine Werkstoffverhalten und die thermischen Anwendungsgrenzen. Aus den Angaben in dieser Liste können keine Gewährleistungen abgeleitet werden. Änderungen aufgrund neuer Erkenntnisse sind nicht zu vermeiden.

Schrifttum

[1] Liste der chemischen Widerstandsfähigkeit von Thermoplast- und Elastomer-Werkstoffen für den Rohrleitungsbau. Georg Fischer Rohrleitungssysteme AG, Schaffhausen/Schweiz 1995
[2] ISO/TR 7471 Polypropylene (PP) pipes and fittings – Chemical resistance with respect to fluids
ISO/TR 7473 Unplasticized polyethylene chloride pipes and fittings – Chemical resistance with respect to fluids to be conveyed
ISO/TR 7474 High density polethylene pipes and fittings – Chemical resistance with respect to fluids to be conveyed
[3] ISO/TR 7620 Chemical resistance of rubber materials

Beständigkeitsliste

Chemischer Angriff					Widerstandsfähigkeit									
Angreifendes Medium	Chemische Formel	Siedepunkt °C	Konzentration	Temperatur °C	PVC-U	PVC-C	ABS	PE	PP	PVDF (SYGEF®)	EPDM	FPM	NBR	CR	CSM
Abgase														
– alkalisch				20	+	+		+	+	+	+	+	+	+	+
				40	+	+		+	+	O	+	+	+	+	+
				60	+	+		+	+	–	+	+	+	+	O
				80		+			+		+	O			–
				100							–				
				120											
– fluorwasserstoffhaltig			gering	20	+	+		+	+	+	+	+	+	+	+
				40	+	+		+	+	+	+	+	O	+	+
				60	+	+		+	+	+	O	+	–	O	+
				80		+			+		+				
				100						+					
				120											
– kohlenoxidhaltig			jede	20	+	+		+	+	+	+	+	+	+	+
				40	+	+		+	+	+	+	+	+	+	+
				60	+	+		+	+	+	+	+	+	+	+
				80		+			+	+	+	+			+
				100						+		+			
				120						+					
– nitrosehaltig			gering	20	+	+		+	+	+	+	+	O	+	+
				40	+	+		+	+	+	+	+	–	+	+
				60	+	+		+	O	+	+	+		O	+
				80		+			+	+	O	+			O
				100						+		O			
				120						+					
– salzsäurehaltig			jede	20	+	+		+	+	+	+	+	O	+	+
				40	+	+		+	+	+	+	+	–	+	+
				60	+	+		+	O	+	+	+		+	+
				80		+			+	+	O	+			+
				100						+		+			
				120						+					
– schwefeldioxidhaltig			gering	20	+	+		+	+	+	+	+	O	+	+
				40	+	+		+	+	+	+	+	–	+	+
				60	+	+		+	+	+	+	+		+	+
				80		+			+	+	+	+			+
				100						+		+			
				120						+					
– schwefelsäurehaltig			jede	20	+	+		+	+	+	+	+	O	+	+
				40	+	+		+	+	+	+	+	–	+	+
				60	+	+		+	+	+	+	+		+	+
				80		+			O	+	O	+			+
				100						+		+			
				120						+					
– schwefeltrioxidhaltig			gering	20	+	+		+	+	+	+	+	O	+	+
				40	+	+		+	+	+	+	+	–	+	+
				60	+	+		+	O	+	+	+		+	+
				80		+			+	+	O	+			+
				100						+		+			
				120						+					
Acetaldehyd	CH$_3$–CHO (C$_2$H$_4$O)	21	techn. rein	20	–	–	–	+	O	–	+	O	–	–	O
				40				O	–		O	–			
				60							–				
				80											
				100											
				120											

Beständigkeitsliste

Chemischer Angriff					Widerstandsfähigkeit									
Angreifendes Medium	Chemische Formel	Siedepunkt °C	Konzentration	Temperatur °C	PVC-U	PVC-C	ABS	PE	PP	PVDF (SYGEF®)	EPDM	FPM	NBR	CR	CSM
Acetaldehyd (Fortsetzung)			40%, wässerige Lösung	20	O	–	–	+	+	–	+	+	–	+	+
				40	–			+	+		+	+		+	+
				60				O	+		+	O		O	+
				80					O		+	–		–	+
				100					–						
				120											
Aceton	$CH_3-CO-CH_3$	56	techn. rein	20	–	–	–	+	+	–	+	–	–	–	O
				40				+	+		+				O
				60				+	+		+				O
				80											
				100											
				120											
			bis 10%, wässerig	20	–	–	O	+	+	O	+	O	–	+	O
				40				+	+	O	+	O		O	O
				60				+	+	O	+	–		–	O
				80											
				100											
				120											
Acetonitril	CH_3CN			20	–					–					
				40											
				60											
				80											
				100											
				120											
Acetophenon	$CH_3-CO-C_6H_5$			20	–	–	–			–					
				40											
				60											
				80											
				100											
				120											
Acrylnitril	$CH_2=CH-CN$	77	techn. rein	20	–	–	–	+	+	–	+	O	–	+	O
				40				+	+	O	+	O		+	O
				60				+			+	O		+	–
				80											
				100											
				120											
Acrylsäureethylester	$CH_2=CH-COO\ CH_2CH_3$	100	techn. rein	20	–	–	–	–	–	O	–	–	O	+
				40											
				60											
				80											
				100											
				120											
Acrylsäuremethylester	$CH_2=CHCOOCH_3$		techn. rein	20	–	–	–		+						
				40											
				60											
				80											
				100											
				120											
Adipinsäure	$HOOC-(CH_2)_4-COOH$	Fp.* 153	gesättigt, wässerig	20	+	+	–	+	+	+	+	+	+	+	+
				40	+	+		+	+		+	+	+	+	+
				60	–	+		+	+		+	+	+	+	+
				80		+			+						
				100											
				120											

* Fp. = Fliesspunkt

Beständigkeitsliste

Chemischer Angriff				Widerstandsfähigkeit										
Angreifendes Medium	Chemische Formel	Siedepunkt °C	Konzentration	Temperatur °C	PVC-U	PVC-C	ABS	PE	PP	PVDF (SYGEF®)	EPDM	FPM	NBR	CR	CSM
Akkusäure	siehe Schwefelsäure bis 40%														
Alaun	siehe Kaliumaluminiumsulfat														
Allylalkohol	$H_2C=CH-CH_2-OH$	97	96%	20	O	O	−	+	+		O	O	+	O	+
				40	−			+	+		O	−	+	−	+
				60				+	+		O		+		+
				80							−		+		−
				100											
				120											
Aluminiumchlorid	$AlCl_3$		10%, wässerig	20	+	+	+	+	+	+	+	+	+	+	+
				40	+	+	+	+	+	+	+	+	+	+	+
				60	+	+	+	+	+	+	+	+	O	+	+
				80				+	+		+		+		+
				100					+		+				
				120					+						
		115	gesättigt	20	+	+	+	+	+	+	+	+	+	+	+
				40	+	+	+	+	+	+	+	+	+	+	+
				60	+	+	+	+	+	+	+	+	+	+	+
				80				+	+		+	+	O	+	+
				100					O	+	+	+	−		+
				120					+						
Aluminiumsulfat	$Al_2(SO_4)_3$		10%, wässerig	20	+	+	+	+	+	+	+	+	+	+	+
				40	+	+	+	+	+	+	+	+	+	+	+
				60	O	+	+	+	+	+	+	+	+	+	+
				80				+	+		+				O
				100					+	+					
				120					+						
			kalt gesättigt, wässerig	20	+	+	+	+	+	+	+	+	+	+	+
				40	+	+	+	+	+	+	+	+	+	+	+
				60	+	+	+	+	+	+	+	+	+	+	O
				80				+	+		+				O
				100					+	+					
				120					+						
Ameisensäure	HCOOH	101	bis 50%, wässerig	20	+	+	O	+	+	+	+	+	−	+	+
				40	+	+		+	+	+	+	+		+	+
				60	O	+		+	O	+	O	O		O	+
				80		+			+	+	−				O
				100					+						
				120					+						
			techn. rein	20	+	+		+	+	+	+	+	−	+	+
				40	O	+		+	O	+	+			O	+
				60	−	+		+	−	+	+			−	+
				80					+	+	O				O
				100					+						
				120					+						
Ammoniak	NH_3	−33	gasförmig, techn. rein	20	+	+	−	+	+	+	+	+	+	+	+
				40	+	+		+	+	+		O			
				60	+	+		+	+	O					
				80						O					
				100						O					
				120											

Beständigkeitsliste

Chemischer Angriff					Widerstandsfähigkeit									
Angreifendes Medium	Chemische Formel	Siedepunkt °C	Konzentration	Temperatur °C	PVC-U	PVC-C	ABS	PE	PP	PVDF (SYGEF®)	EPDM	FPM	NBR	CR	CSM
Ammoniumacetat	CH_3COONH_4		wässerig, jede	20	+	+	–	+	+	+	+	+	+	+	+
				40	+	+		+	+	+	+	+	O	+	+
				60	O	+		+	+	+	+	+		O	
				80					+	+	O				
				100					+	+					
				120											
Ammoniumcarbonat – Hirschhornsalz	$(NH_4)_2CO_3$		50%, wässerig	20	+	+	+	+	+	+	+	+	+	+	+
				40	+	+	+	+	+	+	+	+	+	+	+
				60	O	+	+	+	+	+	+	+	+	+	+
				80		+			+	+	+	+			+
				100					+	+					
				120						+					
Ammoniumchlorid – Salmiaksalz	NH_4Cl		wässerig, 10%	20	+	+	+	+	+	+	+	+	+	+	+
				40	+	+	+	+	+	+	+	+	+	+	+
				60	O	+	+	+	+	+	+	+	+	+	+
				80		+			+	+	+	+		+	+
				100					+	+	+	+			+
				120						+					
		115	wässerig, kalt gesättigt	20	+	+	+	+	+	+	+	+	+	+	+
				40	+	+	+	+	+	+	+	+	+	+	+
				60	O	+	+	+	+	+	+	+	+	+	+
				80		+			+	+	+	+		+	+
				100					+	+	+	+			+
				120						+		+			
Ammoniumhydrogenfluorid	NH_4HF_2		50%, wässerig	20	+	+	–	+	+	+	+	+			
				40	+	+		+	+	+					
				60	O	+		+	+	+					
				80											
				100											
				120											
Ammoniumhydroxid – Salmiakgeist	NH_4OH		wässerig, kalt gesättigt	20	+	+	+	+	+	–	+	–	+	+	+
				40	+	+	+	+	+		+		O	+	+
				60	O	+	O	+	+		+		O	+	O
				80					+		+			O	–
				100							O				
				120											
Ammoniumnitrat	NH_4NO_3		wässerig, 10%	20	+	+	+	+	+	+	+	+	+	+	+
				40	+	+	+	+	+	+	+	+	+	+	+
				60	O	+	+	O	+	+	+	+	O		O
				80		+			O	+	+				
				100						+					
				120						+					
		112	wässerig, gesättigt	20	+	+	+	+	+	+	+	+	+	+	+
				40	+	+	+	+	+	+	+	+	+	+	+
				60		+	+	O	+	+	+	+	O		O
				80		+			O	+	+				
				100						+					
				120						+					
Ammoniumphosphat	$NH_4H_2PO_4$		wässerig, jede	20	+	+	+	+	+	+	+	+	+	+	+
				40	+	+	+	+	+	+	+	+	+	+	+
				60	+	+	O	+	+	+	+	+	O	+	O
				80					+	+	+				
				100					+	+	+				
				120						+					

Beständigkeitsliste

Chemischer Angriff					Widerstandsfähigkeit									
Angreifendes Medium	Chemische Formel	Siedepunkt °C	Konzentration	Temperatur °C	PVC-U	PVC-C	ABS	PE	PP	PVDF (SYGEF®)	EPDM	FPM	NBR	CR	CSM
Ammoniumsulfat	$(NH_4)_2SO_4$		10%, wässerig	20	+	+	+	+	+	+	+	+	+	+	+
				40	+	+	+	+	+	+	+	+	+	+	+
				60	O	+	+	+	+	+	+	+	O	+	O
				80				+	+	+	+	+			
				100					+	+	+				
				120						+					
			wässerig, gesättigt	20	+	+	+	+	+	+	+	+	+	+	+
				40	+	+	+	+	+	+	+	+	+	+	+
				60	+	+	+	+	+	+	+	+	O	+	O
				80		+		+	+	+	+	+			
				100					+	+	+				
				120						+					
Ammoniumsulfid	$(NH_4)_2S$		wässerig, jede	20	+	O	+	+	+	+	+	+	+	+	+
				40	+	O	+	+	+	+	+	O	+	+	+
				60	O	O	+	+	+	+	+	−	+	+	+
				80			−								
Amylacetat	$CH_3(CH_2)_4-OOCCH_3$	141	techn. rein	20	−	−	−	+	O	+	O	−	−	−	−
				40				+	O	O					
				60				+	−	O					
Amylalkohol	$CH_3(CH_2)_3-CH_2-OH$	137	techn. rein	20	+	+		+	+	+	+	O	+	+	O
				40	+	+			+	+	+		+	+	
				60	O	+		+	+	+	+			+	+
				80					+	+					
				100						+					
				120						O					
Anilin	⌬-NH_2	182	techn. rein	20	−	−	−	O	O	+	−	O	−	−	−
				40						O		O			
				60						−		O			
Anilinchlorhydrat	⌬-$NH_3^+ + Cl^-$		wässerig, gesättigt	20	+	+		+	+	+	+	O	O	−	+
				40	O	+		+	+		+	−	−		+
				60				O	O		+				O
				80							+				
				100							+				
				120							+				
Anon	siehe Cyclohexanon														
Antimontrichlorid	$SbCl_3$		90%, wässerig	20	+	+	−	+	+	+	+	+	−	+	+
				40	+	+		+	+	+					
				60				+	+	+					
				80					+	+					
Arsensäure	H_3AsO_4		80%, wässerig	20	+	+	+	+	+	+	+	+	+	+	+
				40	+	+	+	+	+	+	+	+	+	+	+
				60	O	+	+	+	+	+	+	+	O	+	+
				80					+	+	+	+			
				100						+	+				
				120						+	+				

Beständigkeitsliste 733

Chemischer Angriff					Widerstandsfähigkeit									
Angreifendes Medium	Chemische Formel	Siedepunkt °C	Konzentration	Temperatur °C	PVC-U	PVC-C	ABS	PE	PP	PVDF (SYGEF®)	EPDM	FPM	NBR	CR	CSM
Äthylacetat – Essigester	$CH_3COOCH_2-CH_3$	77	techn. rein	20	–	–	+	+	O	O	–	–	–	–
				40			O	O	–	O				
				60			O	O		O				
				80										
				100										
				120										
Äthylalkohol	CH_3-CH_2-OH	78	techn. rein, 96%	20	+	+	–	+	+	+	+	O	+	+	+
				40	+	+		+	+	O	+	O	+	+	+
				60	O			+	+	–	+	O	+	+	+
				80					+		+		O	+	
				100										
				120										
Äthylakohol/ Essigsäure (Gärungsgemisch)			techn. rein	20	+	+	–	+	+	+	+	O	O	+	+
				40	+	+		+		+	+	O	O	+	+
				60	O	+		+		+		O	O	+	+
				80						O		O			
				100										
				120										
Äthyläther	$CH_3CH_2-O-CH_2CH_3$	35	techn. rein	20	–	–	–	O	+	+	–	–	–	O	O
				40						+				
				60										
				80										
				100										
				120										
Äthylbenzol	⌬–CH_2-CH_3	136	techn. rein	20	–	–	–	O	+		–	O	–	–	–
				40										
				60					–					
				80										
				100										
				120										
Äthylchlorid	CH_3-CH_2Cl	12	techn. rein	20	–	–	–	O	O	+	–	O	–	–	–
				40						+				
				60						+				
				80						+				
				100						O				
				120										
Äthylenchlorid – Dichloräthan	$ClCH_2-CH_2Cl$	83	techn. rein	20	–	–	–	O	O	+	O	+	O	O	–
				40						+	O	+	–	–	
				60						+	–	O			
				80						+					
				100						O					
				120						–					
Äthylendiamin	$H_2N-CH_2-CH_2-NH_2$	117	techn. rein	20	O	O	–	+	+	O	+	O	O	+	O
				40				+		O	+	O	O	O	O
				60				+		–	+	–	–	–	–
				80											
				100											
				120											
Äthylenglykol – Glykol	$HO-CH_2-CH_2-OH$	198	techn. rein	20	+	+	+	+	+	+	+	+	+	+	+
				40	+	+	+	+	+	+	+	+	+	+	+
				60	+	+	+	+	+	+	+	+	O	O	+
				80				+	+	+					
				100					+	+					
				120						+					

Beständigkeitsliste

Chemischer Angriff					Widerstandsfähigkeit									
Angreifendes Medium	Chemische Formel	Siedepunkt °C	Konzentration	Temperatur °C	PVC-U	PVC-C	ABS	PE	PP	PVDF (SYGEF®)	EPDM	FPM	NBR	CR	CSM
Äthylenoxid	CH_2-CH_2 mit O-Brücke	10	techn. rein, flüssig	20	−	−	−	−	O	+	O	−	−	−	−
				40						+					
				60						+					
				80						O					
				100											
				120											
Bariumhydroxid	$Ba(OH)_2$	102	wässerig, gesättigt	20	+	+	+	+	+	−	+	+	+	+	+
				40	+	+	+	+	+		+	+	+	+	O
				60	O	+	+	+	+		+	+	+	+	
				80							+	+			
				100											
				120											
Bariumsalze			wässerig, jede	20	+	+	+	+	+	+	+	+	+	+	+
				40	+	+	+	+	+	+	+	+	+	+	+
				60	+	+	+	+	+	+	+	+	+	+	+
				80					+	+	+	+			
				100						+					
				120											
Benzaldehyd	$C_6H_5\text{-CHO}$	180	gesättigt, wässerig	20	−	−	−	+	+	+	+	+	O	−	−
				40					+	O	+	+			
				60					+	−	+	+			
				80											
				100											
				120											
Benzalchlorid	$C_6H_5CHCl_2$		techn. rein	20						+					
				40						+					
				60						+					
				80						O					
				100						−					
				120											
Benzin	C_5H_{12} bis $C_{12}H_{26}$	80−130	blei- und aromatenfrei	20	+	+		−	+	O	+	−	+	+	−	O
				40	+	+		+		+		−	+	+	−
				60	+	+		O	−	+			+	+	
				80						+					
				100						+					
				120						+					
Benzoesäure	$C_6H_5\text{-COOH}$	Fp.* 122	wässerig, jede	20	+	+	+	+	+	+	−	+	−	−	−
				40	+	+	+	+	+	+		+			
				60	O	+		+	+	+		+			
				80					+	+		+			
				100					+	+		O			
				120						+					
Benzoesaures Natrium	siehe Natriumbenzoat														
Benzol	C_6H_6	80	techn. rein	20	−	−	−	O	O	+	−	+	O	−	−
				40				O	−	O					
				60				−	−	−					
				80											
				100											
				120											
Benzolsulfonsäure	$C_6H_5SO_3H$		techn. rein	20						+					
				40						+					
				60						+					
				80						+					
				100						+					
				120						+					

*Fp. = Fliesspunkt

Beständigkeitsliste 735

Chemischer Angriff					Widerstandsfähigkeit									
Angreifendes Medium	Chemische Formel	Siedepunkt °C	Konzentration	Temperatur °C	PVC-U	PVC-C	ABS	PE	PP	PVDF (SYGEF®)	EPDM	FPM	NBR	CR	CSM
Benzylalkohol	⌬–CH$_2$OH	206	techn. rein	20	O	O	–	+	+	+	–	+	–	+	O
				40				+	+	+				+	
				60				O	O	O				+	
				80						–					
				100											
				120											
Bernsteinsäure	HOOC–CH$_2$–CH$_2$–COOH	Fp.* 185	wässerig, jede	20	+	+	+	+	+	+	+	+	+	+	+
				40	+	+		+	+	+	+	+	+	+	+
				60	+	+		+	+	+	+	+	+	+	+
				80					+						
				100											
				120											
Bier			handelsüblich	20	+	+	+	+	+	+		+	+	+	+	+
				40	+	+	+	+	+	+					
				60	+	+	+	+	+	+					
				80			+			+					
				100											
				120											
Bisulfit	siehe Natriumbisulfit														
Bisulfitlauge	siehe Calciumbisulfit														
Blausäure	siehe Cyanwasserstoffsäure														
Bleiacetat – Bleizucker	Pb(CH$_3$COO)$_2$		wässerig, gesättigt	20	+	+	+	+	+	+	+	+	+	+	+
				40	+	+	+	+	+	+	+	+	+	+	+
				60	+	+	+	+	+	+	+	+	+	+	+
				80					+						
				100						+					
				120											
Bleichlauge	siehe Natriumhypochlorit														
Bleitetraäthyl	(C$_2$H$_5$)$_4$Pb		techn. rein	20	+	+	–	+	+	+	O	+	+	O	+
				40						+					
				60						+					
				80						+					
				100						+					
				120						+					
Borax – Natriumtetraborat	Na$_2$B$_4$O$_7$		wässerig, jede	20	+	+	+	+	+	+	+	+	+	+	+
				40	+	+	+	+	+	+	+	+	+	+	+
				60	O	+		+	+	+	+	+	+	+	O
				80		+			+	+	+	+			
				100					+	+					
				120											
Borsäure	H$_3$BO$_3$		jede, wässerig	20	+	+	+	+	+	+	+	+	+	+	+
				40	+	+	+	+	+	+	+	+	+	+	+
				60	O	+	+	+	+	+	+	+	+	+	+
				80		+			+	+					
				100					+	+					
				120						+					
Branntweine – Weinbrand			handelsüblich	20	+			+	+	+	+	+	+	+	+
				40	+			+	+	+	+	+	+	+	+
				60	+			+	+	+	+	+	+	+	+
				80					+		+	O			
				100						+					
				120											

* Fp. = Fliesspunkt

Beständigkeitsliste

Chemischer Angriff					Widerstandsfähigkeit									
Angreifendes Medium	Chemische Formel	Siedepunkt °C	Konzentration	Temperatur °C	PVC-U	PVC-C	ABS	PE	PP	PVDF (SYGEF®)	EPDM	FPM	NBR	CR	CSM
Bromdämpfe	Br_2		hoch	20	−	−	−	−	−	+	−	+	−	−	−
				40						+					
				60						+					
				80						+					
				100						+					
				120						O					
Brom flüssig	Br_2	59	techn. rein	20	−	−	−	−	−	+	−	+	−	−	−
				40						+					
				60						+					
				80						+					
				100						O					
				120											
Bromwasser			gesättigt, wässerig	20	+	+	−	−	−	+	−	+	−	−	−
				40						+					
				60						+					
				80						+					
				100											
				120											
Bromwasserstoffsäure	HBr	124	wässerig, 50%	20	+	+	+	+	+	+	+	+	O	+	+
				40	+	+	+	+	+	+	+	+	−	+	+
				60	+	+		+	+	+	O	+		O	+
				80				O		+	−	O		−	O
				100						+		−			−
				120											
Butadien	$H_2C=CH-CH=CH_2$	−4	techn. rein	20	+	+	−	+	+	+	−	O	−	+	+
				40				+	+					+	O
				60				+	+					O	−
				80					+						
				100					+						
				120											
Butan	C_4H_{10}	0	techn. rein	20	+	+	+	+	+	+	−	+	+	+	+
				40											
				60											
				80											
				100											
				120											
Butandiol	$HO-(CH_2)_4-OH$	230	wässerig, 10%	20	+	+		+	+		+	+	+	O	+
				40	O	+		+	+		+	+	+	−	+
				60				+	+		+	+	+		+
				80											
				100											
				120											
Butanol	C_4H_9OH	117	techn. rein	20	+	+	−	+	+	+	+	+	+	+	+
				40	+	+		+	+	+	+	O	+	+	+
				60	O		+		+	+	+	−	+	O	+
				80	−		O			−		+			
				100						+		O			
				120											
Buttersäure	$CH_3-CH_2-CH_2-C\overset{O}{\underset{OH}{}}$	163	techn. rein	20	+	+	−	+	+	+	O	O	−	O	O
				40				+	+						
				60				O	+						
				80					+						
				100					O						
				120											

Beständigkeitsliste

Chemischer Angriff					Widerstandsfähigkeit										
Angreifendes Medium	Chemische Formel	Siedepunkt °C	Konzentration	Temperatur °C	PVC-U	PVC-C	ABS	PE	PP	PVDF (SYGEF®)	EPDM	FPM	NBR	CR	CSM
Butylacetat	$CH_3COOCH_2CH_2CH_2CH_3$	126	techn. rein	20	–	–	–	+	O	+	+	O	–	O	O
				40						O	–	–		–	–
				60						–					
				80											
				100											
				120											
Butylen flüssig	C_4H_8		techn. rein	20	+		–	–	+		O	+	+	+	O
				40											
				60											
				80											
				100											
				120											
Butylenglykol	$HO-CH_2-CH=CH-CH_2-OH$	235	techn. rein	20	+	+	+	+	+	+	+	+	–	+	O
				40	+	+	+	+	+	+	+	+		+	–
				60	O	+	+	+	+	+	+	O		+	
				80					+	+					
				100											
				120											
Butylphenol, p-tertiär	HO–⟨⟩–C(CH₃)₂–CH₃	237	techn. rein	20	O	O	–	O	+	+	–	O	–	–	–
				40	–	–				+					
				60						+					
				80						+					
				100											
				120											
Calciumbisulfit	$Ca(HSO_3)_2$		kalt gesättigt, wässerig	20	+	+	+		+	+	+	+	–	O	+
				40			+			+		+			
				60						+		+			
				80						+		+			
				100						+		+			
				120						+					
Calciumchlorid	$CaCl_2$	125	gesättigt, wässerig, (jede)	20	+	+	+	+	+	+	+	+	+	+	+
				40	+	+	+	+	+	+	+	+	+	+	+
				60	O	+		+	+	+	+	+	+	+	+
				80		+			+	+	+	+	O	O	+
				100					+	+	O	+			+
				120						+					
Calciumhydroxid	$Ca(OH)_2$	100	gesättigt, wässerig	20	+	+	+	+	+	O	+	+	+	+	+
				40	+	+	+	+	+	–	+	+	+	+	+
				60	+	+	+	+	+		+	+	O	+	+
				80					+		+	+			+
				100								+			+
				120											
Calciumhypochlorit – Chlorkalk	$Ca(OCl)_2$		kalt gesättigt, wässerig	20	+	+	+	+	+	O	+	+	+	–	+
				40	+	+	+	+	+	–	+	O			+
				60			+		+	+	+	–			O
				80											
				100											
				120											
Calciumnitrat	$Ca(NO_3)_2$	115	50%, wässerig	20	+	+	+	+	+	+	+	+	+	+	+
				40	+	+	+	+	+	+	+	+	+	+	+
				60			+		+	+	+	+			+
				80						+		+			
				100						+					
				120											

737

Beständigkeitsliste

Chemischer Angriff					Widerstandsfähigkeit									
Angreifendes Medium	Chemische Formel	Siedepunkt °C	Konzentration	Temperatur °C	PVC-U	PVC-C	ABS	PE	PP	PVDF (SYGEF®)	EPDM	FPM	NBR	CR	CSM
Chlor	Cl_2		feucht, 97%, Gas	20	–	+	–	–	–	–	O	+	–	–	O
				40											
				60											
				80											
				100											
				120											
			trocken, techn. rein	20	O	+	O	O	–	+	O	+	–	–	O
				40				O		+					
				60				–		+					
				80						+					
				100						O					
				120											
			flüssig, techn. rein	20	–	+	O	–	–	+	–	O	–	–	–
				40											
				60											
				80											
				100											
				120											
Chloralhydrat	CCl_3–$CH(OH)_2$	98	techn. rein	20	–		–	+	O	–	O	O	–	O	+
				40				+							
				60				+	–						
				80											
				100											
				120											
Chloräthanol	$ClCH_2$–CH_2OH	129	techn. rein	20	–		–	+	+	+	O	–	+	–	O
				40				+	+	O					
				60				+	+	O					
				80						–					
				100											
				120											
Chlorbenzol	⟨⟩–Cl	132	techn. rein	20	–	–	–	O	+	+	–	–	–	–	O
				40						+					
				60						O					
				80						–					
				100											
				120											
Chloressigsäure, mono-	$ClCH_2COOH$	188	50%, wässerig	20	+	+	–	+	+	+	O	–	–	–	O
				40	+	+		+	+	O					
				60			+	+	+	–					
				80											
				100											
				120											
			techn. rein	20	+	+	–	+	+	–	O	–	–	–	O
				40	+	+		+	+						
				60	O			+	+						
				80											
				100											
				120											
Chlorethanol	CH_2Cl–CH_2–OH		techn. rein	20				–		–					
				40											
				60											
				80											
				100											
				120											

Beständigkeitsliste 739

Chemischer Angriff						Widerstandsfähigkeit									
Angreifendes Medium	Chemische Formel	Siedepunkt °C	Konzentration		Temperatur °C	PVC-U	PVC-C	ABS	PE	PP	PVDF (SYGEF®)	EPDM	FPM	NBR	CR	CSM
Chlorkalk	siehe Calciumhypochlorit															
Chlormethan	siehe Methylchlorid															
Chloroform – Trichlormethan	$CHCl_3$	62	techn. rein		20	–	–	–	–	O	+	–	O	–	–	–
					40						+					
					60						+					
					80						+					
					100											
					120											
Chlorsäure	$HClO_3$		10%, wässerig		20	+	+		+	–	+	+	–	–	–	+
					40	+	+		+		+	+				+
					60	O	+					+				+
					80											
					100											
					120											
			20%, wässerig		20	+	+		O	–	+	+	–	–	–	+
					40	+	+					+				+
					60	O	+									
					80											
					100											
					120											
Chlorsulfonsäure	$ClSO_3H$	158	techn. rein		20	O	O	–	–	–	O	–	–	–	–	–
					40						–					
					60											
					80											
					100											
					120											
Chlorwasser			gesättigt		20	O	+	O	O	O	O	O	O	–	O	–
					40	O			O							
					60											
					80											
					100											
					120											
Chlorwasserstoff	HCl	–85	techn. rein, gasförmig		20	+	+	–	+	+	+	+	+	O	O	O
					40	+	+		+	+	+	+	+	–	–	O
					60	O	+		+	+	+	+	+			–
					80					+	+					
					100						+					
					120						+					
Chromalaun	$KCr(SO_4)_2$		kalt gesättigt, wässerig		20	+	+	+	+	+	+	+	+	+	+	+
					40	+	+	+	+	+	+	+	+	+	+	+
					60	+		+		+	+	+	+	+	+	+
					80						+	+				
					100						+					
					120											
Chromsäure	CrO_3+H_2O		bis 50%, wässerig		20	O	+	–	O	O	+	O	+	–	–	O
					40	O	+		–	–	+	O	+			O
					60	–	+				+	O	+			O
					80						+					
					100						O					
					120						O					

Angreifendes Medium	Chemische Formel	Siedepunkt °C	Konzentration	Temperatur °C	PVC-U	PVC-C	ABS	PE	PP	PVDF (SYGEF)	EPDM	FPM	NBR	CR	CSM
Chromsäure (Fortsetzung)			jede, wässerig	20	O	+	-	O	O	+	O	+	-	-	O
				40		+			+	+		+			O
				60		+			+	O		O			O
				80						O					
				100						O					
				120											
Chromsäure – Schwefelsäure – Wasser	CrO_3 H_2SO_4 H_2O		50 g 15 g 35 g	20	+	+	-	-	-	+	O	+	-	-	O
				40	+	+				+	O	+			O
				60	O	+				+		+			
				80						O					
				100											
				120											
Clophen – Chlordiphenyl	⟨ ⟩–⟨ ⟩–Cl	2	techn. rein	20	-	-					-	+	-	-	-
				40											
				60											
				80											
				100											
				120											
Crotonaldehyd	$CH_3-CH=CH-CHO$	102	techn. rein	20	-		+	+	+	+	+	+	+	+	+
				40					O						
				60					-						
				80											
				100											
				120											
Cyankali	siehe Kaliumcyanid														
Cyanwasserstoffsäure – Blausäure	HCN	26	techn. rein	20	+	+	-	+	+	+	+	+	O	O	+
				40	+	+		+	+	+	O	O	-	-	O
				60	O	+		+	+	+					
				80						+					
				100											
				120											
Cyclohexan	⟨H⟩	81	techn. rein	20	-	-	-	+	+	+	-	+	+	-	-
				40				+	+						
				60				+	+						
				80											
				100											
				120											
Cyclohexanol	⟨H⟩–OH	161	techn. rein	20	+	+	-	+	+	+	-	+	O	+	+
				40	+	+		+	+	+			O		
				60	+	+			+	O			O		
				80					+						
				100											
				120						-					
Cyclohexanon	⟨H⟩=O	155	techn. rein	20	-	-		+	+	+	O	-	-	-	-
				40				O	O	O					
				60				O	O	-					
				80											
				100											
				120											
Densodrin W				20	+					+		+	+	+	
				40	+										
				60	+										
				80											
				100											
				120											

Beständigkeitsliste 741

Chemischer Angriff					Widerstandsfähigkeit									
Angreifendes Medium	Chemische Formel	Siedepunkt °C	Konzentration	Temperatur °C	PVC-U	PVC-C	ABS	PE	PP	PVDF (SYGEF®)	EPDM	FPM	NBR	CR	CSM
Dextrin			handelsüblich	20	+	+	+	+	+	+	+	+	+	+	+
				40	+	+	+	+	+	+	+	+	+	+	+
				60	+	+	+	+		+	+	+	+	+	+
				80				+		+					
				100						+					
				120						+					
Diethylamin	C$_2$H$_5$\NH / C$_2$H$_5$	56	techn. rein	20	O	O	−		+	+	O	−	−	−	−
				40						O					
				60						−					
				80											
				100											
				120											
p-Dibrombenzol	C$_6$H$_5$Br$_2$		techn. rein	20						+					
				40						+					
				60						+					
				80						+					
				100						+					
				120											
Dibutyläther	C$_4$H9OC$_4$H$_9$	142	techn. rein	20	−		−	O	O		−	+	+	−	O
				40								+	O		O
				60				−	−			O	−		O
				80											
				100											
				120											
Dibutylphthalat	⌬COOC$_4$H$_9$ COOC$_4$H$_9$	340	techn. rein	20	−		−	+	+	+	O	O	−	−	−
				40				O	O	+					
				60				O	O	O					
				80											
				100											
				120											
Dibutylsebazat	C$_8$H$_{16}$(COOC$_4$H$_9$)$_2$	344	techn. rein	20	−		−	+	+	+	+	+	−	−	−
				40											
				60											
				80											
				100											
				120											
Dichlorethan	siehe Äthylenchlorid														
Dichlorethylen	ClCH=CH.Cl	60	techn. rein	20	−	−	−	−	O	+	−	O	−	−	−
				40						+					
				60											
				80											
				100											
				120											
Dichlorbenzol	⌬Cl Cl	180	techn. rein	20			−	O	O	+	−	+	−	−	−
				40						+					
				60						+					
				80						O					
				100											
				120											
Dichloressigsäure	Cl$_2$CHCOOH	194	techn. rein	20	+		−	+	+	+	+	O	−	O	+
				40	+			+	+	+	+	−		−	O
				60	O			O	O	O	+				−
				80						−					
				100											
				120											

Beständigkeitsliste

Chemischer Angriff					Widerstandsfähigkeit									
Angreifendes Medium	Chemische Formel	Siedepunkt °C	Konzentration	Temperatur °C	PVC-U	PVC-C	ABS	PE	PP	PVDF (SYGEF®)	EPDM	FPM	NBR	CR	CSM
Dichloressigsäure (Fortsetzung)			50%, wässerig	20	+		−	+	+	+	+	O	−	+	+
				40	+			+	+	+	+	O		O	+
				60	O			+	+	+	+	−		−	O
				80						O					
				100						−					
				120											
Dichloressigsäure-methylester	Cl$_2$CHCOOCH$_3$	143	techn. rein	20	−		−	+	+	O	+	−	−	−	+
				40				+	+		+				+
				60				+	+		O				O
				80											
				100											
				120											
Dieselkraftstoff				20	+	+	O	+	O	+	−	+	+	O	O
				40	+	+				+		+	+		−
				60				O		+					
				80						+					
				100						+					
				120						+					
Diglykolsäure	HOOC−CH$_2$−O−CH$_2$−COOH	Fp.* 148	30%, wässerig	20	+	+	+	+	+	+					
				40	+			+	+	+					
				60	O	+		+	+						
				80											
				100											
				120											
Diisobutylketon	CH$_3$\\CH−C−CH/CH$_3$ CH$_3$/ O \\CH$_3$	124	techn. rein	20	−	−	−	+	+	+	O	−	−	−	−
				40						+					
				60				−	−	O					
				80											
				100											
				120											
N,N-Dimethylanilin	C$_6$H$_5$N(CH$_3$)$_2$		techn. rein	20						+					
				40						+					
				60											
				80											
				100											
				120											
Dimethylformamid − Methylpyrrolidon	HCON\\CH$_3$/CH$_3$	153	techn. rein	20	−	−	−	+	+	−	O	+	O	+	+
				40				+	+						
				60				O	+						
				80											
				100											
				120											
Dimethylamin	CH$_3$\\NH/CH$_3$	7	techn. rein	20	O	O	−	+	+	O	O	−	−	−	−
				40						−					
				60				O							
				80											
				100											
				120											
Dinonylphthalat	⌬COOC$_9$H$_{19}$ COOC$_9$H$_{19}$		techn. rein	20	−	−	−	O	+		O	+	−	−	
				40											
				60											
				80											
				100											
				120											

* Fp. = Fliesspunkt

Beständigkeitsliste

Chemischer Angriff					Widerstandsfähigkeit									
Angreifendes Medium	Chemische Formel	Siedepunkt °C	Konzentration	Temperatur °C	PVC-U	PVC-C	ABS	PE	PP	PVDF (SYGEF®)	EPDM	FPM	NBR	CR	CSM
Dioctylphthalat	COOC$_8$H$_{17}$–C$_6$H$_4$–COOC$_8$H$_{17}$		techn. rein	20	–	–	–	O	+		O	+	–	–	–
				40											
				60					–						
				80											
				100											
				120											
Dioxan	(Ring)	101	techn. rein	20	–		–	+	O	–	+	–	O	–	–
				40				+	O						
				60				+	O						
				80				+	O						
				100					–						
				120											
Düngesalze			wässerig	20	+	+		+	+	+	+	+	+	+	+
				40	+	+		+	+	+	+	+	+	+	+
				60	O	+		+	+	+	+	+	+	+	+
				80						+		+			+
				100								+			
				120											
Eisensalze			jede, wässerig	20	+	+	+	+	+	+	+	+	+	+	+
				40	+	+	+	+	+	+	+	+	+	+	+
				60	O	+		+	+	+	+	+	+	+	+
				80					+	+	+	+			+
				100						+		+			
				120						+					
Essig	siehe Weinessig														
Essigester	siehe Äthylacetat														
Essigsäure	CH$_3$COOH	118	techn. rein, Eisessig	20	O	O	–	+	+	+	O	–	–	O	O
				40	–			+	+	O					
				60				O	O	–					
				80					–						
				100											
				120											
			50%, wässerig	20	+	+	–	+	+	+	+	O	–	O	O
				40	+	+		+	+	+					
				60		+			+	+					
				80						O					
				100						O					
				120											
			10%, wässerig	20	+	+	+	+	+	+	+	O	+	+	O
				40	+	+	+	+	+	+	+	–	O	+	–
				60	O	+	O	+	+	+	O			O	
				80				+	+	+					
				100					+	+					
				120					+	+					
Essigsäureanhydrid	CH$_3$–CO–O–CO–CH$_3$	139	techn. rein	20	–	–	–	+	+	–	O	–	–	–	+
				40				O	O						
				60											
				80											
				100											
				120											

Beständigkeitsliste

Chemischer Angriff					Widerstandsfähigkeit									
Angreifendes Medium	Chemische Formel	Siedepunkt °C	Konzentration	Temperatur °C	PVC-U	PVC-C	ABS	PE	PP	PVDF (SYGEF®)	EPDM	FPM	NBR	CR	CSM
Färberei-Netzmittel	siehe Netzmittel														
Fettalkoholsulfonate			wässerig	20	+	+		+	+	+	+	+	+	+	+
				40	+	+		+	+	+	+	+	+	+	+
				60	O	+		+	O	+	+	+	+	+	+
				80						+					
				100						+					
				120											
Fettsäuren, >C₆	R–COOH		techn. rein	20	+	+	–	+	+	+		–	+	O	O	–
				40	+	+			+	+	+					
				60	+	+		O	+	+						
				80						+						
				100												
				120												
Fluor	F₂		techn. rein	20	–	–	–	–	–	–		–	O	–	–	O
				40												
				60												
				80												
				100												
				120												
Flussäure	HF		bis 40%, wässerig	20	+	+	O	+	+	+		–	+	–	–	+
Achtung: bei PVC-U-Klebverbindungen Abschnitt 3.2.2 beachten				40	O	+		+	+	+			+			+
				60	O			O	+	+			O			O
				80						+						
				100						+						
				120												
			50%, wässerig	20	+	+	–	+	+	+		–	+	–	–	+
				40		+			+	+						
				60				O	+	+						
				80						+						
				100						+						
				120												
			70%, wässerig	20	+	+	–	+	+	+		–	+	–	–	+
				40		+				+						
				60				O		+						
				80						+						
				100						+						
				120												
Formaldehyd	HCHO		40%, wässerig	20	+	+	+	+	+	+		+	+	+	+	+
				40	+	+	+	+	+	+		+	+	+	+	+
				60			+	+	+	+		+	+	O	O	O
				80						+						
				100												
				120												
Formamid	HCONH₂	210	techn. rein	20	–		–	+	+			+	O	+	+	
				40				+	+							
				60				+	+							
				80												
				100												
				120												
Fotoemulsionen				20	+	+	+	+	+	+		+	+	O	+	+
				40	+	+	+	+	+	+		+	+		+	+
				60				O		+						
				80												
				100												
				120												

Beständigkeitsliste

Chemischer Angriff					Widerstandsfähigkeit										
Angreifendes Medium	Chemische Formel	Siedepunkt °C	Konzentration	Temperatur °C	PVC-U	PVC-C	ABS	PE	PP	PVDF (SYGEF®)	EPDM	FPM	NBR	CR	CSM
Fotoentwickler			handelsüblich	20	+	+	+	+	+	+	+	+	O	+	+
				40	+	+	+	+	+	+	+	+	O	+	+
				60	O	+	O	O		+					
				80											
				100											
				120											
Fotofixierbäder			handelsüblich	20	+	+	+	+	+	+	+	+	+	+	+
				40	+	+	+	+	+	+	+	+	+	+	+
				60	O	+	O			+					
				80											
				100											
				120											
Freon 113	siehe 1,1,2-Trifluor, 1,2,2-Trichlorethan														
Frigen 12	CF_2Cl_2		techn. rein	20	+	+	+	−	−	O	O	O	O	+	O
				40											
				60											
				80											
				100											
				120											
Fruchtsäfte				20	+	+	+	+	+	+	+	+	+	+	+
				40	+	+	+	+	+	+	+	+	+	+	+
				60	+	+	+	+	+	+	+	+	+	+	+
				80				+		+	+	+	+	+	+
				100						+	+	+	+		+
				120						+		+			
Furfurylalkohol	CH_2OH	171	techn. rein	20	−	−	+	+	+	+	O	−	−	O	O
				40			+	+	+	+					
				60				+	O	O					
				80						−					
				100											
				120											
Gelatine			jede, wässerig	20	+	+	+	+	+	+	+	+	+	+	+
				40	+	+	+	+	+	+	+	+	+	+	+
				60			+	+	+	+			+		
				80						+					
				100											
				120											
Gerbextrakte, pflanzliche			handelsübliche	20	+	+	+	+	+	+	+	+	+	+	+
				40			+	+							
				60											
				80											
				100											
				120											
Gerbsäure – Tannin			jede, wässerig	20	+	+	+	+	+		+	+	+	+	+
				40		+	+	+	+						
				60		+	+	+	+						
				80											
				100											
				120											

Beständigkeitsliste

Chemischer Angriff				Widerstandsfähigkeit										
Angreifendes Medium	Chemische Formel	Siedepunkt °C	Konzentration	Temperatur °C	PVC-U	PVC-C	ABS	PE	PP	PVDF (SYGEF®)	EPDM	FPM	NBR	CR	CSM
Glucose – Traubenzucker	$C_6H_{12}O_6$	Fp.* 148	jede, wässerig	20	+	+	+	+	+	+	+	+	+	+	+
				40	+	+	+	+	+	+	+	+	+	+	+
				60	O	+	+	+	+	+	+	+	+	+	+
				80					+	+	+	+	+	+	+
				100					+	+		+			
				120						+					
Glycerin	HO–CH$_2$–CH–CH$_2$OH | OH	290	techn. rein	20	+	+	+	+	+	+	+	+	+	+	+
				40	+	+	+	+	+	+	+	+	+	+	+
				60	+	+		+	+	+	+	O	+	+	+
				80		+			+	+	O	–	O	+	+
				100					+	+	O			O	O
				120						+					
			jede, wässerig	20	+	+	+	+	+	+	+	+	+	+	+
				40	+	+	+	+	+	+	+	+	+	+	+
				60		+		+	+	+	+	O	+	+	+
				80					+	+	O	–	O	+	+
				100					+	+	O			O	O
				120						+					
Glykokoll	NH$_2$–CH$_2$–COOH	Fp.* 233	10%, wässerig	20	+	+	+	+	+	+	+	+	+	+	+
				40	+	+	+	+	+	+	+	+	O	+	O
				60		+			+	+					
				80					+	+					
				100											
				120											
Glykol	siehe Äthylenglykol														
Glykolsäure	HO–CH$_2$–COOH	Fp.* 80	37%, wässerig	20	+	+	+	+	+	+	+	+	+	+	+
				40		+	+	+		+					
				60				+		+					
				80					+	+					
				100						+					
				120						+					
Harn	siehe Urin														
Harnstoff	H$_2$N–CO–NH$_2$	Fp.* 133	bis 30%, wässerig	20	+	+	+	+	+	+	+	+	+	+	+
				40	+	+	+	+	+	+	+	+	+	+	+
				60	O	+		+	+	+	+	+	+	+	+
				80					+	+					
				100						O					
				120											
Hefe			jede, wässerig	20	+	+		+	+	+	+	+	+	+	+
				40	+	+		+	+	+	+	+	+	+	+
				60				+	+	+					+
				80						+					
				100											
				120											
Heizöle				20	+			O	O	+	–	+	+	+	–
				40	O			–	–	+		+	+	+	
				60						+		+	+	O	
				80						+					
				100						+					
				120						+					

* Fp. = Fliesspunkt

Beständigkeitsliste

Chemischer Angriff					Widerstandsfähigkeit										
Angreifendes Medium	Chemische Formel	Siedepunkt °C	Konzentration	Temperatur °C	PVC-U	PVC-C	ABS	PE	PP	PVDF (SYGEF®)	EPDM	FPM	NBR	CR	CSM
n-Heptan	C_7H_{16}	98	techn. rein	20	+	+	+	+	+	+	–	+	+	+	+
				40		O			+	+		+	+	+	O
				60				O	O	+		+	+	+	–
				80						+					
				100						+					
				120											
n-Hexan	C_6H_{14}	69	techn. rein	20	+	+	+	+	+	+	–	+	+	+	+
				40		+			+	+		+.	+	+	O
				60				O	O	+		+	+	+	–
				80						+					
				100						+					
				120											
Hydrazinhydrat	$H_2N-NH_2 \cdot H_2O$	113	wässerig	20	+	+		+	+	–		+	+	–	–	+
				40				+	+						
				60				+	+						
				80											
				100											
				120											
Hydrosulfit	siehe Natriumdithionit														
Hydroxylaminsulfat	$(H_2N \cdot OH)_2H_2SO_4$		jede, wässerig	20	+	+	–	+	+		+	+	+	O	+
				40	+	+		+	+		+	+	O		+
				60				+	+		.				
				80											
				100											
				120											
Isobutylacetat	$(CH_2)_2CH-(CH_2)_2-CO_2H$		techn. rein	20						–					
				40											
				60											
				80											
				100											
				120											
Isooctan	$(CH_3)_3-C-CH_2-CH-(CH_3)_2$	99	techn. rein	20	+		–	+	+	+	–	+	+	+	O
				40						+					
				60				O	O	+					
				80						+					
				100						+					
				120											
Isophoron	$C_9H_{14}O$		techn. rein	20						–					
				40											
				60											
				80											
				100											
				120											
Isopropanol	$(CH_3)_2 \cdot CH \cdot OH$	82	techn. rein	20	+	+	–	+	+	+	+	+	+	+	+
				40		+		+	+	+	+	+	O	+	+
				60		+		+	+	+	+	+	O		+
				80					+	+					
				100						+					
				120											
Isopropyläther	$(CH_3)_2 \cdot CH-O-CH-(CH_3)_2$	68	techn. rein	20	–		–	O	O	+	–	–	–	–	–
				40						+					
				60				–	–	+					
				80											
				100											
				120											

Beständigkeitsliste

Chemischer Angriff				Widerstandsfähigkeit										
Angreifendes Medium	Chemische Formel	Siedepunkt °C	Konzentration	Temperatur °C	PVC-U	PVC-C	ABS	PE	PP	PVDF (SYGEF®)	EPDM	FPM	NBR	CR	CSM
Jodtinktur			6.5% Jod in Äthanol	20	–	–	+	+	+		+	+	+	–	+
				40					+						
				60				–	+						
				80											
				100											
				120											
Kaliumhydroxid – Kalilauge	KOH	131	50%, wässerig	20	+	+	+	+	+	–	+	–	O	–	+
				40	+	+	+	+	+		+		–		O
				60	O	+	+	+	+		+				O
				80				+	+		O				–
				100					+						
				120											
Kalium-Aluminiumsulfat – Alaun	$K_2SO_4-Al_2(SO_4)_3 \cdot 12H_2O$	106	50%, wässerig	20	+	+	+	+	+	+	+	+	+	+	+
				40	+	+	+	+	+	+	+	+	O	+	+
				60	O	+		+	+	+	+	+	–	+	+
				80				+	+		+	+		+	+
				100					+	+	+	+			+
				120						+					
Kaliumbichromat	$K_2Cr_2O_7$	107	gesättigt, wässerig	20	+	+	+	+	+	+	+	+	+	O	+
				40	+	+	+	+	+	+	+	+	O	–	+
				60	O	+	+	+	+	+	+	+			+
				80				+	+						
				100				+	+						
				120					+						
Kaliumborat	K_3BO_3		10%, wässerig	20	+	+	+	+	+	+	+	+	+	+	+
				40	+	+	+	+	+	+	+	+	+	+	+
				60	O	+	+	+	+	+	+	+	+	+	+
				80											
				100											
				120											
Kaliumbromat	$KBrO_3$		kalt gesättigt, wässerig	20	+	+	+	+	+	+	+	+	+	+	+
				40	+	+	+	+	+	+	+	+	+	+	+
				60	O	+	+	O	+	+	+	+	+	+	+
				80					+	+	+	+	–	O	+
				100					+	+	+	+		O	
				120						+					
Kaliumbromid	KBr		jede, wässerig	20	+	+	+	+	+	+	+	+	+	+	+
				40	+	+	+	+	+	+	+	+	+	+	+
				60	O	+	+	+	+	+	+	+	+	+	+
				80					+	+	+	+	O	+	+
				100					+	+	+	+	O	O	+
				120						+					
Kaliumcarbonat	siehe Pottasche														
Kaliumchlorat	$KClO_3$		kalt gesättigt, wässerig	20	+	+	+	+	+	O	+	+	+	+	+
				40	+	+	+	+	+	–	+	+	O	O	+
				60	+	+	+	+	+		+	+			+
				80							+	+			
				100							+				O
				120											
Kaliumchlorid	KCl		jede, wässerig	20	+	+	+	+	+	+	+	+	+	+	+
				40	+	+	+	+	+	+	+	+	+	+	+
				60	+	+	+	+	+	+	+	+	+	+	+
				80					+	+	+	+			+
				100						+	+	+			
				120						+					+

Beständigkeitsliste

Chemischer Angriff					Widerstandsfähigkeit									
Angreifendes Medium	Chemische Formel	Siedepunkt °C	Konzentration	Temperatur °C	PVC-U	PVC-C	ABS	PE	PP	PVDF (SYGEF®)	EPDM	FPM	NBR	CR	CSM
Kaliumchromat	K_2CrO_4		kalt gesättigt, wässerig	20	+	+	+	+	+	+	+	+	+	+	+
				40	+	+	+		+	+	+	+	O	+	+
				60	+	+	+		+	+	+	+	−	O	O
				80					+			+			
				100						+					
				120											
Kaliumcyanid – Cyankali	KCN		kalt gesättigt, wässerig	20	+	+	+	+	+	+	+	+	+	+	+
				40	+	+	+	+	+	+	+	O	+	+	+
				60	+	+	+	+	+	O	+	−	+	O	+
				80					+			+		+	−	+
				100											
				120											
Kaliumjodid	KJ		kalt gesättigt, wässerig	20	+	+	+	+	+	+	+	+	+	+	+
				40	+	+	+	+	+	+	+	+	O	O	+
				60	+	+	+	+	+	+	+	+	−	−	+
				80					+			+			
				100						+					
				120											
Kaliumnitrat	KNO_3		50%, wässerig	20	+	+	+	+	+	+	+	+	+	+	+
				40	+	+	+	+	+	+	+	+	+	+	+
				60	+	+	+	+	+	+	+	+	+	+	+
				80					+			+			
				100						+					
				120											
Kaliumperchlorat	$KClO_4$		kalt gesättigt, wässerig	20	+	+	+	+	+	+	+	+	+	+	+
				40	+	+	+	+	+	+	+	+	O	O	+
				60	O	+	+	+	+	+	+	+			+
				80					+			+			O
				100											
				120											
Kaliumpermanganat	$KMnO_4$		kalt gesättigt, wässerig	20	+	+	+	+	+	+	+	+	O	O	+
				40	+	+	+	+	+	+	+	+	−	−	+
				60	O	+	+	O	+	+	+	+			+
				80					+			+			
				100						+					
				120											
Kaliumpersulfat	$K_2S_2O_8$		jede, wässerig	20	+	+	+	+	+		+	+	−	+	+
				40	+	+	+	+	+		+	+		+	+
				60	O	+	+	+	+		+	+		+	+
				80					+			+		O	O
				100						+					
				120											
Kaliumphosphate	KH_2PO_4 und K_2HPO_4		jede, wässerig	20	+	+	O	+	+	+	+	+	+	+	+
				40	+	+		+	+		+	+	+	O	+
				60	O	+		+	+		+	+	−	−	+
				80					+			+			
				100						+					
				120											
Kaliumsulfat	K_2SO_4		jede, wässerig	20	+	+	+	+	+	+	+	+	+	+	+
				40	+	+	+	+	+	+	+	+	+	+	+
				60	O	+	+	+	+	+	+	+	+	+	+
				80					+			+			
				100						+					
				120											

750 Beständigkeitsliste

Chemischer Angriff				Widerstandsfähigkeit										
Angreifendes Medium	Chemische Formel	Siedepunkt °C	Konzentration	Temperatur °C	PVC-U	PVC-C	ABS	PE	PP	PVDF (SYGEF®)	EPDM	FPM	NBR	CR	CSM
Kieselfluorwasserstoffsäure	H_2SiF_6		32%, wässerig	20	+	+	+	+	+	+	O	–	O	O	+
				40	+	+	+	+		+	O		–	–	O
				60	+	+	+	+		+	–				–
				80				+		+					
				100						+					
				120											
Kochsalz	siehe Natriumchlorid														
Kohlendioxid – Kohlensäure	CO_2		techn. rein, trocken	20	+	+	+	+	+	+	+	+	+	+	+
				40	+	+	+	+	+	+	+	+	+	+	+
				60	+	+	+	+	+	+	+	+	+	+	+
				80					+	+	+	+			+
				100						+					
				120											
			techn. rein, feucht	20	+	+	+	+	+	+	+	+	+	+	+
				40	+	+	+	+	+	+	+	+	+	+	+
				60	O	+	+	+	+	+	+	+	+	+	+
				80					+	+	+	+			+
				100						+					
				120											
Kokosfettalkohol			techn. rein	20	+	+		+	+	+	–	+	+	+	+
				40	+	+		O	+	+		+	+	O	O
				60	O	+			O	+		+	+		
				80											
				100											
				120											
Kokosnussöl			techn. rein	20	+	+		+	+	+	–	+	+	O	O
				40	+	+		+	+	+		+	+		–
				60	O	+		O	+	+		+	+		–
				80						+					
				100						+					
				120						+					
Königswasser	HNO_3+HCl		konz. 1:3 bis 1:6	20	+	+	–	–	–	O	–	O	–	–	O
				40	O	+									
				60											
				80											
				100											
				120											
Kresole	HO–⟨⟩–CH$_3$ ($HO-C_6H_4-CH_3$)		kalt gesättigt, wässerig	20	O	O	–	+	+	+	–	+	O	–	O
				40				+	+	+		+	O		
				60					+	+					
				80						O					
				100											
				120											
Kupfersalze			jede, wässerig	20	+	+	+	+	+	+	+	+	+	+	+
				40	+	+	+	+	O	+	+	+	+	+	+
				60	O	+	+	+	–	+	+	+	O	+	O
				80						+	+	+			
				100						+					
				120						+					
Lanolin – Wollfett			techn. rein	20	+	+	+	+	+	+	O	+	+	+	O
				40		O	+	+	+	+	–	+	+	O	–
				60				+	+	+		+	+		–
				80						+					
				100						+					
				120						+					

Beständigkeitsliste

Chemischer Angriff					Widerstandsfähigkeit									
Angreifendes Medium	Chemische Formel	Siedepunkt °C	Konzentration	Temperatur °C	PVC-U	PVC-C	ABS	PE	PP	PVDF (SYGEF®)	EPDM	FPM	NBR	CR	CSM
Leinöl			techn. rein	20	+	+	+	+	+	+	O	+	+	O	+
				40	+	+	–	+	+	+	–	+	+	–	O
				60	O			+	+	+		+	+		–
				80					+	+					
				100					+	+					
				120						+					
Leuchtgas, benzolfrei				20	+	+	+	+	+	+	–	+	+	O	+
				40											
				60											
				80											
				100											
				120											
Liköre				20	+			+	+	+	+	+	+	+	+
				40	+				+	+	+				
				60					+	+					
				80						+					
				100											
				120											
Magnesiumsalze	MgCl$_2$		jede, wässerig	20	+	+	+	+	+	+	+	+	+	+	+
				40	+	+	+	+	+	+	+	+	+	+	+
				60	O	+		+	+	+	+	+	+	+	+
				80					+	+		+	+		
				100					+	+		+			
				120						+					
Maiskeimöl			techn. rein	20	O	+	O	+	+	+	O	+	+	O	+
				40		O		+	+	+	–	+	+	–	+
				60				O	O	+		+	+		O
				80						+					
				100											
				120											
Maleinsäure	CH–COOH ‖ CH–COOH	Fp.* 131	kalt gesättigt, wässerig	20	+	+		+	+	+	O	+	–	–	–
				40	+	+		+	+	+	–	+			
				60	O	+		+	+	+		+			
				80					+	+		–			
				100						+					
				120						+					
Marmelade				20	+	+	+	+	+	+	+	+	+	+	+
				40	O	+	+	+	+	+	+	+	+	+	+
				60	O	+		+	+	+	+	+			
				80					+	+					
				100					+	+					
				120						+					
Meerwasser	siehe Seewasser														
Melasse				20	+	+	+	+	+	+	+	+	+	+	+
				40	+	+	+	+	+	+	+	+	+	+	+
				60	O	+	+	+	+	+	+	+	+	O	+
				80					+	+					
				100											
				120											
Melassewürze				20	+	+	+	+	+	+	+	+	+	+	+
				40	+	+	+	+	+	+	+	+	+	+	+
				60	O	+	+	+	+	+	+	+	+	+	+
				80					+	+					
				100						+					
				120											

* Fp. = Fliesspunkt

Beständigkeitsliste

Chemischer Angriff				Widerstandsfähigkeit										
Angreifendes Medium	Chemische Formel	Siedepunkt °C	Konzentration	Temperatur °C	PVC-U	PVC-C	ABS	PE	PP	PVDF (SYGEF®)	EPDM	FPM	NBR	CR	CSM
Methan – Erdgas	CH_4	-161	techn. rein	20 40 60 80 100 120	+	+	+	+	+	+ + +	–	+	+	–	–
Methanol – Methylalkohol	CH_3OH	65	jede	20 40 60 80 100 120	+ + O	+ + +	– +	+ + +	+ + +	+ O –	+ + +	O O O	+ + +	+ + O	+ + +
Methylacetat	CH_3COOCH_3	56	techn. rein	20 40 60 80 100 120	–	–	–	+	+ + O	+ O	O	–	–	–	–
Methylamin	CH_3NH_2	-6	32%, wässerig	20 40 60 80 100 120	O	O	–	+	+	O	+	+	–	+	+
Methylbromid	CH_3Br	4	techn. rein	20 40 60 80 100 120	–	–	–	O	–	+ + +	–	O	–	–	O
Methylchlorid	CH_3Cl	-24	techn. rein	20 40 60 80 100 120	–	–	–	O	–	+ + +	O	–	–	–	–
Methylenchlorid	CH_2Cl_2	40	techn. rein	20 40 60 80 100 120	–	–	–	O	O	+ O O	–	O	–	–	–
Methylethylketon	$CH_3COC_2H_5$	80	techn. rein	20 40 60 80 100 120	–	–	–	+ O	+ O –	– O	+ O	–	–	–	–
Milch				20 40 60 80 100 120	+ + +	+ + +	+ + +	+ + + +	+ + + + +	+ + + + + +	+	+	+	+	+

Beständigkeitsliste 753

Chemischer Angriff					Widerstandsfähigkeit									
Angreifendes Medium	Chemische Formel	Siedepunkt °C	Konzentration	Temperatur °C	PVC-U	PVC-C	ABS	PE	PP	PVDF (SYGEF®)	EPDM	FPM	NBR	CR	CSM
Milchsäure	$CH_3CHOHCOOH$		10%, wässerig	20	+	+	+	+	+	+	O	+	–	–	O
				40	O	+	O	+	+	+	O	O			O
				60	–	+	–	+	+	O	O	O			O
				80					+	O	–	O			
				100					+	O					
				120						–					
Mineralöle, aromatenfrei				20	+	+	+	+	+	+	–	+	+	O	O
				40	+	+		+	+	+		+	+	–	–
				60	+	+		O	O	+		+	+		
				80						+					
				100						+					
				120						+					
Mineralwasser				20	+	+	+	+	+	+	+	+	+	+	+
				40	+	+	+	+	+	+	+	+	+	+	+
				60	+	+	+	+	+	+	+	+	+	+	+
				80		+			+	+	+	+			+
				100					+	+	+	+			+
				120						+		+			+
Mischsäure – Schwefelsäure – Salpetersäure – Wasser	H_2SO_4 HNO_3 H_2O		48% 49% 3%	20	+	+	–	–	–	+	O	–	–	–	–
				40	O	+									
				60	–										
	H_2SO_4 HNO_3 H_2O		50% 50% 0%	20	O	+	–	–	–	+	O	–	–	–	–
				40	–										
	H_2SO_4 HNO_3 H_2O		10% 87% 3%	20	O	+	–	–	–	O	–	–	–	–	–
	H_2SO_4 HNO_3 H_2O		50% 31% 19%	20	+	+	–	–	–	+	O	+	–	O	O
	H_2SO_4 HNO_3 H_2O		50% 33% 17%	20	+ O	+	–	–	–	+	O	+	–	–	O
	H_2SO_4 HNO_3 H_2O		10% 20% 70%	20	+	+	–	O	–	+	+	+	–	O	+
				40	+					+	+	+			O
				60						+		+			
				80						+					

Beständigkeitsliste

Chemischer Angriff					Widerstandsfähigkeit									
Angreifendes Medium	Chemische Formel	Siedepunkt °C	Konzentration	Temperatur °C	PVC-U	PVC-C	ABS	PE	PP	PVDF (SYGEF®)	EPDM	FPM	NBR	CR	CSM
Mischsäure – Salpetersäure – Flusssäure – Schwefelsäure	15%ige HNO_3 5%ige HF 18%ige H_2SO_4		3 Teile 1 Teil 2 Teile	20 40 60 80 100 120	O	O	–	O	– + +	+ + +	+ O	+ O	–	–	+ O
Mischsäure – Schwefelsäure – Phosphorsäure – Wasser	H_2SO_4 H_3PO_4 H_2O		30% 60% 10%	20 40 60 80 100 120	+ +	+	–	+ O	+ O + +	+ + + +	+ +	+ + +	–	+ O	+ O
Monochloressigsäure-ethylester	$ClCH_2COOC_2H_5$	144	techn. rein	20 40 60 80 100 120	O	+ +	–	+ + +	+ + +	O –		+ | O	–	–	–
Monochloressigsäure-methylester	$ClCH_2COOCH_3$	130	techn. rein	20 40 60 80 100 120	O	+ +	–	+ + +	+ + +	+ O		+ | O	–	–	–
Morpholin	(Morpholin)	129	techn. rein	20 40 60 80 100 120	–		–	+ + +	+ + +	+ + O		O | +	–	O	O
Mowilith D			handelsüblich	20 40 60 80 100 120	+	+		+	+	+	+	+	+	+	+
Naphthalin	(Naphthalin)	218	techn. rein	20 40 60 80 100 120	–		–	+ O	+ + + O	+ + +	–	+ + +	+ + +	–	O –
Natriumacetat	CH_3COONa		jede, wässerig	20 40 60 80 100 120	+	+	+ + +	+ + + + +	+ + + + +	+ + + + O	+ + +	+ + +	+ +	+ O O	O
Natriumbenzoat	⟨⟩-COONa		kalt gesättigt, wässerig	20 40 60 80 100 120	+ + O	+ + +	–	+ + +	+ + + +	+ + + + O	+ + +	+ + +	+ +	+ O O	+ O

Beständigkeitsliste

Chemischer Angriff					Widerstandsfähigkeit									
Angreifendes Medium	Chemische Formel	Siedepunkt °C	Konzentration	Temperatur °C	PVC-U	PVC-C	ABS	PE	PP	PVDF (SYGEF®)	EPDM	FPM	NBR	CR	CSM
Natriumbicarbonat – Doppeltkohlensaures Natrium	NaHCO$_3$		kalt gesättigt, wässerig	20	+	+	+	+	+	+	+	+	+	+	+
				40	+	+	+	+	+	+	+	+	+	+	+
				60	+	+	+	+	+	+	+	+	+	+	+
				80					+	+	+	+			
				100						+					
				120											
Natriumbisulfat	NaHSO$_4$		10%, wässerig	20	+	+	+	+	+	+	+	+	+	+	+
				40	+	+	+	+	+	+	+	+	O	+	+
				60	O	+	+	+	+	+	+	+	–	O	
				80					+	+	O	+			
				100						+		+			
				120						+					
Natriumbisulfit	NaHSO$_3$		jede, wässerig	20	+	+		+	+	+	+	O	O	+	+
				40	O	+		+	+	+	+	–	–	+	+
				60	–	+		+	+	+	+			O	+
				80					+	+	O			–	O
				100						+	–				
				120						+					
Natriumbromat	NaBrO$_3$		jede, wässerig	20	+	+		+	+	+	+	+	+	+	+
				40	O	+		O	O	+	+	+	O	+	+
				60					+	+	+	+	–	O	+
				80					+	+					
				100						+					
				120						+					
Natriumbromid	NaBr		jede, wässerig	20	+	+	+	+	+	+	+	+	+	+	+
				40	+	+	+	+	+	+	+	+	O	+	+
				60	C	+	+	+	+	+	+	+		O	O
				80					+	+		+			
				100						+					
				120						+					
Natriumcarbonat – Soda	Na$_2$CO$_3$		kalt gesättigt, wässerig	20	+	+	+	+	+	+	+	+	+	+	+
				40	+	+	+	+	+	+	+	+	+	+	+
				60	+	+	+	+	+	+	+	+	+	+	+
				80					+	+	+				
				100						+	+				
				120											
Nattiumchlorat	NaClO$_3$		jede, wässerig	20	+	+	+	+	+	O	+	+	+	+	+
				40	+	+	+	+	+		+	+	O	+	+
				60	O	+	+	+	+		+	–		O	+
				80		+					O	+		–	O
				100							–				
				120											
Natriumchlorid – Kochsalz	NaCl		jede, wässerig	20	+	+	+	+	+	+	+	+	+	+	+
				40	+	+	+	+	+	+	+	+	+	+	+
				60	O	+	+	+	+	+	+	+	+	+	+
				80					+	+	+	+	O	O	O
				100						+	O	+	–	–	–
				120						+					
Natriumchlorit	NaClO$_2$		verdünnt, wässerig	20	O	+	+	+	+	+	+	+	–	O	+
				40					+	+	+	+		–	+
				60						O	+	+			+
				80							+				
				100							+				
				120							O				

Beständigkeitsliste

Chemischer Angriff				Widerstandsfähigkeit										
Angreifendes Medium	Chemische Formel	Siedepunkt °C	Konzentration	Temperatur °C	PVC-U	PVC-C	ABS	PE	PP	PVDF (SYGEF®)	EPDM	FPM	NBR	CR	CSM
Natriumchromat	Na_2CrO_4		verdünnt, wässerig	20	+	+	+	+	+	+	+	+	+	+	+
				40	+	+	+		+	+	+	+	O	+	+
				60	O	+	+			+	+	+	–	O	O
				80						+					
				100						+					
				120											
Natriumdisulfit	$Na_2S_2O_5$		jede, wässerig	20	+	+		+	+	+	+	+	O	+	+
				40	+	+				+	+	+	–	+	+
				60	O	+				+	+	+		+	O
				80						+					
				100						+					
				120											
Natriumdithionit – Hydrosulfit	$Na_2S_2O_4$		bis 10%, wässerig	20	+	+		+	+	+	+	+	+	+	+
				40	+	+		+	+	+	+	+	O	+	+
				60	O	+		+	+	O	+	+	–	+	+
				80											
				100											
				120											
Natriumfluorid	NaF		kalt gesättigt, wässerig	20	+	+	+	+	+	+	+	+	+	+	+
				40	+	+	+			+	+	+	+	+	+
				60			+	+		+	+	+	O	+	+
				80						+					
				100						+					
				120											
Natriumhydroxid	siehe Natronlauge														
Natriumhypochlorit – Bleichlauge	NaOCl stabilisiert mit NaOH		12,5% aktives Chlor, wässerig	20	+	+	–	O	O	O	+	+	–	–	+
				40	+	+		–	–						
				60	O	+									
				80											
				100											
				120											
Natriumjodid	NaJ		jede, wässerig	20	+	+	+	+	+	+	+	+	+	+	+
				40	+	+	+			+	+	+	+	+	+
				60	O	+	+			O	+	+	O	+	O
				80											
				100											
				120											
Natriumnitrat – Salpeter	$NaNO_3$		kalt gesättigt, wässerig	20	+	+	+	+	+	+	+	+	+	+	+
				40	+	+	+	+	+	+	+	+	+	+	+
				60	O	+		+	+	+	+	+	+	+	+
				80						+					
				100						+					
				120						+					
Natriumnitrit	$NaNO_2$		kalt gesättigt, wässerig	20	+	+	+	+	+	+	+	+	+	+	+
				40		O	+			+	+	+	O	+	+
				60						+	+	+	–	+	+
				80						+					
				100						+					
				120						+					
Natriumoxalat	$Na_2C_2O_4$		kalt gesättigt, wässerig	20	+	+	+	+	+	+	+	+	+	+	+
				40	+	+	+								
				60	O	+				O					
				80											
				100											
				120											

Beständigkeitsliste 757

Chemischer Angriff					Widerstandsfähigkeit									
Angreifendes Medium	Chemische Formel	Siedepunkt °C	Konzentration	Temperatur °C	PVC-U	PVC-C	ABS	PE	PP	PVDF (SYGEF®)	EPDM	FPM	NBR	CR	CSM
Natriumpersulfat	$Na_2S_2O_8$		kalt gesättigt, wässerig	20	+	+	+	+	+	+	+	+	−	+	+
				40	+	+	+	+	+	+	+	+		+	+
				60	O	+	+	+	+	+	+	+		+	+
				80					+	+		+		O	O
				100						+					
				120											
Natriumphosphat	Na_3PO_4		kalt gesättigt, wässerig	20	+	+	+	+	+	+	+	+	+	+	+
				40	+	+		+	+	+	+	+	+	+	+
				60	O	+		+	+	+	+	+	+	+	+
				80					+	O					
				100					+	−					
				120											
Natriumsilikat – Wasserglas	Na_2SiO_3		jede, wässerig	20	+	+	+	+	+	+	+	+	+	+	+
				40	+	+	+	+	+	+	+	+	+	+	+
				60	O	+		+	+	O	+	+	+	+	+
				80						−					
				100											
				120											
Natriumsulfat – Glaubersalz	Na_2SO_4		kalt gesättigt, wässerig	20	+	+	+	+	+	+	+	+	+	+	+
				40	+	+	+	+	+	+	+'	+	+	+	+
				60	O	+	+	+	+	+	O	+	+	+	+
				80					+	+		+			
				100						+					
				120						+					
Natriumsulfid	Na_2S		kalt gesättigt, wässerig	20	+	+	+	+	+	O	+	−	+	−	+
				40	+	+	+	+	+	O	+		+		+
				60	O	+	+	+	+	O	+		+		+
				80											
				100											
				120											
Natriumsulfit	Na_2SO_3		kalt gesättigt, wässerig	20	+	+	+	+	+	+	+	+	+	+	+
				40	+	+	+	+	+	+	+	+	O	+	+
				60	O	+		+	+	+	+	+	−	O	+
				80						+					
				100						+					
				120											
Natriumthiosulfat – Fixiersalz	$Na_2S_2O_3$		kalt gesättigt, wässerig	20	+	+	+	+	+	+	+	+	+	+	+
				40	+	+	−	+	+	+	+	+	O	+	+
				60	O	+		+	+	+	+	+	−	O	O
				80						+					
				100						+					
				120											
Natronlauge – Ätznatron – Kaustische Soda	NaOH		bis 10%, wässerig	20	+	+	+	+	+	−	+	O	+	+	+
				40	+	+	+	+	+		+	O	+	+	+
				60	O	+	+	+	+		+	O	+	+	+
				80					+						
				100					+						
				120											
			bis 40%, wässerig	20	+	+	+	+	+	−	+	O	+	+	+
				40	+	+	+	+	+		+	−	O	+	+
				60	O	+	+	+	+		+		−	O	−
				80					+						
				100					+						
				120											

Beständigkeitsliste

Chemischer Angriff					Widerstandsfähigkeit									
Angreifendes Medium	Chemische Formel	Siedepunkt °C	Konzentration	Temperatur °C	PVC-U	PVC-C	ABS	PE	PP	PVDF (SYGEF®)	EPDM	FPM	NBR	CR	CSM
Natronlauge (Fortsetzung)			50%, wässerig	20	+	+	+	+	+	–	+	–	O	–	+
				40	+	+	+	+	+		+	–			O
				60	+	+	+	+	+		O				–
				80					+						
				100					+						
				120											
Netzmittel			bis 5%, wässerig	20	+	+	+	+	+	+	+	+	+	+	+
				40	+	+			+	+					
				60	O	+			+	+					
				80						+					
				100											
				120											
Nickelsalze			kalt gesättigt, wässerig	20	+	+	+	+	+	+	+	+	+	+	+
				40	+	+	+	+	+	+	+	+	+	+	+
				60	O	+	+	+	+	+	+	+	+	+	+
				80					+	+	+	+			
				100						+	+				
				120						+					
Nitrobenzol	⌬–NO₂	209	techn. rein	20	–	–	–	+	+	+		–	O	–	–	–
				40				+	+	O					
				60				O	+	–					
				80											
				100											
				120											
Nitrose-Gase	NOx		verdünnt, feucht und trocken	20	+	+	–	+	+	+	+	+	O	+	+
				40				+	O	+	+	+	–	O	+
				60	O			+	–	+	O	+		–	O
				80						+					
				100						+					
				120											
Nitrotoluole (o-, m-, p-)	⌬–CH₃ / –NO₂	222–238	techn. rein	20	–	–	–	+	+	+		–	O	O	–	–
				40				+	+	+			–	–	
				60				O	O	+					
				80						+					
				100											
				120						O					
Obstpulp				20	+	+	+	+	+		+	+	+	+	+
				40		+	+	+	+						
				60		+		+	+						
				80		+									
				100											
				120											
Obstwein				20	+	+	+	+	+	+	+	+	+	+	+
				40		+	+			+					
				60		+				+					
				80											
				100											
				120											
Öle und Fette, vegetabil				20	+	+	+	+	+	+	–	+	+	O	O
				40	O	+	+	O	+	+		+	+	O	O
				60		+			O	+		+	+	–	–
				80						+					
				100						+					
				120											

Beständigkeitsliste 759

Chemischer Angriff					Widerstandsfähigkeit									
Angreifendes Medium	Chemische Formel	Siedepunkt °C	Konzentration	Temperatur °C	PVC-U	PVC-C	ABS	PE	PP	PVDF (SYGEF®)	EPDM	FPM	NBR	CR	CSM
Oleum	$H_2SO_4+SO_3$		10% SO_3	20	−	O	−	−	−	−	−	−	−	−	−
				40											
				60											
				80											
				100											
				120											
Oleumdämpfe			gering	20	+	+	−	−	−	−	O	+	−	−	O
				40											
				60											
				80											
				100											
				120											
Olivenöl				20	+	+	+	+	+	+	−	+	+	+	+
				40	+	+	+	+	+	+		+	+	+	+
				60	+	+	+	O	+	+		+	+	+	O
				80		+			+	+		+			−
				100											
				120											
Ölsäure	$C_{17}H_{33}COOH$	Fp.* 16	techn. rein	20	+	+	+	+	+	+	−	+	O	−	−
				40	+	+	+	O	+	+		O	−		
				60	+	+		O	O	+		−			
				80		O				+					
				100						+					
				120						+					
Oxalsäure	COOH | COOH		kalt gesättigt, wässerig	20	+	+	+	+	+	+	O	+	O	O	O
				40	+	+	+	+	+	+	O	+	−	−	O
				60	+	+		+	+	O	O	O			−
				80							−				
				100											
				120											
Ozon	O_3		bis 2%, in Luft	20	+	+	−	O	O	O	+	+	−	O	+
				40				−	−						
				60											
				80											
				100											
				120											
			kalt gesättigt, wässerig	20	+	+	−	O	O	O	+	+	−	O	+
				40	+	+		−	−		O	O		−	+
				60		+					−	−			O
				80											
				100											
				120											
Palmitinsäure	$C_{15}H_{31}COOH$	390	techn. rein	20	+	+	+	O	O	+	O	+	O	+	O
				40						+	+	−	O	−	−
				60						+	−				
				80						+					
				100						+					
				120						+					
Palmöl − Palmkernöl				20	+	+	+	+	+	+	+	+	+	+	+
				40	−			+	+	+	O	+	+	O	−
				60				O	O	+	−	+	−	O	−
				80						+					
				100						+					
				120											

* Fp. = Fliesspunkt

Beständigkeitsliste

Chemischer Angriff					Widerstandsfähigkeit									
Angreifendes Medium	Chemische Formel	Siedepunkt °C	Konzentration	Temperatur °C	PVC-U	PVC-C	ABS	PE	PP	PVDF (SYGEF®)	EPDM	FPM	NBR	CR	CSM
Paraffinemulsion			handelsüblich, wässerig	20	+	+	+	+	+	+		−	+	+	+	+
				40	+	+	+	+	+	+			+	+	O	−
				60			+	+	O	O	+			+	O	−
				80						+			+			
				100						+						
				120												
Paraffinöl				20	+	+	+	+	+	+		−	+	+	+	O
				40	+	+	+	+	+	+			+	O	O	−
				60			O	+	+	O	+			+	O		−
				80						+			O			
				100						+						
				120						+						
Perchlorethylen – Tetrachlorethylen	$Cl_2C=CCl_2$	121	techn. rein	20	−	−			O	O	+		−	+	O	−	−
				40							+			+	−		
				60							+			+			
				80							O						
				100							−						
				120												
Perchlorsäure	$HClO_4$		10%, wässerig	20	+	+	+	+	+	+		+	+	−	−	+
				40	+	+	+	+	+	+		+	+			+
				60	O	+		+	+	+		+	+			O
				80						+		O	O			−
				100						+						
				120												
			70%, wässerig	20	O	O	−	+	O	+		+	+	−	−	+
				40				O	−	+		+	+			+
				60					−	+		+	+			O
				80						+		O	O			
				100						+						
				120												
Petroläther		40–70	techn. rein	20	+	+	−	+	+	+		−	+	+	−	−
				40	+	+		O	+	+			+	O		
				60	+	+		O	O	+			O	−		
				80						+						
				100						+						
				120												
Petroleum			techn. rein	20	+	+	−	+	+	+		−	+	+	O	−
				40				+	O	+			+	+	−	
				60				O	O	+			O	+		
				80						+						
				100						+						
				120												
Phenol	⟨⟩–OH	182	bis 10%, wässerig	20	+	+	−	+	+	+		+	+	−	O	O
				40	+	O		+	+	+		+	+		−	−
				60				O	+	+		+	+			
				80						+		O	O			
				100						+						
				120												
			bis 90%, wässerig	20	O	+	−	+	+	+		−	+	−	−	−
				40		+			+	+	+			O		O
				60					O	+	O			−		
				80												
				100												
				120												

Beständigkeitsliste

Chemischer Angriff					Widerstandsfähigkeit									
Angreifendes Medium	Chemische Formel	Siedepunkt °C	Konzentration	Temperatur °C	PVC-U	PVC-C	ABS	PE	PP	PVDF (SYGEF®)	EPDM	FPM	NBR	CR	CSM
Phenylhydrazin	⌬-NH-NH$_2$	243	techn. rein	20	–	–	–	O	O	+	O	+	–	–	–
				40						+		+			
				60								O			
				80											
				100											
				120											
Phenylhydrazin-Chlorhydrat	⌬-NH-NH$_3^+$Cl$^-$		wässerig	20	O	O	–	+	+		+	+	O	O	+
				40				O	+		+	+	–	–	+
				60				O	+		O	O			O
				80							–				–
				100											
				120											
Phosgen	COCl$_2$	8	flüssig, techn. rein	20	–	–	–		O		+	+	O	+	+
				40											
				60											
				80											
				100											
				120											
			gasförmig, techn. rein	20	+	+	–	O	O	+	+	+	+	+	+
				40	O	O				+	+	+	+	O	O
				60	O	O					+	O	+	–	
				80											
				100											
				120											
Phosphorchloride: – Phosphortrichlorid – Phosphorpentachlorid – Phosphorylchlorid	PCl$_3$ PCl$_5$ POCl$_3$	75 162 105	techn. rein	20	–	–	–	+	+	–	+	+	–	–	+
				40											
				60				O	O						
				80											
				100											
				120											
Phosphorpentoxyd	P$_2$O$_5$		techn. rein	20	+	+	+	+	+	+	+	+	O	+	+
				40	+	+	+	+	+	+	+	+	–	+	+
				60			+			+	+	+		+	+
				80						+					
				100						+					
				120						+					
Phosphorsäure	H$_3$PO$_4$		bis 30%, wässerig	20	+	+	+	+	+	+	+	+	O	+	+
				40	+	+	+	+	+	+	+	+	O	+	+
				60	O	+	O	+	+	+	+	+	–	+	+
				80		+			+	+	+	+		O	O
				100						+	O	+			
				120						+					
			50%, wässerig	20	+	+	+	+	+	+	+	+	O	+	+
				40	+	+	+	+	+	+	+	+	–	+	+
				60	+	+	O	+	+	+	+	+		+	+
				80			+			+	O	+			+
				100						+		O			
				120						+					
			85%, wässerig	20	+	+	+	+	+	+	+	+	–	+	+
				40	+	+	+	+	+	+	+	+		+	O
				60	+	+	O	O	+	+	+	+	O	+	–
				80			+			+	+	O			
				100						+				O	
				120						+					

Beständigkeitsliste

Chemischer Angriff				Widerstandsfähigkeit										
Angreifendes Medium	Chemische Formel	Siedepunkt °C	Konzentration	Temperatur °C	PVC-U	PVC-C	ABS	PE	PP	PVDF (SYGEF®)	EPDM	FPM	NBR	CR	CSM
Phthalsäure	COOH–C₆H₄–COOH	Fp.* 208	gesättigt, wässerig	20 40 60 80 100 120	+ O –	+ +	– + +	+ + + + +	+ + + + +	+ + + + +	+ + O	– +	– O	+ +	+ +
Pikrinsäure	O₂N–C₆H₂(OH)(NO₂)–NO₂	Fp.* 122	1%, wässerig	20 40 60 80 100 120	+	+	–	+ + + + +	+ + + + +	+ + + + +	+ + O	+ + + O	O –	O –	+ O –
Pottasche – Kaliumcarbonat	K₂CO₃		kalt gesättigt, wässerig	20 40 60 80 100 120	+ +	+ +	+ +	+ + +	+ + +	+ O O	+ +	+ +	+ +	+ +	+ +
Pressluft, ölhaltig				20 40 60 80 100 120	O	O	O	+ + +	O	+ + +	–	+	+	+	+
Propan	C₃H₈	–42	techn. rein, flüssig	20 40 60 80 100 120	+	+	+	+	+	+ + +	–	+	+	+	–
			techn. rein, gasförmig	20 40 60 80 100 120	+	+	+	+	+	+ + +	+	+	+	+	O
Propanol, n- und iso-	C₃H₇OH	97 bzw. 82	techn. rein	20 40 60 80 100 120	+ O O	+ O	+	+ + +	+ + + O	+ + +	+ + +	+ + +	O O –	+ + +	O O O
Propargylalkohol	CH≡C–CH₂–OH	114	7%, wässerig	20 40 60 80 100 120	+ + +	+ + +	– –	+ + +	+ + +	+ O O	+ + +	+ + +	+ + +	+ + O	+ + O
Propionsäure	CH₃CH₂COOH	141	50%, wässerig	20 40 60 80 100 120	+ + O	+ +	– –	+ + +	+ + +	+ + +	+ + +	+ + O	– –	O –	O –

*Fp. = Fliesspunkt

Beständigkeitsliste

Chemischer Angriff					Widerstandsfähigkeit										
Angreifendes Medium	Chemische Formel	Siedepunkt °C	Konzentration	Temperatur °C	PVC-U	PVC-C	ABS	PE	PP	PVDF (SYGEF®)	EPDM	FPM	NBR	CR	CSM
Propionsäure (Fortsetzung)			techn. rein	20	+	+	−	+	+	+	+	+	−	−	−
				40	O	+		O	O	+	+	+			
				60		O		O	O	+	O	+			
				80								O			
				100											
				120											
Propylenglykol	CH_3CH-CH_2 $\ \ \ \ \ \|\ \ \ \ \|$ $\ \ \ \ OH\ OH$	188	techn. rein	20	+	+	O	+	+	+	+	+	+	+	+
				40	+	+		+	+	+	+	+	O	+	+
				60	+	+		+	+	+	+	O	−		+
				80											
				100											
				120											
Propylenoxyd	$CH_2-CH-CH_3$ $\ \ \ \ \backslash O/$	35	techn. rein	20	O		−	+	+	+	+	−	−	−	−
				40						O					
				60											
				80											
				100											
				120											
Pyridin	⟨N⟩	115	techn. rein	20	−	−	−	+	O	+	+	O	−	−	O
				40				O	O	−	O	−			−
				60				O	O		−				
				80											
				100											
				120											
Quecksilber	Hg		rein	20	+	+	+	+	+	+	+	+	+	+	+
				40	+	+		+	+	+	+	+	+	+	+
				60	+	+		+	+	+	+	+	+	+	+
				80					+			+			
				100						+					
				120						+					
Quecksilbersalze			kalt gesättigt, wässerig	20	+	+	+	+	+	+	+	+	O	O	O
				40	+	+		+	+	+	+	+	O	O	O
				60	O	+		+	+	+	+	+	−	−	−
				80					+						
				100						+					
				120						+					
Ramasit			handelsüblich	20	+					+		+	−	+	+	+
				40	+					+		+				
				60	+					+		+				
				80											
				100											
				120											
Rindertalg-Emulsion, sulfuriert			handelsüblich	20	+	+	+	+	+	+	−	+	+	+	+
				40					+	+					
				60					+	+					
				80					+	+					
				100											
				120											
Salmiakgeist	siehe Ammoniumhydroxid														
Salpetersäure **Achtung:** bei PVC-U-Klebverbindungen Abschnitt 3.2.2 beachten	HNO_3		6,3%, wässerig	20	+	+	+	O	+	+	+	+	−	−	+
				40	+	+		+	O	+	+	+			O
				60	+	+		+	O	+		O			−
				80					+		+				
				100							+				
				120											

Beständigkeitsliste

Chemischer Angriff				Widerstandsfähigkeit									
Angreifendes Medium	Chemische Formel	Siedepunkt °C	Konzentration	Temperatur °C	PVC-U	PVC-C	ABS	PE	PP	PVDF (SYGEF®)	EPDM	FPM	NBR	CR	CSM
Salpetersäure (Fortsetzung) **Achtung:** bei PVC-U-Klebverbindungen Abschnitt 3.2.2 beachten			bis 40%, wässerig	20	+	+	–	O	O	+	+	+	–	–	O
				40	+	+				+	+	+			O
				60	O	+		–	–	+	O	+			–
				80			+			+		O			
				100						+					
				120						+					
			65%, wässerig	20	O	+	–	O	–	+	–	+	–	–	O
				40	O	+		–		+		O			–
				60	–					+		–			
				80						O					
				100						–					
				120											
			85%	20						+					
				40						+					
				60											
				80											
				100											
				120											
			100%	20	–			–	–	–		–	–	–	–
				40											
				60											
				80											
				100											
				120											
Salzsäure **Achtung:** bei PVC-U-Klebverbindungen Abschnitt 3.2.2 beachten	HCl		5%, wässerig	20	+		+	+	+	+	+	+	O	O	+
				40			+	+	+	+	+	+	–	–	O
				60	O			+	+	+	+	+			–
				80					O	+	+	+			
				100						+					
				120						+					
			10%, wässerig	20	+	+	+	+	+	+	+	+	O	O	+
				40	+	+	+	+	+	+	+	+	–	–	O
				60	O	+		+	O	+	+	+			–
				80		+			O	+	+	+			
				100						+					
				120						+					
			bis 30%, wässerig	20	+	+	O	+	+	+	+	+	–	–	+
				40	+	+	–	+	O	+	+	+	O	O	O
				60	O	+		+	O	+					–
				80		+			–	+					
				100						+					
				120											
			36%, wässerig	20	+	+	–	+	+	+	+	+	–	–	O
				40	+	+		+	O	+	O	O			–
				60	O	+		+	–	+		–	–		
				80		+				+					
				100						+					
				120						+					
Sauerstoff	O$_2$		techn. rein	20	+	+	+	+	+	+	+	+	–	+	+
				40	+	+	+	+		+	+	+	+	+	+
				60	+	+		+	O	O	+	+	+	+	+
				80				+		+	+	+		+	+
				100						O		+			
				120						O		+			

Beständigkeitsliste 765

Chemischer Angriff					Widerstandsfähigkeit									
Angreifendes Medium	Chemische Formel	Siedepunkt °C	Konzentration	Temperatur °C	PVC-U	PVC-C	ABS	PE	PP	PVDF (SYGEF®)	EPDM	FPM	NBR	CR	CSM
Schmieröle				20	+	+	O	+	O	+	–	+	+	+	+
				40	+	+		+		+		+	+	O	O
				60	+	+		O		+		+	O	–	–
				80						+		O			
				100						+		–			
				120						+					
Schwefel	S	Fp.* 119	techn. rein	20	O	O	–	+	+	+	–	+	–	–	+
				40	–			+	+	+		+			+
				60				+	+	+		+			+
				80					+	+		+			+
				100						+					
				120						+					
Schwefeldioxid	SO$_2$	–10	techn. rein, trocken	20	+	+	–	+	+	O	+	+	–	–	O
				40	+	+		+	+	O	+	O			–
				60	+	+		+	+	–	O				
				80							–				
				100											
				120											
			jede, feucht	20	+	+	–	+	+	+	+	+	–	–	O
				40	+	+		+	+	O	+	O			–
				60	O			+	+	–	O	–			
				80							–				
				100											
				120											
			techn. rein, flüssig	20	–	–	–	–	–	–	O	O	–	–	O
				40											
				60											
				80											
				100											
				120											
Schwefelkohlenstoff	CS$_2$	46	techn. rein	20	–	–	–	O	O	+	–	+	–	–	–
				40											
				60											
				80											
				100											
				120											
Schwefelnatrium	siehe Natriumsulfid														
Schwefelsäure	H$_2$SO$_4$		bis 40%, wässerig	20	+	+	+	+	+	+	+	+	O	O	+
Achtung: bei PVC-U-Klebverbindungen Abschnitt 3.2.2 beachten				40	+	+	O	+	+	+	+	+	–	–	+
				60	O	+		+	+	+	+	+	O	O	O
				80					+	+		O	O		
				100						+		–	–		
				120						+					
			bis 60%, wässerig	20	+	+	–	+	+	+	+	+	–	–	+
				40	+	+		+	+	+	+	+			+
				60	+	+		+	+	+	O	+			O
				80					+	+		–			O
				100						+					
				120						+					
			bis 80%, wässerig	20	+	+	–	+	+	+	+	+	–	–	+
				40	+	+		+	+	+	O	+			+
				60	+	+		O	O	+	–	O			O
				80						+					
				100						+					
				120						O					

* Fp. = Fliesspunkt

Beständigkeitsliste

Chemischer Angriff				Widerstandsfähigkeit										
Angreifendes Medium	Chemische Formel	Siedepunkt °C	Konzentration	Temperatur °C	PVC-U	PVC-C	ABS	PE	PP	PVDF (SYGEF®)	EPDM	FPM	NBR	CR	CSM
Schwefelsäure (Fortsetzung) Achtung: bei PVC-U-Klebverbindungen Abschnitt 3.2.2 beachten			90%, wässerig	20	+	+	–	O	O	+	O	+	–	–	–
				40	+	+				+	–	+			–
				60		+				+					
				80						+					
				100						O					
				120						O					
			96%, wässerig	20	+	+	–	–	–	+	–	+	–	–	–
				40	+	+				+					
				60	O	+				–					
				80											
				100											
				120											
			97%	20	+	+	–			O					
				40		+									
				60		+									
				80											
				100											
				120											
			98%	20	+	+				–					
				40		+									
				60		+									
				80											
				100											
				120											
Schwefeltrioxid – Schwefelsäureanhydrid	SO_3			20	–	–	–	–	–	–	–	+	–	–	–
				40											
				60											
				80											
				100											
				120											
Schwefelwasserstoff	H_2S		techn. rein	20	+	+	+	+	+	+	+	+	+	O	+
				40	+	+		+	+	+	O	+	O	–	O
				60	+	+		O	+	+	–	O	–		O
				80					+	+		–			–
				100						+					
				120						+					
			gesättigt, wässerig	20	+	+	+	+	+	+	+	+	O	O	+
				40	+	+		+	+	+	O	+	–	–	+
				60	O	+		+	+	+	–	+			O
				80					+	+		O			
				100						+					
				120						+					
Schweflige Säure	H_2SO_3		gesättigt, wässerig	20	+	+	+	+	+	+	+	+	–	–	+
				40	+	+	+	+	+	+	O	+	–	O	O
				60	O	+		+	+	+	–	+		–	–
				80					+	+		–			
				100						+					
				120						+					
Seewasser, Meerwasser				20	+	+	+	+	+	+	+	+	+	+	+
				40	+	+	+	+	+	+	+	+	+	+	+
				60	O	+	+	+	+	+	+	+	+	O	O
				80					+	+	+	+	+	O	–
				100						+	+	+	O	–	
				120							+	+	O	–	

Beständigkeitsliste 767

Chemischer Angriff					Widerstandsfähigkeit									
Angreifendes Medium	Chemische Formel	Siedepunkt °C	Konzentration	Temperatur °C	PVC-U	PVC-C	ABS	PE	PP	PVDF (SYGEF®)	EPDM	FPM	NBR	CR	CSM
Seifenlösung			jede, wässerig	20	+	+	+	+	+	+	+	+	+	+	+
				40	+	+	+	+	+	+	+	+	+	+	+
				60	O	+		+	+	+	+	+	+	+	+
				80						+					
				100						+					
				120											
Silbersalze	AgNO$_3$		kalt gesättigt, wässerig	20	+	+	+	+	+	+	+	+	+	+	+
				40	+	+	+	+	+	+	+	+	+	+	+
				60	O	+	+	+	+	+	+	+	+	+	+
				80						+					
				100						+					
				120											
Siliconöl				20	+	+		+	+	+	O	+	+	+	−
				40	O	+		+	+	+	−	+	+	+	
				60	−			+	+	+		+	+	+	O
				80						+					
				100						+					
				120											
Soda	siehe Natriumcarbonat														
Spindelöl				20	O			O	+	+	−	+	+	O	+
				40					O	+		O	+	−	O
				60				O	−	+		−	O		−
				80						+			−		
				100											
				120											
Spinnbadsäuren CS$_2$-haltig			100 mg CS$_2$/l	20	+			+	+	+	+	+	−	−	O
				40	+				+	+		+			
				60											
				80											
				100											
				120											
			200 mg CS$_2$/l	20	O			⌐	+	+	+	+	−	−	O
				40					+	+					
				60											
				80											
				100											
				120											
			700 mg CS$_2$/l	20	−			+	+	+	O	+	−	−	−
				40					+	+					
				60											
				80											
				100											
				120											
Spirituosen			ca. 40% Äthylalkohol	20	+	+	−	+	+	+	+	+	+	+	+
				40											
				60											
				80											
				100											
				120											
Stärkelösung			jede, wässerig	20	+		+	+	+	+	+	+	+	+	+
				40	+		+	+	+	+	+	+	+	+	+
				60	+			+	+	+	+	+	+	+	+
				80						+					+
				100						+					
				120						+					

Beständigkeitsliste

Chemischer Angriff					Widerstandsfähigkeit									
Angreifendes Medium	Chemische Formel	Siedepunkt °C	Konzentration	Temperatur °C	PVC-U	PVC-C	ABS	PE	PP	PVDF (SYGEF®)	EPDM	FPM	NBR	CR	CSM
Stärkesirup			handelsüblich	20	+		+	+	+	+	+	+	+	+	+
				40	+		+	+	+	+	+	+	+	+	+
				60	+			+	+	+	+	+	+	+	+
				80						+	+	+	+	+	+
				100						+	+	+	+	+	+
				120											
Stearinsäure	$C_{17}H_{35}COOH$	Fp.* 69	techn. rein	20	+	+	+	+	+	+₁	+	+	+	+	O
				40	+	+	+			+	+	+	+	+	O
				60	+	+		O	O	+	O	O	O	O	–
				80						+					
				100						+					
				120						+					
Stickoxide	siehe Nitrose-Gase														
Sulfurylchlorid	SO_2Cl_2	69	techn. rein	20	–	–	–	–	–	O	O	+	–	O	+
				40											
				60											
				80											
				100											
				120											
Talg			techn. rein	20	+	+	+	+	+	+	+	+	+	+	+
				40	+	+	+	+	+	+	+	+	+	+	+
				60	+	+		+	+	+	+	+	+	+	+
				80						+					
				100						+					
				120											
Terpentinöl			techn. rein	20	+	+	–	O	–	+	–	+	+	–	–
				40	O	O		O				+	+		
				60								+	+		
				80											
				100											
				120											
Tetrachlorethan	$Cl_2CH-CHCl_2$	146	techn. rein	20	–	–	–	O	O	+	–	O	–	–	–
				40						+					
				60						O					
				80											
				100											
				120											
Tetrachlorethylen	siehe Perchloroethylen														
Tetrachlorkohlenstoff	CCl_4	77	techn. rein	20	–	–	–	–	–	+	–	+	–	–	–
				40						+		+			
				60						O		+			
				80											
				100											
				120											
Tetrahydrofuran		66	techn. rein	20	–	–	–	O	–	O	–	–	–	–	–
				40				O		O					
				60											
				80											
				100											
				120											

* Fp. = Fliesspunkt

Beständigkeitsliste 769

Chemischer Angriff					Widerstandsfähigkeit									
Angreifendes Medium	Chemische Formel	Siedepunkt °C	Konzentration	Temperatur °C	PVC-U	PVC-C	ABS	PE	PP	PVDF (SYGEF®)	EPDM	FPM	NBR	CR	CSM
Tetrahydronaphthalin		207	techn. rein	20	−	−	−	O	−	+	−	+	−	−	−
				40											
				60											
				80											
				100											
				120											
Thionylchlorid	SOCl$_2$	79	techn. rein	20	−	−	−	−	−	−	−	−	−	−	−
				40											
				60											
				80											
				100											
				120											
Toluol	C$_6$H$_5$–CH$_3$	111	techn. rein	20	−	−	−	O	O	+	−	O	−	−	−
				40				−	+		−				
				60					−	O					
				80						−					
				100											
				120											
Traubenzucker	siehe Glucose														
Triethanolamin	N(CH$_2$–CH$_2$–OH)$_3$	Fp.* 21	techn. rein	20	O	+	+	+	+	+	−	+	O	+	−
				40				+							
				60				+							
				80											
				100											
				120											
Tributylphosphat	(C$_4$H$_9$)$_3$PO$_4$	289	techn. rein	20	−	−	−	+	+	+	+	−	−	−	−
				40				+	+						
				60				+	+						
				80											
				100											
				120											
Trichlorethan	Cl$_3$–C–CH$_3$	74	techn. rein	20	−	−	O	O	+	−	+	−	−	−	
				40					+						
				60					O						
				80					−						
				100											
				120											
Trichlorethylen	Cl$_2$C=CHCl	87	techn. rein	20	−	−	−	−	O	+	−	+	−	−	−
				40					+						
				60					+						
				80					+						
				100											
				120											
Trichloressigsäure	Cl$_3$C–COOH	196	techn. rein	20	O	−	−	+	+	O	O	−	−	−	−
				40				O	+						
				60				−	+						
				80											
				100											
				120											
			50%, wässerig	20	+	+		+	+	+	O	−	−	−	−
				40	O	+		+	+	+					
				60				+	+	+					
				80				+	+	O					
				100						−					
				120											

* Fp. = Fliesspunkt

Beständigkeitsliste

Chemischer Angriff					Widerstandsfähigkeit										
Angreifendes Medium	Chemische Formel	Siedepunkt °C	Konzentration	Temperatur °C	PVC-U	PVC-C	ABS	PE	PP	PVDF (SYGEF®)	EPDM	FPM	NBR	CR	CSM
Trichlormethan	siehe Chloroform														
1,1,2-Trifluor, 1,2,2-Trichlorethan – Freon 113	FCl$_2$C–CClF$_2$	47	techn. rein	20 40 60 80 100 120	+ +	–			+		–	+	+	+	+
Triethylamin	N(CH$_2$–CH$_3$)$_3$	89	techn. rein	20 40 60 80 100 120		–		O –			–	–			
Trikresylphosphat	H$_3$C–⌬–O⁻)$_3$PO$_4$		techn. rein	20 40 60 80 100 120	–		–	+ + +	+ O		–	–	O –	–	–
Trinkwasser	siehe Wasser														
Trioctylphosphat	(C$_8$H$_{17}$)$_3$PO$_4$		techn. rein	20 40 60 80 100 120	–	–	–	O	+		–	–	O	–	–
Überchlorsäure	siehe Perchlorsäure														
Urin				20 40 60 80 100 120	+ + O	+ + +	+ +	+ + +	+ + + + +		+ + +	+ + +	+ + +	+ + +	+ + +
Vaseline			techn. rein	20 40 60 80 100 120	O –	O	–	O	+ – + + + +		– O	+ + + + +	+ + + + +	– +	+ + + + +
Vaselinöl	siehe Paraffinöl														
Vinylacetat	CH$_2$=CHOOCCH$_3$	73	techn. rein	20 40 60 80 100 120	–	–	–	+	+ – O		+	+	+	+	+
Vinylchlorid	CH$_2$=CHCl	–14	techn. rein	20 40 60 80 100 120	–	–		+ + + +			O	+	–	–	

Beständigkeitsliste 771

Chemischer Angriff					Widerstandsfähigkeit										
Angreifendes Medium	Chemische Formel	Siedepunkt °C	Konzentration	Temperatur °C	PVC-U	PVC-C	ABS	PE	PP	PVDF (SYGEF®)	EPDM	FPM	NBR	CR	CSM
Viscose-Spinnlösung				20	+			+	+	+	+	+	−	O	+
				40	+			+	+	+	+	+		O	+
				60	+			+	+	+	+	+		−	+
				80											
				100											
				120											
Wachsalkohol	$C_{3l}H_{63}OH$		techn. rein	20	+	+		O	O	+	−	+	+	+	−
				40	+	+		−	−	+		+	+	+	
				60	+	+				+		+	+	+	
				80											
				100											
				120											
Waschmittel			für Waschlauge üblich	20	+	+	−	+	+	+	+	+	+	+	+
				40	+	+		+	+	+	+	+	+	+	+
				60	O	+		+	+	+	+	+	+	+	+
				80		+			+	+					
				100						+					
				120											
Wasser – destilliertes – entionisiertes – vollentsalztes	H_2O	100		20	+	+	+	+	+	+	+	+	+	+	+
				40	+	+	+	+	+	+	+	+	+	+	+
				60	+	+	+	+	+	+	O	+	+	+	+
				80		+			+	+	−	+	+		+
				100					+	+		+	+		
				120						+		+			
Wasser, Trinkwasser gechlort				20	+	+	+	+	+	+	+	+	+	+	+
				40	+	+	+	+	+	+	+	+	+	+	+
				60	+	+	+	+	+	+	O	+	+	+	+
				80		+			+	+		+	O		+
				100					+	+		+			
				120						+					
Wasser, Abwasser ohne organische Lösungsmittel				20	+	+	+	+	+	+	+	+	+	+	+
				40	+	+	+	+	+	+	+	+	+	+	+
				60	+	+	+	+	+	+	O	+	+	+	+
				80		+			+	+		+	+		+
				100						+			O		
				120						+					
Wasser, Kondensatwasser				20	+	+	+	+	+	+	+	+	+	+	+
				40	+	+	+	+	+	+	+	+	+	+	+
				60	O	+	+	+	+	+	O	+	+	+	+
				80		+			+	+		+	O		+
				100						+					
				120						+					
Wasserstoff	H_2	−253	techn. rein	20	+	+	+	+	+	+	+	+	+	+	+
				40	+	+	+	+	+	+	+	+	+	+	+
				60	+	+	+	+	+	+	+	+	+	+	+
				80		+			+	+		+	+		
				100					−	+		+	+		
				120											
Wasserstoffperoxid	H_2O_2		10%, wässerig	20	+	+	−	+	+	O	+	+	O	−	+
				40	+	+		+	+	O	O	O	−		+
				60	O	+		+	+	−	−	−			O
				80											
				100											
				120											

Beständigkeitsliste

Chemischer Angriff					Widerstandsfähigkeit									
Angreifendes Medium	Chemische Formel	Siedepunkt °C	Konzentration	Temperatur °C	PVC-U	PVC-C	ABS	PE	PP	PVDF (SYGEF®)	EPDM	FPM	NBR	CR	CSM
Wasserstoffperoxid (Fortsetzung)			30%, wässerig	20	+	+	–	+	+	O	O	+	–	–	+
				40	+	+		+	+	O	–	+			O
				60				+	O	–		O			–
				80								–			
				100											
				120											
			90%, wässerig	20	+	+	–	+	–	O		O	O	–	–	O
				40											
				60					–						
				80											
				100											
				120											
Weine, rot und weiss			handelsüblich	20	+	+	+	+	+	+		+	+	+	+	+
				40		+	+	+	+	+					
				60		+		+	+	+					
				80						+					
				100						+					
				120											
Weinessig – Essig			handelsüblich	20	+	+	+	+	+	+		+	O	–	O	+
				40	+	+	+	+	+	+		O	–		–	O
				60	+	+		+	+	+		–				–
				80				+	+	+						
				100					+							
				120						+						
Weinsäure	OH OH | | HOOC–CH–CH–COOH	Fp.* 170	jede, wässerig	20	+	+	+	+	+	+		+	+	+	+	+
				40	+	+	+	+	+	+		O	+	+	+	+
				60	O	+		+	+	+		–	+	O	+	+
				80				+	+	+						
				100					+	+						
				120						+						
Xylol	CH₃ / CH₃ (benzene ring)	138–144	techn. rein	20	–	–	–	–	–	+		–	+	–	–	–
				40						+			O			
				60						O						
				80						–						
				100												
				120												
Zinksalze	ZnCl₂		jede, wässerig	20	+	+	+	+	+	+		+	+	+	+	+
				40	+	+	+	+	+	+		+	+	O	+	+
				60	O	+		+	+	+		+	+	–	+	+
				80					+	+						
				100					+	+						
				120						+						
Zinn-II-chlorid	SnCl₂		kalt gesättigt, wässerig	20	+	+	+	+	+	+		+	+	+	+	+
				40	O	+	+	+	+	+		O	+	+	+	+
				60	O	O		+	+	+		–	+	O	+	+
				80					+	+						
				100					+	+						
				120						+						
Zitronensäure	HO CH₂–COOH \\ / C / \\ HOOC CH₂–COOH	Fp.* 153	10%, wässerig	20	+	+	+	+	+	+		+	+	+	+	+
				40	+	+	+	+	+	+		+	+	+	+	+
				60	O	+		+	+	+		+	+	O	+	+
				80					+	+						
				100					+	+						
				120												

* Fp. = Fliesspunkt

Beständigkeitsliste

Chemischer Angriff					Widerstandsfähigkeit									
Angreifendes Medium	Chemische Formel	Siedepunkt °C	Konzentration	Temperatur °C	PVC-U	PVC-C	ABS	PE	PP	PVDF (SYGEF®)	EPDM	FPM	NBR	CR	CSM
Zuckersirup			handelsüblich	20	+	+	+	+	+	+	+	+	+	+	+
				40	+	+	O	+	+	+	+	+	+	+	+
				60	O	+		+	+	+	+	+	+	+	+
				80					+	+		+			+
				100						+	+				
				120						+					

Stichwortverzeichnis

A

Abbindezeit 112
Abfangschelle 601
Abgasleitung 611
Abgassystem 611
Abgastechnik 609
Abgastemperatur 609
Abkühlzeit 127
Abquetschen 322
Abquetschvorrichtung 322
Abrasion 447
Abriebbeständigkeit 452
Abriebfestigkeit 451
Abriebverhalten 371, 376, 451
Abriebwert 451
Abschreibungszeitraum 365
Absorption 448
Absorptionsverfahren 603
Absorptionswäsche 657
Absperrklappe 568
Abstandshalter 492
Abwasserbehandlung 369
Abwasserentsorgung 363
Abwasserentsorgungsgebühr 475
Abwasserinstallation 336
Abwasserleitung 325, 613
Abwassersammlung 365
Abwassertransport 365, 369
Abwickeln 221
Abwinklung 229, 376
Abzweigformstück 240
Abzweigkasten 490
Abzweigungsbauwerk 372
Acrylnitril-Butadien-Kautschuk (NBR) 52
Acrylnitril/Styrol-Polymerisate (ABS/ASA) 48
Adhäsion 112
Altbausanierung 521
Altersstruktur 367
Alterung 386

Alterungsverhalten 370
Altrohr 672
Amorph 9
Anbohrarmatur 240, 315, 321
Anbohrsattel 321
Anbohrung 316
Anforderungen (Abwasserkanäle und -leitungen) 375
Anschluß 443, 444
Anschlußeinheit 524
Anschlußleitung 326
Anschlußvariante 426
Anschlußwert 307
Anschrägen 343
Antriebsart 573
Anwärmzeit 119
API-Gewinde 598
Arbeitsblätter 168, 674
Armaturen (Einbau) 230
Armaturenanschluß 576
Aufbereiten 86
Aufbereitungsverfahren 86
Aufbereitungsvorgang 87
Aufheizvorgang 510
Auflager 436, 633
Auflagerbeschaffenheit 460
Auf-Putz-Verlegung 304
Aufsteckmuffe 337
Auftriebssicherung 473
Aufweitkopf 469
Ausdehnungskoeffizient 349
Ausführungsbestimmungen (Überwachungsvertrag) 165
Ausgleichsring 651
Auskleidung 534
Austauschbarkeit 329
Automatikarmatur 573
Automatisierbarkeit 566
Axialkraft 652

Stichwortverzeichnis

B

Badewasser 605
Balkonentwässerung 326
Bau (Abwasserkanäle
  und -leitungen) 433
Bauaufsichtliche Zulassung 369
Baukastenprinzip 424
Bauproduktenrichtlinie 76
Bauüberwachung 373
Bauwerk 444
Befördern 342
Belüftungsleitung 613
Belüftungsmöglichkeit 188
Bemessung 374
Bemessungsgrundlage 379
Beregnungsrohr 590
Bergsenkungsgebiet 238
Berstlining 671
Berstlining-Verfahren 668
Beständigkeitsliste 728
Besteigbares Schachtbauwerk 428
Betonauflager 438
Betonummantelung 438
Betonwiderlager 222
Betrieb 444
Betriebsdruck 307, 310, 545
Betriebstemperatur 22, 580
Bettungsmaterial 232
Bettungsreaktionsdruck 384
Bettungssteifigkeit 462
Bettungszone 436, 437
Beulung 385
Biegeradius 238, 492, 517
Biegeschenkel 249, 332, 579
Biegespannung 228
Biegesteif 456
Biegesteifes Rohr 250, 383
Biegeweich 456
Biegeweiches Rohr 384
Bindiger Boden 436
Bodenaustausch 232
Bodenkappe 601
Bodenmaterial 231
Bodenmechanik 383
Bodenrakete 500

Bodensetzung 426, 458, 461
Bodenspannung 379
Bodenverdichtung 461
Bodenverdrängung 468
Bohranlage 468
Bohrausrüstung 469
Brandschutz 257, 327, 338, 558
Brandschutzmanschette 338, 341
Brandschutzmaßnahmen 346
Brandverhalten 58, 558
Brechsand 232
Brunnenfilter 592
Brunnenkopf 601
Brunnenrohr 592
Brunnenschacht 601
Brunnentechnik 592
Bundbuchse 137

C

Chemikalienbeständigkeit 339
Chemikalienleitung 613
Chemische Beständigkeit 15, 328, 549
Chemische Eigenschaften 556
Chemische Widerstandsfähigkeit 370,
  447, 725
Chemischer Resistenzfaktor 449
Clamp-Verbindung 144
Close-fit-Lining 668, 669, 670, 671
Close-fit-Verfahren 668
Coextrusion 90
Continuous-Lining 668, 671
Cracking 654
Cured-in-place-Lining 669, 672
Cured-in-place-Verfahren 668

D

Dachentwässerung 333, 347
Dachrinne 347, 349
Dachrinnenstück 350
Dämmschicht 255
Dämmschichtabdeckung 509
Dämmung 520
Dämpfungseigenschaft 194
Dammschüttung 382
Darmstädter Verfahren 452

Dauerbelastung 326
Deckendurchführung 338
Dehnungsbogen 581
Dehnungskompensator 344
Deponie 595
Deponiebau 419, 629
Deponieentgasung 634
Deponieentwässerung 632
Deponiegas 595
Deponierung 62
Deponieschacht 431
Desinfektion 235
Desinfektionsleitung 613, 622
Desinfektionslösung 556
Destillation 603
Dichtelement 106
Dichtheit 56
Dichtheitsprüfung 446, 494
Dichtringsicke 201
Dichtung 49
Dichtung (Armaturen) 578
Dichtung (Elastomere) 106
Dichtungswerkstoff 49
Differenzdruck 537
Diffusionsklebung 112
Dimensionierung 18, 21, 380, 576
Dimensionierungsspannung 22, 210
Doppelschneckenextruder 89
Doppelwandiges Rohrsystem 474
Dränanlage 351
Dränfilter 616
Drängebiet 616
Dränmaterial 616
Dränmatte 358
Dränplatte 358
Dränschicht 355
Drostholm-Verfahren 98
Druckabfall (Gasleitungen) 708
Druckabfall (Wasserleitungen) 696
Druckbelastbarkeit 541, 548
Druckklasse 545
Druckluft 608
Drucklufterzeugung 607
Druckluftleitung 613
Druckluftnetz 607

Druckluftrohrleitung 607
Druckluftrohrleitungssystem 607, 609
Drucklufttechnik 607, 609
Drucklufttemperatur 609
Druckminderer 190
Druckprobe 253
Druckprüfung 119, 123, 321
Druckrohr 473
Druckschlag 547
Druckspitze 548
Druckstoß 192
Druckstoßfestigkeit 194
Druckstoßintensität 193
Druckstufe 310, 544
Druckverformungsrest 50
Druckverlust 248, 552, 553, 555
Druckverlustermittlung 696, 708
Druckverlustermittlung (Diagramme) 696
Druckwellengeschwindigkeit 193
Druckzone 189
Düker 587
Dükerleitung 587
Düsenwagensystem 591
Durchfeuchtung 351
Durchflußcharakteristik 576
Durchflußmedium 542
Durchflußwert 576
Durchlauf-Schachtbauwerk 475
Durchmesseränderung 367
Duroplast 8, 95

E

E-Modul 387
Eco-profiles 258
Eigenerwärmung 537
Einbetoniert 344
Einbettung 436
Einbettungsmaterial 459
Einfräsen 236
Einpflügen 236
Einputzen 344
Einschneckenextruder 89
Einschubmarkierung 276
Einschwimmverfahren 587

Stichwortverzeichnis

Einspülverfahren 589
Einstecktiefe 222
Eintrittsöffnung 616
Einwandiges Rohrsystem 471
Einzelraumregelung 511
Einziehen 319
Einziehverfahren 587
Eisfreihaltung 513
Elastizität 383
Elastizitätseigenschaft 544
Elastomer 8, 49
Elastomerdichtung 578
Elektrisch leitfähiger Werkstoff 639
Elektrische Ladung 557
Elektrolyse 603
Elektroschweißautomat 126
Elektrostatische Aufladung 557
Energiebedarf 260
Entgasung 630
Entlüftungsmöglichkeit 188
Entsorgung 59
Entwässerung 351
Epoxidharz 95, 216, 564
Erdlasten 456
Erdverlegtes Mehrfachrohr 489
Ermüdungsbruch 548
Erzeugnisgruppe 155
Estrich 506, 509
Ethylen-Chlortrifluorethylen (ECTFE) 47
Ethylen-Propylen-Dien-Kautschuk (EPDM) 51
Eutrophierung 259
Exfiltration 374
Extruder 89
Extrusion 87
Extrusionsverfahren 108

F

Falleitung 328
Farbanstrich 257
Farbe 313
Faulgasleitung 613
Feldberegnung 590
Fernsehkamera 373
Fernwärme-Transportleitung 526

Fernwärmeversorgung 526
Festpunktschelle 296
Festschelle 581, 583
Feuerungsanlage 328
Feuerwiderstandsdauer 346
Filtergraben 625
Filtermaterial 355, 619
Filterschicht 358, 625
Filterstoff 617
Fixpunktmontage 332
Flachdichtung 129
Flammschutzmittel 559
Flanschverbindung 128, 140
Flexibilität 228, 434, 455
Flexibler Kabelschutzrohrbogen 492
Flexibles Rohr 253
Fließgeschwindigkeit 191, 241
Fließsohle 632
Flockung 602
Flüssiggasleitung 325
Fluor-Kautschuk (FKM) 52
Fluorpolymerisate 47
Formmasse 86, 87
Formstücke 93, 408
Formstücke (Herstellung) 86
Freilagerung 558
Freispiegel-Abwasserkanal 455
Fremdüberwachung 166
Frischwasserleitung 613
Frostschutz 257
Frostschutzmittel 515
Fügen 123
Fügeweg 124
Füllstoff 86
Füllstoffanteil 216
Fußbodenheizung 503, 505
Fußbodenheizungsformplatte 509
Fußbodenkonstruktion 507

G

Gasbegleitstoff 309
Gasdom 635
Gaserfassung 635
Gasfeuerstätte 611
Gastransport 636

Gastransportleitung 306
Gasversorgung 304
Gasverteilung 304
Gasverteilungsleitung 306
Gasverteilungsnetz 306
Gebäudedränung 351
Gebrauchsdauer 245
Gebrauchseigenschaften 548
Gebrauchseigenschaften (umweltrelevant) 55
Gelzeit 96
Geradsitzventil 268
Gesamtbetriebskoeffizient 210
Gesamtförderung 182
Gesamtwirtschaftlichkeit 184
Geschichte 2
Getränkeindustrie 621
Gewindeverbindung 136, 139, 268, 276, 294, 297
Gewölbe-Effekt 385
Glasanteil 216
Glasfaser 96
Glasfasermatte 105
Glasfaserroving 105
Glasfaserverstärkte Kunststoffe (GFK) 49
Glasgewebe 149
Glasgewebebänder 149
Glasmatte 149
Gleitmittel 86
Gleitschelle 296, 582
Grabenbreite 233
Grabenfräse 237, 499
Grabenlose Verlegung 467
Grabenverfüllung 232
Granulat 89
Grenzfließgeschwindigkeit 188
Grenzverformung 385
Grundleitung 328, 372
Grundleitungsrohr 373
Grundleitungsrohrformstück 373
Grundstücksentwässerung 363, 372
Grundstücksgrenze 372, 481
Grundstückssammelleitung 477
Grundwasser 372, 379, 612

Grundwassermeßstelle 595
Grundwasserspiegel 445
Güteanforderung 311, 314
Güteausschuß 153
Gütegruppe 154
Gütesicherung 152, 483
Gütesicherungsverfahren 161
Gütezeichen 152, 327
Gütezeicheninhaber (Liste) 163
Gummimanschette 426
Gummi-Spritzguß 107
Gußabdeckung 426

H

Häusliches Abwasser 327
Halbleiterbereich 557
Halbrohr 497
Halbrohrmuffe 497
Haltevorrichtung 126, 227
Haltungslänge 378
Handfertigung 105
Handfertigungsteil 420
Handlaminat 105
Handschweiß-Spiegel 118
Harmonisierung 72, 178
Haubenkanal 526
Hauptleitung 187
Hauptprüfung 233
Hauptverfüllung 435
Hausabflußrohr 325
Hausabflußrohrsystem 326, 327, 336
Hausanschluß 308
Hausanschlußleitung 188, 239, 320
Hausmülldeponie 630
Hausübergabeschacht 422
Hebekappe 601
Heißluftvulkanisation 108
Heißwasserbeständig 336
Heißwasserspeicher 257
Heizband 149
Heizbuchse 118
Heizelement 272
Heizelementmuffenschweißen 117, 272, 280

Stichwortverzeichnis 779

Heizelementstumpfschweißen 120, 208, 213, 227
Heizfläche 122
Heizkörperanbindeleitung 503
Heizkörperanbindung 515
Heizstutzen 118
Heizungstechnik 503
Heizwassertemperatur 505
Heizwendelschweißen 125, 209, 213, 227, 284
Heizwendelschweißformstück 315
Hochdruck 307
Höchstüberdeckung 382
Horizontalspülbohrverfahren 501
Hydraulische Bemessung 190, 378
Hydraulische Bemessung (Abwasserleitungen) 722
Hydraulische Eigenschaften 552
Hydraulisches Leistungsvermögen 376
Hygiene 247, 619

I

Immersionsversuch 449
Independent liner 670
Individual-Konzept 722
Industriefußbodenheizung 512
Industrieleitung 533
Infrarot-Schweißen 123
Infrarot-Schweißmaschine 124
Infrarot-Strahler 124
Inkrustation 339
Innendruckprüfung 233
Inspektions-Formstück 378
Inspektionsöffnung 481
Instabilität 367
Interactive liner 670
Ionenaustauscher 603

K

Kabelkanal 484
Kabelpflug 499
Kabelschacht 490
Kabelschutz 484
Kabelschutzrohr 484
Kabelschutzrohrbogen 492
Kabelschutzrohr-System 484
Kämpferhöhe 438
Kalksteinwäsche 657
Kaltwasserleitung 298
Kanäle 456
Kanalbetrieb 445
Kanalinspektion 446
Kanalreinigung 447
Kanalrohr 373
Kastendachrinne 350
Kautschukmischung 108
Kellerleitung 303
Kellersohle 479
Kennzeichnung 176, 312
Kernwickelverfahren 98
Kettenmolekül 9
Kiesbelagfilter 595
Kiesmantelfilter 596
Kläranlagenanschluß 364
Klärwerkstechnik 612
Klassifizierung (Chemische Widerstandsfähigkeit) 726
Klebauftrag 224
Kleben 297
Klebmuffe 133
Klebstoff 112, 114, 290
Klebverbindung 110, 202, 222, 290
Kleinkläranlage 622
Klemmverbinder 141, 227, 263, 280, 302, 516
Klemmverschraubung 293
Körperschall 339
Kohäsion 112
Kolbenspritzgießen 107
Kommunale Entwässerung 369
Kompensator 658
Kondensatbildung 644
Konfektionierung 94
Konische Muffe 288
Kontaktkorrosion 300
Kontraktion 233
Kontrolle (werkseigene) 165
Kontrollkarte 171
Kontrollschacht 352, 372, 422, 473
Konvektionskühldecke 642

Kopfgrube 653
Kopfloch 655
Korngröße 435
Korngrößenzusammensetzung 231
Korrosion 8, 55, 456, 533
Korrosionsschutz 183
Kosteneinsparung 475
Kosten/Nutzen-Verhältnis 370
Kraft-Wärme-Kopplung 526
Kratzbeständigkeit 214, 324
Kreisringstatik 381
Kreuzung 318
Kriechdehnung 286
Kriechen 383
Kriechfestigkeit 142
Kriechversuch 383
KTW-Empfehlung 247
Kühldecke 640
Kühldeckensystem 641
Kugelhahn 570
Kugelhahn elektrisch pneumatisch 539
Kunststoffabgassystem 609
Kunststoffanteil
  (Trinkwasserversorgung) 185
Kunststoffarmatur 566
Kunststoff-Kanalrohrsystem 390
Kunststoffmantelrohr 527
Kunststoffmedienrohr 532
Kunststoff-Metall-Verbundrohr 48, 298
Kunststoffrohr-Systeme 180
Kunststoffrohr-Werkstoffe 181
Kunststoffschacht 374, 419
Kunststoffschieber 613
Kupplung 130
Kupplungsrohr 100

L

Ländliche Gebiete 476
Längenänderung 249, 337, 579
Längenänderungskoeffizient 580
Längenausdehnung 343
Längskraftschlüssige lösbare
  Verbindungen 127
Längskraftschlüssige
  Übergangsverbindungen 136
Längskraftschlüssige unlösbare
  Verbindungen 110
Lagerbefristung 220
Lagern 342
Lagerung 248, 317
Lagerungsbedingung 382
Lagesicherungsmaßnahme 222
Lageversatz 459
Laminare Strömung 696
Laminat 148
Laminatverbindung 226
Laminatverbindung (GFK) 147
Landesbauordnung 446
Landwirtschaftliche Dränung 615
Langlebigkeit 370
Langmuffe 332
Langzeitfestigkeit 245
Lastkonzentration 458, 463
Lastminderung 478
Lastübernahme 462
Lastübertragung 457
Lastumlagerung 463
LAWA-Empfehlungen 370
Lebensdauer 387
Lebensmittelindustrie 619
Lebensmittelleitung 621
Leckage 534
Leerrohrtrasse 484
Legionellen 286
Leitungsbeschädigung 322
Leitungsführung 249
Leitungszone 435, 438
Lichtundurchlässigkeit 257
Lippendichtring 134
Lösbare Verbindung 294
Lösemittel 114
Lösungsmittelklebstoff 290
Losschelle 582
Lower Confidence Limit (LCL) 21
Lüftungsleitung 328, 636
Luftdruckprüfung 441
Luftqualität 607
Luftschall 339

Stichwortverzeichnis

M

Magnetkarten-Leser 126
Magnetventil elektrisch 539
MAK-Wert 636
Makromolekül 8
Mechanische Reserven 463
Medienrohr 475
Mediumrohr 475
Mehrfachrohr 487
Mehrfachrohrsystem für Kabelschutz 488
Mehrlagige Verlegung 494
Mehrschichtrohr (PE-HD) 214
Mehrschichtsystem 391
Mehrzweckrohr 629
Meliorationsmethode 615
Membranfilter 621
Membranventil 570
Membranventil pneumatisch 539
Merkblätter 674
Metallarmierungsring 140
Metall-/Kunststoffklemmverbinder 142
Metallverstärkung 299
Mikrobiologisches Verhalten 58
Mindestanforderung 244
Mindestauflagewinkel 459
Mindestfestigkeit 21, 210
Mindestgebrauchsdauer 244
Mindestkenndaten 335
Mindestnutzungsdauer 196
Mindestrohrnennweite 476
Mindestüberdeckung 382, 468
Mindestversorgungsdruck 192
Mindestzeitstandfestigkeit 310
Mineralwasserleitung 620
Minimum Required Strength (MRS) 21, 210, 310
Mischgut 87
Mischsystem 367
Mischungsherstellung 106
Mitteldruck 306, 307
Molchbarkeit 534
Müllverbrennungsanlage 62
Müllwichte 629
Muffe 90

Muffe - konisch 114
Muffe - zylindrisch 114
Muffenklebung 114
Muffenschweißen 117
Mulden-Rigolen-System 378

N

Nachchlorierung 286
Nachdesinfektion 606
Nachfolgeeinrichtung 89
Nachreinigungsstufe 623
Nachweis - statischer 195
Nährstoffeintrag 261
Nagelprobe 113
Naßbohrverfahren 468
Naßsystem 507
Naturkautschuk (NR) 51
Nenndruck 546
Nennringsteifigkeit 391
Nennweite 307
Netzerweiterung 377
Neutralisation 602
Neuverlegung (Verteilernetz) 185
Nicht längskraftschlüssige Übergangsverbindungen 145
Nicht längskraftschlüssige Verbindungen 133
Nichtbesteigbarer Schacht 422, 427
Nichtbindiger Boden 436
Nichtlösbare Verbindung 294
Niederdruck 307
Niederschlagswasserversickerung 378
Niveauausgleich 479
NO-DIG-Verfahren 467
Noppenplatte 509
Normen 674
Normalabfluß 722
Normal entflammbar 558
Normenausschuß Kunststoffe (FNK) 69
Normenkonformität 75
Normung 68
Normung (Umweltschutzinteressen) 54
Normung - Europäisch 70
Normung - International 79
Normung - Kunststoffrohre 70

Normung - National 69
Nur-Luftkühlung (Kühldecke) 644
Nutzungsdauer 22

O

O-Ring 128
Oberbodenbelag 510
Oberflächengewässer 612
Oberflächenqualität 622
Objektbedingung 380
Objektfragebogen 383
Öffentliche Kanäle 363
Öffentliches Auftragswesen (EG) 78
Ökobilanz 53, 259
Ökologische Gesichtspunkte 257
Ortssatzung 446
Ortungseinrichtung 467
Ovalität 461
Oxidation 448
Ozon-Entkeimung 603

P

Palettierung 90
Paneelen-Kühldecke 643
Pauschalkonzept 722
Peilrohr 595
Pendelschelle 296, 582
Perfluoro-Alkoxyalkan (PFA) 47
Pflugschwert 238
Pharmabereich 557
Photooxidantien 259
Physikalische Eigenschaften 15, 556
Pigment 86
Planung 374
Planungselement 374
Polyaddition 13
Polybuten (PB) 47
Polyesterharz 95, 216, 564
Polyethylen (PE) 42
Polyethylen hoher Dichte (PE-HD) 44
Polyethylen mittlerer Dichte (PE-MD) 44
Polyethylen niederer Dichte (PE-LD) 44
Polyethylen vernetzt (PE-X) 46
Polykondensation 13
Polymerisation 10

Polypropylen (PP) 46
Polytetrafluorethylen (PTFE) 47
Polyvinylchlorid chloriert (PVC-C) 42
Polyvinylchlorid weichmacherfrei
   (PVC-U) 41
Polyvinylesterharz 564
Polyvinylidenfluorid (PVDF) 47
Präqualifikationsverfahren 312
Preßbohrverfahren 502
Preßmasse 95
Preßverbinder 127, 263, 303, 516
Privatgrundstück 373
Produkthaftungsgesetz 63
Profilierte Systeme 391
Protokolliergerät 122
Protokollierung (automatische) 126
Prozeßleitung 327, 534
Prüfinstitut 152
Prüfschacht 473
Prüfverfahren 168
Prüfzeichenpflicht 328
Pumpensteigleitung 601
Pumpensteigrohr 601

Q

Qualitätssicherung 78, 108, 152
Qualitätsstandard 153
Quarzsand 96
Quellprozeß 112
Quellung 448

R

Radialverpressung 517
RAL-Gütezeichen 152
Randdämmstreifen 507
Randfaserdehnung 238
Rasenheizung 513
Rauchgasreinigungsanlage 657
Rauheitsbeiwert 722
Rauheitswert 378
Rauhigkeitswert 552
Raumklima 505, 641
Raumkühlung 641
Rechenwerte 386
Rechtliche Bestimmungen 62

Stichwortverzeichnis

Recyclat 340
Recyclingfähigkeit 371
Regelstatik 498
Regenerat 311
Regenfalleitung 326
Regenfallrohr 347, 349
Regenfallrohrstück 350

Regionale Entwässerung 369
Registrierverfahren 168
Reinheitsgrad 558
Reiniger 114
Reinigungsfähigkeit 481
Reinigungsleitung 622
Reinigungsmittel 226
Reinigungsöffnung 475
Reinigungsschacht 372
Reinigungsverfahren 447
Relaxationsversuch 384
Relining 654

Reparatur (Kabelschutzrohr) 497
Reparaturarbeiten 322
Resistenzfaktor 449
Ressourcen 56
Restdehnung 529
Restfestigkeit 672
Revisionsöffnung 475
Richtlinien 674
Richtlinien (GKR) 167
Riegel 231
Ringbund 208, 487
Ringbundware 279
Ringverbindung 188
Risse 456
Rohr im Rohr 517
Rohrabmessung 248
Rohrabschottung 338
Rohrbündel 132
Rohr-Cracking 654
Rohrdränung 616
Rohrdurchführung 345
Rohre (Herstellung) 86
Rohrführungsbogen 523
Rohrgraben 230, 318, 434, 491
Rohrgrabenverbau 379
Rohrkennzeichnung 213

Rohrkupplung 516
Rohrpaket 498
Rohrpflug 499
Rohrregister 643
Rohrreibungszahl 696, 697
Rohrschelle 581
Rohrschellenabstand 581
Rohrschneider 119
Rohrsegment 105
Rohrsteifigkeit 384
Rohrstoß 378
Rohrströmung 696
Rohrtrasse 487
Rohrumlenkvorrichtung 518
Rohrverbund 488
Rohrwandaufbau (GFK) 102
Rohrwanddicke 246
Rohrwandrauhigkeit 698
Rohrwandtemperatur 548, 579
Rohstoffe 10
Rohstoffverbrauch 56
Rotationsgießverfahren 426
Rückstauverschluß 432

S

Sammelleitung 328
Sandwichaufbau 216
Sanierungsbedarf 659
Sanierungsmaßnahme 319
Sanierungsverfahren 658
Sauerstoffdichte Rohre 504
Sauerstoffdiffusion 503, 532
Schacht 419, 444
Schachtabstand 482
Schachtbauteil 419
Schachtbauwerk 378
Schachtboden 426
Schachtfutter 444
Schadensanalyse 366
Schadensbild 366
Schadenshäufigkeit 366
Schadensstatistik 460
Schädigungen (Ursachen) 456
Schälwerkzeug 119
Schallschutz 256, 327, 330, 339

Schallschutzmantel 340
Schallschutzmaßnahme 344
Schellenabstand 296
Schiebehülsenverbinder 263
Schiffbau 585
Schlammleitung 613
Schleuderform 103
Schleuderverfahren 100
Schlitz 596
Schmelzindexbereich 121
Schneckenkolben-Spritzgießen 107
Schneckenvorplastifizierung 107
Schneefreihaltung 513
Schnellkupplung 590, 591
Schnittkraftermittlung 380
Schnittreaktion 380
Schrägsitzventil 268
Schrägsitzventil pneumatisch 539
Schrumpfmuffe 133
Schubsicherungsklemme 222
Schutzmaßnahmen (Kleben) 116
Schutzrohrbogen 519
Schutzrohrsysteme 485
Schutzzone 470, 471
Schweißablauf 118
Schweißaufsicht 218
Schweißdruck 117
Schweißmaschine 118
Schweißnahtkontrolle 123
Schweißtemperatur 118
Schweißverbindung 116, 226, 271
Schweißvorrichtung 272
Schweißwerkzeug 272
Schwellbelastung 386
Schwerentflammbar 346, 559
Schwerlastverkehr 391
Schwermetall 58
Schwimmbadtechnik 605
Seeleitung 587, 590
Selbstüberwachungsverordnung Kanal 445
Serienbezeichnung 546
Setzungsreaktion 460
Setzungsverformung 463
Setzungszeitraum 461

Sicherheitsabsperrventil 325
Sicherheitsbeiwert 473
Sicherheitsfaktor 22, 310, 544
Sicherungschelle 440
Sickerleitung 627
Sickerschicht 358
Sickerstrang 625
Sickerwasser 595, 630
Signaltechnik 488
Sockelleiste 521, 522
Sonderbauverfahren 319
Spaltüberbrückung 112
Spannungsabhängigkeit 379
Spannungsnachweis 634
Spannungsrelaxation 50, 465
Spannungsrißbildung 142
Spannungsumlagerung 384
Spannungs-/Dehnungsnachweis 380
Spannut 240
Sperrblase 322
Sportstätte 513
Spreizringflansch 129
Spritzgießen 93
Spritzgußteil 420
Spülbohrverfahren 236
Spüldüsentechnik 447
Spülen 255
Spülkopf 468
Spülschacht 352
Stabilisator 86
Stabilität 367
Stabilitätsfall 385
Stabilitätsverhalten 380
Standard Dimension Ratio (SDR) 547
Standfestigkeit 459
Standsicherheitsnachweis 473
Stapelung 220
Starrer Bogen 492
Starres Rohr 383
Statik 376
Statische Bemessung 195, 379
Statische Berechnung 498
Statischer Nachweis 195, 382
Steckmuffenverbindung 133, 221
Steckverbindung 200

Stichwortverzeichnis

Steigleitung 261, 296, 303
Steigrohr 423
Steilhang 438
Steriltechik 622
Steuerungseinrichtung 467
Stillstandszeit 534
Stockwerksausbau 268
Stockwerksleitung 304
Strahlungskühldecke 642
Streckenabsperrarmatur 188
Strichcode-Leser 126
Strippentgaser 603
Strömungsgeschwindigkeit 548
Strömungsverlauf 552
Stützhülse 119, 227
Stützkonus 227
Stumpfschweißen 120
Stumpfschweißmaschine 122
Styrol-Butadien-Kautschuk (SBR) 51
Substrat 112
Suspensionsleitung 657
Sustainable Development 53
Systemnoppenplatte 509
Systemsteckkraft 50
Systemsteifigkeit 384

T

Tangentialschacht 431
Tangitanlöser 113
Taupunkt 644
Tauwasserbildung 256
Teilfüllung 724
Teilkristallin 9
Teilsickerrohr 629
Telekommunikation 488
Teleskopabdeckung 425
Temperatur 386
Temperaturausgleich 232
Temperaturbelastbarkeit 541
Temperaturbeständigkeit 286
Temperaturmeßgerät 118
Temperaturprofil 387, 450
Temperaturregelung 511
Temperaturregler 118
Temperaturverhalten 329, 334

TEPPFA (The European Plastics Pipe and Fitting Association) 75
Tetrahydrofuran (THF) 113
Thermalwasser 606
Thermische Beanspruchung 376
Thermofühlstift 118
Thermoplast 8, 18
Totraum 621
Tragfähigkeitsänderung 231
Tragkonstruktion 437
Transport 248, 317
Transportbeeinträchtigung 220
Trapezgewinde 598
Treibhauseffekt 259
Trennsystem 367
Trinkwasserbrunnen 595
Trinkwasserhausinstallation 243
Trinkwasserqualität 195
Trinkwasserschutz 363
Trinkwasserschutzgebiet 470
Trinkwasserversorgung 182
Trinkwasserverteilungsanlage 183
Trittschallbrücke 509
Trittschalldämmung 508
Trockenbohrverfahren 468
Trockensystem 507
Trommelware 471
Tropfbewässerung 590

U

Übereinstimmungsnachweis 178
Übergangsverbindung 134, 204, 209
Übergangsverschraubung 138
Überlaminat 218
Überlastung 456
Überschüttung 633
Überwachungsstelle 154
Ultrafiltration 603
Ultrahochfrequenzvorwärmung-
  Heißluftvulkanisation 108
Umgebungsbedingung 380
Umkehrosmose 603
Umlaufmaterial 311
Umwelt (Kunststoffrohr) 53
Umweltdiskussion 53

Umweltstrafrecht 64
Umweltverwaltungsrecht 65
Umweltvorsorge 447
Unfallverhütungsvorschrift 317
Unterbögen 459
Unterdruckbelastung 200
Untergrundverrieselung 623
Unterstützungsabstand 581
UV-Entkeimung 603
UV-Strahlen 220

V

Vakuum 537
Vakuumentgaser 603
Vakuumsammelsystem 477
Verantwortung der Kommunen 65
Verarbeitungshilfsmittel 96
Verarbeitungstemperatur 87
Verbau 440
Verbindungen - Kunststoffrohre untereinander 110
Verbundkonstruktion 140
Verbundmantelrohrsysteme 530
Verdichtung 438
Verdingungsordnung für Bauleistungen 62
Verfahren Wuppertal 453
Verflüchtigung 112
Verformbarkeit 385
Verformung 219, 367, 379, 458, 461
Verformungsbeiwert 385
Verformungsmessung 462
Verformungsmodul 379
Verformungsobergrenze 463
Verformungsverhalten 380
Verformungswert 465
Verformungszunahme 463
Verfüllboden 382
Verfüllmaterial 459
Vergleichsspannung 19, 310, 546
Verkehrsfläche 378
Verkehrslast 382
Verkehrsleitsystem 488
Verklebung 116
Verlegeanleitung 218

Verlegequalität 465
Verlegetemperatur 580
Verlegung 342
Verlegung (Industrierohrleitungen) 578
Verleihungsprüfung 161
Vernetzung 448
Versauerung 261
Verschraubung 127, 136
Versickerung 477
Versickerungsleitung 622
Versorgungsdruck 190
Versorgungsleitung 188
Versorgungssicherheit 184
Versprödung 347
Verteilerstation 516
Vertrauensgrenze 21
Verwertung 59
Verwertung - Rohstofflich 60
Verwertung - Thermisch 60
Verwertung - Werkstofflich 60
Videoinspektion 423, 465
Vinylesterharz 95
Vollfüllung 722
Vollkunststoffrohr-System (Fernwärmetransport) 531
Vollsickerrohr 629
Vollwand-Rohrsysteme 391
Vorpressen 652
Vorpreßverfahren 646
Vorprüfung 233
Vortriebsmaschine 646
Vortriebsrohr 645
Vorverformung 379

W

Wärmeausdehnungskoeffizient 232
Wärmedämmaßnahme 508
Wärmedämmung 255, 256
Wärmeschallbrücke 509
Wäscher 658
Wanddicke 121
Wanddickenverhältnis 547
Wandrauheit 378
Wandreibung 722
Wartung 445

Stichwortverzeichnis

Wasseraufbereitung 601
Wasserbedarf 191
Wasserdichtheit 440
Wasserdichtigkeit 480
Wasserdruck 379
Wassereintrittsfläche 355
Wassereintrittsöffnung 355, 624
Wasserhaushaltsgesetz 62, 372, 470, 614
Wasserkreislauf 368
Wasserschutzgebiet 470
Wasserverbrauch 182
Wechselbelastung 326
Wechselwirkung Boden 456
Werkstoffe 8
Werkstoff-Kenndaten 381
Werkzeug 87
Wickelverfahren 97
Widerstandsbeiwert 552
Wirkungsbilanz 259
Witworth-Rohrgewinde 598
WNF-Schweißung 125
Wulst 123
Wurzeleinwuchs 480
Wurzelfestigkeit 376

Z

z-Maß 583
Zeitstandberechnungsformel 23
Zeitstanddiagramm 22
Zeitstandkurve 18, 21
Zeitstandverhalten 370, 386
Zentrierung 601
Zertifizierung 78
Zertifizierungsstelle 154
Zirkulationsleitung 304
Zubringerleitung 187
Zugsicherung 201
Zulässiger Betriebsdruck 544
Zulassungsbescheid 154
Zuluftsystem 611
Zuschlagstoff 58, 86
Zustand 456
Zweikomponentenreaktionsklebstoff 112
Zweirohrsystem 524
Zweischichtrohr 340
Zwischenschacht 482
Zylindrische Muffe 288

Bildnachweis

Teil / Kapitel Nr.	Bild Nr.	Nachweis
II/ 1.-3.	1, 2, 4 3 5-20	Hanser-Verlag Vulkan-Verlag DIN / CEN-Dokumente
5.	1 2 3 5 4, 6, 7	EVC International Vulkan-Verlag Wavin GmbH Arbeitsgem. PVC und Umwelt Kunststoffrohrverband e.V.
III	1, 2	Deutsches Institut für Normung e.V.
IV/ 1.	1 2, 8 3, 4 5, 6 7	MTI-Mischtechnik GmbH Wavin GmbH Reifenhäuser GmbH & Co. Vulkan- Verlag Thyssen Plastik Anger KG
2.	1 2 3, 4	Eternit AG Owens-Corning Eternit Rohre GmbH Hobas Rohre GmbH
3.	1-3	KLÖCKNER DESMA Elastomertechnik GmbH
V	1 2, 18 3-17, 19-29	Henkel Hillinger, H. Georg Fischer GmbH
VI	1-7	Gütegemeinschaft Kunststoffrohre e.V.
VII/ 1.1	1, 2, 6, 7, 9, 10, 12, 13, 15-18 3, 4 5 8 11	Wavin GmbH Deutscher Verein des Gas- und Wasserfaches e.V. Vulkan-Verlag Ringel Kunststoffrohrverband e.V.

Bildnachweis

Teil / Kapitel Nr.	Bild Nr.	Nachweis
VII/ 1.1	14	Eternit AG
	19-21	Deutsches Institut für Normung e.V.
1.2	1	Kunststoffrohrverband e.V.
	2, 3	Rhenag
VII/ 1.3	1-5, 11-22	Bänninger Kunststoff-Produkte GmbH
	6	Weinlein / Rösler
	7, 8, 41	Seppelfricke Systemtechnik
	9	Fränkische Rohrwerke
	10, 39	Hewing pro Aqua
	23-24	Deutsches Institut für Normung e.V.
	25-28	Georg Fischer GmbH
	29, 30, 32-37	Friatec AG
	31, 38	Thermconcept GmbH & Co.
	40	Polytherm / Seppelfricke Systemtechnik
	42	Polytherm
2.	1	BGW Statistik
	2-4, 6	Uponor Anger GmbH
	5, 7-9	Kunststoffrohrverband e.V.
3.1	1	Deutsches Institut für Normung e.V.
	2	Wavin GmbH
	3	Friatec AG
3.2	1-2	Halle plastic GmbH
3.3	1	Muth in DBZ 1/73
	2-5, 7	Deutsches Institut für Normung e.V.
	6, 8	Muth Bauwerksdränung
3.4	1, 3-5, 8-10, 45, 57, 58	Alphacan Omniplast GmbH
	2	Contect GmbH
	6, 7	Pipelife Rohrsysteme GmbH
	11-18, 44	Eternit AG
	19-42	Uponor Anger GmbH / Alphacan Omniplast GmbH / Eternit AG
	43	Kontakt und Studium, Bd. 23
	46, 49, 52, 59-64	Uponor Anger GmbH
	47, 50, 53-56, 65, 67	Wavin GmbH

Teil / Kapitel Nr.	Bild Nr.	Nachweis
VII/ 3.4	48 51 66	Alphacan Omniplast GmbH / Uponor Anger GmbH / Wavin GmbH Kunststoffwerk Höhn GmbH Uponor Anger GmbH / Wavin GmbH
4.	1, 10 2, 9, 17 3, 5, 7, 11, 15 4 6, 16 8, 12, 13, 14	Thyssen Polymer GmbH Böhm Kunststoffe GmbH Dipl.-Ing. Dr. E. Vogelsang GmbH & Co.KG Egeplast Werner Strumann GmbH & Co. Wavin GmbH Kunststoffrohrverband e.V.
5.	1-5, 8-17 6, 7	Thyssen Polymer GmbH D. F. Liedelt „VELTA" GmbH
5.6	1, 2 3 4	PAN ISOVIT GmbH Uponor Anger GmbH Flexalen GmbH
VII/ 6.	1-4, 6-8, 12, 18 5, 9-11, 13-17, 19-22	Hillinger, H. Georg Fischer GmbH
8.	1-3	expert-Verlag
9.	1	Beinlich GmbH
10.	1-4 5	STÜWA Konrad Stükerjürgen GmbH Preussag AG
11.	1-3	Georg Fischer GmbH
12.	1	Georg Fischer GmbH
14.	1	EWFE Heizsysteme GmbH
15	1, 2	Georg Fischer GmbH
17.	1, 2	Georg Fischer GmbH
18.	1-6	Pipelife Rohrsysteme GmbH

Bildnachweis

Teil / Kapitel Nr.	Bild Nr.	Nachweis
VII/ 19.	1	Müller, S. / Rehau AG & Co.
20.	1, 2, 3, 6 4, 5	Simona AG Deutsches Institut für Normung e.V.
21.	1, 2	Simona AG
22.	1, 2 3, 4	Thyssen Polymer GmbH Lindner AG
23.	1-3 4-7	Hobas Rohre GmbH Karl Schöngen KG
25.	1	ISO TC 138 WG 12
IX/ 1.1	1	Vulkan-Verlag
1.2	1-3	Vulkan-Verlag

Der Herausgeber dankt allen für das zur Verfügung gestellte Bildmaterial.
Soweit Bilder und Tabellen DIN-Normen entnommen sind, sind sie wiedergegeben mit Erlaubnis des DIN Deutsches Institut für Normung e.V.
Maßgebend für das Anwenden der Normen ist deren Fassung mit dem neuesten Ausgabedatum, die bei der Beuth Verlag GmbH, Burggrafenstraße 6, 10787 Berlin, erhältlich ist.

Inserentenverzeichnis

A

ALPHACAN Omniplast GmbH
Postfach 12 56
D-35627 Ehringshausen
Tel. (0 64 43) 90-0
Fax (0 64 43) 9 03 69 362

B

Bänninger Kunststoffprodukte GmbH
Bänninger Straße 1
D-35447 Reiskirchen
Tel. (0 64 08) 8 90
Fax (0 64 08) 67 56 267

D

DEKA Rohrsysteme
DEUTSCHE KAPILLAR-PLASTIK GMBH + CO KG
Kreuzstraße 22
D-35232 Dautphetal-Mornshausen
Tel. (0 64 68) 9 15-0
Fax (0 64 89) 91 52 21 + 91 52 22 543

E

egeplast Werner Strumann GmbH & Co.
Postfach 15 53
D-48273 Emsdetten
Nordwalder Straße 80
D-48282 Emsdetten
Tel. (0 25 72) 8 74-0
Fax (0 25 72) 8 74 48 .... A 13, nach S. 374

EVC (Deutschland) GmbH
Inhausersieler Straße 25
D-26388 Wilhelmshaven
Tel. (0 44 25) 98 01
Fax (0 44 25) 98 24 56 43

F

FIBERDUR GMBH
Industriepark Emil Mayrisch
D-52457 Aldenhoven
Tel. (0 24 64) 9 72-0
Fax (0 24 64) 97 21 17 565

Georg Fischer AG
Postfach 11 54
D-73093 Albershausen
Daimlerstraße 6
D-73095 Albershausen
Tel. (0 71 61) 3 02-0
Fax (0 71 61) 30 22 59 .... 535; A 1 + A 2, nach S. XII

FRANK GmbH
Starkenburgstraße 1
D-64546 Mörfelden-Walldorf
Tel. (0 61 05) 9 25-0
Fax (0 61 05) 9 25-49 .... A 3, nach S. XX

FRIATEC AG
Sanitär Division
Postfach 71 02 61
D-68222 Mannheim
Tel. (06 21) 4 86-1913
Fax (06 21) 4 86-0 .... A 5, nach S. XXIV

G

Geberit GmbH
Postfach 11 20
D-88617 Pfullendorf
Theuerbachstraße 1
D-88630 Pfullendorf
Tel. (0 75 52) 9 34-01
Fax (0 75 52) 9 34-300 331

H

H + H Kunststofftechnik GmbH
Burgschwalbacher Straße 4
D-65623 Hahnstätten/Zollhaus
Tel. (0 64 30) 91 22-0
Fax (0 64 30) 91 22 90 115

HEWING GMBH
Waldstraße 3
D-48607 Ochtrup
Tel. (0 25 53) 70 01
Fax (0 25 53) 70 17 215

HOBAS Rohre GmbH
Postfach 18 19
D-17008 Neubrandenburg
Gewerbepark 1 - Hellfeld
D-17034 Neubrandenburg
Tel. (03 95) 45 28-0
Fax (03 95) 45 28-100 .... A 16, nach S. 484

Hoechst AG
Brüningstraße 50
D-65929 Frankfurt
Tel. (0 69) 3 05 35 87
Fax (0 69) 30 58 95 90 .... Lesezeichen

Kunststoffwerk Höhn GmbH
D-56462 Höhn/Westerwald
Tel. (0 26 61) 2 98-0
Fax (0 26 61) 89 22 .... A 9, nach S. 226

M

Metron Technology (Deutschland) GmbH
Saturnstraße 48
D-85609 Aschheim
Tel. (0 89) 9 04 74-2 51
Fax (0 89) 9 04 74-3 61 559

O

Owens Corning Eternit Rohre GmbH
Am Fuchsloch 19
D-04720 Mochau, OT Großsteinbach
Tel. (0 34 31) 70 23 48, 7 18 20
Fax (0 34 31) 70 23 24 97

R

REHAU AG + Co
Postfach 30 29
D-91018 Erlangen
Ytterbium 596
D-91058 Erlangen
Tel. (0 91 31) 92 50
Fax (0 91 31) 77 14 30 61

S

Karl Schöngen KG
Kunststoff-Rohrsysteme
Alter Weg 12a
D-38229 Salzgitter (Engerode)
Tel. (0 53 41) 7 99-0
Fax (0 53 41) 7 99-99 305

SIMONA AG
Postfach 1 33
D-55602 Kirn
Teichweg 16
D-55606 Kirn
Tel. (0 67 52) 14-0
Fax (0 67 52) 14-211 .... 2. Umschlagseite

U

Uponor Anger GmbH
Brassertstraße 251
D-45768 Marl
Tel. (0 23 65) 6 96-0
Fax (0 23 65) 6 96-102 421

V

Vestolen GmbH
Pawiker Straße 30
D-45896 Gelsenkirchen
Fax (02 09) 9 33 92 08 45

Dipl.-Ing. Dr. E. Vogelsang GmbH & Co. KG
KUNSTSTOFF-UND KORROSIONSSCHUTZWERK
Postfach 21 62
D-45679 Herten
Industriestraße 2
D-45699 Herten
Tel. (0 23 66) 80 08-0
Fax (0 23 66) 80 08 88 .... A 7, nach S. 190; A 11, nach S. 310;
A 15, nach S. 484

Vulkan-Verlag GmbH
Postfach 10 39 62
D-45039 Essen
Hollestr. 1 g
D-45127 Essen
Tel. (02 01) 8 20 02-0
Fax (02 01) 8 20 02-40 .... A 4, A 6, A 8, A 10, A 12, A 14

W

WAVIN GmbH
Kunststoff-Rohrsysteme
Industriestraße 20
D-49767 Twist
Tel. (0 59 36) 12-0
Fax (0 59 36) 12-211 .... 184, 337, 659, 3. Umschlagseite

WIRSBO Rohrproduktion und Vertriebs-GmbH
Ernst-Leitz-Straße 18
D-63150 Heusenstamm
Tel. (0 61 04) 68 00-0
Fax (0 61 04) 64 91 .... A 13, nach S. 374

W K T Westfälische Kunststoff Technik
Hombergstraße 11–13
D-45549 Sprockhövel
Tel. (0 23 24) 97 94-0
Fax (0 23 24) 97 94-23 .... 205, 206